Steve Mallery

UNDER THE EDITORSHIP OF

William G. Moulton

PRINCETON UNIVERSITY

PART TWO
An Age of Crisis
1870–1950

GERMAN LITERATURE

SINCE GOETHE

Edited by

ERNST FEISE *and*

HARRY STEINHAUER

Houghton Mifflin Company

BOSTON The Riverside Press Cambridge

ACKNOWLEDGMENTS

Certain material reproduced in this anthology, namely 104 pages, was taken from works of ten German authors, originally published in Germany. The titles of these works are listed below and the material taken therefrom is identified following the citations thereto. Copyrights in each of these works were vested in the Attorney General of the United States, pursuant to law. Manufactured and sold under License JA-1747 of the Attorney General of the United States.

Hans Carossa, *Führung und Geleit. Ein Lebensgedenkbuch.* (Leipzig, Insel-Verlag, 1943): A passage consisting of 13 pages, entitled in this volume "Begegnung mit Rilke," and appearing on pages 331–337.

Stefan George, *Gesamt-Ausgabe der Werke. Endgültige Fassung.* (Berlin, Helmut Küpper Verlag, 1942: From *Die Bücher der Hirten und Preisgedichte* — *Der Ringer;* from *Hymnen Pilgerfahrten* — "Mühle lass die arme still," *Die Spange, Vogelschau;* from *Das Jahr der Seele* — "Komm in den totgesagten park," "Es lacht in dem steigenden jahr dir," "Ihr tratet zu dem Herde"; from *Das Neue Reich* — *Einem jungen führer im ersten weltkrieg, Das Wort,* "Du schlank und rein"; from *Der Stern des Bundes* — "Ich bin der eine," "Alles habend," "Weltabend lohte," "Wer je die flamme," "Neuen adel," "Auf neue tafeln," *Schlusschor;* from *Der Teppich des Lebens* — *Der Freund der Fluren, Der Jünger.* From *Der Siebente Ring.* (Sixth and Seventh Editions) (Berlin, Helmut Küpper Verlag, 1942): "Trube seele," "An baches ranft." All poems on pages 160–165 of this anthology.

Albrecht Haushofer. *Moabiter Sonette. Die Letzten Gedichte des Albrecht Haushofer.* (Berlin, Lothar Blanvalet, 1946): *Schuld, Der Rattenzug,* on pages 28 and 29 of this volume.

(CONTINUED ON PAGE V)

The vignette on the title page was suggested by a drawing which is the work of Ottomar Starke. It was originally sketched for a jacket design to Franz Kafka's famous story Die Verwandlung, which was first published in 1916 by Kurt Wolff Verlag, Leipzig, as Nos. 22–23 of the series Der jüngste Tag (Judgment Day). In a communication to "Die literarische Welt" (May 10, 1953) the illustrator explained that the drawing was intended to express the spirit of Kafka's tale, which is (in his opinion) horror and despair. It therefore seems a fitting symbol for the spirit of the past half-century.

The Riverside Press

CAMBRIDGE, MASSACHUSETTS

PRINTED IN THE U.S.A.

Ernst Jünger, *Das abenteuerliche Herz. Figuren u. Capriccios.* (Hamburg, Hanseatische Verlagsanstalt, 1942). (Fourth and Fifth Editions): *In den Kaufläden,* pages 363–367 of this volume.
Heinrich Lersch, *Das dichterische Werk. Mensch im Eisen. Mit brüderlicher Stimme.* (Stuttgart, Deutsche Verlagsanstalt, 1942): *Brüder,* on page 21 of this volume.
Rainer Maria Rilke, *Gesammelte Werke.* (Leipzig, Insel-Verlag, 1930): From *Sämtliche Werke. Erster Band. Gedichte 1906–1926* — "Alle welche dich suchen," "Wenn etwas mir vom Fenster fällt," "Denn, Herr die großen Städte," *Der Auszug des verlorenen Sohnes, Der Panther, Römische Fontäne, Das Karussell, Spanische Tänzerin, Archaïscher Torso Apollos, Eva, Sankt Georg, Die Flamingos,* "Nur wer die Leier schon hob," "O erst dann, wenn der Flug." From *Frühe Gedichte.* (Leipzig, Insel-Verlag, 1942): "Das ist die Sehnsucht," "Du darfst nicht warten." From *Späte Gedichte.* (Leipzig, Insel-Verlag, 1934): "Oh sage, Dichter, was du tust?" From *Das Stundenbuch, enthaltend die drei Bücher: Vom mönchischen Leben, Von der Pilgerschaft, Von der Armut und vom Tode.* (Leipzig, Insel-Verlag, 1941, Ausg. 1944): "Werkleute sind wir," "Was wirst du tun, Gott, wenn ich sterbe?" All poems on pages 224–230 of this volume.
Wilhelm Schäfer, *Die Anekdoten.* (Munich, Albert Langen Georg Müller, 1943 and 1944): *Der falsche Patient,* on pages 281–285 of this volume.
Albert Schweitzer, *Aus meinem Leben und Denken.* (Leipzig, Felix Meiner, 1941): The "Epilog," entitled *Ehrfurcht vor dem Leben,* appearing on pages 216–222 of this volume.
Ernst Wiechert, *Rede an die deutsche Jugend.* (Munich, Zinnen Verlag, Kurt Desch, 1945): *Der Pflüger,* appearing on page 29 of this volume.
Heinrich Wölfflin, *Kunstgeschichtliche Grundbegriffe. Das Problem der Stilentwicklung in der neueren Kunst. 8. Aufl. Mit 122. Abb.* (Munich, F. A. Bruckmann, 1943): *Einleitung 2: Die allgemeinen Darstellungsformen,* appearing on pages 136–139 of this volume.

Works not under the jurisdiction of the Attorney General are reprinted by permission of the copyright owners, and vested works are made available for distribution outside the United States through the courtesy of the German publishers named in the list below:

Hermann Bahr, *Expressionismus.* München 1919. Reprinted by permission of H. Bauer Verlag, Wien.
Max Barthel, *Botschaft und Befehl.* Berlin 1926. The version printed here was revised by the author and is published with his permission.
Gottfried Benn, *Statische Gedichte.* Zürich n. d. (1948). Reprinted by permission of Verlag der Arche, Zürich. *Gesammelte Gedichte,* 2. Auflage. Wiesbaden and Zürich 1957. Copyright 1956. Reprinted by permission of Limes Verlag, Wiesbaden.
Werner Bergengruen, *Dies Irae.* Zürich 1946. Reprinted by permission of Verlag der Arche, Zürich.
Bertolt Brecht, *Hundert Gedichte 1908–1950.* Berlin 1957. Reprinted by permission of Suhrkamp Verlag, Berlin and Frankfurt. Copyright 1955. *Stücke,* Band VII. Berlin 1941. Reprinted by permission of Suhrkamp Verlag, Berlin and Frankfurt.
Ernst Bertram, *Vom deutschen Schicksal.* Leipzig n.d. Reprinted by permission of Insel-Verlag, Wiesbaden.
Hans Carossa, *Führung und Geleit* in *Gesammelte Werke,* Band I. Leipzig 1949. Reprinted by permission of Insel-Verlag, Wiesbaden.
Georg Dehio, *Geschichte der deutschen Kunst,* Band I, 4. durchgearbeitete Auflage. Berlin 1930. Reprinted by permission of Walter de Gruyter & Co., Berlin.
Richard Dehmel, *Gesammelte Werke.* Berlin 1920. Reprinted by permission of Frau Vera Tügel-Dehmel, Hamburg.
Wilhelm Dilthey, *Gesammelte Schriften,* Band 8. Leipzig 1931. Reprinted by permission of B. G. Teubner Verlagsgesellschaft, Stuttgart.
Paul Ernst, *Der Weg zur Form,* München 1928. Reprinted by permission of Albert Langen Georg Müller Verlag, München.
Sigmund Freud, *Gesammelte Werke,* Band 12. London 1947. Reprinted by permission of Imago Publishing Co., Ltd., London.
Stefan George, *Gesamt-Ausgabe der Werke.* Berlin 1927 ff. Reprinted by permission of Verlag Helmut Küpper, Vormals Georg Bondi, Düsseldorf and München.
Albrecht Haushofer, *Moabiter Sonette.* Berlin 1946. Reprinted by permission of Lothar Blanvalet Verlag, Berlin.
Max Herrmann-Neiße, *Um uns die Fremde.* Zürich 1936. Reprinted by permission of Verlag Oprecht, Zürich.
Hermann Hesse, *Diesseits.* Zürich n.d. (1907). Reprinted by permission of Suhrkamp Verlag, Berlin and Frankfurt. *Vom Baum des Lebens,* Wiesbaden n.d. Reprinted by permission of Suhrkamp Verlag, Berlin and Frankfurt.

Georg Heym, *Gesammelte Gedichte*. Zürich 1947. Reprinted by permission of Verlag Heinrich Ellermann, Hamburg.

Hugo von Hofmannsthal, *Das Salzburger große Welttheater*. Leipzig 1922. Reprinted by permission of Insel-Verlag, Wiesbaden.
                        Die Gedichte und kleinen Dramen. Frankfurt 1952. Reprinted by permission of Insel-Verlag, Wiesbaden.

Ricarda Huch, *Das Judengrab. Aus Bimbos Seelenwanderungen*. Leipzig n.d. (1916). Reprinted by permission of Insel-Verlag, Wiesbaden.

Ernst Jünger, *Das abenteuerliche Herz*. 2. Fassung, Hamburg 1938. Reprinted by permission of Vittorio Klostermann Verlag, Frankfurt.

Franz Kafka, *Gesammelte Schriften*. 2. Ausgabe, Band 1, Band 5. New York 1946. Reprinted by permission of Schocken Books, New York.

Erich Kästner, *Gesang zwischen den Stühlen*. Stuttgart and Berlin 1932. Reprinted by permission of Atrium Verlag, Zürich.

Gertrud von Le Fort, *Gedichte*. Wiesbaden n.d. Reprinted by permission of Insel-Verlag, Wiesbaden.

Heinrich Lersch, *Mit brüderlicher Stimme*. Stuttgart and Berlin 1934. Reprinted by permission of Deutsche Verlags-Anstalt, Stuttgart.

Thomas Mann, *Novellen*, 1. Band. Berlin 1925. Reprinted by permission of Frau Katharina Mann, Kilchberg am Zürichsee, Switzerland.

Agnes Miegel, *Gesammelte Werke*, Band 2. Düsseldorf 1953. Reprinted by permission of Eugen Diederichs Verlag, Düsseldorf and Köln.

Rainer Maria Rilke, *Sämtliche Werke*, 1. Band. Wiesbaden 1955. Reprinted by permission of Insel-Verlag, Wiesbaden.
                        Gedichte 1906 bis 1926. Wiesbaden 1953. Reprinted by permission of Insel-Verlag, Wiesbaden.

Wilhelm Schäfer, *Die Anekdoten*. Stuttgart 1942. Ausgabe letzter Hand. Reprinted by permission of J. G. Cotta'sche Buchhandlung Nachfolger GmbH, Stuttgart.

Arthur Schnitzler, *Gesammelte Werke*. Die Theaterstücke, Band 2. Berlin n.d. Reprinted by permission of Prof. Henry Schnitzler.

Albert Schweitzer, *Aus meinem Leben und Denken*. Hamburg 1932. Reprinted by permission of Felix Meiner Verlagsbuchhandlung, Hamburg.

Oswald Spengler, *Jahre der Entscheidung*. München 1933. Reprinted by permission of C. H. Beck'sche Verlagsbuchhandlung, München and Berlin.

Georg Trakl, *Die Dichtungen*, 9. Auflage. Salzburg n.d. Copyright 1938. Reprinted by permission of Otto Müller Verlag, Salzburg.

Max Weber, *Gesammelte Aufsätze zur Wissenschaftslehre*. 2. durchgesehene und ergänzte Auflage. Tübingen 1951. Reprinted by permission of Duncker und Humblot Verlagsbuchhandlung, Berlin.

Josef Weinheber, *Sämtliche Werke*, Band 1. Salzburg 1953. Reprinted by permission of Otto Müller Verlag, Salzburg.
                        Band 2. Salzburg 1954. Reprinted by permission of Hoffmann und Campe Verlag, Hamburg.

Franz Werfel, *Gedichte aus den Jahren 1908–1945*. Los Angeles 1946. Reprinted by permission of S. Fischer Verlag, Frankfurt.

Ernst Wiechert, *Rede an die deutsche Jugend 1945*. München 1945. Reprinted by permission of Verlag Kurt Desch, München.

Josef Winckler, *Eiserne Welt*. Jena 1930. Reprinted by permission of Eugen Diederichs Verlag, Düsseldorf and Köln.

Heinrich Wölfflin, *Kunstgeschichtliche Grundbegriffe*. 9. Auflage, München 1948. Reprinted by permission of Verlag F. Bruckmann KG, München.

Paul Zech, *Neue Welt*. Buenos Aires 1939.

PREFACE

THIS ANTHOLOGY offers the student an introduction to German literature since Goethe's death, that is from the end of romanticism to the present. The texts selected represent all the major genres and include as well illustrative material for the political, social and intellectual background of the period. Our aim has been to offer enough of each author so that the reader may acquire a feeling for the quality of his achievement. Accordingly we print whole dramas and *Novellen* and enough lyric poetry to give the student a picture of the poet's development and his place in the history of German literature.

Like every other work of its kind, this book is a compromise dictated by various limitations beyond the control of the editors. No one is more conscious than we (who have gone over the field with a fine-tooth comb and have consulted a large circle of able colleagues) of the painful omissions that stare at us between the lines of the table of contents. That names like Büchner, Raabe, Wedekind, Heinrich Mann, Heym, Zuckmayer are either missing entirely or are represented by some token offering, is a source of deep regret to us. On this score we are inclined to echo Lessing and say: there is no reproach that anyone can make that we have not already made to ourselves. We can only hope that our book will be welcomed in spite of its faults, if for no other reason than because there is no other like it.

The order in which the authors are presented likewise represents a compromise: between strict chronology and literary history. From time to time we have felt justified in abandoning rigid chronology to place a writer where his influence properly puts him. While our purely literary offerings were chosen both for their intrinsic excellence and because of their historical importance, the essays and poems illustrating the ideological background of the age sometimes perform the latter function only. This is our justification for including a few Nazi poems. The notes seek to give the student every legitimate assistance in his effort to arrive at an understanding of the text. A general vocabulary has been provided in a separate pamphlet, since we believe that the book will be useful in intermediate classes.

Pressure of space has compelled the editors to make arbitrary decisions as to what should or should not be included in the chronology of names and events printed at the end of the book. Bearing in mind that this is a literary anthology, we have confined ourselves to recording events in the humanities and social sciences, that is, the area known in Germany as the *Geisteswissenschaften*. Even within this sphere we have had to leave out the titles of famous paintings and musical compositions.

To protect the student against the intellectual myopia which results from seeing literature through nationalist spectacles, we have included a column of outstanding works from non-German literatures.

We wish to acknowledge our gratitude to Professor William G. Moulton of Cornell University for his many helpful suggestions. We owe a special debt of thanks to Mrs. Louise Kiefer for her help in preparing the manuscript.

ERNST FEISE

HARRY STEINHAUER

NOTE

Cross references in the text and footnotes refer to page, column (1 or 2) and line: p. 60/2/16.
Roman numerals refer to Part One (I) or Part Two (II).
In the chronological tables at the end of the book the two symbols used are: *born; †died.
A dash followed by a date indicates the year in which a work was completed: Bopp *Vergleichende Grammatik* (—1840).

Contents of
PART TWO

Contents

GERMAN LITERATURE

SINCE GOETHE

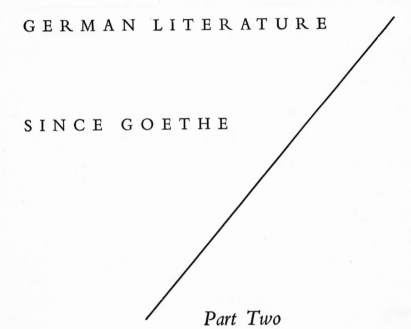

Part Two

PART TWO

AN AGE OF CRISIS

1870–1950

A S WE LOOK BACK on the events of the last three quarters of a century with its bloody wars and revolutions, its tremendous conflicts for the possession of men's minds, its great discoveries in science and technology, its atomic developments and growing automation, it seems clear that the world has been experiencing the birth pangs of a new social order. It is commonly recognized that we are utterly unprepared for the new life that is before us. Our statesmen should have been experimenting with new kinds of political institutions and exploring new ways of social behavior so that twentieth-century man might cope adequately with the future problems that will confront him. In a crude, timid way such experiments have been attempted: the International Court at The Hague, the League of Nations, the United Nations, the European Union emerging from the Schuman plan. But it is the tragedy of contemporary man that in this new era his leaders have continued to play the old political game of making alliances and regroupings, maneuvering for petty positions of power and advantage, whipping up national, ethnic, and class hatreds, when the task at hand was to harness the vast resources of this world for the benefit of all mankind.

If we read German history in our age from this global point of view, we shall find that what was happening in Germany was but a reflection of similar events elsewhere, shaped by similar forces, directed by men with similar motives and goals. This is not to deny that special traditions from the German past or that the "German character" gave events in Germany a degree of difference that amounted to a difference in kind. But, to take an extreme example, if it is true that the Nazi concentration camps represented a new chapter in the record of man's inhumanity to man, it is also a fact that the concentration camp was neither a Nazi invention nor an exclusively Nazi instrument for carrying out political policy.

Viewed from this angle, German developments between 1870 and 1950 may be described as: first, a series of unsuccessful, indeed catastrophic, attempts by Germany to force her way into the markets of the world against the will of her established competitors; second, a series of unsuccessful attempts by various minority groups within Germany to hold back the democratic tide which had been rising everywhere in Europe; third, the development of a rich intellectual life, as evidenced by the tremendous achievements of Germany in science and the arts, accompanied by a growth of barbarism which is partly a world phenomenon but which assumed especially alarming forms in German life.

Seen from the usual mole's perspective, however, the development of Germany in our period looks as follows. The Bismarckian Empire once established (1870–1871), a complex of economic problems arose almost immediately. Germany was at last experiencing the Industrial Revolution, and she was experiencing it very suddenly and too rapidly. She needed sources for her raw materials, and markets for her manufactures. The way the world was still run she could solve this problem only by force of arms; so Germany, a new Colossus among the Great Powers, became militarily strong. She had already shown in 1870 that she had the strongest army in Europe. She now began to challenge British sea power as well. The result was to bring about a regrouping of Powers: the Entente Cordiale, consisting of Great Britain, France, and Russia on the one hand, the Triple Alliance on the other (Germany, Austria, Italy). After a series of diplomatic crises between the two blocks, war broke out in 1914. It lasted four years, during which time Germany fought stubbornly against enormous odds, handicapped by a lack of raw materials and by her very allies. In the course of the war such vestiges of civilian and democratic government as had developed in Bismarck's authoritarian state vanished; the country was ruled by the armed forces, with General Ludendorff as virtual dictator. In the end Germany was thoroughly beaten, and surrendered to the allies in 1918. The military collapse was followed by a political revolution which ushered in the Weimar Republic (1919–1933).

Internally, too, Germany had a lively time during the fifty years of Bismarck's empire. To his diplomacy may be attributed two unfortunate features of public life which might have been avoided. As a result of the *Kulturkampf* the country, politically united, became more divided than ever on religious lines; and succeeding governments waged a bitter, though futile, war against the rising power of the working class. Even Bismarck's enlightened legislation in the field of industrial and health insurance, which became a model for other countries to follow, could not reconcile the working class to the government. The power of the Social Democrats rose steadily until, in 1912, they were the strongest political party in the country. The workers and their leaders supported the First World War wholeheartedly. It was only from 1916 on that a concerted agitation for peace was initiated by a left-wing minority of the Social Democratic party. When defeat came, the Imperial Government abdicated and the Social Democrats stepped into its place.

The Weimar Republic had a highly democratic form of government—on paper, and en-joyed the solid support of the German masses—for a while. There can be little doubt that the Republic would have endured if it had not been plagued by the same economic predicament that destroyed Bismarck's empire. Even so, it might have survived if there had been a strong government. But the harsh peace treaty with which the Republic was saddled at its birth and the wretched economic conditions during the first five postwar years bred the seeds of a fascist movement, which no one took seriously except those who were sympathetic to it. When the years following the inflation of 1923 brought temporary economic relief, the

National Socialist movement declined almost to the vanishing point. With the beginning of the great depression in 1929 it became a powerful force and a threat to the democratic Republic, as did the Communist Party, too. By 1933, owing to the weakness of the federal government and to a series of political intrigues among the various reactionary groups, and with the active help of the Communists, Hitler was powerful enough to force himself on President Hindenburg as the head of a coalition government.

Once in power, Hitler went through the classical maneuvers to rid himself of his unwanted colleagues in government, and indeed of all opposition. Within a year his terroristic methods had cowed all rivals and rebels, and the country was in the firm grip of the dictator and the Party. If the Nazis had now turned their attention to economic problems and attempted to solve them in a peaceful way, they might have realized some of their propaganda slogans about the new society. But it soon became evident that these irresponsible adventurers were bent on the conquest of the world and that they intended to bring about German prosperity by preparing for war. To this end they sought to make the country agriculturally self-sufficient. They destroyed organized labor by adopting Mussolini's corporate state. They seized and kept control of all sources of information. And they had, in the Jews, a permanent scapegoat upon which they could throw all blame for their failures. All this was evident to the Western chancelleries; yet no one did anything. Through a series of political coups and aggressive acts, Hitler paralyzed the Western world: he pulled Germany out of the League of Nations; he seized the Rhineland; he rearmed Germany; he annexed Austria; he annexed the Sudetenland and then all of Czechoslovakia. And after signing a treaty of friendship with Soviet Russia (against whom the Nazis had raved for years as the arch-enemy of mankind, and from whom they were to save the world), he attacked Poland and precipitated the Second World War. This most terrible of all wars lasted from the autumn of 1939 to the spring of 1945 and brought untold suffering and devastation to Europe.

As in the First World War Germany scored brilliant initial successes; but these turned into a stalemate, then into defeat, when Hitler undertook his fateful invasions of Russia and Africa. The German forces were beaten on every front and forced into total, unconditional surrender. The Nazi machine disintegrated. Hitler and some of his aides committed suicide; others were captured by the victorious Allies and tried at Nuremberg for crimes committed during the war and against civilians in Germany.

Germany emerged from the Second World War with her territory even smaller than after the defeat in 1918. Much of the country—the vital arteries of commerce and industry—lay in ruins. What was left of the Reich was divided into four zones, each occupied by an Allied Power. Berlin suffered the same fate; it too was divided into four sectors, each occupied by an Allied Power. All territories east of the Oder-Neisse line were cleared of their German populations, which trekked westward into the shrunken Reich. Presently the Russian Zone of Germany became a "people's republic," Russian style, while western Germany was organized into a democratic republic with Bonn as its capital.

In 1945 the situation in Germany looked hopeless. Ten years later the West German Republic had made a miraculous recovery. Realizing this time that Germany's industrial potential was vital to the recovery of Europe and fearful of the new, growing Communist threat, the Western powers helped Germany rebuild and reorganize herself. She was invited to join NATO; she was allowed to rearm in moderation; and she was admitted to the European economic union that grew out of the Schuman plan.

The Zeitgeist

The temper of Germany during the period from the foundation of Bismarck's empire to the present can only be described as a mood of perpetual crisis. Contemporary historians speak of the "halcyon days" before 1914. Compared with what came after, that was indeed a period of serenity; but as one looks back, it becomes clear that life even then was characterized by a constant nervousness, dissatisfaction, and irritability. As far as Germany is concerned, the printed record shows a high degree of unanimity among all factions of the thinking population that there was something vitally wrong. True, there were voices like that of the Emperor crowing that the nation was moving towards "glorious times," or like that of Gustav Roethe, who cooed that God was thinking of his beloved Germans when He allowed the spirit of Hellas to arise from its grave. But among the more thoughtful there was little complacency, much discontent with the spiritual state of the nation, and dire prophecies of catastrophe. Nietzsche, Lagarde, Langbehn, Vaihinger, George, Hofmannsthal, Rathenau, Binding, Moeller van den Bruck, Heinrich Mann, Wassermann, Hesse, Spengler, and many others saw the prevailing splendor and prosperity as shallow, deceptive, empty. Of course there had been occasional publicists throughout the nineteenth century who had viewed the present and the future with misgivings; but what we now hear—at least in Germany—is a chorus of lament warning the nation that its arrogance will lead to blindness and then to catastrophe.

The Germans had scarcely finished celebrating the triumph of 1870 when Nietzsche was already declaiming against philistine complacency and the spirit of decadence (*Unzeitgemäße Betrachtungen: David Strauß, der Bekenner und der Schriftsteller.* See pp. 37 ff.). As early as 1899 Hermann Conradi wrote: "The future will rain wars and revolutions on us. ... Property and civilization will be at stake." By 1910 the consciousness of impending doom was widespread among German intellectuals, some even welcoming a terrible holocaust as a dire necessity for the purification of the national soul. Some believed that the German national character had undergone a change for the worse, that the easy-going, dreamy German of history and legend had become a ruthless go-getter, a soulless industrialized robot. There was equal dissatisfaction with the course which European thought was taking. Kierkegaard and Dostoevski had been severe critics of Western rational humanism. Nietzsche (followed by others) took up the cry that the ideological basis of our civilization was leading to nihilism.

Again it is important to remember that this is a European phenomenon, not a specifically German one. Everywhere voices were raised—both from the right and from the left—to warn that our culture was decadent and that we had better mend our ways. The German Jeremiahs were merely sharing in the general Zeitgeist; but it does seem that Germany felt the tremors more sharply and earlier than the rest of the Western world. Kierkegaard, for example, was available in a German translation before 1910. Rilke, Hesse, Kafka, Max Brod knew him and used him very early. Existentialism, which we commonly associate with Sartre and the French resistance during World War II, was a respectable philosophy in Germany in the later twenties. Heidegger's *Sein und Zeit* appeared in 1927, Jaspers' *Die geistige Situation der Zeit* in 1931. Rilke's *Malte Laurids Brigge* (1910) and Kafka's writings are existentialist in spirit.

There was, then, an unhappy feeling that our civilization was skidding downhill or that it was at least going through a period of major adjustment in which the ruling middle class was being displaced by the new mass man, and the individual was being supplanted by the faceless, machine-tending robot.

The situation was bad; on this all were agreed. How to remedy it? Through a reorganization of society on socialist principles, said the Left. This is what the Weimar Republic was supposedly doing; but the results were not impressive. True, many ugly features of Wilhelminian life were condemned, eliminated, and replaced by more liberal, democratic mores. Large sections of the population accepted these new ways and made a sincere effort to be true to the official ideals of the Republic, but the older intellectuals and civil servants were never converted to democracy. Besides, Germany too had its lost generation; the young people of the twenties were the victims of that breakdown in moral standards which every postwar period brings with it, and they were susceptible to the cries of doom that the publicists were uttering in such shrill and steady chorus.

It is small wonder, then, that many listened to the prophets from the Right, especially to the raucous voice of fascism, which exploited all the discontents, anxieties, and insecurities of both masses and intellectuals. For the benefit of the latter it pointed the finger of accusation at the whole Western liberal tradition. Strangely enough the fascists received support from the most surprising quarters: from religious groups, from the champions of philosophical vitalism (Nietzsche, Bergson, some of the new psychologies), from old-fashioned reactionaries (Barrès, the *Action française*, Paul Ernst, Lagarde), and from the new existentialist mentality that was being shaped.

We are here face to face with a strange, though not unique, paradox. Science and technology were so revolutionizing everyday life that "happiness" seemed within the reach of everyone, yet there was bitter disillusionment with the whole ideal of eudaemonism that the Western world had embraced and nourished since the Renaissance. The development of Western thought from its very beginnings in Greek and Hebrew life had been in the direction of making man feel more at home in the world through the conquest of nature by science, by liberating him from the terrors of superstition, by enlightening him on the nature of the universe and of his own self. The *Aufklärung* had seen him as politically and intellectually emancipated from servitude and superstition, thinking rationally and *therefore* acting ethically, living in a world ruled by law in the spirit of progress and perfectibility. Even those Western humanists who emphasized the evil in modern life had taken a sociological view of evil; for them, evil lay in poverty, in ignorance, in political and social inequality. They never wavered in the conviction that democracy and education would save mankind and solve all our problems.

What a different intellectual climate confronts us as we enter the twentieth century! Nietzsche's joyful cry: "God is dead!" is still echoed by a later generation; but the joy has turned to fear. Kant had proudly defined enlightenment as a setting out for a life of intellectual maturity. Rilke (in *Der Auszug des verlorenen Sohnes*, printed on p. 226) pictures the dread of the prodigal son as he decides to give up the paternal protection he has enjoyed until now and sets out on a journey into nowhere. Even Freud the rationalist sees man as perpetually resentful of the enlightenment which science brings him, because he cannot face the truth about himself (see p. 62). Contemplating the ravages—both physical and spiritual—of the First World War, he concludes that there is in man, besides the will to live and create, a basic instinct to destroy (the death instinct). This is a secular restatement of the Biblical doctrine of original sin. Life is viewed as a cataclysm, man as an anxious, isolated, anonymous nonentity without an integrated personality, groping about in a meaningless universe, in which the basic reality is nothingness. The roots for this type of thinking go back to Schelling, Kierkegaard, Stirner, Nietzsche; yet the new vision seemed to come overnight. Like Gregor Samsa in Kafka's tale, proud man woke up one morning to find himself vermin.

It is against the background of this mental climate that we must seek to understand such cataclysmic phenomena as German fascism, communism, existentialist philosophy, the

religious revival, and the various artistic currents. The most disruptive of the anti-intellec-
tualist forces was international fascism, of which National Socialism was but a variation. The
intellectuals who prepared it were saturated with the hostility to the liberal spirit that had
developed in the eighteenth and nineteenth centuries. So too were the Communists. Where
the latter advocated the violent overthrow of bourgeois society and bourgeois (i.e., liberal)
values, with the ultimate goal of establishing economic and social democracy, the National
Socialists adopted Mussolini's corporate state on an authoritarian basis and embellished it
with an ideology that was an ill-assorted mixture of medievalism, primitive Teutonism,
German romanticism, vulgarized Nietzsche, and the racial "thought" of Houston Stewart
Chamberlain, Moeller van den Bruck, and Alfred Rosenberg.

National Socialism posed as a rebellion of the outraged against the license and corruption
of the democratic Weimar regime. In this way it attracted the support of many respectable
philistines and intellectuals. The masses flocked to it in the years of economic stress because
it promised a cure for unemployment and hunger and did in fact offer a sort of dole; the
voting statistics prove this economic factor to have been not merely important but *the* basic
factor in the rise of National Socialism. But insofar as National Socialism had an ideology,
its appeal to intellectuals lay in its contempt for the rational liberal philosophy of eudaemonism and its orientation towards the irrational that now held so much of Europe's in-
telligentsia in its grip.

It is important to remember too that the period between the two wars spawned many
weird doctrines and cults which healthier ages would have laughed out of existence. The
suffering and the chaos of the war and postwar years blunted native intelligence and rendered
people especially susceptible to the blandishments of intellectual charlatans. Spurious cults
that mushroomed everywhere in the twenties softened the half-educated for the reception of
nonsense that posed as science and wisdom. The spiritual energy which would normally have
been channeled into traditional Christianity was directed into these foul pools.

Needless to say, once the Nazis seized power, they revealed themselves as far more corrupt
and degenerate than any government before them had been. It was inevitable that the moral
tone of the country should sink as a result of years of rule by naked power, of political
triumphs achieved through the cynical breaking of treaties and international blackmail, of
brutal bludgeoning of all dissent from within. If we address ourselves specifically to the
question: what was the temper of Germany after the advent of the Third Reich? we must
give a highly qualified answer. Nothing succeeds like success; and so, while the National
Socialist regime produced diplomatic (and later military) successes, the German masses were
enthusiastic and preferred not to look too closely into the question as to how these successes
were obtained. This is true also of the early phase of World War II. The plunder which
German soldiers sent home from the invaded countries was eagerly accepted by relatives who
had for years given up their butter for guns. When the Third Reich collapsed, it was cynically
observed that there was not a single Nazi in Germany; everyone claimed to have been against
the regime. What is astonishing in this situation is that, in a country whose citizens have been
proverbially accused of lacking civilian courage, there were so many who remained fundamentally decent, who refused to be impressed by the successes of the Nazis and could not forget
their barbarous deeds. They risked their security, and even their lives, to help the victims of
the terror.

The story of the German resistance to Hitler is still being written. Already it shows that
Germans were far more rebellious than the populations of other totalitarian countries. Many
deeds of heroism were performed, revealing a state of mind that needs no elaboration. It is
heartening, moreover, that soon after the catastrophe of 1945 there was found in Germany

a readiness to confess guilt for the past and to call for atonement. It is difficult to assess how widespread and how deep or enduring this desire for Christian behavior is. The future alone will tell what Germany has learned from the hard school of experience she has gone through since 1870.

Thought

Although Germany in our day has produced no thinkers of the stature of the great system builders, Leibniz, Kant, Hegel, Schopenhauer, she still occupies a leading place in shaping the direction of contemporary thought. The fact is that the whole character of modern philosophy has changed; most of our speculation has come out of science—theoretical physics, mathematics, biology, and psychology—and in all these fields Germany has been preeminent, or at least was until 1933.

This is not the place to describe, even sketchily, the history of philosophy in contemporary Germany. It is enough to point out that every modern tendency in speculative thought had its distinguished advocates there. Even pragmatism, so alien to the land that produced Kant and Hegel, was represented by Hans Vaihinger's important work *Die Philosophie des Als Ob* (1912). And there is a strong strain of pragmatism in Heidegger's ethic of heroic nihilism. Up to 1900 positivism and materialism were the predominant fashion in thought (Ernst Mach, Hans Vaihinger, on a lower level: Ernst Haeckel). Both Mach and Vaihinger were very influential on twentieth-century thought (Vaihinger considerably later than Mach) and reflected the intellectual climate in which positivist thinking developed. Mach revived Hume's scepticism, directing his assault at the traditional concepts of the physical object and human personality. The "thing," he held, is nothing other than a connection of elements; and the complex of sensations clustering around a special body which we call an "I" has only a relative constancy. Vaihinger went further still and claimed that our most cherished "axioms" in logic, metaphysics, history and practical life were nothing more than a system of fictions or myths. These fictions are pragmatically useful, indeed necessary for the business of living and thinking; so we act *as if* they had objective reality. But they are mere fictions. The Wiener Kreis, founded in 1924 by Moritz Schlick, became a fountainhead of logical positivism, which one of its prophets, Rudolf Carnap, brought to America. But far more vital, in German-speaking lands, were the forms of idealism that came into vogue in the neo-Kantian movement, in Husserl's phenomenology, in the neo-vitalism of Driesch and in a revival of Hegelian thinking both as metaphysics and as political philosophy.

All these tendencies were influential outside the narrow sphere of academic speculation. Hugo von Hofmannsthal was nearly undone by Mach's scepticism, and many of his contemporaries were affected by it. Husserl's *Wesensschau* was of vital importance for the expressionist generation. But the most far reaching impact on intellectual life came from Nietzsche and existentialism.

Some account of Nietzsche's thought is given in the biographical note on him (p. 37). At this point it is possible to mention only very briefly the nature of his influence on contemporary thought and art. His most profound impact on the following generation was as "the philosopher with the hammer," ruthlessly smashing the cherished idols of the race, turning old values upside down, and preaching a new code of ethics. A powerful impulse to self-liberation and self-realization went out from his writings, and the young generation thrilled at that contact. Nietzsche's call to heroism, to self-discipline, to a fearless and joyful acceptance of reality—the Dionysian principle—appealed to the best among German youth. This most subtle of psychologists since Pascal did much to deepen our understanding of how the mind works, both in the individual and in groups. His attack on the puritanical fear of sex was perhaps the strongest single influence in the revival of neo-paganism in the twentieth century.

On the other side of the ledger must be counted Nietzsche's devastating assault on the liberal democratic tradition, his elevation of the will to power as the motive force in life, his glorification of the superman and of war. All these doctrines caused untold mischief to petty souls who did not understand the master's intent. Most important of all, he impressed upon the consciousness of Europe (in Germany much sooner than elsewhere) the sense of living in an era of decline, the sense of crisis, that Western civilization was facing a turning point which could lead to a new era in man's history or to barbarism and destruction.

The existentialists took up at this point. Heidegger and Jaspers did not arise out of a vacuum. As is so often the case in a new departure in thought, they were thoroughly grounded in the culture of their day and built upon it. These two thinkers (both still living) are not interested in the usual matters that hold the attention of professional philosophers—the problem of knowledge, psychology, natural philosophy, logic, least of all metaphysics. Traditional philosophy, in their view, has been concerned with thinking about thinking or, at best, with *thinking* about life. Existentialism focusses attention on the concrete experience of existing and asks: what is the nature of this existence? In other words, existentialism concerns itself with what has come to be called "philosophical anthropology," that is, a study of civilized (as opposed to primitive) man, his inner nature, his "soul," his destiny in the world. Kant had touched on this theme and had indicated its importance, but he had apparently never got round to dealing with it adequately. Other thinkers had done more: the later Schelling, Feuerbach, the early Marx, Stirner, Kierkegaard, Nietzsche, Dilthey, Simmel, Scheler. This is the tradition in thinking which the existentialists have developed into a philosophy.

Like Nietzsche the existentialists turn away from the optimistic faith of rational, democratic liberalism, based on education, science, and the manipulation of the environment for the improvement of man's material and spiritual lot. They see man standing forlorn in a cold, hostile universe, wracked by anxiety, his basic emotions those of dread before the unknown, of suffering and guilt, of despair in the face of death. Rationalism had seen good as a positive force and evil as a negation of good and had tended to "rationalize" evil as a necessary concomitant of good. For the existentialists evil is the positive element; our basic, immediate, primary experience is anxiety or care *(Sorge)* at the absurdity of the universe, indeed at existence itself; dread before the nothingness that is symbolized by death, disgust and nausea as primal motions, not "caused" by anything specific, but present in man (built in, as it were) as a sort of *a priori* to experience.

Such is the human situation. The mass of mankind is of course sublimely unaware of man's true condition and chases after empty goals, living an unauthentic existence. What then can we do about it? how can existence become authentic, meaningful? On this question Heidegger and Jaspers part company. For Heidegger the good life consists in accepting this bleak reality, adopting a silent resoluteness in the face of death. This is the only kind of freedom man can know. Heidegger does not advocate a withdrawal from life; his ideal is a heroic one—to face life, to live (he even speaks of living daringly: *verwegen*), but it is living in the face of a void, it is a heroic nihilism.

Not so Jaspers. By and large he agrees with Heidegger's analysis of life as dominated by care, guilt, death. But Jaspers breaks radically with Heidegger in assuming that among the motives which man has for philosophizing is the "love of hidden transcendence," that is, man has a craving for making the world better than it is. This opens the way for a Christian ethic. The good life for Jaspers comprises the virtues of communication, love, faith in a transcendent Being, imagination, irony (i.e., mental detachment), serenity. This is not an intellectualist view of life. Jaspers is as much an enemy of liberal rationalism with its humanistic emphasis on *Diesseitigkeit* and eudaemonia as Kierkegaard was. But unlike Kierkegaard or Heidegger he is not a philosopher of despair, but of faith and hope. He has paved the way for the religious revival in our day.

The Literature

One hears repeatedly that twentieth-century literature has produced no great names, even when compared with the despised nineteenth. How sound is such a judgment when it is applied to German literature, with names like that of Gerhart Hauptmann, Thomas Mann, Rilke, Kafka confronting us, and a host of slightly lesser luminaries to accompany these brilliant stars? Interest in German literature never quite died out abroad since the great classical age ended with the death of Goethe, though there had been a low ebb after Heine's immense popularity was over. From the beginnings of German naturalism on, the tide of interest rises again. Gerhart Hauptmann was an international figure even in the early years of the century. But it was during the Weimar Republic that German writers were welcomed abroad in translation, with Thomas Mann far in front, followed by Hofmannsthal, Schnitzler, Werfel, Wassermann, Ricarda Huch, Arnold and Stefan Zweig, and Alfred Neumann. During the Hitler years the exiles were still widely read abroad, though little from Germany itself penetrated to the outside world. The star of Hauptmann had waned in foreign lands, while Thomas Mann, Rilke, and Kafka grew into figures of international stature. Since 1945 there has been a renewal of interest in the younger generation of writers (Ernst Kreuder, Heinrich Böll, Wolfgang Borchert) and in some older writers who had suffered neglect (Reinhold Schneider, Werner Bergengruen, Elisabeth Langgässer, Gertrud von Le Fort, Hermann Broch, Robert Musil, Karl Kraus).

As always, Germany's greatest achievement in our period was in lyric poetry. There has been much grumbling in our own literary circles that no one any longer reads poetry. This obviously does not hold for Germany, to judge by the poets of stature who have flourished since 1870 and who are still being discovered. Between Liliencron and Paul Célan one can easily list a score of distinguished names.

The German novel had always been more speculative, more subjective, and more obviously didactic than its counterpart elsewhere. German writers of fiction have been interested in human beings as symbols of ideas rather than as beings in themselves. In depicting the clash between the individual and society, the German emphasis has tended to fall on the individual. The novel of the twentieth century continues this tradition, often sacrificing action and even psychology for problems of metaphysics or ontology. This is not to say that the people in German fiction are wooden, and that their creators do not know how to tell a story. On the contrary, the German *Novelle*, especially, reveals subtle artistry in the structure of plot and in the revelation of character. Rather one might say that the German writer of fiction has a higher goal than to "hold children from play and old men from the chimney corner." In fact German fiction has anticipated the more recent developments in the novel elsewhere. Thomas Mann, Kafka, Broch, and Musil write fiction without plot or character in the traditional sense. And yet their novels and *Novellen* do keep old men from the chimney corner, though they may not lure children from the playground. Though the action of the *Zauberberg* can be condensed into a paragraph, this work of a thousand pages has been an international best seller. Kafka's novels are even less novels than Proust's or Virginia Woolf's; they are patent parables or allegories, even dispensing with names for the heroes, whose unrealistic initials (K, A, B) almost brazenly flaunt their synthetic nature. Similar strictures could be made about Hesse, Broch, and Musil. Yet these men have international reputations.

Bearing in mind the steady encroachment of the novel on the drama everywhere in the modern world, we must conclude that the German drama of our period has done remarkably well. In Gerhart Hauptmann Germany gave the world a dramatist of the first rank. At some remove from him stand Hugo von Hofmannsthal, Frank Wedekind, Georg Kaiser, Carl Zuckmayer, and Bertolt Brecht. Each of these writers has achieved great distinction; the radical differences between them, in style as well as in *Weltanschauung*, bear witness to the rich vein of individuality in modern German intellectual life. This in spite of the fact that of all these dramatists Brecht alone may be said to have introduced a novelty into the theatre. His "epic theatre" represents a radical break with Western tradition.

He does not want the spectator to be taken out of himself (ecstasy) and lose his critical faculties, as the Aristotelian catharsis implies. On the contrary he wants intellectual distance to be maintained, so that the spectator may be able to judge coolly what is being demonstrated to him on the stage. This detachment or "alienation" *(Verfremdung)* is the state in which one experiences epic poetry (and the novel), in contrast to the emotional rapture which is evoked by the Aristotelian drama. Brecht opposes emotional involvement because, as a Marxian, he frankly wants to make literature a vehicle for social improvement or propaganda. The Aristotelian drama churns the spectator's emotions to a high pitch, producing a catharsis of exhaustion which leaves little trace of the message that set the dramatist to writing in the first place. Brecht therefore appeals to logic and persuasion, using such intellectual literary devices as irony and satire and even direct preaching.

But it would be wrong to conclude that this intellectual appeal lifts Brecht's drama to a higher level of sophistication. In line with neo-Marxist ideology, he used the unsophisticated syntax and diction of the proletariat. No attempt is made to record the speech of the people with phonographic realism (as the naturalists did); what we get is a bare, "unpoetical" diction even when compared with Shaw's highly intellectual prose. By all the rules of aesthetics, Brecht's lowbrow Marxian tracts ought to be boring failures. In reality they are intensely interesting to read and highly effective as theatre.

The comic vein is liberally present in recent German literature. Liliencron, Arno Holz, Dehmel, Morgenstern, Joachim Ringelnatz, and Eugen Roth have written delightful humorous verse. Hauptmann, Hofmannsthal, and Zuckmayer have created brilliant comedy of situation and character. The delicate irony of Schnitzler, the grotesque elements in Kafka, the irony and parody in Thomas Mann, are all a species of wry humor—a refined, intellectual *Galgenhumor*—in sharp contrast to the nearly riotous comedy found in Ricarda Huch's *Novellen*. At another level stands the humor of Ludwig Thoma, Kurt Tucholsky, Erich Kästner, and Kurt Kusenberg.

Finally one misses, now as in the past, the "great" critic and essayist. Alfred Kerr was the only outstanding practitioner of this genre, although there were many excellent critical and imaginative essays by various hands.

Literary Currents

The historical development of German literature in our period parallels that in other Western countries, though the line of demarcation between movements is perhaps sharper in Germany. The first fifteen years after the establishment of Bismarck's empire were a period of stagnation, in spite of the fact that the old masters Keller, Meyer, Raabe, and Fontane were publishing steadily. In the mid-eighties the generation of writers who were born around 1860 reached manhood. Receptive to the new influences from abroad (Ibsen, Strindberg, Flaubert, the Goncourts, Zola, and the Russians), they introduced naturalism into German literature. It is not possible, in the short space of this Introduction, to describe the tenets of naturalism or the succeeding literary tendencies, but the spirit at least of these currents, their basic aim, must be mentioned.

The naturalistic ideal was to depict the external world, including human behavior, with scientific accuracy and completeness. The naturalists equated art with life: perfect art would be a perfect copy of life. It was the program of the realists, as Balzac and others had conceived it, but carried to a doctrinaire extreme. There was the same emphasis on the social environment, on the trivial, humble, ugly; the same adherence to an aesthetics of truth rather than of beauty. The naturalists, for all their pose of scientific objectivity, were driven by a keen moral conscience and a hope for the regeneration of mankind in a spirit of social justice. Most important of all, perhaps, was the shift of literary emphasis from the study of man to that of the external world with its situations and problems: the bitter struggle between capital and labor, religious orthodoxy, the emancipation of women, penal reform, freer sexual ethics, and purely scientific questions like the problem of tainted heredity, alcoholism, venereal disease, and so on. Viewed in this light, naturalism is seen to be a first step in the depersonalization of literature in the twentieth century. In every other respect, however, it marked the end of an artistic era—the bourgeois era, Thomas Mann has called it—rather than a new beginning, as its adherents thought it was.

The twentieth century ushered in the bewildering acceleration of fashions in art with which we are all familiar. Ism succeeded ism; in half a century we have had impressionism, neoromanticism, neoclassicism, expressionism, dadaism, surrealism, populism (known in Germany as *Neue Sachlichkeit*). Naturalism was still in its first flush of triumph when a younger generation was already in rebellion against it; indeed some naturalists themselves (Ibsen, Strindberg, Hauptmann) were forsaking it for a new romanticism which was variously styled impressionism, *Heimatkunst* or regionalism, decadence, neoromanticism, symbolism. This too was a European, not a German, phenomenon. Where the naturalists had striven to reproduce sordid reality, the various brands of the new romanticism sought to reintroduce the subjective, emotional, unconscious, irrational into the arts, to separate art from life and to elevate it above life. Some impressionists (for example, Thomas Mann, Schnitzler, Liliencron) wrote in the realistic tradition, emphasizing merely the subjective, transitory, snapshot-aspect of life; others deliberately abandoned the ideal of objectivity and completeness for a wilfully subjective interpretation. Gradually the naturalist distrust of everything that departs from three-dimensional reality gave way to a cult of the cosmic, mystic, messianic, occult, the national, the chthonic, and the heroic.

Meanwhile new ways of seeing (to use Hermann Bahr's happy phrase—see p. 131) were being discovered. From the art of painting came the tendency to reduce form to its bare essence; Cézanne had proclaimed that all spatial forms could be reduced to the sphere, cone, and cylinder. That is what cubism attempted to do. And cubism, applied to literature, yielded a condensed, compressed diction that sought to eliminate all "unessential" elements in grammar and syntax. That was the expressionist technique. For its matter expressionism turned to the world crisis which the more discerning German intellectuals recognized as approaching: the breakdown of values, the naked struggle for power between the nations, the new anxiety of the sentient man in a vast inchoate universe. The mood of these young writers was one of passionate ecstasy, fervor, rapture; a desire for self-immolation before God and man—or it was that Cimmerian gloom that emerged later as the Heideggerian brand of existentialism.

Even within expressionism, however, intellect had not altogether capitulated. There was a branch of the movement which remained loyal to the Western rationalist tradition and sought rational solutions—of a radical political and social nature—for the crisis in the Western world. For the split between the Western and "Eastern" spirits goes right through German literature in our age, as it does elsewhere, and this distinction is perhaps the most substantial that one can make about our period.

The highly charged emotional state which produced expressionist art could not last long. There had to be a letdown. It was perhaps fortunate that the tradition of bourgeois rationalist realism maintained itself in some form even through the neoromantic and expressionist vogues. For writers and artists in general could now fall back on this tradition. In an age which must have novelty at any price, a new ism had to be found; the term *Neue Sachlichkeit* (new factualness) was borrowed from the functional architecture that was then coming into fashion. In fact there was nothing new about *Neue Sachlichkeit*; literature was merely returning in varying degrees to an objective treatment of its subject matter.

The most extreme forms of artistic experimentation that our century has known—dadaism and surrealism—have had almost no influence in Germany, at least in literature. And so, as the high waters of expressionism receded, writers returned to the safer shoals of realism. A landmark in the change was Carl Zuckmayer's first important comedy *Der fröhliche Weinberg* (1925), which was greeted with a sigh of relief and much joy and awarded the Kleist prize. From then until the present, German literature has had no new literary tendencies or styles. There have been striking individual achievements: the brilliant work of Carl Zuckmayer, thoroughly traditional in treatment; Hauptmann's later dramas, some realistic, some romantic, his last trilogy severely classical in form; the novel of ideas by Thomas Mann, Hermann Broch, Robert Musil; the Joycean novel of Alfred Döblin (*Berlin Alexanderplatz*, 1929); the surrealistic novel *Das unauslöschliche Siegel* by Elisabeth Langgässer (1946).

Under the Third Reich literature, like all intellectual life, was put under rigid state control. Everything Western was reviled as decadent *Kulturbolschewismus*; a "healthy" art was the goal of Goebbels' Ministry of Propaganda. Health meant the promotion of Nazi ideals: nationalism, Nordic superiority, blood and soil, the vilification of everything Western and especially Jewish. Some of Germany's most eminent writers went into exile; others remained and wrote "for the drawer"; some published covert criticisms of the regime, concealed often behind a historical facade (Bergengruen, Schneider, and others). Even writers who were at first sympathetic to the regime (like Binding, Grimm, and Jünger) later fell out with the Goebbels machine and were silenced. Ricarda Huch and Ernst Wiechert openly defied the ruling powers. Wiechert was sent to Buchenwald; Ricarda Huch was left alone but forbidden to publish. There is a rudiment of poetic justice in the fact that not a single Nazi writer has left a work that will endure.

When the chaos produced by the defeat in World War II gave way to the beginnings of life and order, many manuscripts that had been lying in desk drawers saw the light. Meanwhile a new generation had come of age and was writing lyric poetry, novels, *Novellen*, and some drama. Exiles returned to Germany and resumed their literary careers. As might be expected, the crisis of the Hitler years occupies a large space in the production of the last decade. Life at home, at the various battle fronts, the chaos and reconstruction after 1945 are treated most commonly. Religion has again become a powerful force in literature. Not only writers who lived through the crisis of the thirties and forties, but a younger generation too, are devout Christians, convinced that only by returning to Christian values can modern man extricate himself from the guilt and disaster that surround him. As an adjunct to this traditional religious literature one may consider the many Utopian novels which have appeared in recent years. In the Eastern Zone also there is literary life. It has all the earmarks of totalitarian art; but a few writers do create something that is not mere propaganda (Brecht, Arnold Zweig, Anna Seghers).

There is much uncertainty, much groping among German writers today—a search for values, a search for form in life and art. One of the century's greatest artists, Thomas Mann, has questioned whether artistic illusion is still possible in an age like ours, in which *everything* has become questionable; whether the creation of a harmonious work of art makes any sense in our wholly disharmonious society. A possible answer to this defeatist view is that Sophocles, Shakespeare, and Balzac were fully conscious of the disharmony in the world and of man's potentiality for destruction, both physical and spiritual; yet they were able to create beauty. There have always been men who have been able to stand aside and view the crises of their day *sub specie aeternitatis*. Whether art, harmonious art, is still possible in our day may be argued by the theoreticians; meanwhile it is being produced, in Germany as elsewhere.

Political and Social Poetry · 1870–1950

Georg Herwegh (1817–1875)

Dilemma

Soll ich vor dem Papste knien
Oder vor Babarossa[1]?
Wohin soll ich? nach Berlin?
Oder nach Canossa?

Ist's die geistliche Miliz[2]   5
Oder die profane,
Die mein Untertanenwitz[3]
Schreibt auf seine Fahne?

Ist's die Jesuitenzucht[4]
Oder der Kaserne[5]   10
Dunkelarrest[6]? (die Siegesfrucht!)
Wo sind Deutschlands Sterne?

Wo erglänzt ein Hoffnungsstrahl?
Ist's der Köhlerglaube[7]?
Oder ist's der Kruppsche Stahl[8]   15
Und die Pickelhaube[9]?

Bismarck oder Escobar[10] —
Welchen soll ich wählen?
Sind es nicht am Ende gar
Zwei verwandte Seelen?   20

Arno Holz (1863–1929)

An unser Volk

Das Herz entflammt, das rote Banner schwingend,
Den nackten Flamberg[1] in der nackten Hand,
So wandern wir, von deiner Zukunft singend,
Der Freiheit Söhne, durch das Land.

Nicht deine Götter wollen wir erschlagen,   5
Die fallen, wenn sie morsch[2], von selber um;
Doch deine Seele soll sich blutig fragen
An unserm Aufruhrwort[3]: Warum?

DILEMMA: Herwegh became one of the leaders of the revolution of 1848 and lived in exile in Paris and Switzerland until 1866, when he returned to Germany. This poem was written in July 1872 and refers to the *Kulturkampf* which Bismarck waged at that time against the Roman Catholic Church in Germany. Referring to this struggle in a speech before the Reichstag, he said: „Nach Canossa gehen wir nicht." He was alluding to the feud between the Emperor Henry IV and Pope Gregory VII, in which the Emperor was excommunicated and went to the papal castle at Canossa in Italy to do three days' penance for his defiance of the Church (winter of 1077). [1] Frederick I (1152–1190), known as Barbarossa (= Redbeard), the first important member of the Hohenstaufen dynasty, is a national hero. Legend asserted that he did not die but is asleep in the Kyffhäuser mountain, waiting for the day when he will awaken and restore the Empire to its former glory. [2] ecclesiastical or worldly discipline [3] *Witz* intelligence. When certain Prussian "subjects" sided with the seven Göttingen professors who protested against the illegal abrogation of the Hannoverian Constitution (1837), they were told: "It is not fitting for a subject to judge the action of a sovereign according to his limited insight." [4] discipline of the Jesuits [5] barracks [6] solitary confinement in a dark cell. *Siegesfrucht*; i.e., this is the fruit of the victory of 1870 [7] word coined by the zoologist Carl Vogt (*Köhlerglauben und Wissenschaft*, 1855) to characterize blind, unreasoning faith [8] steel made by the famous firm of Krupp [9] pointed helmet worn by the Prussian soldier [10] Antonio Escobar y Mendoza (1589–1669), famous Spanish Jesuit casuist, was the author of the doctrine that the end justifies the means.

AN UNSER VOLK: Arno Holz was one of the leading theoreticians of German naturalism and a poet of rank. The present poem is from *Buch der Zeit* (1885). [1] broadsword [2] rotten [3] rebellious word

Warum du hungerst, und warum du dürstest,
Warum du schweißtriefst, und warum du frierst,   10
Warum du hündisch[4] deine Peiniger fürstest[5],
Warum du frömmelnd[6] dich vertierst!

Weh, dreimal Wehe, wenn am Tag der Iden[7]
Der Kelch des Zorns dann blutig überschäumt,
Und jener goldne Traum von einem ewigen Frieden   15
Umsonst geträumt!

Ernst von Wildenbruch (1845–1909)

Dem Fürsten Bismarck

(Zum 1. April 1890)

Du gehst von deinem Werke,
Dein Werk geht nicht von dir,
Denn wo du bist, ist Deutschland,
Du warst, drum wurden wir.

Was wir durch dich geworden,   5
Wir wissen's und die Welt —
Was ohne dich wir bleiben,
Gott sei's anheimgestellt[1].

Georg Heym (1887–1912)

Der Gott der Stadt

Auf einem Häuserblocke sitzt er breit.
Die Winde lagern schwarz um seine Stirn.
Er schaut voll Wut, wo fern in Einsamkeit
Die letzten Häuser in das Land verirrn.

Vom Abend glänzt der rote Bauch dem Baal[1],   5
Die großen Städte knieen um ihn her.
Der Kirchenglocken ungeheure Zahl
Wogt auf zu ihm aus schwarzer Türme Meer.

Wie Korybanten-Tanz[2] dröhnt die Musik
Der Millionen durch die Straßen laut.   10
Der Schlote[3] Rauch, die Wolken der Fabrik
Ziehn auf zu ihm, wie Duft von Weihrauch
blaut[4].

Das Wetter schwält in seinen Augenbrauen[5].
Der dunkle Abend wird in Nacht betäubt.
Die Stürme flattern, die wie Geier schauen   15
Von seinem Haupthaar, das im Zorne sträubt[6].

Er streckt ins Dunkel seine Fleischerfaust.
Er schüttelt sie. Ein Meer von Feuer jagt
Durch eine Straße. Und der Glutqualm braust
Und frißt sie auf, bis spät der Morgen tagt.   20

---

[4] i.e., with doglike devotion   [5] raise to the rank of princes
[6] with excessive piety; *dich vertierst* = degrade yourself to the
level of a beast   [7] Ides; i.e., the day of fateful retribution
DEM FÜRSTEN BISMARCK: Ernst von Wildenbruch was
regarded as the "official" writer of the Hohenzollern dynasty.
He produced many patriotic dramas on historical subjects.
The occasion of the poem was Bismarck's dismissal as Chan-
cellor of the Reich by the Emperor Wilhelm II.   [1] may it
be left in God's hands

DER GOTT DER STADT: Georg Heym was a poet of great
power, whose promise was cut off by death at the age of 25.
Source: *Der ewige Tag* (1911).   [1] the Phoenician god whose
cult included the burning of children   [2] The corybantes were
priests of the goddess Cybele. Their cult consisted of wild
orgies and dances in which they inflicted wounds on themselves.   [3] smokestacks   [4] turns blue; *Weihrauch* = incense
[5] the thunderstorm gathers in his eyebrows   [6] = sich sträubt,
stands on end

Der Krieg

Aufgestanden ist er, welcher lange schlief,
Aufgestanden unten aus Gewölben tief.
In der Dämmrung steht er, groß und unbekannt,
Und den Mond zerdrückt er in der schwarzen Hand.

In den Abendlärm der Städte fällt es weit,   5
Frost und Schatten einer fremden Dunkelheit.
Und der Märkte runder Wirbel stockt zu Eis.
Es wird still. Sie sehn sich um. Und keiner weiß.

In den Gassen faßt es ihre Schulter leicht.
Eine Frage. Keine Antwort. Ein Gesicht erbleicht.   10
In der Ferne zittert ein Geläute dünn,
Und die Bärte zittern um ihr spitzes Kinn.

Auf den Bergen hebt er schon zu tanzen an,
Und er schreit: Ihr Krieger alle, auf und an[1]!
Und es schallet, wenn das schwarze Haupt er schwenkt,   15
Drum von tausend Schädeln laute Kette hängt.

Einem Turm gleich tritt er aus[2] die letzte Glut,
Wo der Tag flieht, sind die Ströme schon voll Blut.
Zahllos sind die Leichen schon im Schilf gestreckt,
Von des Todes starken Vögeln weiß bedeckt.   20

In die Nacht er jagt das Feuer querfeldein[3],
Einen roten Hund mit wilder Mäuler Schrei'n.
Aus dem Dunkel springt der Nächte schwarze Welt,
Von Vulkanen furchtbar ist ihr Rand erhellt.

Und mit tausend hohen Zipfelmützen[4] weit   25
Sind die finstren Ebnen flackernd überstreut,
Und was unten auf den Straßen wimmelnd flieht,
Stößt er in die Feuerwälder, wo die Flamme brausend zieht.

Und die Flammen fressen brennend Wald um Wald,
Gelbe Fledermäuse, zackig[5] in das Laub gekrallt[6],   30
Seine Stange haut er wie ein Köhlerknecht[7]
In die Bäume, daß das Feuer brause recht.

Eine große Stadt versank in gelbem Rauch,
Warf sich lautlos in des Abgrunds Bauch.
Aber riesig über glühnden Trümmern steht,   35
Der in wilde Himmel dreimal seine Fackel dreht.

DER KRIEG: From *Umbra vitae* (*Shades of Life*) (1912).   caps. [5] The bat's wings are scalloped. [6] their claws dug in
[1] up and forward   [2] *tritt aus* = stamps out   [3] straight across   [7] charcoal burner's apprentice
the field   [4] The shooting flames look like pointed dunces'

Über sturmzerfetzter Wolken Widerschein,
In des toten Dunkels kalten Wüstenein[8],
Daß er mit dem Brande weit die Nacht verdorr'[9],
Pech und Feuer träufet unten auf Gomorr[10].   40

Armin Wegner (1886–   )

Der Zug der Häuser

Die letzten Häuser recken sich grau empor,
in Massen geschart und in einzelne Gruppen,
elende Hütten laufen davor,
zerlumpte Kinder vor Heerestruppen.
Hinter den steinernen Zinnen[1]   5
aber beginnen
die Felder, die Weiten[2],
die sich endlos in die graue Ebene breiten.
Hohläugig glotzen[3] die Häuser herüber,
mit scheelem[4] Blicke versengen sie Strauch und Baum: 10
„Gebt Raum! Gebt Raum
unserm Schritt!
Wir wälzen den plumpen steinernen Leib darüber,
die Dörfer, die Felder, die Wälder, wir nehmen sie mit!
Mit unserem rauchenden Atem verbrennen   15
wir jede Blüte und reifende Frucht.
Die Saaten, die nicht mehr grünen können,
ersticken in Qualm wir. Vor unserer Wucht
zersplittern die Bäume, in rasender Schnelle
sind alle Menschen im Land auf der Flucht   20
vor unserer steinernen Welle.
Wir aber erreichen sie doch. Uns hält
kein Strom, kein Graben. Wir morden das Feld.
Und die Menschen, aus ihrer Qual sich zu retten,
aus einsamen Höfen, verlassenen Auen,   25
mit dem Wahnsinn gepaart, dem Hunger, dem Schmerz,
gebeugte Männer, verzweifelte Frauen,
ziehen dahin in schwarzen Ketten,
hinein in der Städte pochendes Herz.
Ob lebend, ob tot, wir halten sie fest   30
an unsere steinernen Brüste gepreßt.
Bis unsere Stirnen die Sterne berühren[5],

[8] desolate areas   [9] may wither   [10] Gomorrha, which was destroyed by fire for its iniquity (Genesis 13)

DER ZUG DER HÄUSER: Armin T. Wegner was a sort of German Jack London, a poet-vagabond, author of several volumes of verse and prose. The present poem is from *Das Antlitz der Städte* (1917).   [1] battlements   [2] distances   [3] glare   [4] squinting   [5] echo of Horace's first ode: *sublimi feriam sidera vertice* (with crest exalted I shall strike the stars)

blutender Felder zerrissenen Grund,
euch Ebenen, die in das Endlose führen,
alle verschlingt unserer Mauern zermalmender Mund.   35
Bis wir zum Saume der Meere uns strecken,
nie sind wir müde, nie werden wir satt,
bis wir zum Haupte der Berge uns recken
und die weite, keimende Erde bedecken:
eine ewige, eine unendliche Stadt! ..."   40

Hugo Zuckermann (1891–1915)

Österreichisches Reiterlied

Drüben am Wiesenrand
Hocken zwei Dohlen[1] —
Fall' ich am Donaustrand?
Sterb' ich in Polen?
Was liegt daran?   5
Eh' sie meine Seele holen,
Kämpf' ich als Reitersmann.

Drüben am Ackerrain[2]
Schreien zwei Raben —
Werd' ich der erste sein,   10
Den sie begraben?
Was ist dabei?
Vielhunderttausend traben
In Öst'reichs Reiterei.

Drüben im Abendrot   15
Fliegen zwei Krähen —
Wann kommt der Schnitter Tod,
Um uns zu mähen?
Es ist nicht schad'!
Seh' ich unsere Fahnen wehen   20
Auf Belgerad[3]!

Hermann Hesse (1877–   )

Friede

Jeder hat's gehabt,
Keiner hat's geschätzt,
Jeden hat der süße Quell gelabt[1],
O wie klingt der Name Friede jetzt!

Klingt so fern und zag[2],   5
Klingt so tränenschwer,
Keiner weiß und kennt den Tag,
Jeder sehnt ihn voll Verlangen her.

Sei willkommen einst,
Erste Friedensnacht,   10
Milder Stern, wenn endlich du erscheinst
Überm Feuerdampf[3] der letzten Schlacht.

Dir entgegen blinkt
Jede Nacht mein Traum,
Ungeduldig rege Hoffnung pflückt   15
Ahnend schon die goldne Frucht vom Baum.

Sei willkommen einst,
Wenn aus Blut und Not
Du am Erdenhimmel uns erscheinst,
Einer andern Zukunft Morgenrot!   20

REITERLIED: Hugo Zuckermann is remembered for this one poem which he wrote in 1908 but published only after the outbreak of the First World War in the *Österreichische Armeezeitung* (1914). It became a popular soldiers' song with more than a dozen musical settings.   [1] jackdaws   [2] edge of the field   [3] popular for Belgrad, capital of Serbia, against which Austria declared war in 1914

FRIEDE: Written October 1914; published that same month in *Simplizissimus*.   [1] refreshed   [2] timid   [3] haze of fire

Heinrich Lersch (1889–1936)

Brüder

Es lag schon lang ein Toter vor unserm Drahtverhau[1],
Die Sonne auf ihn glühte, ihn kühlte Wind und Tau.

Ich sah ihm alle Tage in sein Gesicht hinein,
Und immer fühlt' ich's fester: Es muß mein Bruder sein.

Ich sah in allen Stunden, wie er so vor mir lag,   5
Und hörte seine Stimme aus frohem Friedenstag.

Oft in der Nacht ein Weinen, das aus dem Schlaf mich trieb:
Mein Bruder, lieber Bruder — hast du mich nicht mehr lieb?

Bis ich, trotz allen Kugeln, zur Nacht mich ihm genaht
Und ihn geholt. — Begraben: — Ein fremder Kamerad.   10

Es irrten meine Augen. — Mein Herz, du irrst dich nicht:
Es hat ein jeder Toter des Bruders Angesicht.

Max Barthel (1893–   )

Der große Rhythmus

Wir schlagen unsre Hämmer auf das Eisen, bis es brüllt,
dann wird es Form und spielt bewußt in den Gelenken[1],
beginnt zu glühen und zu zischen und zu denken,
wenn Feuer oder Heißluft seine Kessel füllt.

Die Bahnhofshallen sind schon hier und da wie Dome aufgebaut,   5
sie schwingen frei im Netzwerk stählerner Gerüste,
die Kuppeln der Fabriken heben hoch die Betonbrüste[2]
und beben in dem Dampfmaschinen-Orgellaut.

Die Loks[3] sind so wie Fabeltiere auf der Flucht,
sie rasen donnernd über grelle Schienenbänder[4]   10
und stürmen durch die Grenzen alter Vaterländer,
sie halten erst vor einer blauen Meeresbucht.

BRÜDER: Heinrich Lersch was a boilermaker by trade and a poet after hours. He left several volumes of verse and five of prose. *Brüder* was one of the most popular war poems in Germany. Source: *Herz, Aufglühe dein Blut* (1918).   [1] barbed-wire entanglement

DER GROSSE RHYTHMUS: Max Barthel was, like Lersch, a worker poet. He has written extensively in the various genres.   [1] joints   [2] concrete breasts   [3] = Lokomotiven   [4] ribbons of track

Und wir, aus deren Hirn und Händen groß das Werk entspringt,
wir schwärmen mit im Aufstieg unsrer Flugmaschinen,
wir donnern auch im Aufruhrtakt[5] der Brücken, der Turbinen   15
und sind berauscht, wenn der Dynamo saust und singt.

Josef Winckler (1881–　　)

Die Türen schlagen hoch im Wetterschacht[1].
Und senkrecht sinkend, abgrundtief verscholln,
Mit dumpfem Ohr gehst du in niedern Stolln[2]
Endlos, raumlos, im Schweigen tiefster Nacht.
Plötzlich, Urtiere[3] im Gestein,   5
Trifft man auf Menschen, tropfend das Gesicht;
Wie heiße Bronze flimmt[4] im trüben Licht
Ihr nackter Leib, gewühlt ins Flöz[5] hinein.
Vulkanisch rauscht ein ungewisses Grolln,
Wie man in Bergen ferne Züge oft   10
Im Echo hört; dann wieder schweigt der Stolln.
Es klingt nur fort der Takt[6] von Stein und Erz;
Auf einmal um die Ecke, unverhofft,
Biegt groß der Kopf des Grubenpferds[7] . . .

Alfons Petzold (1882–1923)

Die Teilnahmslosen

Da stehen sie und regen schwer die Glieder
in den durchdampften Räumen der Fabrik.
Ein jeder senkt auf seine Arbeit nieder
den noterstarrten[1], teilnahmslosen Blick.

Sie sind nicht Menschen mehr, sind nur Maschinen,   5
die in dem vorgeschriebnen Stundenkreis
sich drehen müssen, ohne daß von ihnen
nur einer seine Kraft zu schätzen weiß.

[5] revolutionary tempo

DIE TÜREN: Josef Winckler, a dentist by profession, is best known for his industrial poetry and his humorous novel *Der tolle Bomberg* (1924). The present poem is from *Eiserne Sonette* (1914). [1] air shaft   [2] galleries   [3] = wie Urtiere, fossils   [4] gleams   [5] (as if it had been) rolled into the seam (of coal)   [6] i.e., rhythmic beat   [7] horse used to pull wagons of ore in the mine

DIE TEILNAHMSLOSEN: From *Der Irdische* (1921). Petzold, an Austrian, was a worker poet and prose writer. In spite of a life of great hardship, he wrote a considerable body of literature. [1] frozen from distress

Sie können nimmer ihre Hände spannen
nach ihrer Tage mühevollem Tun   10
um eigne Werke; was sie je begannen,
muß halbvollendet tot im Dunkel ruhn.

Sie schaffen abertausend[2] Gegenstände,
sie machen viele Dinge stark und groß;
doch ist nicht Gott im Regen ihrer Hände,   15
und was von ihnen kommt, ist seelenlos.

Ernst Bertram (1884–1957)

ᗡᘝ

Zeit ist zu reden von der Toren Wahn:
„Gleich sind die Völker, so an Wert, an Amt."
Unwertere[1] Weisheit rann aus Narren nie,
Unwürdiger ward nie ein Pfand vertan[2].

Zeit ist zu fragen: wollt ihr Toren wohl   5
Die Leiter Gottes brechen? Tausend Stufen
Schuf er zu sich hinauf in jedem Reich,
Ein jedes Volk trägt Siegel nach dem Rang.

Zu oberst[3] aber welches Volk der Gott
Gesetzt zum Herrn der Völker innen, frag   10
Das schwerste Schicksal, frag das hellste Aug,
Frage das reine Wort, den tiefsten Klang.

Erich Kästner (1899–   )

Das Führerproblem, genetisch betrachtet

Als Gott am ersten Wochenende
die Welt besah, und siehe, sie war gut,
da rieb er sich vergnügt die Hände.
Ihn packte eine Art von Übermut.

Er blickte stolz auf seine Erde   5
Und sah Tuberkeln, Standard Oil und Waffen.
Da kam aus Deutschland die Beschwerde:
„Du hast versäumt, uns Führer zu erschaffen!"

---

[2] many thousand

ZEIT IST: Bertram was a member of the Georgekreis, a minor poet and literary scholar. The present poem is from *Das Nornenbuch* (1925).

[1] more worthless   [2] pledge squandered   [3] at the top

FÜHRERPROBLEM: Kästner is a poet, journalist, and novelist best known for his entertaining juvenile stories. His verse is largely satirical in nature. The present poem is from *Gesang zwischen den Stühlen* (1932).

Gott war bestürzt. Man kann's verstehn.
„Mein liebes deutsches Volk", schrieb er zurück,   10
Es muß halt[1] ohne Führer gehn.
Die Schöpfung ist vorbei. Grüß Gott[2]. Viel Glück."

Nun standen wir mit Ohne[3] da,
der Weltgeschichte freundlichst überlassen,
Und: alles, was seitdem geschah,   15
ist ohne diesen Hinweis nicht zu fassen.

Max Hermann-Neisse (1886–1941)

Apokalypse 1933

Es schreit der Leidende; das Echo schweigt,
der Nachbar stellt sich[1] taub, die Welt bleibt träge.
Der Unstern[2] hat am Himmel sich gezeigt,
und schwächer werden aller Herzen Schläge.
Die Wolke überm Meere war ein Schwert.   5
Es ängstet Feuersbrunst der Frauen Träume.
Durch Rosen stampft des wilden Reiters Pferd.
Unendlich drohn der Zukunft dunkle Räume.
Die Guten bleiben immer auf der Flucht,
es ist dem Freiwild[3] keine Rast beschieden,   10
es führt der Weg durch manche Tränenschlucht,
doch nirgendwo zu Heimat, Glück und Frieden.
Denn Er[4], der Blutbefleckte, der Barbar,
ward aus den Unterwelten losgebunden
zur Menschenjagd mit seiner Mörderschar   15
und hetzt die Welt mit seinen Höllenbunden[5].
Die Sanftmut ist vor seinem Haß verloren,
der aller Liebe die Vernichtung bringt.
Kein Heiland wird dem Untergang geboren,
und eine letzte Kinderstimme singt: 20
    „Wo sind all die Herrlichkeiten,
    die der Mutter Lied verhieß:
    Reifenspiel[6] und Eselreiten,
    unschuldsvoll im Paradies
    von den goldnen Äpfeln essen,   25

---

[1] just, simply   [2] i.e., good-bye (South German and Austrian greeting)   [3] colloquial for *ohne (Führer)*

APOKALYPSE: Hermann-Neiße was a gifted poet of radical beliefs. After the National Socialist seizure of power he left Germany for England, where he lived until his death. He wrote extensively in the various genres. The title of the present poem implies a prophetic revelation of the end of the world.   [1] acts   [2] evil star   [3] unprotected game, outlaw; *beschieden* = destined   [4] i.e., Hitler   [5] hellish gang   [6] hoop rolling

die der Märchenbaum verlor?
Hat der Engel mich vergessen,
schloß der Gärtner schon das Tor?
Alle Träume sind verflogen,
einsam wachs ich in die Welt.   30
Hat der Mutter Lied gelogen,
ihren Stern der Tod entstellt?
Furchtsam sah ich durch die Scheiben
auf die Stadt aus fremdem Stein.
Muß das Leben Hölle bleiben,   35
darf kein Mensch mehr glücklich sein?"

Herbert Böhme (1907–   )

Der Führer

Eine Trommel[1] geht in Deutschland um,
Und der sie schlägt, der führt,
Und die ihm folgen, folgen stumm,
Sie sind von ihm gekürt[2].

Sie schwören ihm den Fahnenschwur[3],   5
Gefolgschaft und Gericht[4],
Er wirbelt ihres Schicksals Spur
Mit ehernem[5] Gesicht.

Er schreitet hart der Sonne zu
Mit angespannter Kraft.   10

Seine Trommel, Deutschland, das bist du!
Volk, werde Leidenschaft.

Baldur von Schirach (1909–   )

Das Größte

Das ist an ihm das Größte: daß er nicht
nur unser Führer ist und vieler Held,
sondern er selber: grade, fest und schlicht,

daß in ihm ruhn die Wurzeln unsrer Welt,
und seine Seele an die Sterne strich[1]   5
und er doch Mensch blieb, so wie du und ich ...

Paul Zech (1881–1945)

Die fremden Länder

Die fremden Länder, die ich sah in jenen Jahren,
als jede Reise Ausfahrt war und Wiederkehr:
Ich muß sie wohl mit einem anderen Gefühl erfahren
und aufgenommen haben, denn sie sind nicht mehr

DER FÜHRER: Böhme was a very minor poet but very great "patriot" who flourished during the Nazi regime. He was head of the office which supervised lyric poets (*Reichsfachschaftsleiter der deutschen Lyriker*). The present poem is from *Des Blutes Gesänge* (1935). [1] Hitler often referred to himself as the drummer of National Socialism. [2] = *gewählt* [3] In 1934 Hitler exacted an oath of allegiance from his army. [4] i.e., to defend justice with him [5] brazen, stern

DAS GRÖSSTE: Baldur von Schirach was the *Reichsjugendführer* under the Nazis and the author of several volumes of verse. The present poem is from *Die Fahne der Verfolgten* (1933). [1] touched
DIE FREMDEN LÄNDER: Zech was an *avant-garde* poet and dramatist who espoused the cause of the working class. After 1933 he left Germany and settled in South America, where he died. The present poem is from *Verse der Emigration* (1939).

die riesige Erfahrung, der man lange
nachsann und immer rühmend davon sprach.
Jetzt nimmt man sie wie einen Mantel von der Stange
und hüllt sich darin ein, mit allem, was zerbrach.

Wer auf der Flucht ist, so wie wir, belastet
mit schrecklichen Gesichten[1], einem Schrei im Ohr,   10
der nie verhallt, wer so von Haus zu Haus sich tastet[2]

nach einem Loch, wo man sich endlich bergen kann,
der kommt zuletzt sich selber schon so vor,
als sähe man von weitem ihm den Aussatz[3] an.

Bertolt Brecht (1898–1956)

Die Teppichweber von Kujan-Bulak ehren Lenin

1

Oftmals wurde geehrt und ausgiebig[1]
Der Genosse[2] Lenin. Büsten gibt es und Standbilder[3].
Städte werden nach ihm benannt und Kinder.
Reden werden gehalten in vielerlei Sprachen,
Versammlungen gibt es und Demonstrationen   5
Von Shanghai bis Chikago, Lenin zu Ehren.
So aber ehrten ihn die
Teppichweber von Kujan-Bulak,
Kleiner Ortschaft im südlichen Turkestan[4]:

Zwanzig Teppichweber stehn dort abends   10
Fiebergeschüttelt auf von dem ärmlichen Webstuhl.
Fieber geht um: die Bahnstation
Ist erfüllt von dem Summen der Stechmücken[5], dicker Wolke
Die sich erhebt aus dem Sumpf hinter dem alten Kamelfriedhof[6].
Aber die Eisenbahn, die   15
Alle zwei Wochen Wasser und Rauch bringt, bringt
Eines Tages die Nachricht auch,
Daß der Tag der Ehrung des Genossen Lenin bevorsteht,
Und es beschließen die Leute von Kujan-Bulak,
Teppichweber, arme Leute,   20
Daß dem Genossen Lenin auch in ihrer Ortschaft
Aufgestellt werde eine gipserne[7] Büste.

---

[1] visions   [2] gropes his way   [3] leprosy
    DIE TEPPICHWEBER: On Brecht see p. 342. The two poems
reprinted here are from *Svendborger Gedichte* (1939).

[1] plentifully   [2] Comrade   [3] statues   [4] one of the Asiatic
Soviet republics   [5] mosquitos   [6] camel cemetery   [7] plaster

Als aber das Geld eingesammelt wird für die Büste,
Stehen sie alle,
Geschüttelt vom Fieber und zahlen   25
Ihre mühsam erworbenen Kopeken[8] mit fliegenden Händen.
Und der Rotarmist[9] Stepa Gamalew, der
Sorgsam zählende und genau Schauende,
Sieht die Bereitschaft, Lenin zu ehren, und freut sich.
Aber er sieht auch die unsicheren Hände.   30
Und er macht plötzlich den Vorschlag,
Mit dem Geld für die Büste Petroleum zu kaufen und
Es auf den Sumpf zu gießen hinter dem Kamelfriedhof,
Von dem her die Stechmücken kommen, welche
Das Fieber erzeugen.   35
So also das Fieber zu bekämpfen in Kujan-Bulak, und zwar
Zu Ehren des gestorbenen, aber
Nicht zu vergessenden Lenin.
Sie beschlossen es. An dem Tage der Ehrung trugen sie
Ihre zerbeulten[10] Eimer, gefüllt mit dem schwarzen Petroleum,   40
Einer hinter dem andern,
Hinaus und begossen den Sumpf damit.

So nützten sie sich, indem sie Lenin ehrten, und
Ehrten ihn, indem sie sich nützten, und hatten ihn
Also verstanden.   45

2

Wir haben gehört, wie die Leute von Kujan-Bulak
Lenin ehrten. Als nun am Abend
Das Petroleum gekauft und ausgegossen über den Sumpf war,
Stand ein Mann auf in der Versammlung, und der verlangte,
Daß eine Tafel angebracht[11] würde an der Bahnstation,   50
Mit dem Bericht dieses Vorgangs, enthaltend
Auch genau den geänderten Plan und den Eintausch der
Leninbüste gegen die fiebervernichtende Tonne[12] Petroleum.
Und dies alles zu Ehren Lenins.
Und sie machten auch das noch   55
Und setzten die Tafel.

Fragen eines lesenden Arbeiters

Wer baute das Siebentorige Theben[1]?
In den Büchern stehen die Namen von Königen.

---

[8] kopecks (Russian equivalent of pennies); *fliegend* = trembling [9] soldier in the Red Army [10] dented [11] affixed [12] keg

FRAGEN: Source as above [1] Thebes, city in Boeotia, famous in Greek legend, was reputed to have seven gates.

Haben die Könige die Felsbrocken[2] herbeigeschleppt?
Und das mehrmals zerstörte Babylon,
Wer baute es so viele Male auf? In welchen Häusern   5
Des goldstrahlenden Lima[3] wohnten die Bauleute?
Wohin gingen an dem Abend, wo die chinesische Mauer fertig war,
Die Maurer? Das große Rom
Ist voll von Triumphbögen. Über wen
Triumphierten die Cäsaren? Hatte das vielbesungene Byzanz[4]   10
Nur Paläste für seine Bewohner? Selbst in dem sagenhaften Atlantis[5]
Brüllten doch in der Nacht, wo das Meer es verschlang,
Die Ersaufenden nach ihren Sklaven.
Der junge Alexander eroberte Indien.
Er allein?   15
Cäsar schlug die Gallier.
Hatte er nicht wenigstens einen Koch bei sich?
Philipp von Spanien[6] weinte, als seine Flotte
Untergegangen war. Weinte sonst niemand?
Friedrich der Zweite siegte im siebenjährigen Krieg. Wer   20
Siegte außer ihm?
Jede Seite[7] ein Sieg.
Wer kochte den Siegesschmaus[8]?
Alle zehn Jahre ein großer Mann.
Wer bezahlte die Spesen[9]?   25
So viele Berichte
So viele Fragen.

Albrecht Haushofer (1903–1945)

Schuld

Ich trage leicht an dem, was das Gericht
mir Schuld benennen wird: an Plan und Sorgen.
Verbrecher wär' ich, hätt' ich für das Morgen
des Volkes nicht geplant aus eigner Pflicht.

Doch schuldig bin ich anders als ihr denkt,   5
ich mußte[1] früher meine Pflicht erkennen,
ich mußte schärfer Unheil Unheil nennen —
mein Urteil hab ich viel zu lang gelenkt[2] ...

Ich klage mich in meinem Herzen an:
ich habe mein Gewissen lang betrogen,   10
ich hab mich selbst und andere belogen —

ich kannte früh des Jammers ganze Bahn —
ich hab gewarnt — nicht hart genug und klar!
und heute weiß ich, was ich schuldig war ...

SCHULD: Haushofer was the son of the noted geopolitical expert Karl Haushofer, whose imperialist ideas were very influential on Hitler. The younger Haushofer was a diplomat under Ribbentrop, later professor of political geography at Berlin. Implicated in the unsuccessful attempt on Hitler's life (20 July 1944), he was thrown into Moabit prison, where he wrote the *Moabiter Sonette*, two of which are reprinted here. He was executed by the SS just as Berlin was liberated. The manuscript of the sonnets was found on the corpse. *Schuld* is No. 39 of the 80 sonnets. [1] = hätte müssen [2] guided; i.e., twisted, bent, compromised

[2] chunks of rock   [3] the capital of the ancient Inca Empire of Peru   [4] Byzantium, the Eastern Roman Empire with its capital at Constantinople   [5] the submerged continent of legend, supposedly located beneath the Atlantic Ocean   [6] Philip II of Spain (1555–1598), whose Armada was destroyed by the British Fleet in 1588   [7] i.e., in the book of history   [8] victory banquet   [9] costs

Rattenzug

Ein Heer von grauen Ratten frißt im Land.
Sie nähern sich dem Strom in wildem Drängen.
Voraus ein Pfeifer, der mit irren Klängen
zu wunderlichen Zuckungen[1] sie band.

So ließen sie die Speicher voll Getreide —   5
was zögern wollte, wurde mitgerissen,
was widerstrebte, blindlings totgebissen —
so zogen sie zum Strom, der Flur zuleide[2] ...

Sie wittern in dem Brausen Blut und Fleisch,
verlockender und wilder wird der Klang —   10
sie stürzen schon hinab den Uferhang — —

ein schriller Pfiff — ein gellendes Gekreisch:
Der irre Laut ersäuft im Stromgebraus[3] ...
die Ratten treiben[4] tot ins Meer hinaus ...

Ernst Wiechert (1887–1950)

Der Pflüger

Es geht ein Pflüger übers Land,
der pflügt mit kühler Greisenhand
die Schönheit dieser Erden.
Und über Menschenplan und -trug
führt schweigend er den Schicksalspflug,   5
vor dem zu Staub wir werden.

So pflügt er Haus und Hof und Gut,
und Greis und Kind, und Wein und Blut,
mit seinen kühlen Händen.
Er hat uns lächelnd ausgesät,   10
er hat uns lächelnd abgemäht
und wird uns lächelnd wenden.

Rings um ihn still die Wälder stehn,
rings um ihn still die Ströme gehn,
und goldne Sterne scheinen.   15
Wie haben wir doch zugebracht[1]
wie ein Geschwätz[2] bei Tag und Nacht
so Lachen wie Weinen.

Nun lassen Habe wir und Haus,
wir ziehen unsere Schuhe aus   20
und gehn mit nackten Füßen.
Wir säten Tod und säten Qual,
auf unsren Stirnen brennt das Mal,
wir büßen, wir büßen.

Und nächtens pocht es leis ans Tor,   25
und tausend Kinder stehn davor
mit ihren Tränenkrügen[3].
Und weisen still ihr Totenhemd
und sehn uns schweigend an und fremd,
mit schmerzversteinten Zügen.   30

O gib den Toten Salz und Korn[4]
und daß des Mondes Silberhorn
um ihren Traum sich runde.
Und laß indessen Zug[5] um Zug
uns leeren ihren Tränenkrug   35
bis zu dem bittren Grunde.

Und gib, daß ohne Bitterkeit
wir tragen unser Bettlerkleid
und deinem Wort uns fügen.
Und laß uns hinterm Pfluge gehn,   40
solang die Disteln vor uns stehn,
und pflügen und pflügen.

Und führe heut und für und für[6]
durchs hohe Gras vor meiner Tür
die Füße aller Armen.   45
Und gib, daß es mir niemals fehlt
an dem, wonach ihr Herz sich quält:
ein bißchen Brot und viel Erbarmen!

RATTENZUG: No. 41 of the *Moabiter Sonette* [1] strange
contortions [2] i.e., ruining the fields as they went [3] roaring
current [4] drift

DER PFLÜGER: Ernst Wiechert, a popular writer of fiction,
twice deliberately challenged the Nazi ideology before
public audiences in Germany. He was thrown into the
concentration camp at Buchenwald. The poem closes his
Rede an die deutsche Jugend 1945, delivered at the University
of Munich.

[1] spent our lives [2] Psalms 90:9 [3] allusion to a folk fairy
tale in Grimm's *Mythologie*: A mother who has lost her
child cannot stop weeping. The child appears to her and
begs her not to weep any more, because it must collect
her tears in a jug, which becomes heavy, spills over, and
wets the child's shroud. [4] a conciliatory rite [5] draught
[6] on and on

Werner Bergengruen (1892–   )

Die Lüge

Wo ist das Volk,
    das dies schadlos an seiner Seele ertrüge?
Jahre und Jahre
    war unsere tägliche Nahrung die Lüge.
Festlich hoben sie an,   5
    bekränzten Maschinen und Pflüge,
sprachen von Freiheit und Brot,
    und alles, alles war Lüge.
Borgten von heldischer Vorzeit
    aufrauschende Adlerflüge[1],   10
rühmten in Vätern sich selbst,
    und alles, alles war Lüge.
Durch die Straßen marschierten
    die endlosen Fahnenzüge,
Glocken dröhnten dazu,   15
    und alles, alles war Lüge.
Nicht nach totem Gesetz[2]
    bemaßen sie Lobspruch und Rüge,
Leben riefen sie an,
    und alles, alles war Lüge.   20
Dürres sollte erblühn!
    Sie wußten sich kein Genüge[3]
in der Verheißung des Heils,
    und alles, alles war Lüge.
Noch das Blut an den Händen   25
    umflorten sie Aschenkrüge[4],
sangen der Toten Ruhm,
    und alles, alles war Lüge.
Lüge atmeten wir.
    Bis ins innerste Herzgefüge[5]   30
sickerte, Tropfen für Tropfen,
    der giftige Nebel der Lüge.
Und wir schrien zur Hölle,

gewürgt, erstickt von der Lüge,
daß im Strahl der Vernichtung   35
die Wahrheit herniederschlüge.

Salz und Asche

Salz und Asche wird uns nähren,
Distel unsre Bettstatt sein.
Unsre Wunden, unsre Schwären[1]
hüllen morsche Fetzen ein.
Trunk wird uns der Quell gewähren,   5
denn kein Rebstock wird gedeihn.

Aber von den Trugaltären[2]
stürzte splitternd Stein um Stein!
Die befleckten Atmosphären
durften sich vom Dunst befrein.   10
Salz und Asche wird uns nähren,
Salz und Asche, sie sind rein!

Gertrud von Le Fort (1876–   )

Die Heimatlosen

Wir sind von einem edlen Stamm genommen,
Der Schuld vermählt,
Wir sind auf dunklen Wegen hergekommen
Wund und gequält.

Wir hielten einst ein Vaterland umfangen —   5
Gott riß uns los.
Wir sind durch Feuer und durch Blut gegangen
Verfolgt und bloß.

Des Abgrunds Engel hat uns überflogen —
Wer bannt sein Heer?   10
Wir sind am Rand der Hölle hingezogen.
Uns graust nicht mehr.

LÜGE: Werner Bergengruen has written extensively in the various genres, though he is best known as a novelist. A convert to Roman Catholicism, he was active in the German underground resistance to Hitler. His poems *Dies irae*, from which the two above are taken, were circulated in secret during the Third Reich; they were published in 1945. [1] soaring eagles (on their flagpoles) [2] allusion to the "popular" courts which meted out justice according to the dynamic principle of life (l. 19), which really meant in the interest of the Party [3] knew no bounds [4] smothered the funeral urns in flowers (allusion to the pompous state funerals the Nazis gave to public men whom they had murdered) [5] chamber of the heart

SALZ UND ASCHE: Source as above   [1] sores, ulcers   [2] altars of deceit

DIE HEIMATLOSEN: Gertrud von Le Fort has come to the forefront as a major writer of fiction, historical and religious. The present poem is from *Gedichte*.

Durch jede Schmach sind wir hindurchgebrochen
Bis ins Gericht:
Wir hörten Worte, die ihr nie gesprochen — 15
O, redet nicht!

Uns winkt hier niemals Heimat mehr wie andern,
Uns hält kein Band,
Gott riß uns los, wir müssen wandern, wandern —
Wüst liegt das Land. 20

Wüst liegt die Stadt, wüst liegen Hof und Hallen,
Die Hand ward leer,

Wir sahen eine Welt in Trümmer fallen —
Uns trifft nichts mehr.

Ziel eines Hasses oder eines Spottes, 25
Was liegt daran?
Wir sind die Heimatlosen unsres Gottes —
Er nimmt uns an.

Die Schuld ist ausgeweint[1], wir sind entronnen
Ins letzte Weh: 30
Die Ew'ge Gnade öffnet ihre Bronnen[2] —
Blut wird zu Schnee.

Ricarda Huch (1864–1947)

❧❧

Wüßt ich ein Lied, unser Elend zu singen,
Unseren bitteren Gram, den Worte nicht fassen,
Es würde Steine bewegen und Eisen durchdringen,
Und wer es hörte, würde uns nicht mehr hassen.

Es gibt Unglück, das gleicht schwarzen Gewändern, 5
Die umgeben den, der es trägt, wie eine Mauer.
Singt ihr und tanzt in bunten Bändern,
Aber geht still vorüber an seiner heiligen Trauer.

Er wachte nachts bei seiner geliebten Leiche,
Er folgte dem Scheidenden auf seiner dunklen Reise. 10
Er war zu nahe dem Totenreiche;
Zieht den Einsamen nicht in eure geschäftigen Kreise.

Es gibt Unglück, das wie ein himmlisches Feuer
Mit unserem Glück zugleich unsre Schuld verzehrte.
Schwer wie die Schuld war das Lösegeld[1] teuer: 15
Wir haben bezahlt, was der wägende[2] Richter begehrte.

Wir haben keine Heimat, keine Zuflucht auf Erden,
Wir schleppen wunde Füße in zerrissenen Schuhen,
Wir haben keinen Acker, keine Weiden, keine Herden,
Wir haben kein Bett, um nachts drin zu ruhen. 20

[1] i.e., we have washed our guilt away with our tears
[2] fountains

Wüsst ich ein Lied: On Ricarda Huch see p. 147. [1] ransom money [2] i.e., meting out justice on a scale

Wir drängen uns hungernd auf harten Wegen,
Wir betteln von Bettlern das Brot aus leeren Spinden[3],
Wir haben keinen Mantel in Frost und Regen,
Wir sind dankbar für Lumpen und trockene Rinden.

Wir haben keine Tochter, keinen Sohn uns zu stützen,   25
Das Kind hat keinen Vater, das kranke zu retten.
Wir sterben am Wege, im Graben und in Pfützen[4],
Wir haben keine Ruhstatt, unsere Toten zu betten.

Wir suchen unsre Häuser zwischen wüsten Steinen,
Wir finden einen Balken, ein Brett, ein paar Stufen.   30
Wir wühlen in der Asche nach Schmuck und Gebeinen[5],
Wo drunten klagende Stimmen uns geisterhaft rufen.

Wir genießen der Toten Freiheit und Frieden.
Entrückt[6] schon auf Erden dem Streit und dem Hohne,
Wir Gefährten der Nacht, von den Frohen gemieden,   35
Wir, geglüht mit des Unglücks blutiger Krone.

Gebet zum Tag der Toten

Der Du Deinen Engel einst gesendet
Und die Hände Abrahams gewendet,
Da er opferte den Sohn,
Als wir flehten um der Brüder Leben,
Ward kein Gnadenzeichen uns gegeben,   5
Nacht verbarg uns Deinen Thron.

Nichts vollzieht sich ohne Deinen Willen,
Stürme kannst Du binden, Wogen stillen,
Feuersbrünste löscht Dein Hauch;
Doch Du schwiegest zu der Bösen Taten —   10
Als sie ruchlos Schuldlose zertraten,
Deine Gläub'gen, schwiegst Du auch.

Warum warfen Deine Racheblitze
Nicht die Frevelnden vom sichern Sitze,

Den sie Dir zum Trotz erbaut?   15
Warum mußten auch die Frommen, Guten,
In verhaßten Schlachten sich verbluten,
Die wir Deiner Hut vertraut?

Herr, vor Dir ist keiner ohne Fehle,
Wer vermißt sich[1], daß er Dir empfehle   20
Deines hohen Waltens Weg und Ziel?
Ob Du unsere blinden Kämpfe schlichtest,
Ob Du uns zerrüttest und vernichtest,
Heilig sei, was Dir gefiel.

Nimm denn auf in Deine Liebesfülle,   25
Vater, unsere Toten und umhülle
Ihren wunden Leib mit Licht.
Sonnenhell wird dann ihr Aug' entbrennen
Und der Erde dunkles Wort erkennen
Angesicht zu Angesicht.   30

---

[3] cupboards   [4] puddles   [5] jewelry and bones (of our dead)
[6] removed
GEBET ZUM TAG DER TOTEN: Written in 1946

[1] presumes

Detlev von Liliencron · 1844–1909

Liliencron was descended from a distinguished, if somewhat bizarre, family of down-at-the-heel aristocrats. Like everything else in his life, his education was irregular. He joined the Prussian army and fought in the wars of 1866 and 1870. His life thereafter became turbulent and disorganized to an extreme: passing amorous affairs with any and every girl; three wives, two of them divorced; a lifelong duel with creditors; a disastrous journey to America. Only late in life, when he was known throughout Germany, was he able to exist at some level of decency from the pensions and gifts that were bestowed on him.

His character and temperament were like his fortunes, full of contradictions: he was a sensualist and pious; he had a fondness for nihilism and was an avowed royalist; he was irresponsibly gay and depressed at the same time.

This inadequate human being has enriched German literature with some of its most glorious poems, poems unequalled for their spontaneity, raciness, vivid imagery, magnificent rhythm; others rich in atmosphere, suggesting depth, haunting the imagination, stirring the reflective faculties. The term "impressionist" is used in a variety of senses; for Liliencron it has the literal meaning. He creates snapshots of reality seen on the surface; they are swift glimpses, often wonderfully suggestive, but they are snapshots. The style says so. A Liliencron poem is often a string of phrases juxtaposed without the usual grammatical binders. The effect is that produced by the film—life speeding by while we race along behind it effortlessly.

The life that Liliencron led told on his writing; that is why it was necessary to paint this unflattering picture of him as a man. His early poetry represents his brilliant achievement for which he will be remembered. The later work shows a sad falling off. What he wrote in the other genres, including that of the long poem, is undistinguished. But at his best he is superb.

Liliencron's principal writings include: *Adjutantenritte* (1883), *Gedichte* (1889), *Der Heidegänger* (1891), *Kriegsnovellen* (1895), *Poggfred* (1897), *Bunte Beute* (1903).

Tod in Ähren

Im Weizenfeld, in Korn[1] und Mohn,
Liegt ein Soldat, unaufgefunden,
Zwei Tage schon, zwei Nächte schon,
Mit schweren Wunden, unverbunden.

Durstüberquält und fieberwild,   5
Im Todeskampf den Kopf erhoben.
Ein letzter Traum, ein letztes Bild;
Sein brechend Auge schlägt[2] nach oben.

Die Sense sirrt im Ährenfeld,
Er sieht sein Dorf im Arbeitsfrieden,   10
Ade[3], Ade, du Heimatwelt —
Und beugt das Haupt, und ist verschieden[4].

TOD IN ÄHREN: Written 21 July, 1877; published in *Der Heidegänger* (1891). [1] wheat [2] i.e., looks [3] colloquial form of *adieu*, farewell [4] John 19: 30—und neigte das Haupt und verschied (died)

Märztag

Wolkenschatten fliehen über Felder,
Blau umdunstet[1] stehen ferne Wälder.

Kraniche, die hoch die Luft durchpflügen,
Kommen schreiend an in Wanderzügen[2].

Lerchen steigen schon in lauten Schwärmen,   5
Überall ein erstes Frühlingslärmen.

Lustig flattern, Mädchen, deine Bänder;
Kurzes Glück träumt durch die weiten Länder.

Kurzes Glück schwamm mit den Wolkenmassen;
Wollt' es halten, mußt es schwimmen lassen.   10

MÄRZTAG: Written 7–8 April, 1878; published in *Bunte Beute* (1903). [1] wrapped in haze [2] i.e., returning from Africa

Schwalbensiziliane

Zwei Mutterarme, die das Kindchen wiegen,
Es jagt die Schwalbe weglang[1] auf und nieder.
Maitage, trautes Aneinanderschmiegen[2],
Es jagt die Schwalbe weglang auf und nieder.
Des Mannes Kampf: Sieg oder Unterliegen,   5
Es jagt die Schwalbe weglang auf und nieder.
Ein Sarg, auf den drei Handvoll Erde fliegen,
Es jagt die Schwalbe weglang auf und nieder.

Wer weiß wo

Auf Blut und Leichen, Schutt und Qualm[1],
Auf roßzerstampften Sommerhalm[2]
Die Sonne schien.
Es sank die Nacht. Die Schlacht ist aus,
Und mancher kehrte nicht nach Haus   5
Einst von Kolin[3].

Ein Junker[4] auch, ein Knabe noch,
Der heut das erste Pulver roch,
Er mußte dahin[5].
Wie hoch er auch die Fahne schwang,   10
Der Tod in seinen Arm ihn zwang.
Er mußte dahin.

Ihm nahe lag ein frommes Buch,
Das stets der Junker bei sich trug,
Am Degenknauf[6].   15
Ein Grenadier von Bevern[7] fand
Den kleinen erdbeschmutzten Band
Und hob ihn auf.

Und brachte heim mit schnellem Fuß
Dem Vater diesen letzten Gruß,   20

Der klang nicht froh.
Dann schrieb hinein die Zitterhand:
„Kolin. Mein Sohn verscharrt im Sand.
Wer weiß wo."

Und der[8] gesungen dieses Lied,   25
Und der es liest, im Leben zieht
Noch frisch und froh.
Doch einst bin ich, und bist auch du,
Verscharrt im Sand, zur ewigen Ruh,
Wer weiß wo.   30

Siegesfest

Flatternde Fahnen
Und frohes Gedränge.
Fliegende Kränze
Und Siegesgesänge.

Schweigende Gräber,   5
Verödung und Grauen.
Welkende Kränze,
Verlassene Frauen.

Heißes Umarmen
Nach schmerzlichem Sehnen.   10
Brechende Herzen,
Erstorbene Tränen.

Die Musik kommt

Klingkling, bumbum und tschingdada,
Zieht im Triumph der Perserschah[1]?
Und um die Ecke brausend bricht's
Wie Tubaton des Weltgerichts[2],
Voran der Schellenträger[3].   5

SCHWALBENSIZILIANE: Written in 1880; published in *Der Heidegänger* (1891). The Siziliane has one stanza with one set of rhymes in the pattern abababab. Liliencron modifies the traditional form by introducing a refrain in the even lines. This refrain indicates the nature of life as a background for the events described in the poem. [1] along the way [2] cuddling close

WER WEISS WO: Written 2 December, 1880; published in *Der Heidegänger* (1891). [1] rubble and smoke [2] on the straw trodden by the horses [3] the battle of Kolin (June 18, 1757) ended with the defeat of Frederick the Great's forces. [4] = Fahnenjunker, standard bearer [5] i.e., die [6] pommel of the sword [7] from the regiment commanded by the Duke of Bevern [8] = derjenige der

SIEGESFEST: From *Der Heidegänger*

DIE MUSIK KOMMT: Written September 1881; published that same year in *Fliegende Blätter*; included in *Der Heidegänger*. [1] the Shah of Persia (suggesting pomp and dignity) [2] the tuba tone of Judgment Day (cf. the Latin hymn *Dies irae* by Thomas of Celano: "The trumpet, spreading a marvellous sound, will gather all before the throne.") [3] crescent player

Brumbrum, das große Bombardon[4],
Der Beckenschlag[5], das Helikon,
Die Pikkolo, der Zinkenist,
Die Türkentrommel, der Flötist,
    Und dann der Herre Hauptmann.   10

Der Hauptmann naht mit stolzem Sinn,
Die Schuppenketten[6] unterm Kinn,
Die Schärpe[7] schnürt den schlanken Leib,
Beim Zeus! das ist kein Zeitvertreib;
    Und dann die Herren Leutnants.   15

Zwei Leutnants, rosenrot und braun[8],
Die Fahne schützen sie als Zaun[9];
Die Fahne kommt, den Hut nimm ab,
Der bleiben treu wir bis ans Grab!
    Und dann die Grenadiere.   20

Der Grenadier im strammen Tritt,
In Schritt und Tritt und Tritt und Schritt,
Das stampft und dröhnt und klappt und flirrt,
Laternenglas und Fenster klirrt;
    Und dann die kleinen Mädchen.   25

Die Mädchen alle, Kopf an Kopf,
Das Auge blau und blond der Zopf,
Aus Tür und Tor und Hof und Haus
Schaut Mine[11], Trine, Stine aus;
    Vorbei ist die Musike[12].   30

Klingling, tschingtsching und Paukenkrach[13],
Noch aus der Ferne tönt es schwach,
Ganz leise bumbumbumbum tsching;
Zog da ein bunter Schmetterling,
    Tschintsching, bum, um die Ecke?   35

Dorfkirche im Sommer

Schläfrig singt der Küster[1] vor,
Schläfrig singt auch die Gemeinde.
Auf der Kanzel der Pastor
Betet still für seine Feinde.

Dann die Predigt, wunderbar,   5
Eine Predigt ohnegleichen.
Die Baronin weint sogar
Im Gestühl[2], dem wappenreichen.

Amen, Segen, Türen weit[3],
Orgelton und letzter Psalter.   10
Durch die Sommerherrlichkeit
Schwirren Schwalben, flattern Falter[4].

Viererzug

Vorne vier nickende Pferdeköpfe,
Neben mir zwei blonde Mädchenzöpfe,
Hinten der Groom mit wichtigen Mienen,
An den Rädern Gebell.

In den Dörfern windstillen Lebens Genüge,   5
Auf den Feldern fleißige Spaten und Pflüge,
Alles das von der Sonne beschienen
So hell, so hell.

Der Handkuß

Viere[1] lang,
Zum Empfang,
Vorne Jean,
Elegant,
    Fährt meine süße Lady.   5

[4] The bombardon is a large wind instrument.   [5] the clang of cymbals. The helicon is a wind instrument resembling a French horn. *Zinkenist* = clarinet player; *Türkentrommel* = bass drum carried sideways [6] chin strap with metal scales [7] sash; *schnürt* = laces (i.e., fits tightly) [8] i.e., with pink and tanned cheeks [9] hedge or bulwark [10] there is a stamping, roaring, clattering, and vibrating. [11] Wilhelmine, Kathrine, Christine [12] popular for *Musik* [13] crash of the bass drum

DORFKIRCHE IM SOMMER: Source as above. [1] The sexton also directs the church choir. [2] pew; *wappenreich* = richly adorned with the baronial coat of arms [3] = weit offen [4] butterflies
VIERERZUG: Source as above. The title means: coach and four.
DER HANDKUSS: Source as above. [1] i.e., four single horses in Indian file

Schilderhaus[2],
Wache raus.
Schloßportal,
Und im Saal
   Steht meine süße Lady.   10

Hofmarschall,
Pagenwall[3].
Sehr graziös,
Merveillös
   Knixt meine süße Lady.   15

Königin,
Hoher Sinn.
Ihre Hand,
Interessant,
   Küßt meine süße Lady.   20

Viere lang,
Vom Empfang,
Vorne Jean,
Elegant,
   Kommt meine süße Lady.   25

Nun wie wars
Heut bei Zars[4]?
Ach, ich bin
Noch ganz hin[5],
   Haucht meine süße Lady.   30

Nach und nach,
Allgemach,
Ihren Mann
Wieder dann
   Kennt meine süße Lady.   35

[2] sentry box [3] a phalanx of pages [4] flippant allusion to the King and Queen [5] = hingerissen, entranced

Heimgang in der Frühe

In der Dämmerung,
Um Glock[1] zwei, Glock dreie,
Trat ich aus der Tür
In die Morgenweihe[2].

Klanglos liegt der Weg   5
Und die Bäume schweigen,
Und das Vogellied
Schläft noch in den Zweigen.

Hör ich hinter mir
Sacht ein Fenster schließen.   10
Will mein strömend Herz
Übers Ufer fließen[3]?

Sieht mein Sehnen nur
Blond und blaue Farben?
Himmelsrot und Grün   15
Samt den andern starben.

Ihrer Augen Blau
Küßt die Wölkchenherde[4],
Und ihr blondes Haar
Deckt die ganze Erde.   20

Was die Nacht mir gab,
Wird mich lang durchbeben,
Meine Arme weit
Fangen Lust und Leben.

Eine Drossel weckt   25
Plötzlich aus den Bäumen,
Und der Tag erwacht
Still aus Liebesträumen.

HEIMGANG IN DER FRÜHE: From *Bunte Beute* (1903).
[1] o'clock [2] awesome silence of the morning [3] i.e., overflow
[4] cirrus clouds, popularly called little lambs

Friedrich Nietzsche · 1844–1900

Nietzsche was descended from a long line of Protestant theologians and clergymen. He was a precocious boy and began writing poetry at the age of ten. At the university, where he studied classical philology, he impressed his teacher Ritschl so much that the latter recommended him for a teaching post at Basel before the young man had taken his degree. From 1869 to 1878 he taught at Basel; but a growing ailment forced him to abandon his academic career. He then lived in Switzerland and Italy, writing amidst the tortures of hell. In 1888 he suffered a mental collapse from which he never recovered.

Nietzsche's thought developed through three stages. As a young man he was a devoted follower of Schopenhauer and an ardent admirer of Wagner, whose music he rightly associated with Schopenhauer's metaphysics. Combining Schopenhauer, Wagner, and early Greek philosophy, he launched a devastating attack on the ideals of nineteenth-century society, which he saw as overintellectualized, smugly optimistic, philistine, practical. He championed a return to an aesthetic view of life, to the tragic philosophy of the pre-Socratic Greeks.

It soon became clear, however, that neither Schopenhauer nor Wagner could remain his spiritual mentor. He moved away from both and embarked on an iconoclastic analysis of moral values, ruthlessly stripping away all the illusions and rationalizations with which men had covered their intellectual and psychological weaknesses and cowardice. In the course of this elaborate unmasking of man's true nature, he revealed himself a psychologist of the first rank, who foresaw and used the methods later employed by depth psychology.

Finally, in his last years, Nietzsche composed a mass of notes and little essays which were later published by his sister under the title of *Der Wille zur Macht* and which form a sketch for his definitive philosophy. He accepts Schopenhauer's formulation of the subservient relation in which the intellect stands to the will. But whereas Schopenhauer deplored this state and sought various avenues of escape from it, Nietzsche approves it and wishes to maintain the primacy of the will over the intellect. Indeed his quarrel with our civilization is that its values are all intellectual and rational, stemming from the arch-rationalist Socrates and the arch-democrat Christ. Rationalism and Christianity between them are responsible for all the degeneration from which our modern society is suffering and for the destruction that faces it. For they have foisted upon Western civilization an ethic of democracy and asceticism, with the concomitant virtues of equality, self-sacrifice, humility, pity, and sexual abstinence. These Christian-democratic virtues represent the ethic of an inferior race of men, who can get their share of the good things of life only by curbing the superior and strong. Christian-democratic values are those of slave men; they are the product of mass resentment against the gifted.

The salvation of Western civilization lies in returning to pagan, aristocratic values. The will must be restored to its place of sovereignty over the leveling intellect. The life-affirming, life-enriching Dionysian element, which is really the will to power existing in all worth-while men, should not be curbed but allowed to expand and realize itself. In place of a race of moral slaves we shall then have a society of amoral, biologically beautiful masters, heroic men—strong, brave, self-controlled, constantly improving their strength of character as well as their bodies, a race which loves life as a totality.

The evil conscience which Christianity has given European man, the sense of sin which this religion has injected into modern life, shall be replaced by a will to enjoy life. But by enjoyment Nietzsche does not mean vulgar pleasure and comfort. It is quite clear that he is not a eudaimonist. What he advocates is a release of the creative instincts, an expansion of the total personality, a maximal affirmation of life in this world.

This neopaganism of Nietzsche's is not original; it is rather the culmination of a German cultural tradition that has its roots in Winckelmann's Hellenism and develops gradually in the course of the nineteenth century, with Goethe, Friedrich Schlegel, and Heine acting as partial godfathers. But Nietzsche gathered together the threads and wove them into a tapestry that has dazzled the Western world. For his influence both in and outside Germany has been incalculable.

Besides being a psychologist of genius, Nietzsche was a stylist of the highest order. Never had a philosopher couched his intellectual blockbusters in such prose—passionate, witty, scintillating, sonorous, in complete control of the whole register of literary effects.

Nietzsche's principal writings include: *Die Geburt der Tragödie aus dem Geiste der Musik* (1871), *Menschliches — Allzumenschliches* (1878–1880), *Morgenröte* (1881), *Die fröhliche Wissenschaft* (1882–1886), *Also sprach Zarathustra* (1883–1885), *Jenseits von Gut und Böse* (1886), *Zur Genealogie der Moral* (1887), *Der Wille zur Macht* (1901–1906).

Vereinsamt

Die Krähen schrei'n
Und ziehen schwirren Flugs[1] zur Stadt:
Bald wird es schnei'n, —
Wohl dem, der jetzt noch — Heimat hat!

Nun stehst du starr,   5
Schaust rückwärts, ach! wie lange schon!
Was[2] bist du Narr
Vor Winters in die Welt entflohn?

Die Welt — ein Tor
Zu tausend Wüsten stumm und kalt!
Wer das verlor,   10
Was du verlorst, macht nirgends Halt.

Nun stehst du bleich,
Zur Winter-Wanderschaft verflucht,
Dem Rauche gleich,   15
Der stets nach kältern Himmeln sucht.

Flieg, Vogel, schnarr[3]
Dein Lied im Wüstenvogel-Ton! —
Versteck, du Narr,
Dein blutend Herz in Eis und Hohn!   20

Die Krähen schrei'n
Und ziehen schwirren Flugs zur Stadt:
Bald wird es schnei'n, —
Weh dem, der keine Heimat hat!

Ecce Homo

Ja! Ich weiß, woher ich stamme!
Ungesättigt gleich der Flamme
Glühe und verzehr' ich mich.
Licht wird alles, was ich fasse,
Kohle alles, was ich lasse: 5
Flamme bin ich sicherlich!

Das trunkene Lied

O Mensch! Gib acht!
Was spricht die tiefe Mitternacht?
„Ich schlief, ich schlief —,
Aus tiefem Traum bin ich erwacht: —
Die Welt ist tief,

VEREINSAMT: The first of two poems under the general title *Mitleid hin und her*. The second poem is called *Antwort*, in which the poet caustically assures us that it is not German warmth that is luring him.   [1] with whirring flight   [2] = warum   [3] croak

ECCE HOMO: Written about 1881–1882. The title means: Behold the man (John 19: 5)

DAS TRUNKENE LIED: From Part IV of *Also sprach Zarathustra*. The poem celebrates the basic idea of the book: "die ewige Wiederkunft" (eternal recurrence). It comes at the end of a chapter which bears the same title and forms a rhapsodic commentary on the poem, line by line.

Und tiefer als der Tag gedacht. 5
Tief ist ihr Weh —,
Lust — tiefer noch als Herzeleid:
Weh spricht: Vergeh!
Doch alle Lust will Ewigkeit —, 10
— Will tiefe, tiefe Ewigkeit!"

Apollo und Dionysos

Wir werden viel für die ästhetische Wissenschaft gewonnen haben, wenn wir nicht nur
zur logischen Einsicht, sondern zur unmittelbaren Sicherheit der Anschauung[1] gekommen 15
sind, daß die Fortentwicklung der Kunst an die
Duplizität des Apollinischen[2] und des Dionysischen gebunden ist: in ähnlicher Weise,
wie die Generation[3] von der Zweiheit der Geschlechter, bei fortwährendem Kampfe und nur 20
periodisch eintretender Versöhnung, abhängt.
Diese Namen entlehnen wir von den Griechen,
welche die tiefsinnigen Geheimlehren[4] ihrer

APOLLO UND DIONYSOS: From *Die Geburt der Tragödie.*
Published in 1872, this was Nietzsche's first major work,
written in defense of Wagner's art. Its main thesis is that
the Greeks in their period of grandeur were not intel-
lectualists, as had been supposed by the followers of Winckelmann, but irrationalists or Schopenhauerian voluntarists.
When intellectualism entered Greek thought and art with
Socrates and Euripides, Greek culture was doomed. What
we need today is a revival of Greek art based on the primacy
of the musical (the irrational or Dionysian) element over
the spoken dialogue (the intellectual or Apollonian). Although
Nietzsche does not say so in this work, he hints that
Wagner's *Gesamtkunstwerk* has resurrected Greek tragedy
and that the Schopenhauerian spirit which underlies the
Wagnerian drama will end the reign of intellectualism which
threatens 19th-century civilization. The opening chapter
which is reprinted here is a little treatise on aesthetics. The
distinction between the Apollonian and Dionysian elements
in art harks back to Schiller's concepts of naive and sentimental and has become very influential in recent aesthetics and
art criticism. As the book proceeds, the terms are extended
to embrace two antithetical ways of life. In this broader
sense they are treated in §§ 1050 and 1052 of *Der Wille
zur Macht*, which are reprinted below.
[1] in Schopenhauer's sense of intuitive insight, as opposed
to mere sense perception or practical understanding [2] Apollo,
god of light, symbolizes the intellect, which teaches us to
make distinctions; it is Schopenhauer's *Vorstellung*, the *principium individuationis*. Dionysos, the god of intoxication and
passion, symbolizes the instincts, Schopenhauer's *Wille*, which
is one in all nature and therefore breaks down the barriers
between men. [3] i.e., biological reproduction [4] esoteric
teachings, mysteries

Kunstanschauung zwar nicht in Begriffen, aber
in den eindringlich deutlichen Gestalten ihrer
Götterwelt dem Einsichtigen vernehmbar machen. An ihre beiden Kunstgottheiten, Apollo
und Dionysos, knüpft sich unsere Erkenntnis, 5
daß in der griechischen Welt ein ungeheurer
Gegensatz, nach Ursprung und Zielen, zwischen
der Kunst des Bildners[5], der apollinischen, und
der unbildlichen Kunst der Musik, als der des
Dionysos, besteht: beide so verschiedne Triebe 10
gehen nebeneinander her[6], zumeist im offnen
Zwiespalt miteinander und sich gegenseitig zu
immer neuen kräftigeren Geburten reizend, um
in ihnen den Kampf jenes Gegensatzes zu perpe-
tuieren, den das gemeinsame Wort „Kunst" nur 15
scheinbar überbrückt[7]; bis sie endlich, durch
einen metaphysischen Wunderakt des hellenischen „Willens", miteinander gepaart erscheinen
und in dieser Paarung zuletzt das ebenso dionysische als apollinische Kunstwerk der attischen 20
Tragödie erzeugen.

Um uns jene beiden Triebe näher zu bringen,
denken wir sie uns zunächst als die getrennten
Kunstwelten des Traumes und des Rausches;
zwischen welchen physiologischen Erscheinun- 25
gen ein entsprechender Gegensatz wie zwischen
dem Apollinischen und dem Dionysischen zu
bemerken ist. Im Traume traten zuerst, nach
der Vorstellung des Lukretius[8], die herrlichen
Göttergestalten vor die Seelen der Menschen, 30
im Traume sah der große Bildner[9] den ent-
zückenden Gliederbau übermenschlicher Wesen, und der hellenische Dichter, um die Geheimnisse der poetischen Zeugung befragt,
würde ebenfalls an den Traum erinnert und eine 35
ähnliche Belehrung gegeben haben, wie sie
Hans Sachs in den „Meistersingern" gibt:

> Mein Freund, das grad' ist Dichters Werk,
> daß er sein Träumen deut' und merk'.
> Glaubt mir, des Menschen wahrster Wahn[10]
> wird ihm im Traume aufgetan:
> all' Dichtkunst und Poeterei[11]
> ist nichts als Wahrtraum-Deuterei.

[5] the plastic or visual artist (painter and sculptor) as opposed
to the artist who uses the medium of sound [6] exist side
by side [7] bridges [8] Lucretius, Roman poet of the 1st century B.C., author of the poem *De rerum natura*; cf. Book V,
ll. 1169–1170 [9] i.e., sculptor [10] wish, belief [11] poetry

Der schöne Schein[12] der Traumwelten, in
deren Erzeugung jeder Mensch voller Künstler
ist, ist die Voraussetzung aller bildenden Kunst,
ja auch, wie wir sehen werden, einer wichtigen
Hälfte der Poesie. Wir genießen im unmittelbaren Verständnisse der Gestalt, alle Formen
sprechen zu uns, es gibt nichts Gleichgültiges
und Unnötiges. Bei dem höchsten Leben dieser
Traumwirklichkeit haben wir doch noch die
durchschimmernde Empfindung ihres Scheines: wenigstens ist dies meine Erfahrung, für
deren Häufigkeit, ja Normalität, ich manches
Zeugnis und die Aussprüche der Dichter beizubringen hätte. Der philosophische Mensch hat
sogar das Vorgefühl, daß auch unter dieser
Wirklichkeit, in der wir leben und sind, eine
zweite ganz andre verborgen liege, daß also
auch sie ein Schein sei; und Schopenhauer bezeichnet geradezu die Gabe, daß einem zuzeiten
die Menschen und alle Dinge als bloße Phan-
tome oder Traumbilder vorkommen, als das
Kennzeichen philosophischer Befähigung. Wie
nun der Philosoph zur Wirklichkeit des Daseins, so verhält sich der künstlerisch erregbare
Mensch zur Wirklichkeit des Traumes; er sieht
genau und gern zu: denn aus diesen Bildern
deutet er sich das Leben, an diesen Vorgängen
übt er sich für das Leben. Nicht etwa nur die
angenehmen und freundlichen Bilder sind es,
die er mit jener Allverständlichkeit an sich erfährt: auch das Ernste, Trübe, Traurige, Finstere, die plötzlichen Hemmungen[13], die Necke-
reien des Zufalls, die bänglichen Erwartungen,
kurz die ganze „göttliche Komödie" des Lebens,
mit dem Inferno, zieht an ihm vorbei, nicht nur
wie ein Schattenspiel — denn er lebt und leidet
mit in diesen Szenen — und doch auch nicht
ohne jene flüchtige Empfindung des Scheins;
und vielleicht erinnert sich mancher, gleich mir,
in den Gefährlichkeiten und Schrecken des
Traumes sich mitunter ermutigend und mit Erfolg zugerufen zu haben: „Es ist ein Traum!
Ich will ihn weiter träumen!" Wie man mir
auch von Personen erzählt hat, die die Kausalität
eines und desselben Traumes über drei und
mehr aufeinanderfolgende Nächte hin fortzu-

setzen imstande waren: Tatsachen, welche deutlich Zeugnis dafür abgeben, daß unser innerstes
Wesen, der gemeinsame Untergrund[14] von uns
allen, mit tiefer Lust und freudiger Notwendigkeit den Traum an sich erfährt.

Diese freudige Notwendigkeit der Traum-
erfahrung ist gleichfalls von den Griechen in
ihrem Apollo ausgedrückt worden: Apollo, als
der Gott aller bildnerischen[15] Kräfte, ist zugleich
der wahrsagende[16] Gott. Er, der seiner Wurzel
nach die „Scheinende"[17], die Lichtgottheit ist,
beherrscht auch den schönen Schein der inneren
Phantasie-Welt. Die höhere Wahrheit, die Voll-
kommenheit dieser Zustände im Gegensatz zu
der lückenhaft verständlichen Tageswirklich-
keit[18], sodann das tiefe Bewußtsein von der in
Schlaf und Traum heilenden und helfenden Natur ist zugleich das symbolische Analogon[19] der
wahrsagenden Fähigkeit und überhaupt der
Künste, durch die das Leben möglich und
lebenswert gemacht wird. Aber auch jene zarte
Linie, die das Traumbild nicht überschreiten
darf, um nicht pathologisch zu wirken, widri-
genfalls[20] der Schein als plumpe Wirklichkeit
uns betrügen würde — darf nicht im Bilde des
Apollo fehlen: jene maßvolle Begrenzung, jene
Freiheit von den wilderen Regungen, jene weis-
heitsvolle Ruhe des Bildnergottes. Sein Auge
muß „sonnenhaft", gemäß seinem Ursprunge
sein; auch wenn es zürnt und unmutig blickt,
liegt die Weihe des schönen Scheines auf ihm.
Und so möchte von Apollo in einem exzen-
trischen Sinne[21] das gelten, was Schopenhauer
von dem im Schleier der Maja befangenen
Menschen[22] sagt: „Wie auf dem tobenden
Meere, das, nach allen Seiten unbegrenzt, heu-
lend Wasserberge erhebt und senkt, auf einem
Kahn ein Schiffer sitzt, dem schwachen Fahr-
zeug vertrauend; so sitzt, mitten in einer Welt
von Qualen, ruhig der einzelne Mensch, gestützt und vertrauend auf das principium individuationis." Ja es wäre von Apollo zu sagen, daß

in ihm das unerschütterte Vertrauen auf jenes principium und das ruhige Dasitzen des in ihm Befangenen seinen erhabensten Ausdruck bekommen habe, und man möchte selbst Apollo als das herrliche Götterbild des principii indivi- 5 duationis bezeichnen, aus dessen Gebärden und Blicken die ganze Lust und Weisheit des „Scheines", samt seiner Schönheit, zu uns spräche.

An derselben Stelle hat uns Schopenhauer das 10 ungeheure G r a u s e n geschildert, welches den Menschen ergreift, wenn er plötzlich an den Erkenntnisformen der Erscheinung[23] irre wird, indem der Satz vom Grunde[24], in irgend einer seiner Gestaltungen, eine Ausnahme zu erleiden 15 scheint. Wenn wir zu diesem Grausen die wonnevolle Verzückung hinzunehmen, die bei demselben Zerbrechen des principii individuationis aus dem innersten Grunde des Menschen, ja der Natur emporsteigt, so tun wir einen Blick 20 in das Wesen des D i o n y s i s c h e n, das uns am nächsten noch durch die Analogie des R a u - s c h e s gebracht wird. Entweder durch den Einfluß des narkotischen Getränkes, von dem alle ursprünglichen Menschen und Völker in Hym- 25 nen sprechen, oder bei dem gewaltigen, die ganze Natur lustvoll durchdringenden Nahen des Frühlings erwachen jene dionysischen Regungen, in deren Steigerung das Subjektive[25] zu völliger Selbstvergessenheit hinschwindet. 30 Auch im deutschen Mittelalter wälzten sich unter der gleichen dionysischen Gewalt immer wachsende Scharen, singend und tanzend, von Ort zu Ort: in diesen Sankt-Johann-[26] und Sankt-Veittänzern erkennen wir die bacchi- 35 schen[27] Chöre der Griechen wieder, mit ihrer Vorgeschichte in Kleinasien, bis hin zu Babylon und den orgiastischen Sakäen[28]. Es gibt Menschen, die, aus Mangel an Erfahrung oder aus Stumpfsinn, sich von solchen Erscheinungen 40 wie von „Volkskrankheiten", spöttisch oder

bedauernd im Gefühl der eigenen Gesundheit abwenden: die Armen ahnen freilich nicht, wie leichenfarbig und gespenstisch eben diese ihre „Gesundheit" sich ausnimmt, wenn an ihnen das glühende Leben dionysischer Schwärmer vorüberbraust.

Unter dem Zauber des Dionysischen schließt sich nicht nur der Bund zwischen Mensch und Mensch wieder zusammen: auch die entfremdete, feindliche oder unterjochte Natur feiert wieder ihr Versöhnungsfest mit ihrem verlorenen Sohne[29], dem Menschen. Freiwillig beut[30] die Erde ihre Gaben, und friedfertig nahen die Raubtiere der Felsen und der Wüste. Mit Blumen und Kränzen ist der Wagen des Dionysos überschüttet: unter seinem Joche schreiten Panther und Tiger. Man verwandele das Beethovensche Jubellied der „Freude"[31] in ein Gemälde und bleibe mit seiner Einbildungskraft nicht zurück, wenn die Millionen[32] schauervoll in den Staub sinken: so kann man sich dem Dionysischen nähern. Jetzt ist der Sklave freier Mann, jetzt zerbrechen alle die starren, feindseligen Abgrenzungen, die Not, Willkür oder „freche Mode"[33] zwischen den Menschen festgesetzt haben. Jetzt bei dem Evangelium der Weltenharmonie, fühlt sich jeder mit seinem Nächsten nicht nur vereinigt, versöhnt, verschmolzen, sondern eins, als ob der Schleier der Maja zerrissen wäre und nur noch in Fetzen vor dem geheimnisvollen Ur-Einen[34] herumflattere. Singend und tanzend äußert sich der Mensch als Mitglied einer höheren Gemeinsamkeit: er hat das Gehen und Sprechen verlernt und ist auf dem Wege, tanzend in die Lüfte emporzufliegen. Aus seinen Gebärden spricht die Verzauberung. Wie jetzt die Tiere reden und die Erde Milch und Honig gibt, so tönt auch aus ihm

[29] the prodigal son of Scripture [30] = bietet [31] The chorale to Beethoven's Ninth Symphony is set to Schiller's ode *An die Freude*, which has for its theme the breaking down of the barriers between men and the union of all God's creatures in one world-embracing brotherhood. [32] allusion to the lines from Schiller's ode which are quoted at the end of this passage [33] arrogant fashion: allusion to Schiller's lines: Deine Zauber binden wieder/Was die Mode streng geteilt. *Mode* is artifical convention as opposed to "nature" in Rousseau's sense. [34] the primeval force (Schopenhauer's *Wille*) which existed before all consciousness, intellect, individuation

[23] i.e., the view of reality (= Erscheinung) which is given by the intellect [24] the principle of causation which holds sway in the world of everyday reality (I, 197, n. 1) [25] i.e., consciousness of oneself [26] St. John and St. Vitus are the patron saints invoked against St. Vitus dance. [27] Bacchus was one of the names of Dionysos. [28] festivals of an orgiastic character, celebrated all over Asia Minor in connection with certain religions

etwas Übernatürliches: als Gott fühlt er sich, er selbst wandelt jetzt so verzückt und erhoben, wie er die Götter im Traume wandeln sah. Der Mensch ist nicht mehr Künstler, er ist Kunstwerk geworden: die Kunstgewalt der ganzen Natur, zur höchsten Wonnebefriedigung[35] des Ur-Einen, offenbart sich hier unter den Schauern des Rausches. Der edelste Ton[36], der kostbarste Marmor wird hier geknetet und behauen[37], der Mensch, und zu den Meißelschlägen[38] des dionysischen Weltenkünstlers tönt der eleusinische Mysterienruf[39]: „Ihr stürzt nieder, Millionen? Ahnest du den Schöpfer, Welt?" —

Zarathustras Vorrede

3

Als Zarathustra in die nächste Stadt kam, die an den Wäldern liegt, fand er daselbst viel Volk versammelt auf dem Markte: denn es war verheißen worden, daß man einen Seiltänzer[1] sehen solle. Und Zarathustra sprach also zum Volke:

Ich lehre euch den Übermenschen[2]. Der Mensch ist etwas, das überwunden werden soll. Was habt ihr getan, ihn zu überwinden?

Alle Wesen bisher schufen etwas über sich hinaus: und ihr wollt die Ebbe dieser großen Flut sein und lieber noch zum Tiere zurückgehn, als den Menschen überwinden?

Was ist der Affe für den Menschen? Ein Gelächter oder eine schmerzliche Scham. Und ebendas soll der Mensch für den Übermenschen

sein: ein Gelächter oder eine schmerzliche Scham.

Ihr habt den Weg vom Wurme zum Menschen gemacht, und vieles ist in euch noch Wurm. Einst wart ihr Affen, und auch jetzt noch ist der Mensch mehr Affe, als irgend ein Affe.

Wer aber der Weiseste von euch ist, der ist auch nur ein Zwiespalt und Zwitter[3] von Pflanze und von Gespenst[4]. Aber heiße ich euch zu Gespenstern oder Pflanzen werden?

Seht, ich lehre euch den Übermenschen!

Der Übermensch ist der Sinn der Erde. Euer Wille sage: der Übermensch sei der Sinn der Erde!

Ich beschwöre euch, meine Brüder, bleibt der Erde treu[5] und glaubt denen nicht, welche euch von überirdischen Hoffnungen reden! Giftmischer sind es, ob sie es wissen oder nicht.

Verächter des Lebens sind es, Absterbende und selber Vergiftete, deren die Erde müde ist: so mögen sie dahinfahren[6]!

Einst war der Frevel an Gott der größte Frevel, aber Gott starb, und damit starben auch diese Frevelhaften. An der Erde zu freveln, ist jetzt das Furchtbarste, und die Eingeweide[7] des Unerforschlichen höher zu achten, als den Sinn der Erde!

Einst blickte die Seele verächtlich auf den Leib: und damals war diese Verachtung das Höchste: — sie wollte ihn mager, gräßlich, verhungert. So dachte sie ihm und der Erde zu entschlüpfen.

O diese Seele war selber noch mager, gräßlich und verhungert: und Grausamkeit war die Wollust dieser Seele!

Aber auch ihr noch, meine Brüder, sprecht mir: was kündet euer Leib von eurer Seele? Ist eure Seele nicht Armut und Schmutz und ein erbärmliches Behagen[8]?

---

[35] rapturous satisfaction [36] clay [37] kneaded and sculpted [38] chisel blows [39] The Eleusinian mysteries were ecstatic religious rites practiced in the early stages of Greek civilization.

ZARATHUSTRAS VORREDE: From *Also sprach Zarathustra.* This work was written between the years 1883 and 1885, the first three parts at fever heat, each taking about ten days of actual writing, the fourth with interruptions between the autumn of 1884 and February 1885. The work presents the essence of Nietzsche's doctrine in highly rhythmical prose and magnificent imagery. The attribution of these teachings to the Iranian prophet Zarathustra or Zoroaster (6th century B.C.), is, of course, fictitious. Nietzsche's philosophy has nothing in common with the Zoroastrian religion.
[1] tightrope dancer [2] superman

[3] dichotomy and hybrid [4] i.e., pure spirit without body (*Gespenst* for *Geist* is contemptuous, emphasizing the emptiness and unreality of spirituality.) [5] Nietzsche's doctrine of *Diesseitigkeit,* hitherworldliness, more fully developed in the sections *Von den Hinterweltlern* and *Von den Verächtern des Leibes* (§§ 3 and 4 of Part I) [6] die [7] entrails, inner organs (i.e., the essence) [8] Contempt for mere physical comfort and happiness is central in Nietzsche's teaching.

Wahrlich, ein schmutziger Strom ist der Mensch. Man muß schon ein Meer sein, um einen schmutzigen Strom aufnehmen zu können, ohne unrein zu werden.

Seht, ich lehre euch den Übermenschen: der ist dies Meer, in ihm kann eure große Verachtung untergehn.

Was ist das Größte, das ihr erleben könnt? Das ist die Stunde der großen Verachtung. Die Stunde, in der euch auch euer Glück zum Ekel wird und ebenso eure Vernunft und eure Tugend.

Die Stunde, wo ihr sagt: „Was liegt an meinem Glücke! Es ist Armut und Schmutz und ein erbärmliches Behagen. Aber mein Glück sollte das Dasein selber rechtfertigen!"

Die Stunde, wo ihr sagt: „Was liegt an meiner Vernunft! Begehrt sie nach Wissen wie der Löwe nach seiner Nahrung? Sie ist Armut und Schmutz und ein erbärmliches Behagen!"

Die Stunde, wo ihr sagt: „Was liegt an meiner Tugend! Noch hat sie mich nicht rasen gemacht. Wie müde bin ich meines Guten und meines Bösen[9]! Alles das ist Armut und Schmutz und ein erbärmliches Behagen!"

Die Stunde, wo ihr sagt: „Was liegt an meiner Gerechtigkeit! Ich sehe nicht, daß ich Glut und Kohle[10] wäre. Aber der Gerechte ist Glut und Kohle!"

Die Stunde, wo ihr sagt: „Was liegt an meinem Mitleiden! Ist nicht Mitleid das Kreuz, an das der genagelt wird, der die Menschen liebt? Aber mein Mitleiden ist keine Kreuzigung."

Spracht ihr schon so? Schriet ihr schon so? Ach, daß ich euch schon so schreien gehört hätte!

Nicht eure Sünde — eure Genügsamkeit[11] schreit gen Himmel, euer Geiz[12] selbst in eurer Sünde schreit gen Himmel!

Wo ist doch der Blitz, der euch mit seiner Zunge lecke? Wo ist der Wahnsinn, mit dem ihr geimpft werden müßtet?

Seht, ich lehre euch den Übermenschen: der ist dieser Blitz, der ist dieser Wahnsinn! —

Als Zarathustra so gesprochen hatte, schrie einer aus dem Volke: „Wir hörten nun genug von dem Seiltänzer; nun laßt uns ihn auch sehen!" Und alles Volk lachte über Zarathustra. Der Seiltänzer aber, welcher glaubte, daß das Wort ihm gälte, machte sich an sein Werk.

4

Zarathustra aber sahe[13] das Volk an und wunderte sich. Dann sprach er also:

Der Mensch ist ein Seil, geknüpft zwischen Tier und Übermensch, — ein Seil über einem Abgrunde.

Ein gefährliches Hinüber, ein gefährliches Auf-dem-Wege, ein gefährliches Zurückblikken, ein gefährliches Schaudern und Stehenbleiben.

Was groß ist am Menschen, das ist, daß er eine Brücke und kein Zweck ist: was geliebt werden kann am Menschen, das ist, daß er ein Übergang[14] und ein Untergang ist.

Ich liebe die, welche nicht zu leben wissen, es sei denn[15] als Untergehende, denn es sind die Hinübergehenden.

Ich liebe die großen Verachtenden, weil sie die großen Verehrenden sind und Pfeile der Sehnsucht nach dem andern Ufer.

Ich liebe die, welche nicht erst hinter den Sternen einen Grund suchen, unterzugehen und Opfer zu sein: sondern die sich der Erde opfern, daß die Erde einst des Übermenschen werde.

Ich liebe den, welcher lebt, damit er erkenne, und welcher erkennen will, damit einst der Übermensch lebe. Und so will er seinen Untergang.

Ich liebe den, welcher arbeitet und erfindet, daß er dem Übermenschen das Haus baue und zu ihm Erde, Tier und Pflanze vorbereite: denn so will er seinen Untergang.

Ich liebe den, welcher seine Tugend liebt: denn Tugend ist Wille zum Untergang und ein Pfeil der Sehnsucht.

---

[9] Nietzsche's ethical standpoint is amoral, "Jenseits von Gut und Böse"; for the moral, he would substitute an aesthetic criterion of conduct. [10] cf. the poem *Ecce Homo* on p. 38 [11] thrift, moderation [12] i.e., fear of sinning too much

[13] Biblical form of *sah* [14] *Übergang* = transition from the state of being man to the higher state of superman; *Untergang*, i.e., self-sacrifice for the betterment of the race [15] except

Ich liebe den, welcher nicht einen Tropfen Geist für sich zurückbehält, sondern ganz der Geist seiner Tugend sein will: so schreitet er als Geist über die Brücke.

Ich liebe den, welcher aus seiner Tugend seinen Hang[16] und sein Verhängnis macht: so will er um seiner Tugend willen noch leben und nicht mehr leben.

Ich liebe den, welcher nicht zu viele Tugenden haben will. Eine Tugend ist mehr Tugend als zwei, weil sie mehr Knoten ist, an den sich das Verhängnis hängt.

Ich liebe den, dessen Seele sich verschwendet, der nicht Dank haben will und nicht zurückgibt: denn er schenkt immer und will sich nicht bewahren.

Ich liebe den, welcher sich schämt, wenn der Würfel zu seinem Glücke fällt, und der dann fragt: bin ich denn ein falscher Spieler? — denn er will zugrunde gehen.

Ich liebe den, welcher goldne Worte seinen Taten voraus wirft und immer noch mehr hält, als er verspricht: denn er will seinen Untergang.

Ich liebe den, welcher die Zukünftigen rechtfertigt und die Vergangenen erlöst: denn er will an den Gegenwärtigen zugrunde gehen.

Ich liebe den, welcher seinen Gott züchtigt, weil er seinen Gott liebt: denn er muß am Zorne seines Gottes zugrunde gehen.

Ich liebe den, dessen Seele tief ist auch in der Verwundung, und der an einem kleinen Erlebnisse zugrunde gehen kann: so geht er gerne über die Brücke.

Ich liebe den, dessen Seele übervoll ist, so daß er sich selber vergißt, und alle Dinge in ihm sind: so werden alle Dinge sein Untergang.

Ich liebe den, der freien Geistes und freien Herzens ist: so ist sein Kopf nur das Eingeweide[17] seines Herzens, sein Herz aber treibt ihn zum Untergang.

Ich liebe alle die, welche wie schwere Tropfen sind, einzeln fallend aus der dunklen Wolke, die über den Menschen hängt: sie verkündigen, daß der Blitz kommt, und gehn als Verkündiger zugrunde.

Seht, ich bin ein Verkündiger des Blitzes, und ein schwerer Tropfen aus der Wolke: dieser Blitz aber heißt Übermensch. —

5

Als Zarathustra diese Worte gesprochen hatte, sahe er wieder das Volk an und schwieg. „Da stehen sie," sprach er zu seinem Herzen, „da lachen sie: sie verstehen mich nicht, ich bin nicht der Mund für diese Ohren.

Muß man ihnen erst die Ohren zerschlagen, daß sie lernen, mit den Augen hören? Muß man rasseln gleich Pauken und Bußpredigern[18]? Oder glauben sie nur dem Stammelnden?

Sie haben etwas, worauf sie stolz sind. Wie nennen sie es doch, was sie stolz macht? Bildung nennen sie's, es zeichnet sie aus vor den Ziegenhirten.

Drum hören sie ungern von sich das Wort ‚Verachtung‘. So will ich denn zu ihrem Stolze reden.

So will ich ihnen vom Verächtlichsten sprechen: das aber ist der letzte[19] Mensch."

Und also sprach Zarathustra zum Volke:

Es ist an der Zeit, daß der Mensch sich sein Ziel stecke[20]. Es ist an der Zeit, daß der Mensch den Keim seiner höchsten Hoffnung pflanze.

Noch ist sein Boden dazu reich genug. Aber dieser Boden wird einst arm und zahm sein, und kein hoher Baum wird mehr aus ihm wachsen können.

Wehe! Es kommt die Zeit, wo der Mensch nicht mehr den Pfeil seiner Sehnsucht über den Menschen hinaus wirft, und die Sehne seines Bogens verlernt hat, zu schwirren!

Ich sage euch: man muß noch Chaos[21] in sich haben, um einen tanzenden Stern gebären zu können. Ich sage euch: ihr habt noch Chaos in euch.

Wehe! Es kommt die Zeit, wo der Mensch keinen Stern mehr gebären wird. Wehe! Es

---

[16] There is a pun on *Hang*, inclination, natural instinct, i.e., what one wants to do, and *Verhängnis*, what is hung over one, destiny, i.e., what Nature compels one to do. This is Nietzsche's doctrine of *amor fati*.   [17] i.e., the vital machinery, but a tool only (Nietzsche's "irrational" standpoint)

[18] preachers of repentance   [19] last in time and rank   [20] i.e., set   [21] i.e., the daemonic urge to destroy

kommt die Zeit des verächtlichsten Menschen, der sich selber nicht mehr verachten kann.

Seht! Ich zeige euch den letzten Menschen.

„Was ist Liebe? Was ist Schöpfung? Was ist Sehnsucht? Was ist Stern?" — so fragt der letzte Mensch und blinzelt.

Die Erde ist dann klein geworden, und auf ihr hüpft der letzte Mensch, der alles klein macht. Sein Geschlecht ist unaustilgbar wie der Erdfloh; der letzte Mensch lebt am längsten.

„Wir haben das Glück erfunden" — sagen die letzten Menschen und blinzeln.

Sie haben die Gegenden verlassen, wo es hart war zu leben: denn man braucht Wärme. Man liebt noch den Nachbar und reibt sich an ihm: denn man braucht Wärme.

Krank-werden und Mißtrauen-haben gilt ihnen sündhaft: man geht achtsam einher. Ein Tor, der noch über Steine oder Menschen stolpert!

Ein wenig Gift ab und zu: das macht angenehme Träume. Und viel Gift zuletzt, zu einem angenehmen Sterben.

Man arbeitet noch, denn Arbeit ist eine Unterhaltung. Aber man sorgt, daß die Unterhaltung nicht angreife.

Man wird nicht mehr arm und reich: beides ist zu beschwerlich. Wer will noch regieren? Wer noch gehorchen? Beides ist zu beschwerlich.

Kein Hirt und eine Herde[21a]! Jeder will das gleiche, jeder ist gleich: wer anders fühlt, geht freiwillig ins Irrenhaus.

„Ehemals war alle Welt irre" — sagen die Feinsten und blinzeln.

Man ist klug und weiß alles, was geschehen ist[22]: so hat man kein Ende zu spotten. Man zankt sich noch, aber man versöhnt sich bald — sonst verdirbt es den Magen.

Man hat sein Lüstchen[23] für den Tag und sein Lüstchen für die Nacht: aber man ehrt die Gesundheit.

„Wir haben das Glück erfunden", sagen die letzten Menschen und blinzeln. —

Und hier endete die erste Rede Zarathustras, welche man auch „die Vorrede" heißt: denn an dieser Stelle unterbrach ihn das Geschrei und die Lust der Menge. „Gib uns diesen letzten Menschen, o Zarathustra", — so riefen sie — „mache uns zu diesen letzten Menschen! So schenken wir dir den Übermenschen"! Und alles Volk jubelte und schnalzte mit der Zunge. Zarathustra aber wurde traurig und sagte zu seinem Herzen:

„Sie verstehen mich nicht: ich bin nicht der Mund für diese Ohren.

Zu lange wohl lebte ich im Gebirge, zu viel horchte ich auf Bäche und Bäume: nun rede ich ihnen gleich den Ziegenhirten.

Unbewegt ist meine Seele und hell wie das Gebirge am Vormittag. Aber sie meinen, ich sei kalt und ein Spötter in furchtbaren Späßen.

Und nun blicken sie mich an und lachen: und indem sie lachen, hassen sie mich noch. Es ist Eis in ihrem Lachen."

Vom Wege des Schaffenden

Willst du, mein Bruder, in die Vereinsamung gehen? Willst du den Weg zu dir selber suchen? Zaudere noch ein wenig und höre mich.

„Wer sucht, der geht leicht selber verloren. Alle Vereinsamung ist Schuld": also spricht die Herde. Und du gehörtest lange zur Herde.

Die Stimme der Herde wird auch in dir noch tönen. Und wenn du sagen wirst: „ich habe nicht mehr Ein Gewissen mit euch", so wird es eine Klage und ein Schmerz sein.

Siehe, diesen Schmerz selber gebar noch das Eine Gewissen: und dieses Gewissens letzter Schimmer glüht noch auf deiner Trübsal.

Aber du willst den Weg deiner Trübsal gehen, welches ist der Weg zu dir selber? So zeige mir dein Recht und deine Kraft dazu!

Bist du eine neue Kraft und ein neues Recht? Eine erste Bewegung? Ein aus sich rollendes Rad? Kannst du auch Sterne zwingen, daß sie um dich sich drehen?

Ach, es gibt so viel Lüsternheit nach Höhe! Es gibt so viel Krämpfe der Ehrgeizigen! Zeige mir, daß du keiner der Lüsternen und Ehrgeizigen bist!

[21a] parody of John 10:16 [22] against the historicism of the 19th century [23] pet lust

VOM WEGE DES SCHAFFENDEN: From *Also sprach Zarathustra*, Part I.

Ach, es gibt so viel große Gedanken, die tun nicht mehr als ein Blasebalg[1]: sie blasen auf und machen leerer.

Frei nennst du dich? Deinen herrschenden Gedanken will ich hören und nicht, daß du einem Joche entronnen bist.

Bist du ein solcher, der einem Joche entrinnen durfte? Es gibt manchen, der seinen letzten Wert wegwarf, als er seine Dienstbarkeit wegwarf.

Frei wovon? Was schiert[2] das Zarathustra? Hell aber soll mir dein Auge künden: frei wozu?

Kannst du dir selber dein Böses und dein Gutes geben und deinen Willen über dich aufhängen wie ein Gesetz? Kannst du dir selber Richter sein und Rächer deines Gesetzes?

Furchtbar ist das Alleinsein mit dem Richter und Rächer des eignen Gesetzes. Also wird ein Stern hinausgeworfen in den öden Raum und in den eisigen Atem des Alleinseins.

Heute noch leidest du an den Vielen, du Einer: heute noch hast du deinen Mut ganz und deine Hoffnungen.

Aber einst wird dich die Einsamkeit müde machen, einst wird dein Stolz sich krümmen und dein Mut knirschen. Schreien wirst du einst „ich bin allein!"

Einst wirst du dein Hohes nicht mehr sehen und dein Niedriges allzunahe; dein Erhabnes selbst wird dich fürchten machen wie ein Gespenst. Schreien wirst du einst: „Alles ist falsch!"

Es gibt Gefühle, die den Einsamen töten wollen; gelingt es ihnen nicht, nun, so müssen sie selber sterben! Aber vermagst du das, Mörder zu sein?

Kennst du, mein Bruder, schon das Wort „Verachtung"? Und die Qual deiner Gerechtigkeit, solchen gerecht zu sein, die dich verachten?

Du zwingst viele, über dich umzulernen; das rechnen sie dir hart an[3]. Du kamst ihnen nahe und gingst doch vorüber: das verzeihen sie dir niemals.

Du gehst über sie hinaus: aber je höher du steigst, um so kleiner sieht dich das Auge des Neides. Am meisten aber wird der Fliegende gehaßt.

„Wie wolltet ihr gegen mich gerecht sein!" — mußt du sprechen — „ich erwähle mir eure Ungerechtigkeit als den mir zugemessnen Teil."

Ungerechtigkeit und Schmutz werfen sie nach dem Einsamen: aber, mein Bruder, wenn du ein Stern sein willst, so mußt du ihnen deshalb nicht weniger leuchten!

Und hüte dich vor den Guten und Gerechten! Sie kreuzigen gerne die, welche sich ihre eigne Tugend erfinden, — sie hassen den Einsamen.

Hüte dich auch vor der heiligen Einfalt[4]! Alles ist ihr unheilig, was nicht einfältig ist; sie spielt auch gerne mit dem Feuer — der Scheiterhaufen[5].

Und hüte dich auch vor den Anfällen deiner Liebe! Zu schnell streckt der Einsame dem die Hand entgegen, der ihm begegnet.

Manchem Menschen darfst du nicht die Hand geben, sondern nur die Tatze: und ich will, daß deine Tatze auch Krallen habe.

Aber der schlimmste Feind, dem du begegnen kannst, wirst du immer dir selber sein; du selber lauerst dir auf in Höhlen und Wäldern[6].

Einsamer, du gehst den Weg zu dir selber! Und an dir selber führt dein Weg vorbei, und an deinen sieben Teufeln!

Ketzer wirst du dir selber sein und Hexe und Wahrsager und Narr und Zweifler und Unheiliger und Bösewicht.

Verbrennen mußt du dich wollen in deiner eignen Flamme; wie wolltest du neu werden, wenn du nicht erst Asche geworden bist!

Einsamer, du gehst den Weg des Schaffenden: einen Gott willst du dir schaffen aus deinen sieben Teufeln!

Einsamer, du gehst den Weg des Liebenden: dich selber liebst du und deshalb verachtest du dich, wie nur Liebende verachten.

Schaffen will der Liebende, weil er verachtet! Was weiß der von Liebe, der nicht gerade verachten mußte, was er liebte!

Mit deiner Liebe gehe deine Vereinsamung

---

[1] bellows   [2] concerns (from *scheren, o, o*)   [3] resent fiercely

[4] allusion to the words *sancta simplicitas* which Johann Huss uttered to an old woman who dragged a load of faggots to his pyre when he was burned for heresy   [5] funeral pyres   [6] lie in ambush for yourself in the caves and forests (of your conscience)

und mit deinem Schaffen, mein Bruder; und
spät erst wird die Gerechtigkeit dir nachhinken.

Mit meinen Tränen gehe in deine Vereinsamung, mein Bruder. Ich liebe den, der über
sich selber hinaus schaffen will und so zugrunde
geht. —

Also sprach Zarathustra.

Die deutsche Seele

244. Es gab eine Zeit, wo man gewohnt war,
die Deutschen mit Auszeichnung „tief" zu nennen: jetzt, wo der erfolgreichste Typus des neuen
Deutschtums nach ganz andern Ehren geizt und
an allem, was Tiefe hat, vielleicht die „Schneidigkeit[1]" vermißt, ist der Zweifel beinahe zeit-
gemäß und patriotisch, ob man sich ehemals
mit jenem Lobe nicht betrogen hat: genug, ob
die deutsche Tiefe nicht im Grunde etwas anderes und Schlimmeres ist — und etwas, das
man, Gott sei Dank, mit Erfolg loszuwerden
im Begriff steht. Machen wir also den Versuch,
über die deutsche Tiefe umzulernen: man hat
nichts dazu nötig als ein wenig Vivisektion der
deutschen Seele. — Die deutsche Seele ist vor
allem vielfach, verschiedenen Ursprungs, mehr
zusammen- und übereinandergesetzt[2] als wirklich gebaut: das liegt an ihrer Herkunft. Ein
Deutscher, der sich erdreisten wollte, zu behaupten „zwei Seelen wohnen, ach! in meiner
Brust[3]" würde sich an der Wahrheit arg ver-
greifen, richtiger, hinter der Wahrheit um viele
Seelen zurückbleiben. Als ein Volk der unge-
heuerlichsten Mischung und Zusammenrührung
von Rassen, vielleicht sogar mit einem Übergewicht des vor-arischen[4] Elementes, als „Volk
der Mitte" in jedem Verstande, sind die Deutschen unfaßbarer, umfänglicher, widerspruchs-
voller, unbekannter, unberechenbarer, über-

raschender, selbst erschrecklicher, als es andere
Völker sich selber sind: — sie entschlüpfen der
Definition und sind damit schon die Verzweiflung der Franzosen. Es kennzeichnet die
Deutschen, daß bei ihnen die Frage „was ist
deutsch?" niemals ausstirbt. Kotzebue[5] kannte
seine Deutschen gewiß gut genug: „wir sind
erkannt" jubelten sie ihm zu, — aber auch Sand
glaubte sie zu kennen. Jean Paul[6] wußte, was er
tat, als er sich ergrimmt gegen Fichtes verlogne,
aber patriotische Schmeicheleien und Über-
treibungen erklärte[7], — aber es ist wahrscheinlich, daß Goethe anders über die Deutschen
dachte als Jean Paul, wenn er ihm auch in be-
treff Fichtes recht gab. Was Goethe eigentlich
über die Deutschen gedacht hat? — Aber er hat
über viele Dinge um sich herum nie deutlich
geredet und verstand sich zeitlebens auf das
feine Schweigen: — wahrscheinlich hatte er
gute Gründe dazu. Gewiß ist, daß es nicht „die
Freiheitskriege[8]" waren, die ihn freudiger auf-
blicken ließen, so wenig als die französische
Revolution, — das Ereignis um dessentwillen er
seinen Faust, ja das ganze Problem „Mensch"
umgedacht hat, war das Erscheinen Napoleons.
Es gibt Worte Goethes, in denen er, wie vom
Auslande her, mit einer ungeduldigen Härte
über das abspricht, was die Deutschen sich zu
ihrem Stolze rechnen: das berühmte deutsche
Gemüt definiert er einmal als „Nachsicht mit
fremden und eignen Schwächen". Hat er damit
unrecht? — es kennzeichnet die Deutschen, daß
man über sie selten völlig unrecht hat. Die
deutsche Seele hat Gänge und Zwischengänge
in sich, es gibt in ihr Höhlen, Verstecke, Burg-
verließe[9]; ihre Unordnung hat viel vom Reize
des Geheimnisvollen; der Deutsche versteht sich
auf die Schleichwege zum Chaos. Und wie
jeglich[10] Ding sein Gleichnis liebt, so liebt der
Deutsche die Wolken und alles, was unklar,
werdend, dämmernd, feucht und verhängt ist:

DIE DEUTSCHE SEELE: From *Jenseits von Gut und Böse.*
(Section: *Völker und Vaterländer.*) Nietzsche began working
on this collection of essays while he was finishing *Zarathustra*
(1884–1885); it was completed in June of the latter year
but not published till a year later.
[1] smartness, sharpness (the ideal of the drill-ground officer)
[2] built in layers [3] allusion to Faust's self-characterization in
ll., 1112 ff. [4] pre-Aryan

[5] August von Kotzebue (1761–1819), successful writer of
shallow sentimental dramas, was assassinated by the student
Karl Sand for supposed unpatriotic activity. [6] Jean Paul
Friedrich Richter (1763–1825), author of sentimental humorous novels [7] Fichte's *Reden an die deutsche Nation* (1808)
are full of extravagant claims of German superiority. [8] the
wars of liberation against Napoleon, fought between 1812
and 1815 [9] dungeons [10] = jedes

das Ungewisse, Unausgestaltete, Sich-Verschie-
bende, Wachsende jeder Art fühlt er als „tief".
Der Deutsche selbst ist nicht, er wird, er „entwickelt sich". „Entwicklung" ist deshalb der
eigentlich deutsche Fund und Wurf[11] im großen
Reich philosophischer Formeln: — ein regie-
render Begriff, der, im Bunde mit deutschem
Bier und deutscher Musik, daran arbeitet, ganz
Europa zu verdeutschen. Die Ausländer stehen
erstaunt und angezogen vor den Rätseln, die
ihnen die Widerspruchs-Natur im Grunde der
deutschen Seele aufgibt (welche Hegel in System gebracht, Richard Wagner zuletzt noch
in Musik gesetzt hat). „Gutmütig und tückisch"
— ein solches Nebeneinander, widersinnig in
Bezug auf jedes andere Volk, rechtfertigt sich
leider zu oft in Deutschland: man lebe nur eine
Zeitlang unter Schwaben[12]! Die Schwerfällig-
keit des deutschen Gelehrten, seine gesellschaft-
liche Abgeschmacktheit verträgt sich zum Erschrecken gut[13] mit einer innewendigen Seil-
tänzerei[14] und leichten Kühnheit, vor der bereits
alle Götter das Fürchten gelernt haben. Will
man die „deutsche Seele" ad oculos[15] demon-
striert, so sehe man nur in den deutschen Geschmack, in deutsche Künste und Sitten hinein:
welche bäurische Gleichgültigkeit gegen „Geschmack"! Wie steht da das Edelste und Ge-
meinste nebeneinander! Wie unordentlich und
reich ist dieser ganze Seelen-Haushalt! Der
Deutsche schleppt an seiner Seele: er schleppt
an allem, was er erlebt. Er verdaut seine Ereig-
nisse schlecht, er wird nie damit „fertig"; die
deutsche Tiefe ist oft nur eine schwere zögernde
„Verdauung". Und wie alle Gewohnheits-
Kranken, alle Dyspeptiker den Hang zum Bequemen haben, so liebt der Deutsche die „Offen-
heit" und „Biederkeit[16]": wie bequem ist es,
offen und bieder zu sein! — Es ist heute vielleicht
die gefährlichste und glücklichste Verkleidung,
auf die sich der Deutsche versteht, dies Zutrau-
liche, Entgegenkommende, die Karten Auf-
deckende der deutschen Redlichkeit: sie ist
seine eigentliche Mephistopheles-Kunst, mit ihr
kann er es „noch weit bringen[17]"! Der Deutsche

läßt sich gehen, blickt dazu mit treuen, blauen,
leeren, deutschen Augen — und sofort verwechselt das Ausland ihn mit seinem Schlaf-
rocke! — Ich wollte sagen: mag die „deutsche
Tiefe" sein, was sie will, — ganz unter uns erlauben wir uns vielleicht über sie zu lachen? —
wir tun gut, ihren Anschein und guten Namen
auch fürderhin[18] in Ehren zu halten und unsern
alten Ruf, als Volk der Tiefe, nicht zu billig
gegen preußische „Schneidigkeit" und Berliner
Witz und Sand zu veräußern. Es ist für ein Volk
klug, sich für tief, für ungeschickt, für gutmütig,
für redlich, für unklug gelten zu machen, gelten
zu lassen: es könnte sogar — tief sein! Zuletzt:
man soll seinem Namen Ehre machen, — man
heißt nicht umsonst das „tiusche" Volk, das
Täusche-Volk[19]. —

Herren- und Sklavenmoral

257. Jede Erhöhung des Typus „Mensch" war
bisher das Werk einer aristokratischen Gesellschaft — und so wird es immer wieder sein: als
einer Gesellschaft, welche an eine lange Leiter
der Rangordnung und Wertverschiedenheit von
Mensch und Mensch glaubt und Sklaverei in
irgend einem Sinne nötig hat. Ohne das Pathos
der Distanz[1], wie es aus dem eingefleischten[2]
Unterschiede der Stände, aus dem beständigen
Ausblick und Herabblick der herrschenden
Kaste auf Untertänige und Werkzeuge und aus
ihrer ebenso beständigen Übung im Gehorchen
und Befehlen, Nieder- und Fernhalten erwächst,
könnte auch jenes andre geheimnisvollere Pathos gar nicht erwachsen, jenes Verlangen nach
immer neuer Distanz-Erweiterung innerhalb der
Seele selbst, die Herausbildung immer höherer,
seltnerer, fernerer, weitgespannterer, umfäng-
licherer[3] Zustände, kurz eben die Erhöhung des
Typus „Mensch", die fortgesetzte „Selbst-Über-
windung des Menschen", um eine moralische

---

[11] discovery and lucky throw (of the dice)   [12] Swabians
(i.e., south Germans)   [13] alarmingly well   [14] tightrope
dancing   [15] visibly   [16] honesty   [17] go far

[18] in future   [19] This bit of linguistic lore is, of course,
wholly fanciful and not to be taken as scientific etymology.
HERREN- UND SKLAVENMORAL: From the Section *Was ist
vornehm?* § 257.   [1] feeling of distance or aloofness   [2] incar-
nate, innate   [3] more comprehensive

Formel in einem übermoralischen Sinne zu nehmen. Freilich: man darf sich über die Entstehungsgeschichte einer aristokratischen Gesellschaft (also der Voraussetzung jener Erhöhung des Typus „Mensch") keinen humanitären Täuschungen hingeben: die Wahrheit ist hart. Sagen wir es uns ohne Schonung, wie bisher jede höhere Kultur auf Erden angefangen hat! Menschen mit einer noch natürlichen Natur, Barbaren in jedem furchtbaren Verstande des Wortes, Raubmenschen[4], noch im Besitz ungebrochener Willenskräfte und Macht-Begierden, warfen sich auf schwächere, gesittetere, friedlichere, vielleicht handeltreibende oder viehzüchtende Rassen, oder auf alte mürbe[5] Kulturen, in denen eben die letzte Lebenskraft in glänzenden Feuerwerken von Geist und Verderbung verflackerte. Die vornehme Kaste war im Anfang immer die Barbaren-Kaste: ihr Übergewicht lag nicht vorerst in der physischen Kraft, sondern in der seelischen, — es waren die ganzeren[6] Menschen (was auf jeder Stufe auch so viel mit bedeutet[7] als „die ganzeren Bestien" —).

260. Bei einer Wanderung durch die vielen feineren und gröberen Moralen, welche bisher auf Erden geherrscht haben oder noch herrschen, fand ich gewisse Züge regelmäßig miteinander wiederkehrend und aneinander geknüpft: bis sich mir endlich zwei Grundtypen verrieten, und ein Grundunterschied heraussprang. Es gibt Herren-Moral und Sklaven-Moral; — ich füge sofort hinzu, daß in allen höheren und gemischteren Kulturen auch Versuche der Vermittlung beider Moralen zum Vorschein kommen, noch öfter das Durcheinander derselben und gegenseitige Mißverstehen, ja bisweilen ihr hartes Nebeneinander — sogar im selben Menschen, innerhalb Einer Seele. Die moralischen Wertunterscheidungen sind entweder unter einer herrschenden Art entstanden, welche sich ihres Unterschieds gegen die beherrschte mit Wohlgefühl bewußt wurde, — oder unter den Beherrschten, den Sklaven und Abhängigen jeden Grades. Im ersten Falle, wenn die Herr-

schenden es sind, die den Begriff „gut" bestimmen, sind es die erhobenen stolzen Zustände der Seele, welche als das Auszeichnende und die Rangordnung Bestimmende empfunden werden. Der vornehme Mensch trennt die Wesen von sich ab, an denen das Gegenteil solcher gehobener stolzer Zustände zum Ausdruck kommt: er verachtet sie. Man bemerke sofort, daß in dieser ersten Art Moral der Gegensatz „gut" und „schlecht" so viel bedeutet wie „vornehm" und „verächtlich": — der Gegensatz „gut" und „böse" ist anderer Herkunft. Verachtet wird der Feige, der Ängstliche, der Kleinliche, der an die enge Nützlichkeit Denkende; ebenso der Mißtrauische mit seinem unfreien Blicke, der Sich-Erniedrigende, die Hunde-Art von Mensch, welche sich mißhandeln läßt, der bettelnde Schmeichler, vor allem der Lügner: — es ist ein Grundglaube aller Aristokraten, daß das gemeine Volk lügnerisch ist. „Wir Wahrhaftigen" — so nannten sich im alten Griechenland die Adeligen. Es liegt auf der Hand[1], daß die moralischen Wertbezeichnungen überall zuerst auf Menschen und erst abgeleitet und spät auf Handlungen gelegt worden sind: weshalb es ein arger Fehlgriff ist, wenn Moral-Historiker von Fragen den Ausgang nehmen wie „warum ist die mitleidige Handlung gelobt worden?" Die vornehme Art Mensch fühlt sich als wertbestimmend, sie hat nicht nötig, sich gutheißen zu lassen[2], sie urteilt „was mir schädlich ist, das ist an sich[3] schädlich", sie weiß sich als das, was überhaupt erst Ehre den Dingen verleiht, sie ist wertschaffend. Alles, was sie an sich kennt, ehrt sie: eine solche Moral ist Selbstverherrlichung. Im Vordergrunde steht das Gefühl der Fülle, der Macht, die überströmen will, das Glück der hohen Spannung, das Bewußtsein eines Reichtums, der schenken und abgeben möchte: — auch der vornehme Mensch hilft dem Unglücklichen, aber nicht oder fast nicht aus Mitleid, sondern mehr aus einem Drang, den der Überfluß von Macht erzeugt. Der vornehme Mensch ehrt in sich den Mächtigen, auch den, welcher Macht über sich selbst hat, der zu reden und zu schweigen versteht, der mit Lust Strenge und Härte gegen sich übt und Ehrer-

---

[4] men of prey (formed by analogy from *Raubtiere*) [5] soft, decaying [6] more complete, better integrated [7] also has the secondary meaning

§ 260: [1] it is obvious [2] be approved [3] in itself, as such

bietung vor allem Strengen und Harten hat. „Ein hartes Herz legte Wotan mir in die Brust", heißt es in einer alten skandinavischen Saga: so ist es aus der Seele eines stolzen Wikingers heraus mit Recht gedichtet. Eine solche Art Mensch ist eben stolz darauf, nicht zum Mitleiden gemacht zu sein: weshalb der Held der Saga warnend hinzufügt „Wer jung schon kein hartes Herz hat, dem wird es niemals hart". Vornehme und Tapfere, welche so denken, sind am entferntesten von jener Moral, welche gerade im Mitleiden oder im Handeln für andere oder im désintéressement das Abzeichen des Moralischen sieht; der Glaube an sich selbst, der Stolz auf sich selbst, eine Grundfeindschaft und Ironie gegen „Selbstlosigkeit" gehört ebenso bestimmt zur vornehmen Moral wie eine leichte Geringschätzung und Vorsicht vor den Mitgefühlen und dem „warmen Herzen". — Die Mächtigen sind es, welche zu ehren verstehen, es ist ihre Kunst, ihr Reich der Erfindung. Die tiefe Ehrfurcht vor dem Alter und vor dem Herkommen — das ganze Recht steht auf dieser doppelten Ehrfurcht —, der Glaube und das Vorurteil zugunsten der Vorfahren und zuungunsten der Kommenden ist typisch in der Moral der Mächtigen; und wenn umgekehrt die Menschen der „modernen Ideen" beinahe instinktiv an den „Fortschritt" und die „Zukunft" glauben und der Achtung vor dem Alter immer mehr ermangeln, so verrät sich damit genugsam schon die unvornehme Herkunft dieser „Ideen". Am meisten ist aber eine Moral der Herrschenden dem gegenwärtigen Geschmacke fremd und peinlich in der Strenge ihres Grundsatzes, daß man nur gegen Seinesgleichen Pflichten habe; daß man gegen die Wesen niedrigeren Ranges, gegen alles Fremde nach Gutdünken oder „wie es das Herz will" handeln dürfe und jedenfalls „jenseits von Gut und Böse" —: hierhin mag Mitleiden und dergleichen gehören. Die Fähigkeit und Pflicht zu langer Dankbarkeit und langer Rache — beides nur innerhalb Seinesgleichen —, die Feinheit in der Wiedervergeltung, des Begriffs-Raffinement in der Freundschaft, eine gewisse Notwendigkeit, Feinde zu haben (gleichsam als Abzugsgräben[4] für die

Affekte Neid, Streitsucht, Übermut, — im Grunde, um gut freund sein zu können): alles das sind typische Merkmale der vornehmen Moral, welche, wie angedeutet, nicht die Moral der „modernen Ideen" ist und deshalb heute schwer nachzufühlen[5], auch schwer auszugraben und aufzudecken ist. — Es steht anders mit dem zweiten Typus der Moral, der Sklaven-Moral. Gesetzt[6], daß die Vergewaltigten, Gedrückten, Leidenden, Unfreien, ihrer selbst Ungewissen und Müden moralisieren: was wird das Gleichartige ihrer moralischen Wertschätzungen sein? Wahrscheinlich wird ein pessimistischer Argwohn gegen die ganze Lage des Menschen zum Ausdruck kommen, vielleicht eine Verurteilung des Menschen mitsamt seiner Lage. Der Blick des Sklaven ist abgünstig für die Tugenden des Mächtigen: er hat Skepsis und Mißtrauen, er hat Feinheit des Mißtrauens gegen alles „Gute", was dort geehrt wird —, er möchte sich überreden, daß das Glück selbst dort nicht echt sei. Umgekehrt werden die Eigenschaften hervorgezogen und mit Licht übergossen, welche dazu dienen, Leidenden das Dasein zu erleichtern: hier kommt das Mitleiden, die gefällige hilfsbereite Hand, das warme Herz, die Geduld, der Fleiß, die Demut, die Freundlichkeit zu Ehren —, denn das sind hier die nützlichsten Eigenschaften und beinahe die einzigen Mittel, den Druck des Daseins auszuhalten. Die Sklaven-Moral ist wesentlich Nützlichkeitsmoral. Hier ist der Herd[7] für die Entstehung jenes berühmten Gegensatzes „gut" und „böse": — ins Böse wird die Macht und Gefährlichkeit hinein empfunden[8], eine gewisse Furchtbarkeit, Feinheit und Stärke, welche die Verachtung nicht aufkommen läßt. Nach der Sklaven-Moral erregt also der „Böse" Furcht; nach der Herren-Moral ist es gerade der „Gute", der Furcht erregt und erregen will, während der „schlechte" Mensch als der verächtliche empfunden wird. Der Gegensatz kommt auf seine Spitze, wenn sich, gemäß der Sklaven-Moral-Konsequenz[9], zuletzt nun auch an den „Guten" dieser Moral ein Hauch von Geringschätzung hängt — sie mag

---

[4] safety valves

[5] appreciate   [6] assuming   [7] hearth (i.e., basis)   [8] projected
[9] the logic of slave morality

leicht und wohlwollend sein —, weil der Gute innerhalb der Sklaven-Denkweise jedenfalls der ungefährliche Mensch sein muß: er ist gutmütig, leicht zu betrügen, ein bißchen dumm vielleicht, un bonhomme[10]. Überall, wo die Sklaven-Moral zum Übergewicht kommt[11], zeigt die Sprache eine Neigung, die Worte „gut" und „dumm" einander anzunähern. — Ein letzter Grundunterschied: das Verlangen nach Freiheit, der Instinkt für das Glück und die Feinheiten des Freiheits-Gefühls gehört ebenso notwendig zur Sklaven-Moral und -Moralität, als die Kunst und Schwärmerei[12] in der Ehrfurcht, in der Hingebung[13] das regelmäßige Symptom einer aristokratischen Denk- und Wertungsweise ist. — Hieraus läßt sich ohne Weiteres verstehen, warum die Liebe als Passion — es ist unsre europäische Spezialität — schlechterdings vornehmer Abkunft sein muß: bekanntlich gehört ihre Erfindung den provençalischen Ritter-Dichtern[14] zu, jenen prachtvollen erfinderischen Menschen des „gai saber[15]", denen Europa so vieles und beinahe sich selbst verdankt. —

Das Dionysische

1050. Mit dem Wort „dionysisch" ist ausgedrückt: ein Drang zur Einheit, ein Hinausgreifen[1] über Person, Alltag, Gesellschaft, Realität, über den Abgrund des Vergehens[2]: das leidenschaftlich-schmerzliche Überschwellen in dunklere, vollere, schwebendere Zustände; ein verzücktes[3] Jasagen zum Gesamt-Charakter des Lebens, als dem in allem Wechsel Gleichen, Gleich-Mächtigen, Gleich-Seligen; die große pantheistische Mitfreudigkeit und Mitleidigkeit[4], welche auch die furchtbarsten und fragwürdigsten Eigenschaften des Lebens gutheißt und heiligt[5]; der ewige Wille zur Zeugung[6], zur Fruchtbarkeit, zur Wiederkehr; das Einheitsgefühl der Notwendigkeit des Schaffens und Vernichtens.

Mit dem Wort „apollinish" ist ausgedrückt: der Drang zum vollkommenen Für-sich-sein, zum typischen „Individuum", zu allem was vereinfacht, heraushebt[7], stark, deutlich, unzweideutig, typisch macht: die Freiheit unter dem Gesetz.

An den Antagonismus dieser beiden Natur-Kunstgewalten[8] ist die Fortentwicklung der Kunst ebenso notwendig geknüpft, als die Fortentwicklung der Menschheit an den Antagonismus der Geschlechter. Die Fülle der Macht und die Mäßigung, die höchste Form der Selbstbejahung[9] in einer kühlen, vornehmen, spröden Schönheit: der Apollinismus des hellenischen Willens.

Diese Gegensätzlichkeit des Dionysischen und Apollinischen innerhalb der griechischen Seele ist eines der großen Rätsel, von dem ich mich angesichts des griechischen Wesens angezogen fühlte. Ich bemühte mich im Grunde um nichts als um zu erraten, warum gerade der griechische Apollinismus aus einem dionysischen Untergrund herauswachsen mußte: der dionysische Grieche nötig hatte, apollinisch zu werden: das heißt, seinen Willen zum Ungeheuren, Vielfachen, Ungewissen, Entsetzlichen zu brechen an einem Willen zum Maß, zur Einfachheit, zur Einordnung[10] in Regel und Begriff. Das Maßlose, Wüste, Asiatische liegt auf seinem Grunde: die Tapferkeit des Griechen besteht im Kampfe mit seinem Asiatismus: die Schönheit ist ihm nicht geschenkt, so wenig als die Logik, als die Natürlichkeit der Sitte, — sie ist erobert, gewollt, erkämpft — sie ist sein Sieg.

[10] good fellow   [11] gains the upper hand   [12] artifice and romantic enthusiasm   [13] passionate devotion   [14] allusion to the elaborate code of love developed by the rich literature which flourished in the south of France in the 12th century   [15] joyful knowledge

DAS DIONYSISCHE: From *Der Wille zur Macht*. The plan for this work goes back to the middle eighties, when Nietzsche was working on Part IV of *Zarathustra*. By 1887 he decided to organize the essays into four books, but his health broke before he was able to publish the work. It appeared in a fragmentary form in 1901. A second, complete edition, was published in 1906 under the editorship of Peter Gast and Elisabeth Förster-Nietzsche. The three sections reprinted here are from Book IV, which bears the subtitle *Zucht* und *Züchtung*. § 1067 is the last section of the whole work.

§ 1050: Source as above.   [1] going beyond   [2] decline or destruction

[3] rapturous, ecstatic   [4] participation in the joys and sorrows of life   [5] approves and sanctions   [6] procreation   [7] abstracts   [8] i.e., these are natural forces but also forces in art   [9] affirmation of self   [10] disciplining or subordination

Dionysos und der Gekreuzigte

Festzustellen: ob der typische religiöse Mensch eine décadence-Form ist (die großen Neuerer[1] sind samt und sonders[2] krankhaft und epileptisch): aber lassen wir nicht da einen Typus des religiösen Menschen aus, den heidnischen? Ist der heidnische Kult nicht eine Form der Danksagung und der Bejahung des Lebens? Müßte nicht sein höchster Repräsentant eine Apologie und Vergöttlichung des Lebens sein? Typus eines wohlgeratenen[3] und entzückt-überströmenden Geistes! Typus eines die Widersprüche und Fragwürdigkeiten des Daseins in sich hineinnehmenden und erlösenden Geistes!

Hierher stelle ich den Dionysos der Griechen: die religiöse Bejahung des Lebens, des ganzen, nicht verleugneten und halbierten[4] Lebens; (typisch — daß der Geschlechtsakt Tiefe, Geheimnis, Ehrfurcht erweckt).

Dionysos gegen den „Gekreuzigten": da habt ihr den Gegensatz. Es ist nicht eine Differenz hinsichtlich des Martyriums, — nur hat dasselbe einen anderen Sinn. Das Leben selbst, seine ewige Fruchtbarkeit und Wiederkehr bedingt die Qual, die Zerstörung, den Willen zur Vernichtung. Im andern Falle gilt das Leiden, der „Gekreuzigte" als der „Unschuldige", als Einwand gegen dieses Leben, als Formel seiner Verurteilung. — Man errät: das Problem ist das vom Sinn des Leidens: ob ein christlicher Sinn, ob ein tragischer Sinn. Im ersten Falle soll es der Weg sein zu einem heiligen Sein; im letzteren Fall gilt das Sein als heilig genug, um ein Ungeheures von Leid noch zu rechtfertigen. Der tragische Mensch bejaht noch das herbste[5] Leiden: er ist stark, voll, vergöttlichend genug dazu; der christliche verneint noch das glücklichste Los auf Erden: er ist schwach, arm, enterbt[6] genug, um in jeder Form noch am Leben zu leiden. Der Gott am Kreuz ist ein Fluch auf das Leben, ein Fingerzeig[7], sich von ihm zu erlösen; — der in Stücke geschnittene

Dionysos[8] ist eine Verheißung des Lebens: es wird ewig wiedergeboren und aus der Zerstörung heimkommen.

Der Wille zur Macht

1067. Und wißt ihr auch, was mir „die Welt" ist? Soll ich sie euch in meinem Spiegel zeigen? Diese Welt: ein Ungeheuer von Kraft, ohne Anfang, ohne Ende, eine feste, eherne Größe von Kraft, welche nicht größer, nicht kleiner wird, die sich nicht verbraucht, sondern nur verwandelt, als Ganzes unveränderlich groß, ein Haushalt ohne Ausgaben und Einbußen[1], aber ebenso ohne Zuwachs, ohne Einnahmen, vom „Nichts" umschlossen als von seiner Grenze, nichts Verschwimmendes, Verschwendetes, nichts Unendlich-Ausgedehntes, sondern als bestimmte Kraft einem bestimmten Raum eingelegt, und nicht einem Raume, der irgendwo „leer" wäre, vielmehr als Kraft überall, als Spiel von Kräften und Kraftwellen zugleich eins und vieles, hier sich häufend und zugleich dort sich mindernd, ein Meer in sich selbst stürmender und flutender Kräfte, ewig sich wandelnd, ewig zurücklaufend, mit ungeheuren Jahren der Wiederkehr, mit einer Ebbe und Flut seiner Gestaltungen, aus den einfachsten in die vielfältigsten hinaustreibend, aus dem Stillsten, Starrsten, Kältesten hinaus in das Glühendste, Wildeste, Sich-selber-Widersprechendste, und dann wieder aus der Fülle heimkehrend zum Einfachen, aus dem Spiel der Widersprüche zurück bis zur Lust des Einklangs, sich selber bejahend noch in dieser Gleichheit seiner Bahnen und Jahre, sich selber segnend als Das, was ewig wiederkommen muß, als ein Werden, das kein Sattwerden, keinen Überdruß, keine Müdigkeit kennt —: diese meine dionysische Welt des Ewig-sich-selber-Schaffens, des Ewig-sich-selber-Zerstörens, diese Geheimnis-Welt der doppelten Wollüste[2], dies mein „Jenseits von Gut und

---

Dionysos und der Gekreuzigte § 1052: Source as above.
[1] innovators   [2] one and all   [3] turned out well or successful
[4] cut in half (i.e., fragmented)   [5] harshest   [6] disinherited
[7] indication

[8] The myth of Dionysos states that he was cut in pieces and then came to life again.
Der Wille zur Macht § 1067: [1] expenses and losses   [2] delights or voluptuous pleasures (i.e., in creation and destruction)

Böse", ohne Ziel, wenn nicht im Glück des Kreises ein Ziel liegt, ohne Willen, wenn nicht ein Ring zu sich selber guten Willen hat, — wollt ihr einen Namen für diese Welt? Eine Lösung für alle ihre Rätsel? Ein Licht auch für euch, ihr Verborgensten, Stärksten, Unerschrockensten, Mitternächtlichsten? — Diese Welt ist der Wille zur Macht — und nichts außerdem! Und auch ihr selber seid dieser Wille zur Macht — und nichts außerdem!

Wilhelm Dilthey · 1833–1911

Dilthey taught philosophy at various universities, including Berlin. He wrote much but published relatively little during his lifetime, so that his profound influence on contemporary thought has been largely posthumous.

His first achievement was to liberate the mental disciplines (the *Geisteswissenschaften*, the humanities and social sciences) from the subservience to the natural sciences into which the later nineteenth century had driven them. Dilthey pointed out that the *Geisteswissenschaften* had their own laws, which must be examined by methods derived from the material under investigation. The basic experience of the worker in this field is *Erlebnis* and *Verstehen*, i.e., a special kind of mental perception and understanding of values and ends in contrast to the more externalized description and conceptualization of the natural sciences.

Second, he applied the psychological method to the study of philosophy, by pointing out that a *Weltanschauung* is a function of temperament and not an intellectual construct. It involves the whole personality, the emotions and tastes as much as the cognitive faculty. Hence there can be no one system that will explain the universe to the satisfaction of all men. At best one can work out a series of alternative systems, each representing the way a particular type of person views the world.

Dilthey found that there are three such basic attitudes, represented by three types of men: the positivist, who is firmly anchored in the world of everyday reality; the objective idealist, to whom ordinary reality is the expression of an idea that exists in the mind, so that there is an inseparable bond between the two worlds of matter and mind; the idealist of freedom, for whom the human mind is either wholly independent of nature or else transcends it.

The publication of Dilthey's work *Das Erlebnis und die Dichtung* (1905) was a major blow to the positivist tradition in literary criticism in Germany. Dilthey redefined the artistic experience as something spiritual, deeply and intensely emotional. The artist does not depict ordinary experience as we live it; he transforms it into something new and original. The four literary essays which make up the volume are not overburdened with biographical detail, but concentrate on crucial events and experiences, on the basic spiritual influences that affected the artists, on the central problems of living, thinking, and feeling.

Dilthey's principal writings include: *Das Leben Schleiermachers* (1870), *Einleitung in die Geisteswissenschaften* (1883), *Die Jugendgeschichte Hegels* (1905), *Das Erlebnis und die Dichtung* (1905), *Der Aufbau der geschichtlichen Welt in den Geisteswissenschaften* (1910), *Weltanschauung und Analyse des Menschen seit Renaissance und Reformation* (1913), *Von deutscher Dichtung und Musik* (1933).

Ein Traum

Es ist länger als ein Jahrzehnt her. An einem heiteren Sommerabend war ich auf dem Schloß meines Freundes in Klein-Oels[1] angekommen. Und, wie es immer zwischen ihm und mir war, währte unser philosophisches Gespräch tief in die Nacht. Es klang noch in mir nach, als ich in dem altvertrauten Schlafgemach mich auskleidete. Lange stand ich dabei noch, wie so manches Mal schon, vor dem schönen Stich der Schule von Athen[2] von Volpato über meinem Bette. Ich genoß an diesem Abend ganz besonders, wie der harmonische Geist des göttlichen Raphael den Streit der auf Tod und Leben sich bekämpfenden Systeme gesänftigt hat zu einem friedlichen Gespräch. Über diese leise aufeinander bezogenen[3] Gestalten ist die Friedensstimmung ausgebreitet, welche zuerst in der Abenddämmerung der alten Kultur die starken Gegensätze der Systeme auszugleichen strebte und die dann auch in der Renaissance in den edelsten Geistern wirksam war. Schlafmüde, wie ich war, legte ich mich nieder. Auch schlief ich sogleich ein. Und alsbald bemächtigte sich ein geschäftiges Traumleben des Raphaelschen Bildes und der Gespräche, die wir geführt hatten. In ihm wurden die Gestalten der Philosophen zu Wirklichkeiten. Und aus weiter, weiter Ferne sah ich von links dem Tempel der Philosophen eine lange Reihe von Männern in den mannigfaltigen Trachten der folgenden Jahrhunderte sich nähern. So oft einer bei mir vorüberging und sein Gesicht mir zuwandte, mühte ich mich, ihn zu erkennen. Das war Bruno[4], das Descartes, das Leibniz, so viele andere, wie ich sie mir nach ihren Bildern vorgestellt hatte. Sie schritten die Treppe aufwärts. Wie sie herandrängten, fielen die Schranken[5] des Tempels. In einem weiten Felde mischten sie sich unter die Gestalten der griechischen Philosophen. Und nun geschah etwas, das selbst in meinem Traum mich verwunderte. Wie von einem inneren Zwang vorwärtsgetrieben, strebten sie einander entgegen, um sich zu einer Gruppe zu vereinigen. Zunächst drängte die Bewegung nach der rechten Seite, wo der Mathematiker Archimedes[6] seine Kreise zieht und der Astronom Ptolemäus erkennbar ist an der Weltkugel, die er trägt. Nun sammeln sich die Denker, welche ihre Welterklärung auf die feste, allumfassende physische Natur gründen, die so von unten nach oben fortschreiten, die aus dem Zusammenhang voneinander abhängiger Naturgesetze eine einheitliche Kausalerklärung des Universums finden wollen und so den Geist der Natur unterordnen oder auch resigniert unser Wissen auf das nach wissenschaftlicher Methode Erkennbare einschränken. In der Schar dieser Materialisten und Positivisten[7] erkannte ich auch d'Alembert[8] an seinen feinen Zügen und dem ironischen Lächeln seines Mundes, das über die Träume der Metaphysiker zu spotten schien. Und ich sah da auch Comte, den Systematiker dieser positiven Philosophie, dem ehrfürchtig ein Kreis von Denkern aus allen Nationen lauschte.

Und nun drängte ein neuer Zug nach der Mitte, wo Sokrates und die erhabene Greisengestalt des göttlichen Plato sich befanden: die beiden, die auf das Bewußtsein des Gottes im Menschen das Wissen von einer übersinnlichen Weltordnung zu gründen unternommen haben. Da sah ich auch Augustinus[9] mit dem leidenschaftlichen gottsuchenden Herzen, um den viele philosophierende Theologen sich gesam-

---

The essay reprinted here was delivered as an address on the occasion of Dilthey's seventieth birthday in 1903. [1] near Breslau, family seat of the Yorck family to which Dilthey was related by marriage [2] the famous painting by Raphael, entitled *The School of Athens*, which shows a group of representative Greek philosophers in a spacious Greek hall. Dilthey refers to an engraving (*Stich*) of this painting made by Giovanni Volpato (1740–1805). [3] linked together by a light bond [4] Giordano Bruno (1548–1600), Italian pantheist philosopher, who exercised a profound influence on European thought; René Descartes (1596–1650), French mathematician and philosopher, father of modern rationalism; Gottfried Wilhelm Leibniz (1646–1716), the first great German philosopher of modern times

[5] the confining walls [6] Archimedes (287–212 B.C.), the celebrated Greek physicist and mathematician, discovered the principle of the lever and the law of specific gravity; Claudius Ptolemäus (2nd century B.C.), Alexandrian astronomer, mathematician, geographer, founder of the Ptolemaic system of astronomy, which regards the earth as the center of the universe [7] The positivist rejects all metaphysical speculation and accepts only generalizations that are based on observable data. [8] Jean le Rond d'Alembert (1717–1783), French mathematician and philosopher, one of the editors of the *Encyclopédie*; Auguste Comte (1798–1857), French philosopher, founder of the positivist philosophy [9] St. Augustine, the Church Father

melt hatten. Ich vernahm ihr Gespräch, in welchem sie den Idealismus der Persönlichkeit, der die Seele des Christentums ist, mit den Lehren jener ehrwürdigen Alten zu verknüpfen strebten. Und nun löste sich aus der Gruppe der mathematischen Naturforscher Descartes los, eine zarte, schmächtige, von der Macht des Denkens wie aufgeriebene Gestalt, und wurde wie durch eine innere Gewalt zu diesen Idealisten der Freiheit[10] und der Persönlichkeit hingezogen. Dann aber öffnete sich der ganze Kreis, als die leichtgebückte, feingliedrige Gestalt[11] Kants sich näherte, mit Dreispitz und Krückstock[12], die Züge wie in der Anspannung des Denkens erstarrt — der Große, der den Idealismus der Freiheit zu kritischem Bewußtsein erhoben und so mit den Erfahrungswissenschaften versöhnt hat. Und dem Meister Kant entgegenschritt mit noch jugendlichem Gange die Treppen aufwärts eine überstrahlende[13] Gestalt mit sinnend gebeugtem edlen Haupt, in dessen schwermütigen Zügen tiefes Denken und dichterisch idealisierendes Schauen mit der Ahnung eines auf ihn herabkommenden Schicksals sich mischen — der Dichter des Idealismus der Freiheit, unser Schiller. Schon nahten sich Fichte[14] und Carlyle; Ranke, Guizot und andere große Geschichtsschreiber schienen mir diesen beiden zu lauschen. Es überlief mich aber mit einem seltsamen Schauder, als ich ihnen zur Seite einen Freund meiner Jugendjahre, Heinrich von Treitschke[15], erblickte.

Kaum hatten diese sich zusammengefunden, als nun auch links um den Pythagoras[16] und Herakleitos, welche zuerst die göttliche Harmonie des Universums geschaut haben, Denker aller Nationen sich sammelten. Giordano Bruno, Spinoza[17], Leibniz. Sonderbar zu sehen — Hand in Hand wie in ihren Jugendzeiten und jugendstark — die beiden großen schwäbischen Denker

unserer Nation — Schelling[18] und Hegel. Sie alle, die Verkünder einer allverbreiteten geistigen göttlichen Kraft im Universum, die jedem Ding und jeder Person einwohnend, in allem nach Naturgesetzen wirkt: sodaß es außer ihr keine transzendente Ordnung[19] gibt und keinen Bezirk von Freiheit der Wahl. Alle diese Denker schienen mir unter den arbeitsschweren Gesichtern dichterische Seelen zu verbergen. Auch entstand unter ihnen eine ungestüm vordringende Bewegung, als zuletzt mit gemessenem Schritt eine majestätische Gestalt in straffer, beinahe steifer Haltung herankam: ich erschrak vor Ehrfurcht, als ich die großen, wie Sonnen leuchtenden Augen und das apollinische[20] Haupt Goethes erblickte: er war in mittleren Jahren, und alle Gestalten, der Faust und Wilhelm Meister, die Iphigenie und der Tasso, schienen ihn zu umschweben: alle seine großen Gedanken über die Bildungsgesetze[21], die von der Natur hinüberreichen zu dem Schaffen des Menschen.

Und zwischen diesen Größesten lagen, standen und bewegten sich unruhig einzelne Gestalten. Sie schienen vergeblich zwischen der harten Absage des Positivismus an alle Lebensrätsel und der Metaphysik, zwischen einem alles bestimmenden Zusammenhang und der Freiheit der Person vermitteln zu wollen.

Aber vergebens liefen geschäftig die Vermittler zwischen diesen Gruppen hin und her — die Ferne, die diese Gruppen trennte, wuchs mit jeder Sekunde — nun verschwand der Boden selbst zwischen ihnen — eine furchtbare feindliche Entfremdung schien sie zu trennen — mich überfiel eine seltsame Angst, daß die Philosophie dreimal oder vielleicht noch mehrere Male da zu sein schien — die Einheit meines eigenen Wesens schien zu zerreißen, da ich sehnsüchtig bald zu dieser, bald zu jener Gruppe hingezogen ward, und ich strebte an, sie[21a] zu behaupten. Und unter diesem Aufstreben meiner Gedanken wurde die Decke des Schlafes dünner,

[10] see p. 53 [11] i.e., slight of build [12] three-cornered hat and cane with a crook [13] outshining the others [14] Johann Gottlieb Fichte (1762–1814), idealist philosopher, who developed the Kantian system in a subjective direction; Thomas Carlyle (1795–1881), Scottish essayist, historian, translator; for Ranke see I, 161; Guillaume Guizot (1784–1874), French historian and statesman [15] see I, 310 [16] Pythagoras of Samos, Heraclitus (both *c.* 500 B.C.), taught that change is the essence of the universe. [17] Benedict Spinoza (1632–1677), Dutch philosopher, pantheist and monist

[18] Friedrich Wilhelm Schelling (1775–1854), idealist philosopher, of profound importance for German romanticism. For Hegel, see I, 31 f; *sonderbar zu sehen* since they later became bitter adversaries [19] i.e., that God is not outside the universe, but immanent in it [20] i.e., serene, contemplative [21] laws of form (allusion to Goethe's studies in morphology) [21a] i.e., Einheit

leichter, die Gestalten des Traumes verblaßten, und ich erwachte.

Die Sterne schimmerten durch die großen Fenster des Gemachs. Die Unermeßlichkeit und Unergründlichkeit des Universums umfing mich. Wie befreit gedachte ich der tröstlichen Gedanken, die ich dem Freunde in dem nächtlichen Gespräch vorgelegt hatte.

Dieses unermeßliche, unfaßliche, unergründliche Universum spiegelt sich mannigfach in religiösen Sehern, in Dichtern und in Philosophen. Sie stehen alle unter der Macht des Ortes und der Stunde. Jede Weltanschauung ist historisch bedingt, sonach begrenzt, relativ. Eine furchtbare Anarchie des Denkens scheint hieraus hervorzugehen. Aber eben das geschichtliche Bewußtsein, das diesen absoluten Zweifel hervorgebracht hat, vermag auch ihm seine Grenzen zu bestimmen. Zuerst: nach einem inneren Gesetz haben die Weltanschauungen sich gesondert. Hier gingen meine Gedanken zurück auf die großen Grundformen derselben, wie sie dem Träumenden eben in dem Bilde von drei Gruppen der Philosophen sich dargestellt hatten. Diese Typen der Weltanschauung behaupten sich nebeneinander im Laufe der Jahrhunderte. Und nun das andere, befreiende: die Weltanschauungen sind gegründet in der Natur des Universums und dem Verhältnis des endlichen auffassenden Geistes zu denselben. So drückt jede derselben in unseren Denkgrenzen[22] eine Seite des Universums aus. Jede ist hierin wahr. Jede aber ist einseitig. Es ist uns versagt, diese Seiten zusammenzuschauen. Das reine Licht der Wahrheit ist nur in verschieden gebrochenem Strahl für uns zu erblicken.

Es ist eine alte unheilvolle Verbindung. Der Philosoph sucht allgemeingültiges Wissen und durch dasselbe eine Entscheidung über die Rätsel des Lebens. Diese[23] muß gelöst werden.

Die Philosophie zeigt ein Doppelantlitz. Der unauslöschliche metaphysische Trieb geht auf die Lösung des Welt- und Lebensrätsels, hierin sind die Philosophen den Religiösen und den Dichtern verwandt. Aber der Philosoph unterscheidet sich von ihnen, indem er durch allgemeingültiges Wissen dies Rätsel lösen will.

Diese alte Verbindung muß sich uns heute lösen.

Anfang und höchste Aufgabe der Philosophie ist: sie erhebt das gegenständliche Denken der Erfahrungswissenschaften[24], das aus den Erscheinungen eine Ordnung nach Gesetzen auslöst, zum Bewußtsein seiner selbst — rechtfertigt es vor sich selbst. Es gibt in den Erscheinungen zugängliche Realität: die Ordnung nach Gesetzen; diese ist die einzige Wahrheit, die uns allgemeingültig gegeben ist, auch sie in der Zeichensprache unserer Sinne und unseres Auffassungsvermögens[25]. Dies ist der Gegenstand der philosophischen Grundwissenschaft. Diese Begründung unseres Wissens ist die große Funktion der philosophischen Grundwissenschaft, an deren Aufbau alle wahren Philosophen seit Sokrates arbeiten. Eine andere Leistung der Philosophie ist die Organisation der Erfahrungswissenschaften. Philosophischer Geist ist überall gegenwärtig, wo Grundlagen einer Wissenschaft vereinfacht werden oder wo Wissenschaften verknüpft werden, oder wo ihr Verhältnis zur Idee des Wissens festgestellt oder Methoden auf ihren Erkenntniswert geprüft werden. Aber die Zeit scheint mir zu Ende zu gehen, wo es noch eine abgesonderte Philosophie der Kunst und der Religion, des Rechtes oder des Staates gab. Das also ist die höchste Funktion der Philosophie: Begründung, Rechtfertigung, kritisches Bewußtsein, organisierende Kraft, die alles gegenständliche Denken[26], alle Wertbestimmungen und alle Zwecksetzungen[27] ergreift. Der so entstehende gewaltige Zusammenhang ist bestimmt, das menschliche Geschlecht zu leiten. Die Erfahrungswissenschaften der Natur haben die äußere Welt umgestaltet, und nun ist die Weltepoche angebrochen, in welcher die Wissenschaften der Gesellschaft[28] auf diese selber steigenden Einfluß gewinnen.

Jenseits dieses allgemeingültigen Wissens liegen die Fragen, um die es sich für die Person handelt, die doch schließlich dem Leben und dem Tode gegenüber für sich allein ist. Die Antwort auf

[22] within the limits of our thought   [23] = Verbindung

[24] i.e., the physical and biological sciences, which are based on empirical observation   [25] faculty of apperception   [26] i.e., the principles of the physical sciences which are derived from observation of the objective world   [27] teleology, the assumption of purpose in the universe   [28] the social sciences

diese Fragen ist nur da in der Ordnung der Weltanschauungen, welche die Mehrseitigkeit der Wirklichkeit für unseren Verstand in verschiedenen Formen aussprechen, die auf eine Wahrheit hinweisen. Diese ist unerkennbar, jedes System verstrickt sich in Antinomien[29]. Das historische Bewußtsein zerbricht die letzten Ketten, die Philosophie und Naturforschung nicht zerreißen konnten. Der Mensch steht nun ganz frei da. Aber es rettet zugleich dem Menschen die Einheit seiner Seele, den Blick in einen obzwar unergründlichen, doch der Lebendigkeit unseres Wesens offenbaren Zusammenhang der Dinge. Getrost mögen wir in jeder dieser Weltanschauungen einen Teil der Wahrheit verehren. Und wenn der Lauf unseres Lebens uns nur einzelne Seiten des unergründlichen Zusammenhangs nahebringt — wenn die Wahrheit der Weltanschauung, die diese Seite ausspricht, uns lebendig ergreift, dann mögen wir uns dem ruhig überlassen: die Wahrheit ist in ihnen allen gegenwärtig.

Dies ungefähr, nur freilich wie einem, der zwischen Traum und Traum wachend liegt, die Gedanken sich kreuzen — das waren die Ideen, denen ich lange nachsann, den Blick auf die sommerliche Pracht der Gestirne gerichtet. Endlich kam ein leichter Morgenschlummer über mich und die Träume, die ihn zu begleiten pflegen. Das Sternengewölbe schien mir heller und heller zu erglänzen, wie das Morgenlicht hereinflutete. Leichte, selige Gestalten zogen am Himmel entlang. Vergebens strebte ich, als ich erwachte, mich dieser glückseligen Traumgebilde zu erinnern. Ich empfand nur, daß die Seligkeit einer höchsten Freiheit und Beweglichkeit der Seele in ihnen sich ausdrückte. So habe ich denn diesen Traum für meine Freunde auf-

geschrieben, ob etwas von dem Lebensgefühl, in welchem er ausklingt, sich denselben mitteilen möchte. Angestrengter als je sucht unser Geschlecht zu lesen in dem geheimnisvoll unergründlichen Antlitz des Lebens mit dem lachenden Munde und den schwermütig blickenden Augen. Ja, meine Freunde, lasset uns dem Licht zustreben, der Freiheit und der Schönheit des Daseins. Aber nicht in einem neuen Anfang, abschüttelnd die Vergangenheit. Die alten Götter müssen wir mitnehmen in jede neue Heimat. Nur der lebt sich aus[30], der sich dahingibt[31] ... Umsonst suchte Nietzsche[32] in einsamer Selbstbetrachtung die ursprüngliche Natur, sein geschichtloses Wesen. Eine Haut nach der andern zog er ab. Und was blieb übrig? Doch nur ein geschichtlich Bedingtes: die Züge des Machtmenschen der Renaissance[33]. Was der Mensch sei, sagt ihm nur seine Geschichte. Umsonst werfen andere die ganze Vergangenheit hinter sich, um gleichsam neu anzufangen vorurteilslos mit dem Leben. Sie vermögen nicht abzuschütteln, was gewesen, und die Götter der Vergangenheit werden ihnen zu Gespenstern. Die Melodie unseres Lebens ist bedingt durch die begleitenden Stimmen der Vergangenheit. Von der Qual des Augenblicks und von der Flüchtigkeit jeder Freude befreit sich der Mensch nur durch die Hingabe an die großen objektiven Gewalten, welche die Geschichte erzeugt hat. Hingabe an sie, nicht die Subjektivität der Willkür und des Genusses ist die Versöhnung der souveränen Persönlichkeit mit dem Weltlauf.

---

[29] antinomies, i.e., two contradictory chains of reasoning, each of which is or seems equally valid

[30] realizes himself [31] yields (to the stream of history) [32] in his essay *Vom Nutzen und Nachteil der Historie für das Leben*, where he vigorously challenged the 19th-century cult of historical thinking. Cf. p. 37. [33] Nietzsche's *Übermensch* was largely inspired by the Renaissance ideal of the *"universal man,"* in whom the love of power was a principal trait.

Georg Dehio · 1850–1932

Dehio was the author of a number of standard works on art history, the best known of which is the *Geschichte der deutschen Kunst*, 3 vols. (1919–1924). The following pages form the preface of this work. Dehio's method in writing art history was to relate art to national history and to single out the permanent German features amidst the many changes of style.

Kunstgeschichte als Geschichte

„Am farbigen Abglanz haben wir das Leben[1]." Es ist dem Menschen eingeboren, daß er neben die wirkliche Welt eine zweite, unwirkliche zu setzen trachtet, sein eigenes Werk: ein bloßer Schein, ein Symbol nur, dem Menschen ganz nutzlos und doch von höchstem Wert. Wir nennen diese Scheinwelt Kunst. In ihrer Schaffung wird der Mensch sich bewußt und nimmt sich heraus, zu sagen, was die Wirklichkeit ihm bedeutet, was in ihr und in seiner Stellung zu ihr ihm das Wesenhafte und Wertvolle ist. Kunst ist Abbreviatur und zugleich Vertiefung der Wirklichkeit. Kunst ist eine vor aller Verstandeserkenntnis liegende und über sie hoch hinausgreifende Gefühlserkenntnis[2], nach ihrem Gegenstande[3] Welterkenntnis und Selbsterkenntnis in Einem. Ein Mensch, der an dieser Art der Erkenntnis keinen Teil hat, ist ein unvollständiger Mensch.

Die Geschichte zeigt nun aber, daß die Fähigkeit, das Innenleben in künstlerischem Schaffen nach außen zu projizieren, unter die Völker, auch die, die wir Kulturvölker nennen, sehr ungleich verteilt, außerdem bei jedem Volk nach Zeitabschnitten ungleich stark ist. Woher kommt das? Wenn es sich um Epochen handelt, in denen die geistige Energie eines Volkes noch unentwickelt oder nach Zeiten starker Anstrengung ermüdet und krank ist, so ist die Erklärung einfach. Wir kennen im Leben der Völker aber auch andere Epochen, in denen ihr Salz keineswegs dumm geworden ist[4], und in denen doch die Kunst im Schatten steht. Kunst ist niemals *nur* Kunst, sie wird immer auch durch sachliche[5] Zwecke mitbedingt. Sie ist nicht reiner Geist, sie hat auch einen Körper; sie ist durch ihre Technik einerseits, ihre Zweckinhalte anderseits an die irdische Welt gekettet. Und durch Technik und Zweckinhalt gewinnen außerkünstlerische Instanzen fortwährend Gewalt über sie. Die Kunstgeschichte ist nicht einfach Geschichte des künstlerischen Wollens, sondern auch eine Geschichte des künstlerischen Könnens, wobei es von vornherein feststeht, daß dies Können durch natürliche Umgebung, historische Zufälle, Gesellschaft, Wirtschaft, Staat in den allermannigfaltigsten Kombinationen immerfort bald fördernd bald hemmend bedingt wird. Aber auch in diesen Ursachen ist die Erklärung, nach der wir suchen, noch nicht erschöpfend gegeben. Wir werden weiter suchen müssen. Und da zeigt sich, daß in den Bedürfnissen des inneren Menschen die Kunst auf Konkurrenzen stößt. Es sei hier nur eine, die stärkste, genannt: die Religion. Kunst und Religion haben ein natürliches Bestreben, einander zu fördern; aber eben weil sie so nahe beieinander wohnen, kann es auch geschehen, daß die eine die der anderen gehörenden Lebenssäfte zu sich herüberzieht, daß Kunst ganz zur Dienerin der Religion oder Religion bloßer Vorwand für Kunst wird.

Die meiste Konkurrenz aber macht die Kunst sich selbst. In der Tiefe zwar hat sie nur eine einzige Wurzel, über der Erde aber verästelt sie sich[6] zu einer Vielheit. Ästhetisch fühlen ist noch nicht Kunst; sie beginnt erst mit der Übertragung der Gefühle von Mensch auf Mensch.

[1] *Faust* II, line 4727: We have life in light's colorful reflection.   [2] emotional knowledge   [3] i.e., judged by its content   [4] i.e., has lost its savor (Matthew 5: 13: „Ihr seid das Salz der Erde. Wo nun das Salz dumm wird, womit soll man salzen?")

[5] i.e., material; *mitbedingt,* partially determined   [6] branches out

Sie muß sprechen können. Die aufnehmenden Organe des Menschen sind aber so beschaffen, daß ihr eine einzige Sprache nicht genug sein kann. Mit der bildenden Kunst[7] konkurrieren Dichtkunst, Tonkunst, mimische Kunst, und die bildende Kunst selbst wieder muß sich spalten. Dasselbe Grundgefühl kann in jeder dieser Sprachen ausgedrückt werden, aber in keiner vollständig; immer bleibt ein Rest, der bei einer andern nach Ausdruck sucht. Die Dichtkunst kann, wenn sie es will, in unserer Phantasie Erinnerungen aus der Welt des Auges wachrufen, aber sie ersetzt damit die Bildkunst noch nicht. Und die Bildkunst kann, wenn sie es will, Charakter, Seelenstimmungen, Handlungsmotive, lauter Unsichtbares, uns nahe bringen, und zwar so eindringlich nahe von gewissen Seiten, wie selbst die Dichtkunst es nicht kann, und doch schmälert sie dieser das Feld im geringsten nicht. Michelangelo blieb immer derselbe, ob er meißelte[8], malte, baute oder Verse machte, aber er wußte und unterschied genau, wann und warum er das eine und das andere tat. Michelangelo ist aber nur einer, ein Wunder, unter Millionen. Die Mehrzahl der Menschen kennt von den zum Zentrum des Schönen führenden Wegen, deren Zahl unbegrenzt ist, nur einen einzigen. Und so ist es auch mit den Völkern. Der Ausgleich liegt bei ihnen darin, daß sie in der Zeit sich wandeln, daß vorzugsweise dichterisch, vorzugsweise bildnerisch, vorzugsweise musikalisch gestimmte Epochen miteinander wechseln.

Das deutsche Volk ist darin künstlerisch reich zu nennen, daß es in jeder Kunst absolute Höhepunkte erreicht hat. Dieselben liegen aber zeitlich weit auseinander. Nur ein einziges Mal, in dem glücklichen staufischen Zeitalter[9], sind alle künstlerischen Kräfte in harmonischem Gleichmaß entfaltet gewesen. Die Zeit Albrecht Dürers[10] war in der Baukunst unfruchtbar. Die Zeit Sebastian Bachs[11] war zugleich die des großen Baukünstlers Balthasar Neumann[12], aber auch die leerste in der Geschichte der deutschen Malerei. Als die Dichtung ihre erste Blütezeit erlebte, in der Mitte zwischen der Völkerwanderung und Karl dem Großen[13], war eine bildende Kunst überhaupt noch nicht erwacht; und dieselbe war wieder ein blasser Erinnerungsschatten geworden, als die Dichtung Goethes und Schillers für das künstlerische Empfinden der Nation die höchste von ihr damals begehrte Form schuf.

Der Versuch ist noch nicht gemacht worden, die deutsche Kunstgeschichte als Totalität aller Künste zu fassen und darzustellen, und aus leicht ersichtlichen Gründen wird er so bald auch nicht gemacht werden. Kunst im Sinne des vorliegenden Buches ist allein die bildende Kunst. Aber wir müssen bekennen, daß in dieser Beschränkung nicht durchaus eine Erleichterung der Aufgabe liegt. Es steht nicht so, daß die kunstgeschichtlichen Tatsachen schon durch ihre historische Folge sich selbst erklären würden. Vor uns liegt nicht das Bild einer einfachen, geradlinigen Entwicklung. Ohne erkennbare Regel folgen sich Hebungen[14] und Senkungen, Abbiegungen, Brüche, irrationelle Erscheinungen an allen Enden. Die Kunstpsychologie, die heute manchmal Miene macht[15], die Geschichte ersetzen zu wollen, hat hier im voraus das Spiel verloren. Es muß so gewesen sein, daß die inneren Kunstgesetze — die wir mehr im Grundsatz voraussetzen, als daß wir ihre Formeln zu nennen vermöchten — immerfort mit außerkünstlerischen Komponenten in Verwicklung gerieten. Welcher Art dieselben waren, haben die vorangesetzten[16] Erwägungen im allgemeinsten schon angedeutet. Man würde die Aufgabe, die die folgende Darstellung lösen will, vollkommen mißverstehen, wenn man in ihr einen Ausschnitt aus der allgemeinen Kunstgeschichte oder gar eine Beispielsammlung zu einer allgemeinen Kunstlehre suchen wollte. Die dieses Buch durchgehend beherrschende Frage lautet nicht: *was erfahren wir durch die Deutschen über das Wesen der Kunst?* sondern: *was offenbart uns die Kunst vom Wesen der Deutschen?* Gewiß, es gibt in der deutschen Volksgeschichte innerste

[7] i.e., painting and sculpture [8] sculptured [9] in the Hohenstaufen dynasty (1125–1250) [10] i.e., the early 16th century [11] i.e., the early 18th century [12] one of the great architects of the Baroque period (1687–1753)

[13] i.e., between the 5th and 9th centuries [14] rises and declines, digressions, breaks (with tradition) [15] acts as if [16] above mentioned

Kammern, zu denen nur die Kunstgeschichte den Schlüssel hat.

Aus den letzten Sätzen geht hervor, daß für das vorliegende Buch Kunstgeschichte Geschichte ist. Dies festzustellen ist heute keine müßige Tautologie[17]. Die Betrachtung der historischen Kunst kann auch auf andere Ziele gelenkt werden, auf Ziele, die nicht Geschichte sind, aber allzuoft mit ihr verwechselt werden. Es ist nötig, hier gleich zu Anfang klare Unterscheidungen vor sich zu haben. — Wenn uns auch die Kunstgeschichte rein und durchaus Geschichte ist, so ist doch an ihr eine Eigenschaft nicht zu verkennen, durch die sie sich von der Geschichte im engeren Sinn eingreifend[18] unterscheidet: ihr Gegenstand hat eine zeitliche Doppelexistenz, er gehört nicht der Vergangenheit allein an, vielmehr wird er in dem Augenblick, in dem das Auge eines von uns auf ihm ruht, zur Gegenwart. Denn eigentlich erst in dem Kopfe des Beschauers wird das Kunstwerk fertig. Für den naiven Beschauer aber ist die Art der Wirkung die gleiche, ob er alte oder neueste Kunst vor sich hat, er fragt allein nach dem unmittelbar fühlbaren Eindruck. Und auch der wissenschaftlich bestgeschulte Blick wird sich diesem nicht entziehen können; es wäre geistige Stumpfheit, wenn es anders wäre. Aber es bleibt dabei, daß das geschichtliche Interesse an der vergangenen Kunst ein durchaus anderes ist als das ästhetische. Worauf es ankommt, ist hier allein, sich fähig machen, in jedem Augenblick zu unterscheiden, von welchem der beiden Interessen man sich ergriffen fühlt. Das ästhetische Urteil hat nur einen Gegenwartswert; wie schnell und durchgreifend[19] es wechselt, ist allbekannt. Der Renaissance war die Gotik ein Greuel, und das 19. Jahrhundert verabscheute den Barock. Aber auch der größere historische Abstand gibt noch keine Sicherheit. Wir erfahren es alle Tage, daß heute gekreuzigt wird, wo gestern Hosianna gerufen wurde: die Mode des Augenblicks ist es, Raphael[20] verächtlich zu

machen und einen Greco zu den Sternen zu erheben. Der Grund ist der, daß sehr viele, die sich Kunsthistoriker nennen, in dem Augenblick aufhören, es zu sein, wo ihr Gefühl zwischen einer Erscheinung der Vergangenheit und den künstlerischen Problemen der Gegenwart eine Beziehung entdeckt. Es mag nicht leicht sein, von dem Geschmack des Tages sich unabhängig zu erhalten; aber dann wisse man auch, daß man es nicht ist.

Nun bedarf die geschichtliche Auffassung der Kunst noch eines zweiten Grenzschutzes[21]: gegen die psychologische. Diese definiert die Kunstgeschichte als „Lehre von den Sehformen". Ihr ist die in der Geschichte gegebene Tatsächlichkeit ein zu reinigender Rohstoff; durch Ausscheidung des Veränderlichen, Freien, Individuellen will sie zu dem hinter ihm vermuteten Generellen, Dauernden, Gesetzlichen hingelangen, zur reinen Kunst. Diese Betrachtungsweise hat ihren eigenen, unbestreitbaren Wert; aber eben Geschichte ist sie nicht. Sie kommt dieser dort am nächsten, wo sie schon in den Grundformen der menschlichen Psyche zeitliche Veränderungen nachweist; diese aber liegen nicht in der Welt der geschichtlichen Freiheit, sondern sollen als ein mit Notwendigkeit sich vollziehender Prozeß angesehen werden, gesetzlich in demselben Sinne, wie die Veränderungen in den Formen der Natur. Wir wollen hier nicht untersuchen, ob und in wieweit es sich dabei um ein Erkennbares handelt; in jedem Fall ist dieser psychologische Entwicklungsprozeß nur ein kleiner Teil des weitschichtigen[22] Ursachenkomplexes, aus dem die anschaubare Wirklichkeit der Geschichte hervorgeht. Und wie wäre es, wenn der Wechsel in den Sehformen gar nicht deshalb einträte, weil aus unerforschlichen Gründen die Menschen von Zeit zu Zeit anders sehen müßten, sondern vielmehr weil sie anders sehen wollten, und zwar deshalb so wollten, weil das, was wir zusammenfassend Weltanschauung nennen, sich geändert hat? Dann läge die Veränderung nicht in den psychologischen Formen, sondern in deren Inhalt, und wäre wieder rein historisch zu erklären.

[17] tautology (needless repetition)   [18] i. e., sharply   [19] thoroughly   [20] Raphael, or Raffaello Santi (1483–1520), Italian painter and architect, whose style of painting is "sweet" as compared with the "expressionist" manner of Domenico Theotocopouli, known as El Greco (1548?–1614)

[21] protective boundary   [22] extensive

Offenbar hat weder die ästhetische noch die psychologische Richtung der Kunstgeschichte aus der Heraushebung[23] der Kunst eines einzelnen Volkes, wie es das Thema dieses Buches ist, etwas zu gewinnen; der Begriff der Nation liegt nicht auf der Linie ihrer Gedanken. Jene[24] sind an ihrem Platze, wenn es gilt, die menschliche Natur generell zu erforschen. Wir aber haben es mit dem d e u t s c h e n Menschen zu tun. Was seine Besonderheit ausmacht, ist nicht seine ursprüngliche Anlage allein, sondern die volle Summe aller seiner geschichtlichen Erlebnisse, eine Vereinigung von Ererbtem und Erworbenem, von glücklich fortgebildeten und traurig verkümmerten Eigenschaften. Die unter solchen Einflüssen sich ergebenden Veränderungen im Charakter eines Volkes sind etwas durchaus anderes als der naturhafte Entwicklungsprozeß, den die „Kunstgeschichte als Lehre von den

Sehformen" im Auge hat, und die auf diesem Boden gewonnenen Werturteile sind wieder etwas durchaus anderes und, wie wir hoffen, besser Gesichertes als die immer schwankenden der rein ästhetischen Betrachtungsweise. Wir werden nicht die Frage stellen, ob beispielsweise die Gotik etwas Besseres gewesen sei als der romanische Stil und die Renaissance etwas Besseres als die Gotik; wohl aber werden wir urteilend vergleichen, in welcher dieser Perioden die deutsche Kunst, als geistige Kraftäußerung betrachtet, höher oder niedriger stand. Wer diese Art des Urteilens sich aneignet, wird nicht vergessen, daß ein Volk im Verlauf seines oft bedrohten Daseins auch noch andre Aufgaben hat als die, in der Sprache der Kunst sich über sich und sein Verhältnis zur Welt auszusprechen. Glücklich die Zeiten, die in diesem Sinne fruchtbar und beredt sein konnten. Das Glück verteilt aber seine Gaben immer ungleich. Kunst ist ein hohes Gut. Der Güter höchstes ist auch sie nicht.

[23] emphasizing   [24] i.e., the aesthetic and psychological approaches

Sigmund Freud · 1856–1939

Freud was born in the province of Moravia but came as a child to Vienna, where he lived till the last year of his long life. He studied medicine and pursued research in physiology, neurology, and pharmacology. In 1885 he began an academic career which lasted till 1918, when he gave up teaching and devoted himself to writing. In the early years of this century his fame reached the American continent; in 1908 he was invited to deliver a series of lectures at Clark University in Massachusetts. He was awarded the Goethe Prize in 1930 and made a free citizen of Vienna in that same year. But when the National Socialists seized power in Austria, he was persecuted with especial fury and allowed to leave the country only upon payment of a ransom. He went to London, where he died the following year at the age of eighty-three.

Freud began his life work as a neurologist and psychiatrist and developed his theories from his observations of the behavior of neurotic and psychotic patients. He came to believe that the basic psychological mechanisms which accounted for the conduct of the maladjusted were equally applicable to normal people, and so his psychopathology developed into a general psychology.

Freud's basic assumption is that most human behavior is determined by what goes on in the unconscious. In this reservoir (the *id*) are stored the experiences, events, desires, and memories that the individual has gathered from birth and those which he has inherited from the accumulated experience of the race. Since many of these libidinal urges are condemned as immoral by society or by the individual's conscience (the *superego*), they never come to the surface but lie in the unconscious as repressions or inhibitions. There they may or may not cause trouble. For most people they do not; if, however, they do, they produce compulsions, hysterical conduct, delusions, neuroses, or (in cases of extreme derangement) psychoses.

The fact that all this turbulent activity goes on in the unconscious, unknown to the sufferer, makes a direct analysis and treatment of the malady impossible. The analyst must get down to the unconscious level of the mind and find out what repressions are causing the neurosis. He does so chiefly through the interpretation of the patient's dreams and by encouraging the patient to associate freely. For dreams present the suppressed desires in disguise. In the dream state man lives out the wishes which he would not dare to entertain in his waking life: death wishes, incestuous wishes, the longing to perform antisocial acts, the realization of frustrated ambitions, and so on. The dream material often supplies a pattern which reveals the repressions that have been causing the neurotic symptoms. When the patient's conflicts are brought to the surface of consciousness and he learns to accept them, the traumatic state disappears.

In his earlier writings Freud, following the French psychiatrist Charcot, assumed that all neurotic behavior could ultimately be traced back to sexual repression, especially to sexual desires for the parent of the opposite sex and a wish to eliminate the parent of the same sex as the rival in this triangle (Œdipus and Electra complexes). Later on he extended the term "sex" to include all instinctual gratification. Moreover, in one of his latest essays, "Das Unbehagen in der Kultur," he emphasized the role of modern civilization in furthering artificial repression of what was, in earlier society, accepted as natural. Consequently he became very pessimistic about the future of our culture. He even posited a death-instinct as existing along with the libido or life-furthering force. This negative drive may turn aggressively against others or inwardly against the self.

A vexing problem that requires clarification is: where does Freud stand in the vital contemporary conflict between reason and unreason as a guide to life? It has often been assumed that, because he laid so much stress on the unconscious and instinctive aspects of human conduct, he sought to dethrone reason and to reduce man to the animal level. The essay reprinted here might lead to this conclusion. But such a judgment would be superficial. While Freud pointed out the harm that could result from blind repression of the instinctual needs and deplored the neurotic factors in modern life, he did not advocate that man should give free rein to his *id*. A basic element in his psychotherapy is to bring unconscious repressions into consciousness. Besides, self-expression is not the only alternative to repression: there is the way of sublimation, that is, the expression of forbidden wishes in socially acceptable ways. Freud's attitude to religion is that of an agnostic rationalist; his pessimistic views on war and peace are the disillusioned utterances of a "realist" who knows his human beings. Finally, his assumption of a death-instinct represents the same type of despair into which other contemporary apostles of reason (like Bernard Shaw and H. G. Wells) fell in the last years of their lives as a result of surveying our human condition.

Freud's insights were very soon taken up by writers and critics, first because of the natural relation between literature and psychology, and second because Freud and his school analyzed the work of many outstanding writers. The essay reprinted here was written in 1917. Even at that advanced date Freud still felt himself impelled to don the martyr's cloak. Today his ideas and even his terminology have become part of our everyday experience. Much of what he wrote is viewed critically by contemporary science and scholarship; some of his theories have been radically revised. But he is, beyond doubt, one of the seminal thinkers of our world.

Freud had a deep interest in the arts, especially in literature, and wrote a number of essays on literary topics from the psychoanalytic point of view. His style is clear, simple, and effective, the mirror of a crystal-clear mind.

Freud's principal writings include: *Die Traumdeutung* (1900), *Zur Psychopathologie des Alltagslebens* (1901), *Der Witz und seine Beziehung zum Unbewußten* (1905), *Totem und Tabu* (1913), *Jenseits des Lustprinzips* (1920), *Die Zukunft einer Illusion* (1927), *Das Unbehagen in der Kultur* (1930).

Eine Schwierigkeit der Psychoanalyse

Ich will gleich zum Eingang sagen, daß ich nicht eine intellektuelle Schwierigkeit meine, etwas, was die Psychoanalyse für das Verständnis des Empfängers (Hörers oder Lesers) unzugänglich macht, sondern eine affektive[1] Schwierigkeit: etwas, wodurch sich die Psychoanalyse die Gefühle des Empfängers entfremdet, so daß er weniger geneigt wird, ihr Interesse oder Glauben zu schenken. Wie man merkt, kommen beiderlei Schwierigkeiten auf dasselbe hinaus. Wer für eine Sache nicht genug Sympathie aufbringen kann, wird sie auch nicht so leicht verstehen.

Aus Rücksicht auf den Leser, den ich mir noch als völlig unbeteiligt vorstelle, muß ich etwas weiter ausholen[2]. In der Psychoanalyse hat sich aus einer großen Zahl von Einzelbeobachtungen und Eindrücken endlich etwas wie eine Theorie gestaltet, die unter dem Namen der Libidotheorie bekannt ist. Die Psychoanalyse beschäftigt sich bekanntlich mit der Aufklärung und der Beseitigung der sogenannten nervösen Störungen. Für dieses Problem mußte ein Angriffspunkt[3] gefunden werden, und man entschloß sich, ihn im Triebleben der Seele zu suchen. Annahmen über das menschliche Triebleben wurden also die Grundlage unserer Auffassung der Nervosität.

Die Psychologie, die auf unseren Schulen gelehrt wird, gibt uns nur sehr wenig befriedigende Antworten, wenn wir sie nach den Problemen des Seelenlebens befragen. Auf keinem Gebiet sind aber ihre Auskünfte kümmerlicher als auf dem der Triebe.

Es bleibt uns überlassen, wie wir uns hier eine erste Orientierung schaffen wollen. Die populäre Auffassung trennt Hunger und Liebe als Vertreter der Triebe, welche das Einzelwesen zu erhalten, und jener, die es fortzupflanzen streben. Indem wir uns dieser so naheliegenden[4] Sonderung anschließen, unterscheiden wir auch in der Psychoanalyse die Selbsterhaltungs- oder Ich-Triebe von den Sexualtrieben und nennen die Kraft, mit welcher der Sexualtrieb im Seelenleben auftritt, Libido — sexuelles Verlangen — als etwas dem Hunger, dem Machtwillen u. dgl.[5] bei den Ich-Trieben Analoges.

Auf dem Boden dieser Annahme machen wir dann die erste bedeutungsvolle Entdeckung. Wir erfahren, daß für das Verständnis der neurotischen Erkrankungen den Sexualtrieben die weitaus größere Bedeutung zukommt, daß die Neurosen sozusagen die spezifischen Erkrankungen der Sexualfunktion sind. Daß es von der Quantität der Libido und von der Möglichkeit, sie zu befriedigen und durch Befriedigung abzuführen[6], abhängt, ob ein Mensch überhaupt an einer Neurose erkrankt. Daß die Form der Erkrankung bestimmt wird durch die Art, wie der einzelne den Entwicklungsweg der Sexualfunktion zurückgelegt hat, oder, wie wir sagen, durch die Fixierungen[7], welche seine Libido im Laufe ihrer Entwicklung erfahren hat. Und daß wir in einer gewissen, nicht sehr einfachen Technik der psychischen Beeinflussung ein Mittel haben, manche Gruppen der Neurosen gleichzeitig aufzuklären und rückgängig zu machen. Den besten Erfolg hat unsere therapeutische Bemühung bei einer gewissen Klasse von

This essay was first published (in Hungarian) in *Nyagat* (1917) and in *Imago* in the same year. It was reprinted in the fourth sequence of the collected essays. [1] emotional [2] go a little further afield [3] i.e., point of departure

[4] obvious [5] = und dergleichen, and such things [6] divert, i.e., eliminate [7] fixations

Neurosen, die aus dem Konflikt zwischen den Ich-Trieben und den Sexualtrieben hervorgehen. Beim Menschen kommt es nämlich vor, daß die Anforderungen der Sexualtriebe, die ja weit über das Einzelwesen hinausgreifen, dem Ich als Gefahr erscheinen, die seine Selbsterhaltung oder seine Selbstachtung bedrohen. Dann setzt sich das Ich zur Wehr, versagt den Sexualtrieben die gewünschte Befriedigung, nötigt sie zu jenen Umwegen einer Ersatzbefriedigung, die sich als nervöse Symptome kundgeben.

Die psychoanalytische Therapie bringt es dann zustande, den Verdrängungsprozeß[8] einer Revision zu unterziehen und den Konflikt zu einem besseren, mit der Gesundheit verträglichen Ausgang zu leiten. Unverständige Gegnerschaft wirft uns dann unsere Schätzung der Sexualtriebe als einseitig vor: Der Mensch habe noch andere Interessen als die sexuellen. Das haben wir keinen Augenblick lang vergessen oder verleugnet. Unsere Einseitigkeit ist wie die des Chemikers, der alle Konstitutionen auf die Kraft der chemischen Attraktion zurückführt. Er leugnet darum die Schwerkraft nicht, er überläßt ihre Würdigung dem Physiker.

Während der therapeutischen Arbeit müssen wir uns um die Verteilung der Libido bei dem Kranken bekümmern, wir forschen nach, an welche Objektvorstellungen seine Libido gebunden ist, und machen sie frei, um sie dem Ich zur Verfügung zu stellen. Dabei sind wir dazu gekommen, uns ein sehr merkwürdiges Bild von der anfänglichen, der Urverteilung der Libido beim Menschen zu machen. Wir mußten annehmen, daß zu Beginn der individuellen Entwicklung alle Libido (alles erotische Streben, alle Liebesfähigkeit) an die eigene Person geknüpft ist, wie wir sagen, das eigene Ich besetzt[9]. Erst später geschieht es in Anlehnung an die Befriedigung der großen Lebensbedürfnisse, daß die Libido vom Ich auf die äußeren Objekte überfließt, wodurch wir erst in die Lage kommen, die libidinösen Triebe als solche zu erkennen und von den Ich-Trieben zu unterscheiden. Von diesen Objekten kann die Libido wieder abgelöst und ins Ich zurückgezogen werden.

Den Zustand, in dem das Ich die Libido bei sich behält, heißen wir Narzißmus, in Erinnerung der griechischen Sage vom Jüngling Narzissus, der in sein eigenes Spiegelbild verliebt blieb.

Wir schreiben also dem Individuum einen Fortschritt zu vom Narzißmus zur Objektliebe. Aber wir glauben nicht, daß jemals die gesamte Libido des Ichs auf die Objekte übergeht. Ein gewisser Betrag von Libido verbleibt immer beim Ich, ein gewisses Maß von Narzißmus bleibt trotz hochentwickelter Objektliebe fortbestehen. Das Ich ist ein großes Reservoir, aus dem die für die Objekte bestimmte Libido ausströmt, und dem sie von den Objekten her wieder zufließt. Die Objektlibido war zuerst Ich-Libido und kann sich wieder in Ich-Libido umsetzen. Es ist für die volle Gesundheit der Person wesentlich, daß ihre Libido die volle Beweglichkeit nicht verliere. Zur Versinnlichung[10] dieses Verhältnisses denken wir an ein Protoplasmatierchen, dessen zähflüssige[11] Substanz Pseudopodien (Scheinfüßchen) aussendet, Fortsetzungen, in welche sich die Leibessubstanz hineinerstreckt, die aber jederzeit wieder eingezogen werden können, so daß die Form des Protoplasmaklümpchens[12] wieder hergestellt wird.

Was ich durch diese Andeutungen zu beschreiben versucht habe, ist die Libidotheorie der Neurosen, auf welche alle unsere Auffassungen vom Wesen dieser krankhaften Zustände und unser therapeutisches Vorgehen gegen dieselben begründet sind. Es ist selbstverständlich, daß wir die Voraussetzungen der Libidotheorie auch für das normale Verhalten geltend machen. Wir sprechen vom Narzißmus des kleinen Kindes und wir schreiben es dem überstarken Narzißmus des primitiven Menschen zu, daß er an die Allmacht seiner Gedanken glaubt und darum den Ablauf der Begebenheiten in der äußeren Welt durch die Technik der Magie beeinflussen will.

Nach dieser Einleitung möchte ich ausführen, daß der allgemeine Narzißmus, die Eigenliebe der Menschheit, bis jetzt drei schwere Krän-

---

[8] process of repression   [9] occupies or invests, i.e., attaches itself   [10] concrete representation   [11] viscous   [12] little lump of protoplasm

kungen[13] von seiten der wissenschaftlichen Forschung erfahren hat.

a) Der Mensch glaubte zuerst in den Anfängen seiner Forschung, daß sich sein Wohnsitz, die Erde, ruhend im Mittelpunkte des Weltalls befinde, während Sonne, Mond und Planeten sich in kreisförmigen Bahnen um die Erde bewegen. Er folgte dabei in naiver Weise dem Eindruck seiner Sinneswahrnehmungen[14], denn eine Bewegung der Erde verspürt er nicht, und wo immer er frei um sich blicken kann, findet er sich im Mittelpunkt eines Kreises, der die äußere Welt umschließt. Die zentrale Stellung der Erde war ihm aber eine Gewähr für ihre herrschende Rolle im Weltall und schien in guter Übereinstimmung mit seiner Neigung, sich als den Herrn dieser Welt zu fühlen.

Die Zerstörung dieser narzißtischen Illusion knüpft sich für uns an den Namen und das Werk des Nik. Kopernikus[15] im sechzehnten Jahrhundert. Lange vor ihm hatten die Pythagoräer an der bevorzugten Stellung der Erde gezweifelt, und Aristarch von Samos[16] hatte im dritten vorchristlichen Jahrhundert ausgesprochen, daß die Erde viel kleiner sei als die Sonne und sich um diesen Himmelskörper bewege. Auch die große Entdeckung des Kopernikus war also schon vor ihm gemacht worden. Als sie aber allgemeine Anerkennung fand, hatte die menschliche Eigenliebe ihre erste, die kosmologische Kränkung erfahren.

b) Der Mensch warf sich im Laufe seiner Kulturentwicklung zum Herrn über seine tierischen Mitgeschöpfe auf. Aber mit dieser Vorherrschaft nicht zufrieden, begann er eine Kluft zwischen ihr[17] und sein Wesen zu legen. Er sprach ihnen die Vernunft ab und legte sich eine unsterbliche Seele bei, berief sich auf eine hohe göttliche Abkunft, die das Band der Gemeinschaft mit der Tierwelt zu zerreißen gestattete. Es ist merkwürdig, daß diese Überhebung dem kleinen Kinde wie dem primitiven und dem Urmenschen noch ferne liegt. Sie ist das Ergebnis einer späteren anspruchsvollen Entwicklung.

Der Primitive fand es auf der Stufe des Totemismus[18] nicht anstößig, seinen Stamm auf einen tierischen Ahnherrn zurückzuleiten. Der Mythus, welcher den Niederschlag jener alten Denkungsart enthält, läßt die Götter Tiergestalt annehmen, und die Kunst der ersten Zeiten bildet die Götter mit Tierköpfen. Das Kind empfindet keinen Unterschied zwischen dem eigenen Wesen und dem des Tieres; es läßt die Tiere ohne Verwunderung im Märchen denken und sprechen; es verschiebt einen Angstaffekt[19], der dem menschlichen Vater gilt, auf den Hund oder auf das Pferd, ohne damit eine Herabsetzung des Vaters zu beabsichtigen. Erst wenn es erwachsen ist, wird es sich dem Tiere soweit entfremdet haben, daß es den Menschen mit dem Namen des Tieres beschimpfen kann.

Wir wissen es alle, daß die Forschung Ch. Darwins, seiner Mitarbeiter und Vorgänger, vor wenig mehr als einem halben Jahrhundert dieser Überhebung des Menschen ein Ende bereitet hat. Der Mensch ist nichts anderes und nichts Besseres als die Tiere, er ist selbst aus der Tierreihe hervorgegangen, einigen Arten näher, anderen ferner verwandt. Seine späteren Erwerbungen vermochten es nicht, die Zeugnisse der Gleichwertigkeit zu verwischen, die in seinem Körperbau wie in seinen seelischen Anlagen gegeben sind. Dies ist aber die zweite, die biologische Kränkung des menschlichen Narzißmus.

c) Am empfindlichsten trifft wohl die dritte Kränkung, die psychologischer Natur ist.

Der Mensch, ob auch draußen erniedrigt, fühlt sich souverän in seiner eigenen Seele. Irgendwo im Kern seines Ichs hat er sich ein Aufsichtsorgan[20] geschaffen, welches seine eigenen Regungen und Handlungen überwacht, ob sie mit seinen Anforderungen zusammenstimmen. Tun sie das nicht, so werden sie unerbittlich gehemmt und zurückgezogen. Seine innere Wahrnehmung, das Bewußtsein, gibt dem Ich Kunde von allen bedeutungsvollen Vorgängen im seelischen Getriebe, und der durch diese Nachrichten gelenkte Wille führt aus, was das

---

[13] insults [14] sense perceptions [15] Nicolaus Copernicus (1473–1543), Polish astronomer, formulated the theory that bears his name and forms the basis of modern astronomy. [16] Aristarchus is best known for his discovery of the procession of the equinoxes. [17] i. e., Wesen

[18] belief in totems (i.e., that animals or natural objects are related by blood to a given family or clan and are therefore taboo) [19] feeling of anxiety [20] supervisory organ

Ich anordnet, ändert ab, was sich selbstständig vollziehen möchte. Denn diese Seele ist nichts Einfaches, vielmehr eine Hierarchie von über- und untergeordneten Instanzen, ein Gewirre von Impulsen, die unabhängig voneinander zur Ausführung drängen, entsprechend der Vielheit von Trieben und von Beziehungen zur Außenwelt, viele davon einander gegensätzlich und miteinander unverträglich. Es ist für die Funktion erforderlich, daß die oberste Instanz von allem Kenntnis erhalte, was sich vorbereitet, und daß ihr Wille überallhin dringen könne, um seinen Einfluß zu üben. Aber das Ich fühlt sich sicher sowohl der Vollständigkeit und Verläßlichkeit der Nachrichten als auch der Wegsamkeit[21] für seine Befehle.

In gewissen Krankheiten, allerdings gerade bei den von uns studierten Neurosen, ist es anders. Das Ich fühlt sich unbehaglich, es stößt auf Grenzen seiner Macht in seinem eigenen Haus, der Seele. Es tauchen plötzlich Gedanken auf, von denen man nicht weiß, woher sie kommen; man kann auch nichts dazu tun, sie zu vertreiben. Diese fremden Gäste scheinen selbst mächtiger zu sein als die dem Ich unterworfenen; sie widerstehen allen sonst so erprobten Machtmitteln des Willens, bleiben unbeirrt durch die logische Widerlegung, unangetastet durch die Gegenaussage[22] der Realität. Oder es kommen Impulse, die wie die eines Fremden sind, so daß das Ich sie verleugnet, aber es muß sich doch vor ihnen fürchten und Vorsichtsmaßnahmen[23] gegen sie treffen. Das Ich sagt sich, das ist eine Krankheit, eine fremde Invasion, es verschärft seine Wachsamkeit, aber es kann nicht verstehen, warum es sich in so seltsamer Weise gelähmt fühlt.

Die Psychiatrie bestreitet zwar für solche Vorfälle, daß sich böse, fremde Geister ins Seelenleben eingedrängt haben, aber sonst sagt sie nur achselzuckend: Degeneration, hereditäre Disposition, konstitutionelle Minderwertigkeit! Die Psychoanalyse unternimmt es, diese unheimlichen Krankheitsfälle aufzuklären, sie stellt sorgfältige und langwierige Untersuchungen an, schafft sich Hilfsbegriffe[24] und wissenschaft-

liche Konstruktionen und kann dem Ich endlich sagen: „Es ist nichts Fremdes in dich gefahren; ein Teil von deinem eigenen Seelenleben hat sich deiner Kenntnis und der Herrschaft deines Willens entzogen. Darum bist du auch so schwach in der Abwehr; du kämpfst mit einem Teil deiner Kraft gegen den anderen Teil, kannst nicht wie gegen einen äußeren Feind deine ganze Kraft zusammennehmen. Und es ist nicht einmal der schlechteste oder unwichtigste Anteil deiner seelischen Kräfte, der so in Gegensatz zu dir getreten und unabhängig von dir geworden ist. Die Schuld, muß ich sagen, liegt an dir selbst. Du hast deine Kraft überschätzt, wenn du geglaubt hast, du könntest mit deinen Sexualtrieben anstellen, was du willst, und brauchtest auf ihre Absichten nicht die mindeste Rücksicht zu nehmen. Da haben sie sich denn empört und sind ihre eigenen dunklen Wege gegangen, um sich der Unterdrückung zu entziehen, haben sich ihr Recht geschaffen auf eine Weise, die dir nicht mehr recht sein kann. Wie sie das zustande gebracht haben, und welche Wege sie gewandelt sind, das hast du nicht erfahren; nur das Ergebnis dieser Arbeit, das Symptom, das du als Leiden empfindest, ist zu deiner Kenntnis gekommen. Du erkennst es dann nicht als Abkömmling deiner eigenen verstoßenen Triebe und weißt nicht, daß es deren Ersatzbefriedigung ist."

„Der ganze Vorgang wird aber nur durch den einen Umstand möglich, daß du dich auch in einem anderen wichtigen Punkte im Irrtum befindest. Du vertraust darauf, daß du alles erfährst, was in deiner Seele vorgeht, wenn es nur wichtig genug ist, weil dein Bewußtsein es dir dann meldet. Und wenn du von etwas in deiner Seele keine Nachricht bekommen hast, nimmst du zuversichtlich an, es sei nicht in ihr enthalten. Ja, du gehst so weit, daß du ,seelisch'[25] für identisch hältst mit ,bewußt', d.h. dir bekannt, trotz der augenscheinlichsten Beweise, daß in deinem Seelenleben beständig viel mehr vor sich gehen muß, als deinem Bewußtsein bekannt werden kann. Laß dich doch in diesem einen Punkt belehren! Das Seelische in dir fällt nicht mit dem dir Bewußten zusammen; es ist etwas anderes,

---

[21] accessibility   [22] contrary assertion   [23] precautionary measures   [24] hypotheses or heuristic principles   [25] psychological

ob etwas in deiner Seele vorgeht, und ob du es auch erfährst. Für gewöhnlich, ich will es zugeben, reicht der Nachrichtendienst an dein Bewußtsein für deine Bedürfnisse aus. Du darfst dich in der Illusion wiegen, daß du alles Wichtigere erfährst. Aber in manchen Fällen, z. B. in dem eines solchen Triebkonflikts, versagt er und dein Wille reicht dann nicht weiter als dein Wissen. In allen Fällen aber sind diese Nachrichten deines Bewußtseins unvollständig und häufig unzuverlässig; auch trifft es sich oft genug, daß du von den Geschehnissen erst Kunde bekommst, wenn sie bereits vollzogen sind und du nichts mehr an ihnen ändern kannst. Wer kann, selbst wenn du nicht krank bist, ermessen, was sich alles in deiner Seele regt, wovon du nichts erfährst, oder worüber du falsch berichtet wirst. Du benimmst dich wie ein absoluter Herrscher, der es sich an den Informationen seiner obersten Hofämter[26] genügen läßt und nicht zum Volk herabsteigt, um dessen Stimme zu hören. Geh in dich[27], in deine Tiefen und lerne dich erst kennen, dann wirst du verstehen, warum du krank werden mußt, und vielleicht vermeiden, krank zu werden."

So wollte die Psychoanalyse das Ich belehren. Aber die beiden Aufklärungen, daß das Triebleben der Sexualität in uns nicht voll zu bändigen ist, und daß die seelischen Vorgänge an sich unbewußt sind und nur durch eine unvollständige und unzuverlässige Wahrnehmung dem Ich zugänglich und ihm unterworfen werden, kommen der Behauptung gleich, daß das Ich nicht Herr sei in seinem eigenen Haus. Sie stellen miteinander die dritte Kränkung der Eigenliebe dar, die ich die psychologische nennen möchte. Kein Wunder daher, daß das Ich der Psychoanalyse nicht seine Gunst zuwendet und ihr hartnäckig den Glauben verweigert.

Die wenigsten Menschen dürften sich klar gemacht haben, einen wie folgenschweren Schritt die Annahme unbewußter seelischer Vorgänge für Wissenschaft und Leben bedeuten würde. Beeilen wir uns aber hinzuzufügen, daß nicht die Psychoanalyse diesen Schritt zuerst gemacht hat. Es sind namhafte Philosophen als Vorgänger anzuführen, vor allen der große Denker Schopenhauer, dessen unbewußter ‚Wille‘ den seelischen Trieben der Psychoanalyse gleichzusetzen ist. Derselbe Denker übrigens, der in Worten von unvergeßlichem Nachdruck die Menschen an die immer noch unterschätzte Bedeutung ihres Sexualstrebens gemahnt hat[28]. Die Psychoanalyse hat nur das eine voraus[29], daß sie die beiden dem Narzißmus so peinlichen Sätze[30] von der psychischen Bedeutung der Sexualität und von der Unbewußtheit des Seelenlebens nicht abstrakt behauptet, sondern an einem Material erweist, welches jeden einzelnen persönlich angeht und seine Stellungnahme zu diesen Problemen erzwingt. Aber gerade darum lenkt sie die Abneigung und die Widerstände auf sich, welche den großen Namen des Philosophen noch scheu vermeiden.

[26] Court offices   [27] look into your own mind (usually = repent)

[28] in his essay "Metaphysik der Geschlechtsliebe" (in the supplementary volume to *Die Welt als Wille und Vorstellung*) [29] has the one advantage   [30] propositions

Wilhelm Bölsche · 1861–1939

Bölsche wrote some novels, but it was as a devoted follower of Darwin and Haeckel that he exerted a wide influence in positivistic circles through his writings on biology. Especially influential was his three-volume work, *Das Liebesleben in der Natur* (1898–1902).

Das realistische Ideal

Ist es mehr als ein Wortspiel, ein heiteres Paradoxon, was in den beiden Worten der Überschrift liegt? Kennt der Realismus ein Ideal? Gibt es etwas derart in all' den Giganto-machien[1] des modernen realistischen Romans, diesen wilden Büchern, in denen der Mensch hoffnungslos ringt mit zerstörenden Gewalten, mit den zermalmenden Gespenstern der Ver-gangenheit, mit den rohen Naturmächten einer blinden mechanischen Weltordnung, in diesem öden Lande, das keine Götter mehr kennt, keine Freiheit des Willens, keine Unsterblichkeit im alten Sinne, keine von allen Banden der gemei-nen Natur erlöste Liebe? ...

Wir haben gebrochen mit der Metaphysik. Jenseits unseres Erkennens liegt eine andere Welt, aber wir wissen nichts von ihr; unser Ideal, so fern es eine lebendige Macht sein soll, muß irdisch, muß ein Teil von uns sein, muß der Welt angehören, die wir bewohnen, die in uns lebt und webt[2]. Wir haben gebrochen mit den heiteren Kinderträumen von Willensfrei-heit, von Unsterblichkeit der Seelen in den Grenzen unseres Denkens, von einer göttlichen Liebe, die ein anderes, als das natürliche Dasein lebt. Unser Weg geht aufwärts zwischen zer-borstenen Tempelsäulen, zwischen versiegenden Quellen, zwischen verdorrrendem Laub. Wir wissen jetzt, daß unsere Visionen, unsere Pro-phetenstimmen, unsere leidenschaftlich schmach-tenden und schwelgenden Gefühle nichts besse-res waren als Krankheit, Delirien des Fieber-traums, dämmernde Nacht des klaren Geistes-lichts. Nun denn: wenn dem allem so ist[3], das Ideale geben wir damit doch nicht auf. Wenn es nicht mehr der Abglanz des Göttlichen sein darf, so ist ihm darum nicht benommen, die Blüte des Irdischen zu sein, die tiefste, reinste Summe, die der Mensch ziehen kann aus allem, was er sieht, all' dem Unermeßlichen, was sich in der Natur, in der Geschichte, in allem Er-kennbaren ihm darbietet. Wenn er den Blick schweifen läßt über diese ganze Erde, über sein ganzes Geistesreich, so sieht er im Grunde all' dieser wechselnden Formen ein einziges großes Prinzip, nach dem alles strebt, alles ringt: das gesicherte Gleichmaß, die fest in beiden Scha-len schwebende Waage, den Zustand des Nor-malen, die Gesundheit. Ganz vollkommen er-füllt ist dies Prinzip allerdings nirgendwo. Aber es schwebt über allem als das ewige Ziel, niemals ganz realisiert, aber darum doch die unablässige Hoffnung des Realen. Es gibt nur einen Namen für dieses Prinzip, er lautet: Ideal. Vor diesem Ideale schwindet jeder Unterschied des Bewuß-ten und Mechanischen in der Natur. Der Mensch, indem er sich seiner bewußt wird im Triebe nach Glück, Frieden, Wohlsein, harmonischem Ausleben des Zuerkannten[4], teilt nur den inneren Wunsch, der allem Spiel molekularer Kräfte zugrunde liegt. Das letzte Ziel des grandiosen Daseinskampfes, der zwischen den frei schwe-benden Himmelskörpern wie zwischen den Ele-menten auf Erden, zwischen den einfachen che-mischen Stoffen wie zwischen den geheimnis-vollen Bildungen des organischen Lebens tobt, ist nichts anderes als der dauernde Wohlstand

This essay is from *Die naturwissenschaftlichen Grundlagen der Poesie*. Leipzig: Carl Reißner, 1887. [1] battles of the giants [2] i.e., which is an essential part of us

[3] if all this is true [4] harmonious realization of what has been allotted to him

von Generationen, die in Einklang mit der Umgebung gelangt sind. In diesem Sinne ist die Natur selbst erfüllt von einer tiefen, zwangsweisen Idealität, und wo ihre volle Entfaltung zutage tritt[5], äußert sich diese in der höchsten Annäherung an das ideale Prinzip des größtmöglichen Glückes der Gesamtheit, an dem jedes Individuum seinen Anteil hat. Dunkel[6], wie der ganze Untergrund der großen Daseinswelle, in der wir leben, für unsere Erkenntnis bleibt, ist die ideale Richtung auf das Harmonische, nach allen Seiten Festgefügte, in seiner Existenz Glückliche und Normale überhaupt die einzige feste Linie, die wir durch das ganze Weltsystem verfolgen können. Es ist die einzige treibende Idee, die aus dem ungeheuren Wirrsal des Geschehens einigermaßen deutlich hervortritt, von der wir sagen können: sie verkörpert ein Ziel, einen Endpunkt. Die weiteren philosophischen Träumereien, ob man sich die Welt denken solle als etwas ursprünglich Gutes, das schlecht geworden und nun im Banne eines metaphysischen Willens wieder zum Anfänglichen zurückstrebe — ob das absolute Glück denkbar sei als absolute Ruhe oder harmonische Bewegung — das alles geht mich hierbei herzlich wenig an.

Ich wahre durchaus den Standpunkt des Naturforschers. Wenn aber ein derartiges ideales Prinzip sich von diesem aus[7] für die ganze sichtbare Welt ergibt, so hat auch der realistische Dichter ein Recht, sich seiner zu bemächtigen, es als „Tendenz" in seinen Dichtungen erscheinen zu lassen. Tendenz zum Harmonischen, Gesunden, Glücklichen: — — — was will man mehr von der Kunst? Gibt es einen besseren Boden für die Ästhetik, um ihren menschlichen Begriff des Schönen darauf zu bauen? Es ist hier nicht meine Aufgabe zu zeigen, wie dieser Begriff des Schönen selbst sich im Einzelnen aus dem Begriffe des Normalen, Gesunden entwickelt, ich beschränke mich auf die Grundlagen. Es wird nicht wenigen so vorkommen, als sinke die realistische Dichtung durch Anerken-

nung jener Tendenz von ihrer hohen Sonderstellung jäh wieder herab zum Gewöhnlichen. Wenn die Tendenz zum Glücke wieder oben anstehen soll[8], so hat ja auch der billigste Liebesroman, dessen einziges Ziel ist, daß „sie sich bekommen[9]", das Recht der Existenz damit zurück erhalten. In Wahrheit will das nichts heißen. Der realistische Dichter soll das Leben schildern, wie es ist. Im Leben waltet die Tendenz zum Glück, zur Gesundheit als Wunsch, nicht als absolute Erfüllung. Das wird der Dichter durchaus anerkennen müssen. Er wird sich stets fernhalten von dem Unterfangen, uns die Welt als ein heiteres Theater darzustellen, wo alle Konflikte zum Guten auslaufen. Eine unerbittliche Notwendigkeit wird ihn zu den schärfsten Konsequenzen[10] zwingen, und wenn er, was nicht zu vermeiden, das Ungesunde in sein Experiment hineinzieht, so ist er verpflichtet, es in seinem ganzen Umfange zur folgerichtigen Entwicklung zu bringen. Seiner Tendenz dient er dann eben bloß im Negativen, im Kontraste.

Im allgemeinen kann ich auch hier nur wiederholen, was bereits öfter gesagt ist: der Realismus hat gar kein Interesse daran, allenthalben mit der Prätention des durchaus „Neuen" aufzutreten. Seine wesentlichste Mission ist, zu zeigen, daß Wissenschaft und Poesie keine prinzipiellen Gegner zu sein brauchen. Das kann aber ebensogut geschehen, indem wir wissenschaftlichen Faktoren in der Dichtung zu ihrem Rechte verhelfen, wie gelegentlichen Falles[11] auch, indem wir einen Zug zum Idealen in der Wissenschaft nachweisen. Nur allein das Metaphysische muß uns fern bleiben. Das Streben nach harmonischem Ausgleich der Kräfte, nach dauerndem Glück ist in jeder Faser etwas Irdisches. Hier auf Erden ringt der Einzelne nach Seligkeit, hier auf Erden pflanzen wir in heiterem Bewußtsein Keime zum Segen der kommenden Geschlechter. Die dunkle Welt des Metaphysischen sagt hier nichts, hilft nichts, hindert nichts; sie kann, wie ich das ausgeführt habe, einen tröstenden Gedanken abgeben beim Tode; an Glück und Unglück im Leben ändert sie nichts.

---

[5] appears [6] This is a causal relationship: da der ganze Untergrund ... für unsere Erkenntnis dunkel bleibt ...
[7] i.e., from the natural scientist's point of view

[8] is to receive top priority [9] i.e., get married [10] logical conclusions [11] occasionally

Jene Schule des Realismus, die gegenwärtig so viel Staub aufwirbelt, hat uns mit beharrlichem Bemühen in einer langen Reihe von psychologischen Gemälden mit dem traurigen Bankrotte des menschlichen Glücksgefühls in Folge krankhafter Verbildung bekannt zu machen gesucht. Ich erwarte eine neue Literatur, die uns mit derselben Schärfe das Gegenstück, den Sieg des Glückes in Folge wachsender, durch Generationen vererbter Gesundheit, in Folge fördernder Verknüpfung des schwachen Individuellen mit einem starken Allgemeinen in Vergangenheit und Gegenwart vorführen soll. Auch dafür gibt es Stoff genug in der Welt, und zwar ist das gerade der Stoff, der in eminentem Sinne das Ideale in der natürlichen Entwicklung darlegen wird. Das Ideale, von dem wir nach Vernichtung so vieler Illusionen noch zu reden wagen, liegt nicht hinter uns wie das Paradies der Christen, nicht nach unserer individuellen Existenz in einer persönlichen Fortdauer im Sinne der Jünger Mohammeds, nicht ganz außerhalb des praktischen Lebens in den Träumen des Genies, des Poeten: es liegt vor uns in der Weise, daß wir selbst unablässig danach streben und in diesem Streben zugleich das Wohl unserer Nachkommen, die Erfüllung derselben im Ideale anbahnen helfen. Das soll uns die Dichtung zeigen. Idealisieren muß für sie nicht heißen, die realen Dinge versetzen mit einem Phantasiestoffe, einem narkotischen Mittel, das alles rosig macht, aber in seinen schließlichen Folgen unabänderlich ein Gift bleibt, das den normalen Körper zerstört — sondern es muß heißen, den idealen Faden, den fortwirkenden Hang zum Glücke und zur Gesundheit, der an allem Vorhandenen haftet, durch eine gewisse geschickte Behandlung deutlicher herausleuchten zu lassen, ungefähr wie ein Dozent bei einem Experimente sehr wohl die Aufmerksamkeit der Zuschauer auf eine bestimmte Seite desselben lenken kann, ohne darum den natürlichen Lauf zu verfälschen. Die oberste Pflicht des Dichters hierbei muß freilich allezeit Entsagung sein. Wie schon betont: das Wollen, das wir in der Natur sehen, ist selbst noch keine Erfüllung. Je gesunder der Poet selbst ist, desto eher wird er in die Gefahr geraten, einerseits das Ungesunde zu grell zu malen, andererseits seine Welt gewaltsam als ein Reich der Gesundheit ausmalen zu wollen. Das Wirkliche muß hier als ewiger Korrektor die Auswüchse beseitigen. Für den Standpunkt des natürlichen Ideals in der allgemeinen Wertschätzung ist es schließlich immer noch besser, man läßt es zu schwach durchschimmern im Gange der geschilderten Begebenheiten, als man profaniert es[12] in der Weise des alten metaphysischen Ideals durch künstliches Auffärben[13].

Eine realistische Dichtung aber ganz ohne Ideal — — — das ist mir etwas Unverständliches. Im Märchen mag gelegentlich alles schwarz sein. Im Leben gibt es dunkle Sterne und dunkle Menschenherzen. Aber um den finstern Bruder, mit dem ihn am Himmel das Gesetz der Schwere verkettet, kreist der helle Sirius[14] — neben den kranken Seelen wandeln gesunde. Wer die Welt schildern will, wie sie ist, wird sich dem nicht verschließen dürfen.

---

[12] rather than that one should profane it   [13] coloring, i.e., artificial beautifying   [14] the brightest fixed star in the heavens

Gerhart Hauptmann · 1862–1946

When all reservations have been made, one comes to the inevitable conclusion that Gerhart Hauptmann is after all the greatest German poet of the twentieth century. Who else has produced so large a number of masterworks revealing such extraordinary variety in theme, tone, appeal, and effectiveness? One may, with an eye on such perfect craftsmen as Rilke or Thomas Mann or Hofmannsthal, deplore his slovenly genius. But genius it is; who, beside him, has plumbed the depths of human passion, in its moments of nobility and depravity, as he has?

Hauptmann was born in a small Silesian summer resort, where his father was a hotelkeeper. Home life, as he himself has described it, was unhappy and school life no better. He pictures himself as a confused, undisciplined, dreamy boy, unable to direct his energies toward any goal. His failure at school prompted his parents to start him on a career as a farmer, but he was a failure at this too. So he was sent back to school in Breslau to study art. After a brief taste of university life in Jena and Zürich, he set up in Rome as a sculptor, then returned to Dresden for more instruction in art, trained for a career as an actor, and finally decided to become a writer. His first marriage was an unhappy one, ending in divorce. A second was, however, successful. His first wife had brought him a large fortune, so that he was able to live in financial ease and to travel frequently. He divided the year between his spacious home in Agnetendorf in Silesia, Italy, and the Baltic island of Hiddensee.

From the first performance of *Vor Sonnenaufgang* in 1889, Hauptmann was in the spotlight as one of Germany's outstanding writers. His great dramatic successes soon carried his fame throughout Europe and America. Honors of all kinds were showered on him, including the Nobel Prize, which was awarded him as early as 1912. In the Weimar Republic he became the representative writer of German democracy and a national figure. His sixtieth and seventieth birthdays were celebrated as seminational events. On the latter occasion (in 1932) he visited the United States and was feted as an official representative of Germany. When the National Socialists came to power, his star was bound to wane, for he stood for everything the Nazis hated. The Ministry of Propaganda snubbed him as much as it dared. He was, however, willing to compromise with this vile regime, just as he had jumped on the wagon of patriotism when World War I broke out. For he was a weak man. He lived through World War II and saw the devastation caused in Germany, and his native Silesia invaded by Russian and Polish troops. He died a year after the war ended, at the age of eighty-three and lies buried, at his own request, on the island of Hiddensee.

Hauptmann presents a difficult problem for the critic. The wide variety of his literary output makes it well-nigh impossible to find a common thread that runs through his life-work. Who would identify *Fasching*, *Der Ketzer von Soana*, and *Das Meerwunder* as the work of one and the same man? It is just as difficult to trace any line of development in his art or thought. He began his literary career as a naturalist and many believe that his realistic works, both drama and fiction, which extend throughout his writing experience, are his best. He also wrote a large number of romantic or symbolist plays, besides some traditionally classical dramas of great power (*Veland*, *Der Bogen des Odysseus*, the four plays on the Iphigenia theme), at least three expressionist tragedies, two epic poems of major importance, and several superb comedies. In fiction he has been equally versatile. His early *Novellen* were naturalistic studies in the vein of Maupassant and Zola, and he wrote in this style until late in life. But he also produced romantic tales of mystery and imagination and he even dabbled in the occult.

Under which of these "isms" does one classify works like *Der Narr in Christo, Festspiel in deutschen Reimen*, and *Die Insel der Großen Mutter?*

Hauptmann's artistic strength lies in his ability to present three-dimensional human beings on the stage; men and women who move us profoundly, not by their eloquence or cleverness or poetry, but by their simple, primitive emotional outbursts under the stress of passion or grief or loneliness or persecution. He has an uncanny ability to see people at every social level move and gesture and to hear them speak with their authentic voices; and he has the power to record what he sees and hears and to impress an indelible memory of his report on the reader's or viewer's mind through some nondescript but perfectly characteristic phrase. "A jeder Mensch hat halt 'ne Sehnsucht," says Henschel, and the phrase illumines his whole life. "—'s hat een' kee' Mensch ne genung lieb gehat" is Rose Bernd's formula for her disastrous end. Hauptmann possesses such a power of empathy for the starving weaver, for the innocently wayward servant girl, the neurotic intellectual, the harrassed artist, the great leader whose lifework ends in disaster, that one has the illusion that he is revealing their characters and their tragedies through some new artistic medium. He is not; he has no new technique, no new psychology. Ibsen's dramas are marvels of intellectual organization; Hauptmann's merely give us a sense that we are face to face with immediate life, so that we feel the suffering of his men and women with an intensity that only the greatest art can produce.

Hauptmann's themes are drawn from the most varied spheres of life. Tragedies arising from social conditions; personal and domestic problems; the conflict between the generations; man's isolation in society; the callousness, selfishness, and brutality of human beings toward each other; the fanaticism of pious bigots—these are but a few of the problems he treats. Perhaps more frequent than any other theme is that of sexual maladjustment. He is keenly aware of the bitter struggle that the sensual have in our society; he has devoted his most poignant dramas and prose writings to this subject. His ideal in this area of life is a society that will sanction a robust sensuality (*Der Ketzer von Soana*, the Baubo episode in *Till Eulenspiegel*). Thus he joins the company of pagans who have played so important a role in German literature from the time of Winckelmann (see the notes on Heine and Nietzsche on I, 28 and II, 37-38). He too is a Hellenist; a good portion of his writing is devoted to Greek subjects, is based on Greek myths, or recreates the Dionysian aspect of Greek life (*Die Insel der Großen Mutter*).

Hauptmann's Hellenism, like that of his predecessors, was a religion. He was indeed a religious man in the sense that he needed contact with a force greater than himself. He possessed a Goethean or Wordsworthian *Weltfrömmigkeit*, which led him to worship the chthonian forces in life; the sun, the earth, and the sea are constant symbols in his writings, representing light and warmth, an Antæan strength and power of rejuvenation, a purifying element. He had a strong feeling for the mystery of life and repeatedly abandoned the world of hard reality, which he was able to interpret so movingly, for the fairy realms of legend, myth, allegory, and the occult. As might be surmised, he was hostile toward institutional Christianity. He was no Nietzschean antichrist; he did not reject the basic idea of Christianity —love of mankind, self-sacrifice—nor its political and social translation into the ideals of peace and international understanding. On the contrary, he was the ardent champion of all these ideals. But he could not tie himself to any institutional religion because he was too much a "protestant" at heart. The Judæo-Christian dogma and theology roused his antagonism; in the words of Fritz Mauthner, his religion was a "gottlose Mystik."

As an artist Hauptmann has an uneven record. His literary production shows a series of high peaks with many deep valleys in between. It is hard to believe that the same pen produced such brilliant works as *Der Biberpelz, Die Insel der Großen Mutter,* and *Festspiel in deut-schen Reimen* on the one hand and, on the other, *Die Jungfern vom Bischofsberg, Im Wirbel der Berufung,* and *Die Finsternisse.* His verse can be melodious, suggestive, haunting, but also flat, banal in its imagery, close to doggerel. His lyric poems are almost uniformly devoid of lyric feeling. He impresses one as a great genius without taste, and his discursive writings bear out this impression.

Our age, like those before us, has seen many reputations collapse. Among the few fittest that have survived in the process of natural selection Gerhart Hauptmann ranks high. He too has produced much that was ephemeral; but he has left a large body of enduring literature, so that he deserves the title bestowed on him by his admirers: the last of the German classics.

Among these more enduring works of Hauptmann are: the realistic dramas *Einsame Menschen* (1891), *Die Weber* (1892), *Der Biberpelz* (1893), *Florian Geyer* (1896), *Fuhrmann Henschel* (1898), *Michael Kramer* (1900), *Rose Bernd* (1903), *Die Ratten* (1911), *Magnus Garbe* (1914–1915; published 1942), *Vor Sonnenuntergang* (1932); the romantic dramas *Hanneles Himmelfahrt* (1893), *Die versunkene Glocke* (1896), *Der arme Heinrich* (1902), *Und Pippa tanzt* (1906), *Der weiße Heiland* (1920), *Indipohdi* (1920); the classical dramas *Veland* (1898–1925), *Der Bogen des Odysseus* (1914), *Der Atriden Tetralogie,* comprising *Iphigenie in Delphi* (1941), *Iphigenie in Aulis* (1942), *Agamemnons Tod,* and *Elektra* (both 1947); in fiction *Fasching* and *Bahnwärter Thiel* (both 1887), *Der Narr in Christo Emanuel Quint* (1910), *Der Ketzer von Soana* (1918), *Die Insel der Großen Mutter* (1924); the epic poems *Till Eulenspiegel* (1927) and *Der große Traum* (1943).

Michael Kramer

Drama in vier Akten

DRAMATIS PERSONAE

MICHAEL KRAMER, Lehrer an einer königlichen Kunstschule, Maler
FRAU KRAMER, seine Gattin
MICHALINE KRAMER, die Tochter, Malerin
ARNOLD KRAMER, der Sohn, Maler
ERNST LACHMANN, Maler
ALWINE LACHMANN, seine Gattin

LIESE BÄNSCH, Tochter des Restaurateurs Bänsch
ASSESSOR[1] SCHNABEL ⎫
BAUMEISTER ZIEHN ⎬ Gäste im
VON KRAUTHEIM ⎭ Restaurant von Bänsch
QUANTMEYER
KRAUSE, Pedell[2] in der Kunstschule
BERTHA, Hausmädchen bei Kramers
FRITZ, Kellner im Restaurant von Bänsch

Ort der Geschehnisse dieses Dramas ist eine Provinzialhauptstadt.

MICHAEL KRAMER was written during the spring and summer of 1900 and published that same year. Rilke was deeply moved by the play. It has been in the German theatre repertory ever since. [1] assistant judge [2] janitor

Erster Akt

Berliner Zimmer[3] in der Wohnung Kramers. Zeit: Ein Wintervormittag gegen neun Uhr. Auf dem Tische in der Ecke am großen Hoffenster steht die noch brennende Lampe und das Frühstücksgeschirr. Die Ausstattung des Raumes zeigt nichts Außergewöhnliches. Michaline, interessantes, brünettes Mädchen, hat den Stuhl ein wenig vom Tische abgerückt, raucht eine Zigarette und hält ein Buch auf dem Schoß. Frau Kramer kommt durch die Tür der Hinterwand, wirtschaftlich beschäftigt. Sie ist eine weißhaarige Frau von etwa sechsundfünzig Jahren. Ihr Wesen ist unruhig und sorgenvoll.

FRAU KRAMER. Bist du noch immer da, Michaline? Mußt du jetzt nicht fort?

MICHALINE *(nicht gleich antwortend)*. Nein, Mutter, noch nicht. — Es ist ja auch noch ganz vollständig finster draußen.

FRAU KRAMER. Na wenn du nur nichts versäumst[4], Michaline.

MICHALINE. Bewahre[5], Mutter.

FRAU KRAMER. Denn wirklich ... das magst du dir wirklich sehr wahrnehmen[6]: es bleibt so wie so genug Sorge übrig.

MICHALINE. Ja, Mutter, gewiß! *(Sie raucht und sieht ins Buch.)*

FRAU KRAMER. Was liest du denn da? Das ewige Schmökern[7]!

MICHALINE. Soll ich nicht lesen?

FRAU KRAMER. Wegen meiner[8] lies! Mich wundert bloß, daß du die Ruhe hast.

MICHALINE. Wenn man darauf warten wollte, o Gott! Wann käme man denn überhaupt zu was?

FRAU KRAMER. Hat Papa nicht noch etwas gesagt, als er fortging?

MICHALINE. Nein!

FRAU KRAMER. Das ist immer das Schlimmste, wenn er nichts sagt.

MICHALINE. Ja, richtig! Das hätt ich beinah vergessen. Arnold soll um Punkt elf Uhr bei ihm im Atelier sein.

FRAU KRAMER *(schließt die Ofentür und schraubt sie zu, als sie sich aufrichtet, seufzt sie)*. Ach je ja! Du mein Gott, du, du!

MICHALINE. Mach es doch so wie ich, Mutter: lenke dich ab[9]! — Das ist ja nichts Neues, das kennen wir doch. Arnold wird sich auch darin nicht ändern.

FRAU KRAMER *(nimmt am Tisch Platz, stützt ihren Kopf und seufzt)*. Ach, ihr versteht ja den Jungen nicht! Ihr versteht ihn nicht! Ihr versteht ihn nicht! Und Vater: der richtet ihn noch zugrunde.

MICHALINE. Das find ich nicht recht, wenn du so was behauptest. Da bist du doch bitter ungerecht. Papa tut sein Allerbestes an Arnold. Auf jede Weise hat er's versucht. Wenn ihr das verkennt, Mutter, um so schlimmer.

FRAU KRAMER. Du bist Vaters Tochter, das weiß ich schon.

MICHALINE. Ja, deine Tochter und Vaters bin ich!

FRAU KRAMER. Nein, Vaters viel mehr als du meine bist. Denn wenn du mehr meine Tochter wärst, so würdest du nicht immer zu Vater halten[10].

MICHALINE. Mutter, wir wollen uns lieber nicht aufregen. Da versucht man ganz einfach gerecht zu sein, gleich heißt es: du hältst es mit dem oder dem. Ihr macht's einem schwer, das könnt ihr mir glauben.

FRAU KRAMER. Ich halte zu meinem Jungen, basta[11]! Und da mögt ihr schon machen, was ihr wollt!

MICHALINE. Wie man so was nur über die Lippen bringt!

FRAU KRAMER. Michaline, du bist eben gar keine Frau! Du bist gar nicht wie 'ne Frau, Michaline! Du sprichst wie 'n Mann! Du denkst wie 'n Mann! Was hat man denn da von seiner Tochter[12]?

MICHALINE *(achselzuckend)*. Ja, Mutter, wenn das wirklich so ist ...! Das werd ich wohl auch nicht ändern können.

FRAU KRAMER. Du kannst es ändern, du willst nur nicht.

MICHALINE. Mama ... ich muß leider gehn,

[3] peculiar to Berlin architecture: a long room that receives its light through a large window at the extreme end of one wall, which faces the inner court   [4] neglect your duties   [5] Heaven forbid [6] take to heart [7] always at those old books [8] = meinetwegen

[9] seek diversion [10] take father's side [11] once and for all [12] what's the use of having a daughter?

Mama. Sei gut, Mutter, hörst du, reg dich nicht auf. Du meinst das ja gar nicht, was du jetzt sagst.

FRAU KRAMER. So wahr wie ich hier stehe, Wort für Wort!

MICHALINE. Dann tut es mir leid für uns alle, Mutter!

FRAU KRAMER. Wir leiden auch alle unter Papa.

MICHALINE. Sei doch so gut[13], ein für allemal. Ich habe nie unter Vater gelitten, ich leide auch jetzt nicht unter ihm. Ich verehre Vater, das weißt du ganz gut! Das wäre die allerverfluchteste Lüge ...

FRAU KRAMER. Pfui, Michaline, daß du immer fluchst.

MICHALINE. ... wenn ich sagte, ich litte unter ihm. Es gibt keinen Menschen in der Welt, dem ich so über die Maßen dankbar bin.

FRAU KRAMER. Auch mir nicht?

MICHALINE. Nein. Es tut mir sehr leid. Was Vater ist und was Vater mir ist, das verstehen Fremde eher als ihr, ich meine: du und Arnold, Mutter. Denn das ist geradezu das Verhängnis: die Nächsten stehen Vater am fernsten. Er wäre verloren allein unter euch.

FRAU KRAMER. Als ob ich nicht wüßte, wie oft du geweint hast, wenn Vater ...

MICHALINE. Das hab ich. Geweint hab ich oft. Er hat mir zuweilen weh getan, aber schließlich mußt ich mir immer sagen: er tat mir weh, aber niemals unrecht, und ich hatte immer dabei gelernt.

FRAU KRAMER. Und ob du gelernt hast oder nicht, du bist doch nicht glücklich geworden durch Vater. Wenn du deinen gemütlichen Haushalt hätt'st, einen Mann und Kinder ... und alles das ...

MICHALINE. Das hat mir doch Vater nicht geraubt!

FRAU KRAMER. Jetzt plagst du dich, wie Papa sich plagt, und es kommt nichts heraus als Mißmut und Sorge.

MICHALINE. Ach, Mutter, wenn ich das alles so höre, da wird mir immer so eng! So eng! So eng und beklommen, du glaubst es kaum. *(Bitter wehmütig.)* Wenn Arnold nicht eben Arnold wäre — wie dankbar würde er Vater sein.

[13] pardon me (polite form of contradiction)

FRAU KRAMER. Als Fünfzehnjährigen schlug er ihn noch!

MICHALINE. Daß Vater hart sein kann, bezweifle ich nicht, und daß er sich manchmal hat hinreißen lassen, beschön'ge ich nicht und entschuld'ge ich nicht. Aber, Mutter, nun denke auch mal daran, ob Arnold auch Vater Anlaß gegeben. Damals hatte er Vaters Handschrift gefälscht.

FRAU KRAMER. Aus Seelensangst[14]! Aus Angst vor Papa.

MICHALINE. Nein, Mutter, das erklärt noch nicht alles.

FRAU KRAMER. Der Junge ist elend, er ist nicht gesund, er steckt in keiner gesunden Haut[15].

MICHALINE. Das mag immer sein, damit muß er sich abfinden. Sich abfinden, Mutter, ist Menschenlos. Sich halten und zu was Höh'rem durchwinden, das hat jeder gemußt. Da hat er an Vater das beste Beispiel. — Übrigens, Mutter, hier sind zwanzig Mark, ich kann diesen Monat nicht mehr entbehren. Ich habe die Farbenrechnung bezahlt, das machte allein dreiundzwanzig Mark. Das Winterbarett mußt ich auch nun mal haben. Zwei Schülern habe ich stunden[16] müssen.

FRAU KRAMER. Na ja, da quälst du dich ab mit den Frauenzimmern[17], und dann prellen sie dich um dein bißchen Verdienst.

MICHALINE. Nein, Mutter, sie prellen mich wirklich nicht. 'ne arme, schiefe[18] Person ohne Mittel! Die Schäffer spart sich's vom Munde ab[19]. *(Die Entreeklingel geht.)* Es hat eben geklingelt, wer kann denn das sein?

FRAU KRAMER. Ich weiß nicht. Ich will nur die Lampe auslöschen. Ich wünschte, man läge erst anderswo[20]. *(Bertha geht durchs Zimmer.)*

MICHALINE. Fragen Sie erst nach dem Namen, Bertha.

FRAU KRAMER. Der junge Herr schläft noch?

BERTHA. Der hat sich erscht[21] gar nicht erscht niedergelegt. *(Bertha ab.)*

MICHALINE. Wer kann denn das aber bloß sein, Mama? *(Bertha kommt wieder.)*

[14] mortal fear [15] he's a sick boy [16] give an extension (of payment) [17] "females" [18] deformed [19] goes without food for it [20] i.e., in my grave [21] = erst (here used without meaning)

BERTHA. A[22] Maler Lachmann mit seiner Frau. A war frieher beim Herrn Professor uff[23] Schule.

MICHALINE. Papa ist nicht Professor, das wissen Sie ja, er will, daß Sie einfach Herr Kramer sagen. *(Sie geht in das Entree hinaus.)*

FRAU KRAMER. Ja, wart' nur! Ich will nur ein bißchen abräumen. Fix[24], Bertha. Ich komme dann später mal rein. *(Sie und Bertha, einiges Tischgeschirr mit sich nehmend, ab.)*

(Die Geräusche einer Begrüßung im Entree dringen herein. Hierauf erscheint Maler Ernst Lachmann, seine Frau Alwine und zuletzt wiederum Michaline. Lachmann trägt Zylinder, Paletot[25] und Stock, sie dunkles Federbarett, Federboa[26] usw. Die Kleidung der beiden ist abgetragen.)

MICHALINE. Wo kommst du denn her? Was machst du denn eigentlich?

LACHMANN *(vorstellend).* Alwine — und hier: Michaline Kramer!

FRAU LACHMANN *(stark überrascht).* I! Ist das denn möglich? Das wären Sie?

MICHALINE. Setzt Sie das wirklich so in Erstaunen?

FRAU LACHMANN. Ja! Offen gestanden! Ein bißchen, ja. Ich habe Sie mir ganz anders gedacht.

MICHALINE. Noch älter? noch runzliger als ich schon bin?

FRAU LACHMANN *(schnell).* Nein, ganz im Gegenteil, offen gestanden. *(Michaline und Lachmann brechen in Heiterkeit aus.)*

LACHMANN. Das kann ja gut werden. Du fängst ja gut an.

FRAU LACHMANN. Wieso? Hab ich wieder was falsch gemacht?

LACHMANN. Wie geht's deinem Vater, Michaline?

MICHALINE. Gut. Ungefähr wie's ihm immer geht. Du wirst ihn wohl kaum sehr verändert finden. Aber bitte, nimm Platz! Bitte, gnädige Frau! Sie müssen uns schon[27] entschuldigen, nicht wahr? Es sieht noch ein bißchen polnisch[28] hier aus. *(Alle setzen sich um den Tisch.)* Du rauchst? *(Sie bietet ihm Zigaretten an.)* Oder hast du dir's abgewöhnt? — Entschuldigen Sie nur,

ich habe gequalmt. Ich weiß zwar, daß das nicht weiblich ist, aber leider ... die Einsicht kommt mir zu spät. Sie rauchen wohl nicht? Nein? Und stört Sie's auch nicht?

FRAU LACHMANN *(verneinendes Kopfschütteln).* Ernst lutscht[29] ja zu Hause den ganzen Tag.

LACHMANN *(aus Michalinens Etui[30] eine Zigarette nehmend).* Danke! — Davon verstehst du nun nichts.

FRAU LACHMANN. Was ist denn dabei zu verstehen, Ernst?

LACHMANN. Viel, liebe Alwine.

FRAU LACHMANN. Wieso? Wieso?

MICHALINE. Es spricht sich[31] viel besser, sobald man raucht.

FRAU LACHMANN. Da ist es man[32] gut, Fräulein, daß ich nicht rauche. Ich quatsche[33] ihm so wie so schon zu viel.

LACHMANN. Es kommt immer darauf an, was man redet.

FRAU LACHMANN. Du redest auch manchmal Stuß[34], lieber Ernst.

LACHMANN *(gewaltsam ablenkend[35]).* Ja! Was ich doch sagen wollte! ... Jaso: Also deinem Vater geht's gut, das freut mich.

MICHALINE. Ja. Wie gesagt: es geht ihm wie immer. Im großen und ganzen[36] jedenfalls. Du kommst wohl hierher deine Mutter besuchen?

FRAU LACHMANN *(geschwätzig).* Er wollte sich nämlich mal 'n bißchen hier umschaun: ob nicht irgend vielleicht hier was zu machen wär'. In Berlin ist nämlich rein[37] gar nichts los. Ist denn hier auch nichts zu machen, Fräulein?

MICHALINE. Inwiefern? Ich weiß nicht ... wie meinen Sie das?

FRAU LACHMANN. Na, Sie haben doch, denk ich, 'ne Schule gegründet. Bringt Ihnen das nicht hübsch was[38] ein?

LACHMANN. Du! Wenn du fertig bist, sag' mir's. Ja?

MICHALINE. Meine Malschule?! Etwas! O ja! Nicht viel. Aber immerhin etwas, es geht schon an[39]. *(Zu Lachmann.)* Willst du mir etwa Konkurrenz machen?

---

[22] = ein [23] = auf [24] quick [25] overcoat [26] a beret and fur wrap (= boa) trimmed with fluffy feathers [27] simply [28] i.e., disorderly, messy

[29] sucks (at it) [30] case [31] one can talk [32] = nur, certainly [33] jabber [34] nonsense [35] changing the subject abruptly [36] on the whole [37] absolutely [38] a pretty penny [39] it's passable

FRAU LACHMANN. Ach wo denn! Bewahre! Wo denken Sie hin! Mein Mann schwärmt ja von Ihnen, kann ich Ihn' sagen. Das würde mein Mann doch gewiß nicht tun. Aber irgendwas muß der Mensch doch anfangen. Man will doch auch essen und trinken, nicht wahr? Mein Mann ...

LACHMANN. Mein Mann! Ich bin nicht dein Mann. Der Ausdruck macht mich immer nervös.

FRAU LACHMANN. Na haben Sie so was schon gehört!

LACHMANN. Ernst heiß ich, Alwine! Merk' dir das mal. Meine Kohlenschaufel, das kannst du sagen. Mein Kaffeetrichter, mein falscher Zopf[40], aber sonst: Sklaverei ist abgeschafft!

FRAU LACHMANN: Aber Männe[41] ...

LACHMANN. Das ist auch 'n Hundename.

FRAU LACHMANN. Nu sehn Se: da hat man nu so einen Mann. Tun Sie mir nur den einzigen Gefallen: heiraten Sie um keinen Preis. Die alten Jungfern haben's viel besser. *(Michaline lacht herzlich.)*

LACHMANN. Alwine, jetzt hat die Sache geschnappt[42]. Du wirst dir gefälligst die Boa umnehmen und irgendwo auf mich warten. Verstanden? Sonst hat ja das alles gar keinen Zweck. Du nimmst dir die Boa um und gehst, — dein höchst geschmackvolles Lieblingsmöbel. Fahre gefälligst zur Mutter hinaus oder setz dich hier drüben ins Café, ich will dich meinswegen dann wieder abholn.

FRAU LACHMANN. Nein so was[43]! Sehn Sie, so geht's einer Frau. Man darf nicht piep[44] sagen, gleich —: Herrje[45]!!

LACHMANN. Es ist auch nicht nötig, daß du piep sagst, es steckt ja doch immer 'ne Dummheit dahinter.

FRAU LACHMANN. So klug wie du bin ich freilich nicht.

LACHMANN. Geschenkt[46]! Alles Weitere wird dir geschenkt.

MICHALINE. Aber bitte, Frau Lachmann, bleiben Sie doch.

FRAU LACHMANN. Um's Himmels willen! Wo denken Sie hin! Sie brauchen mich wirklich gar nicht bedauern. Er läuft mir schon wieder über den Weg[47]. Adieu! An der Ecke hier drüben ist ein Konditor. Also Männe: Verstehst du? Dort trittst du an[48]. *(Ab, von Michaline geleitet.)*

LACHMANN. Da iß nur nicht wieder dreizehn Spritzkuchen[49]. *(Michaline kommt wieder.)*

MICHALINE. Die alten Jungfern haben's viel besser; sie ist wirklich ein bißchen geradezu[50].

LACHMANN. Sie sprudelt alles so durcheinander[51].

MICHALINE *(wieder Platz nehmend)*. Du machst aber wirklich kurzen Prozeß. Das läßt sich nicht jede bieten[52], Lachmann.

LACHMANN. Michaline, sie drückt mich bös an die Wand[53]. Sie wollte dich eben doch nur kennen lernen. Sonst hätt ich sie gar nicht mitgebracht. Wie geht's dir übrigens?

MICHALINE. Danke! Gut! Und dir?

LACHMANN. Auch ebenso lila[54].

MICHALINE. Na ja, mir ja auch. Du wirst aber auch schon grau um die Schläfe.

LACHMANN. Der Esel kommt immer mehr heraus. *(Beide lachen.)*

MICHALINE. Und willst du dich also hier niederlassen?

LACHMANN. Ich denke ja nicht im Schlafe daran. Sie phantasiert sich[55] so Sachen zusammen und behauptet dann absolut steif[56] und fest, ich hätte wer weiß was alles gesagt. *(Pause.)* Wie geht's deinem Bruder?

MICHALINE. Danke, gut.

LACHMANN. Malt er fleißig?

MICHALINE. Im Gegenteil.

LACHMANN. Was tut er denn sonst?

MICHALINE. Er bummelt natürlich. Er bummelt, was sollte er anders tun?

LACHMANN. Warum ist er denn nicht in München geblieben? Da hat er doch das und jenes gemacht.

MICHALINE. Traust du dem Arnold noch irgendwas zu?

LACHMANN. Wieso? Das verstehe ich eigent-

[40] switch (of hair) [41] hubby [42] i.e., this is the last straw [43] well, I never! [44] boo [45] Good Lord [46] enough (student slang)

[47] i.e., he won't get away from me [48] fall in line [49] fritters [50] forthright [51] blurts everything out in a jumble [52] You really make short work of her. Not every woman would take it from you. [53] she lords it over me [54] i.e., so so [55] spins [56] i.e., obstinately

lich nicht. Das ist doch ganz außer Frage so
ziemlich.

MICHALINE. Na, wenn er Talent hat ... dann
ist er's nicht wert. Übrigens, um auf was anderes zu kommen: Vater hat öfter nach dir gefragt. Er wird sich freuen, dich wiederzusehen.
Und abgesehen von mir natürlich, freut's mich
im Hinblick auf Vater sehr, daß du wieder mal
rüber gekommen bist. Er kann nämlich eine
Auffrischung[57] brauchen.

LACHMANN. Ich auch. Wahrscheinlich ich
mehr wie er. Und — ebenfalls abgesehen von
dir! — was mich sonst ausschließlich gezogen
hat — alles andere hätte noch Zeit gehabt! —
das ist ausschließlich der Wunsch gewesen, mal
wieder bei deinem Vater zu sein. Allerdings sein
Bild möcht ich auch mal sehn.

MICHALINE. Wer hat dir denn was gesagt von
dem Bilde?

LACHMANN. Es heißt ja, die Galerie hat's gekauft.

MICHALINE. Direktor Müring ist hier gewesen, aber ob er's gekauft hat, weiß ich nicht.
Papa ist zu peinlich[58]. Ich glaube kaum. Er
wird's wohl erst wollen ganz fertig machen.

LACHMANN. Du kennst doch das Bild? Natürlich doch?

MICHALINE. Es war vor zwei Jahren, als ich's
sah. Ich kann es gar nicht mehr recht beurteilen.
Papa malt eben schon sehr lange daran. *(Pause.)*

LACHMANN. Denkst du, daß er mir's zeigen
wird? Ich weiß nicht, ich habe das Vorgefühl[59],
es müßte was Exorbitantes[60] sein. Ich kann mir
nicht helfen, ich glaube daran. Ich habe ja
manchen jetzt kennen gelernt, aber keinen, bei
dem man so den Wunsch hatte, man möchte
ein Stück seines Inneren sehn. Überhaupt du,
wenn ich nicht ganz versumpft[61] bin — denn
wirklich, ich halte mich immer noch[62] —
hauptsächlich verdank ich das nur deinem Vater.
Was er einem gesagt hat und wie er's tat, das
vergißt sich nicht. Einen Lehrer wie ihn, den
gibt's gar nicht mehr. Ich behaupte, auf wen
dein Vater einwirkt, der kann gar nie gänzlich
verflachen[63] im Leben.

MICHALINE. Das sollte man meinen, Lachmann, ja, ja.

LACHMANN. Er wühlt einen bis zum Grunde
auf. Man lernt ja von manchem so das und
jen's, mir sind auch ganz wackere Leute begegnet: Doch immer, dahinter erschien mir dein
Vater, und da hielten sie alle nicht recht mehr
stand[64]. Er hat uns alle so durchgewalkt[65], uns
Schüler, so gründlich, von vornherein, von innen heraus alles umgekrempelt[66]! Die Klein-
bürgerseele[67] so ausgeklopft. Man kann darauf
fußen, solange man lebt. Zum Beispiel, wer
seinen Ernst gekannt hat, seinen unabirrbaren
Ernst zur Kunst, dem erscheint zuerst alles da
draußen frivol ...

MICHALINE. Nun siehst du — und Vaters
großer Ernst ... du sagst es ... du spürst ihn
noch im Blut, mir ist er mein bester Besitz geworden. Auf fadeste Dummköpfe machte er
Eindruck, auf Arnold nicht, der nimmt ihn
nicht an. *(Sie hat sich erhoben.)* Ich muß nun
zum Korrigieren, Lachmann. Du lachst, du
denkst, sie kann selber nichts Recht's.

LACHMANN. Du bist ja doch deines Vaters
Tochter. Nur wollt ich da immer gar nicht ran[68].
Ich denke mir das ganz besonders trostlos, sich
so mit malenden Damen herumschlagen[69].

MICHALINE. Immerhin, es läßt sich schon
auch etwas tun. Die ehrlichste Mühe geben sie
sich. Das allein schon versöhnt doch. Was will
man mehr? Ob sie schließlich und endlich was
wirklich erreichen —? Im Ringen danach ist ja
schon was erreicht. Und außerdem geht es mir
ähnlich wie Vater: auf Menschen zu wirken,
macht mir Spaß. Man verjüngt sich auch an den
Schülern, Lachmann; das tut einem mit der
Zeit ja auch not. *(Sie öffnet die Tür und ruft in
die hinteren Räume.)* Adieu, Mama, wir gehen
jetzt fort.

ARNOLDS STIMME *(nachäffend).* Adieu, Mama,
wir gehen jetzt fort.

LACHMANN. Wer war denn das?

MICHALINE. Arnold. Er[70] tut das nicht anders.

---

[57] refresher [58] i.e., conscientious [59] presentiment [60] extraordinary [61] bogged down [62] I'm still keeping my level [63] become commonplace

[64] couldn't stand up (beside him) [65] put us through the mill [66] turned inside out [67] prosaic soul [68] I always shied away from the job [69] plague oneself [70] That's the way he always acts. It's not exactly pleasant.

Es ist weiter nicht erquicklich. Komm! *(Lach-mann und Michaline ab)*
(Arnold kommt. Er ist ein häßlicher Mensch mit schwarzen, feurigen Augen unter der Brille, dunklem Haar und dünnem Bartansatz[71], mit schiefer, etwas gebeugter Haltung. Die Farbe seines Gesichts ist schmutzig blaß. Er schlürft in Pantoffeln bis vor den Spiegel, sonst nur noch mit Hose und Rock bekleidet, nimmt die Brille ab und betrachtet, Grimassen schneidend, Unreinlichkeiten seiner Haut. Die ganze Erscheinung ist salopp[72]. Michaline kommt zurück.)

MICHALINE *(leicht erschreckend)*. Ach, Arnold! Ich hab meinen Schirm vergessen. Übrigens weißt du: Lachmann ist hier.

ARNOLD *(macht abwehrende und sie zur Ruhe weisende Gesten)*. Der Biedermann ist mir ganz hochgradig Wurstsuppe[73].

MICHALINE. Sag' mal, was hat dir denn Lachmann getan?

ARNOLD. Er hat mir mal seinen Kitsch[74] gezeigt.

MICHALINE *(achselzuckend, ruhig)*. Vergiß nicht, um elf Uhr bei Vater zu sein. *(Arnold hält sich mit beiden Händen die Ohren zu.)*

MICHALINE. Sag' mal Arnold, hältst du das etwa für anständig?

ARNOLD. Ja. Pump'[75] mir mal lieber eine Mark.

MICHALINE. Ich kann's dir ja borgen, warum denn nicht. Ich muß mir nur schließlich Vorwürfe machen, daß ich ...

ARNOLD. Schieb ab! Kratz' ab[76], Michaline! Eure Knietschigkeit[77] kennt man ja doch.
(Michaline will etwas erwidern, zuckt mit den Achseln und geht. Ab. Arnold schlürft an den Frühstückstisch, ißt ein Stückchen Zucker und streift nur flüchtig[78] seine Mutter, die eben hereintritt. Hernach tritt er wiederum an den Spiegel.)

FRAU KRAMER *(trocknet ihre Hände an der Schürze und läßt sich auf irgend einen Stuhl nieder, zugleich schwer und sorgenvoll seufzend)*. I Gott, je ja!

ARNOLD *(wendet sich, schiebt die Brille mehr nach der Nasenspitze zu, zieht die Schultern hoch und nimmt die dem Nachfolgenden entsprechende, komische Haltung an)*. Mutter, seh ich nicht aus wie'n Marabu[79]?

FRAU KRAMER. Ach, Arnold, mir ist ganz anders zumut! Ich kann über deinen Unsinn nicht lachen. Wer hat dir denn aufgeschlossen heut Nacht?

ARNOLD *(sich ihr nähernd und immer noch die marabuhafte, komische Gravität festhaltend)*. Vater!

FRAU KRAMER. Die drei Treppen ist er heruntergekommen?

ARNOLD *(noch immer komisch über die Brille schielend)*. Ja!

FRAU KRAMER. Nee, Arnold, das ist mir ganz widerlich! So hör doch nu[80] endlich auf mit dem Unsinn. Du kannst doch mal ernst sein. Sei doch vernünftig. Erzähle doch mal, was Papa gesagt hat.

ARNOLD. Euch ist immer alles widerlich. Ihr seid mir auch widerlich, derbe mitunter[81].

FRAU KRAMER. War Vater sehr böse, als er dir aufschloß? *(Arnold geistesabwesend.)* Was hat er dir denn gesagt?

ARNOLD. Nichts!

FRAU KRAMER *(nähert sich ihm zärtlich)*. Arnold, bessere dich doch. Tu mir's doch zuliebe! Fang doch ein andres Leben an.

ARNOLD. Wie leb ich denn?

FRAU KRAMER. Liederlich lebst du! Faul! Nächtelang bist du außerm Hause. Du treibst dich herum ... o Gott, o Gott! Du führst ein entsetzliches Leben, Arnold!

ARNOLD. Spiel dich doch bloß nicht so schrecklich auf, Mutter! Was du für 'ne Ahnung[82] hast, möcht ich bloß wissen.

FRAU KRAMER. Das ist ja recht schön, das muß man wohl sagen: wie du mit deiner Mutter verkehrst[83].

ARNOLD. Dann laßt mich doch bitte gefälligst in Ruh! Was kläfft ihr denn immer auf mich ein[84]! Das ist ja reinwegs[85] gradezu zum verrückt werden.

FRAU KRAMER. Das nennst du in dich hineinkläffen, Arnold? Wenn man zu dir kommt und dein Bestes will? Soll deine Mutter nicht zu dir

---

[71] beginnings of a beard [72] slovenly [73] a variation on the vulgar phrase: das ist mir Wurst. I don't give a damn for that. Translate: I don't give a third-rate hoot for the worthy gentleman. [74] trash [75] lend [76] shove off; scram [77] stinginess [78] casts a fleeting look at

[79] a species of African stork [80] = nun [81] quite so at times [82] conception of life [83] i.e., talk [84] bark at, i.e., nag [85] simply

kommen? Arnold, Arnold, versündige dich nicht[86]!

ARNOLD. Mutter, das nutzt mir ja alles nichts! Das ewige Gemähre[87] nutzt mir ja nichts. Übrigens habe ich scheußliche Kopfschmerzen! Gebt mir ein bißchen Geld in die Hand, dann will ich schon sehn, wie ich weiter komme ...

FRAU KRAMER. So? Daß du noch völlig zugrunde gehst. *(Pause.)*

ARNOLD *(am Tisch, Semmel in die Hand nehmend)*. Semmel! Das Zeug ist wie Stein so hart!

FRAU KRAMER. Steh zeitiger auf, dann wirst du sie frisch haben.

ARNOLD *(gähnend)*. Ekelhaft öde und lang ist so 'n Tag.

FRAU KRAMER. Das ist kein Wunder, so wie du's treibst. Schlafe die Nacht durch gehörig aus, so wirst du auch tagsüber munter sein. — Arnold, so laß ich dich heute nicht los! Meinetwegen fahre mich an, wie du willst. Ich kann das länger nicht mehr ansehn. *(Er hat sich an den Tisch gesetzt, sie gießt ihm Kaffee ein.)* Schneide Gesichter, soviel du willst, ich muß hinter deine Schliche kommen[88]. Du hast was! Ich kenne dich doch genau. Du hast irgendwas, was dich drückt und besorgt. Denkst du, ich hab dich nicht seufzen gehört? Das geht doch in einemfort[89] mit dem Seufzen, du merkst es ja gar nicht mehr, wenn du seufzst.

ARNOLD. Herr Gott, ja! das Aufpassen! Teufel noch mal[90]. Wieviel man geniest hat und so was Gut's[91]. Wie oft man ausspuckt, seufzt und noch was. Zum auf die Bäume klettern ist das[92]!

FRAU KRAMER. Sag, was du willst, das ist mir ganz gleichgültig. Ich weiß, was ich weiß, und damit gut[93]. Irgendwas, Arnold, lastet auf dir. Das merkt man auch schon deiner Unruhe an. Etwas unruhig bist du ja immer gewesen, aber nicht so wie jetzt: das weiß ich genau.

ARNOLD *(schlägt mit der Faust auf den Tisch)*. Mutter, laßt mich zufrieden, verstehst du? Sonst jagt ihr mich gänzlich zum Tempel[94] naus. Was geht euch das an, was ich treibe, Mutter!? Ich bin aus den Kinderschuhen heraus,

und was ich nicht sagen will, sage ich nicht. Die Malträtagen[95] hab ich satt. Ich bin lange genug von euch malträtiert worden. Für euren Beistand bedank ich mich auch. Ihr könnt mir nicht helfen, sag ich euch ja. Ihr könnt höchstens zeter mordio schreien[96].

FRAU KRAMER *(weinend, aufgelöst)*. Arnold, hast du was Schlimmes getan? Barmherziger Gott im Himmel, Arnold, was hast du um Gottes willen gemacht?

ARNOLD. Einen alten Juden erschlagen, Mama.

FRAU KRAMER. Spotte nicht! Treibe nicht Spott mit mir! Sage mir's, wenn du etwas gemacht hast. Ich weiß ja, du bist ja kein böser Mensch, aber manchmal bist du gehässig und jähzornig. Und was du in Wut und im Jähzorn tust ... wer weiß, was du da noch für Unheil anrichtest.

ARNOLD. Mama! Mama! Beruhige dich! Ich habe den Juden nicht erschlagen. Nicht mal 'n gefälschten Pfandschein verkauft, trotzdem ich sehr nötig 'n bißchen Geld brauchte.

FRAU KRAMER. Ich bleibe dabei[97], du verhehlst uns was! Du kannst einem nicht in die Augen sehn. Du hast auch früher was Scheues gehabt, jetzt aber, Arnold, — du merkst es nur nicht — jetzt ist es, wie wenn du gezeichnet[98] wärst. Du trinkst! Früher mochtest du Bier nicht sehen. Du trinkst, um dich zu betäuben, Arnold.

ARNOLD *(hat am Fenster gestanden und an die Scheibe getrommelt)*. Gezeichnet! Gezeichnet! Und was denn nun noch? Meinshalben redet doch, was ihr wollt. — Gezeichnet bin ich, da hast du ja recht, aber daran bin ich doch wirklich, scheint's, unschuldig.

FRAU KRAMER. Immer stichst du um dich und schlägst und schneidest und schneid'st einem manchmal recht tief ins Herz. Wir haben doch unser Bestes getan. Daß du so geworden bist, wie du jetzt bist, das muß man tragen, wie Gott es gibt.

ARNOLD. Na also! Dann tragt es mal auch gefälligst. *(Pause.)*

FRAU KRAMER. Arnold, hörst du, verstock dich nicht! Sage mir doch mal, was du hast.

---

[86] don't challenge God [87] jawing, bawling [88] I must get to the bottom of this [89] all the time [90] devil take it [91] how many times you've sneezed and such vital things [92] It's enough to make you climb trees. [93] and that's that [94] i.e., house

[95] maltreatment [96] raise a howl [97] still maintain [98] a marked man

Man muß sich ja ängstigen Tag und Nacht. Du weißt gar nicht, wie Papa sich herumwälzt. Ich schlafe auch schon viele Tage nicht mehr. Befreie uns doch von dem Alp, der uns drückt, Junge. Vielleicht kannst du es doch durch ein offenes Wort. Du bist ja gebrechlich, das weiß ich ja ...

ARNOLD. Ach, Mutter, brich die Geschichte doch ab. Ich schlafe sonst künftig im Atelier, auf meinem Heuboden, wollt ich sagen, und gefriere lieber zu Stein und Bein[99]. Es ist was[100]! Na gut. Das bestreit ich ja gar nicht. Aber soll ich deswegen etwa Alarm schlagen? Die Geschichte wird bloß noch böser dadurch.

FRAU KRAMER. Arnold, du bist ... Ist es immer noch das? Vor Wochen hast du dich mal verraten! Da hast du es dann zu vertuschen gesucht. Ist es immer noch das mit dem Mädchen, Arnold?

ARNOLD. Mutter, bist du denn ganz verrückt?

FRAU KRAMER. Junge, tu uns doch das nicht noch an! Verwickle dich nicht noch in Liebesgeschichten. Häng du dein Herz noch an so ein Weibsbild[1], da wirst du durch alle Pfützen geschleift. Ich weiß ja, wie groß die Verführung hier ist. Diese Fallgruben gibt's ja auf Schritt und Tritt. Man hört ja die Rotten, wenn man vorbeigeht. Die Polizei, die duldet ja das! Und wenn du auf deine Mutter nicht hörst, so wirst du auch sonst mal zu Schaden kommen. Verbrechen geschehen ja täglich genug.

ARNOLD. Es soll mich mal einer anrühren, Mutter! *(Mit einem Griff in seine Hosentasche.)* Für den Fall hätt ich doch vorgesorgt.

FRAU KRAMER. Was heißt das?

ARNOLD. Daß ich auf alles gefaßt bin. Da gibt's, Gott sei Dank, ja heut Mittel dazu.

FRAU KRAMER. Ekelt dich das nicht von außen schon an, das Klaviergepauk[2] und die roten Laternen und der ganze, gemeine, eklige Dunst! Arnold, wenn ich das denken sollte, daß du dort — ich meine, in solchen Höhlen[3] — solchen Schmutzlöchern — deine Nächte verbringst, dann lieber wollt ich doch sterben und tot sein.

ARNOLD. Mutter, ich wünschte, der Tag wär' rum[4]. Ihr macht mich ganz dumm, mir tettern[5]

die Ohren. Ich muß immer an mich halten, wahrhaftig, sonst führe[6] ich oben zum Schornstein raus. Ich wer' mir 'n Rucksack kaufen, Mama, und euch alle immer mit mir herumschleppen.

FRAU KRAMER. Gut. Aber das eine sag ich dir, du gehst heute abend nicht aus dem Hause.

ARNOLD. Nein! Denn ich gehe jetzt gleich, Mama.

FRAU KRAMER. Um elf zu Papa und dann kommst du wieder.

ARNOLD. Ich denke nicht dran! Das fällt mir nicht ein.

FRAU KRAMER. Wohin gehst du denn dann?

ARNOLD. Das weiß ich noch nicht.

FRAU KRAMER. Du willst also zu Mittag nach Haus kommen?

ARNOLD. Mit euren Gesichtern an einem Tisch? Nein. Und ich esse ja doch nichts, Mama.

FRAU KRAMER. Den Abend willst du dann auch wieder fortbleiben?

ARNOLD. Ich tue und lasse, was mir beliebt.

FRAU KRAMER. Gut, Junge, dann sind wir geschiedene Leute[7]! Und außerdem komm ich dir auf die Spur! Ich ruhe nicht eher, verlaß dich drauf! Und wenn ich so'n Frauenzimmer ausfindig mache, das schwör ich dir zu, und Gott ist mein Zeuge: die übergeb ich der Polizei!

ARNOLD. Na, Mutter, tu das nur lieber nicht.

FRAU KRAMER. Ich sag es Vater. Im Gegenteil. Und Vater, der wird dich schon zur Vernunft bringen. Laß den was merken: er kennt sich nicht mehr[8].

ARNOLD. Ich kann dir nur sagen, tu's lieber nicht! Wenn Vater Moral donnert, weißt du ja wohl, so halt ich mir bloß noch die Ohren zu. Im übrigen macht es mir keinen Effekt. Herr Gott, ja! Ihr seid mir so fremd geworden ... Sag' mal: wo bin ich denn eigentlich hier?

FRAU KRAMER. So?!

ARNOLD. Wo denn? Wo bin ich denn eigentlich, Mutter? Die Michaline, der Vater, du, was wollt ihr? Was habt ihr mit mir zu schaffen? Was geht ihr mich alle im Grunde an?

FRAU KRAMER. Wie? Was?

---

[99] would prefer to freeze stiff   [100] there is something
[1] hussy   [2] banging on the piano   [3] dives   [4] over   [5] ring
[6] would go   [7] we're through with each other   [8] he'll fly off the handle

ARNOLD. Ja, was denn? Was wollt ihr denn?

FRAU KRAMER. Was das für empörende Reden sind!

ARNOLD. Ja, ja, empörend: meinswegen auch das. Aber wahr, Mutter, wahr, diesmal! Nicht gelogen. Ihr könnt mir nicht helfen, sag ich euch. Und wenn ihr mir's etwa noch mal zu bunt macht[9], dann passiert vielleicht was ... irgendwas mal, Mama, daß ihr alle vielleicht 'n verdutztes Gesicht macht! Da hat dann die liebe Seele Ruh[10]!

(Der Vorhang fällt.)

Zweiter Akt

Das Atelier des alten Kramer in der Kunstschule. Ein geschlossener, grauer Vorhang verdeckt den eigentlichen Atelierraum. Vor dem Vorhang rechts eine Tür, zu der ein Treppchen hinaufführt. Ebenfalls rechts, weiter vorn, ein altes Ledersofa und ein kleines, bedecktes Tischchen davor. Links die Hälfte eines großen Atelierfensters, das sich hinter dem Vorhang fortsetzt. Darunter ein kleines Tischchen, auf welchem Radierutensilien[11] und eine angefangene Platte liegen. Auf dem Sofatisch Schreibzeug, Papier, ein alter Leuchter mit Licht usw. Gipsabgüsse[12]: Arm, Fuß, Frauenbusen und auch die Totenmaske Beethovens hängen über dem Sofa an der Wand, deren Färbung gleichmäßig bläulich-grau ist. Über den Vorhang hinweg, der etwa bis zu zwei Drittel der Höhe des Raumes reicht, sieht man rechts die Spitze einer großen Staffelei[13]. — Über dem Sofatisch Gasrohr. — Zwei einfache Rohrstühle vervollständigen die Einrichtung. Es herrscht überall Sauberkeit und peinliche Ordnung. Michael Kramer sitzt auf dem Sofa und unterschreibt ächzend mehrere Dokumente, auf die der Pedell Krause, die Mütze in der Hand, wartet. Krause ist breit und behäbig[14], Kramer ein bärtiger Mann über fünfzig, mit vielen weißen Flocken im schwarzen Bart und Haupthaar. Sein Kopf sitzt zwischen zu hohen Schultern. Er trägt den Nacken gebeugt, wie unter einem Joch. Seine Augen sind tiefliegend, dunkel und brennend, dabei unruhig. Er hat lange Arme und

Beine, sein Gang ist unschön, mit großen Schritten. Sein Gesicht ist blaß und grüblerisch[15]. Er ächzt viel. Seine Sprechweise hat etwas ungewollt Grimmiges[16]. Mit den unförmigen, spiegelblank geputzten Schuhen geht er sehr auswärts[17]. Sein Anzug besteht in schwarzem Gehrock[18], schwarzer Weste, schwarzen Beinkleidern, veraltetem Umlegekragen[19], Oberhemd und schwarzem Schlipsbändchen, tadellos gewaschen und tadellos gehalten. Die Manschetten hat er aufs Fensterbrett gestellt. Er ist alles in allem eine absonderliche, bedeutende, nach dem ersten Blick eher abstoßende als anziehende Erscheinung. Vor dem Fenster links steht Lachmann, mit dem Rücken gegen das Zimmer. Er wartet und blickt hinaus.

KRAMER *(zu Lachmann).* Sehn Se, wir murksen hier immer so weiter[20]. *(Zu Krause.)* So. Grüßen Se den Direktor schön. *(Er steht auf, packt die Papiere zusammen und händigt sie dem Pedell ein, dann fängt er an, die gestörte Ordnung auf seinem Tischchen wieder herzustellen.)* Sie sehn sich woll meine Pappeln an?

LACHMANN *(der die Kupferplatte angesehen hatte, erschrickt ein wenig und erhebt sich aus der gebeugten Stellung).* Entschuldigen Sie.

KRAUSE. Gu'n Morgen, Herr Kramer. Gu'n Morgen, Herr Lachmann.

LACHMANN. Guten Morgen, Herr Krause.

KRAMER. Behüt' Sie Gott. *(Krause ab.)*

KRAMER. Vor fünf Jahren hat mich Böcklin[21] besucht. Hör'n Se, der hat vor dem Fenster gestanden ... der konnte sich gar nicht satt sehen, hör'n Se.

LACHMANN. Die Pappeln sind wirklich ganz wunderbar schön. Sie haben mir damals schon Eindruck gemacht, vor Jahren, als ich zuerst hierherkam. Sie stehen so würdig in Reih und Glied[22]. Die Schule[22a] wirkt ordentlich[23] tempelhaft.

KRAMER. Hör'n Se, das täuscht.

LACHMANN. Aber doch nur zum Teil! Daß Böcklin je hier war, wußte ich gar nicht.

KRAMER. Damals hatten sie doch die Idee ge-

---

[9] go too far [10] Then you'll have achieved your purpose. [11] etching tools [12] plaster casts [13] easel [14] corpulent

[15] brooding [16] unintentionally gruff [17] i.e., his toes are pointed diagonally [18] Prince Albert coat [19] old fashioned turned down collar [20] we go on puttering about [21] Arnold Böcklin (1827–1901), noted Swiss painter [22] in a straight row [22a] = *Baumschule* Tree nursery [23] really

faßt, dadrüben im Provinzialmuseum, da sollt er das Treppenhaus[24] doch ausmalen[25]. Dann hat's aber so 'n[26] Professor gemacht. Ach, hör'n Se, es wird zu viel gesündigt.

LACHMANN. In dieser Beziehung ganz grenzenlos.

KRAMER. Aber wissen Sie was, es war niemals anders. Nur tut's einem heut ganz besonders leid. Was für Schätze könnte die Gegenwart aufspeichern mit dem riesigen Aufwand, hör'n Se mal an, der heut so im Lande getrieben wird! So müssen die Besten beiseite stehn. *(Lachmann hat ein radiertes Blatt aufgenommen, und Kramer fährt fort in bezug darauf.)* Das is so'n Blatt für mein Formenwerk[27]. Die Platte war aber nicht gut gewischt. Die ganze Geschichte stimmt auch noch nicht. Ich muß erst noch richtig dahinterkommen.

LACHMANN. Ich habe auch mal zu radieren versucht, ich hab's aber bald wieder aufgesteckt.

KRAMER. Was haben Sie denn nu gearbeitet, Lachmann?

LACHMANN. Porträts und Landschaften, das und jen's. Viel ist nicht geworden, leider Gott's.

KRAMER. Immer arbeiten, arbeiten, arbeiten, Lachmann. Hör'n Se, wir müssen arbeiten, Lachmann. Wir schimmeln sonst bei lebendigem Leibe. Sehn Se sich so ein Leben mal an, wie so'n Mann arbeitet, so'n Böcklin. Da wird auch was, da kommt was zustande[28]. Nicht bloß was er malt: der ganze Kerl. Hör'n Se, Arbeit ist Leben, Lachmann!

LACHMANN. Dessen bin ich mir auch vollkommen bewußt.

KRAMER. Ich bin bloß 'n lumpiger Kerl, ohne Arbeit. In der Arbeit werd ich zu was.

LACHMANN. Bei mir geht leider die Zeit herum, und zum Eigentlichen komm ich nicht recht.

KRAMER. Wieso, hör'n Se?

LACHMANN. Weil ich anderes zu tun habe: Arbeit, die gar keine Arbeit ist.

KRAMER. Wie soll denn das zu verstehn sein, hör'n Se?

LACHMANN. Ich war früher Maler und weiter

nichts. Heut bin ich gezwungen, Zeilen zu schinden[29].

KRAMER. Was heißt das?

LACHMANN. Ich schreibe für Zeitungen.

KRAMER. So!

LACHMANN. Mit andern Worten heißt das, Herr Kramer, ich verwende die meiste, kostbare Zeit, um ein bißchen trockenes Brot zu erschreiben[30]; zu Butter langt es wahrhaftig nicht. Wenn man erst mal Frau und Familie hat ...

KRAMER. 'n Mann muß Familie haben, Lachmann. Das ist ganz gut, das gehört sich so. Und was Ihre Schreiberei anbelangt: schreiben Se nur recht gewissenhaft. Sie haben ja Sinn für das Echte, hör'n Se; da können Sie vielfach förderlich sein[31].

LACHMANN. Es ist aber alles bloß Sisyphusarbeit[32]. Im Publikum ändert sich wirklich nichts. Da wälzt man täglich den Sisyphusstein ..

KRAMER. Hör'n Se, was wären wir ohne das?

LACHMANN. Aber schließlich opfert man doch sich selbst. Und wenn man schon mit dem Malen nicht durchkommt[33], so ...

KRAMER. Hör'n Se, das ist ganz einerlei. Wäre mein Sohn 'n Schuster geworden und täte als Schuster seine Pflicht, ich würde ihn ebenso achten, sehn Se. Haben Se Kinder?

LACHMANN. Eins. Einen Sohn.

KRAMER. Na hör'n Se, da haben Se doch was gemacht, was Besseres kann einer doch nicht machen. Da muß das doch gehen wie geschmiert[34] mit Ihren Artikeln, hören Se, was?

LACHMANN. Das kann ich grade nicht sagen, Herr Kramer.

KRAMER. Pflichten, Pflichten, das ist die Hauptsache. Das macht den Mann erst zum Manne, hör'n Se. Das Leben erkennen im ganzen Ernst, und hernach, sehn Se, mag man sich drüber erheben.

LACHMANN. Das ist aber manchmal wirklich nicht leicht.

KRAMER. Hör'n Se, das muß auch schwer sein, sehn Se. Da zeigt sich's eben, was einer ist. Da

---

[24] the walls of the staircase   [25] i.e., paint murals   [26] some (insignificant)   [27] work on decorative design   [28] something gets done

[29] to grind out copy   [30] earn by my writing   [31] i.e., do much good   [32] i.e., useless labor (Sisyphus, in Greek mythology, was condemned to push a stone uphill and begin again when it rolled down.)   [33] gets nowhere   [34] i.e., smoothly

kann sich ein Kerl erweisen als Kerl. Die Lotter-
buben[35] von heutzutage, die denken, die Welt
ist 'n Hurenbett. Der Mann muß Pflichten erkennen, hör'n Se.

LACHMANN. Doch aber auch Pflichten gegen
sich selbst.

KRAMER. Ja, hör'n Se, da haben Sie freilich
recht. Wer Pflichten gegen sich selbst erkennt,
erkennt auch Pflichten gegen die andern. Wie
alt ist denn Ihr Sohn?

LACHMANN. Drei Jahre, Herr Kramer.

KRAMER. Hör'n Se, als damals mein Junge zur
Welt kam ... ich hatte mir das in den Kopf
gesetzt! — ganze vierzehn Jahre hab ich ge-
wartet, da brachte die Frau den Arnold zur
Welt. Hör'n Se, da hab ich gezittert, hör'n Se.
Den hab ich mir eingewickelt, sehn Se, und
hab mich verschlossen in meine Klause und
hör'n Se, das war wie im Tempel, Lachmann:
Da hab ich ihn dargestellt[36], sehn Se, vor Gott.
— Ihr wißt gar nicht, was das ist, so'n Sohn!
Ich hab es, wahrhaftigen Gott[37], gewußt. Ich
hab mir gedacht: ich nicht, aber du! Ich nicht,
dacht ich bei mir: du vielleicht! — *(Bitter)*.
Mein Sohn ist 'n Taugenichts, sehn Se, Lachmann! und doch würd ich immer wieder so
handeln.

LACHMANN. Herr Kramer, das ist er sicherlich
nicht.

KRAMER *(heftiger, grimmiger)*. Hör'n Se, lassen
Se mich in Ruhe, 'n Lotterbube und weiter
nichts! Aber sprechen wir lieber nicht davon.
Ich will Ihnen mal was sagen, Lachmann, das ist
der Wurm meines Lebens, sehn Se. Das frißt
mir am Mark! Aber lassen wir das!

LACHMANN. Das wird sich noch alles sicherlich ändern.

KRAMER *(immer heftig, bitter und grimmig)*. Es
ändert sich nicht! Es ändert sich nicht! Es ist
keine gute Faser an ihm. Der Junge ist angefressen im Kern[38]. Ein schlechter Mensch! Ein
gemeiner Mensch! Das kann sich nicht ändern,
das ändert sich nicht. Hör'n Se, ich könnte alles
verzeihn, aber Gemeinheit verzeih ich nicht.
Eine niedrige Seele widert mich an, und sehn
Se, die hat er, die niedrige Seele, feige und

niedrig: das widert mich an. *(Er geht zu einem
einfachen, grau gestrichenen Wandschrank.)* Ach
hör'n Se, der Lump hat soviel Talent, man
möchte sich alle Haare ausraufen. Wo unser
einer[39] sich mühen muß, man quält sich Tage
und Nächte lang, da fällt dem das alles bloß so
in den Schoß. Sehn Se, da haben Se Skizzen
und Studien. Ist das nicht wirklich ein Jammer,
hör'n Se? Wenn er sich hinsetzt, wird auch
was[40]. Was der Mensch anfängt, hat Hand und
Fuß[41]. Sehn Se, das sitzt[42], das ist alles gemacht,
da könnte man bittre Tränen vergießen. *(Er
geht mehrmals im Vorraum auf und ab, während
Lachmann die Skizzen und Studien durchsieht. Es
klopft.)* Herein! *(Michaline kommt im Straßen-
anzug.)*

MICHALINE. Vater, ich will nur Lachmann
abholen.

KRAMER *(über die Brille)*. Höre, die Schule
läßt du im Stich?

MICHALINE. Ich komme eben vom Korrigieren. Lachmann, ich hab' deine Frau getroffen;
sie wollte nicht anwachsen[43] im Cafe, sie ginge
lieber zu deiner Mutter. *(Lachmann und Michaline
lachen.)*

KRAMER. Warum haben Se se denn nicht mitgebracht?

LACHMANN. Sie ist nicht besonders atelier-
fähig[44].

KRAMER. Unsinn. Was heißt das? Verstehe ich
nicht!

MICHALINE *(ist hinter Lachmann getreten und
blickt mit auf eine Studie, die er eben betrachtet)*.
Die Mühle hier hab ich auch mal gemalt.

KRAMER. Hm, hm, aber anders.

MICHALINE. Es war nicht die Ansicht.

KRAMER. Nein, nein, der Ansicht[45] bin ich ja
auch. *(Lachmann lacht.)*

MICHALINE. Vater, das ficht mich durchaus
nicht an[46]. Wenn einer tut, was er irgend kann,
na, so kann man eben nicht mehr verlangen.

KRAMER. Mädel, du weißt ja, wie Hase läuft[47].

MICHALINE. Natürlich weiß ich's und zwar

---

[35] bums   [36] i.e., dedicated   [37] by Heaven   [38] i.e., rotten
to the core

[39] a fellow like us   [40] something comes of it   [41] is solid
[42] is right   [43] i.e., wait until she struck root   [44] doesn't
fit into a studio   [45] a pun on the two meanings of *Ansicht*:
viewpoint and point of view   [46] doesn't disturb me in the
least   [47] i.e., what the score is

sehr genau. Du hältst nämlich nicht das geringste von mir.

KRAMER. Höre, woraus entnimmst du das? Wenn Arnold nur halb so fleißig wäre und halb so versorgt[48], hier oben, im Hirnkasten, so wäre der Junge ein ganzer Kerl, da kann er sich gar nicht messen mit dir. Aber sonst: der Funke, den hast du nicht. 'n Mensch muß klar sein über sich selbst. Du bist ja auch klar, und das ist dein Vorzug. Darum kann man auch mit dir reden 'n Wort. Was Zähigkeit macht und Fleiß und Charakter, das hast du aus dir gemacht, Michaline, und damit kannst du zufrieden sein. — *(Er sieht nach der Taschenuhr.)* Zehn. Lachmann, jetzt wird wohl nicht recht mehr was werden[49]. Ich freue mich, daß Sie gekommen sind. Ich will auch dann gerne mit Ihnen gehn, meinethalben können wir wo[50] 'n Glas Bier trinken. Jetzt muß ich noch mal in die Klasse sehn, und auf elf Uhr hab ich den Sohn bestellt.

MICHALINE *(ernst)*. Vater, würdest du Lachmann nicht mal dein Bild zeigen?

KRAMER *(schnell herum)*. Nein, Michaline! Wie kommst du darauf[51]?

MICHALINE. Ganz einfach: er hat davon gehört und hat mir gesagt, daß er's gerne sehn möchte.

KRAMER. Laßt mich mit solchen Sachen in Ruh. Da kommen sie alle und wollen mein Bild sehen. Malt euch doch Bilder, soviel ihr wollt! Ich kann es Ihnen nicht zeigen, Lachmann.

LACHMANN. Herr Kramer, ich dränge Sie sicherlich nicht ...

KRAMER. Sehn Se, das wächst mir über den Kopf[52]. Ich lebe nun sieben Jahr mit dem Bilde. Erst hat's Michaline einmal gesehn — der Junge hat niemals danach gefragt! — jetzt ist der Direktor Müring gekommen, und nu wächst mir die Sache über den Kopf. Hör'n Se, das geht nicht, das kann ich nicht. Wenn Se nu 'ne Geliebte haben, und alle kriechen sie zu ihr ins Bett ... das is ja 'ne Schweinerei, weiter nichts, da muß einem ja die Lust vergehn. Lachmann, es geht nicht! ich mag das nicht!

MICHALINE. Vater, das Beispiel verstehe ich nicht. Diese Art der Zurückhaltung scheint mir wie Schwäche.

KRAMER. Denke darüber ganz wie du willst. Andrerseits merke dir auch, was ich sage: das wächst nur aus Einsiedeleien auf! Das Eigne, das Echte, Tiefe und Kräftige, das wird nur in Einsiedeleien geboren. Der Künstler ist immer der wahre Einsiedler. So! Und nun geht und laßt mich in Ruh!

MICHALINE. Schade, Vater! Mir tut es leid. Wenn du dich so verbarrikadierst, sogar vor Lachmann ... das wundert mich. Dann entschlägst du dich eben jeglicher Anregung. Übrigens, wenn du ganz ehrlich bist: seit neulich Direktor Müring hier war ... das hat dich wirklich erfrischt, mußt du sagen. Du warst hinterher ganz aufgekratzt[53].

KRAMER. Es[54] ist ja nichts dran. Es ist ja noch nichts. Hör'n Se, machen Se mich doch nicht unglücklich! Es muß doch was da sein, eh' man was zeigt. Glauben Sie denn, das is 'n Spaß? Hör'n Se, wenn einer die Frechheit hat, den Mann mit der Dornenkrone zu malen — hör'n Se, da braucht er ein Leben dazu. Hör'n Se, kein Leben in Saus und Braus[55]: einsame Stunden, einsame Tage, einsame Jahre, sehn Se mal an. Hör'n Se, da muß er sich allein sein, mit seinem Leiden und seinem Gott. Hör'n Se, da muß er sich täglich heiligen! Nichts Gemeines darf an ihm und in ihm sein. Sehn Se, da kommt dann der heil'ge Geist, wenn man so einsam ringt und wühlt. Da kann einem manchmal was zuteil werden[56]. Da wölbt sich's[57], sehn Se, da spürt man was. Da ruht man im Ewigen, hör'n Se mal an, und da hat man's vor sich in Ruhe und Schönheit. Da hat man's ohne daß man's will. Da sieht man den Heiland! da fühlt man ihn. Aber wenn erst die Türen schlagen, Lachmann, da sieht man ihn nicht, da fühlt man ihn nicht. Da ist er ganz fort, sehn Se, ganz weit fort.

LACHMANN. Herr Kramer, es tut mir jetzt wirklich sehr leid ...

KRAMER. Ach hör'n Se, das ist ja nichts leid zu tun, da muß jeder für sich selber sorgen. Der

---

[48] i.e., with common sense [49] I won't get any real work done [50] = irgendwo [51] why do you bring that up? [52] is getting beyond me

[53] keyed up [54] It isn't anything. There's nothing to show yet. [55] not a life of turmoil [56] i.e., be blessed from above [57] a vault rises above one

Ort, wo du stehst, ist heiliges Land[58], das muß man sich bei der Arbeit sagen. Ihr andern: draußen geblieben, verstanden? Da ist Raum genug für das Jahrmarktsgetümmel[59]. Kunst ist Religion. Wenn du betest, geh in dein Kämmerlein[60]. Wechsler und Händler raus aus dem Tempel! *(Er dreht den Schlüssel der Eingangstür um.)*

MICHALINE. Aber Wechsler und Händler sind wir doch nicht.

KRAMER. Das seid ihr nicht. Gott bewahre, nein, aber wenn auch! Es wächst mir über den Kopf! Ich verstehe das ja ganz gut von dem Lachmann. Will eben mal sehen, was dahintersteckt. Hat immer nur große Worte geschluckt[61], möchte nun wirklich mal was zu sehn kriegen. Es steckt nichts dahinter! ich sag es ihm ja. Es ist nichts los mit dem alten Kerl[62]. Er sieht es manchmal, er fühlt es auch — und dann nimmt er den Spachtel[63] und kratzt es runter. *(Es klopft.)* Es klopft. Vielleicht 'nmal später, Lachmann! — Herein! — Es ist ja nun doch nichts mehr[64]. — Hör'n Se, es hat doch geklopft! Herein!

MICHALINE. Du hast ja die Tür verschlossen, Vater.

KRAMER. Ich? Wann denn?

MICHALINE. Eben, im Augenblick. Eben! als du noch eben durchs Zimmer gingst.

KRAMER. Mach auf und sieh nach.

MICHALINE *(öffnet ein wenig)*. Eine Dame, Papa.

KRAMER. Modell wahrscheinlich. Ich brauche keins!

LIESE BÄNSCH *(noch außerhalb)*. Könnt ich den Herrn Professor sprechen?

MICHALINE. Was wünschen Sie denn, wenn ich fragen darf?

LIESE BÄNSCH. Ich möchte den Herrn Professor selbst sprechen.

MICHALINE. Was soll das für ein Professor sein?

KRAMER. Sage ihr doch, hier wohnt kein Professor.

LIESE BÄNSCH. Wohnt denn Professor Kramer nicht hier?

KRAMER. Ich heiße Kramer, treten Sie ein. *(Liese Bänsch tritt ein. Schlankes, hübsches Frauenzimmer, kokottenhaft aufgedonnert[65].)*

LIESE BÄNSCH. Ach, wenn Sie erlauben, bin ich so frei[66].

KRAMER. Geht mal in euer Museum, Kinder. Ihr wolltet ja doch ins Museum gehn! Um zwölfe, Lachmann, erwart ich Sie. *(Er geleitet Lachmann und Michaline nach der Tür. Lachmann und Michaline ab.)* Mit wem hab ich die Ehre? Ich stehe zu Diensten.

LIESE BÄNSCH *(nicht ohne Verlegenheit, aber mit viel Affektation)*. Herr Professor, ich bin die Liese Bänsch. Ich komme in einer heiklen Sache.

KRAMER. Bitte setzen Sie sich. Sie sind Modell?

LIESE BÄNSCH. O nein, Herr Professor, da täuschen Sie sich. Ich habe das, Gott sei Dank, nicht nötig. Gott sei Dank, Herr Professor, ich bin kein Modell.

KRAMER. Und ich, Gott sei Dank, kein Professor, mein Fräulein! Was verschafft mir die Ehre Ihres Besuchs?

LIESE BÄNSCH. Das wollen Sie gleich so wissen, schlankweg? Ich darf wohl ein bißchen verschnaufen, nicht wahr? Ich hatte mich nämlich sehr echauffiert[67]. Erst wollt ich ja unten schon wieder umkehren, aber schließlich faßt ich mir doch ein Herz[68].

KRAMER. Bitte! Sobald es Ihnen beliebt.

LIESE BÄNSCH *(hat sich gesetzt, hustet und tupft vorsichtig ihr geschminktes[69] Gesicht unterm Schleier)*. Nein, daß Sie auch so was von mir denken! Das ist nur gut, daß das Georg nicht gehört hat. Mein Bräutigam ist nämlich beim Gericht, da gerät er gleich immer außer sich. Seh ich denn wirklich aus wie'n Modell?

KRAMER *(einen Fenstervorhang ziehend)*. Das kommt darauf an, wer Sie malen will. Unter Umständen können wir alle Modell sein. Wenn Sie glauben, daß das einen Makel einschließt, so kann das durchaus nur auf Irrtum beruhn.

[58] Exodus 3:5   [59] the uproar of a public fair   [60] Matthew 6:6   [61] swallowed, i.e., he has heard big words about my "masterpiece"   [62] the old fellow doesn't amount to anything   [63] spatula   [64] since it's too late now anyhow

[65] in the loud clothes of a cocotte   [66] I'll take the liberty (of coming in)   [67] *sich echauffieren*; pretentious French for: *sich erhitzen*   [68] I plucked up courage   [69] made up (the wearing of rouge and lipstick was formerly viewed with great disfavor in Germany)

LIESE BÄNSCH. Nein, wissen Sie was, ich fürchte mich förmlich. Nehmen Sie mir's nicht übel, Herr Kramer, ich hab förmlich Angst vor Ihnen gehabt.

KRAMER. Und kurz und gut, worum handelt sich's denn?

LIESE BÄNSCH. Ich habe mich so befragt[70] um Sie, und da haben sie alle so getan, als wenn Sie, ja wer weiß was wären, so'n Gottseibeiuns[71] oder so was.

KRAMER. Aufrichtig verbunden[72]. Was wünschen Sie? Ich kann Ihnen die Versicherung geben, es wird Ihnen hier kein Haar gekrümmt[73].

LIESE BÄNSCH. Arnold hat auch solche Angst vor Sie[74].

KRAMER *(betroffen und verwirrt)*. Arnold? Was heißt das? — Wie heißt der Mensch?

LIESE BÄNSCH *(erhebt sich ängstlich)*. Nein, aber auch wie Sie gucken, Herr Kramer! Da mach ich mich lieber schnell wieder fort. Arnold macht auch immer solche Augen und ...

KRAMER. Arnold? Ich kenne den Menschen nicht. —

LIESE BÄNSCH *(ängstlich und beschwichtigend)*. Herr Kramer, ich bitte, es[75] tut ja nichts weiter. Dann kann ja die Sache auf sich beruhn. Ich bin ohne Wissen der Eltern hier ... es ist, wie gesagt, 'ne heikle Sache. Ich spreche dann lieber gar nicht davon.

KRAMER *(gewaltsam beruhigt)*. Ich sehe Sie heute zum ersten Mal. Sie müssen mich deshalb schon gütigst entschuldigen. Ich hab einen Sohn, der Arnold heißt. Und wenn Sie von Arnold Kramer reden ...

LIESE BÄNSCH. Ich rede von Arnold Kramer, gewiß.

KRAMER. Nun gut! Das wundert mich ... wundert mich nicht. Was wissen Sie also von ihm zu berichten?

LIESE BÄNSCH. Ach, daß er so dumm ist und so verrückt und daß er mich immer nicht zu Ruh läßt.

KRAMER. Hm! So! Inwiefern? Wie meinen Sie das?

LIESE BÄNSCH. Nu weil er mich immer lächerlich macht. Ich kann ihn partout[76] doch nicht zur Vernunft bringen.

KRAMER. So? Ja, das ist schwer. Das glaub ich wohl.

LIESE BÄNSCH. Ich hab ihm gesagt: geh nach Hause, Arnold. Is nicht[77]. Er hockt[78] die ganze Nacht.

KRAMER. Also war er bei Ihnen die letzte Nacht?

LIESE BÄNSCH. Na es bringt ihn ja eben kein Mensch vom Flecke. Papa hat's versucht, Mama hat's versucht, unsere Herren vom Stammtisch[79] haben's versucht, ich hab es versucht, es ist aber alles ganz umsonst. Er sitzt nur und glubscht[80] immer so wie Sie, und eh nicht der letzte Gast hinaus ist, rührt und rückt er sich nicht vom Platz.

KRAMER. Ihr Vater ist Gastwirt[81]?

LIESE BÄNSCH. Restaurateur.

KRAMER. Und die Herren vom Stammtisch, wer sind denn die?

LIESE BÄNSCH. Assessor Schnabel, Baumeister Ziehn, mein Bräutigam und mehrere andre Herren.

KRAMER. Und die haben sich auch alle Mühe gegeben, ihn, was man so sagt, hinauszubefördern[82]?

LIESE BÄNSCH. Sie nennen ihn immer den Marabu. *(Lachend.)* Das is so'n Vogel, wissen Sie ja. Sie meinen, er sähe genau so aus. Wohl, weil er so etwas verwachsen ist ...

KRAMER. Ja, ja, ganz recht. Die Herren vom Stammtisch sind wohl sehr lustig?

LIESE BÄNSCH. Riesig! Zum Totlachen! Kolossal! Ein Jokus[83] ist das manchmal, nicht zu beschreiben. Zwerchfellerschütternd[84], sag ich Ihn'. Arnold ißt immer so viel Brot, das steht doch so gratis herum auf den Tischen; da haben sie neulich 'n Korb aufgehängt[85], grade über dem Platz, wo er immer sitzt. Verstehn Sie? So von der Decke runter, aber nicht zu erreichen von unten aus. Das ganze Lokal hat gewiehert förmlich[86].

---

[76] = durchaus [77] nothing doing [78] hangs around [79] table reserved for regular guests [80] glares [81] innkeeper; the French word *Restaurateur* is more pompous [82] throw him out [83] a scream [84] sidesplitting [85] allusion to the phrase: *jemandem den Brotkorb höher hängen* to cut down someone's rations [86] fairly roared

[70] I made inquiries [71] = Teufel, Old Nick [72] much obliged [73] i.e., harmed [74] Liese's grammar is not above reproach. [75] it really doesn't matter. Then the matter may be left as it is.

KRAMER. Und da sitzt mein Sohn an demselben Tisch?

LIESE BÄNSCH. O nein, das duldet mein
Bräutjam schon gar nicht. Er hockt immer ganz
allein für sich. Aber weil er sich manchmal ein
Blättchen herausnimmt[86a] und immer so hämisch
herüberschielt, da paßt das den Herren manchmal nicht. Und einer ist auch schon mal aufgestanden und hat ihn deswegen zur Rede gestellt[87].

KRAMER. Er dürfe nicht zeichnen, meinen
die Herren?

LIESE BÄNSCH. Ja, weil es bloß immer Fratzen
sind. Das muß man sich doch verbieten[88], Herr
Kramer. Er hat mir mal eine Zeichnung gezeigt: so 'n kleiner Hund und so viele große, das
war so gemein ... ganz schauderhaft.

KRAMER. Zahlt Arnold, was er bei Ihnen genießt?

LIESE BÄNSCH. Ach schon! deswegen komme
ich nicht. Er trinkt seine zwei, höchstens drei
Glas Bier, und wenn es weiter nichts wär, Herr
Kramer ...

KRAMER. Sie sind also ein Gemüt[89], wie man
sagt. Nun, wenn ich Sie recht begreife, mein
Fräulein, so ist mein Sohn, ja wie soll ich sagen,
in Ihrem Haus so 'ne Art Hanswurst[90], aber
einer, den man doch lieber los ist. Ich gehe wohl
ferner darin nicht fehl, wenn ich annehme, daß
weder die Herren am Stammtisch — hochacht-
bare Herren sicherlich! — noch auch das Bier,
noch das Brot Ihres werten Herrn Vaters es
sind, was Arnold bei Ihnen festhält — — ?

LIESE BÄNSCH (kokett). Ich kann aber wirklich
nichts dafür[91].

KRAMER. Nein, nein, gewiß nicht, wie sollten
Sie auch! Was soll ich nun aber tun bei der
Sache?

LIESE BÄNSCH. Herr Kramer, ich hab solche
Angst vor ihm. Er lauert mir auf an den Ecken,
und dann werd ich ihn stundenlang nicht los,
und dann ist mir zumute, wahrhaft'gen Gott,
als ob er mir könnte mal was antun[92].

KRAMER. Hm! Hat er Sie jemals direkt bedroht?

LIESE BÄNSCH. Nein, das gerade nicht, das
kann ich nicht sagen. Aber trotzdem, es liegt so
in seiner Art. Mir wird manchmal angst, plötzlich, wenn ich ihn anseh. Auch wenn er so sitzt
und sich ganz versinnt[93] ... so stundenlang
sitzt er und spricht keinen Ton, wie gar nicht
bei sich[94], die halbe Nacht. Und auch wenn er
seine Geschichten erzählt. Er lügt doch so tolle
Geschichten zusammen ... Hu! Wissen Sie, und
dann guckt er mich an ...

KRAMER. Sie haben auch nichts für ihn übrig[95],
was? *(Eine Schelle geht.)*

LIESE BÄNSCH. Ach du mein Himmel! Sicherlich nicht.

KRAMER. Gut. Wünschen Sie Arnold hier zu
begegnen?

LIESE BÄNSCH. Um Christi willen! Auf keinen
Fall.

KRAMER. Es ist Punkt elf, und es hat geklingelt. Auf elf Uhr ist er er hierher bestellt. *(Er
öffnet ein Seitenkabinett[96].)* Bitte, treten Sie hier
herein. Ich kann Ihnen die Versicherung geben,
was irgend an mir liegt[97], soll geschehn. *(Liese
Bänsch ab in das Kabinett. Kramer öffnet die Haupttür und läßt Arnold ein. In seinem schlaffen Gesicht
kämpfen Trotz, Widerwille und Furcht.)* Warte
hier hinten, ich komme gleich. *(Er geleitet Arnold
durch den Vorhang, schließt diesen hinter ihm zu,
öffnet das Kabinett. Liese kommt heraus. Er legt die
Hand auf den Mund, weist nach dem Vorhang. Liese
tut das gleiche. Er geleitet sie zur Haupttür, sie
schlüpft hinaus. Kramer bleibt stehen, ächzt, faßt
sich an die Stirn und fängt dann an, im Vorraum
auf und ab zu schreiten. Man sieht, er braucht alle
Willenskraft, um seiner tiefsten Erregung Herr zu
werden und sein Röcheln[98] zu unterdrücken. Nach
mehreren Anfällen bezwingt er sich. Er öffnet den
Vorhang und spricht hindurch.)* Arnold, ich wollte
nur mit dir sprechen. *(Arnold kommt langsam vor.
Bunter Schlips, Anläufe zur Geckerei.)* Du bist ja
so aufgetakelt[99].

ARNOLD. Wie?

KRAMER. Ich meine den roten Schlips, den
du um hast.

ARNOLD. Wieso?

[86a] speaks frankly   [87] called him to account   [88] object;
correct form: *verbitten*   [89] a "soul"   [90] clown   [91] But I
really can't help it.   [92] do something violent

[93] broods   [94] as if he weren't all there   [95] you don't think
much of him   [96] side closet   [97] whatever is in my power to
do   [98] i.e., a choking feeling about the throat   [99] rigged
out

KRAMER. Man ist das an dir nicht gewöhnt. Du tust auch besser, du läßt das, Arnold. Hast du denn nun die Entwürfe gemacht?

ARNOLD. Welche denn, Vater? Ich weiß ja von nichts!

KRAMER. Hm! So was kann man vergessen!? So, so. Nun, wenn es dir nicht zu viel Mühe macht, vielleicht kannst du gefälligst ein bißchen nachdenken.

ARNOLD. Ach so, für den Tischler, meinst du wohl?

KRAMER. Ja, meinetwegen auch für den Tischler. Das tut nichts zur Sache, was er ist. Also bist du wohl damit nicht vorwärts gekommen? Höre, sage ganz einfach nein! Grüble nicht erst nach Redensarten! Was treibst du denn so die ganze Zeit?

ARNOLD (*tut erstaunt*). Ich arbeite, Vater.

KRAMER. Was arbeit'st du denn?

ARNOLD. Ich zeichne, ich male, was man so macht[1].

KRAMER. Ich dachte, du stiehlst unserm Herrgott den Tag ab[2]. Das freut mich doch, daß ich mich täusche darin. Übrigens kümmr ich mich nicht mehr um dich. Du bist alt genug. Ich bin nicht dein Büttel[3]. Und ich möchte dir auch mal gelegentlich sagen: wenn du irgend mal was auf dem Herzen hast ... ich bin nämlich, sozusagen, dein Vater. Verstehst du? Erinnre dich bitte daran.

ARNOLD. Ich habe doch nichts auf dem Herzen, Vater.

KRAMER. Das sag ich ja nicht. Das behaupt ich ja gar nicht. Ich habe gesagt: wenn du irgendwas hast. Ich könnte dir dann vielleicht irgendwie helfen. Ich kenne die Welt etwas tiefer als du. Für alle Fälle[4]! verstehst du mich? Du warst letzte Nacht wieder außerm Hause. Du ruinierst dich. Du machst dich krank. Halte dir deine Gesundheit zu Rat[5]. Gesunder Körper, gesunder Geist. Gesundes Leben, gesunde Kunst. Wo hast du denn gestern so lange gesteckt? — Laß nur, es geht mich ja gar nichts an. Was du nicht sagen willst, will ich nicht wissen. Sag es freiwillig oder schweig.

ARNOLD. Ich war draußen, mit Alfred Fränkel zusammen.

KRAMER. So? Wo denn? In Pirscham oder wo?

ARNOLD. Nein, drüben in Scheitnig und da herum.

KRAMER. Da wart ihr beide die ganze Nacht?

ARNOLD. Nein, später dann bei Fränkel zu Haus.

KRAMER. Bis morgens um vier?

ARNOLD. Ja, beinah bis um vier. Dann sind wir noch durch die Straßen gebummelt.

KRAMER. So! Du und Fränkel!? Ihr beiden allein? Da seid ihr ja dick befreundet mit'nander. Was nehmt ihr so vor[6], wenn ihr da so sitzt und andere in ihren Betten liegen?

ARNOLD. Wir rauchen und sprechen über Kunst.

KRAMER. So?! — Arnold, du bist ein verlorner Mensch!

ARNOLD. Wieso denn?

KRAMER. Du bist ein verlorner Mensch! Du bist verdorben bis in den Grund.

ARNOLD. Das hast du schon mehr als einmal gesagt.

KRAMER. Ja, ja, ich hab es dir sagen müssen. Ich hab es dir hundertmal sagen müssen, und schlimmer als alles, ich hab es gefühlt. Arnold, beweise mir, daß ich lüge! Beweise mir, daß ich dir unrecht tue! Die Füße will ich dir küssen dafür.

ARNOLD. Ich kann eben sagen, was ich will, ich glaube ...

KRAMER. Was? Daß du verdorben bist?

ARNOLD (*sehr blaß, zuckt mit den Achseln*).

KRAMER. Und was soll werden, wenn es so ist?

ARNOLD (*kalt und feindlich*). Ja, Vater, das weiß ich selber nicht.

KRAMER. Ich aber weiß es, du gehst zugrunde! (*Er geht heftig umher, bleibt am Fenster stehn, die Hände auf dem Rücken, nervös mit der Fußsohle klappend.*)

(*Arnold mit aschfahlem, böse verzerrtem Gesicht, greift nach seinem Hut und bewegt sich auf die Türe zu. Wie er die Türklinke niederdrückt, wendet sich Kramer.*)

---

[1] the usual thing [2] waste the day [3] i.e., policeman
[4] for all eventualities [5] think of your health
[6] what are you up to?

KRAMER. Hast du mir weiter nichts zu sagen?
*(Arnold läßt die Türklinke los und wirft lauernde
Blicke, mit verstocktem Ausdruck.)* Arnold, regt
sich denn gar nichts in dir? Fühlst du denn nicht,
daß wir Martern leiden? Sage etwas! Verteidige   5
dich! Sage doch etwas wie Mann zu Mann!
Sprich meinetwegen wie Freund zum Freund.
Tat ich dir unrecht? Belehre mich doch! Rede!
Du kannst doch reden wie wir. Warum kriechst
du denn immer vor mir herum? Die Feigheit   10
veracht ich, das weißt du ja. Sage: mein Vater
ist ein Tyrann. Mein Vater quält mich. Mein
Vater plagt mich. Er ist wie der Teufel hinter
mir her. Sag das und sag es ihm frei heraus.
Sage mir, wie ich mich bessern soll. Ich werde   15
mich bessern, auf Ehrenwort. Oder meinst du,
ich habe in allem recht?

ARNOLD *(seltsam erregungslos und gleichgültig).*
Es kann ja meinetwegen sein, daß du recht hast.

KRAMER. Gut. Wenn das deine Meinung ist.   20
Willst du dich denn nicht zu bessern versuchen?
Arnold, hier reich ich dir meine Hand. Da,
nimm sie, hier ist sie, ich will dir helfen. Nimm
mich zum Kameraden an, nimm mich zum
Freund an in zwölfter Stunde! Aber, Arnold,   25
die zwölfte Stunde ist da. Täusche dich nicht,
daß sie wirklich da ist. Raffe dich, reiße dich
über dich selbst[7]. Du brauchst nur zu wollen,
dann ist es geschehen. Tue den ersten Schritt
zum Guten, der zweite und dritte geht sich von   30
selbst. Ja? Willst du? Willst du dich bessern,
Arnold?

ARNOLD *(mit gemachtem Befremden).* Ja, wie
denn? Worin denn?

KRAMER. In allem, ja?   35

ARNOLD *(bitter und bezüglich).* Ich hab nichts
dagegen. Warum denn nicht. Mir ist nicht sehr
wohl in meiner Haut.

KRAMER. Das will ich wohl glauben, daß dir
nicht wohl ist. Du hast den Segen der Arbeit   40
nicht. Arnold, den Segen mußt du erringen.
Du hast auf dein Äußeres angespielt *(Er nimmt
die Beethovenmaske.)* Da! sieh dir mal hier die
Maske an. Sohn Gottes, grabe dein Inneres aus[8]!
Meinst du vielleicht, der ist schön gewesen? Ist   45

es dein Ehrgeiz, ein Laffe[9] zu sein? Oder meinst
du vielleicht, Gott entzieht sich dir, weil du
kurzsichtig bist und nicht gerade gewachsen?
Du kannst soviel Schönheit in dir haben, daß die
Gecken um dich wie Bettler sind. Arnold, hier
hast du meine Hand. Hörst du? vertraue mir
dieses Mal! Verstecke dich nicht, sei offen mit
mir! Sei es um deinetwillen, Arnold! Mir liegt
nichts daran, wo du gestern warst; aber sag es
mir. Hörst du? um deinetwillen. Vielleicht
lernst du mich kennen, wie ich bin. Nun also:
Wo warst du gestern Nacht?

ARNOLD *(nach einer Pause, mit tiefer Blässe, nach
sichtlichem Kampf).* Vater, ich hab's dir ja schon
gesagt.

KRAMER. Ich habe vergessen, was du gesagt
hast. Wo warst du also? Verstehst du mich? Ich
frage dich nicht, um dich deshalb zu strafen.
Nur um der[9a] Wahrhaftigkeit frag ich dich. Er-
weise dich wahrhaft und weiter nichts.

ARNOLD *(mit Stirn[10], trotzig).* Ich war doch
bei Alfred Fränkel.

KRAMER. So!

ARNOLD *(wieder unsicherer).* Wo soll ich denn
sonst gewesen sein?

KRAMER. Du bist nicht mein Sohn! Du kannst
nicht mein Sohn sein! Geh! Geh! Mich ekelt's!
Du ekelst mich an!

Arnold drückt sich sogleich hinaus[11].
(Der Vorhang fällt.)

Dritter Akt

*Das Restaurant von Bänsch. Kleineres, altdeutsches
Bierlokal[12], Täfelung[13]. Gebeizte[14] Tische und
Stühle. Links sauberes Büfett[15] mit Marmortafel
und blank geputzten Bierhähnen[16]. Hinterm Büfett
ein Aufbau[17] für Liköre usw., darin ein viereckiges
Klappfensterchen[18] nach der Küche. Tür zu den
Wirtschaftsräumen[19] hinterm Büfett links. Großes
Schaufenster mit sauberen Vorhängen, daneben eine
Glastür auf die Straße. Rechts Tür in ein anstoßen-
des Zimmer. Abenddämmerung.*

---

[7] pull yourself together and make an effort to rise above yourself   [8] you child of God, look into the depths of your soul

[9] fop   [9a] genitive with *willen*   [10] brazenly   [11] edges out
[12] old German style (i.e., imitation Renaissance) beer
restaurant   [13] paneled walls   [14] stained   [15] bar with
marble top   [16] faucets   [17] cupboard   [18] small tilting
window   [19] kitchen, etc.

Liese Bänsch, hübsch und propper[20] gekleidet, in einer weißen Schürze, kommt langsam durch die niedrige Tür hinter dem Büfett. Sie blickt flüchtig von der Häkelarbeit[21] auf und gewahrt Arnold, der hinter seinem Glas Bier am vorderen Tisch rechts sitzt. Kopfschüttelnd häkelt sie weiter.

ARNOLD *(sehr blaß, leise und nervös mit dem Fuß klappend, starrt lauernd zu ihr hinüber und sagt.)* Gut'n Abend.

LIESE BÄNSCH *(seufzt ostentativ und wendet sich weg).*

ARNOLD *(mit Betonung).* Gut'n Abend. *(Liese antwortet nicht.)* Na wenn Sie nicht wollen, auch gut, dann nicht. Ich reiße mich[22] weiter nicht darum. *(Fährt fort, sie stumm und fieberhaft erregt anzublicken.)* Warum machen Sie da so 'ne Bude auf, wenn Sie so unhöflich sind zu den Gästen?!

LIESE BÄNSCH. Ich bin nicht unhöflich. Lassen Sie mich!

ARNOLD. Ich habe Ihnen gut'n Abend gesagt.

LIESE BÄNSCH. Ich habe Ihnen darauf geantwortet.

ARNOLD. Das ist nicht wahr.

LIESE BÄNSCH. So?! Also! Mich rührt das im übrigen nicht. *(Pause. Arnold schießt mit einem Gummischnepper[23] einen Papierpfeil nach Liese. Liese Bänsch zuckt hochmütig-wegwerfend[24] die Achseln.)*

ARNOLD. Denken Sie, daß mir das Eindruck macht?

LIESE BÄNSCH. Ich werde wohl denken, was mir beliebt.

ARNOLD. Ich zahle mein Bier so gut wie die andern. Verstehen Sie mich?! Das bitt ich mir aus[25]. Oder muß man hier ein Monokel tragen? Was[26] verkehrt denn in Ihrem famosen Lokal? Denken Sie, daß ich da Reißaus nehme[27]? Vor den Spießern[28] noch lange nich.

LIESE BÄNSCH *(drohend).* Na treiben Sie's bloß nicht zu bunt, Mosje[29]!

ARNOLD. Aha! Das sollte bloß einem mal einfall'n[30]. Der sollte sich wundern, verstehn Se woll[31]! Wenn er nämlich dazu überhaupt

noch Zeit hat. *(Liese Bänsch lacht.)* Wenn einer mich anpackt — verstanden? — dann knallt's[32].

LIESE BÄNSCH. Arnold, ich werde Sie bald mal anzeigen[33], wenn Sie immer mit solchen Sachen drohn.

ARNOLD. Was denn? Ich sage, wie jemand mich anpackt! Und Ohrfeigen knallen doch außerdem auch.

LIESE BÄNSCH. Beleidigen Sie unsere Gäste nicht!

ARNOLD *(lacht mehrmals boshaft in sich hinein, trinkt und sagt dann).* Nullen[34]! Was gehn mich die Nullen an?!

LIESE BÄNSCH. Was sind denn Sie, wenn Sie sich so auftun[35]? Was haben denn Sie schon geleistet, was?

ARNOLD. Das verstehen Sie eben leider bloß nicht!

LIESE BÄNSCH. Ach ja doch! Das könnte jeder sagen. Gehn Sie mal erst und machen Sie was! Und wenn Sie gezeigt haben, daß Sie was können, dann fallen Sie über die andern her[36]. *(Pause.)*

ARNOLD. Liese, hören Sie mich mal an. Ich will Ihnen das mal erklären richtig.

LIESE BÄNSCH. Ach was denn! Sie machen ja alles schlecht[37]. Herr Quantmeyer wäre kein richtiger Jurist, Herr Baumeister Ziehn kein richtiger Baumeister, das ist ja doch alles der reinste Stuß[38].

ARNOLD. Im Gegenteil! Reinste Wahrheit ist das. Hier kann so 'n Baukerl[39], wie der, sich breitmachen[40], und wenn er von Kunst keinen Schimmer[41] hat. Wenn der aber unter Künstler kommt, dann gilt er soviel wie 'n Schustergeselle.

LIESE BÄNSCH. Da sind Sie wohl Künstler? *(Mitleidig.)* Großer Gott!

ARNOLD. Auch noch bin ich[42] Künstler. Gewiß bin ich das. Sie brauchen bloß mal in mein Atelier kommen ...

LIESE BÄNSCH. Da werd ich mich freilich hüten, mein Herr.

ARNOLD. Reisen Sie mal nach München hin

---

[20] neatly [21] crocheting [22] kill myself [23] rubber slingshot [24] in haughty disparagement [25] I'd like to have you understand [26] what sort of people [27] run away [28] philistines, lowbrows [29] don't carry things too far, Monsieur [30] I'd like to see someone try it [31] popular for: *wohl*

[32] there'll be a bang [33] report you (to the police) [34] nonentities [35] brag [36] attack [37] i.e., vilify everything [38] sheerest nonsense [39] "bricklayer" (contemptuous for *Baumeister*) [40] spread himself [41] gleam, hint [42] yes I am

und fragen Sie rum bei den Professoren, —
weltberühmte Leute sind das! — ob die wohl
vor mir verfluchten Respekt haben.

LIESE BÄNSCH. Sie nehmen den Mund voll[43],
nicht Herr Ziehn ...

ARNOLD. Die haben Respekt und die wissen,
warum. Ich kann mehr, als die Kerle alle zusammen. Im kleinen Finger. Zehntausendmal mehr.
Mein eigner Vater mit inbegriffen.

LIESE BÄNSCH. Sie nehmen den Mund voll,
nicht Herr Ziehn. Wenn wirklich mit Ihnen so
riesig viel los wäre[44], dann sähen Sie freilich
anders aus.

ARNOLD. Wieso?

LIESE BÄNSCH. Wieso? Na, das ist doch ganz
einfach: berühmte Maler verdienen doch Geld.

ARNOLD *(heftig).* Geld! Hab ich denn etwa
kein Geld verdient? Geld wie Mist, da fragen
Sie mal. Da brauchen Sie bloß meinen Vater
fragen. Gehn Sie und fragen Sie: Ehrenwort!

LIESE BÄNSCH. Wo lassen Sie denn das viele
Geld?

ARNOLD. Ich? Warten Sie nur, bis ich majo-
renn[45] bin. Wenn einer so 'n knausrigen[46]
Vater hat —? Liese, sei'n Sie mal bißchen anständig.

LIESE BÄNSCH. Fritz!

FRITZ *(fährt aus dem Schlaf).* Ja!

LIESE BÄNSCH. Fritz! Gehn Sie mal in die
Küche, Fritz. Es sind neue Sektgläser angekommen, ich glaube, die Herren trinken heut Sekt.

FRITZ. Jawohl! Mit Vergnügen, Fräulein
Bänsch. *(Ab. Liese Bänsch steht am Schreibtisch,
Arnold den Rücken zugewendet, löst einige Nadeln[47]
aus ihrem Haar und bindet es frisch auf.)*

ARNOLD. Das haben Sie mächtig schneidig[48]
gemacht.

LIESE BÄNSCH. Bilden Sie sich nur ein, was
Sie wollen. *(Plötzlich dreht sie sich herum und
gewahrt Arnold, der sie über die Brille hin anglotzt.)*
Herr Jesus, da glotzt er schon wieder so!

ARNOLD. Liese!

LIESE BÄNSCH. Ich bin keine Liese für Sie.

ARNOLD. Ach, Lieschen, wenn Sie vernünftig

sein wollten, Sie kleine, nichtsnutzige Bierhebe[49]
Sie! Mir is ja so jämmerlich scheußlich zumute.

LIESE BÄNSCH *(lacht, halb belustigt, halb spöttisch.)*

ARNOLD *(leidenschaftlicher).* Ja, lachen Sie,
wenn Sie lachen können! Lachen Sie, lachen Sie
immerzu. Vielleicht bin ich auch wirklich
lächerlich. Ich meine äußerlich, innerlich nicht.
Denn wenn Sie mich innerlich könnten betrachten, da brenn[50] ich die Kerls von der Erde
weg.

LIESE BÄNSCH. Arnold, regen Sie sich nicht
auf. Ich glaub's Ihnen ja, ich will's Ihn' ja glauben. Aber erstens sind Sie doch viel zu jung, und
zweitens — drittens — viertens — fünftens ...
das ist ja doch reinster Wahnsinn, Kind! Na
höre, sei mal vernünftig, ja?! Du tust mir ja
leid. Was soll ich denn machen?

ARNOLD *(schwer ächzend).* Das sitzt einem wie
die Pest im Blut.

LIESE BÄNSCH. Dummheiten! Steigen Sie mal
auf die Bank und geben Sie mir mal den Kübel[51]
herunter. *(Arnold tut es ächzend.)* Ich bin doch
'n Mädchen wie viele sind. Na hopp! Hopp! —
*(Sie hat ihm die Hand hinaufgereicht, er ergreift sie
und springt herunter. Dann hält er die Hand fest,
und wie er sich beugt, um sie zu küssen, zieht Liese
die Hand weg.)* Is nicht, Goldchen[52]! So! Sie
kriegen noch zehne für eine[53], mein Schatz.

ARNOLD. Liese, was soll ich für Sie tun?
Plündern, rauben, stehlen? Sonst was?

LIESE BÄNSCH. Sie sollen mich freundlichst in
Frieden lassen. *(Die Tür im Nebenraume geht.
Liese Bänsch horcht, zieht sich gänzlich verändert
hinter das Büfett zurück und ruft durch die Küchen-
klappe.)* Fritz! Gäste! Schnell, beeilen Sie sich!
*(Die Tür geht wieder, man hört eine lärmende Ge-
sellschaft in das Nebenzimmer eintreten.)*

ARNOLD. Bitte, ich wünsche noch ein Glas
Bier. Ich setze mich aber ins andre Zimmer.

LIESE BÄNSCH *(mit gemachter Fremdheit).* Herr
Kramer, Sie sitzen doch hier ganz gut[54].

---

[43] brag   [44] if you really were such a big shot   [45] of age
[46] stingy   [47] = Haarnadeln, hairpins   [48] smartly

[49] good-for-nothing beer Hebe (Hebe was the Greek goddess
of youth; she filled the cups of the gods with nectar.)   [50]
i.e., with the fire of genius   [51] champagne bucket   [52]
nothing doing, darling   [53] you'll get ten others (i.e., girls)
for this one   [54] i.e., comfortably

ARNOLD. Ja. Aber es zeichnet sich drin viel besser[55].

LIESE BÄNSCH. Arnold, Sie wissen, es wird wieder Streit setzen[56]. Sein Sie vernünftig, bleiben Sie hier.

ARNOLD. Um keinen Preis der Welt, Fräulein Bänsch. *(Baumeister Ziehn tritt ein, sehr lustig.)*

BAUMEISTER ZIEHN. Hurrah, Fräulein Lisbeth, die Bande ist da, die ganze, feucht-fröhliche Brüderschaft[57]. Was machen Sie? Wie geht's Ihnen denn? Ihr „Bräutigam" schmachtet schon allbereits[58]. *(Er gewahrt Arnold.)* Potz Donnerwetter, entschuldigen Sie!

LIESE BÄNSCH. Fritz! Fritz! Die Herren vom Stammtisch sind da.

BAUMEISTER ZIEHN *(am Apparat eine Zigarre abknipsend).* Fritz, Bier her, Bier her, in Teufels Namen! — Wie geht's dem Papa?

LIESE BÄNSCH. Ach gar nicht besonders, wir haben heut zweimal den Arzt geholt. *(Assessor Schnabel kommt herein.)*

ASSESSOR SCHNABEL. Herr Baumeister, machen wir heut einen Skat[59]?

BAUMEISTER ZIEHN. Ich denke, wir wollten die Gans ausknobeln[60] und wollten dazu mal 'ne Buddel Sekt[61] trinken?

ASSESSOR SCHNABEL *(hebt die Arme, singt und tänzelt).*

„Lieschen hatte einen Piepmatz[62]
in dem kleinen Vogelhaus."
Lassen Sie doch Ihren Freund nicht verschmachten!

BAUMEISTER ZIEHN *(leise, mit Blicken auf Arnold).* Freilich, 'n Gänsebein muß er auch abkriegen[63].

ASSESSOR SCHNABEL *(hat Arnold bemerkt, ebenso verstohlen).* Ach so! das ist ja der steinerne Gast[64], Raffael in der Westentasche[65]. Bitte um recht viel Brot, Fräulein Lieschen. Zu meiner Portion möcht ich recht viel Brot. *(Fritz ist hereingekommen und hantiert hinterm Büfett.)*

LIESE BÄNSCH. Was hatten Sie denn bestellt, Herr Assessor?

ASSESSOR SCHNABEL. Ach so! Ein Paprikaschnitzel mit Brot. Mit kolossal viel Brot, liebes Lieschen. Ich esse nämlich gern riesig viel Brot.

BAUMEISTER ZIEHN. Da sollte man Ihnen den Brotkorb hochhängen. *(von Krautheim kommt, stud. jur., bemoostes Haupt[66].)*

VON KRAUTHEIM. Um Gottes willen, wo bleibt denn der Stoff, Fritz?

FRITZ. Meine Herren, es ist eben frisch angesteckt[67].

ASSESSOR SCHNABEL *(bemonokelt den Bierhahn).* Einstweilen kommt Luft, Luft, Luft, nichts als Luft.

(Arnold nimmt seinen Hut, steht auf und begibt sich ins Nebenzimmer. Ab.)

VON KRAUTHEIM. Nun hat sie sich wenigstens doch gereinigt. Luft ist es, doch es ist reine Luft.

ASSESSOR SCHNABEL *(singt).* „Du bist verrückt, mein Kind, du mußt nach Berlin[68]." Gott sei Dank, er entfleucht, er weichet von hinnen[69].

FRITZ. Das glauben Se nicht, der geht bloß da rein, der will bloß dort sitzen, wo die Herren sitzen.

LIESE BÄNSCH *(affektiert).* Ich finde das geradezu ridikül.

BAUMEISTER ZIEHN. Quartieren wir einfach in dieses Zimmer.

VON KRAUTHEIM. Das wär ja noch schöner, erlauben Sie mal! vor jedem Pavian[70] werden wir auskneifen[71]! *(Quantmeyer kommt, schneidiges Äußere, Monokel.)*

QUANTMEYER. Gut'n Abend! wie geht's dir, mein liebes Kind? *(Er faßt Liesens Hände, sie wendet den Kopf ab.)* Der fatale[72] Kramer is auch wieder da.

ASSESSOR SCHNABEL. Und wo sich das Bengelchen[73] sonst überall rumtreibt! Gestern Morgen hab ich ihn noch gesehn — ein Anblick für

---

[55] in there is a better place for drawing   [56] there'll be quarreling again   [57] merry tippling fraternity   [58] Ziehn affects a precious jargon for humorous effect.   *Potz Donnerwetter* a mild oath; *Potz* is a euphemism for *Gotts*   [59] a favorite German card game   [60] we were going to shoot crap for the goose   [61] a bottle of champagne   [62] dickeybird   [63] he must get a drumstick too   [64] allusion to the legend of Don Juan, in which the statue of the dead Commander appears to take vengeance on Don Juan   [65] a vest-pocket Raphael

[66] law student, loafer   [67] we've just tapped the new keg   [68] a popular hit of the day, ending: „wo die Verrückten sind, da mußt du hin."   [69] he flees, he retreats from here (archaic diction; perhaps a quotation from some older work)   [70] baboon   [71] run away   [72] awful   [73] precious lad

Götter, sage ich euch! — am Ringe[74], in einem Weiberbums[75], in einer ganz hundsgemeinen Verfassung[76]. Wenn der hier fertig ist, fängt er erst an.

QUANTMEYER. Schatz, sag mal, bist du wohl böse auf mich?

LIESE BÄNSCH *(löst sich los, lacht, ruft durchs Küchenfenster)*. Ein Paprikaschnitzel für Herrn Assessor.

ASSESSOR SCHNABEL. Aber Brot, viel Brot, vergessen Sie nicht. Kolossal viel Brot, ungeheuer viel. *(Allgemeines Gelächter.)*

FRITZ *(mit vier gefüllten Bierseideln)*. Meine Herren, hier ist Bier. *(Ab ins Nebenzimmer. Baumeister Ziehn, Assessor Schnabel und von Krautheim dem Kellner folgend. Pause.)*

QUANTMEYER. Sag' mal, Mieze[77], was tückschst[78] du denn so?

LIESE BÄNSCH. Ich? tückschen? Tücksch ich? Ach, was du nicht sagst[79]!

QUANTMEYER. Komm, Luderchen, maul nicht[80]! Komm, sei vernünftig. Schnell, gib mir dein kleines Fresselchen[81], rasch — und übermorgen besuchst du mich wieder. Übermorgen ist Sonntag, weißt du doch. Da sind meine Wirtsleute beide fort, keine Katze zu Hause, auf Ehrenwort.

LIESE BÄNSCH *(sie sträubt sich immer noch ein wenig)*. Sind wir verlobt oder nicht verlobt?

QUANTMEYER. Gewiß doch! wie[82] soll'n wir denn nicht verlobt sein? Ich bin doch ein unabhängiger Mensch. Ich kann doch heiraten, wen ich will.

LIESE BÄNSCH *(läßt sich küssen, gibt ihm einen leichten Backenstreich und entwindet sich ihm)*. Ach geh, dir glaub ich schon gar nichts mehr.

QUANTMEYER *(will ihr nach)*. Krabbe[83], was bist du denn heute so frech? *(Die Glastür geht. Michaline tritt ein.)*

LIESE BÄNSCH. Pst[84]! —

QUANTMEYER. Donnerwetter, was will denn die hier? *(Michaline tritt tiefer in das Lokal herein und sieht sich um. Liese Bänsch ist hinter den Schranktisch[85] getreten und beobachtet.)*

QUANTMEYER *(scheinbar harmlos, indem er seine Zigarre abknipst)*. Warte man, Lieschen, ich räche mich noch. *(Ab ins Nebenzimmer.)*

LIESE BÄNSCH *(nach kurzer Pause)*. Suchen Sie jemand, meine Dame?

MICHALINE. Das ist hier das Restaurant von Bänsch?

LIESE BÄNSCH. Gewiß.

MICHALINE. Ich danke, dann weiß ich Bescheid[86], dann werden die Herrschaften sicher noch kommen. *(Sie will in das Nebenzimmer.)*

LIESE BÄNSCH. Dort sind nur die Herren vom Stammtisch drin.

MICHALINE. So? Ich erwarte ein junges Ehepaar. Da werde ich mich gleich hier irgendwo hinsetzen.

LIESE BÄNSCH. Bitte hier? Oder da? Oder hier vielleicht?

MICHALINE *(auf der Wandbank vor dem Büfett Platz nehmend)*. Ich danke. Hier werd ich mich niederlassen. Ein kleines Glas Bier.

LIESE BÄNSCH *(zu Fritz, der gerade zurückkommt)*. Fritz, ein kleines Glas Bier. *(Sie lehnt sich zurück, tut sehr gesetzt und ordentlich[87], zupft an ihrer Toilette und beobachtet Michaline mit großem Interesse, dann beginnt sie wieder.)* Es ist wohl recht schlechtes Wetter draußen?

MICHALINE *(indem sie die Gummischuhe auszieht, hernach den Mantel und schließlich den Hut abnimmt)*. Ja, Gott sei Dank hab ich Gummischuhe. Es sieht in den Straßen recht böse aus. *(Sie nimmt Platz, ordnet ihr Haar und trocknet ihr Gesicht.)*

LIESE BÄNSCH. Wünschen Sie einen Kamm, meine Dame? Ich kann Ihnen dienen, bitte sehr. *(Sie kommt und überreicht Michaline ihren Kamm.)*

MICHALINE. Sie sind sehr freundlich, danke recht schön. *(Sie nimmt den Kamm und bemüht sich, die Frisur in Ordnung zu bringen.)*

LIESE BÄNSCH *(steckt ihr einen Haarsträhn zurecht)*. Erlauben Sie, daß ich behilflich bin?

MICHALINE. Ich danke. Ich komme nun schon zurecht. *(Liese Bänsch geht ans Büfett zurück und fährt fort, Michaline mit Interesse zu betrachten. Fritz bringt das Bier und stellt es vor Michaline hin, dann nimmt er eine Zigarrenkiste und trägt sie ins andere Zimmer. Ab. Gelächter im Nebenzimmer.)*

[74] the boulevard that circles the city   [75] a red-light joint   [76] in a disgusting condition   [77] kitten, puss   [78] pout   [79] how you talk   [80] hussy, don't sulk   [81] kisser   [82] why   [83] crab (a pet name for merry children)   [84] sh!   [85] bar   [86] i.e., I'm in the right place   [87] acts very sedate and proper

MICHALINE. Es geht ja da drin sehr lustig zu.

LIESE BÄNSCH *(zuckt die Achsel, nicht ohne Affektation)*. Tja ja[88], das ist nu mal nich zu ändern, das lassen sie sich nicht nehmen[89], die Herren. *(Sie kommt wieder etwas nach vorn.)* Sehn Sie, ich mag es ja eigentlich nicht, das laute Wesen[90] und alles das, aber wissen Sie: Vater ist krank geworden, Mutter verträgt den Rauch nicht recht und außerdem pflegt sie natürlich Papa. Was bleibt einem da übrig, da muß man halt einspringen.

MICHALINE. Gewiß, das ist ja dann Ihre Pflicht.

LIESE BÄNSCH. Na, außerdem ist man jung, nicht wahr? Es sind ja auch nette Herren darunter, wirklich fein gebildete, nette Herren. Man lernt ja auch dies und jen's unter Menschen.

MICHALINE. Gewiß! Natürlicherweise! Gewiß.

LIESE BÄNSCH. Wissen Sie, was aber eklig ist? *(Plötzlich vertraulich.)* Wenn sie dann immer das Zanken kriegen[91]. Erst trinken sie und dann zanken sie sich. Himmel, da muß man sich so in acht nehmen. Da hat man einen zu freundlich begrüßt, da soll man jenem die Hand nicht geben, den dritten nicht mit dem Arme berühren — man weiß es noch gar nicht mal, daß man's getan hat! — den vierten soll man nicht immer ansehen, den fünften soll man hinausbefördern. Mann kann's doch nicht jedem recht machen, gelt? Aber gleich, hurr[91a], geraten sie sich in die Haare.

STIMMEN *(aus dem Nebenzimmer)*. Liese, Liese, wo stecken Sie denn?

LIESE BÄNSCH *(zu Michaline)*. Ich bleibe bei Ihnen, ich geh nicht rein. Es wird mir jetzt immer zu ungemütlich. So'n Bräutjam zwischen den andern Herren — nu sagen Sie selber, das geht doch nicht. Natürlich soll man da schön mit ihm tun[92]. Nu frag ich doch jeden ... das kann man doch nicht.

MICHALINE. Das darf er wohl auch nicht verlangen, Ihr Bräutjam.

LIESE BÄNSCH. Nein, nein, das verlangt er natürlich nicht, aber wenn auch ... *(Sie steht wieder auf, da Fritz mit leeren Bierseideln kommt.)*

Folgen Sie bloß meinem Rat: nur ja nicht sich mit Verehrern einlassen!

(Lachmann kommt durch die Glastür, bemerkt Michaline sogleich und reicht ihr die Hand.)

LACHMANN *(indem er seinen Überzieher und Hut aufhängt)*. Michaline, wir sind recht alt geworden.

MICHALINE *(belustigt)*. Nanu, damit springst du mir gleich ins Gesicht?

LACHMANN. Ich wenigstens. Ich. Du nicht, aber ich. Und wenigstens mit deinem Vater verglichen. *(Er nimmt Platz.)*

MICHALINE. Wieso?

LACHMANN. Aus Gründen[93]! Aus Gründen! Gewiß. Als ich damals in eure Kunstschule eintrat ... Kottsdonnerwetter[94]! Und dagegen heut. Da ist man sehr rückwärts avanciert!

MICHALINE. Wieso? Es fragt sich nur immer: wieso?

LACHMANN. Na: Gott und den Teufel wollte man aussöhnen! Was wollte man nicht? Und was konnte man nicht? Wie stand man da vor sich selber damals! Und jetzt? Heut ist man so ziemlich bankrott.

MICHALINE. Wieso bankrott? In bezug auf was?

LACHMANN. In bezug auf manches und noch was dazu. An Illusionen, zum Beispiel.

MICHALINE. Hm! Ich denke, man lebt doch auch so ganz leidlich! Legst du denn da soviel Wert darauf?

LACHMANN. Ja. Alles andere ist zweifelhaft. Die Kraft zur Illusion, Michaline: das ist der beste Besitz in der Welt. Sobald du erst nachdenkst, wirst du das merken.

MICHALINE. Du meinst also eigentlich Phantasie: und ohne die kann ja ein Künstler nicht sein.

LACHMANN. Ja. Phantasie und den Glauben daran. — Einen Schoppen Roten[95], bitte, wie gestern.

LIESE BÄNSCH *(welche den Wein schon vorbereitet und die Flasche entkorkt hat)*. Ich habe den Herrn gleich wiedererkannt. *(Sie setzt Flasche und Glas vor Lachmann hin.)*

LACHMANN. So!? Freut mich! Wenn ich das

---

[88] yes, yes [89] they won't give that up [90] loud behavior
[91] start scrapping [91a] a sound imitating speed: whirr
[92] be nice to him

[93] for good reasons [94] by Jove (*Kotts* = euphemism for *Gott*)
[95] a pint of red wine

nötige Geld hätte, so tränken wir heute Champagnerwein. *(Pause.)*

MICHALINE. Du fällst ja von einem Extrem ins andre. Wie reimt sich denn das zusammen[96], Lachmann?

LACHMANN. Gar nicht. Das ist ja der Witz von der Sache. Mit mir ist's zu Ende, ganz einfach. Punkt! Nu kann das fidele[97] Leben ja anfangen.

(Im Nebenzimmer entsteht wiederum Gelächter und Lärm. Liese Bänsch schüttelt mißbilligend den Kopf und begibt sich hinein. Ab.)

MICHALINE. Du bist ja so sonderbar aufgeregt.

LACHMANN. So? Findst du? Siehst du, sonst schlaf ich gewöhnlich. Gott sei Dank, ich bin etwas aufgeregt, aber leider ... lange wird das nicht vorhalten. — Das Alter! Das Alter! Man stirbt sachtchen[98] ab.

MICHALINE. Ich finde dich gar nicht so alt, lieber Lachmann.

LACHMANN. Topp[99], Michaline! Dann heirate mich.

MICHALINE *(überrascht, heiter)*. Na, das gerade nicht! Das will ich nicht sagen! Dazu sind wir nun beide wirklich zu alt. Aber siehst du: so lange du so bei Humor bist, steht's wirklich durchaus noch nicht schlimm um dich.

LACHMANN. Ja. Doch! Doch! Doch! — Aber lassen wir das.

MICHALINE. Sag' mal, was hat dich denn so deprimiert[1], höre?

LACHMANN. Nichts! Denn ich bin gar nicht deprimiert. Ich habe nur wieder mal Rückschau gehalten und bemerkt, daß man eigentlich gar nicht mehr lebt.

MICHALINE. Wieso? Da frage ich wieder, wieso?

LACHMANN. Der Fisch ist ans Wasser angepaßt. Was leben will, braucht seine Atmosphäre. Das ist im Geistigen ebenso. Ich bin in die falsche hineingedrückt. Ob du willst oder nicht, du mußt sie einatmen. Und siehst du, da wirst du selber erstickt. Du empfindest dich nicht mehr. Du kennst dich nicht mehr. Du weißt überhaupt von dir selber nichts mehr.

MICHALINE. Da bin ich doch besser dran[2],

muß ich sagen, in meiner freiwilligen Einsamkeit.

LACHMANN. Ihr seid überhaupt hier besser dran. Von dem Riesen-Philistercancan der Großstadt[3] seht ihr hier nichts und hört ihr hier nichts. Doch ist man erst mal da hineingeraten, so wirbelt es einen[4] durch dick und dünn. — Man will immer raus in die weite Welt. Ich wünschte, ich wäre zu Hause geblieben. Sie ist gar nicht weit, die Welt, Michaline! Sie ist überall nicht weiter als hier! Und hier auch nicht enger als anderwärts. Und wem sie zu eng ist, der muß sie sich weiten: das hat hier zum Beispiel dein Vater getan. Wie gesagt: als ich hier in die Kunstschule eintrat, im Frühling, damals ...

MICHALINE. Es war im Herbst.

LACHMANN. Mir ist da nur Frühling erinnerlich. Da trat man heraus aus dem Kleinbürgerpferch[5]. Und da war es wirklich ... da konnte man sagen ... da tat sich die Welt auf, groß und weit. Heut ist man ganz wieder hineingeraten. Häuslich und ehelich eingesargt[6].

MICHALINE. Ich sehe dich immer noch stehen, Lachmann, mit deinem gelben, seidigen Haar: im Gange, du weißt ja, vor Vaters Tür. Vaters Studio war damals noch oben, noch nicht in dem kleinen Flügel für sich. Weißt du's noch, oder hast du's vergessen?

LACHMANN. Ich? Nein, du[7]! So was vergißt sich nicht. Nichts hab ich vergessen, was damals geschah. Da ist mir der kleinste Zug geblieben. Das war aber auch unsre große Zeit. Man kann das ja nicht im entferntesten ausdrücken: das Mysterium, was sich damals vollzog[8]. Ein geprügelter Lausbub[9] war man gewesen, nun plötzlich empfing man den Ritterschlag[10].

MICHALINE. Das empfanden nicht alle wie du, lieber Lachmann. Sehr viele hat Vaters Wesen bedrückt.

LACHMANN. Ja. Aber die waren dann auch danach[11]. Wer halbwege etwas in sich hatte, den machte er adlig mit einem Schlag. Denn

---

[3] the gigantic cancan of the big-city philistines (The cancan is a vulgar dance.)   [4] you are whirled around   [5] petty bourgeois coop   [6] buried as a householder and husband   [7] my dear   [8] the mystic rites that were administered then   [9] whipped urchin   [10] accolade (of knighthood)   [11] of that sort, i.e., it was their own fault

[96] how do these things go together?   [97] merry   [98] by and by   [99] O.K.   [1] depressed; *höre* eh?   [2] better off

wie er die Welt der Heroen uns aufschloß ...
schon daß er uns wert hielt der Nacheiferung
... und überhaupt: er ließ uns was fühlen, gegenüber den Fürsten im Reiche der Kunst, als
wär man mit ihnen eines Bluts. Da kam ein [5]
ganz göttlicher Stolz, Michaline. — Na also.
Prosit! Es war einmal[12]. *(Er bemerkt, daß Michaline kein Glas hat, und wendet sich an Fritz, der
eben mit Sekt in das Nebenzimmer will.)* Ich bitte
um noch ein zweites Glas. *(Fritz bringt es schnell,* [10]
dann ab mit dem Sekt.)
    MICHALINE. Was ist dir denn nur so Besonderes
passiert, Lachmann?
    LACHMANN *(gießt ein)*. Ich hab deines Vaters
Bild gesehn. [15]
    MICHALINE. So!? Kommst du von Vater?
    LACHMANN. Ja. Eben. Direkt.
    MICHALINE. Na und hat dir das solchen
Eindruck gemacht?
    LACHMANN. So tief, wie nur irgend möglich. [20]
Ja.
    MICHALINE. Ganz ehrlich?
    LACHMANN. Ehrlich. Ehrlich. Gewiß.
    MICHALINE. Und du bist nicht enttäuscht?
    LACHMANN. Nein. Nein. Keinesfalls. Ich [25]
weiß, wo du hin willst[13]. Weshalb du fragst.
Aber fragmentarisch ist alle Kunst. Was da ist,
ist schön. Ergreifend und schön. Was erstrebt
ist und was man fühlt, Michaline. Der letzte
Ausdruck, nach dem alles ringt ... da erkennt [30]
man erst ganz, was dein Vater ist. — Das große
Mißlingen kann mehr bedeuten — am Aller-
größten tritt es hervor — kann stärker ergreifen
und höher hinaufführen — ins Ungeheure tiefer
hinein — als je das beste Gelingen vermag. [35]
    MICHALINE. Wie war denn Vater sonst so
gestimmt?
    LACHMANN: Er hat mir furchtbar die Kappe
gewaschen[14], was übrigens leider nun zwecklos
ist. Aber weißt du, wenn man die Augen so [40]
zudrückt und das wieder so über sich her-
rauschen[15] läßt, da kann man sich einbilden, wenn
man Lust hat, als wäre das noch erst der Früh-
lingsgruß und als sollte man wachsen, wer weiß
erst wie hoch. [45]
(Baumeister Ziehn und Assessor Schnabel kom-

*men herein. Sie sind angeheitert[16], sprechen laut und
ungeniert[17] und dann plötzlich wieder flüsternd im
Tone des Geheimnisses, der aber doch so ist, daß
jedermann alles hört. Gelächter im Nebenzimmer.)*
    BAUMEISTER ZIEHN. Fritz, schnell noch 'ne
Flasche Geldermann. Acht Mark die Flasche,
was kann da sein[18]? Die Sache fängt an, mich
zu amüsieren.
    ASSESSOR SCHNABEL. 'n gottvoller[19] Kerl,
dieser Quantmeyer, was? Hat Einfälle wie so 'n
altes Haus[20].
    BAUMEISTER ZIEHN *(unter Lachen)*. Ich denke
ja gleich, ich soll untern Tisch kriechen! —
(flüsternd.) Nehm' Se sich mal in acht, Assessor,
wenn Sie von alten Häusern reden, alte Schach-
teln[21] vertragen das nicht. *(Er macht Grimassen
und deutet mit den Augen auf Michaline.)*
    ASSESSOR SCHNABEL. Fritz, ist denn der Zirkus
Renz[22] wieder hier?
    FRITZ *(mit dem Champagner beschäftigt)*. Wieso,
Herr Assessor? Ist mir nichts bekannt.
    ASSESSOR SCHNABEL. Wieso, wieso? Das riecht
man doch förmlich. Riechen Sie denn die
Manege[23] nicht?
    BAUMEISTER ZIEHN. Es lebe die leichte Rei-
terei[24]!
    VON KRAUTHEIM *(kommt, will zum Büfett und
sagt im Vorübergehen zu Ziehn und Schnabel)*. Ist
das ein Mannsbild oder ein Weibsbild[25]?
    BAUMEISTER ZIEHN. Gehn Se, untersuchen Se
mal. *(Zu Schnabel, flüsternd.)* Sagen Sie mal, was
ist das mit Quantmeyer? Ist der nu eigentlich
auch Jurist? Man wird eigentlich gar nicht klug
aus dem Menschen[26]. Wovon lebt er denn?
    ASSESSOR SCHNABEL *(achselzuckend)*. Vom
Gelde doch wohl.
    BAUMEISTER ZIEHN. Ja, wer gibt's ihm denn?
    ASSESSOR SCHNABEL. Na, er scheint doch bei
Gelde[27], das ist doch die Hauptsache.
    BAUMEISTER ZIEHN. Na, und mit der Ver-
lobung, glauben Sie das?
    ASSESSOR SCHNABEL. Ziehn! Sie haben ent-
schieden 'n Schwips[28].

---

[16] tipsy [17] without embarrassment [18] who cares? [19] superb
[20] inspirations like a capital fellow [21] old maids [22] a famous
German circus [23] circus ring [24] light cavalry [25] male or
female [26] you can't make heads or tails of the fellow
[27] seems to be in the money [28] you're decidedly tipsy

[12] i.e., that's all past now [13] what you are driving at
[14] gave me a fearful dressing down [15] roar past

BAUMEISTER ZIEHN. Na, dann ist doch das Mädel horrende[29] dumm! 'n bißchen dumm darf 'n Mädel ja sein, aber hören Se, wenn sich eine so wegschmeißt ... (*Er spricht ihm etwas ins Ohr, dann lachen beide wüst[30] und rauchen heftig.*)
BAUMEISTER ZIEHN. Assessor, sehn Sie sich hier mal um. (*Er schiebt seinen Arm in den des Assessors und führt ihn ohne Rücksicht auf Michaline und Lachmann bis dicht an deren Tisch. Ohne um Entschuldigung zu bitten, beengt er sie und zeigt mit weit ausgestreckter Rechten laut und prahlerisch Einzelheiten des Raumes.*) Das hab ich gemacht, die ganze Geschichte. Die ganze Geschichte hab ich gemacht. Täfelung und Decke, Büfett und alles. Alles selber gezeichnet, alles mein Werk. Deswegen kneip[31] ich auch hier so gern. Wir haben Geschmack, sehn Se, meinen Sie nicht? Verflucht geschmackvolle Kneipe[32] das. (*Er läßt ihn los und zündet seine Zigarre mit einem Streichholz an, das er mit großer Umständlichkeit auf dem Tische Lachmanns und Michalinens in Brand gerieben. Wieder kommt Gelächter aus dem Nebenzimmer. Fritz trägt den Champagner hinein, Ziehn macht eine Wendung und sagt:*) Er wird wohl den Jüngling noch gänzlich verrückt machen. (*Assessor Schnabel zuckt die Achseln.*) Kommen Sie man, es geht wieder los. (*Beide ab ins Nebenzimmer. Michaline und Lachmann sehen einander bedeutsam an. Pause.*)
LACHMANN (*sein Zigarrenetui aus der Tasche nehmend, trocken*). Diese Typen finde ich mangelhaft. Erlaubst du, daß ich ein bißchen rauche?
MICHALINE (*einigermaßen unruhig*). Gewiß.
LACHMANN. Und du?
MICHALINE. Nein, danke. Hier nicht.
LACHMANN. Ja, ja, wir haben's hübsch weit gebracht: Wir Tausendsassas[33] von heutzutage. Oder sag mal ... zweifelst du etwa daran?
MICHALINE. Ich finde es nicht sehr gemütlich hier.
LACHMANN (*rauchend*). Und nähmst du Flügel der Morgenröte[34], so entgehst du doch dieser Sorte nicht. — Himmel, wie fing sich das alles an! Und heut schneidet man Häcksel für diese Gesellschaft[35]. Kein Punkt, in dem man so denkt wie sie. Alles hüllenlos Reine wird runterge-

zerrt. Der schlechteste Lappen, die schmierigste Hülle, der elendeste Lumpen wird heiliggesprochen. Und unsereiner muß[36] doch das Maul halten und rackert sich doch für die Bande ab. Prost, Michaline, dein Vater soll leben! Und die Kunst, die die Welt erleuchtet, dazu. Trotz alledem und trotz alledem! (*Sie stoßen an.*) Ja, wär ich noch fünf Jahr' jünger als heut ... da hätt ich mir sonst auch noch etwas gesichert, was mir heute leider verloren ist, und da sähe doch heut manches rosiger aus.
MICHALINE. Weißt du, was manchmal das Schwerste ist?
LACHMANN. Was?
MICHALINE. Unter Freunden?
LACHMANN. Was denn?
MICHALINE. Das: einander nicht stören in seinen Irrwegen! Na also, nochmals: Es war einmal. (*Sie stößt bedeutsam mit ihm an.*)
LACHMANN. Gewiß. Gewiß. Es geschieht mir auch recht. Die Zeit ist unwiederbringlich vorüber. Aber einstmals war es doch nahe dran ... und wenn du auch noch so sehr heute den Kopf schüttelst, da hätte ich bloß zu nicken gebraucht. (*Hallo und Gelächter im Nebenzimmer.*)
MICHALINE (*wird blaß; fährt auf*). Lachmann ... was? Hast du das gehört?
LACHMANN. Ja. Regt dich das wirklich auf, Michaline?
MICHALINE. Ich weiß wirklich selbst nicht, woran es liegt. Es hängt wohl wahrscheinlich damit zusammen, daß Arnold und Vater sehr gespannt sind und daß mich das etwas beschäftigt hat.
LACHMANN. Ja, ja. Aber wie denn? Wieso denn jetzt?
MICHALINE. Ich weiß nicht. Möchten wir nicht lieber fortgehn? Ach so, Deine Frau! Ja, dann warten wir noch. Aber wirklich, hier ist mir nicht gut zumute.
LACHMANN. Achte doch auf den Pöbel nicht. (*Liese Bänsch kommt aus dem Nebenzimmer.*)
LIESE BÄNSCH. Ach Gott im Himmel, nein, nein, aber auch! Da trinken die Herren soviel Champagner und dann wissen sie gar nicht mehr, was sie tun. Es ist wirklich ein Elend,

---

[29] terribly [30] lewdly [31] drink [32] joint [33] wizards
[34] Psalms 139:9 [35] one slaves for these people
[36] must keep his trap shut and wears himself to the bone for the gang

meine Herrschaften. *(Sie nimmt ungeniert auf einem Stuhl an Lachmanns und Michalines Tisch Platz. Ihre große Erregung läßt erkennen, daß irgend ein Vorfall ihr wirklich unangenehm gewesen ist.)*

LACHMANN. Die Herren benehmen sich wohl nicht ganz taktvoll?

LIESE BÄNSCH. Ach schon[37]. Sie sind ja soweit sehr anständig, aber sehn Sie, da ist so ein junger Mensch, den machen sie immer ganz ... *(sie schüttelt andeutend, wie in einer Art Besinnungslosigkeit den nach hinten übergelegten Kopf und macht dazu noch fahrige Gesten mit der Hand)* — ganz ... na, ich weiß nicht!

LACHMANN. Das ist wohl Ihr Bräutigam?

LIESE BÄNSCH *(tut so, als ob sie fröstelte, blickt auf ihren Busen herab und zupft dort Spitzen zurecht[38].)* Ach nein, es ist nur ein dummer Mensch, der sich allerhand Albernes in den Kopf setzt. Was geht mich der dumme Junge denn an? Er soll sich doch scheren[39] in Gottes Namen. *(Zu Michaline.)* Oder würden Sie sich das gefallen lassen, wenn einer so sitzt wie'n Marabu? Ich kann doch tun, was ich will, nicht wahr? Was geht mich denn so'n Aufpasser[40] an! *(Sie steht erregt auf.)* Übrigens ist mein Bräutjam betrunken, und wenn er sich so betrinken will, dann kann er's gefälligst[41] woanders tun. *(Sie hockt sich in die versteckteste Ecke des Büfetts. Pause.)*

LACHMANN. Du kannst dir nicht denken, wie das einen anmutet: dein Vater in seinem Atelier und hier diese ... sagen wir: noble Gesellschaft. Und wenn man sich dann an das Bild erinnert — das feierlich-ruhige Christusbild! — und sich das hier so vorstellt in all dem Dunst mit seiner erhabenen Ruhe und Reinheit — ganz seltsam wirkt das! Ganz sonderbar. — Ich freue mich, daß meine Hälfte[42] nicht da ist, ich hatte geradezu Angst davor.

MICHALINE. Wenn man nur wüßte, ob sie noch herkommt. Sonst würde ich vorschlagen ... fühlst du dich wohl?

LACHMANN *(der seine Zigarrentasche in den Überzieher zurücksteckt).* Ja. Seit unserm Anstoßen von vorhin. Trotz alledem! Und trotz alledem! Wenn zweie so sagen: es war einmal,

da ist immer auch noch was übrig geblieben, und darauf stoßen wir dann noch mal an. *(Im Nebenzimmer entspinnt sich nun, nach einem Lachausbruch, immer lauter werdend, folgender Wortwechsel:)*

QUANTMEYER. Wie heißen Sie? — Was sind Sie? Was? Was sitzen Sie immer hier und glotzen uns an? Und fixieren[43] uns? Wie? Was? Geniert Sie das? Geniert Sie das, wenn ich meiner Braut einen Kuß gebe? So! Denken Sie, ich werde Sie fragen? Sie! Sie! Sie! Sie sind ja meschucke[44]! Meschucke sind Sie!

STIMMEN DER ANDERN *(durcheinander unter Gelächter).* Duschen, duschen, 'ne kalte Dusche!

QUANTMEYER. Kann ich nicht hier mein Strumpfband zeigen? Meinen Sie, daß ich das nicht darf? *(Gelächter.)*

LACHMANN. Das scheint ja 'ne saubere Gesellschaft zu sein.

QUANTMEYER. Meinen Sie, daß ich das nicht darf? Ich trage Damenstrumpfbänder, basta[45]! Und wenn es nicht meins ist, na denn eben nicht! Dann ist es am Ende gar Lieschens gewesen. *(Lachen.)*

LIESE BÄNSCH *(zu Michaline und Lachmann).* Er lügt. Es ist 'ne Gemeinheit! Er lügt! Das will mein Bräutjam sein, der so lügt!

QUANTMEYER. Was? Was? Immer vorwärts, kommen Sie nur! Und wenn Sie zu Kalkmilch[46] werden, mein Junge, — das verdirbt mir die Laune noch lange nicht[47]. So 'n Klexer[48]! — so 'n Anstreicher! so 'n Malerstift! Ein Wort noch, dann fliegt er, verlaßt euch drauf!

LIESE BÄNSCH *(hastig und sich im Reden überstürzend[49].* Die Sache ist nämlich so gekommen ... Sie müssen nicht denken, meine Dame, daß ich Ihnen schuld bin an dem Skandal. Die Sache war so. Das kam nämlich so. Mein Bräutjam ist nämlich angeheitert, und da kniff er mich immer in den Arm, und nun hatten sie sich's in den Kopf gesetzt, sie wollten ihn eifersüchtig machen ...

LACHMANN. Wen wollten sie eifersüchtig machen?

---

[37] i.e , it isn't that so much [38] pulls bits of lace into place [39] clear out [40] snooper [41] if you please [42] i.e., wife [43] stare at [44] crazy (Hebrew) [45] so there [46] liquid lime [47] that can't make me mad [48] Dauber! Wall painter! Painter's boy! *(Stift* = tradesman's handy boy) [49] her words tumbling over each other

LIESE BÄNSCH. Den jungen Menschen, von dem ich sprach. Ich bin schon bei seinem Vater gewesen. Was hab ich nicht da schon alles getan? Es hilft nichts! Er kommt und sitzt in der Ecke und treibt es so lange, bis es so kommt.

LACHMANN. Was treibt er denn eigentlich?

LIESE BÄNSCH. Eigentlich gar nichts. Er sitzt eben nur und paßt immer auf. Das ist aber doch sehr unangenehm. Da kann er sich schließlich doch gar nicht wundern, wenn sie ihn systematisch hinausärgern[50]. *(Quantmeyer spricht wieder.)* Da sehn Sie's, da fängt es schon wieder an. Ich gehe wirklich zu Vater rauf, ich weiß mir wahrhaftig keinen Rat mehr[51].

QUANTMEYER. Wissen Sie noch, was ich eben gesagt habe? Nicht? Haben Sie das vergessen? Was? Dann hören Sie noch mal Wort für Wort: Meine Braut kann ich küssen, wie ich will, wo ich will, wann ich will. Der Deiwel[52] soll kommen und mich dran hindern. So. Nu sagen Sie noch ein Wort — und wenn es gesagt ist, liegen Sie draußen.

LIESE BÄNSCH. Pfui, Kuckuck[53]! Das will mein Bräutjam sein? Benimmt sich so und lügt solche Sachen?

(Aus einem plötzlichen Aufschreien aller Stimmen zugleich unterscheidet man folgende Worte:)

BAUMEISTER ZIEHN. Halt, Bürschchen, halt, so fett speisen wir nicht[54].

SCHNABEL. Was? Was? Polizei! Ins Loch mit dem Lümmel[55]!

VON KRAUTHEIM. Wegreißen, Quantmeyer! Kurzen Prozeß[56].

QUANTMEYER. Wagen Sie's! Wagen Sie's! Menschenskind[57]!!

ZIEHN. Wegreißen!

SCHNABEL. Wegreißen! Eins, zwei, drei.

QUANTMEYER. Weglegen! Hören Sie! Weglegen! Weglegen!

ZIEHN. Legen Sie das Ding weg oder nicht?

SCHNABEL. Seht ihr's, der Kerl ist 'n Anarchist.

(Es beginnt ein kurzes, stummes Ringen im Nebenzimmer.)

MICHALINE *(ist in plötzlicher, unerklärlicher*

Angst aufgesprungen und greift nach ihren Sachen). Lachmann, ich bitte dich, komm ... komm hier fort.

ZIEHN. So, Kinder, ich hab's. Nun haben wir dich.

SCHNABEL. Haltet ihn! Haltet den Schurken fest!

(Nun stürzt Arnold, tödlich blaß, herein und zur Tür hinaus. Ziehn, Schnabel und von Krautheim verfolgen ihn mit dem Ruf:) Festhalten! Festhalten! Haltet ihn fest! *(Sie rennen hinter ihm drein auf die Straße hinaus und verschwinden. Man hört ihre Rufe und die Rufe einiger Passanten, schwächer und schwächer werdend, bis sie aus der Ferne verhallen.)*

MICHALINE *(wie betäubt)*. Arnold! War das nicht Arnold?

LACHMANN. Still! *(Quantmeyer und der Kellner treten herein.)*

QUANTMEYER *(einen kleinen Revolver vorzeigend)*. Siehst du wohl, Lieschen, da hast du den Schuft! Sieh dir mal an gefälligst das Ding! Kostet zwar höchstens fünf, sechs Mark, hätte doch aber bös können was anrichten[58].

LIESE BÄNSCH. Lassen Sie mich doch bitte in Ruh!

FRITZ. Bitt' schön gefälligst! Bitte sehr! Gäste, die einen Revolver herausziehen und neben sich legen ... neben ihr Bier ... für solche Gäste bedien ich nicht.

LIESE BÄNSCH. Wenn Sie nicht wollen, dann lassen Sie's bleiben.

LACHMANN *(zu Fritz)*. Hat Sie der Herr damit bedroht?

QUANTMEYER *(mißt Lachmann mit einem Polizeiblick)*. Ja. Hat er! Der Herr! Oder zweifeln Sie dran? Das ist ja noch schöner, wahrhaftigen Gott! Wir werden uns wohl noch verantworten müssen.

LACHMANN. Ich habe mir nur zu fragen erlaubt. Den Kellner! Nicht Sie.

QUANTMEYER. Erlaubt! Erlaubt! Wer sind Sie? Was mischen Sie sich hier ein? Oder sind Sie vielleicht mit dem Früchtchen[59] verwandt? Dann wäre ja das sozusagen ein Aufwaschen[60]. Der Herr! *(Auflachend.)* Hat für heute wohl, denk ich, genug, der Herr! Die Lehre dürfte

[50] drive him out by annoying him   [51] I'm at my wits' end
[52] = Teufel   [53] shame on him   [54] whoa, lad, whoa, none of that stuff here   [55] put the lout in the clink   [56] make short work of him   [57] man alive

[58] could have made an awful mess   [59] rotter   [60] cleaning up, i.e., we'd kick you out too

dem Bengel wohl sitzen[61]. Aber denkst du, der Feigling hat sich gewehrt?

MICHALINE *(aus der Betäubung erwachend, steht auf, geht wie von Sinnen auf Quantmeyer zu.)* Arnold!!! War das nicht Arnold?!

QUANTMEYER. Was?

LIESE BÄNSCH *(den Zusammenhang ahnend, tritt blitzschnell zwischen Quantmeyer und Michaline; zu Quantmeyer:)* Weg! Lassen Sie unsere Gäste zufrieden ... ich rufe sonst auf der Stelle Papa.

MICHALINE *(mit einem schmerzlich verzweifelten Schrei, wie wenn sie Arnold zurückrufen wollte, in höchster Angst nach der Tür zu.)* Arnold!!! War das nicht Arnold?!

LACHMANN *(ihr nach, sie festhaltend).* Nein!! Nein, nein, Michaline! Fasse dich!

(Der Vorhang fällt.)

Vierter Akt

Das Atelier des alten Kramer, wie im zweiten Akt. Nachmittags gegen fünf Uhr. Der Vorhang, der das eigentliche Atelier abschließt, ist, wie immer, zugezogen. Kramer arbeitet an seinem Radiertischchen. Er ist angezogen wie im zweiten Akt. Schuldiener Krause entnimmt einem Handkorb, den er mitgebracht hat, blaue Pakete mit Stearinkerzen[62].

KRAMER *(ohne vom Arbeiten aufzusehn).* Legen Sie nur dahin die Pakete, dort, zu den Leuchtern, da hinten hin.

KRAUSE *(hat die Pakete auf den Tisch gelegt, wo mehrere silberne Armleuchter stehn. Danach bringt er einen Brief zum Vorschein und hält ihn in der Hand).* Sonst wär wohl jetzt weiter nischt, Herr Professor.

KRAMER. Professor? Was heißt das?

KRAUSE. Na, 's wird wohl so sein; hier is was von der Regierung gekomm'. *(Er legt den Brief vor Kramer auf das Radiertischchen.)*

KRAMER. Hm. So. An mich? *(Er seufzt tief.)* Allen schuldigen Respekt. *(Er läßt den Brief uneröffnet liegen und arbeitet weiter.)*

KRAUSE *(seinen Korb aufnehmend und im Begriff zu gehen).* Herr Professor, soll ich etwa wachen heut nacht? Sie müßten sich wirklich a bissel[63] ausruhn.

KRAMER. Wir lassen's beim alten[64], Krause. Was? Auch in bezug auf das Wachen, hör'n Se! und übrigens wär ich da schon versorgt. Ich habe mit Maler Lachmann gesprochen, Sie kennen ja Lachmann von früher her.

KRAUSE *(nimmt seine Mütze und seufzt).* Du lieber, barmherziger Vater, du, du! Sonst wäre wohl augenblicklich nichts?

KRAMER. Der Direktor ist drüben?

KRAUSE. Jawohl, Herr Kramer.

KRAMER. Ich danke, 's ist gut. Halt. Warten Sie mal noch 'n Augenblick. Am Montag abend ... wo war denn das? Wo hat Ihre Frau da den Arnold getroffen?

KRAUSE. Na halt[65] ... das war, wo die Kähne liegen ... halt[66] unter der Ziegelbastion[67]. Wo der Kahnverleiher die Kähne hat.

KRAMER. Auf dem kleinen Gang, der da unten rumführt? Dicht an der Oder?

KRAUSE. Jawohl. Ebens da[68].

KRAMER. Hat sie ihn da angeredet oder er sie?

KRAUSE. Nee ebens, a saß ebens uf 'm Geländer, so uf der Mauer, wissen Se doch, wo de manchmal de Leute dran stehn und zusehn, wie de Pollacken[69], wissen Se, uf a Flößen sich abends ihre Kartoffeln kochen. A kam halt der Frau aso[70] merkwürdig vor und da tat[71] s'm[72] halt ebens gut'n Abend sagen.

KRAMER. Was hat sie dann weiter gesprochen mit ihm?

KRAUSE. Se hat halt gemeent[73], a wär'[74] sich erkälten.

KRAMER. Hm! Und was hat er darauf gesagt?

KRAUSE. Wie ebens de Frau meente, hätt' a gelacht. Aber ebens so, sehn Se, meente de Frau, 's hätt sich sehr schrecklich angehört[75]. Aso verächtlich. Ich weeß weiter nich.

KRAMER. Wer verachten will ... alles verachten will, hör'n Se: der findet auch gute Gründe dazu. Ich wünschte, Sie wären zu mir

---

[61] I think the lout has been taught a good lesson. [62] paraffin candles

[63] = ein bißchen [64] we'll leave matters as they were [65] well [66] just [67] brick bastion [68] the very place [69] contemptuous name for Poles [70] = so [71] tat sagen = sagte [72] = sie ihm [73] = gemeint [74] = würde [75] sounded

gekommen! Ich glaube, es war wohl auch da schon zu spät.

KRAUSE. Ja, wenn ma's gewußt hätte! Weeß ma's denn? Wer tut denn gleich immer an so was denken!? Wiede[76] de Michaline kam — se kam doch zu mir mit 'm Herr Lachmann — da kriegt ich's ja mit d'r Angst zu tun[77]. Das war aber schon halb eens in d'r Nacht.

KRAMER. Hör'n Se, an die Nacht, da werd ich gedenken! Als mich meine Tochter weckte, war's eins. Und als wir den armen Jungen dann fanden, da schlug die Domuhr neune bereits. *(Krause seufzt, schüttelt den Kopf, öffnet die Tür, um zu gehen, und im gleichen Augenblick erscheinen Michaline und Lachmann. Sie treten herein. Krause ab. Michaline ist dunkel gekleidet, ernst, angegriffen und verweint[78].)*

KRAMER *(ruft ihnen entgegen).* Da seid ihr ja, Kinder! Na, kommt mal herein. Also, Lachmann, wollen Sie wachen heut nacht? Sie waren ja auch halb und halb sein Freund! Das ist mir sehr lieb, daß Sie wachen wollen, denn hör'n Se, ein Fremder, das möcht ich nicht! *(Er geht auf und ab, bleibt stehn, denkt nach und sagt.)* Und nun will ich euch fünf Minuten allein lassen und rüber zum Herrn Direktor gehn. Ihm sagen, was etwa zu sagen ist. Ihr werdet doch wohl inzwischen nicht fort wollen.

MICHALINE. Nein, Vater, Lachmann bleibt jedenfalls hier. Ich muß allerdings noch Besorgungen machen.

KRAMER. Das ist sehr lieb, daß Sie bleiben, Lachmann. Ich mache es kurz und bin gleich wieder hier. *(Er nimmt einen Schal um, nickt beiden zu und geht ab. Michaline setzt sich so wie sie ist, nimmt den Schleier zurück und wischt sich die Augen mit dem Taschentuch. Lachmann legt Hut, Paletot und Stock ab.)*

MICHALINE. Find'st du Vater verändert?

LACHMANN. Verändert? Nein!

MICHALINE. Herr Gott, ja, das hab ich doch wieder vergessen! Den Härtels ist wieder nichts angezeigt. Das bißchen Gedächtnis verläßt einen förmlich. — Da liegt ja 'n Kranz. *(Sie steht auf und nimmt einen ziemlich großen Lorbeerkranz mit Schleife in Augenschein, der auf dem Sofa liegt.*

Eine daran geheftete Karte aufnehmend, fährt sie fort mit dem Ausdruck der Überraschung.) Von der Schäffer ist der. Ja, siehst du, die ist nun auch verwaist[79]. Die hatte nur einen Gedanken: Arnold. Und Arnold wußte nicht mal was davon.

LACHMANN. Ist das die etwas verwachsene Person, die ich bei dir im Atelier gesehn habe?

MICHALINE. Ja, ja. Sie malte, weil Arnold malt. Und sah in mir eben Arnolds Schwester. So ist das: den Kranz, den hat sie gekauft, dafür wird sie drei Wochen von Tee und von Brot leben.

LACHMANN. Und vielleicht noch dabei sehr glücklich sein. Weißt du auch, wen ich getroffen habe? Und wer nun auch noch einen Kranz schicken wird?

MICHALINE. Wer?

LACHMANN. Liese Bänsch.

MICHALINE. Das — brauchte sie nicht tun. *(Pause.)*

LACHMANN. Hätte ich reden können mit Arnold! Auch vielleicht über die Liese Bänsch: vielleicht hätte das doch etwas bei ihm gefruchtet.

MICHALINE. Nein, Lachmann, du irrst dich. Das glaube ich nicht.

LACHMANN. Wer weiß? Aber schließlich, er wich mir ja aus. Ich hätte ihm können eines verdeutlichen — ich sage nicht ohne weiteres: was. Und zwar aus Erfahrung, sozusagen. Oft sind uns die brennendsten Wünsche versagt. Weil, würden sie uns erfüllt, Michaline, — mir wurde ein ähnlicher Wunsch mal erfüllt, und ich — dir brauch ich's ja nicht zu verhehlen — war dadurch nachher viel schlimmer dran.

MICHALINE. Erfahrung ist eben nicht mitteilbar, wenigstens nicht im tieferen Sinne.

LACHMANN. Mag sein, aber sonst —: Ich weiß schon Bescheid[80]. *(Pause.)*

MICHALINE. Ja, ja, so geht's! So geht's in der Welt! Sie hatte wohl auch mit dem Feuer gespielt. Und daß es auf so etwas könnte hinauslaufen, das kam ihr natürlich nicht in den Sinn. —*(Am Radiertischchen.)* Sieh mal, was Vater hier neu radiert hat.

LACHMANN. Ein toter, geharnischter[81] Ritter.

---

[76] = wie da = wie nun   [77] I got scared   [78] her face ravaged by tears

[79] orphaned, i.e., because she has lost him   [80] I know what I know   [81] in armor

MICHALINE. Hm, hm!

LACHMANN *(liest von der Platte).*

> Mit Erzen bin ich angelegt.
> Der Tod war Knappe mir[82].

MICHALINE *(unsicher, dann leise weinend).* Ich hab Vater niemals weinen gesehen, und, siehst du, hier hat Vater drüber[83] geweint.

LACHMANN *(unwillkürlich ihre Hand nehmend).* Michaline, wir wollen uns fassen, nicht wahr?

MICHALINE. Ganz feucht ist das Blatt! Ach großer Gott. *(Sie ermannt sich, tut einige Schritte und fährt gehobener[84] fort.)* Er nimmt sich zusammen, Lachmann, gewiß. Aber wie es eigentlich um ihn steht — um zehn Jahre ist er gealtert, sicher.

LACHMANN. Wem das Leben im tiefsten Ernst sich erschließt, in Schicksalsmomenten mit der Zeit, — ich habe auch Vater und Bruder begraben! — der, wenn er das Schwerste überlebt ... dessen Schiff wird ruhiger, stetiger segeln, mit seinen Toten tief unten im Raum[85].

MICHALINE. Aber überleben, das ist wohl das Schwerste.

LACHMANN. Ich hätte das eigentlich nie gedacht.

MICHALINE. Ja! Ja! Wie ein Blitz! Das war wie ein Blitz. Ich fühlte: wenn wir ihn finden, gut! Wenn wir ihn nicht finden, war es aus. Ich kenne Arnold. Ich fühlte das. Es hatte sich alles in ihm so gehäuft, und wie mir die ganze Affäre klar wurde, da wußt ich, es stand gefährlich um ihn.

LACHMANN. Wir waren ja auch bald hinter ihm drein.

MICHALINE. Zu spät. Erst wie ich mich wieder ermannt hatte. Ein Wort bloß! Ein Wort mit ihm reden! Ein Wort! Das hätte ja alles wahrscheinlich gewendet. Hätten sie ihn gefangen vielleicht, ich meine die Menschen, wie sie ihm nachhetzten, hätten sie ihn zurückgebracht! Ich hätte schrein mögen: Arnold, komm ... *(Sie kann vor Bewegung nicht weiter sprechen.)*

LACHMANN. Das wär alles doch gar nicht schlimm geworden. Das bißchen Revolverspielerei.

MICHALINE. Das Mädchen! Die Schmach! Der Vater! Die Mutter! Und sicherlich auch vor den Folgen die Angst. Er gab sich[85a] wer weiß wie alt und blasiert und war noch, wenn man ihn kannte wie ich, im Grunde ganz unerfahren und kindisch. Ich wußte ja, daß er die Waffe trug.

LACHMANN. Er hat sie mir auch schon in München gezeigt.

MICHALINE. Ja, weil er sich überall eben verfolgt glaubte. Er sah eben nichts als Feinde ringsum. Und ließ sich das auch absolut nicht ausreden. Das ist alles nur Tünche[86], sagte er stets. Sie verstecken nur alle die Klauen und Pranken[87], und wenn du nicht acht gibst, bist du rum[88].

LACHMANN. Es ist auch nicht ohne. Es ist auch was dran[89]. In gewissen Momenten fühlt man so was. Er hat ja auch sicher viel durchgemacht in bezug auf Rohheiten mancher Art. Und wenn man sich das vergegenwärtigt: Von sich aus[90] hatte er wohl da recht.

MICHALINE. Man hätte sich mehr um ihn kümmern müssen. Aber Arnold war nur gleich immer so schroff. Und wenn man's auch noch so gut mit ihm meinte: er stieß einen mit bestem Willen zurück.

LACHMANN. Was hat er denn deinem Vater geschrieben?

MICHALINE. Papa hat den Brief noch niemand gezeigt.

LACHMANN. Mir hat er davon was angedeutet. Nur angedeutet, nichts Rechtes gesagt. Er sprach übrigens gar nicht bitter davon. Ich glaube, es hat so was dringestanden wie: er ertrage das Leben nicht. Er sei dem Leben nun mal nicht gewachsen[91].

MICHALINE. Warum hat er sich nicht auf Vater gestützt! Gewiß, er ist hart. Aber wer da nicht durchdringt, das Gütige, Menschliche da nicht durchfühlt, an dem ist irgend etwas defekt. Ich, siehst du, als Weib, ich hab es gekonnt. Wieviel schwerer war es für mich als für Arnold. Um Arnolds Vertrauen hat Vater gebuhlt[92]. Ich mußte um Vaters Vertrauen ringen. Furchtbar wahrhaftig ist Vater, sonst nichts.

---

[82] With steel am I weaponed. Death was my esquire. [83] hier drüber = over this [84] with more strength [85] i.e., the hold

[85a] acted [86] whitewash [87] claws and paws [88] you're a goner [89] It isn't all nonsense. There's something in it. [90] from his point of view [91] a match for [92] wooed

Mich hat er da stärker als Arnold getroffen, und Arnold war Mann. Ich ertrug es auch.

LACHMANN. Dein Vater könnte mein Beichtiger sein.

MICHALINE. Er hat ja auch Ähnliches durchgekämpft.

LACHMANN. Das fühlt man.

MICHALINE. Ja, und ich weiß es genau. Und er hätte auch Arnold ganz sicher verstanden.

LACHMANN. Aber wer, wer weiß das erlösende Wort?!

MICHALINE. Nun siehst du, Lachmann, wie das so geht: unsere Mutter steht Vater innerlich fern, aber wenn sie mit Arnold irgendwas hatte[93], da wurde sofort mit Vater gedroht. Auf diese Weise ... Was hat sie bewirkt? oder wenigstens leider fördern helfen? *(Kramer kommt wieder.)*

KRAMER *(hängt seinen Schal auf)*. Da bin ich wieder! Was macht die Mama?

MICHALINE. Sie möchte, du solltest dich nicht überanstrengen. Schläfst du heut nacht bei uns oder nicht?

KRAMER *(indem er Kondolenzkarten auf dem Tisch zusammenliest[94])*. Nein, Michaline. Doch wenn du nach Haus gehst, nimm der Mama diese Karten mit. *(Zu Lachmann.)* Sehn Sie, er hat doch auch Freunde gehabt, wir haben das bloß eben nicht so gewußt.

MICHALINE. In der Wohnung war auch viel Besuch unter tags[95].

KRAMER. Ich wünschte, die Leute ließen das, aber wenn sie doch meinen, was Gutes zu tun, so darf man sie freilich nicht dran verhindern. Du willst wieder gehn?

MICHALINE. Ich muß. — Diese schrecklichen Scherereien und Umstände[96]!

KRAMER. Das darf uns jetzt alles durchaus nicht verdrießen. Die Stunde fordert das Letzte[97] von uns.

MICHALINE. Adieu, Papa.

KRAMER *(sie ein wenig festhaltend)*. Leb wohl, gutes Kind! Dich verdrießt's ja auch nicht. Du bist wohl die nüchternste von uns allen! Nein, nein, Michaline, so mein ich das nicht. Du hast einen kühlen, gesunden Kopf. Und ihr Herz ist so warm wie irgend eins, Lachmann. *(Michaline weint stärker.)* Aber höre: bewähre dich nun auch, Kind. Nun müssen wir zeigen, wie weit wir Stich halten[98].

MICHALINE *(faßt sich resolut, drückt ihm die Hand und hernach auch Lachmann, dann geht sie.)*

KRAMER. Lachmann, wir wollen die Lichte aufstecken. Machen Sie mal die Pakete auf. *(Sich selber der Arbeit unterziehend.)* Leid, Leid, Leid, Leid! Schmecken Sie, was in dem Wort liegt? Sehn Se, das ist mit den Worten so: sie werden auch nur zuzeiten lebendig, im Alltagsleben bleiben sie tot. *(Er reicht Lachmann einen Leuchter, auf den er ein Licht gesteckt.)* So. Tragen Sie's meinem Jungen hinein. *(Lachmann begibt sich mit dem Leuchter in den verhangenen Teil des Raumes. Kramer nun allein vor dem Vorhang, spricht laut weiter.)* Wenn erst das Große ins Leben tritt, hör'n Se, dann ist alles Kleine wie weggefegt. Das Kleine trennt, das Große, das eint, sehn Se. Das heißt, man muß so geartet sein. Der Tod ist immer das Große, hör'n Se: der Tod und die Liebe, sehn Se mal an. *(Lachmann kommt wieder nach vorn.)* Ich bin unten beim Herrn Direktor gewesen, ich habe dem Manne die Wahrheit gesagt, und weshalb sollt ich denn lügen, hör'n Se?! Mir ist jetzt durchaus nicht danach zumute. Was geht mich die Welt an, möcht ich bloß wissen! Er hat sich ja auch drüber weggesetzt[99]. Sehn Se, die Frauen, die wollen das. Der Pastor geht dann nicht mit ans Grab, und da hat's eben nicht seine Richtigkeit. Hör'n Se, mir ist das ganz nebensächlich. Gott ist mir alles. Der Pastor nichts. Wissen Sie, was ich heut morgen gemacht habe? Lieblingswünsche zu Grabe gebracht. Still, stille für mich. Ganz stille für mich, sehn Se. Hör'n Se, das war ein langer Zug. Kleine und große, dick und dünn. Jetzt liegt alles da wie hingemäht, Lachmann.

LACHMANN. Ich habe auch schon einen Freund verloren. Ich meine, durch einen freiwilligen Tod.

KRAMER. Freiwillig, hör'n Se? Wer weiß, wo das zutrifft! Sehn Se sich diese Skizzen mal an. *(Er kramt in seinem Rock und zieht aus seiner Brusttasche ein Skizzenbuch, das er vor Lachmann*

---

[93] had some trouble [94] gathers up [95] throughout the day
[96] fuss and bother [97] ultimate

[98] how sound we are [99] rose above it

aufschlägt, nachdem er ihn ans Fenster geführt hat,
wo man beim Abendlicht noch zur Not sehen kann.)
Da sind seine Peiniger alle versammelt. Sehn
Se, da sind sie, so wie er sie sah. Und hör'n
Se, Augen hat er gehabt. Das ist der wahrhaftige
böse Blick[100], aber 's ist doch ein Blick! das will
ich doch meinen. — Ich bin vielleicht nicht so
zerstört, wie Sie denken, und nicht so trostlos
wie mancher meint. Der Tod, sehn Se, weist
ins Erhabne hinaus. Sehn Se, da wird man
niedergebeugt. Doch was sich herbeiläßt, uns
niederzubeugen, ist herrlich und ungeheuer zugleich. Das fühlen wir dann, das sehen wir fast,
und hör'n Se, da wird man aus Leiden groß. —
Was ist mir nicht alles gestorben im Leben!
Manch einer, Lachmann, der heute noch lebt.
Warum bluten die Herzen und schlagen zugleich? Das kommt, Lachmann, weil sie lieben
müssen. Das drängt sich zur Einheit überall,
und über uns liegt doch der Fluch der Zerstreuung. Wir wollen uns nichts entgleiten lassen, und alles entgleitet doch, wie es kommt!
LACHMANN. Ich hab das ja auch schon erfahren bereits.
KRAMER. Als Michaline mich weckte die
Nacht, da hab ich mich wohl recht erbärmlich
gezeigt. Aber sehn Se, ich hab es da gleich gewußt. Und wie er dann mußte so liegen bleiben[1],
das waren die bittersten Stunden für mich. In
dieser Stunde, wahrhaftigen Gott, Lachmann!
war das nun Läuterung oder nicht? — da hab
ich mich selber nicht wiedererkannt. Hör'n Se,
da hab ich so bitter gehadert[2]: ich habe das
selber von mir nicht gedacht. Ich habe gehöhnt
und gewütet zu Gott. Hör'n Se, wir kennen uns
selber nicht. Ich habe gelacht wie ein Fetischist
und meinen Fetisch zur Rede gefordert[3]: Da
war mir das doch ein verteufelter Spaß, ein
verteufelt nichtsnutziger Streich, sehn Se, Lachmann! sehr henkerhaft[4] billig und salzlos[5] und
schlecht. — Sehn Se, so war ich. So bäumt ich
mich auf. Dann ... bis ich ihn dann in der
Nähe hier hatte, da kehrte mir erst die Besinnung zurück. So was will einem erst gar nicht
in den Kopf. Nun sitzt es. Nun lebt man schon

wieder damit. Nun ist er schon bald zwei Tage
dahin. Ich war die Hülse, dort liegt der Kern.
Hätten sie doch die Hülse genommen. *(Micha-*
line kommt, ohne anzuklopfen, leise herein.)
MICHALINE. Papa, unten ist Liese Bänsch beim
Schuldiener. Sie bringt einen Kranz.
KRAMER. Wer?
MICHALINE. Liese Bänsch. Sie möchte dich
sprechen. Soll sie hereinkommen?
KRAMER. Ich verdenk es ihr nicht[6] und ver-
wehr es ihr nicht. Ich weiß nichts von Haß. Ich
weiß nichts von Rache. Das erscheint mir jetzt
alles klein und gering. *(Michaline ab.)* Sehn Se,
es hat mich ja angepackt! Das ist auch kein
Wunder, hören Se mal an. Da lebt man so hin:
das muß alles so sein! Man schlägt sich mit kleinen Sachen herum und hör'n Se, man nimmt
sie wer weiß wie wichtig, man macht sich
Sorgen, man ächzt und man klagt, und hör'n
Se, dann kommt das mit einemmal, wie 'n Adler, der in die Spatzen fährt. Hör'n Se, da heißt
es: Posto gefaßt[7]! Aber sehn Se, nun bin ich
dafür auch entlassen, und was nun etwa noch
vor mir liegt, da kann mich nichts freuen, da
kann mich nichts schrecken, da gibt's keine
Drohung mehr für mich!
LACHMANN. Soll ich vielleicht eine Flamme[8]
anstecken?
KRAMER *(zieht den Vorhang ganz auseinander.*
Im Hintergrunde des großen, schon fast dunklen
Ateliers ist ein Toter, ganz mit Tüchern bedeckt,
aufgebahrt[9].) Sehn Se, da liegt einer Mutter Sohn!
— Grausame Bestien sind doch die Menschen!
(Durch die hohen Atelierfenster links schwaches
Abendrot. Ein Armleuchter mit brennenden Kerzen
am Kopfende des Sarges. Kramer tritt wieder zum
Tische vorn und gießt Wein in Gläser.) Lachmann,
kommen Sie, stärken Sie sich. Hier ist etwas
Wein, da kann man sich stärken. Trinken wir,
Lachmann, opfern wir! stoßen wir ruhig mit'n-
ander an! Und der dort liegt, das bin ich! das
sind Sie! das ist eine große Majestät! was kann
da der Pastor noch hinzusetzen. *(Sie trinken.*
Pause.)
LACHMANN. Ich habe vorhin einen Freund
erwähnt, dessen Mutter war eine Pastorstochter,

---

[100] evil eye   [1] i.e., until the police had given permission
to remove the body   [2] wrangled   [3] called to account   [4] hang-
manlike (here used as a symbol of contempt)   [5] i.e., pointless

[6] I don't hold it against her   [7] take a stand   [8] i.e., gas jet
[9] lying in state

und daß da kein Geistlicher mit ging ans Grab, das nahm sie sich ganz besonders zu Herzen. Aber wie wir den Toten hinuntersenkten, da kam, sozusagen, der Geist über sie, und da betete gleichsam Gott selber aus ihr ... Ich habe so niemals sonst beten gehört.

(Michaline führt Liese Bänsch, die einfach und dunkel gekleidet ist, herein. Beide Frauen bleiben gleich bei der Türe stehn. Liese hält das Taschentuch vor dem Mund.)

KRAMER *(scheinbar ohne Liese zu bemerken, entzündet ein Streichholz und steckt Lichter an. Lachmann setzt diese Tätigkeit fort, bis zwei Armleuchter und etwa sechs einzelne Lichter brennen).* Was haben die Gecken von dem da gewußt: diese Stöcke und Klötze in Mannsgestalt!? Von dem und von mir und von unsren Schmerzen!? Sie haben ihn mir zu Tode gehetzt. Erschlagen, Lachmann, wie so 'n Hund. Das haben sie, denn das kann ich wohl sagen. Und sehn Se, was konnten sie ihm denn tun? Nun also: Tretet doch her, ihr Herren! Immer seht ihn euch an und beleidigt ihn! Immer tretet herzu und versucht, ob ihr's könnt! Hör'n Se, Lachmann: Das ist nun vorbei! *(Er nimmt ein seidenes Tuch vom Angesicht des Toten.)* 's ist gut wie er daliegt! 's ist gut! 's ist gut! *(Im Scheine der Kerzen gewahrt man in der Nähe des Toten eine Staffelei, auf der gemalt worden ist. An diese setzt sich nun Kramer. Er fährt fort, unbeirrt, als ob außer ihm und Lachmann niemand zugegen wäre.)* Ich habe den Tag über[10] hier gesessen, ich habe gezeichnet, ich habe gemalt, ich habe auch seine Maske gegossen. Dort liegt sie, dort, in dem seidnen Tuch. Jetzt gibt er dem Größten der Großen nichts nach[11]. *(Er deutet auf die Beethoven-Maske.)* Und will man das festhalten, wird man zum Narren. Was jetzt auf seinem Gesichte liegt, das alles, Lachmann, hat in ihm gelegen. Das fühlt ich, das wußt ich, das kannt ich in ihm und konnte ihn doch nicht heben, den Schatz. Sehn Se, nun hat ihn der Tod gehoben. Nun ist alles voll Klarheit um ihn her, das geht von ihm aus, von dem Antlitz, Lachmann, und hör'n Se, ich buhle um dieses Licht, wie so 'n schwarzer, betrunkner Schmetterling. Hör'n Se, man wird überhaupt so klein: das ganze Leben lang war

ich sein Schulmeister. Ich habe den Jungen malträtiert, und nun ist er mir so ins Erhabne gewachsen. — Ich hab diese Pflanze vielleicht erstickt. Vielleicht hab ich ihm seine Sonne verstellt: dann wär er in meinem Schatten verschmachtet. Aber sehn Se, Lachmann, er nahm mich nicht an, und wenn ihm vielleicht der Freund gefehlt hat ... Ich, Lachmann, durfte der Freund nicht sein. Als damals das Mädchen bei mir war, da hab ich ... da hab ich mein Bestes versucht. Doch da kriegte das Böse in ihm Gewalt, und wenn das Böse in ihm Gewalt kriegte — da tat es ihm wohl, mir wehe zu tun. Reue? Reue kenne ich nicht! Aber ich bin zusammengeschrumpft. Ich bin ganz erbärmlich vor ihm geworden. Ich sehe zu diesem Jungen hinauf, als wenn es mein ältester Ahnherr wäre! *(Liese Bänsch wird von Michaline herangeführt, sie legt ihren Kranz zu den Füßen des Toten nieder, Kramer blickt auf und ihr gerade ins Gesicht.)*

LIESE BÄNSCH. Herr Kramer, ich, ich, ich ... Ich ... ich bin ja so unglücklich. Die Leute zeigen mit Fingern auf mich ... *(Pause.)*

KRAMER *(halb für sich).* Wo sitzt das nun, was so tödlich ist? Und doch, wer das einmal erfährt und lebt, der behält einen Stachel davon im Handteller, und was er auch anfaßt, so sticht er sich. Aber gehn Sie nur getrost nach Haus! Zwischen dem da und uns ist Friede geworden! *(Pause. Michaline mit Liese Bänsch ab.)*

KRAMER *(versonnen in den Anblick des Toten und in die Lichter).* Die Lichter! Die Lichter! Wie seltsam das ist! Ich habe schon manches Licht verbrannt! Schon manches Lichtes Flamme gesehn, Lachmann. Aber hör'n Se: das ist ein andres Licht!! — Mach ich Sie etwa ängstlich, Lachmann?

LACHMANN. Nein. Wovor sollt ich denn ängstlich sein?

KRAMER *(sich erhebend).* Es gibt ja Leute, die ängstlich sind. Ich bin aber doch der Meinung, Lachmann, man soll sich nicht ängsten in der Welt. Die Liebe, sagt man, ist stark wie der Tod[12]. Aber kehren Se getrost den Satz mal um: Der Tod ist auch mild wie die Liebe, Lachmann. — Hör'n Se, der Tod ist verleumdet worden, das ist der ärgste Betrug in der Welt!!

---

[10] the whole day   [11] is in no way inferior   [12] Song of Solomon 8:6

Der Tod ist die mildeste Form des Lebens: der ewigen Liebe Meisterstück. *(Er öffnet das große Atelierfenster, leise Abendglocken. Frostgeschüttelt.)* Das große Leben sind Fieberschauer, bald kalt, bald heiß. Bald heiß, bald kalt! — Ihr tatet das- selbe dem Gottessohn! Ihr tut es ihm heut wie dazumal[13]! So wie damals, wird er auch heut nicht sterben! — Die Glocken sprechen, hören Sie nicht? Sie erzählen's hinunter in die Straßen: die Geschichte von mir und meinem Sohn. Und daß keiner von uns ein Verlorner ist! Ganz deutlich versteht man's, Wort für Wort. Heut ist es geschehen, heut ist der Tag! Die Glocke ist mehr als die Kirche, Lachmann! Der Ruf zum Tische ist mehr wie das Brot! *(Die Beetho- ven-Maske fällt ihm in die Augen, er nimmt sie herab. Indem er sie betrachtet, fährt er fort.)* Wo sollen wir landen, wo treiben wir hin[14]? Warum jauchzen wir manchmal ins Ungewisse? Wir Kleinen, im Ungeheuren verlassen? Als wenn wir wüßten, wohin es geht. So hast du gejauchzt! Und was hast du gewußt? — Von irdischen Festen ist es nichts! Der Himmel der Pfaffen ist es nicht! Das ist es nicht und jen's ist es nicht, aber was ... *(mit gen[15] Himmel erhobenen Hän- den.)* was wird es wohl sein am Ende?

(Der Vorhang fällt.)

[13] = damals

[14] drift to [15] = gegen

Arthur Schnitzler · 1862–1931

Schnitzler was a physician in the clinic of his father, who was a celebrated Viennese throat specialist. His interest gradually turned to psychiatry and psychic phenomena such as hypno- tism and telepathy. Around 1890 he began to publish creative work; he soon gave up the practice of medicine and devoted himself exclusively to literature.

It is only gradually that students of Schnitzler have begun to realize the true spirit of his work. His graceful style, the urbanity which his characters display, the subdued and gentle melancholy which in his writings takes the place of violent passion, the fact that there is an undercurrent of wit and humor even in his tragic situations—all this has obscured our vision of the quality of the experience which he transmits to us. The truth is that Schnitzler shows a society in disintegration because man no longer has any integrating principle by which to live. His works are a series of demonstrations of Nietzsche's triumphant cry: "God is dead!" Only Schnitzler is not triumphant about the event; for he has no Dionysian philosophy to offer mankind in place of the traditional faith it has lost. He cannot get beyond the negative stage of showing the world in ruins. The young Hugo von Hofmannsthal had gone through the same phase; indeed many of the best *fin-de-siècle* minds did so. For some of them it was only a phase, a mood. Hofmannsthal found peace in religion and conservatism. Wedekind developed his own brand of pagan affirmation of life. Thomas Mann slowly fought his way to a democratic dialectical humanism. Schnitzler never emerged from the negative phase.

It is missing the mark to speak of Schnitzler's men and women as weak willed, as it is wrong to put this label on Hauptmann's heroes or on those of the early Thomas Mann. They are defeated by life not because they are weak but because life is too strong, because the forces of destruction are too overwhelming. These men are completely isolated in society, each is a little island cut off from the outside world. Though they have goals, they can never attain them because there are no adequate signposts that show the way to the goal. And finally Destiny itself is devilishly capricious and seems to take a fiendish delight in thwarting their efforts. Everything conspires to frustrate human endeavor. Sometimes it looks as if God were playing a game at man's expense; at other times all this futile effort seems like a bad dream. One never knows where reality ends and illusion begins.

The atmosphere in Schnitzler's writings is charged with sex; yet it is never sexy. For Schnitzler is a delicate artist; his world is the world of naturalism (in an upper-class setting); but he never, not even in *Reigen*, uses the forthright, brutal truthfulness that the naturalists practiced. His colors are subdued, his tones muted; the atmosphere he creates is urbane, cultured, somewhat remote; his style is one of classical serenity and purity. That is why the abysses of horror which he depicts have so long been misinterpreted as melancholy vignettes. What we have here is Winckelmann's calm surface concealing the turbulent depths.

Schnitzler's principal works include: *Anatol* (1890), *Reigen* (1897), *Die Toten schweigen* (1897), *Der blinde Geronimo und sein Bruder* (1900), *Leutnant Gustl* (1900), *Lebendige Stunden* (four comedies, 1901), *Der einsame Weg* (1903), *Der Weg ins Freie* (1908), *Professor Bernhardi* (1912), *Fräulein Else* (1924), *Traumnovelle* (1925), *Flucht in die Finsternis* (1931).

Der grüne Kakadu[1]

Groteske[2] in einem Akt

PERSONEN

EMILE Herzog von Cadignan	HENRI ⎫	LÉOCADIE, Schauspielerin, Henris Frau
FRANÇOIS Vicomte[3] von Nogeant	BALTHASAR ⎪	
ALBIN CHEVALIER[4] de la Tremouille	GUILLAUME ⎪	GRASSET, Philosoph[6a]
	SCAEVOLA ⎪	LEBRÊT, Schneider
DER MARQUIS von Lansac	JULES ⎬ seine Truppe	GRAIN, ein Strolch
SÉVERINE, seine Frau	ETIENNE ⎪	DER KOMMISSÄR
ROLLIN, Dichter	MAURICE ⎪	Adelige, Schauspieler, Schau-
PROSPÈRE, Wirt, vormals Theaterdirektor	GEORGETTE ⎪	spielerinnen, Bürger und
	MICHETTE ⎪	Bürgerfrauen
	FLIPOTTE ⎭	

Spielt in Paris am Abend des 14. Juli 1789[5] in der Spelunke Prospères.

Wirtsstube „Zum grünen Kakadu."
Ein nicht großer Kellerraum, zu welchem rechts — ziemlich weit hinten — sieben Stufen führen, die nach oben durch eine Tür abgeschlossen sind. Eine zweite Tür, welche kaum sichtbar ist, befindet sich im Hintergrunde links. Eine Anzahl von einfachen 5 *hölzernen Tischen, um diese Sessel, füllen beinahe den ganzen Raum aus. Links in der Mitte der Schanktisch; hinter demselben eine Anzahl Fässer mit Pipen[6]. Das Zimmer ist durch Öllämpchen beleuchtet, die von der Decke herabhängen.*

DER GRÜNE KAKADU was published in 1899 along with two other one-act plays, *Paracelsus* and *Die Gefährtin*. It deals with Schnitzler's favorite theme, life as a crossroad between reality and illusion, wakefulness and dream. With consummate skill the author leads us in and out of both realms of experience, suggesting that this uncertainty is of the very essence of life.   [1] cockatoo (a species of parrot)   [2] a literary genre in which seemingly incongruous incidents are brought together with comic effect   [3] viscount   [4] knight   [5] the day on which the Bastille prison in Paris was stormed by the mob   [6] faucets   [6a] in the 18th century sense of "intellectual"

Der Wirt Prospère; es treten ein die Bürger[7] Lebrêt und Grasset.

GRASSET *(noch auf den Stufen).* Hier herein, Lebrêt; die Quelle kenn' ich. Mein alter Freund und Direktor hat immer noch irgendwo ein Faß Wein versteckt, auch wenn ganz Paris verdurstet.

WIRT. Guten Abend, Grasset. Läßt du dich wieder einmal blicken? Aus[8] mit der Philosophie? Hast du Lust, wieder bei mir Engagement[9] zu nehmen?

GRASSET. Ja freilich! Wein sollst du bringen. Ich bin der Gast — du der Wirt.

WIRT. Wein? Woher soll ich Wein nehmen, Grasset? Heut nacht haben sie ja alle Weinläden von Paris ausgeplündert. Und ich möchte wetten, daß du mit dabeigewesen bist.

GRASSET. Her mit dem Wein. Für das Pack[10], das in einer Stunde nach uns kommen wird ... *(Lauschend).* Hörst du was, Lebrêt?

LEBRÊT. Es ist wie ein leiser Donner.

GRASSET. Brav — Bürger von Paris ... *(Zu Prospère.)* Für das Pack hast du sicher noch einen in Vorrat. Also her damit. Mein Freund und Bewunderer, der Bürger Lebrêt, Schneider aus der Rue St. Honoré, zahlt alles.

LEBRÊT. Gewiß, gewiß, ich zahle. *(Prospère zögert.)*

GRASSET. Na, zeig' ihm, daß du Geld hast, Lebrêt. *(Lebrêt zieht seinen Geldbeutel heraus.)*

WIRT. Nun, ich will sehen, ob ich ... *(Er öffnet den Hahn zu einem Faß und füllt zwei Gläser).* Woher kommst du, Grasset? Aus dem Palais Royal[11]?

GRASSET. Jawohl ... ich habe dort eine Rede gehalten. Ja, mein Lieber, jetzt bin ich an der Reihe. Weißt du, nach wem ich gesprochen habe?

WIRT. Nun?

GRASSET. Nach Camille Desmoulins[12]! Jawohl, ich hab' es gewagt. Und sage mir, Lebrêt, wer hat größeren Beifall gehabt, Desmoulins oder ich?

LEBRÊT. Du ... zweifellos.

GRASSET. Und wie hab' ich mich ausgenommen?

LEBRÊT. Prächtig.

GRASSET. Hörst du's, Prospère? Ich habe mich auf den Tisch gestellt ... ich habe ausgesehen wie ein Monument ... jawohl — und alle die Tausend, Fünftausend, Zehntausend haben sich um mich versammelt — gerade so wie früher um Camille Desmoulins ... und haben mir zugejubelt.

LEBRÊT. Es war ein stärkerer Jubel.

GRASSET. Jawohl ... nicht um vieles, aber er war stärker. Und nun ziehen sie alle hin zur Bastille ... und ich darf sagen: Sie sind meinem Ruf gefolgt. Ich schwöre dir, vor abends haben wir sie.

WIRT. Ja, freilich, wenn die Mauern von euern Reden zusammenstürzten!

GRASSET. Wieso ... Reden! — Bist du taub? ... Jetzt wird geschossen. Unsere braven Soldaten sind dabei. Sie haben dieselbe höllische Wut auf das verfluchte Gefängnis wie wir. Sie wissen, daß hinter diesen Mauern ihre Brüder und Väter gefangen sitzen ... Aber sie würden nicht schießen, wenn wir nicht geredet hätten. Mein lieber Prospère, die Macht der Geister ist groß. Da — *(Zu Lebrêt.)* Wo hast du die Schriften?

LEBRÊT. Hier ... *(Zieht Broschüren aus der Tasche.)*

GRASSET. Hier sind die neuesten Broschüren, die eben im Palais Royal verteilt wurden. Hier eine von meinem Freunde Cerutti[13], Denkschrift für das französische Volk, hier eine von Desmoulins, der allerdings besser spricht, als er schreibt ... „Das freie Frankreich."

WIRT. Wann wird denn endlich die deine erscheinen, von der du immer erzählst?

GRASSET. Wir brauchen keine mehr. Die Zeit zu Taten ist gekommen. Ein Schuft, der heute in seinen vier Wänden sitzt. Wer ein Mann ist, muß auf die Straße!

LEBRÊT. Bravo, bravo!

GRASSET. In Toulon haben sie den Bürgermeister umgebracht, in Brignolles[14] haben sie

---

[7] the French *citoyen*, title given by the revolutionaries to each other   [8] have you abandoned your philosophy?   [9] a contract   [10] mob   [11] the residence of the duc d'Orléans, who favored political reform   [12] journalist and politician, leader during the Revolution

[13] a political journalist, author of *Mémoire* (= Denkschrift) *pour le peuple français* (1788), which advocated the granting of power to the Third Estate   [14] a town in the vicinity of Toulon

ein Dutzend Häuser geplündert ... nur wir in Paris sind noch immer die Langweiligen und lassen uns alles gefallen[15].

WIRT. Das kann man doch nicht mehr sagen.

LEBRÊT *(der immer getrunken hat)*. Auf, ihr Bürger, auf!

GRASSET. Auf! ... Sperre deine Bude und komm jetzt mit uns!

WIRT. Ich komme schon, wenn's Zeit ist.

GRASSET. Ja freilich, wenn's keine Gefahr mehr gibt.

WIRT. Mein Lieber, ich liebe die Freiheit wie du — aber vor allem hab' ich meinen Beruf.

GRASSET. Jetzt gibt es für die Bürger von Paris nur einen Beruf: Ihre Brüder befreien.

WIRT. Ja für die, die nichts anderes zu tun haben!

LEBRÊT. Was sagt er da! ... Er verhöhnt uns!

WIRT. Fällt mir gar nicht ein[16]. — Schaut[17] jetzt lieber, daß ihr hinauskommt ... meine Vorstellung fängt bald an. Da kann ich euch nicht brauchen.

LEBRÊT. Was für eine Vorstellung? ... Ist hier ein Theater?

WIRT. Gewiß ist das ein Theater. Ihr Freund hat noch vor vierzehn Tagen hier mitgespielt.

LEBRÊT. Hier hast du gespielt, Grasset? ... Warum läßt du dich von dem Kerl da ungestraft[18] verhöhnen!

GRASSET. Beruhige dich ... es ist wahr; ich habe hier gespielt, denn es ist kein gewöhnliches Wirtshaus ... es ist eine Verbrecherherberge ... komm ...

WIRT. Zuerst wird gezahlt.

LEBRÊT. Wenn das hier eine Verbrecherherberge ist, so zahle ich keinen Sou[19].

WIRT. So erkläre doch deinem Freunde, wo er ist.

GRASSET. Es ist ein seltsamer Ort! Es kommen Leute her, die Verbrecher spielen — und andere, die es sind, ohne es zu ahnen.

LEBRÊT. So —?

GRASSET. Ich mache dich aufmerksam[20], daß das, was ich eben sagte, sehr geistreich war; es

könnte das Glück einer ganzen Rede machen.

LEBRÊT. Ich verstehe nichts von allem, was du sagst.

GRASSET. Ich sagte dir ja, daß Prospère mein Direktor war. Und er spielt mit seinen Leuten noch immer Komödie[21]; nur in einer anderen Art als früher. Meine einstigen Kollegen und Kolleginnen sitzen hier herum und tun, als wenn sie Verbrecher wären. Verstehst du? Sie erzählen haarsträubende Geschichten, die sie nie erlebt — sprechen von Untaten, die sie nie begangen haben ... und das Publikum, das hierher kommt, hat den angenehmen Kitzel, unter dem gefährlichsten Gesindel von Paris zu sitzen — unter Gaunern, Einbrechern, Mördern — und —

LEBRÊT. Was für ein Publikum?

WIRT. Die elegantesten Leute von Paris.

GRASSET. Adelige ...

WIRT. Herren vom Hofe —

LEBRÊT. Nieder mit ihnen!

GRASSET. Das ist was für sie[22]. Das rüttelt ihnen die erschlafften Sinne auf. Hier hab' ich angefangen, Lebrêt, hier hab' ich meine erste Rede gehalten, als wenn es zum Spaß wäre ... und hier hab' ich die Hunde zu hassen begonnen, die mit ihren schönen Kleidern, parfümiert, angefressen[23], unter uns saßen ... und es ist mir ganz recht, mein guter Lebrêt, daß du auch einmal die Stätte siehst, von wo dein großer Freund ausgegangen ist. *(In anderem Ton.)* Sag', Prospère, wenn die Sache schief ginge[24] ...

WIRT. Welche Sache?

GRASSET. Nun, die Sache mit meiner politischen Karriere ... würdest du mich wieder engagieren?

WIRT. Nicht um die Welt.

GRASSET *(leicht)*. Warum? — Es könnte vielleicht noch einer neben deinem Henri aufkommen[25].

WIRT. Abgesehen davon ... ich hätte Angst, daß du dich einmal vergessen könntest — und über einen meiner zahlenden Gäste im Ernst herfielst.

---

[15] put up with everything   [16] I've no thought of such a thing   [17] see to it   [18] i.e., without punishing him for it   [19] a small coin; i.e., penny   [20] call your attention (to the fact)

[21] spielt Komödie = puts on plays   [22] i.e., that's something they like   [23] corrupt   [24] if something should go wrong   [25] have a chance

GRASSET *(geschmeichelt)*. Das wäre allerdings möglich.

WIRT. Ich ... ich hab' mich doch in der Gewalt —

GRASSET. Wahrhaftig, Prospère, ich muß sagen, daß ich dich wegen deiner Selbstbeherrschung bewundern würde, wenn ich nicht zufällig wüßte, daß du ein Feigling bist.

WIRT. Ach, mein Lieber, mir genügt das, was ich in meinem Fach leisten kann. Es macht mir Vergnügen genug, den Kerlen meine Meinung ins Gesicht sagen zu können und sie zu beschimpfen nach Herzenslust[26] — während sie es für Scherz halten. Es ist auch eine Art, seine Wut los zu werden. — *(Zieht einen Dolch und läßt ihn funkeln.)*

LEBRÊT. Bürger Prospère, was soll das bedeuten?

GRASSET. Habe keine Angst. Ich wette, daß der Dolch nicht einmal geschliffen ist.

WIRT. Da könntest du doch irren, mein Freund; irgend einmal kommt ja doch der Tag, wo aus dem Spaß Ernst wird — und darauf bin ich für alle Fälle vorbereitet.

GRASSET. Der Tag ist nah. Wir leben in einer großen Zeit! Komm, Bürger Lebrêt, wir wollen zu den Unsern. Prospère, leb' wohl, du siehst mich als großen Mann wieder oder nie.

LEBRÊT *(torkelig[27])*. Als großen Mann ... oder ... nie — *(Sie gehen ab.)*

WIRT *(bleibt zurück, setzt sich auf einen Tisch, schlägt eine Broschüre auf und liest vor sich hin)*. „Jetzt steckt das Vieh in der Schlinge, erdrosselt es!" — Er schreibt nicht übel, dieser kleine Desmoulins. „Noch nie hat sich Siegern eine reichere Beute dargeboten. Vierzigtausend Paläste und Schlösser, zwei Fünftel aller Güter in Frankreich werden der Lohn der Tapferkeit sein — die[28] sich für Eroberer halten, werden unterjocht, die Nation wird gereinigt werden." *(Der Kommissär tritt ein.)*

WIRT *(mißt ihn)*. Na, das Gesindel rückt ja heute früh ein.

KOMMISSÄR. Mein lieber Prospère, mit mir machen Sie keine Witze; ich bin der Kommissär Ihres Bezirks.

WIRT. Und womit kann ich dienen?

KOMMISSÄR. Ich bin beauftragt, dem heutigen Abend in Ihrem Lokal beizuwohnen.

WIRT. Es wird mir eine besondere Ehre sein.

KOMMISSÄR. Es ist nicht darum, mein bester Prospère. Die Behörde will Klarheit haben, was bei Ihnen eigentlich vorgeht. Seit einigen Wochen —

WIRT. Es ist ein Vergnügungslokal, Herr Kommissär, nichts weiter.

KOMMISSÄR. Lassen Sie mich ausreden[29]. Seit einigen Wochen soll dieses Lokal der Schauplatz wüster Orgien sein.

WIRT. Sie sind falsch berichtet, Herr Kommissär. Man treibt hier Späße, nichts weiter.

KOMMISSÄR. Damit fängt es an. Ich weiß. Aber es hört anders auf, sagt mein Bericht. Sie waren Schauspieler?

WIRT. Direktor, Herr Kommissär, Direktor einer vorzüglichen Truppe, die zuletzt in Denis[30] spielte.

KOMMISSÄR. Das ist gleichgültig. Dann haben Sie eine kleine Erbschaft gemacht?

WIRT. Nicht[31] der Rede wert, Herr Kommissär.

KOMMISSÄR. Ihre Truppe hat sich aufgelöst?

WIRT. Meine Erbschaft nicht minder.

KOMMISSÄR *(lächelnd)*. Ganz gut. *(Beide lächeln. — Plötzlich ernst.)* Sie haben sich ein Wirtsgeschäft eingerichtet?

WIRT. Das miserabel gegangen ist.

KOMMISSÄR. Worauf Sie eine Idee gefaßt haben, der man eine gewisse Originalität nicht absprechen kann.

WIRT. Sie machen mich stolz, Herr Kommissär.

KOMMISSÄR. Sie haben Ihre Truppe wieder gesammelt und lassen sie hier eine sonderbare und nicht unbedenkliche Komödie spielen.

WIRT. Wäre sie bedenklich, Herr Kommissär, so hätte ich nicht mein Publikum — ich kann sagen, das vornehmste Publikum von Paris. Der Vicomte von Nogeant ist mein täglicher Gast. Der Marquis von Lansac kommt öfters; und der Herzog von Cadignan, Herr Kommissär, ist der eifrigste Bewunderer meines

---

[26] to my heart's desire   [27] staggering   [28] = diejenigen, die

[29] let me finish   [30] i.e., in the theatre in the rue St. Denis   [31] not worth mentioning

ersten Schauspielers, des berühmten Henri Ba-
ston.

KOMMISSÄR. Wohl auch der Kunst oder der
Künste Ihrer Künstlerinnen.

WIRT. Wenn Sie meine kleinen Künstlerinnen
kennen würden, Herr Kommissär, würden Sie
das niemandem auf der Welt übel nehmen.

KOMMISSÄR. Genug. Es ist der Behörde berichtet worden, daß die Belustigungen, welche
Ihre — wie soll ich sagen —

WIRT. Das Wort „Künstler" dürfte genügen.

KOMMISSÄR. Ich werde mich zu dem Wort
„Subjekte[32]" entschließen — daß die Belustigungen, welche Ihre Subjekte bieten, in jedem
Sinne über das Erlaubte hinausgehen. Es sollen
hier von Ihren — wie soll ich sagen — von
Ihren künstlichen Verbrechern Reden geführt
werden, die — wie sagt nur mein Bericht? *(Er
liest wie schon früher in einem Notizbuch nach)* —
nicht nur unsittlich, was uns wenig genieren
würde, sondern auch höchst aufrührerisch zu
wirken geeignet sind — was in einer so erregten
Epoche, wie die ist, in der wir leben, der Behörde durchaus nicht gleichgültig sein kann.

WIRT. Herr Kommissär, ich kann auf diese
Anschuldigung nur mit der höflichen Einladung
erwidern, sich die Sache selbst einmal anzusehen.
Sie werden bemerken, daß hier gar nichts Auf-
rührerisches vorgeht, schon[33] aus dem Grunde,
weil mein Publikum sich nicht aufrühren läßt.
Es wird hier einfach Theater gespielt — das ist
alles.

KOMMISSÄR. Ihre Einladung nehme ich natürlich nicht an, doch werde ich kraft meines Am-
tes hierbleiben.

WIRT. Ich glaube, Ihnen die beste Unterhaltung versprechen zu können, Herr Kommissär, doch würde ich mir den Rat erlauben, daß
Sie Ihre Amtstracht ablegen und in Zivilkleidern
hier erscheinen. Wenn man nämlich einen
Kommissär in Uniform hier sähe, würde sowohl
die Naivität meiner Künstler als die Stimmung
meines Publikums darunter leiden.

KOMMISSÄR. Sie haben recht, Herr Prospère,
ich werde mich entfernen und als junger elegan-
ter Mann wiederkehren.

WIRT. Das wird Ihnen leicht sein, Herr

Kommissär, auch als Halunke sind Sie mir willkommen — das würde nicht auffallen — nur
nicht als Kommissär.

KOMMISSÄR. Adieu. *(Geht.)*

WIRT *(verbeugt sich)*. Wann wird der gesegnete Tag kommen, wo ich dich und deinesgleichen ...

KOMMISSÄR *(trifft in der Tür mit Grain zusammen, der äußerst zerlumpt ist und erschrickt, wie er
den Kommissär sieht. Dieser mißt ihn zuerst, lächelt
dann, wendet sich verbindlich zu Prospère). Schon
einer Ihrer Künstler? ... (Ab.)*

GRAIN *(spricht weinerlich, pathetisch[34])*. Guten
Abend.

WIRT *(nachdem er ihn lang angesehen)*. Wenn
du einer von meiner Truppe bist, so will ich dir
meine Anerkennung nicht versagen, denn ich
erkenne dich nicht.

GRAIN. Wie meinen Sie?

WIRT. Also keinen Scherz, nimm die Perücke
ab, ich möchte doch wissen, wer du bist. *(Er
reißt ihn an den Haaren.)*

GRAIN. O weh!

WIRT. Das ist ja echt — Donnerwetter ...
wer sind Sie? ... Sie scheinen ja ein wirklicher
Strolch zu sein?

GRAIN. Jawohl.

WIRT. Was wollen Sie denn von mir?

GRAIN. Ich habe die Ehre mit dem Bürger
Prospère? ... Wirt vom grünen Kakadu?

WIRT. Der bin ich.

GRAIN. Ich nenne mich Grain ... zuweilen
Carniche ... in manchen Fällen der schreiende
Bimsstein[35] — aber unter dem Namen Grain
war ich eingesperrt, Bürger Prospère — und das
ist das Wesentliche.

WIRT. Ah — ich verstehe. Sie[36] wollen sich
bei mir engagieren lassen und spielen mir gleich
was vor. Auch gut. Weiter.

GRAIN. Bürger Prospère, halten Sie mich für
keinen Schwindler. Ich bin ein Ehrenmann.
Wenn ich sage, daß ich eingesperrt war, so ist
es die volle Wahrheit. *(Wirt sieht ihn mißtrauisch
an.)*

GRAIN *(zieht aus dem Rock ein Papier)*. Hier,
Bürger Prospère. Sie ersehen daraus, daß ich

---

[32] creatures   [33] if only

[34] with exaggerated expression   [35] = pumice stone   [36] you
want me to hire you and are giving a sample of your acting

gestern nachmittags vier Uhr entlassen wurde.

WIRT. Nach einer zweijährigen Haft — Donnerwetter, das ist ja echt! —

GRAIN. Haben Sie noch immer gezweifelt, Bürger Prospère?

WIRT. Was haben Sie denn angestellt, daß man Sie auf zwei Jahre —

GRAIN. Man hätte mich gehängt; aber zu meinem Glück war ich noch ein halbes Kind, als ich meine arme Tante umbrachte.

WIRT. Ja Mensch, wie kann man denn seine Tante umbringen?

GRAIN. Bürger Prospère, ich hätte es nicht getan, wenn die Tante mich nicht mit meinem besten Freunde hintergangen hätte.

WIRT. Ihre Tante?

GRAIN. Jawohl — sie stand mir näher[37], als sonst Tanten ihren Neffen zu stehen pflegen. Es waren sonderbare Familienverhältnisse ... ich war verbittert, höchst verbittert. Darf ich Ihnen davon erzählen?

WIRT. Erzählen Sie immerhin, wir werden vielleicht ein Geschäft miteinander machen können.

GRAIN. Meine Schwester war noch ein halbes Kind, als sie aus dem Hause lief — und was glauben Sie — mit wem? —

WIRT. Es ist schwer zu erraten.

GRAIN. Mit ihrem Onkel. Und der hat sie sitzen lassen[38] — mit einem Kinde.

WIRT. Mit einem ganzen — will ich hoffen.

GRAIN. Es ist unzart von Ihnen, Bürger Prospère, über solche Dinge zu scherzen.

WIRT. Ich will Ihnen was sagen, Sie schreiender Bimsstein. Ihre Familiengeschichten langweilen mich. Glauben Sie, ich bin dazu da, mir von einem jeden hergelaufenen Lumpen[39] erzählen zu lassen, wen er umgebracht hat? Was geht mich das alles an? Ich nehme an, Sie wollen irgend was von mir —

GRAIN. Jawohl, Bürger Prospère, ich komme, Sie um Arbeit bitten.

WIRT (höhnisch). Ich mache Sie aufmerksam, daß es bei mir keine Tanten zu ermorden gibt; es ist ein Vergnügungslokal.

GRAIN. Oh, ich hab' an dem einen Mal genug gehabt. Ich will ein anständiger Mensch werden — man hat mich an Sie gewiesen[40].

WIRT. Wer, wenn ich fragen darf?

GRAIN. Ein liebenswürdiger junger Mann, den sie vor drei Tagen zu mir in die Zelle gesperrt haben. Jetzt ist er allein. Er heißt Gaston ... und Sie kennen ihn. —

WIRT. Gaston! Jetzt weiß ich, warum ich ihn drei Abende lang vermißt habe. Einer meiner besten Darsteller für Taschendiebe. — Er hat Geschichten erzählt; — ah, man hat sich geschüttelt.

GRAIN. Jawohl! Und jetzt haben sie ihn erwischt!

WIRT. Wieso erwischt? Er hat ja nicht wirklich gestohlen.

GRAIN. Doch. Es muß aber das erste Mal gewesen sein, denn er scheint mit einer unglaublichen Ungeschicklichkeit vorgegangen zu sein. Denken Sie — (vertraulich) — auf dem Boulevard des Capucines einfach einer Dame in die Tasche gegriffen[41] — und die Börse herausgezogen — ein rechter Dilettant. — Sie flößen mir Vertrauen ein, Bürger Prospère — und so will ich Ihnen gestehn — es war eine Zeit, wo ich auch dergleichen kleine Stückchen aufführte, aber nie ohne meinen lieben Vater. Als ich noch ein Kind war, als wir noch alle zusammen wohnten, als meine arme Tante noch lebte —

WIRT. Was jammern Sie denn? Ich finde das geschmacklos! Hätten Sie sie nicht umgebracht!

GRAIN. Zu spät. Aber worauf[42] ich hinaus wollte — nehmen Sie mich bei sich auf. Ich will den umgekehrten Weg machen wie Gaston. Er hat den Verbrecher gespielt und ist einer geworden — ich ...

WIRT. Ich will's mit Ihnen probieren. Sie werden schon[43] durch Ihre Maske[44] wirken. Und in einem gegebenen Moment werden Sie einfach die Sache mit der Tante erzählen. Wie's war. Irgend[45] wer wird Sie schon fragen.

GRAIN. Ich danke Ihnen, Bürger Prospère. Und was meine Gage anbelangt —

WIRT. Heute[46] gastieren Sie auf Engagement, da kann ich Ihnen noch keine Gage zahlen. —

---

[37] was more intimate with me   [38] left her in the lurch
[39] stray bum
[40] referred   [41] thrust (his hand)   [42] what I was driving at— give me a job   [43] alone   [44] i.e., face   [45] someone will be sure to ask   [46] tonight you're playing as a guest

Sie werden gut zu essen und zu trinken bekommen ... und auf ein paar Franks für ein Nachtlager soll's mir auch nicht ankommen[47].

GRAIN. Ich danke Ihnen. Und bei Ihren anderen Mitgliedern stellen Sie mich einfach als einen Gast aus der Provinz vor.

WIRT. Ah nein ... denen sagen wir gleich, daß Sie ein wirklicher Mörder sind. Das wird ihnen viel lieber sein.

GRAIN. Entschuldigen Sie, ich[48] will ja gewiß nichts gegen mich vorbringen — aber das versteh' ich nicht.

WIRT. Wenn Sie länger beim Theater sind, werden Sie das schon verstehn. *(Scaevola und Jules treten ein.)*

SCAEVOLA. Guten Abend, Direktor!

WIRT. Wirt ... Wie oft soll ich dir noch sagen, der ganze Spaß geht flöten[49], wenn du mich „Direktor" nennst.

SCAEVOLA. Was immer du seist, ich glaube, wir werden heute nicht spielen.

WIRT. Warum denn?

SCAEVOLA. Die Leute werden nicht in der Laune sein — —. Es ist ein Höllenlärm in den Straßen, und insbesondere vor der Bastille schreien sie wie die Besessenen.

WIRT. Was geht das uns an? Seit Monaten ist das Geschrei, und unser Publikum ist uns nicht ausgeblieben. Es amüsiert sich wie früher.

SCAEVOLA. Ja, es hat die Lustigkeit von Leuten, die nächstens gehenkt werden.

WIRT. Wenn ich's nur erlebe[50]!

SCAEVOLA. Vorläufig gib uns was zu trinken, damit ich in Stimmung komme. Ich bin heut durchaus nicht in Stimmung.

WIRT. Das passiert dir öfter, mein Lieber. Ich muß dir sagen, daß ich gestern durchaus unzufrieden mit dir war.

SCAEVOLA. Wieso, wenn ich fragen darf?

WIRT. Die Geschichte von dem Einbruch, die du zum besten gegeben hast[51], war einfach läppisch[52].

SCAEVOLA. Läppisch?

WIRT. Jawohl. Vollkommen unglaubwürdig. Das Brüllen[53] allein tut's nicht.

SCAEVOLA. Ich habe nicht gebrüllt.

WIRT. Du brüllst ja immer. Es wird wahrhaftig notwendig werden, daß ich die Sachen mit euch einstudiere[54]. Auf euere Einfälle kann man sich nicht verlassen. Henri ist der einzige.

SCAEVOLA. Henri und immer Henri. Henri ist ein Kulissenreißer[55]. Der Einbruch von gestern war ein Meisterstück. So was bringt Henri sein Lebtag nicht zusammen. — Wenn ich dir nicht genüge, mein Lieber, so geh' ich einfach zu einem ordentlichen Theater. Hier ist ja doch nur eine Schmiere[56] ... Ah ... *(Bemerkt Grain.)* Wer ist denn das? ... Der gehört ja nicht zu uns! Hast du vielleicht einen neu engagiert? Was hat der Kerl für Maske?

WIRT. Beruhige dich, es ist kein Schauspieler von Beruf. Es ist ein wirklicher Mörder.

SCAEVOLA. Ach so ... *(Geht auf ihn zu.)* Sehr erfreut, Sie kennen zu lernen. Scaevola ist mein Name.

GRAIN. Ich heiße Grain.

(Jules ist die ganze Zeit in der Schenke herumgegangen, manchmal auch stehen geblieben, wie ein innerlich Gequälter.)

WIRT. Was ist denn mit dir, Jules?

JULES. Ich memoriere.

WIRT. Was denn?

JULES. Gewissensbisse. Ich mache[57] heute einen, der Gewissensbisse hat. Sieh mich an. Was sagst du zu der Falte hier auf der Stirn? Seh' ich nicht aus, als wenn alle Furien der Hölle ... *(Geht auf und ab.)*

SCAEVOLA *(brüllt)*. Wein — Wein her!

WIRT. Beruhige dich ... es ist ja noch kein Publikum da. *(Henri und Léocadie kommen.)*

HENRI. Guten Abend! *(Er begrüßt die Hintensitzenden mit einer leichten Handbewegung.)* Guten Abend, meine Herren!

WIRT. Guten Abend, Henri! Was seh' ich! Mit Léocadie!

GRAIN *(hat Léocadie aufmerksam betrachtet; zu Scaevola.)* Die kenn' ich ja ... *(Spricht leise mit den andern.)*

LÉOCADIE. Ja, mein lieber Prospère, ich bin's!

WIRT. Ein Jahr lang hab' ich dich nicht gesehen. Laß dich begrüßen. *(Er will sie küssen.)*

---

[47] i.e., I won't haggle   [48] I don't want to chalk up anything against myself   [49] is ruined   [50] live to see that day   [51] offered   [52] silly   [53] roaring alone isn't enough

[54] rehearse   [55] third-rate actor, ham   [56] third-rate show   [57] I'm playing

HENRI. Laß das! — *(Sein Blick ruht öfters auf Léocadie mit Stolz, Leidenschaft, aber auch mit einer gewissen Angst.)*

WIRT. Aber Henri ... Alte Kollegen! ... Dein einstiger Direktor, Léocadie!

LÉOCADIE. Wo ist die Zeit[58], Prospère! ...

WIRT. Was seufzest du! Wenn eine ihren Weg gemacht hat, so bist du's! Freilich, ein schönes junges Weib hat's immer leichter als wir.

HENRI *(wütend)*. Laß das.

WIRT. Was schreist du denn immer so mit mir? Weil du wieder einmal mit ihr beisammen bist?

HENRI. Schweig! — Sie ist seit gestern meine Frau.

WIRT. Deine ...? *(Zu Léocadie.)* Macht er einen Spaß?

LÉOCADIE. Er hat mich wirklich geheiratet. Ja. —

WIRT. So gratulier' ich. Na ... Scaevola, Jules — Henri hat geheiratet.

SCAEVOLA *(kommt nach vorn)*. Meinen Glückwunsch! *(Zwinkert Léocadie zu. Jules drückt gleichfalls beiden die Hand.)*

GRAIN *(zum Wirt)*. Ah, wie sonderbar — diese Frau hab' ich gesehn ... ein paar Minuten, nachdem ich wieder frei war.

WIRT. Wieso?

GRAIN. Es war die erste schöne Frau, die ich nach zwei Jahren gesehen habe. Ich war sehr bewegt. Aber es war ein anderer Herr, mit dem — *(Spricht weiter mit dem Wirt.)*

HENRI *(in einem hochgestimmten[59] Ton, wie begeistert, aber nicht deklamatorisch)*. Léocadie, meine Geliebte, mein Weib! ... Nun ist alles vorbei, was einmal war. In einem solchen Augenblick löscht vieles aus. *(Scaevola und Jules sind nach hinten gegangen, Wirt wieder vorn.)*

WIRT. Was für ein Augenblick?

HENRI. Nun sind wir durch ein heiliges Sakrament vereinigt. Das ist mehr als menschliche Schwüre sind. Jetzt ist Gott über uns, man darf alles vergessen, was vorher geschehen ist. Léocadie, eine neue Zeit bricht an. Léocadie, alles wird heilig, unsere Küsse, so wild sie sein mögen, sind von nun an heilig. Léocadie, meine Geliebte, mein Weib! ... *(Er betrachtet sie mit einem*

glühenden Blick.) Hat sie nicht einen anderen Blick, Prospère, als du ihn früher an ihr kanntest? Ist ihre Stirn nicht rein? Was war, ist ausgelöscht. Nicht wahr, Léocadie?

LÉOCADIE. Gewiß, Henri.

HENRI. Und alles ist gut. Morgen verlassen wir Paris, Léocadie tritt heute zum letzten Male in der Porte St. Martin[60] auf, und ich spiele heute das letzte Mal bei dir.

WIRT *(betroffen)*. Bist du bei Trost[61], Henri? — Du willst mich verlassen? Und dem Direktor der Porte St. Martin wird's doch nicht einfallen, Léocadie ziehen zu lassen? Sie macht ja das Glück seines Hauses. Die jungen Herren strömen ja hin, wie man sagt.

HENRI. Schweig. Léocadie wird mit mir gehen. Sie wird mich nie verlassen. Sag' mir, daß du mich nie verlassen wirst, Léocadie. *(Brutal.)* Sag's mir!

LÉOCADIE. Ich werde dich nie verlassen!

HENRI. Tätest du's, ich würde dich ... *(Pause.)* Ich habe dieses Leben satt. Ich will Ruhe, Ruhe will ich haben.

WIRT. Aber was willst du denn tun, Henri? Es ist ja lächerlich. Ich will dir einen Vorschlag machen. Nimm Léocadie meinethalben von der Porte St. Martin fort — aber sie soll hier, bei mir bleiben. Ich engagiere sie. Es fehlt mir sowieso an talentierten Frauenspersonen.

HENRI. Mein Entschluß ist gefaßt, Prospère. Wir verlassen die Stadt. Wir gehen aufs Land hinaus.

WIRT. Aufs Land? Wohin denn?

HENRI. Zu meinem alten Vater, der allein in unserem armen Dorf lebt — den ich seit sieben Jahren nicht gesehen habe. Er hat kaum mehr gehofft, seinen verlorenen[62] Sohn wiederzusehen. Er wird mich mit Freuden aufnehmen.

WIRT. Was willst du auf dem Lande tun? Auf dem Lande verhungert man. Da geht's den Leuten noch tausendmal schlechter als in der Stadt. Was willst du denn dort machen? Du bist nicht der Mann dazu, die Felder zu bebauen. Bilde dir das nicht ein.

HENRI. Es wird sich zeigen, daß ich auch dazu der Mann bin.

[58] where are those good old days?   [59] lofty, enthusiastic   [60] theatre located at the Porte Saint Martin   [61] are you in your right mind?   [62] prodigal

WIRT. Es wächst bald kein Korn mehr in ganz Frankreich. Du gehst ins sichere Elend.

HENRI. Ins Glück, Prospère. Nicht wahr, Léocadie? Wir haben oft davon geträumt. Ich sehne mich nach dem Frieden der weiten Ebene. Ja, Prospère, in meinen Träumen seh' ich mich mit ihr abends über die Felder gehn, in einer unendlichen Stille, den wunderbaren tröstlichen Himmel über uns. Ja, wir fliehen diese schreckliche und gefährliche Stadt, der große Friede wird über uns kommen. Nicht wahr, Léocadie, wir haben es oft geträumt.

LÉOCADIE. Ja, wir haben es oft geträumt.

WIRT. Höre, Henri, du solltest es dir überlegen. Ich will dir deine Gage[63] gerne erhöhen, und Léocadie will ich ebensoviel geben als dir.

LÉOCADIE. Hörst du, Henri?

WIRT. Ich weiß wahrhaftig nicht, wer dich hier ersetzen soll. Keiner von meinen Leuten hat so köstliche Einfälle als du, keiner ist bei meinem Publikum so beliebt als du ... Geh nicht fort!

HENRI. Das glaub' ich wohl, daß mich niemand ersetzen wird.

WIRT. Bleib bei mir, Henri! (*Wirft Léocadie einen Blick zu, sie deutet an, daß sie's schon machen wird*[64].)

HENRI. Und ich verspreche dir, der Abschied wird ihnen schwer werden — i h n e n, nicht mir. Für heute — für mein letztes Auftreten hab' ich mir was zurechtgelegt, daß es sie alle schaudern wird ... eine Ahnung von dem Ende ihrer Welt wird sie anwehen[65] ... denn das Ende ihrer Welt ist nahe. Ich aber werd' es nur mehr von fern erleben ... man wird es uns draußen erzählen, Léocadie, viele Tage später, als es geschehen ... Aber sie werden schaudern, sag' ich dir. Und du selbst wirst sagen: So gut hat Henri nie gespielt.

WIRT. Was wirst du spielen? Was? Weißt du's, Léocadie?

LÉOCADIE. Ich weiß ja nie etwas.

HENRI. Ahnt denn irgend einer, was für ein Künstler in mir steckt?

WIRT. Gewiß ahnt man es, drum sag' ich ja, daß man sich mit einem solchen Talent nicht aufs Land vergräbt. Was für ein Unrecht an dir! An der Kunst!

HENRI. Ich pfeife[66] auf die Kunst. Ich will Ruhe. Du begreifst das nicht, Prospère, du hast nie geliebt.

WIRT. Oh! —

HENRI. Wie ich liebe. — Ich will mit ihr allein sein — das ist es ... Léocadie, nur so können wir alles vergessen. Aber dann werden wir so glücklich sein, wie nie Menschen gewesen sind. Wir werden Kinder haben, du wirst eine gute Mutter werden, Léocadie, und ein braves Weib. Alles, alles wird ausgelöscht sein. (*Große Pause.*)

LÉOCADIE. Es wird spät, Henri, ich muß ins Theater. Leb' wohl, Prospère, ich freue mich, endlich einmal deine berühmte Bude[67] gesehen zu haben, wo Henri solche Triumphe feiert.

WIRT. Warum bist du denn nie hergekommen?

LÉOCADIE. Henri hat's nicht haben wollen — na, weißt du, wegen der jungen Leute, mit denen ich da sitzen müßte.

HENRI (*ist nach rückwärts gegangen*). Gib mir einen Schluck, Scaevola. (*Er trinkt.*)

WIRT (*zu Léocadie, da ihn Henri nicht hört*). Ein rechter Narr, der Henri — wenn du nur immer mit ihnen gesessen[68] wärst.

LÉOCADIE. Du, solche Bemerkungen verbitt' ich mir[69].

WIRT. Ich rate dir, gib acht, du blöde Kanaille[70]. Er wird dich einmal umbringen.

LÉOCADIE. Was gibt's denn?

WIRT. Schon gestern hat man dich wieder mit einem deiner Kerle gesehen.

LÉOCADIE. Das war kein Kerl, du Dummkopf, das war ...

HENRI (*wendet sich rasch*). Was habt ihr? Keine Späße, wenn's beliebt. Aus mit dem Flüstern. Es gibt keine Geheimnisse mehr. Sie ist meine Frau.

WIRT. Was hast du ihr denn zum Hochzeitsgeschenk gemacht?

LÉOCADIE. Ach Gott, an solche Dinge denkt er nicht.

---

[63] salary [64] she'll manage it all right [65] i.e., they will have a premonition [66] I don't give a hoot for art [67] joint [68] emphasis on *sat* [69] I will not stand for [70] you stupid baggage

HENRI. Nun, du sollst es noch heute bekommen.

LÉOCADIE. Was denn?

SCAEVOLA UND JULES. Was gibst du ihr?

HENRI *(ganz ernst).* Wenn du mit deiner Szene zu Ende bist, darfst du hierherkommen und mich spielen sehen. *(Man lacht.)*

HENRI. Nie hat eine Frau ein prächtigeres Hochzeitsgeschenk bekommen. Komm, Léocadie; auf Wiedersehen, Prospère, ich bin bald wieder zurück.

(Henri und Léocadie ab. — Es treten zugleich ein: François Vicomte von Nogeant, Albin Chevalier de la Tremouille.)

SCAEVOLA. Was für ein erbärmlicher Aufschneider[71].

WIRT. Guten Abend, ihr Schweine. *(Albin schreckt zurück.)*

FRANÇOIS *(ohne darauf zu achten).* War das nicht die kleine Léocadie von der Porte St. Martin, die da mit Henri wegging?

WIRT. Freilich war sie's. Was? — Die könnte am Ende sogar dich erinnern, daß du noch so was wie ein Mann bist, wenn sie sich große Mühe gäbe.

FRANÇOIS *(lachend).* Es wäre nicht unmöglich. Wir kommen heute etwas früh, wie mir scheint?

WIRT. Du kannst dir ja unterdes mit deinem Lustknaben[72] die Zeit vertreiben. *(Albin will auffahren.)*

FRANÇOIS. So laß doch. Ich hab' dir ja gesagt, wie's hier zugeht. Bring uns Wein.

WIRT. Ja, das will ich. Es wird schon die Zeit kommen, wo ihr mit Seinewasser[73] sehr zufrieden sein werdet.

FRANÇOIS. Gewiß, gewiß, ... aber für heute möchte ich um Wein gebeten haben[74], und zwar um den besten. *(Wirt zum Schanktisch.)*

ALBIN. Das ist ja ein schauerlicher Kerl.

FRANÇOIS. Denk' doch, daß alles Spaß ist. Und dabei gibt es Orte, wo du ganz ähnliche Dinge im Ernst hören kannst.

ALBIN. Ist es denn nicht verboten?

FRANÇOIS *(lacht).* Man merkt, daß du aus der Provinz kommst.

ALBIN. Ah, bei uns[75] geht's auch recht nett zu in der letzten Zeit. Die Bauern werden in einer Weise frech ... man weiß nicht mehr, wie man sich helfen soll.

FRANÇOIS. Was willst du? Die armen Teufel sind hungrig; das ist das Geheimnis.

ALBIN. Was[76] kann denn ich dafür? Was kann denn mein Großonkel dafür?

FRANÇOIS. Wie kommst du auf[77] deinen Großonkel?

ALBIN. Ja, ich komme darauf, weil sie nämlich in unserem Dorf eine Versammlung abgehalten haben — ganz öffentlich — und da haben sie meinen Großonkel, den Grafen von Tremouille, ganz einfach einen Kornwucherer[78] genannt.

FRANÇOIS. Das ist alles ...?

ALBIN. Na, ich bitte dich[79]!

FRANÇOIS. Wir wollen morgen einmal ins Palais Royal, da sollst du hören, was die Kerle für lasterhafte Reden führen. Aber wir lassen sie reden; es ist das beste, was man tun kann; im Grunde sind es gute Leute, man muß sie auf diese Weise austoben[80] lassen.

ALBIN *(auf Scaevola usw. deutend).* Was sind das für verdächtige Subjekte? Sieh nur, wie sie einen anschauen. *(Er greift nach seinem Degen.)*

FRANÇOIS *(zieht ihm die Hand weg).* Mach' dich nicht lächerlich! *(Zu den Dreien.)* Ihr braucht noch nicht anzufangen, wartet, bis mehr Publikum da ist. *(Zu Albin.)* Es sind die anständigsten Leute von der Welt, Schauspieler. Ich garantiere dir, daß du schon mit ärgeren Gaunern an einem Tisch gesessen bist.

ALBIN. Aber sie waren besser angezogen. *(Wirt bringt Wein. — Michette und Flipotte kommen.)*

FRANÇOIS. Grüß' euch Gott, Kinder, kommt, setzt euch da zu uns.

MICHETTE. Da sind wir schon. Komm nur, Flipotte. Sie ist noch etwas schüchtern.

FLIPOTTE. Guten Abend, junger Herr!

ALBIN. Guten Abend, meine Damen!

MICHETTE. Der Kleine ist lieb. *(Sie setzt sich auf den Schoß Albins.)*

[71] braggart [72] pansy [73] water from the river Seine [74] I would ask [75] there are merry things going on with us too [76] what can I do about it? [77] what makes you think of [78] grain profiteer [79] i.e., isn't that enough? [80] get it off their chests

ALBIN. Also bitte, erkläre mir, François, sind das anständige Frauen?

MICHETTE. Was sagt er?

FRANÇOIS. Nein, so ist das nicht, die Damen, die hierher kommen — Gott, bist du dumm, Albin!

WIRT. Was darf ich den Herzoginnen bringen?

MICHETTE. Bring mir einen recht süßen Wein.

FRANÇOIS *(auf Flipotte deutend)*. Eine Freundin?

MICHETTE. Wir wohnen zusammen. *(Flipotte setzt sich auf François' Schoß.)*

ALBIN. Die ist ja gar nicht schüchtern.

SCAEVOLA *(steht auf, düster, zu dem Tisch der jungen Leute)*. Hab' ich[81] dich endlich wieder! *(Zu Albin.)* Und du miserabler Verführer, wirst du schaun, daß du ... Sie ist mein! *(Wirt sieht zu.)*

FRANÇOIS *(zu Albin)*. Spaß, Spaß.

ALBIN. Sie ist nicht sein —?

MICHETTE. Geh, laß mich doch sitzen, wo's mir beliebt. *(Scaevola steht mit geballten Fäusten da.)*

WIRT *(hinter ihm)*. Nun, nun!

SCAEVOLA. Ha, ha!

WIRT *(faßt ihn beim Kragen)*. Ha, ha! *(Beiseite zu ihm.)* Sonst fällt dir nichts ein! Nicht für einen Groschen[82] Talent hast du. Brüllen. Das ist das einzige, was du kannst.

MICHETTE *(zu François)*. Er hat es neulich besser gemacht —

SCAEVOLA *(zum Wirt)*. Ich bin noch nicht in Stimmung. Ich mach' es später noch einmal, wenn mehr Leute da sind; du sollst sehen, Prospère; ich brauche Publikum. *(Der Herzog von Cadignan tritt ein.)*

HERZOG. Schon[83] höchst bewegt! *(Michette und Flipotte auf ihn zu.)*

MICHETTE. Mein süßer Herzog!

FRANÇOIS. Guten Abend, Emile! ... *(Stellt vor.)* Mein junger Freund Albin Chevalier von Tremouille — der Herzog von Cadignan.

HERZOG. Ich bin sehr erfreut, Sie kennen zu lernen. *(Zu den Mädchen, die an ihm hängen.)* Laßt mich, Kinder! — *(Zu Albin.)* Sie sehen sich auch dieses komische Wirtshaus an?

ALBIN. Es verwirrt mich aufs höchste!

FRANÇOIS. Der Chevalier ist erst vor ein paar Tagen in Paris angekommen.

HERZOG *(lachend)*. Da haben Sie sich eine nette Zeit ausgesucht.

ALBIN. Wieso?

MICHETTE. Was er wieder für ein Parfüm hat! Es gibt überhaupt keinen Mann in Paris, der so angenehm duftet. *(Zu Albin.)* ... So[84] merkt man das nicht.

HERZOG. Sie spricht nur von den siebenhundert oder achthundert, die sie so gut kennt wie mich.

FLIPOTTE. Erlaubst du, daß ich mit deinem Degen spiele? — *(Sie zieht ihm den Degen aus der Scheide und läßt ihn hin und her funkeln.)*

GRAIN *(zum Wirt)*. Mit dem! ... Mit dem hab' ich sie gesehn! *(Wirt läßt sich erzählen, scheint erstaunt.)*

HERZOG. Henri ist noch nicht da? *(Zu Albin.)* Wenn Sie den sehen werden, werden Sie's nicht bereuen, hierhergekommen zu sein.

WIRT *(zum Herzog)*. Na, bist du auch wieder da? Das freut mich. Lang werden wir ja das Vergnügen nicht mehr haben.

HERZOG. Warum? Mir behagt's sehr gut bei dir.

WIRT. Das glaub' ich. Aber da du auf alle Fälle einer der ersten sein wirst ...

ALBIN. Was bedeutet das?

WIRT. Du verstehst mich schon. — Die ganz Glücklichen kommen zuerst dran! ... *(Geht nach rückwärts.)*

HERZOG *(nach einem Sinnen)*. Wenn ich der König wäre, würde ich ihn zu meinem Hofnarren machen, das heißt, ich würde mir viele Hofnarren halten, aber er wäre einer davon.

ALBIN. Wie hat er das gemeint, daß Sie zu glücklich sind?

HERZOG. Er meint, Chevalier ...

ALBIN. Ich bitte, sagen Sie mir nicht Chevalier. Alle nennen mich Albin, einfach Albin, weil ich nämlich so jung ausschaue.

HERZOG *(lächelnd)*. Schön ... aber da müssen Sie mir Emile sagen, ja?

ALBIN. Wenn Sie erlauben, gern, Emile.

---

[81] have I found you out at last?   [82] a small coin; a dime
[83] everything's already in full swing

[84] i.e., when one is not in more intimate contact with him

HERZOG. Sie werden unheimlich witzig, diese Leute.

FRANÇOIS. Warum unheimlich? Mich beruhigt das sehr. Solange das Gesindel zu Späßen aufgelegt[85] ist, kommt's doch nicht zu was Ernstem.

HERZOG. Es sind nur gar zu sonderbare Witze. Da hab' ich heute wieder eine Sache erfahren, die gibt zu denken.

FRANÇOIS. Erzählen Sie.

FLIPOTTE, MICHETTE. Ja, erzähle, süßer Herzog!

HERZOG. Kennen Sie Lelange?

FRANÇOIS. Freilich — das Dorf ... der Marquis von Montferrat hat dort eine seiner schönsten Jagden.

HERZOG. Ganz richtig; mein Bruder ist jetzt bei ihm auf dem Schloß, und der schreibt mir eben die Sache, die ich Ihnen erzählen will. In Lelange haben sie einen Bürgermeister, der sehr unbeliebt ist.

FRANÇOIS. Wenn Sie mir einen nennen können, der beliebt ist —

HERZOG. Hören Sie nur. — Da sind die Frauen des Dorfes vor das Haus des Bürgermeisters gezogen — mit einem Sarg ...

FLIPOTTE. Wie? ... Sie haben ihn getragen? Einen Sarg getragen? Nicht um die Welt möcht' ich einen Sarg tragen.

FRANÇOIS. Schweig doch — es verlangt ja niemand von dir, daß du einen Sarg trägst. *(Zum Herzog.)* Nun?

HERZOG. Und ein paar von den Weibern sind darauf in die Wohnung des Bürgermeisters und haben ihm erklärt, er müsse sterben — aber man werde ihm die Ehre erweisen, ihn zu begraben.—

FRANÇOIS. Nun, hat man ihn umgebracht?

HERZOG. Nein — wenigstens schreibt mir mein Bruder nichts davon.

FRANÇOIS. Nun also! ... Schreier[86], Schwätzer, Hanswürste — das sind sie. Heut brüllen sie in Paris zur Abwechslung die Bastille an — wie sie's schon ein halbes Dutzend Mal getan ...

HERZOG. Nun — wenn ich der König wäre, ich hätte ein Ende gemacht ... längst ...

ALBIN. Ist es wahr, daß der König so gütig ist?

HERZOG. Sie sind Seiner Majestät noch nicht vorgestellt?

FRANÇOIS. Der Chevalier ist ja das erste Mal in Paris.

HERZOG. Ja, Sie sind unglaublich jung. Wie alt, wenn man fragen darf?

ALBIN. Ich sehe nur so jung aus, ich bin schon siebzehn ...

HERZOG. Siebzehn — wie viel liegt noch vor Ihnen. Ich bin schon vierundzwanzig ... ich fange an zu bereuen, wie viel von meiner Jugend ich versäumt habe.

FRANÇOIS *(lacht)*. Das ist gut! Sie, Herzog ... für sie ist doch jeder Tag verloren, an dem Sie nicht eine Frau erobert oder einen Mann totgestochen haben.

HERZOG. Das Unglück ist nur, daß man beinah nie die richtige erobert — und immer den unrichtigen totsticht. Und so versäumt man seine Jugend doch. Es ist ganz, wie Rollin[87] sagt.

FRANÇOIS. Was sagt Rollin?

HERZOG. Ich dachte an sein neues Stück, das sie in der Comédie[88] geben — da kommt so ein hübscher Vergleich vor. Erinnern Sie sich nicht?

FRANÇOIS. Ich habe gar kein Gedächtnis für Verse —

HERZOG. Ich leider auch nicht ... ich erinnere mich nur an den Sinn ... Er sagt, die Jugend, die man nicht genießt, ist wie ein Federball[89], den man im Sand liegen läßt, statt ihn in die Luft zu schnellen[90].

ALBIN *(altklug)*. Das find' ich sehr richtig.

HERZOG. Nicht wahr? — Die Federn werden allmählich doch farblos, fallen aus. Es ist noch besser, er fällt in ein Gebüsch, wo man ihn nicht wiederfindet.

ALBIN. Wie ist das zu verstehen, Emile?

HERZOG. Es ist mehr zu empfinden. Wenn ich die Verse wüßte, verstünden Sie's übrigens gleich.

ALBIN. Es kommt mir vor, Emile, als könnten Sie auch Verse machen, wenn Sie nur wollten.

HERZOG. Warum?

ALBIN. Seit Sie hier sind, scheint es mir, als wenn das Leben aufflammte —

---

[85] inclined   [86] shouters, chatterboxes, clowns

[87] a fictitious poet who appears later in the play   [88] the Comédie Française, French national theatre, devoted to the production of classical plays   [89] shuttlecock (like the bird in badminton)   [90] toss

HERZOG *(lächelnd).* Ja? Flammt es auf?

FRANÇOIS. Wollen Sie sich nicht endlich zu uns setzen?

(Unterdessen kommen zwei Adelige und setzen sich an einen etwas entfernten Tisch; der Wirt scheint ihnen Grobheiten zu sagen.)

HERZOG. Ich kann nicht hier bleiben. Aber ich komme jedenfalls noch einmal zurück.

MICHETTE. Bleib bei mir!

FLIPOTTE. Nimm mich mit! *(Sie wollen ihn halten.)*

WIRT *(nach vorn).* Laßt ihn nur! Ihr seid ihm noch lang nicht schlecht[91] genug.

HERZOG. Ich komme ganz bestimmt zurück, schon um Henri nicht zu versäumen.

FRANÇOIS. Denken Sie, als wir kamen, ging Henri eben mit Léocadie fort.

HERZOG. So. — Er hat sie geheiratet. Wißt ihr das?

FRANÇOIS. Wahrhaftig? — Was werden die andern dazu sagen?

ALBIN. Was für andern?

FRANÇOIS. Sie ist nämlich allgemein beliebt.

HERZOG. Und er will mit ihr fort ... was weiß ich ... man hat's mir erzählt.

WIRT. So? Hat man's dir erzählt? — *(Blick auf den Herzog.)*

HERZOG *(Blick auf den Wirt, dann).* Es ist zu dumm. Léocadie ist geschaffen, die größte, die herrlichste Dirne der Welt zu sein.

FRANÇOIS. Wer weiß das nicht?

HERZOG. Gibt es etwas Unverständigeres, als jemanden seinem wahren Beruf entziehen? *(Da François lacht.)* Ich meine das nicht im Scherz. Auch zur Dirne muß man geboren sein — wie zum Eroberer oder zum Dichter.

FRANÇOIS. Sie sind paradox.

HERZOG. Es tut mir leid um sie — und um Henri. Er sollte hier bleiben — nicht hier — ich möchte ihn in die Comédie bringen — obwohl auch dort — mir ist immer, als verstünd' ihn keiner so ganz wie ich. Das kann übrigens eine Täuschung sein — denn ich habe diese Empfindung den meisten Künstlern gegenüber. Aber ich muß sagen, wär' ich nicht der Herzog von Cadignan, so möcht' ich gern ein solcher Komödiant[92] — ein solcher ...

ALBIN. Wie Alexander der Große[93] ...

HERZOG *(lächelnd).* Ja — wie Alexander der Große. *(Zu Flipotte.)* Gib mir meinen Degen. *(Er steckt ihn in die Scheide. Langsam.)* Es ist doch die schönste Art, sich über die Welt lustig zu machen; einer, der uns vorspielen kann, was er will, ist doch mehr als wir alle. *(Albin betrachtet ihn verwundert.)* Denken Sie nicht nach über das, was ich sage. Es ist alles nur im selben Augenblick wahr. — Auf Wiedersehen!

MICHETTE. Gib mir einen Kuß, bevor du gehst!

FLIPOTTE. Mir auch! *(Sie hängen sich an ihn, der Herzog küßt beide zugleich und geht. — Währenddem:)*

ALBIN. Ein wunderbarer Mensch! ...

FRANÇOIS. Das ist schon wahr ... aber daß solche Menschen existieren, ist beinah ein Grund, nicht zu heiraten.

ALBIN. Erklär' mir im übrigen, was das für Frauenzimmer sind.

FRANÇOIS. Schauspielerinnen. Sie sind auch von der Truppe Prospère, der jetzt der Spelunkenwirt[94] ist. Freilich haben sie früher nicht viel anderes gemacht als jetzt. *(Guillaume stürzt herein wie atemlos.)*

GUILLAUME *(zum Tisch hin, wo die Schauspieler sitzen, die Hand ans Herz, mühselig, sich stützend).* Gerettet, ja, gerettet!

SCAEVOLA. Was gibt's, was hast du?

ALBIN. Was ist dem Mann geschehn?

FRANÇOIS. Das ist jetzt Schauspiel. Paß auf!

ALBIN. Ah —?

MICHETTE UND FLIPOTTE *(rasch zu Guillaume hin).* Was gibt's? Was hast du?

SCAEVOLA. Setz' dich, nimm einen Schluck!

GUILLAUME. Mehr! mehr! ... Prospère, mehr Wein! — — Ich bin gelaufen! Mir klebt die Zunge. Sie waren mir auf den Fersen[95].

JULES *(fährt zusammen).* Ah, gebt acht, sie sind uns überhaupt auf den Fersen.

WIRT. So erzähl' doch endlich, was ist denn passiert? ... *(Zu den Schauspielern.)* Bewegung! Mehr Bewegung!

[91] i.e., depraved　　[92] actor

[93] Alexander the Great once asked the philosopher Diogenes to make a wish and promised to grant it. Diogenes replied, "Step out of the sun." Thereupon Alexander said, "If I weren't Alexander, I would like to be Diogenes."　　[94] landlord of the tavern　　[95] heels

GUILLAUME. Weiber her ... Weiber! — Ah — *(Umarmt Flipotte.)* Das bringt einen auch wieder zum Leben! *(Zu Albin, der höchst betroffen ist.)* Der Teufel soll mich holen, mein Junge, wenn ich gedacht habe, ich werde dich lebendig wiedersehn ... *(Als wenn er lauschte.)* Sie kommen, sie kommen! — *(Zur Tür hin.)* Nein, es ist nichts. — Sie ...

ALBIN. Wie sonderbar! ... Es ist wirklich ein Lärm, wie wenn Leute draußen sehr rasch vorbeijagten. Wird das auch von hier aus geleitet?

SCAEVOLA *(zu Jules).* Jedesmal[96] hat er die Nuance ... es ist zu dumm! —

WIRT. So sag' uns doch endlich, warum sie dir wieder auf den Fersen sind.

GUILLAUME. Nichts Besonderes. Aber wenn sie mich hätten, würde es mir doch den Kopf kosten — ein Haus hab' ich angezündet.

(Während dieser Szene kommen wieder junge Adelige, die an den Tischen Platz nehmen.)

WIRT *(leise).* Weiter, weiter!

GUILLAUME *(ebenso).* Was weiter? Genügt das nicht, wenn ich ein Haus angezündet habe?

FRANÇOIS. Sag' mir doch, mein Lieber, warum du das Haus angezündet hast.

GUILLAUME. Weil der Präsident des obersten Gerichtshofes[97] darin wohnt. Mit dem wollten wir anfangen. Wir wollen den guten Pariser Hausherren die Lust nehmen, Leute in ihr Haus zu nehmen, die uns arme Teufel ins Zuchthaus bringen.

GRAIN. Das ist gut! Das ist gut!

GUILLAUME *(betrachtet Grain und staunt; spricht dann weiter).* Die Häuser[98] müssen alle dran. Noch drei Kerle wie ich, und es gibt keine Richter mehr in Paris!

GRAIN. Tod den Richtern!

JULES. Ja ... es gibt doch vielleicht einen, den wir nicht vernichten können.

GUILLAUME. Den möcht' ich kennen lernen.

JULES. Den Richter in uns.

WIRT *(leise).* Das ist abgeschmackt[99]. Laß das. Scaevola! Brülle! Jetzt ist der Moment!

SCAEVOLA. Wein her, Prospère, wir wollen auf den Tod aller Richter in Frankreich trinken! *(Während der letzten Worten traten ein: der Marquis von Lansac mit seiner Frau Séverine; Rollin der Dichter.)* Tod allen, die heute die Macht in Händen haben! Tod!

MARQUIS. Sehen Sie, Séverine, so empfängt man uns.

ROLLIN. Marquise, ich hab' Sie gewarnt.

SÉVERINE. Warum?

FRANÇOIS *(steht auf).* Was seh' ich! Die Marquise! Erlauben Sie, daß ich Ihnen die Hand küsse. Guten Abend, Marquis! Grüß' Gott, Rollin! Marquise, Sie wagen sich in dieses Lokal!

SÉVERINE. Man hat mir soviel davon erzählt. Und außerdem sind wir heute schon in Abenteuern drin[1] — nicht wahr, Rollin?

MARQUIS. Ja, denken Sie, Vicomte — was glauben Sie, woher wir kommen? — Von der Bastille.

FRANÇOIS. Machen sie dort noch immer so einen Spektakel[2]?

SÉVERINE. Ja freilich! — Es sieht aus, wie wenn sie sie einrennen[3] wollten.

ROLLIN *(deklamiert).*

Gleich einer Flut, die an die Ufer brandet[4],
Und tief ergrimmt[5], daß ihr das eigne Kind,
Die Erde widersteht —

SÉVERINE. Nicht, Rollin! — Wir haben dort unsern Wagen in der Nähe halten lassen. Es ist ein prächtiger Anblick; Massen haben doch immer was Großartiges.

FRANÇOIS. Ja, ja, wenn sie nur nicht so übel riechen würden.

MARQUIS. Und nun hat mir meine Frau keine Ruhe gegeben ... ich mußte sie hierher führen.

SÉVERINE. Also was gibt's denn da eigentlich Besonderes?

WIRT *(zu Lansac).* Na, bist du auch da, verdorrter[6] Halunke? Hast du dein Weib mitgebracht, weil sie dir zu Haus nicht sicher genug ist?

MARQUIS *(gezwungen lachend).* Er ist ein Original[7]!

---

[96] every time he (i.e., Guillaume) strikes this note [97] the Chief Justice of the Supreme Court [98] all the houses must be treated in the same way [99] i.e., it is in bad taste to strike a moral note

[1] in the midst of adventures (referring to their love affair) [2] uproar [3] storm [4] surges [5] angered [6] dried-up rascal [7] character

WIRT. Gib nur acht, daß sie dir nicht gerade hier weggefischt wird. Solche vornehme Damen kriegen manchmal eine verdammte Lust, es mit einem richtigen Strolch zu versuchen.

ROLLIN. Ich leide unsäglich, Séverine.

MARQUIS. Mein Kind, ich habe Sie vorbereitet — es ist noch immer Zeit, daß wir gehen.

SÉVERINE. Was wollen Sie denn? Ich finde es reizend. Setzen wir uns doch endlich nieder!

FRANÇOIS. Erlauben Sie, Marquise, daß ich Ihnen den Chevalier de la Tremouille vorstelle. Er ist auch das erste Mal hier. Der Marquis von Lansac; Rollin, unser berühmter Dichter.

ALBIN. Sehr erfreut. (*Komplimente*[8]; *man nimmt Platz. Zu François*). Ist das eine von denen, die spielt oder ... ich[9] kenne mich gar nicht aus.

FRANÇOIS. Sei doch nicht so begriffsstutzig[10]! — Das ist die wirkliche Frau des Marquis von Lansac ... eine höchst anständige Dame.

ROLLIN (*zu Séverine*). Sage, daß du mich liebst.

SÉVERINE. Ja, ja, aber fragen Sie mich nicht jeden Augenblick.

MARQUIS. Haben wir schon irgend eine Szene versäumt?

FRANÇOIS. Nicht viel. Der dort spielt einen Brandstifter[11], wie es scheint.

SÉVERINE. Chevalier, Sie sind wohl der Vetter der kleinen Lydia de la Tremouille, die heute geheiratet hat?

ALBIN. Jawohl, Marquise, das war mit[12] einer der Gründe, daß ich nach Paris gekommen bin.

SÉVERINE. Ich erinnere mich, Sie in der Kirche gesehen zu haben.

ALBIN (*verlegen*). Ich bin höchst geschmeichelt, Marquise.

SÉVERINE (*zu Rollin*). Was für ein lieber kleiner Junge.

ROLLIN. Ah, Séverine, Sie haben noch nie einen Mann kennen gelernt, der Ihnen nicht gefallen hätte.

SÉVERINE. Oh, doch; den hab' ich auch gleich geheiratet.

ROLLIN. O, Séverine, ich fürchte immer —

es gibt sogar Momente, wo Ihnen Ihr eigener Mann gefährlich[13] ist.

WIRT (*bringt Wein*). Da habt ihr! Ich wollte, es wäre Gift, aber es ist vorläufig noch nicht gestattet, euch Kanaillen das vorzusetzen.

FRANÇOIS. Wird schon kommen, Prospère.

SÉVERINE (*zu Rollin*). Was ist's mit diesen beiden hübschen Mädchen? Warum kommen sie nicht näher? Wenn wir schon einmal da sind, will ich alles mitmachen. Ich finde überhaupt, daß[14] es hier höchst gesittet zugeht.

MARQUIS. Haben Sie nur Geduld, Séverine.

SÉVERINE. Auf der Straße, find' ich, unterhält man sich in der letzten Zeit am besten. — Wissen Sie, was uns gestern passiert ist, als wir auf der Promenade von Longchamps spazieren fuhren?

MARQUIS. Ach bitte, meine liebe Séverine, wozu ...

SÉVERINE. Da ist ein Kerl aufs Trittbrett unserer Equipage gesprungen und hat geschrieen: Nächstes Jahr werden Sie hinter Ihrem Kutscher stehen und wir werden in der Equipage sitzen.

FRANÇOIS. Ah, das ist etwas stark.

MARQUIS. Ach Gott, ich finde, man sollte von diesen Dingen gar nicht reden. Paris hat jetzt etwas Fieber, das wird schon wieder vergehen.

GUILLAUME (*plötzlich*). Ich sehe Flammen, Flammen, überall, wo ich hinschaue, rote, hohe Flammen.

WIRT (*zu ihm hin*). Du spielst einen Wahnsinnigen, nicht einen Verbrecher.

SÉVERINE. Er sieht Flammen?

FRANÇOIS. Das ist alles noch nicht das Richtige, Marquise.

ALBIN (*zu Rollin*). Ich kann Ihnen gar nicht sagen, wie wirr ich schon von dem allen bin.

MICHETTE (*kommt zum Marquis*). Ich hab' dich ja noch gar nicht begrüßt, mein süßes altes Schwein.

MARQUIS (*verlegen*). Sie scherzt, liebe Séverine.

SÉVERINE. Das kann ich nicht finden. Sag' einmal, Kleine, wieviel Liebschaften hast du schon gehabt?

MARQUIS (*zu François*). Es ist bewunderungs-

---

[8] bows   [9] I'm completely lost   [10] dense   [11] arsonist
[12] along with others

[13] i.e., seductive   [14] that this is a most civilized place

würdig, wie sich die Marquise, meine Gemahlin, gleich in jede Situation zu finden[15] weiß.

ROLLIN. Ja, es ist bewunderungswürdig.

MICHETTE. Hast du deine gezählt?

SÉVERINE. Als ich noch jung war wie du ... gewiß. —

ALBIN *(zu Rollin)*. Sagen Sie mir, Herr Rollin, spielt die Marquise oder ist sie wirklich so — ich kenne mich absolut nicht aus.

ROLLIN. Sein ... spielen ... kennen Sie den Unterschied so genau, Chevalier?

ALBIN. Immerhin[16].

ROLLIN. Ich nicht. Und was ich hier so eigentümlich finde, ist, daß alle scheinbaren Unterschiede sozusagen aufgehoben sind. Wirklichkeit geht in Spiel über — Spiel in Wirklichkeit. Sehen Sie doch einmal die Marquise an. Wie sie mit diesen Geschöpfen plaudert, als wären sie ihresgleichen. Dabei ist sie ...

ALBIN. Etwas ganz anderes.

ROLLIN. Ich danke Ihnen, Chevalier.

WIRT *(zu Grain)*. Also, wie war das?

GRAIN. Was?

WIRT. Die Geschichte mit der Tante, wegen der du zwei Jahre im Gefängnis gesessen bist? GRAIN. Ich sagte Ihnen ja, ich habe sie erdrosselt[17].

FRANÇOIS. Der ist schwach. Das ist ein Dilettant. Ich hab' ihn noch nie gesehn.

GEORGETTE *(kommt rasch, wie eine Dirne niedrigsten Rangs gekleidet)*. Guten Abend, Kinder! Ist mein Balthasar noch nicht da?

SCAEVOLA. Georgette! Setz' dich zu mir! Dein Balthasar kommt noch immer zurecht[18].

GEORGETTE. Wenn er in zehn Minuten nicht da ist, kommt er nicht mehr zurecht — da kommt er überhaupt nicht wieder.

FRANÇOIS. Marquise, auf die passen Sie auf. Die ist in Wirklichkeit die Frau von diesem Balthasar, von dem sie eben spricht und der sehr bald kommen wird. — Sie stellt eine ganz gemeine Straßendirne dar. Dabei ist es die treueste Frau, die man überhaupt in Paris finden kann. *(Balthasar kommt.)*

GEORGETTE. Mein Balthasar! *(Sie läuft ihm entgegen, umarmt ihn.)* Da bist du ja!

BALTHASAR. Es ist alles in Ordnung. *(Stille ringsum.)* Es war nicht der Mühe wert. Es hat mir beinah leid um ihn getan. Du solltest dir deine Leute besser ansehn, Georgette — ich bin es satt, hoffnungsvolle Jünglinge wegen ein paar Franks umzubringen.

FRANÇOIS. Famos[19] ...

ALBIN. Wie? —

FRANÇOIS. Er pointiert[20] so gut. *(Der Kommissär kommt, verkleidet, setzt sich an einen Tisch.)*

WIRT *(zu ihm)*. Sie kommen in einem guten Moment, Herr Kommissär. Das ist einer meiner vorzüglichsten Darsteller.

BALTHASAR. Man sollte sich überhaupt einen anderen Verdienst suchen. Meiner Seel'[21], ich bin nicht feig, aber das Brot ist sauer verdient.

SCAEVOLA. Das will ich glauben.

GEORGETTE. Was hast du nur heute?

BALTHASAR. Ich will's dir sagen, Georgette; ich finde, du bist ein bißchen zu zärtlich mit den jungen Herren.

GEORGETTE. Seht, was er für ein Kind ist. Sei doch vernünftig, Balthasar! Ich muß ja zärtlich sein, um ihnen Vertrauen einzuflößen. Die dumme Eifersucht wird dich noch ins Grab bringen.

BALTHASAR. Nimm dich in acht, Georgette, die Seine[22] ist tief. *(Wild.)* Wenn du mich betrügst. —

GEORGETTE. Nie, nie!

ALBIN. Das versteh' ich absolut nicht.

SÉVERINE. Rollin, das ist die richtige Auffassung!

ROLLIN. Sie finden?

MARQUIS *(zu Séverine)*. Wir können noch immer gehen, Séverine.

SÉVERINE. Warum? Ich fang' an, mich sehr wohl zu fühlen.

GEORGETTE. Mein Balthasar, ich bete dich an. *(Umarmung.)*

FRANÇOIS. Bravo, bravo! —

BALTHASAR. Was ist das für ein Kretin?

KOMMISSÄR. Das ist unbedingt zu stark — das ist —

(Maurice und Etienne treten auf; sie sind wie junge

---

[15] feel at home [16] after all [17] throttled [18] will come in good time

[19] splendid [20] puts it so wittily [21] upon my soul [22] the Seine river

Adelige gekleidet, doch merkt man, daß sie nur in verschlissenen Theaterkostümen stecken.)

VOM TISCH DER SCHAUSPIELER: Wer sind die?

SCAEVOLA. Der Teufel soll mich holen, wenn das nicht Maurice und Etienne sind.

GEORGETTE. Freilich sind sie's.

BALTHASAR. Georgette!

SÉVERINE. Gott, sind das bildhübsche junge Leute!

ROLLIN. Es ist peinlich, Séverine, daß Sie jedes hübsche Gesicht so heftig anregt.

SÉVERINE. Wozu bin ich denn hergekommen?

ROLLIN. So sagen Sie mir wenigstens, daß Sie mich lieben.

SÉVERINE *(mit einem Blick)*. Sie haben ein kurzes Gedächtnis.

ETIENNE. Nun, was glaubt ihr, woher wir kommen?

FRANÇOIS. Hören Sie zu, Marquis, das sind ein paar witzige Jungen.

MAURICE. Von einer Hochzeit.

ETIENNE. Da muß man sich ein wenig putzen[23]. Sonst sind gleich diese verdammten Geheimpolizisten hinter einem her.

SCAEVOLA. Habt ihr wenigstens einen ordentlichen Fang gemacht?

WIRT. Laßt sehen.

MAURICE *(aus seinem Wams Uhren herausnehmend)*. Was gibst du mir dafür?

WIRT. Für die da? Einen Louis[24]!

MAURICE. Freilich[25]!

SCAEVOLA. Sie ist nicht mehr wert!

MICHETTE. Das ist ja eine Damenuhr. Gib sie mir, Maurice.

MAURICE. Was gibst du mir dafür?

MICHETTE. Sieh mich an! ... Genügt das? —

FLIPOTTE. Nein, mir; — sieh mich an —

MAURICE. Meine lieben Kinder, das kann ich haben, ohne meinen Kopf zu riskieren.

MICHETTE. Du bist ein eingebildeter[26] Affe.

SÉVERINE. Ich schwöre, daß das keine Komödie ist.

ROLLIN. Freilich nicht, überall blitzt etwas Wirkliches durch. Das ist ja das Entzückende.

SCAEVOLA. Was war denn das für eine Hochzeit?

MAURICE. Die Hochzeit des Fräuleins La

Tremouille — sie hat den Grafen von Banville geheiratet.

ALBIN. Hörst du, François? — Ich versichere dich, das sind wirkliche Spitzbuben.

FRANÇOIS. Beruhige dich, Albin. Ich kenne die zwei. Ich hab' sie schon ein dutzendmal spielen sehen. Ihre Spezialität ist die Darstellung von Taschendieben. *(Maurice zieht einige Geldbörsen aus seinem Wams.)*

SCAEVOLA. Na, ihr könnt heut splendid sein.

ETIENNE. Es war eine sehr prächtige Hochzeit. Der ganze Adel von Frankreich war da. Sogar der König hat sich vertreten lassen.

ALBIN *(erregt)*. Alles das ist wahr!

MAURICE *(läßt Geld über den Tisch rollen)*. Das ist für euch, meine Freunde, damit ihr seht, daß wir zusammenhalten.

FRANÇOIS. Requisiten[27], lieber Albin. *(Er steht auf und nimmt ein paar Münzen.)* Für uns[28] fällt doch auch was ab.

WIRT. Nimm nur ... so ehrlich hast du in deinem Leben nichts verdient!

MAURICE *(hält ein Strumpfband, mit Diamanten besetzt[29], in der Luft)*. Und wem soll ich das schenken? *(Georgette, Michette, Flipotte haschen danach.)*

MAURICE. Geduld, ihr süßen Mäuse, darüber sprechen wir noch. Das geb' ich der, die eine neue Zärtlichkeit[30] erfindet.

SÉVERINE *(zu Rollin)*. Möchten Sie mir nicht erlauben, da mitzukonkurrieren[31]?

ROLLIN. Sie machen mich wahnsinnig, Séverine.

MARQUIS. Séverine, wollen wir nicht gehen? ich denke ...

SÉVERINE. O nein. Ich befinde mich vortrefflich. *(Zu Rollin.)* Ah, ich komm' in eine Stimmung —

MICHETTE. Wie bist du nur zu dem Strumpfband gekommen?

MAURICE. Es war ein solches Gedränge in der Kirche ... und wenn eine denkt, man macht ihr den Hof[32] ... *(Alle lachen.)*

(Grain hat dem François seinen Geldbeutel gezogen.)

FRANÇOIS *(mit dem Gelde zu Albin)*. Lauter

---

[23] dress up   [24] a gold coin   [25] really!   [26] conceited

[27] stage money   [28] we'll get our share of it too   [29] studded
[30] caress   [31] compete   [32] is courting her

Spielmarken[33]. Bist du jetzt beruhigt? *(Grain will sich entfernen.)*

WIRT *(ihm nach; leise).* Geben Sie mir sofort die Börse, die Sie diesem Herrn gezogen haben.

GRAIN. Ich —

WIRT. Auf der Stelle ... oder es geht Ihnen schlecht.

GRAIN. Sie brauchen nicht grob zu werden. *(Gibt sie ihm.)*

WIRT. Und hier geblieben. Ich hab' jetzt keine Zeit, Sie zu untersuchen. Wer weiß, was Sie noch eingesteckt haben. Gehen Sie wieder auf ihren Platz zurück.

FLIPOTTE. Das Strumpfband werd' ich gewinnen.

WIRT *(zu François; wirft ihm den Beutel zu).* Da hast du deinen Geldbeutel. Du hast ihn aus der Tasche verloren.

FRANÇOIS. Ich danke Ihnen, Prospère. *(Zu Albin.)* Siehst du, wir sind in Wirklichkeit unter den anständigsten Leuten von der Welt.

(Henri ist bereits längere Zeit dagewesen, hinten gesessen, steht plötzlich auf.)

ROLLIN. Henri, da ist Henri. —

SÉVERINE. Ist das der, von dem Sie mir so viel erzählt haben?

MARQUIS. Freilich. Der, um dessentwillen man eigentlich hierherkommt. *(Henri tritt vor, ganz komödiantenhaft[34]; schweigt.)*

DIE SCHAUSPIELER. Henri, was hast du?

ROLLIN. Beachten Sie den Blick. Eine Welt von Leidenschaft. Er spielt nämlich den Verbrecher aus Leidenschaft.

SÉVERINE. Das schätze ich sehr!

ALBIN. Warum spricht er denn nicht?

ROLLIN. Er ist wie entrückt[35]. Merken Sie nur. Geben Sie acht ... er hat irgend eine fürchterliche Tat begangen.

FRANÇOIS. Er ist etwas theatralisch. Es ist, wie wenn er sich zu einem Monolog vorbereiten würde.

WIRT. Henri, Henri, woher kommst du?

HENRI. Ich hab' einen umgebracht.

ROLLIN. Was hab' ich gesagt?

SCAEVOLA. Wen?

HENRI. Den Liebhaber meiner Frau.

(Der Wirt sieht ihn an, hat in diesem Augenblick offenbar die Empfindung, es könnte wahr sein.)

HENRI *(schaut auf).* Nun, ja, ich hab' es getan, was schaut ihr mich so an? Es ist nun einmal[36] so. Ist es denn gar so verwunderlich? Ihr wißt doch alle, was meine Frau für ein Geschöpf ist; es hat so enden müssen.

WIRT. Und sie — wo ist sie?

FRANÇOIS. Sehen Sie, der Wirt geht drauf ein[37]. Merken Sie, das macht die Sache so natürlich. *(Lärm draußen, nicht zu stark.)*

JULES. Was ist das für ein Lärm da draußen?

LANSAC. Hören Sie, Séverine?

ROLLIN. Es klingt, wie wenn Truppen vorüberzögen.

FRANÇOIS. Oh nein, das ist unser liebes Volk von Paris, hören Sie nur, wie sie gröhlen[38]. *(Unruhe im Keller; draußen wird es still.)* Weiter Henri, weiter.

WIRT. So erzähl' uns doch, Henri! — Wo ist deine Frau? Wo hast du sie gelassen?

HENRI. Ah, es ist mir nicht bang um sie. Sie wird nicht daran sterben. Ob der, ob der, was liegt den Weibern dran[39]? Noch tausend andere schöne Männer laufen in Paris herum — ob der oder der —

BALTHASAR. Möge es allen so gehn, die uns unsere Weiber nehmen.

SCAEVOLA. Allen, die uns nehmen, was uns gehört.

KOMMISSÄR *(zum Wirt).* Das sind aufreizende[40] Reden.

ALBIN. Es ist erschreckend ... die Leute meinen es ernst.

SCAEVOLA. Nieder mit den Wucherern[41] von Frankreich! Wollen wir wetten, daß der Kerl, den er bei seiner Frau erwischt hat, wieder einer von den verfluchten Hunden war, die uns auch um unser Brot bestehlen.

ALBIN. Ich schlage vor, wir gehn.

SÉVERINE. Henri! Henri!

MARQUIS. Aber Marquise!

SÉVERINE. Bitte, lieber Marquis, fragen Sie den Mann, wie er seine Frau erwischt hat ... oder ich frag' ihn selbst.

MARQUIS *(zögernd).* Sagen Sie, Henri, wie ist

---

[33] nothing but counters (stage money) [34] like a cheap actor [35] in a trance [36] simply [37] enters into the spirit of the thing [38] yell [39] what does it matter? [40] provocative [41] usurers

es Ihnen denn gelungen, die zwei abzufassen?

HENRI *(der lang in Sinnen versunken war).*
Kennt Ihr denn mein Weib? — Es ist das schönste und niedrigste Geschöpf unter der Sonne. —
Und ich habe sie geliebt. — Sieben Jahre kennen
wir uns ... aber erst seit gestern ist sie mein
Weib. In diesen sieben Jahren war kein Tag,
aber nicht ein Tag, an dem sie mich nicht belogen, denn alles an ihr lügt. Ihre Augen wie
ihre Lippen, ihre Küsse und ihr Lächeln. Und
ich hab' es gewußt!

SÉVERINE. Das kann nicht jeder von sich sagen.

HENRI. Und dabei hat sie mich geliebt, meine
Freunde, kann das einer von euch verstehen?
Immer wieder ist sie zu mir zurückgekommen
— von überall her wieder zu mir — von den
Schönen und den Häßlichen, den Klugen und
den Dummen, den Lumpen und den Kavalieren
— immer wieder zu mir. —

SÉVERINE *(zu Rollin).* Wenn ihr nur ahntet,
daß eben dieses Zurückkommen die Liebe ist.

HENRI. Was hab' ich gelitten ... Qualen,
Qualen!

ROLLIN. Es ist erschütternd!

HENRI. Und gestern hab' ich sie geheiratet.
Wir haben einen Traum gehabt. Nein — ich
hab' einen Traum gehabt. Ich wollte mit ihr
fort von hier. In die Einsamkeit, aufs Land, in
den großen Frieden. Wie andere glückliche Ehe-
paare wollten wir leben — auch von einem
Kind haben wir geträumt.

ROLLIN *(leise).* Séverine!

SÉVERINE. Nun ja, es ist schon gut[42].

ALBIN. François, dieser Mensch spricht die
Wahrheit.

FRANÇOIS. Gewiß, diese Liebesgeschichte ist
wahr, aber es handelt sich um die Mordge-
schichte.

HENRI. Ich hab' mich um einen Tag verspätet
... sie hatte noch einen vergessen, sonst —
glaub' ich — hat ihr keiner mehr gefehlt ...
aber ich hab' sie zusammen erwischt ... und er
ist hin.

DIE SCHAUSPIELER. Wer? ... Wer? Wie ist es
geschehen? ... Wo liegt er? — Wirst du verfolgt? ... Wie ist es geschehen? ... Wo ist sie?

HENRI *(immer erregter).* Ich hab' sie begleitet

... ins Theater ... zum letzten Male sollt' es
heute sein ... ich hab' sie geküßt ... an der
Tür — und sie ist hinauf in ihre Garderobe[43]
und ich bin fortgegangen wie einer, der nichts
zu fürchten hat. — Aber schon nach hundert
Schritten hat's begonnen ... in mir ... versteht
ihr mich ... eine ungeheure Unruhe ... und es
war, als zwänge mich irgend was, umzukehren
... und ich bin umgekehrt und hingegangen.
Aber da hab' ich mich geschämt und bin wieder
fort ... und wieder war ich hundert Schritt
weit vom Theater ... da hat es mich gepackt ...
und wieder bin ich zurück. Ihre Szene war zu
Ende ... sie hat ja nicht viel zu tun, steht nur
eine Weile auf der Bühne, halbnackt — und
dann ist sie fertig ... ich stehe vor ihrer Garderobe, ich lehne mein Ohr an die Tür und höre
flüstern. Ich kann kein Wort unterscheiden ...
das Flüstern verstummt ... ich stoße die Tür
auf ... *(Er brüllt wie ein wildes Tier.)* — Es war
der Herzog von Cadignan und ich hab' ihn
ermordet. —

WIRT *(der es endlich für wahr hält).* Wahn-
sinniger! *(Henri schaut auf, sieht den Wirt starr
an.)*

SÉVERINE. Bravo! bravo!

ROLLIN. Was tun Sie, Marquise? Im Augenblick, wo Sie Bravo! rufen, machen Sie das
alles wieder zum Theater — und das angenehme
Gruseln[44] ist vorbei.

MARQUIS. Ich finde das Gruseln nicht so angenehm. Applaudieren wir, meine Freunde, nur
so können wir uns von diesem Banne[45] befreien.

WIRT *(zu Henri, während des Lärms).* Rette
dich, flieh, Henri!

HENRI. Was? Was?

WIRT. Laß es jetzt genug sein und mach'[46],
daß du fortkommst!

FRANÇOIS. Ruhe! ... Hören wir, was der
Wirt sagt!

WIRT *(nach kurzer Überlegung).* Ich sag' ihm,
daß er fort soll, bevor die Wachen an den Toren
der Stadt verständigt sind. Der schöne Herzog
war ein Liebling des Königs — sie[47] rädern dich!
Hättest du noch lieber die Kanaille, dein Weib,
erstochen!

[42] that's all right

[43] dressing room [44] thrill [45] spell [46] see to it [47] they'll
break you on the wheel

FRANÇOIS. Was für ein Zusammenspiel … Herrlich!

HENRI. Prospère, wer von uns ist wahnsinnig, du oder ich? *(Er steht da und versucht in den Augen des Wirts zu lesen.)*

ROLLIN. Es ist wunderbar, wir alle wissen, daß er spielt, und doch, wenn der Herzog von Cadignan jetzt hereinträte, er würde uns erscheinen wie ein Gespenst. *(Lärm draußen — immer stärker. Es kommen Leute herein, man hört schreien. Ganz an ihrer Spitze Grasset, andere, unter ihnen Lebrêt, drängen über die Stiege nach. Man hört Rufe: Freiheit, Freiheit!)*

GRASSET. Hier sind wir, Kinder, da herein!

ALBIN. Was ist das? Gehört das dazu?

FRANÇOIS. Nein.

MARQUIS. Was soll das bedeuten?

SÉVERINE. Was sind das für Leute?

GRASSET. Hier herein! Ich sag' es euch, mein Freund Prospère hat immer noch ein Faß Wein übrig, und wir haben's verdient! *(Lärm von der Straße.)* Freund! Bruder! Wir haben sie, wir haben sie! *(Rufe draußen: Freiheit! Freiheit!)*

SÉVERINE. Was gibt's?

MARQUIS. Entfernen wir uns, entfernen wir uns, der Pöbel rückt an.

ROLLIN. Wie wollen Sie sich entfernen?

GRASSET. Sie ist gefallen, die Bastille ist gefallen!

WIRT. Was sagst du? — Spricht er die Wahrheit?

GRASSET. Hörst du nicht? *(Albin will den Degen ziehen.)*

FRANÇOIS. Laß das jetzt, sonst sind wir alle verloren.

GRASSET *(torkelt über die Stiege herein)*. Und wenn ihr euch beeilt, könnt ihr noch draußen was Lustiges sehen … auf einer sehr hohen Stange den Kopf unseres teuren Delaunay[48].

MARQUIS. Ist der Kerl verrückt?

RUFE. Freiheit! Freiheit!

GRASSET. Einem Dutzend haben wir die Köpfe abgeschlagen, die Bastille gehört uns, die Gefangenen sind frei! Paris gehört dem Volke!

WIRT. Hört ihr! Hört ihr! Paris gehört uns!

GRASSET. Seht, wie er jetzt Mut kriegt. Ja,

schrei nur, Prospère, jetzt kann dir nichts mehr geschehn.

WIRT *(zu den Adligen)*. Was sagt ihr dazu? Ihr Gesindel! Der Spaß ist zu Ende.

ALBIN. Hab' ich's nicht gesagt?

WIRT. Das Volk von Paris hat gesiegt.

KOMMISSÄR. Ruhe! — *(Man lacht.)* Ruhe! … Ich untersage[49] die Fortsetzung der Vorstellung!

GRASSET. Wer ist der Tropf[50]?

KOMMISSÄR. Prospère, ich machte Sie verantwortlich für alle die aufreizenden Reden —

GRASSET. Ist der Kerl verrückt?

WIRT. Der Spaß ist zu Ende, begreift ihr nicht? Henri, so sag's ihnen doch, jetzt darfst du's ihnen sagen! Wir schützen dich … das Volk von Paris schützt dich.

GRASSET. Ja, das Volk von Paris. *(Henri steht stieren Blicks[51] da.)*

WIRT. Henri hat den Herzog von Cadignan wirklich ermordet.

ALBIN, FRANÇOIS, MARQUIS. Was sagt er da?

ALBIN *(und andere)*. Was bedeutet das alles, Henri?

FRANÇOIS. Henri, sprechen Sie doch!

WIRT. Er hat ihn bei seiner Frau gefunden — und er hat ihn umgebracht.

HENRI. Es ist nicht wahr.

WIRT. Jetzt brauchst du dich nicht mehr zu fürchten, jetzt kannst du's in die Welt hinausschrein. Ich hätte dir schon vor einer Stunde sagen können, daß sie die Geliebte des Herzogs ist. Bei Gott, ich bin nahe daran gewesen, dir's zu sagen … Sie schreiender Bimsstein, nicht wahr, wir haben's gewußt?

HENRI. Wer hat sie gesehn? Wo hat man sie gesehn?

WIRT. Was kümmert dich das jetzt! Er ist ja verrückt … du hast ihn umgebracht, mehr kannst du doch nicht tun.

FRANÇOIS. Um Himmels willen, so ist es wirklich wahr oder nicht?

WIRT. Ja, es ist wahr!

GRASSET. Henri — du sollst von nun an mein Freund sein. Es lebe die Freiheit! Es lebe die Freiheit!

FRANÇOIS. Henri, reden Sie doch!

HENRI. Sie war seine Geliebte? Sie war die

[48] the governor of the Bastille   [49] forbid   [50] idiot   [51] with a vacant stare

Geliebte des Herzogs? Ich hab' es nicht gewußt ... er lebt ... er lebt. — *(Ungeheure Bewegung.)*

SÉVERINE *(zu den anderen).* Nun, wo ist jetzt die Wahrheit?

ALBIN. Um Gottes willen! *(Der Herzog drängt* 5 *sich durch die Masse auf der Stiege.)*

SÉVERINE *(die ihn zuerst sieht).* Der Herzog!

EINIGE. Der Herzog!

HERZOG. Nun ja, was gibt's denn?

WIRT. Ist es ein Gespenst? 10

HERZOG. Nicht[52] daß ich wüßte! Laßt mich da herüber!

ROLLIN. Was wetten wir, daß alles arrangiert ist? Die Kerls da gehören zur Truppe von Prospère. Bravo, Prospère, das ist dir gelungen. 15

HERZOG. Was gibt's? Spielt man hier noch, während draußen ... Weiß man denn nicht, was da draußen für Dinge vorgehen? Ich habe den Kopf Delaunays auf einer Stange vorbeitragen sehen. Ja, was schaut ihr mich denn so 20 an — *(Tritt herunter.)* Henri —

FRANÇOIS. Hüten Sie sich vor Henri.

(Henri stürzt wie ein Wütender auf den Herzog und stößt ihm den Dolch in den Hals.)

KOMMISSÄR *(steht auf).* Das geht zu weit! — 25

ALBIN. Er blutet!

ROLLIN. Hier ist ein Mord geschehen!

SÉVERINE. Der Herzog stirbt!

MARQUIS. Ich bin fassungslos[53], liebe Séverine, daß ich Sie gerade heute in dieses Lokal bringen 30 mußte!

SÉVERINE. Warum? *(Mühsam.)* Es[54] trifft sich wunderbar. Man sieht nicht alle Tage einen wirklichen Herzog wirklich ermorden.

ROLLIN. Ich fasse es noch nicht. 35

KOMMISSÄR. Ruhe! — Keiner verlasse das Lokal! —

GRASSET. Was will der?

KOMMISSÄR. Ich verhafte diesen Mann im Namen des Gesetzes. 40

GRASSET *(lacht).* Die Gesetze machen wir, ihr Dummköpfe! Hinaus mit dem Gesindel! Wer einen Herzog umbringt, ist ein Freund des Volkes. Es lebe die Freiheit!

ALBIN *(zieht den Degen).* Platz gemacht! Folgen Sie mir, meine Freunde! *(Léocadie stürzt herein, über die Stufen.)*

RUFE. Léocadie!

ANDERE. Seine Frau!

LÉOCADIE. Laßt mich hier herein! Ich will zu meinem Mann! *(Sie kommt nach vorne, sieht, schreit auf.)* Wer hat das getan? Henri! *(Henri schaut sie an.)*

LÉOCADIE. Warum hast du das getan?

HENRI. Warum?

LÉOCADIE. Ja, ja, ich weiß warum. Meinetwegen. Nein, nein, sag nicht meinetwegen. Soviel bin ich mein Lebtag nicht wert gewesen.

GRASSET *(beginnt eine Rede).* Bürger von Paris, wir wollen unsern Sieg feiern. Der Zufall hat uns auf dem Weg durch die Straßen von Paris zu diesem angenehmen Wirt geführt. Es[55] hat sich nicht schöner treffen können. Nirgends kann der Ruf: „Es lebe die Freiheit!" schöner klingen, als an der Leiche eines Herzogs.

RUFE. Es lebe die Freiheit! Es lebe die Freiheit!

FRANÇOIS. Ich denke, wir gehen — das Volk ist wahnsinnig geworden. Gehn wir.

ALBIN. Sollen wir ihnen die Leiche hier lassen?

SÉVERINE. Es lebe die Freiheit! Es lebe die Freiheit!

MARQUIS. Sind Sie verrückt?

DIE BÜRGER UND DIE SCHAUSPIELER. Es lebe die Freiheit! Es lebe die Freiheit!

SÉVERINE *(an der Spitze der Adligen, dem Ausgange zu).* Rollin, warten Sie heut nacht vor meinem Fenster. Ich werfe den Schlüssel hinunter wie neulich — wir wollen eine schöne Stunde haben — ich fühle mich angenehm erregt.

RUFE. Es lebe die Freiheit! Es lebe Henri! Es lebe Henri!

LEBRÊT. Schaut die Kerle an — sie laufen uns davon.

GRASSET. Laßt sie für heute — laßt sie. — Sie werden uns nicht entgehen.

(Vorhang.)

---

[52] not as far as I know   [53] aghast   [54] it's a marvellous coincidence   [55] things couldn't have turned out better

Richard Dehmel · 1863–1920

Dehmel, a north German by birth and upbringing, had an ecstatic temperament that brought him into sharp conflict with his stern father and with his teachers. As a student he led a hectic and irregular life; after studying theology, medicine, and science, he took a degree in economics and for a time was employed in an insurance company. After 1895 he lived by his pen, at first in Berlin, where he participated actively in the literary life of the capital, and later in a suburb of Hamburg, close to his dear friend Liliencron. His domestic life was turbulent, too. When the First World War broke out he was fifty-one; yet he volunteered for active service as a private soldier and saw combat in the trenches. Later he experienced a revulsion against war and turned pacifist. He supported the new Weimar Republic with all the ardor of his fiery soul.

Dehmel had much in common with the naturalists in his general outlook on life, but the spirit of Nietzsche lay heavy upon him despite his own denial of the dependence and led him to move beyond the narrow unlyrical spirit of naturalism into the more visionary world of what later became known as expressionism. He accepts the world of modern technology, as do the naturalists, and agitates for social reform out of his deep concern for the distress of the proletariat; but he is likewise concerned with the development of the spiritual man. He is a Nietzschean individualist rebelling against accepted bourgeois values, and with Nietzsche he also heralds the rights of sensuous pagan love. The body of his lyric poetry is divided between philosophical and social poetry, pure nature lyric, erotic verse, and children's verse in the manner of A. A. Milne.

His principal writings include the following collections of verse: *Erlösungen* (1891), *Aber die Liebe* (1893), *Weib und Welt* (1896), *Zwei Menschen* (1903), *Schöne, wilde Welt* (1913) and the war diary *Zwischen Volk und Menschheit* (1919). Between 1906 and 1909 he revised much of his earlier verse.

Selbstzucht

Mensch, du sollst dich selbst erziehen.
Und das wird dir mancher deuten:
Mensch, du mußt dir selbst entfliehen.
Hüte dich vor diesen Leuten!

Rechne ab mit den Gewalten   5
in dir, um dich. Sie ergeben
zweierlei: wirst du das Leben,
wird das Leben dich gestalten?

Mancher hat sich selbst erzogen;
hat er auch ein Selbst gezüchtet?   10
Noch hat keiner Gott erflogen[1],
der vor Gottes Teufeln flüchtet.

Erntelied

Es steht ein goldnes Garbenfeld,
das geht bis an den Rand der Welt.
   Mahle, Mühle, mahle!

Es stockt der Wind im weiten Land,
viel Mühlen stehn am Himmelsrand.   5
   Mahle, Mühle, mahle!

Es kommt ein dunkles Abendrot[1],
viel arme Leute schrein nach Brot.
   Mahle, Mühle, mahle!

Es hält die Nacht den Sturm im Schoß,   10
und morgen geht die Arbeit los.
   Mahle, Mühle, mahle!

SELBSTZUCHT: From *Erlösungen* (1891); one of the many contemporary calls to self-realization. [1] reached in flight

ERNTELIED: Written in 1895; published in *Weib und Welt* (1896); later transferred to *Aber die Liebe* [1] red glow in the sunset sky, dark with foreboding

Es fegt der Sturm die Felder rein,
es wird kein Mensch mehr Hunger schrein.
Mahle, Mühle, mahle!   15

Der Arbeitsmann

Wir haben ein Bett, wir haben ein Kind,
    mein Weib!
Wir haben auch Arbeit, und gar zu zweit[1],
und haben die Sonne und Regen und Wind,
Und uns fehlt nur eine Kleinigkeit,   5
um so frei zu sein, wie die Vögel sind:
    Nur Zeit.

Wenn wir sonntags durch die Felder gehn,
    mein Kind,
und über den Ähren weit und breit   10
das blaue Schwalbenvolk blitzen sehn;
oh, dann fehlt uns nicht das bißchen Kleid,
um so schön zu sein, wie die Vögel sind:
    Nur Zeit.

Nur Zeit! wir wittern Gewitterwind,   15
    wir Volk.
Nur eine kleine Ewigkeit;
uns fehlt ja nichts, mein Weib, mein Kind,
als all das, was durch uns gedeiht,
um so kühn zu sein, wie die Vögel sind.   20
    Nur Zeit!

Die stille Stadt

Liegt eine Stadt im Tale,
ein blasser Tag vergeht;
es wird nicht lange dauern mehr,
bis weder Mond noch Sterne,
nur Nacht am Himmel steht.   5

Von allen Bergen drücken
Nebel auf die Stadt;
es dringt kein Dach, nicht Hof noch Haus,

kein Laut aus ihrem Rauch[1] heraus,
kaum Türme noch und Brücken.   10

Doch als den Wanderer graute,
da ging ein Lichtlein auf im Grund[2];
und durch den Rauch und Nebel
begann ein leiser Lobgesang,
aus Kindermund.   15

Lied an meinen Sohn

Der Sturm behorcht[1] mein Vaterhaus,
mein Herz klopft in die Nacht hinaus,
laut; so erwacht ich vom Gebraus[2]
des Forstes schon als Kind.
Mein junger Sohn, hör zu, hör zu: 5
in deine ferne Wiegenruh
stöhnt meine Worte dir im Traum der Wind.

Einst habe ich auch im Schlaf gelacht,
mein Sohn, und bin nicht aufgewacht
vom Sturm; bis eine graue Nacht   10
wie heute kam.
Dumpf brandet heut im Forst der Föhn[3],
wie damals, als ich sein Getön[4]
vor Furcht wie meines Vaters Wort vernahm.

Horch, wie der knospige Wipfelsaum[5]   15
sich sträubt, sich beugt, von Baum zu Baum;
mein Sohn, in deinen Wiegentraum
zornlacht[6] der Sturm — hör zu, hör zu!
Er hat sich nie vor Furcht gebeugt!
Horch, wie er durch die Kronen keucht: 20
sei Du! sei Du! —

Und wenn dir einst von Sohnespflicht,
mein Sohn, dein alter Vater spricht,
gehorch ihm nicht, gehorch ihm nicht:
horch, wie der Föhn im Forst den Frühling
    braut!   25
Horch, er bestürmt mein Vaterhaus,
mein Herz tönt in die Nacht hinaus,
laut …

---

[1] = Höhenrauch, fog, haze   [2] valley

DER ARBEITSMANN: First published in "Simplizissimus"
1896; included in *Weib und Welt* (1896); later transferred to
Aber die Liebe (1907)   [1] even for two
DIE STILLE STADT: From *Weib und Welt* (1896)

LIED AN MEINEN SOHN: Written on the night of February
10, 1894; published in *Aber die Liebe*   [1] listens all round
[2] roaring   [3] south spring gale   [4] roaring   [5] edge of the
budding treetops   [6] laughs with scorn

Hermann Bahr · 1863–1934

Hermann Bahr was an Austrian journalist and essayist and a minor writer of fiction and drama. His best work was a long series of critical essays, pamphlets, and books dealing with the literary and artistic scene of his day. He was a Protean figure who was influenced by every ism that came his way and who wrote with clarity and charm about his many enthusiasms. His intellectual development was equally flighty; he moved all the way from socialism to conservative Roman Catholicism.

Sehen

Alle Geschichte der Malerei ist immer Geschichte des Sehens. Die Technik verändert sich erst, wenn sich das Sehen verändert hat. Sie verändert sich nur, weil sich das Sehen verändert hat. Sie verändert sich, um den Veränderungen des Sehens nachzukommen. Das Sehen aber verändert sich mit der Beziehung des Menschen zur Welt. Wie der Mensch zur Welt steht, so sieht er sie. Alle Geschichte der Malerei ist deshalb auch Geschichte der Philosophie, besonders der ungeschriebenen.

Sehen ist zugleich ein Leiden und ein Handeln des Menschen. Je nachdem[1] er sich dabei mehr leidend oder mehr handelnd verhält, passiv oder aktiv, je nachdem er entweder möglichst rein empfangen oder es möglichst stark erwidern will, verändert sich das Sehen, verändert sich das Bild. Immer besteht Sehen aus zwei Tätigkeiten, einer äußeren und einer inneren, einer, die dem Menschen angetan wird, und einer, die dann der Mensch ihr antut. Damit wir sehen, muß zunächst draußen etwas geschehen; das muß auf uns eindringen, ein Reiz muß uns treffen. Aber kaum trifft er uns, so antworten wir. Erst antwortet das Auge. Es erleidet den Reiz nicht bloß, es empfängt ihn nicht bloß, es läßt ihn nicht bloß geschehen, sondern gleich wird es selber an ihm tätig; es nimmt ihn auf, es meldet ihn uns an, gibt ihn weiter[2] und schickt ihn unserem Denken zu: der Reiz wird zur Empfindung, die Empfindung wird bewußt und in unser Denken eingefügt. Schon Plato wußte, daß das Auge den Reiz nicht untätig erleidet, sondern ihn gleich sozusagen pariert[3]; er spricht (im Timaeus[4]) von einem Feuer, das dem Auge entströmt. Und Goethe hat immer wieder auf die „Selbsttätigkeit" des Auges, das „Eigenleben" des Auges, auf seine „Gegenwirkungen gegen das Äußere, Sichtbare", auf das „Ergreifen der Gegenstände mit dem Auge" hingewiesen. Wenn uns der Reiz bewußt wird, hat ihn das Auge schon umgeformt; er trägt schon unser Zeichen, er gehört schon halb uns an. Und kaum ist er apperzipiert[5], so macht sich[6] jetzt unser Denken über ihn her. Goethe hat gesagt, daß wir „schon bei jedem aufmerksamen Blick in die Welt theorisieren[7]". Denn solange wir, was wir sehen, noch nicht bedacht haben, erblicken wir es gar nicht. Erblicken ist immer schon ein Erkennen. Bloß der Reiz, der vom Auge dem Denken übergeben, vom Denken aufgenommen und ins Denken eingefügt wird, wird Gestalt. Wir sind es, die ihn gestalten. Wenn wir einen Baum sehen, haben stets wir ihn erdacht. Zum Baum wird er erst durch unser Denken. Er wäre sonst eine Farbenempfindung geblieben. Solange ich den äußeren Reiz des Baumes nicht bedenke, wird er mir höchstens allenfalls als ein grüner Fleck bewußt, den zunächst auch mein Auge selbst, ohne daß

This essay is from the book *Expressionismus* (1919).
[1] according as   [2] passes it on

[3] parries, wards off   [4] one of the Platonic dialogues   [5] apperceived   [6] macht sich her = attacks it   [7] This and the other quotations from Goethe are from *Maximen und Reflexionen* or from the *Farbenlehre*.

ein äußerer Anlaß notwendig wäre, hervorgebracht haben könnte. Ich muß das Grün erst
bedenken, um gewiß zu werden, daß ich genötigt bin, einen äußeren Reiz dazu anzunehmen;
ich muß auf ihn erst des Menschen „ureigensten
Begriff" der Ursache[8] anwenden, ich muß ihn
einordnen, ich muß ihn aus meiner Erfahrung
ergänzen: dann erst weiß ich, was der grüne
Fleck ist, und erst, daß ich das weiß, verhilft mir
dazu, daß ich nicht bloß einen grünen Fleck
sehe, sondern ihn mir schließlich nach diesem
so langen Verfahren als einen Baum, ja wohl
gar als eine Eiche, Tanne, Buche deuten kann.

Zwei Kräfte wirken aufeinander ein, eine
äußere und unsere innere, jede uns im Grunde
gleich unbekannt. Allein genügt keine. Durch
beide zusammen entsteht die Erscheinung erst.
Sie ist für jeden eine andere, je nachdem sein
eigener Anteil stärker oder schwächer ist, die
Selbsttätigkeit seines Auges, der Grad seiner
Aufmerksamkeit, das Maß seiner Erfahrung, die
Kraft seines Denkens, der Umfang seines Wissens. Wenn eine dieser Bedingungen sich verändert, muß sich mit ihr auch jede Erscheinung
verändern. Meistens ist sich der Mensch dieser
Bedingungen ja gar nicht bewußt. Aber es kann
auch geschehen, daß er sie stark empfindet, und
dann kann es geschehen, daß er sie verändern
will. Sobald er inne wird, daß sein Sehen immer
die Wirkung einer äußeren und seiner inneren
Kraft ist, kommt es darauf an, wem er mehr
traut, der äußeren Welt oder sich selbst. Denn
danach bestimmt sich ja schließlich alles menschliche Verhältnis. Sobald er einmal so weit ist,
daß er sich und die Welt unterscheiden lernt,
daß er Ich und Du sagt, daß er Äußeres und Inneres
trennt, hat er nur die Wahl, entweder vor der
Welt in sich selbst oder aber[9] aus sich selbst in
die Welt zu flüchten oder schließlich sich an
der Grenze zwischen beiden zu halten; das sind
die drei Stellungen des Menschen zur Erscheinung.

Wenn er in Urzeiten zum erstenmal erwacht,
erschrickt er vor der Welt. Damit er zu sich
kommen[10] und sich empfinden kann, muß er
sich erst einmal der Natur entrissen haben, und

dies bleibt nun in seiner Erinnerung wach: Los
von der Natur! Er haßt sie, er fürchtet sie, sie
ist stärker als er, er kann sich vor ihr nur retten,
indem er sie flieht, sonst wird sie ihn wieder
verschlingen. Er flieht vor ihr in sich selbst.
Daß er den Mut hat, sich von ihr zu trennen
und ihr zu trotzen, das beweist ihm, daß in ihm
eine geheime Kraft sein muß. Der vertraut er
sich an. Aus sich holt er seinen Gott und stellt
ihn der Natur entgegen. Eine Macht muß sein,
stärker als er, doch stärker auch als die Welt.
Über ihm und über ihr thront sie, kann ihn
vernichten, aber kann ihn auch schützen gegen
sie. Wenn sein Opfer den Gott gnädig stimmt[11],
bannt er die Schrecken der Natur. So zieht der
Urmensch einen Zauberkreis von Andacht um
sich und steckt ihn mit den Zeichen seines
Gottes ab: die Kunst beginnt, ein Versuch des
Menschen, den Zwang der Erscheinungen zu
brechen, indem er sein Inneres erscheinen läßt;
er schafft in die Welt hinein eine neue, die ihm
gehört und ihm gehorcht. Schreckt ihn jene
durch die rasende Flucht, in der[11a] Erscheinung
um Erscheinung alle seine Sinne — bald das
Auge, bald das Ohr, die tastende Hand und den
schreitenden Fuß — ängstigen und verwirren,
so beschwichtigt und ermutigt ihn diese durch
die Stille, das Maß und den Gleichklang ihrer
starren und unwirklichen, sich ewig wieder-
holenden Formen; im primitiven Ornament ist
der Wechsel durch die Ruhe, der Augenschein
durch das Gedankenbild, die äußere Welt durch
den inneren Menschen überwunden. Und wenn
ihn die Wirklichkeit durch ihre Tiefe verstört
dadurch, daß er sie sich nicht ertasten kann[12],
daß sie weiter reicht, als er greifen kann, daß
immer hinter allem noch ein anderes und immer
wieder etwas droht, so befreit ihn die Kunst,
indem sie die Erscheinung aus der Tiefe holt
und sie in die Fläche setzt. Der Urmensch sieht
Linien, Kreise, Quadrate, und sieht alles flach.
Beides aus demselben inneren Bedürfnis, die
drohende Natur von sich abzuwenden. Sein
Sehen hat immer Angst, überwältigt zu werden,
und so verteidigt es sich gleich, es leistet Widerstand, es schlägt zurück. Jeder äußere Reiz

---

[8] the concept of causality, which is the prerogative of man
alone   [9] oder aber = or else   [10] recover himself

[11] puts in a good mood   [11a] = relative pronoun   [12] cannot
translate it into feeling through the sense of touch

alarmiert sogleich den inneren Sinn, der immer bereit steht, niemals die Natur einläßt, sondern sie Stück für Stück aus der Flucht der Erscheinungen reißt, aus der Tiefe in die Fläche bannt, entwirklicht[13] und vermenschlicht, bis ihr Chaos von seiner Ordnung bezwungen ist.

Jedoch nicht bloß des Urmenschen Sehen ist ein solches entschlossen abwehrendes Handeln auf jeden erlittenen Reiz hin, wir finden es auch auf einer Höhe der Menschheit wieder: im Orient. Dort hat der reife Mensch die Natur überwunden, die Erscheinung ist durchschaut und als Schein[14] erkannt, und wen das Auge trügerisch in diesen Wahn verlocken will, den lehrt Erkenntnis widerstehen. Im Morgenland ist alles Sehen durch einen Zug erkennenden Mitleids gedämpft, und wohin der Weise schaut, erblickt er nur, was er weiß: das Auge nimmt den äußeren Reiz auf, aber bloß, um ihn gleich zu entlarven. Alles Sehen ist dort ein Absehen[15] von der Natur. Wir mit unseren Augen sind unfähig, uns das auch nur vorzustellen. Denn wir sehen ja, soweit der Kreis unserer Gesittung reicht, jetzt alle noch immer mit den Augen der Griechen. Die Griechen haben den Menschen umgekehrt: er stand gegen die Natur, sie wenden ihn zur Natur hin, er verbarg sich vor ihr, sie nimmt ihn auf, er wird eins mit ihr. Es muß ein ungeheurer Augenblick gewesen sein. Wir haben noch Zeugen davon. In München steht der Apollo von Tenea[16], im British Museum, im Mykenischen Saal, Gefährten von ihm, und das erste Zimmer des Athenischen Nationalmuseums ist ihrer voll. Götterbilder der uralten Art sind es, auferbaut aus Furcht der Menschen, zum Schutze vor der äußeren Welt, als beruhigende Zeichen der inneren. Aber indem ein junges Geschlecht nun den ererbten Gott in der Väter Art nachzubilden strebt, regt sich unversehens ein neuer Sinn in ihm, es wird ihr untreu und die Hand, die das alte Bild des Gottes nachformen soll, läßt sich verlocken: sie holt den Gott nicht mehr aus dem Abgrund der Menschenbrust, sie sucht ihn draußen, Natur

dringt ein, er belebt sich, hier löst sich ein Arm ab, dort wird die Schulter frei, das Starre regt sich, er erwacht, es ist kein Gott mehr, er ist ein Mensch geworden und der Mensch wird mit ihm Natur. Im Griechen verständigt sich der Mensch mit der Natur, sie verliert ihre Schrecken für ihn; er macht seinen Frieden mit ihr und indem er sich ihr hinzugeben wagt, hofft er, sie zu beherrschen. Die Götter ziehen auf das Feld und in den Wald ein, im geometrischen Ornament erblüht die Pflanze, regt sich das Tier; Gott und Mensch und Tier vermischen sich, alles wird eins. Es entsteht der klassische Mensch, der, nach Goethes Wort, „sich eins weiß mit der Welt und deshalb die objektive Außenwelt nicht als etwas Fremdartiges empfindet, das zu der inneren Welt des Menschen hinzutritt, sondern in ihr die antwortenden Gegenbilder zu den eigenen Empfindungen erkennt." Alle Geschichte des Abendlandes entwickelt seitdem bloß immer noch diesen klassischen Menschen. Immer tauchen zuweilen Erinnerungen der Urzeit wieder auf und drohen warnend der klassischen Entwicklung; sie bleibt stärker. Und das Christentum kommt, mit seinem tiefen Argwohn gegen die Natur, mit seiner beseligenden Botschaft einer übernatürlichen Heimat; der klassische Mensch behauptet sich. Die abendländische Menschheit hat seinen Blick behalten, ja sie bildet den klassischen Blick nur immer noch aus. Es ist der Blick des Vertrauens zur Natur. Der Mensch kehrt sich immer mehr von seinem Inneren ab und nach außen. Er wird immer mehr Auge. Und das Auge wird immer mehr empfangend, immer weniger handelnd. Das Auge hat gar keinen eigenen Willen mehr, es verliert sich an den Reiz, bis es zuletzt ein völliges Passivum wird, nichts mehr als ein reines Echo der Natur. Goethe hat noch gefragt: „Was ist Beschauen ohne Denken?" Wir haben es seitdem erlebt. Wir könnten auf seine Frage jetzt antworten und ihm sagen, was es ist: Impressionismus.

In der Tat ist der Impressionist die Vollendung des klassischen Menschen. Der Impressionist sucht im Sehen, soweit dies nur irgend möglich ist, alles auszuscheiden, was der Mensch aus Eigenem dem äußeren Reiz hinzufügt. Der

[13] robs it of reality   [14] illusion   [15] looking away   [16] a statue of Apollo found at Tenea near Corinth in 1846; said to be one of the earliest representations of the god; *mykenisch* = Mycaenean

Impressionist ist ein Versuch, vom Menschen nichts als die Netzhaut[17] übrig zu lassen. Man pflegt den Impressionisten nachzusagen, daß sie kein Bild „ausführen[18]". Richtiger wäre zu sagen: sie führen das Sehen nicht aus. Der Impressionist läßt den Anteil des Menschen an der Erscheinung weg, aus Angst, sie zu fälschen. Jeder aufmerksame Blick „theoretisiert" ja schon, er enthält nicht mehr bloß den einen Reiz, er enthält mehr, er enthält einen menschlichen Zusatz, und der Impressionist mißtraut dem Menschen, wie der Urmensch der Natur mißtraut. So will der Impressionist die Natur überraschen, bevor sie noch vermenschlicht worden ist, er geht an den ersten Anbeginn des Sehens zurück, er will den Reiz bei seinem Eintritt in uns erhaschen, eben wenn er uns reizt, eben während er Empfindung wird. „Gedanken ohne Inhalt sind leer, Anschauungen ohne Begriffe sind blind," hat Kant gesagt[19]. Erst wenn jene äußere Kraft sich mit unserer inneren Kraft berührt, entsteht Erscheinung, und diesen Augenblick der ersten Berührung, das Entstehen der Erscheinung, will der Impressionist ergreifen, wenn der Reiz, den wir erleiden, unsere Tätigkeit alarmiert, und bevor unsere aufgeschreckte Tätigkeit noch auf ihn eingewirkt und ihn umgeformt hat. Einen Moment früher und die Anschauung wäre noch blind. Sie wird erst sehend, wenn unser Denken sie anhaucht. Einen Moment später, und sie wäre nicht mehr rein. Eben in dem Moment, wo die Anschauung sehend wird, in dem wir ihr den Star stechen[20], fängt sie der Impressionist ab. Schopenhauer[21] sagt: „Unter allen Sinnen ist das Gesicht der feinsten und mannigfaltigsten Eindrücke von außen fähig: dennoch kann es an sich[22] bloß Empfindung geben, welche erst durch Anwendung des Verstandes auf dieselbe zur Anschauung[23] wird. Könnte jemand, der vor einer schönen weiten Aussicht steht, auf einen Augenblick alles Verstandes beraubt werden, so würde ihm von der ganzen Aussicht nichts übrigbleiben als die Emp-

findung einer sehr mannigfaltigen Affektion seiner Retina, den vielerlei Farbenflecken auf einer Malerpalette ähnlich — welche gleichsam der rohe Stoff ist, aus welchem vorhin sein Verstand jene Anschauung schuf." Impressionistisches Sehen läßt sich gar nicht besser schildern. Es ist das Sehen einer Zeit, die den Sinnen allein vertraut, an allen anderen Kräften des Menschen aber irre geworden ist[24]; sie hält sich an Goethes Wort: „Die Sinne trügen nicht, der Verstand trügt." Ihr sind Mensch und Welt völlig eins geworden. Es gibt für sie nichts als Sinnesempfindungen. Wer zu diesem Zusammenhang von Sinnesempfindungen nur auch noch einen Träger[25] zu fordern wagt und daraus auf ein Ich schließt, scheint ihr schon Mythologie zu treiben. „Das Ich ist unrettbar", hat ihr schärfster Denker gesagt, Ernst Mach[26]. Das Ich ist ihr verschwunden, mit ihm aber eigentlich auch die Welt. Es bleibt nichts als der Sinnenschein von Empfindungen. Zu diesem eine Ursache, ja gar zwei, durch deren Begegnung er entstehe, anzunehmen[26a], ist ihr auch schon wieder eine Anmaßung des Verstandes, die sich nicht rechtfertigen läßt. Sie löst erst den Menschen ganz in Natur auf und merkt am Ende, daß damit auch die Natur selbst aufgelöst wird. Und wieder spricht Goethe: „Die Erscheinung ist vom Beobachter nicht losgelöst, vielmehr in die Individualität desselben verschlungen und verwickelt." Der Impressionist, den Weg des Griechen unerschrocken bis ans Ende gehend, versucht die Erscheinung vom Beobachter loszulösen. Der Schluß ist: es erlöschen dann beide.

In jenen Worten Goethes von der in die Individualität des Beobachters verschlungenen Erscheinung ist die dritte Stellung des Menschen zur Welt enthalten. Sie wird möglich, wenn der Mensch sich als Natur, aber nicht bloß als Natur fühlt, sondern als ein Zwischenwesen zweier Reiche, aus deren Wirkung aufeinander er entsteht und besteht. Er kehrt sich dann der Welt zu, gibt sich ihr vertrauend hin, läßt sie vertrauend zu sich ein, aber nicht ohne gleich

---

[17] retina of the eye   [18] complete   [19] *Kritik der reinen Vernunft*, 2. *Teil, Einleitung I: Von der Logik überhaupt*   [20] open its eyes (einem den Star stechen = to operate on a person for cataract)   [21] *Über das Sehen und die Farben,* Chapter I   [22] in itself   [23] perception

[24] has lost confidence   [25] i.e., a person who experiences these sensations   [26] Ernst Mach (1838–1916), physicist and philosopher; champion of an extreme sceptical positivism   [26a] see p. 9

immer aus sich auf sie zu antworten und ihrer Kraft mit seiner entgegenzuwirken. Er verhält sich zu ihr weiblich und männlich zugleich, empfangend und zeugend. Er erleidet sie und gestaltet sie. Sobald des Urmenschen Furcht vor der äußeren Natur einmal überwunden und solange dann der Mensch noch nicht durch Enttäuschungen seines Übermutes an seiner inneren Kraft irre geworden ist, bleibt dies das Verhältnis aller ungestörten Menschen. Unwillkürlich atmen sie die Welt ein und atmen sie, durch ihren Hauch umgeformt, dann wieder aus, freilich ohne sich bewußt zu werden, daß, was sie die äußere Welt nennen, von ihnen erst selbst mit der Welt erzeugt worden ist. Es ist sehr merkwürdig, daß, was praktisch jeder Mensch trifft[27], theoretisch zu begreifen solche Schwierigkeiten macht. Von allen Griechen hat es nur Plato gewußt, unser deutscher Meister Eckart[28] ringt damit, erst Kant hat es klar ausgesprochen, bewußt erlebt hat es am reinsten Goethe. „Alle, die ausschließlich die Erfahrung anpreisen, bedenken nicht, daß die Erfahrung nur die Hälfte der Erfahrung ist —" so wehrt er allen Impressionismus des Lebens, der Wissenschaft und der Kunst von sich ab und weiß sich doch ebenso vor allem Expressionismus (der wieder die äußere Welt mit des Menschen innerer Kraft vergewaltigen will) durch sein stillbeglücktes Vertrauen zu den Sinnen zu bewahren. Der gewöhnliche Mensch hat ja auch, wenn auch bloß in seiner dumpfen Art, ein Sehen, worin die Wirkung der äußeren Kraft mit der Gegenwirkung unserer inneren Kraft, der äußere Reiz mit unserer inneren Antwort ausgeglichen ist. Der gewöhnliche Mensch sieht meistens richtiger als der Künstler. Künstlerisches Sehen wird fast immer zunächst mit einem Verlust an richtigem Sehen erkauft; dieses stellt sich auf der höchsten Stufe erst wieder her. Künstlerisches Sehen beruht auf einer inneren Entscheidung: die Augen des Leibes geraten (um noch einmal Goethisch zu sprechen) an die Augen des

Geistes, und wie der Künstler diesen Streit austrägt, dadurch allein wird er erst eigentlich zum Künstler. Aber wie viele haben ihn denn jemals völlig ausgetragen? Ausgetragen und dann noch weiter gemalt, da doch dann, wenn der Streit ausgetragen, erst der Anfang ihrer Kunst erreicht wäre! So versteht man auch vielleicht das schaurige Wort jenes japanischen Malers, der sagte, daß man erst mit neunzig Jahren ahnen könne, was man zu gestalten vermag. In die Mitte zwischen Impressionismus und Expressionismus zu kommen, zum vollen Sehen, das weder den Menschen durch die Natur noch die Natur durch den Menschen vergewaltigt, sondern beiden ihr Recht läßt, Naturwerk und Menschentat zugleich, gelingt dem Künstler noch am ehesten entweder in Zeiten, die, in der einen Einseitigkeit aufgewachsen, plötzlich heftig von der anderen überfallen werden (Grünewald[29], Dürer, Cézanne), oder wenn einer sehr eigensinnigen Zeit der Eigensinn des Künstlers gleich stark widerstrebt (Greco, Rembrandt).

Dem Leser, der es nicht schon bemerkt hat, will ich noch ausdrücklich sagen, daß ich viel von meinen Ansichten unserem verstorbenen großen Forscher Alois Riegl[30], besonders aber Wilhelm Worringers Schriften „Abstraktion und Einfühlung" und „Formprobleme der Gothik" verdanke und daß Chamberlains[31] Goethebuch erst mich Goethe aus Kant verstehen gelernt hat.

[27] i.e., achieves   [28] German mystic of the 13th century

[29] Mathis Gerhardt Nithardt, commonly known as Matthias Grünewald (*c.* 1480–1528), famous German painter; best known for his gruesomely realistic Isenheimer Altar (1515); Albrecht Dürer (1471–1528); Paul Cézanne (1839–1906); Domenico Theotocopuli (1548?–1614), commonly known as El Greco, principal representative of Spanish baroque painting—his powerful expressive painting was a source of inspiration for the Expressionists; Rembrandt van Rijn (1606–1669)   [30] Alois Riegl (1858–1905), Austrian art historian; Wilhelm Worringer (1881–   ), art historian, sought to establish the basic conditions for apprehending reality through art. He reduced these conditions to a series of polar opposites: abstraction and empathy, immanence and transcendence, naturalism and style. His principal works are *Abstraktion und Einfühlung* (1908) and *Formprobleme der Gotik* (1911).   [31] Houston Stewart Chamberlain (1855–1927), author of important critical works on great German thinkers and artists, including a monumental study of Goethe.

Heinrich Wölfflin · 1864–1945

Wölfflin, the son of a distinguished classical scholar, was a pupil of Jakob Burckhardt at Basel. When Burckhardt retired, Wölfflin was offered his chair. Subsequently he taught at Berlin, Munich, and Zürich. He was a master of stylistic analysis in the visual arts, establishing his critical method on a solid basis of keen and original observation. He redefined the concepts of classical and baroque, and his categories were influential in literary criticism as well as in art history. His principal writings were: *Die klassische Kunst* (1899), *Die Kunst Albrecht Dürers* (1905), *Kunstgeschichtliche Grundbegriffe* (1915).

Die allgemeinsten Darstellungsformen

Mit der Erörterung dieser allgemeinsten Darstellungsformen beschäftigt sich unsere Schrift. Sie analysiert nicht die Schönheit Leonardos oder Dürers, wohl aber das Element, in dem diese Schönheit Gestalt gewonnen hat. Sie analysiert nicht die Naturdarstellung nach ihrem imitativen Gehalt und wie sich etwa der Naturalismus des 16. Jahrhunderts unterscheidet von dem des 17., wohl aber die Art des Auffassung, die den darstellenden Künsten in den verschiedenen Jahrhunderten zugrunde liegt.

Auf dem Gebiet der neueren Kunst wollen wir versuchen, diese Grundformen herauszusondern. Man bezeichnet die Folge der Perioden mit den Namen Frührenaissance — Hochrenaissance — Barock, Namen, die wenig besagen und in ihrer Anwendung auf Süden und Norden notwendig zu Mißverständnissen führen müssen, die aber kaum mehr zu verdrängen sind. Unglücklicherweise spielt noch die Bildanalogie[1]: Knospe — Blüte — Verfall eine irreführende Nebenrolle. Wenn zwischen 15. und 16. Jahrhundert in der Tat ein qualitativer Unterschied besteht, indem das 15. Jahrhundert sich ganz allmählich erst die Wirkungseinsichten hat erarbeiten[2] müssen, über die das 16. frei verfügt, so steht doch die (klassische) Kunst des Cinquecento[3] und die (barocke) Kunst des Seicento dem Werte nach auf einer Linie[4]. Das Wort klassisch bezeichnet hier kein Werurteil, denn es gibt auch eine Klassizität des Barock. Der Barock, oder sagen wir die moderne Kunst, ist weder ein Niedergang noch eine Höherführung der klassischen, sondern ist eine generell[5] andere Kunst. Die abendländische Entwicklung der neuen Zeit läßt sich nicht auf das Schema einer einfachen Kurve mit Anstieg, Höhe und Abstieg bringen, sie hat zwei Höhepunkte. Man mag seine Sympathien dem einen oder dem andern zuwenden: jedenfalls muß man sich bewußt sein, dabei willkürlich zu urteilen, wie es willkürlich ist, zu sagen, der Rosenstrauch erlebe seine Höhe in der Bildung der Blüte und der Apfelbaum in der Bildung der Frucht.

Im Interesse der Einfachheit müssen wir die Freiheit in Anspruch nehmen[6], vom 16. und 17. Jahrhundert als Stileinheiten sprechen zu dürfen, trotzdem diese Zeitabschnitte keine homogene Produktion bedeuten und namentlich die Züge der seicentistischen Physiognomie schon lang vor dem Jahre 1600 sich zu bilden begonnen hatten, wie sie anderseits noch weithin das Aussehen des 18. Jahrhunderts bedingen. Unsere Absicht geht darauf, Typus mit Typus zu vergleichen, das Fertige mit dem Fertigen. Natürlich gibt es im strengen Sinne kein „Fer-

This essay is part of the opening chapter of *Kunstgeschichtliche Grundbegriffe*. [1] figurative analogy [2] had to labor to acquire the insight into effects

[3] 16th century; seicento = 17th century. Italian chronology speaks of the 1500's, 1600's, etc. [4] in point of value on an equal footing [5] generically, i.e., of a different type [6] claim

tiges", alles Geschichtliche ist einer beständigen Wandlung unterworfen, aber man muß sich entschließen, die Verschiedenheiten an einer fruchtbaren Stelle festzuhalten und als Kontraste gegeneinander sprechen zu lassen, wenn einem nicht die ganze Entwicklung zwischen den Fingern verlaufen soll. Die Vorstufen der Hochrenaissance dürfen nicht ignoriert werden, aber sie stellen eine altertümliche Kunst dar, eine Kunst der Primitiven, für die eine sichere Bildform noch nicht existiert. Die einzelnen Übergänge aber darzulegen, die vom Stil des 16. Jahrhunderts zum Stil des 17. führen, muß der speziellen historischen Schilderung vorbehalten bleiben[7], die freilich ihrer Aufgabe auch erst gerecht werden kann, wenn sie die entscheidenden Begriffe in der Hand hat.

Irren wir uns nicht, so läßt sich die Entwicklung in provisorischer[8] Formulierung auf folgende fünf Begriffspaare bringen.

1. DIE ENTWICKLUNG VOM LINEAREN ZUM MALERISCHEN[9], das heißt die Ausbildung der Linie als Blickbahn[10] und Führerin des Auges und die allmähliche Entwertung der Linie. Allgemeiner gesagt: die Begreifung der Körper nach ihrem tastbaren Charakter — in Umriß und Flächen — einerseits und andrerseits eine Auffassung, die dem bloßen optischen Schein sich zu überlassen imstande ist und auf die „greifbare" Zeichnung verzichten kann. Dort liegt der Akzent auf den Grenzen der Dinge, hier spielt die Erscheinung ins Unbegrenzte hinüber. Das plastische und konturierende Sehen[11] isoliert die Dinge, für das malerisch sehende Auge schließen sie sich zusammen. In einem Fall liegt das Interesse mehr in der Begreifung der einzelnen körperlichen Objekte als fester, faßbarer Werte, im andern Fall mehr darin, die Sichtbarkeit in ihrer Gesamtheit als einen schwebenden[12] Schein aufzufassen.

2. DIE ENTWICKLUNG VOM FLÄCHENHAFTEN ZUM TIEFENHAFTEN[13]. Die klassische Kunst[14] bringt die Teile eines Formganzen zu flächiger Schichtung[15], die barocke betont das Hintereinander[16]. Die Fläche ist das Element der Linie, flächenhaftes Nebeneinander[17] die Form der größten Schaubarkeit[18]; mit der Entwertung des Konturs kommt die Entwertung der Fläche und das Auge bindet die Dinge wesentlich im Sinne des Vor- und Rückwärts. Das ist kein qualitativer Unterschied: mit einer höhern Fähigkeit, räumliche Tiefe darzustellen, hat diese Neuerung direkt[19] nichts zu tun, sie bedeutet vielmehr eine grundsätzlich andere Art der Darstellung, wie denn auch der „Flächenstil" in unserem Sinne nicht der Stil der primitiven Kunst ist, sondern erst im Moment einer völligen Beherrschung der Verkürzung[20] und des Raumeindrucks erscheint.

3. DIE ENTWICKLUNG VON DER GESCHLOSSENEN ZUR OFFENEN FORM. Jedes Kunstwerk muß ein geschlossenes Ganzes sein und es ist ein Mangel, wenn man findet, es sei nicht in sich begrenzt[21]. Allein die Interpretation dieser Forderung ist eine so verschiedene gewesen im 16. und 17. Jahrhundert, daß man gegenüber der aufgelösten[22] Form des Barock die klassische Fügung[23] als die Kunst der geschlossenen Form überhaupt[24] bezeichnen kann. Die Lockerung der Regel, die Entspannung der tektonischen[25] Strenge oder wie immer man den Vorgang bezeichnen mag, bedeutet nicht eine bloße Reizsteigerung[26], sondern ist ein konsequent durchgeführter, neuer Darstellungsmodus, und darum ist auch dieses Motiv unter die Grundformen der Darstellung aufzunehmen.

4. DIE ENTWICKLUNG VOM VIELHEITLICHEN ZUM EINHEITLICHEN. In dem System einer klassischen Fügung behaupten die einzelnen Teile, so fest Sie dem Ganzen eingebunden sind, doch immer noch ein Selbständiges. Es ist nicht die herrenlose Selbständigkeit der primitiven Kunst: das Einzelne ist bedingt vom Ganzen, und doch hat es nicht aufgehört, ein Eigenes zu sein. Für den Betrachter setzt das ein Artikulieren[27] voraus, ein Fortschreiten von Glied zu

---

[7] be reserved [8] provisional [9] According to Wölfflin, one of the basic distinctions between classical (i.e., Renaissance) and Baroque art is that the former is essentially an art of sharp contour or line, while Baroque art cares more for general picturelike effects, derived from the contrast between light and shade, color, composition. [10] path of vision [11] seeing in volume and outline [12] shifting [13] plane to recession [14] i.e., the art of the High Renaissance

[15] to a sequence of planes [16] i.e., perspective or depth [17] extension in one plane [18] visibility [19] absolutely [20] foreshortening [21] self-contained [22] lax [23] design [24] as such, absolutely [25] tectonic, i.e., structural [26] heightening of effect [27] combining

Glied, das eine sehr verschiedene Operation ist gegenüber der Auffassung im ganzen, wie sie das 17. Jahrhundert anwendet und fordert. In beiden Stilen handelt es sich um eine Einheit (im Gegensatz zu der vorklassischen Zeit, die den Begriff in seinem eigentlichen Sinn noch nicht verstand), allein das eine Mal ist die Einheit erreicht durch eine Harmonie freier Teile, das andere Mal durch ein Zusammenziehen der Glieder zu einem Motiv oder durch Unterordnung der übrigen Elemente unter ein unbedingt führendes.

5. DIE ABSOLUTE UND DIE RELATIVE KLARHEIT DES GEGENSTÄNDLICHEN[28]. Es ist ein Gegensatz, der sich zunächst berührt mit dem Gegensatz von linear und malerisch: die Darstellung der Dinge, wie sie sind, einzeln genommen und dem plastischen Tastgefühl zugänglich, und die Darstellung der Dinge, wie sie erscheinen, im ganzen gesehen und mehr nach ihren nichtplastischen Qualitäten. Allein es ist etwas Besonderes, daß die klassische Zeit ein Ideal vollständiger Klarheit ausbildete, das das 15. Jahrhundert nur unbestimmt geahnt hatte, das 17. aber freiwillig preisgab. Nicht daß man unklar geworden wäre, was[29] immer ein widriger Eindruck ist, allein die Klarheit des Motivs ist nicht mehr Selbstzweck der Darstellung; es braucht nicht mehr die Form in ihrer Vollständigkeit vor dem Auge ausgebreitet zu werden, es genügt, die wesentlichen Anhaltspunkte[30] gegeben zu haben. Komposition, Licht und Farbe stehen nicht mehr unbedingt im Dienste der Formaufklärung, sondern führen ihr eigenes Leben. Es gibt Fälle, wo eine solche teilweise Verdunkelung der absoluten Klarheit im Sinn bloßer Reizsteigerung verwendet worden ist, allein als große, alles umfassende Darstellungsform tritt die „relative" Klarheit in dem Moment in die Kunstgeschichte ein, wo man die Wirklichkeit auf eine generell andere Erscheinung hin ansieht. Auch hier ist es nicht ein Qualitätsunterschied, wenn der Barock von den Idealen Dürers und Raffaels abfiel[31], sondern eben eine andere Orientierung zur Welt.

Imitation und Dekoration

Die Darstellungsformen, die hier beschrieben worden sind, bedeuten etwas von so allgemeiner Art, daß auch weit auseinanderliegende[32] Naturen wie Terborch und Bernini[33] — um das schon gebrauchte Beispiel zu wiederholen — unter einem und demselben Typus Platz finden. Die Stilgemeinsamkeit dieser Künstler beruht auf dem, was für Menschen des 17. Jahrhunderts eben das Selbstverständliche ist: gewisse Grundbedingungen an die der Eindruck des Lebendigen geknüpft ist, ohne daß ein bestimmterer Ausdruckswert daran hinge.

Man kann sie als Darstellungsformen oder Anschauungsformen behandeln: in diesen Formen sieht man die Natur und in diesen Formen bringt die Kunst ihre Inhalte zur Darstellung. Aber es ist gefährlich, nur von gewissen „Zuständen des Auges" zu sprechen, von denen die Auffassung bedingt sei: jede künstlerische Auffassung ist schon nach bestimmten Gesichtspunkten des Gefallens organisiert. Darum haben unsere fünf Begriffspaare sowohl eine imitative wie eine dekorative Bedeutung. Jede Art der Naturwiedergabe bewegt sich schon innerhalb eines bestimmten dekorativen Schemas. Das lineare Sehen ist mit einer gewissen, nur ihm eigenen Vorstellung von Schönheit dauernd verknüpft und das malerische ebenso. Es geschieht nicht nur im Interesse einer neuen Naturwahrheit, wenn eine fortgeschrittene Kunst die Linie auflöst und die bewegte Masse dafür einsetzt, sondern auch im Interesse einer neuen Schönheitsempfindung. Und ebenso muß man sagen, daß die Darstellung im Flächentyp allerdings gewissen Stufe der Anschauung entspricht, aber auch hier hat die Darstellungsform offenbar eine dekorative Seite. Das Schema an sich gibt freilich noch nichts, aber es enthält die Möglichkeit, Schönheiten der Flächenordnung[34] zu entwickeln, wie sie der Tiefenstil[35] nicht mehr besitzt und nicht mehr besitzen will. Und so kann man die ganze Reihe entlang fortfahren.

[32] divergent [33] Gerard Terborch (1617–1681), Dutch genre painter; Lorenzo Bernini (1598–1680), Italian architect and sculptor, one of the foremost representatives of the Baroque style [34] arrangement of planes [35] recessional style (i.e., perspective)

[28] the subject matter [29] i.e., creates a disagreeable impression [30] points of support [31] departed

Wie aber, wenn auch diese Begriffe der untern Schicht auf eine bestimmte Schönheit zielen, kommen wir dann nicht auf den Anfang zurück, wo der Stil als unmittelbarer Temperamentsausdruck gefaßt worden war, sei es des Temperaments einer Zeit oder des Temperaments eines Volkes oder eines Individuums? Und das Neue wäre nur dieses, daß der Schnitt[36] weiter unten gemacht worden ist, die Phänomene gewissermaßen auf einen größeren, gemeinsamen Nenner[37] gebracht sind?

Wer so spricht, der verkennt, daß unsere zweite Reihe von Begriffen insofern von Haus aus[38] einer anderen Gattung angehört, als diese Begriffe in ihrer Wandlung eine innere Notwendigkeit an sich haben. Sie stellen einen rationellen psychologischen Prozeß dar. Der Fortgang von der handgreiflichen, plastischen Auffassung zu einer rein optisch-malerischen hat eine natürliche Logik und könnte nicht umgekehrt werden. Und ebensowenig der Fortgang vom Tektonischen zum Atektonischen, vom Streng-Gesetzlichen zum Frei-Gesetzlichen, vom Vielheitlichen zum Einheitlichen.

Um ein Gleichnis zu gebrauchen: der Stein, der den Berghang herabrollt, kann im Fallen ganz verschiedene Bewegungen annehmen je nach der Neigungsfläche[39] des Berges, dem härteren oder weicheren Boden usw., aber alle diese Möglichkeiten unterstehen einem und demselben Fallgesetz. So gibt es in der psychologischen Natur des Menschen bestimmte Entwicklungen, die man im selben Sinn wie das physiologische Wachstum als gesetzliche bezeichnen muß. Sie können aufs mannigfaltigste variiert, sie können teilweise oder ganz gehemmt werden, aber wenn der Prozeß ins Rollen kommt, so wird eine gewisse Gesetzmäßigkeit überall beobachtet werden können.

Es ist eine weitere Frage, inwiefern „das Auge" Entwicklungen für sich durchmachen kann und inwiefern es dabei bedingt und bedingend in die anderen geistigen Sphären übergreift. Gewiß gibt es kein optisches Schema, das, nur aus eignen Prämissen hervorgegangen, der Welt gewissermaßen wie eine tote Schablone[40] aufgelegt werden könnte; man sieht wohl jederzeit so, wie man sehen will, aber das schließt doch die Möglichkeit nicht aus, daß in allem Wandel ein Gesetz wirksam bleibe. Dieses Gesetz zu erkennen wäre ein Hauptproblem, das Hauptproblem einer wissenschaftlichen Kunstgeschichte.

[36] line of demarcation   [37] common denominator   [38] i.e., by their very nature

[39] gradient   [40] lifeless mould

Max Weber · 1864–1920

Weber was an economist by profession but moved into the field of sociology, in which he is best remembered. In the midst of a brilliant academic career he gave up teaching and devoted himself to years of intensive study. He read widely and deeply in the social sciences, religion, anthropology, and philosophy. He sought to raise sociology to the level of a science by developing a strict, i.e., rational as opposed to intuitive, method of investigation. He published a series of authoritative studies on bureaucracy, feudalism, authority, rationalization in business and social life, law, politics, and comparative religion. He is perhaps best known for his discovery of the relationship between capitalism and the Protestant ethic, arguing that the energy which the medieval ascetic Christian had put into religious practices was released by Calvinism and applied to man's worldly vocation, leading to a pursuit of work as a religious exercise. But Weber's aim was more basic than even these impressive researches suggest. He sought to determine the very nature of sociological research, combining, yet carefully delimiting, the spheres of fact, theory, and value.

Weber had always been interested in the living society around him. He took an active part in German political life, both during the Second Empire and under the Weimar Republic. The position of the intellectual in modern society concerned him deeply; the famous lecture reprinted here represents an important contribution to this problem. It was delivered at the University of Munich, where Weber taught, during the last year of his life. He had traveled extensively in the United States and spoke about American conditions from firsthand knowledge.

From Weber's voluminous writings the following may be singled out: *Gesammelte Aufsätze zur Religionssoziologie*, 3 vols. (1920–1923); *Gesammelte politische Schriften* (1921); *Gesammelte Aufsätze zur Wissenschaftslehre* (1922); *Wirtschaft und Gesellschaft* (1922); *Wirtschaftsgeschichte* (1923–1924); *Gesammelte Aufsätze zur Sozial- und Wirtschaftsgeschichte* (1924); *Gesammelte Aufsätze zur Soziologie und Sozialpolitik* (1924).

Wissenschaft[1] als Beruf

Welches ist der Beruf der Wissenschaft innerhalb des Gesamtlebens der Menschheit? und welches ihr Wert? ...

Wenn Sie sich erinnern an das wundervolle Bild zu Anfang des siebenten Buches von Platons *Politeia*[2]: jene gefesselten Höhlenmenschen, deren Gesicht gerichtet ist auf die Felswand vor ihnen, hinter ihnen liegt die Lichtquelle, die sie nicht sehen können, sie befassen sich daher nur mit den Schattenbildern, die sie auf die Wand wirft, und suchen ihren Zusammenhang zu ergründen. Bis es einem von ihnen gelingt, die Fesseln zu sprengen und er dreht sich um und erblickt: die Sonne. Geblendet tappt er umher und stammelt von dem, was er sah. Die anderen sagen, er sei irre. Aber allmählich lernt er in das Licht zu schauen, und dann ist seine Aufgabe, hinabzusteigen zu den Höhlenmenschen und sie emporzuführen an das Licht. Er ist der Philosoph, die Sonne aber ist die Wahrheit der Wissenschaft, die allein nicht nach Scheingebilden und Schatten hascht, sondern nach dem wahren Sein.

Ja, wer steht heute so zur Wissenschaft? Heute ist die Empfindung gerade der Jugend wohl eher die umgekehrte: Die Gedankengebilde[3] der Wissenschaft sind ein hinterweltliches[4] Reich von künstlichen Abstraktionen, die mit ihren dürren Händen Blut und Saft des wirklichen Lebens einzufangen trachten, ohne es doch je zu erhaschen. Hier im Leben aber, in dem, was für Platon das Schattenspiel an den Wänden der Höhle war, pulsiert die wirkliche Realität: das andere sind von ihr abgeleitete und leblose Gespenster und sonst nichts. Wie vollzog sich diese Wandlung? Die leidenschaftliche Begeisterung Platons in der Politeia erklärt sich letztlich daraus, daß damals zuerst der Sinn eines der großen Mittel alles wissenschaftlichen Erkennens bewußt gefunden war: des Begriffs. Von Sokrates ist er in seiner Tragweite entdeckt. Nicht von ihm allein in der Welt. Sie können in Indien ganz ähnliche Ansätze einer Logik finden, wie die des Aristoteles ist. Aber nirgends mit diesem Bewußtsein der Bedeutung. Hier zum erstenmal schien ein Mittel zur Hand, womit man jemanden in den logischen Schraubstock setzen konnte, so daß er nicht herauskam, ohne zuzugeben: entweder daß er nichts wisse: oder daß dies und nichts anderes die Wahrheit sei, die ewige Wahrheit, die nie vergehen würde wie das Tun und Treiben der blinden Menschen. Das war das ungeheure Erlebnis, das den Schülern des Sokrates aufging[5]. Und daraus schien zu folgen, daß, wenn man nur den rechten Be-

---

From *Gesammelte Aufsätze zur Wissenschaftslehre* (1922).
[1] The German term *Wissenschaft* includes the whole realm of knowledge. [2] *The Republic* [3] thought forms

[4] other-worldly [5] was revealed

griff des Schönen, des Guten, oder auch etwa der Tapferkeit, der Seele — und was es sei — gefunden habe, daß man dann auch ihr wahres Sein erfassen könne, und das wieder schien den Weg an die Hand zu geben[6], zu wissen und zu lehren: wie man im Leben, vor allem: als Staatsbürger, richtig handle. Denn auf diese Frage kam den durch und durch politisch denkenden Hellenen alles an. Deshalb betrieb man Wissenschaft.

Neben diese Entdeckung des hellenischen Geistes trat nun als Kind der Renaissancezeit das zweite große Werkzeug wissenschaftlicher Arbeit: das rationale Experiment, als Mittel zuverlässig kontrollierter Erfahrung, ohne welches die heutige empirische Wissenschaft unmöglich wäre ...

Was bedeutet die Wissenschaft diesen Menschen an der Schwelle der Neuzeit? Den künstlerischen Experimentatoren von der Art Lionardos und den musikalischen Neuerern bedeutete sie den Weg zur w a h r e n Kunst, und das hieß für sie zugleich: zur wahren N a t u r. Die Kunst sollte zum Rang einer Wissenschaft, und das hieß zugleich und vor allem: der Künstler zum Rang eines Doktors, sozial und dem Sinne seines Lebens nach, erhoben werden. Das ist der Ehrgeiz, der z. B. auch Lionardos Malerbuch[7] zugrunde liegt. ... Aber man erwartete von der Wissenschaft im Zeitalter der Entstehung der exakten Naturwissenschaften noch mehr. Wenn Sie sich an den Ausspruch Swammerdams[8] erinnern: „ich bringe Ihnen hier den Nachweis der Vorsehung Gottes in der Anatomie einer Laus", so sehen Sie, was die (indirekt) protestantisch und puritanisch beeinflußte wissenschaftliche Arbeit damals sich als ihre eigene Aufgabe dachte: den Weg zu Gott. Den fand man damals nicht mehr bei den Philosophen und ihren Begriffen und Deduktionen: — daß Gott auf diesem Weg nicht zu finden sei, auf dem ihn das Mittelalter gesucht hatte, das wußte die ganze pietistische Theologie der damaligen Zeit, Spener[9] vor allem. Gott ist verborgen,

seine Wege sind nicht unsere Wege, seine Gedanken nicht unsere Gedanken[10]. In den exakten Naturwissenschaften aber, wo man seine Werke physisch greifen konnte, da hoffte man, seinen Absichten mit der Welt auf die Spur zu kommen. Und heute? Wer — außer einigen großen Kindern, wie sie sich gerade in den Naturwissenschaften finden — glaubt heute noch, daß Erkenntnisse der Astronomie oder der Biologie oder der Physik oder Chemie uns etwas über den Sinn der Welt, ja auch nur etwas darüber lehren könnten: auf welchem Weg man einem solchen „Sinn" — wenn es ihn gibt — auf die Spur kommen könnte? Wenn irgend etwas, so sind sie geeignet, den Glauben daran, d a ß es so etwas wie einen „Sinn" der Welt gebe, in der Wurzel absterben zu lassen! Und vollends: die Wissenschaft als Weg „zu Gott"? Sie, die spezifisch gottfremde Macht? Daß sie das ist, darüber wird — mag er es sich zugestehen oder nicht — in seinem letzten Innern heute niemand im Zweifel sein. Erlösung von dem Rationalismus und Intellektualismus der Wissenschaft ist die Grundvoraussetzung des Lebens in der Gemeinschaft mit dem Göttlichen: dies oder etwas dem Sinn nach Gleiches ist eine der Grundparolen[11], die man aus allem Empfinden unserer religiös gestimmten oder nach religiösem Erlebnis strebenden Jugend heraushört. Und nicht nur für das religiöse, nein für das Erlebnis überhaupt. Befremdlich ist nur der Weg, der nun eingeschlagen wird: daß nämlich das einzige, was bis dahin der Intellektualismus noch nicht berührt hatte: eben jene Sphären des Irrationalen, jetzt ins Bewußtsein erhoben und unter seine Lupe genommen werden. Denn darauf kommt die moderne intellektualistische Romantik des Irrationalen praktisch hinaus. Dieser Weg zur Befreiung vom Intellektualismus bringt wohl das gerade Gegenteil von dem, was diejenigen, die ihn beschreiten, als Ziel darunter sich vorstellen. — Daß man schließlich in naivem Optimismus die Wissenschaft, das heißt: die auf sie gegründete Technik der Beherrschung des Lebens, als Weg zum G l ü c k gefeiert hat — dies darf ich wohl, nach Nietzsches vernichtender

[6] offer [7] the celebrated treatise on painting, *Trattato della Pittura* [8] Jan Swammerdam (1637-1685), Dutch anatomist and zoologist; did extensive work on the habits of insects [9] Philipp Jakob Spener (1635-1705), German Protestant theologian; founder of the Pietist movement

[10] Isaiah 55:8 [11] key words

Kritik an jenen „letzten Menschen[12]", die „das Glück erfunden haben", ganz beiseite lassen. Wer glaubt daran? — außer einigen großen Kindern auf dem Katheder[13] oder in Redaktionsstuben[14]?

Kehren wir zurück. Was ist unter diesen inneren Voraussetzungen der Sinn der Wissenschaft als Beruf, da alle diese früheren Illusionen: „Weg zum wahren Sein", „Weg zur wahren Kunst", „Weg zur wahren Natur", „Weg zum wahren Gott", „Weg zum wahren Glück", versunken sind? Die einfachste Antwort hat Tolstoj[15] gegeben mit den Worten: „Sie ist sinnlos, weil sie auf die allein für uns wichtige Frage: ,Was sollen wir tun? Wie sollen wir leben?' keine Antwort gibt". Die Tatsache, daß sie diese Antwort nicht gibt, ist schlechthin unbestreitbar. Die Frage ist nur, in welchem Sinne sie „keine" Antwort gibt, und ob sie statt dessen nicht doch vielleicht dem, der die Frage richtig stellt, etwas leisten könnte. — Man pflegt heute häufig von „voraussetzungsloser[16]" Wissenschaft zu sprechen. Gibt es das? Es kommt darauf an, was man darunter versteht. Vorausgesetzt ist bei jeder wissenschaftlichen Arbeit immer die Geltung der Regeln der Logik und Methodik: dieser allgemeinen Grundlagen unserer Orientierung in der Welt. Nun, diese Voraussetzungen sind, wenigstens für unsere besondere Frage, am wenigsten problematisch. Vorausgesetzt ist aber ferner: daß das, was bei wissenschaftlicher Arbeit herauskommt, wichtig im Sinn von „wissenswert" sei. Und da stecken nun offenbar alle unsere Probleme darin. Denn diese Voraussetzung ist nicht wieder ihrerseits mit den Mitteln der Wissenschaft beweisbar. Sie läßt sich nur auf ihren letzten Sinn deuten, den man dann ablehnen oder annehmen muß, je nach der eigenen letzten Stellungnahme zum Leben.

Sehr verschieden ist ferner die Art der Beziehung der wissenschaftlichen Arbeit zu diesen ihren Voraussetzungen, je nach deren Struktur. Naturwissenschaften wie etwa die Physik, Chemie, Astronomie setzen als selbstverständlich voraus, daß die — soweit die Wissenschaft reicht, konstruierbaren — letzten Gesetze des kosmischen Geschehens wert sind, gekannt zu werden. Nicht nur, weil man mit diesen Kenntnissen technische Erfolge erzielen kann, sondern, wenn sie „Beruf" sein sollen, „um ihrer selbst willen". Diese Voraussetzung ist selbst schlechthin nicht beweisbar. Und ob diese Welt, die sie beschreiben, wert ist zu existieren, erst recht nicht[17]. Danach fragen sie nicht. Oder nehmen Sie eine wissenschaftlich so hoch entwickelte praktische Kunstlehre wie die moderne Medizin. Die allgemeine „Voraussetzung" des medizinischen Betriebs ist, trivial ausgedrückt: daß die Aufgabe der Erhaltung des Lebens rein als solchen[18] und die möglichste Verminderung des Leidens rein als solchen bejaht werde. Und das ist problematisch. Der Mediziner erhält mit seinen Mitteln den Todkranken, auch wenn er um Erlösung vom Leben fleht, auch wenn die Angehörigen, denen dies Leben wertlos ist, die ihm die Erlösung vom Leiden gönnen, denen die Kosten der Erhaltung des wertlosen Lebens unerträglich werden — es handelt sich vielleicht um einen armseligen Irren — seinen Tod, eingestandener- oder uneingestandenermaßen[19], wünschen und wünschen müssen. Allein die Voraussetzungen der Medizin und das Strafgesetzbuch hindern den Arzt, davon abzugehen. Ob das Leben lebenswert ist und wann? — danach fragt sie nicht. Alle Naturwissenschaften geben uns Antwort auf die Frage: Was sollen wir tun, wenn wir das Leben technisch beherrschen wollen? Ob wir es aber technisch beherrschen sollen und wollen, und ob das letztlich[20] eigentlich Sinn hat: — das lassen sie ganz dahingestellt oder setzen es für ihre Zwecke voraus ...

Nun kann man niemandem wissenschaftlich vordemonstrieren, was seine Pflicht als akademischer Lehrer sei. Verlangen kann man von ihm nur die intellektuelle Rechtschaffenheit: einzusehen, daß Tatsachenfeststellung, Feststellung mathematischer oder logischer Sachverhalte oder der inneren Struktur von Kulturgütern einerseits, und anderseits die Beantwortung der Frage nach dem Wert der Kultur und

---

[12] *Zarathustra, Vorrede* 5 (see 44 f.) [13] professor's platform or desk or academic chair [14] editorial offices [15] in the treatise *What Then Must We Do?* [16] unprejudiced, without presuppositions

[17] even less [18] i.e., without further considerations, or absolutely [19] whether they admit it or not [20] in the final analysis

ihrer einzelnen Inhalte und danach: wie man innerhalb der Kulturgemeinschaft und der politischen Verbände[21] handeln solle — daß dies beides ganz und gar heterogene Probleme sind. Fragt er dann weiter, warum er nicht beide im Hörsaale behandeln solle, so ist darauf zu antworten: weil der Prophet und der Demagoge nicht auf dem Katheder eines Hörsaals gehören. Dem Propheten wie dem Demagogen ist gesagt: „Gehe hinaus auf die Gassen und rede öffentlich[22]." Da, heißt das, wo Kritik möglich ist. Im Hörsaal, wo man seinen Zuhörern gegenübersitzt, haben sie zu schweigen und der Lehrer zu reden, und ich halte es für unverantwortlich, diesen Umstand, daß die Studenten um ihres Fortkommens willen[23] das Kolleg eines Lehrers besuchen müssen, und daß dort niemand zugegen ist, der diesem mit Kritik entgegentritt, auszunützen, um den Hörern nicht, wie es seine Aufgabe ist, mit seinen Kenntnissen und wissenschaftlichen Erfahrungen nützlich zu sein, sondern sie zu stempeln nach seiner persönlichen politischen Anschauung. ...

Denn der Irrtum, den ein Teil unserer Jugend begeht, wenn er auf all das antworten würde: „Ja, aber wir kommen nun einmal in die Vorlesung, um etwas anderes zu erleben als nur Analysen und Tatsachenfeststellungen[24]", — der Irrtum ist der, daß sie in dem Professor etwas anderes suchen, als ihnen dort gegenübersteht, — einen Führer und nicht: einen Lehrer. Aber nur als Lehrer sind wir auf das Katheder gestellt. Das ist zweierlei, und daß es das ist, davon kann man sich leicht überzeugen. Erlauben Sie, daß ich Sie einmal nach Amerika führe, weil man dort solche Dinge oft in ihrer massivsten Ursprünglichkeit sehen kann. Der amerikanische Knabe lernt unsagbar viel weniger als der unsrige. Er ist trotz unglaublich vielen Examinierens doch dem Sinn seines Schullebens nach[25] noch nicht jener absolute Examensmensch geworden, wie es der deutsche ist. Denn die Bürokratie, die das Examensdiplom als Eintrittsbillet ins Reich der Amtspfründen[26] voraussetzt, ist dort erst in den Anfängen. Der junge Amerikaner

hat vor nichts und niemand, vor keiner Tradition und keinem Amt Respekt, es sei denn[27] vor der persönlich eigenen Leistung des Betreffenden: das nennt der Amerikaner „Demokratie". Wie verzerrt auch immer die Realität diesem Sinngehalt gegenüber sich verhalten möge, der Sinngehalt ist dieser, und darauf kommt es hier an. Der Lehrer, der ihm gegenübersteht, von dem hat er die Vorstellung: er verkauft mir seine Kenntnisse und Methoden für meines Vaters Geld, ganz ebenso wie die Gemüsefrau meiner Mutter den Kohl. Damit fertig[28]. Allerdings: wenn der Lehrer etwa ein football-Meister ist, dann ist er auf diesem Gebiet sein Führer. Ist er das (oder etwas Ähnliches auf anderem Sportgebiet) aber nicht, so ist er eben nur Lehrer und weiter nichts, und keinem amerikanischen jungen Manne wird es einfallen, sich von ihm „Weltanschauungen" oder maßgebliche Regeln für seine Lebensführung verkaufen zu lassen. Nun, in dieser Formulierung werden wir das ablehnen. Aber es fragt sich, ob hier in dieser von mir absichtlich noch etwas ins Extreme gesteigerten Empfindungsweise nicht doch ein Korn Wahrheit steckt.

Kommilitonen[29] und Kommilitoninnen! Sie kommen mit diesen Ansprüchen an unsere Führerqualitäten in die Vorlesungen zu uns und sagen sich vorher nicht: daß von hundert Professoren mindestens neunundneunzig nicht nur keine football-Meister des Lebens, sondern überhaupt nicht „Führer" in Angelegenheiten der Lebensführung zu sein in Anspruch nehmen und nehmen dürfen. Bedenken Sie: es hängt der Wert des Menschen ja nicht davon ab, ob er Führerqualitäten besitzt. Und jedenfalls sind es nicht die Qualitäten, die jemanden zu einem ausgezeichneten Gelehrten und akademischen Lehrer machen, die ihn zum Führer auf dem Gebiet der praktischen Lebensorientierung oder, spezieller, der Politik machen. Es ist der reine Zufall, wenn jemand auch diese Qualität besitzt, und sehr bedenklich ist es, wenn jeder, der auf dem Katheder steht, sich vor die Zumutung gestellt fühlt, sie in Anspruch zu nehmen. Noch bedenklicher, wenn es jedem akademischen

---

[21] ties or obligations [22] Luke 10: 10 [23] i.e., to pass the examinations [24] determination of facts [25] according to the spirit of his schooling [26] professional jobs

[27] except [28] and that's that [29] fellow fighters (form of address used by German students to each other)

Lehrer überlassen bleibt, sich im Hörsaal als Führer aufzuspielen. Denn die, welche sich am meisten dafür halten, sind es oft am wenigsten, und vor allem: ob sie es sind oder nicht, dafür bietet die Situation auf dem Katheder schlechterdings keine Möglichkeit der Bewährung. Der Professor, der sich zum Berater der Jugend berufen fühlt und ihr Vertrauen genießt, möge im persönlichen Verkehr von Mensch zu Mensch mit ihr seinen Mann stehen[30]. Und fühlt er sich zum Eingreifen in die Kämpfe der Weltanschauungen und Parteimeinungen berufen, so möge er das draußen auf dem Markte des Lebens tun: in der Presse, in Versammlungen, in Vereinen, wo immer er will. Aber es ist doch etwas allzu bequem, seinen Bekennermut[31] da zu zeigen, wo die Anwesenden und vielleicht Andersdenkenden zum Schweigen verurteilt sind.

Sie werden schließlich die Frage stellen: wenn dem so ist, was leistet denn nun eigentlich die Wissenschaft Positives für das praktische und persönliche „Leben"? Und damit sind wir wieder bei dem Problem ihres „Berufs". Zunächst natürlich: Kenntnisse über die Technik, wie man das Leben, die äußeren Dinge sowohl wie das Handeln der Menschen, durch Berechnung beherrscht: — nun, das ist aber doch nur die Gemüsefrau des amerikanischen Knaben, werden Sie sagen. Ganz meine Meinung. Zweitens, was diese Gemüsefrau schon immerhin nicht tut: Methoden des Denkens, das Handwerkszeug[32] und die Schulung dazu. Sie werden vielleicht sagen: nun, das ist nicht Gemüse, aber es ist auch nicht mehr als das Mittel, sich Gemüse zu verschaffen. Gut, lassen wir das heute auch dahingestellt[33]. Aber damit ist die Leistung der Wissenschaft glücklicherweise auch noch nicht zu Ende, sondern wir sind in der Lage, Ihnen zu einem Dritten zu verhelfen: zur Klarheit. Vorausgesetzt natürlich, daß wir sie selbst besitzen. Soweit dies der Fall ist, können wir Ihnen deutlich machen: man kann zu dem Wertproblem, um das es sich jeweils[34] handelt — ich bitte Sie der Einfachheit halber an soziale Erscheinungen als Beispiel zu denken — praktisch die und die verschiedene Stellung ein-

nehmen. Wenn man die und die Stellung einnimmt, so muß man nach den Erfahrungen der Wissenschaft die und die Mittel anwenden, um sie praktisch zur Durchführung zu bringen. Diese Mittel sind nun vielleicht schon an sich solche, die Sie ablehnen zu müssen glauben. Dann muß man zwischen dem Zweck und den unvermeidlichen Mitteln eben wählen. „Heiligt" der Zweck diese Mittel oder nicht? Der Lehrer kann die Notwendigkeit dieser Wahl vor Sie hinstellen, mehr kann er, solange er Lehrer bleiben und nicht Demagoge werden will, nicht. Er kann Ihnen ferner natürlich sagen: wenn Sie den und den Zweck wollen, dann müssen Sie die und die Nebenerfolge[35], die dann erfahrungsgemäß eintreten, mit in Kauf nehmen: wieder die gleiche Lage. Indessen das sind alles noch Probleme, wie sie für jeden Techniker auch entstehen können, der ja auch in zahlreichen Fällen nach dem Prinzip des kleineren Übels oder des relativ Besten sich entscheiden muß. Nur daß für ihn eins, die Hauptsache, gegeben zu sein pflegt: der Zweck. Aber eben dies ist nun für uns, sobald es sich um wirklich „letzte[36]" Probleme handelt, nicht der Fall. Und damit erst gelangen wir zu der letzten Leistung, welche die Wissenschaft als solche im Dienste der Klarheit vollbringen kann, und zugleich zu ihren Grenzen: wir können — und sollen — Ihnen auch sagen: die und die praktische Stellungnahme läßt sich mit innerer Konsequenz[37] und also: Ehrlichkeit ihrem Sinn nach ableiten aus der und der letzten weltanschauungsmäßigen[38] Grundposition — es kann sein, aus nur einer, oder es können vielleicht verschiedene sein — aber aus den und den anderen nicht. Ihr dient, bildlich geredet[39], diesem Gott und kränkt jenen anderen, wenn Ihr Euch für diese Stellungnahme entschließt. Denn Ihr kommt notwendig zu diesen und diesen letzten inneren sinnhaften Konsequenzen, wenn Ihr Euch treu bleibt. Das läßt sich, im Prinzip wenigstens, leisten. Die Fachdisziplin der Philosophie und die dem Wesen nach philosophischen

---

[30] take a stand [31] i.e., political courage [32] tools [33] undecided [34] in the given instance

[35] accompanying consequences; *erfahrungsgemäß* = as we know from experience; *mit in Kauf nehmen* = accept as part of the bargain [36] final, i.e., having an end or purpose [37] with genuine consistency [38] philosophical [39] to use a figure of speech

prinzipiellen Erörterungen der Einzeldisziplinen versuchen das zu leisten. Wir können so, wenn wir unsere Sache verstehen (was hier einmal vorausgesetzt werden muß), den einzelnen nötigen, oder wenigstens ihm dabei helfen, sich selbst Rechenschaft zu geben über den letzten Sinn seines eigenen Tuns. Es scheint mir das nicht so sehr wenig zu sein, auch für das rein persönliche Leben. Ich bin auch hier versucht, wenn einem Lehrer das gelingt, zu sagen: er stehe im Dienst „sittlicher" Mächte: der Pflicht, Klarheit und Verantwortungsgefühl zu schaffen, und ich glaube, er wird dieser Leistung um so eher fähig sein, je gewissenhafter er es vermeidet, seinerseits dem Zuhörer eine Stellungnahme aufzuoktroyieren oder ansuggerieren[40] zu wollen.

Überall freilich geht diese Annahme, die ich Ihnen hier vortrage, aus von dem einen Grundsachverhalt[41]: daß das Leben, solange es in sich selbst beruht und aus sich selbst verstanden wird, nur den ewigen Kampf jener Götter miteinander kennt, — unbildlich gesprochen: die Unvereinbarkeit[42] und also die Unaustragbarkeit des Kampfes der letzten überhaupt möglichen Standpunkte zum Leben, die Notwendigkeit also: zwischen ihnen sich zu entscheiden. Ob unter solchen Verhältnissen die Wissenschaft wert ist, für jemand ein „Beruf" zu werden und ob sie selbst einen objektiv wertvollen „Beruf" hat — das ist wieder ein Werturteil, über welches im Hörsaal nichts auszusagen ist. Denn für die Lehre dort ist die Bejahung Voraussetzung. Ich persönlich bejahe schon durch meine eigene Arbeit die Frage. Und zwar auch gerade für den Standpunkt, der den Intellektualismus, wie es heute die Jugend tut oder — und meist — zu tun nur sich einbildet, als den schlimmsten Teufel haßt. Denn dann gilt für sie das Wort: „Bedenkt: der Teufel, der ist alt, so werdet alt, ihn zu verstehen[43]!" Das ist nicht im Sinne der Geburtsurkunde[44] gemeint, sondern in dem Sinn: daß man auch vor diesem Teufel, wenn man mit ihm fertig werden will, nicht — die

Flucht ergreifen darf, wie es heute so gern geschieht, sondern daß man seine Wege erst einmal zu Ende überschauen muß, um seine Macht und seine Schranken zu sehen.

Daß Wissenschaft heute ein fachlich[45] betriebener „Beruf" ist im Dienst der Selbstbesinnung[46] und der Erkenntnis tatsächlicher Zusammenhänge, und nicht eine Heilsgüter[47] und Offenbarungen spendende Gnadengabe von Sehern, Propheten oder ein Bestandteil das Nachdenkens von Weisen und Philosophen über den Sinn der Welt —, das freilich ist eine unentrinnbare Gegebenheit unserer historischen Situation, aus der wir, wenn wir uns treu bleiben, nicht herauskommen können. Und wenn nun wieder Tolstoj in Ihnen aufsteht und fragt: „Wer beantwortet, da es die Wissenschaft nicht tut, die Frage: was sollen wir denn tun? und: wie sollen wir unser Leben einrichten?" oder in der heute abend hier gebrauchten Sprache: „welchem der kämpfenden Götter sollen wir dienen? oder vielleicht einem ganz anderen, und wer ist das?" — dann ist zu sagen: nur ein Prophet oder Heiland[48]. Wenn der nicht da ist oder wenn seiner Verkündigung nicht mehr geglaubt wird, dann werden Sie ihn ganz gewiß nicht dadurch auf die Erde zwingen, daß Tausende von Professoren als staatlich besoldete[49] oder privilegierte kleine Propheten in ihren Hörsälen ihm seine Rolle abzunehmen versuchen. Sie werden damit nur das eine fertig bringen, daß das Wissen um den entscheidenden Sachverhalt — der Prophet, nach dem sich so viele unserer jüngsten Generation sehnen, ist eben nicht da — ihnen niemals in der ganzen Wucht seiner Bedeutung lebendig wird. Es kann, glaube ich, gerade dem inneren Interesse eines wirklich religiös „musikalischen[50]" Menschen nun und nimmermehr gedient sein, wenn ihm und anderen diese Grundtatsache, daß er in einer gottfremden, prophetenlosen Zeit zu leben das Schicksal hat, durch ein Surrogat[51], wie es alle diese Kathederprophetien sind, verhüllt wird. Die Ehrlichkeit seines religiösen Organs müßte, scheint mir, dagegen sich auflehnen. ...

---

[40] to force upon or talk into [41] basic state of affairs [42] the irreconcilability of ultimate possible attitudes toward life and hence the futility of a contest between them, therefore the necessity of making a final choice between them [43] *Faust* II, lines 6817–6818 [44] birth certificate

[45] professionally [46] taking stock of oneself [47] benefits of salvation [48] supply *beantwortet sie* [49] paid (their salaries) [50] perhaps used here in Nietzsche's and Thomas Mann's sense: instinctive [51] surrogate (substitute or deputy)

Es ist das Schicksal unserer Zeit, mit der ihr eigenen Rationalisierung und Intellektualisierung, vor allem: Entzauberung der Welt, daß gerade die letzten und sublimsten Werte zurückgetreten sind aus der Öffentlichkeit, entweder in das hinterweltliche[52] Reich mystischen Lebens oder in die Brüderlichkeit unmittelbarer Beziehungen der Einzelnen zueinander. Es ist weder zufällig, daß unsere höchste Kunst eine intime[53] und keine monumentale ist, noch daß heute nur innerhalb der kleinsten Gemeinschaftskreise, von Mensch zu Mensch, im pianissimo, jenes Etwas pulsiert, das dem entspricht, was früher als prophetisches Pneuma[54] in stürmischem Feuer durch die großen Gemeinden ging und sie zusammenschweißte. Versuchen wir, monumentale Kunstgesinnung[55] zu erzwingen und zu „erfinden", dann entsteht ein so jämmerliches Mißgebilde wie in den vielen Denkmälern der letzten 20 Jahre. Versucht man religiöse Neubildungen zu ergrübeln[56] ohne neue, echte Prophetie, so entsteht im innerlichen Sinn etwas Ähnliches, was noch übler wirken muß. Und die Katheder-prophetie wird vollends nur fanatische Sekten, aber nie eine echte Gemeinschaft schaffen. Wer dies Schicksal der Zeit nicht männlich ertragen kann, dem muß man sagen: Er kehre lieber, schweigend, ohne die übliche öffentliche Renegatenreklame[57], sondern schlicht und einfach, in die weit und erbarmend geöffneten Arme der alten Kirchen zurück. Sie machen es ihm ja nicht schwer. Irgendwie hat er dabei — das ist unvermeidlich — das „Opfer des Intellektes" zu bringen, so oder so. Wir werden ihn darum

nicht schelten, wenn er es wirklich vermag. Denn ein solches Opfer des Intellekts zugunsten einer bedingungslosen religiösen Hingabe ist sittlich immerhin doch etwas anderes als jene Umgehung der schlichten intellektuellen Rechtschaffenheitspflicht, die eintritt, wenn man sich selbst nicht klar zu werden den Mut hat über die eigene letzte Stellungnahme, sondern diese Pflicht durch schwächliche Relativierung sich erleichtert. Und mir steht sie auch höher als jene Katheder prophetie, die sich darüber nicht klar ist, daß innerhalb der Räume des Hörsaals nun einmal keine andere Tugend gilt als eben: schlichte intellektuelle Rechtschaffenheit. Sie aber gebietet uns, festzustellen, daß heute für alle jene vielen, die auf neue Propheten und Heilande harren, die Lage die gleiche ist, wie sie aus jenem schönen unter die Jesaja-Orakel[58] aufgenommenen edomitischen Wächterlied in der Exilszeit klingt: „Es kommt ein Ruf aus Seir in Edom: Wächter, wie lang noch die Nacht? Der Wächter spricht: Es kommt der Morgen, aber noch ist es Nacht. Wenn ihr fragen wollt, kommt ein ander Mal wieder." Das Volk, dem das gesagt wurde, hat gefragt und geharrt durch weit mehr als zwei Jahrtausende, und wir kennen sein erschütterndes Schicksal. Daraus wollen wir die Lehre ziehen: daß es mit dem Sehnen und Harren allein nicht getan ist[59], und es anders machen: an unsere Arbeit gehen und der „Forderung des Tages[60]" gerecht werden — menschlich sowohl wie beruflich. Die aber ist schlicht und einfach, wenn jeder den Dämon[61] findet und ihm gehorcht, der s e i n e s Lebens Fäden hält.

[52] a Nietzschean word, i.e., metaphysical   [53] i.e., personal rather than formal, heroic, grandiose   [54] breath, inspiration; in late Jewish and early Christian theology the Holy Ghost, i.e., spirit as opposed to matter   [55] feeling for art   [56] produce new religious forms by intellectual effort   [57] the publicity used by renegades

[58] Isaiah 21:11   [59] are not enough   [60] a phrase used by Goethe in *Maximen und Reflexionen*: „Wie kann man sich selbst kennen lernen? Durch Betrachten niemals, wohl aber durch Handeln. Versuche deine Pflicht zu tun und du weißt gleich, was an dir ist. Was aber ist deine Pflicht? Die Forderung des Tages." (*Werke, Jubiläumsausgabe* IX, 224)   [61] guiding genius (a Goethean word)

Ricarda Huch · 1864–1947

Ricarda Huch, a native of Braunschweig in northern Germany, was descended from a patrician family which produced a remarkable progeny of intellectuals and artists in one generation. She was among the first European women to break through the barriers set up against her sex. She studied history and philosophy at Zürich, worked as an archivist in the public library system of that city, and later taught school in Zürich, Bremen, and Vienna. Her early poems reveal something of her inner life and conflicts. They show her as a warm-hearted human being as well as an intellect of the first rank. Her strong need for affection and her all too human obstinacy involved her in tragic situations. Two marriages were dissolved at her instigation because they did not offer her the ideal relationship which she craved. Her powerful need to love thereafter concentrated itself on her daughter and later on the grandson whom this daughter bore. In later years, when she was in delicate health, her writing was the product of heroic effort, and yet she was able to publish volume after volume involving the most exacting research. In the course of her long life many honors were bestowed on her: the Goethe Prize (1931); a citation from the Italian Government (1935) for her writings on Italian history; the Wilhelm Raabe Prize (1944) awarded to her by her native Braunschweig; an honorary doctorate from the University of Jena (1946). During the Weimar Republic she was a member of the German Academy of Letters but resigned from that body when it became an arm of the Hitler propaganda machine. Under the Third Reich she was connected with the Max Weber circle in Heidelberg, which worked against Hitler. The closing years of her life were spent in Jena and (after a secret flight out of the Russian zone) at Frankfurt, where she died at the age of eighty-three.

The forty volumes of Ricarda Huch's published work represent an astonishing variety of intellectual interests, ranging over such diverse fields as lyric poetry, fiction, history, biography, geography and travel, theology and philosophy. In every one of these areas she achieved distinction, revealing an extraordinary power of penetrating to the roots of phenomena and an easy, graceful style that lures the reader into the most forbidding sphere and holds his attention. She was able to achieve an organic synthesis between historical fact, psychological penetration into the irrational motives underlying much of human behavior, and general ideas and movements.

Her intellectual development can easily be traced in her writings. Maturing around 1890, she was carried along on the wave of "decadence" that swept European culture at that time. Her early novels were influential in turning the powerful tide of naturalism into the gentler channels of neoromanticism. Added support was given this movement by her two-volume study of German romanticism, which presented the history of that literary current in a series of learned and gracefully written studies of men and ideas. Her own contribution to the romantic revival of 1900 consisted in a series of novels which illustrated the various sides of the new sensibility: decadence in *Erinnerungen von Ludolf Ursleu dem Jüngeren*; Dionysian love of life in *Aus der Triumphgasse*; the cult of the glorious past in her books on the Italian Risorgimento. In its leaders she celebrated Nietzsche's ideal of the heroic man; for in them she found the proof for her conviction that heroism is possible in our modern world.

The deepening crisis in European life led her to explore the German past. The first result of her researches was her magnificent three-volume history of the Thirty Years' War. In this work she went beyond the depiction of individual destinies to the representation of a whole society in upheaval and sought to penetrate to the spiritual forces that brought about the great

national crisis. The outbreak of war in 1914 and the catastrophic events that followed, turned
her mind to the timeless questions of man's nature and destiny, to a consideration of permanent
values in an age of relativism, and of personality in a culture of machines. The works in which
she expressed her reflections on life are outstanding in their bold championing of a staunch,
highly original, unorthodox Christianity.

In the period between the two world wars her interest was directed principally to a reinter-
pretation of German history from its origins to the end of the Holy Roman Empire. Two
volumes of this great work were published in the early years of the National Socialist regime.
They were so obviously anti-Nazi in spirit that the third was not allowed to appear. The
bloody collapse of the regime must have left her with mixed feelings of triumph and suffering,
for she was a true patriot. There is poetic fitness in the fact that she spent the last years of her
life collecting materials for a history of the German resistance movement; this has been
published since her death.

Almost from the outset Ricarda Huch's creative impulse sought expression in the form of
the humorous *Novelle* in the manner of Gottfried Keller, whom she greatly admired. She
shares with him the marvellous gift of depicting, through the trivial happenings among small
folk, the basic conflicts of humanity. One is tempted to say that she outstrips the master in
her profound understanding of both individual and group psychology. To read of the
harmless teapot tempests in some rural community, recorded with delectable irony, and to
realize that one is witnessing at the same time a dramatic episode in the making and breaking
of nations, affords the reader the ultimate in aesthetic delight.

Ricarda Huch's writings include: *Gedichte* (1891); *Erinnerungen von Ludolf Ursleu dem
Jüngeren* (1892); *Aus der Triumphgasse* (1901); *Die Romantik*, 2 vols. (1899–1902); *Vita somnium
breve* (1903), later reissued as *Michael Unger*; *Von den Königin und der Krone* (1904); *Die Verteidigung Roms* (1906); *Geschichten um Garibaldi*, 2 vols. (1906–1907); *Der Kampf um Rom*
(1907); *Der große Krieg in Deutschland*, 3 vols. (1912–1914); *Luthers Glaube* (1916); *Der Sinn
der Heiligen Schrift* (1919); *Vom Wesen des Menschen: Natur und Geist* (1922); *Im alten Reich*,
2 vols. (1927–1929); *Gesammelte Gedichte* (1929); *Alte und neue Götter* (1930); reissued later as
Die Revolution des 19. Jahrhunderts in Deutschland; *Herbstfeuer* (1944); *Urphänomene* (1946);
Deutsche Geschichte, 3 vols. (1934–1949). She also published many *Novellen* collected under
various titles.

Das Judengrab

In Jeddam[1] gab es nur einen einzigen Juden,
der auf folgende Weise dorthin verschlagen war:
Seine Frau, mit der ihn treueste Liebe verband,
war aus Jeddam gebürtig, und als ihr Vater mit
Hinterlassung bedeutender Ländereien starb, war
es wünschenswert, daß sie sich zur Regelung
ihrer Erbschaft selbst hinbegebe. Mit der Möglichkeit, das Vaterhaus wiederzusehen, erwachte

in ihr das Heimweh, und die Familie, die aus
Vater, Mutter und zwei kaum erwachsenen
Kindern bestand, trat die weite Reise an. Da
nun der Ort Jeddam, mit mehr dörflichem als
städtischem Charakter, so trotzig und anmutig
zwischen mäßig hohen Bergen, reichen Saat-
feldern und grünen Geländen lag, die das
Flüßchen Melk bewässerte, und da die Frau sich
in ihrer vertrauten Kinderheimat so wohl fühlte,
willigte der gutmütige Mann ein, ganz und gar
überzusiedeln. Er konnte freilich nicht daran

First published in a volume of stories under the title
Seifenblasen (1905); appeared in an *Inselbuch* in 1916. [1] The
geographical names in this story are fictitious.

denken, das große Gut seiner Frau selbst zu bewirtschaften, sondern stellte dazu einen jungen Verwalter an, während er selbst ein Geschäft in dem Ort eröffnete, wie er es früher betrieben hatte. Da es ein solches in Jeddam bisher nicht gegeben hatte und die Einkäufe in der nächsten größeren Stadt besorgt worden waren, hätte das Geschäft wohl gedeihen können, wenn nicht der Inhaber ein Jude gewesen wäre, von welchem Volke die Bewohner von Jeddam durchaus nichts wissen wollten[2]. Verkauft wurde zwar genug, aber wenig bezahlt, und wenn Herr Samuel die ausstehenden Gelder einklagen wollte, mußte er erleben, daß sich die Behörden seiner nicht annahmen und er höchstens Prozeßkosten zahlen mußte, ohne zu seinem offenkundigen Recht kommen zu können. Es machte ihm oft Sorgen, was daraus werden sollte, und er wäre gern mit den Seinigen auf und davon gegangen[3], wenn er gewußt hätte, wie er in dieser feindseligen Umgebung zu seinem Gelde kommen und die Güter seiner Frau ohne zu großen Schaden verkaufen sollte.

Eine Reihe von Jahren ging es so weiter, bis eines Tages Herr Samuel krank wurde und nach dem Arzte im nächsten Städtchen schickte; als er auf seine zweite Bitte, schleunig zu kommen (denn die erste hatte keinerlei Erfolg gehabt), die Antwort erhielt, der Doktor sei sehr beschäftigt und bedaure, dem Rufe nicht Folge leisten[4] zu können, wurde es ihm unheimlich zumute[5], und er bedachte zum ersten Male gründlich, wie er hier elend sterben und verderben könne. Während die Familie sorgenvoll und ratschlagend um sein Bett herumsaß, sagte er: „Das beste wäre, da ich doch einmal krank bin[6], wenn ich stürbe, dann könntet ihr unangefochten hier leben und glücklich sein." Seine Frau Rosette und die beiden Kinder, Anitza und Emanuel, verwiesen ihm so zu reden, da sie ohne ihn auch im Paradiese nicht glücklich sein könnten, und Herr Ive, der Verwalter, der Anitzas Verlobter war, sagte, daß es auch deshalb unrichtig sei, weil die Bewohner von Jeddam die abtrünnige Frau, die einen Juden geheiratet

hatte, und dessen Kinder ebensowenig unter sich leiden möchten wie ihn selber.

„Wie wäre es aber", sagte Anitza, „wenn wir dich, Vater, als tot ausgäben und begrüben, während du heimlich in deine Heimat zurückkehrtest, und Ive, als unser natürlicher Freund und Vormund, unsre Angelegenheiten ordnete und uns dann zu dir führte?"

Herr Samuel wollte anfänglich von solchen Schlichen nichts hören, aber da der Verwalter erklärte, er getraue sich wohl, die Sache zu einem guten Ende zu bringen, und da Frau und Kinder zu dem Abenteuer, mittels dessen zugleich denen von Jeddam ein Streich gespielt wurde, voll Lust und Ungeduld waren, willigte er schließlich ein, es ins Werk zu setzen. Kaum war er wieder einigermaßen hergestellt, als er nächtlicherweile Jeddam verließ; es glückte ihm, unbemerkt zu dem nächsten größeren, am Meere gelegenen Ort zu gelangen, wo er sich einschiffte.

Unterdessen stopften Frau Rosette und Anitza mit Herrn Ives Hilfe einen netten Balg[7] aus, befestigten eine passende Larve mit einem Bart aus Roßhaar vor dem Strohkopfe und legten diese Figur, in ein reinliches Sterbehemd gekleidet, auf Herrn Samuels Bett. Die Larve bedeckten sie mit einem Schnupftuch, doch die wachsenen Hände, die sie der Echtheit und Ähnlichkeit halber mit dem schönen Diamantring geschmückt hatten, den Samuel auf dem Zeigefinger zu tragen pflegte, blieben sichtbar. Der Betrug wäre wohl doch entdeckt worden, wenn das Haus des Juden nicht wie das eines Aussätzigen gemieden worden wäre; als die Nachricht von seinem Tode ausgesprengt war, fehlte es zwar nicht an Neugierigen, aber sie hielten an sich[8] und spähten aus der Ferne, so daß nur die eignen Dienstboten scheu von der Türschwelle aus den künstlichen Leichnam betrachteten.

Demnächst begab sich Herr Ive zum Gemeinderat, um den Tod des Herrn Samuel anzuzeigen und die Beerdigung zu bestellen, wurde dort aber an den Pfarrer verwiesen, der diese Dinge zu erledigen habe. Der Pfarrer war ein Mann mit dichtem, lockigem Haar und kurzer, höl-

---

[2] would have nothing to do [3] would have liked to leave for good and all with his family [4] answer the call [5] he became seriously disturbed [6] now that I'm ill

[7] stuffed body [8] controlled themselves

zerner[9] Stirn über einem breiten Gesicht, für gewöhnlich schweigsam, nicht aus Neigung oder Anlage, sondern weil er nichts zu sagen wußte. Seine großen Augen flackerten ängstlich und bekümmert vor der großen Leere seines Schädels, und er war im ganzen ein mehr hilflos trauriger und unschädlicher Mann als ein bösartiger, außer wenn es sich um gewisse kirchliche Fragen handelte. Sowie nämlich irgendeine Sache vorkam, in der er sein Urteil, sei es auch ein noch so verkehrtes[10], hatte, und in der er überhaupt maßgebend war, bemächtigte er sich derselben mit Heftigkeit, blähte sich auf und spie Gift gegen alle, die ihm nahe kamen, im unbewußten Drange, sich dafür zu rächen, daß sie ihn so oft als einen unwichtigen, blöden Tölpel unbrauchbar in der Ecke hatten stehen sehen. Als Herr Ive sich bei ihm meldete, wußte er schon, um was es sich handelte, und empfing ihn mit den Worten: „Was gibt es, Herr Ive? Da muß etwas Gewaltiges im Schwange[11] sein, daß Ihr[12] zu mir kommt! Ihr pflegt mich nicht zu überlaufen, weder in meinem Hause, noch im Hause Gottes! Diese Leute bedürfen der Seelsorge nicht; aber jetzt gilt es wohl eine Erbschaft oder eine Heirat, wo sie immer bei der Hand sind!"

Herr Ive entschuldigte sich höflich und sagte, daß er nur den Tod des verstorbenen Herrn Samuel anzeigen wolle, was ihm als Vormund der hinterbliebenen Familie zukomme. „Da habt Ihr Euch ein sauberes Amt ausgelesen[13]", sagte der Pfarrer; „wer Pech angreift, besudelt sich, wißt Ihr das nicht? Bleibt mir mit Euerm toten Juden vom Leibe[14], ich habe nichts damit zu schaffen!" Herr Ive erklärte, daß der Gemeinderat ihn an den Pfarrer gewiesen hätte, der die Beerdigungsförmlichkeiten samt und sonders[15] zu erledigen pflegte. „Ja", rief der Pfarrer aufbrausend, „die Beerdigung von Christenmenschen freilich! Den Juden mögen seine Rabbiner und Pharisäer[16] in ihre Erde graben und sich selber dazu, was desto besser für sie und uns wäre."

Der Herr Pfarrer wüßte wohl, sagte Herr Ive, daß es in Jeddam weder Pharisäer noch Sadduzäer gäbe, noch weniger einen jüdischen Kirchhof, weswegen der Wunsch des Herrn Pfarrers nicht könnte ausgeführt werden; es müßte der verstorbene Samuel wohl oder übel neben den übrigen Bürgern Jeddams bestattet werden. Der Pfarrer zog die schwachen Brauen über den großen rollenden Augen hoch, schlug mit der geballten Faust dreimal auf den Tisch und rief: „Nichts da[17]! Heraus mit Euch! Werft Euern toten Juden, wohin Ihr wollt, aber laßt Euch nicht mit ihm auf unserm christlichen Kirchhof blicken!" Worauf Herr Ive, dem das Blut bereits zu kochen anfing, sich herumdrehte, die Tür laut hinter sich zuschlug und spornstreichs zurück zum Gemeinderat eilte.

Dort gab es ein Köpfezusammenstecken[18] und eiliges Hin- und Herlaufen, bis es Herrn Ive endlich gelang, zum Bürgermeister vorzudringen, der es im allgemeinen nicht liebte, in seinen Geschäften gestört zu werden. Er war ein beleibter Herr, der unter seiner Freundlichkeit äußerste Verachtung der meisten übrigen Menschen verbarg und sich einbildete, seine Stellung als Bürgermeister einzig seiner weltmännischen Gewandtheit und geistigen Überlegenheit zu verdanken. Ihm war alles gleichgültig, außer daß er den Ruf seiner Unfehlbarkeit und seine Beliebtheit nicht einbüßte, und es war deshalb ebenso angenehm, mit ihm zu verkehren, wie schwer, irgend etwas von ihm zu erreichen und in Gang zu bringen[19].

Herr Ive erzählte atemlos und heftig, was ihm beim Pfarrer begegnet war, häufig unterbrochen vom Bürgermeister, der sich nach unzähligen Einzelheiten erkundigte, teils um seine sachkundige Gründlichkeit und menschliche Teilnahme zu beweisen, teils um im allgemeinen Zeit zu gewinnen. Als Herr Ive durchaus nichts mehr zur Klärung der Sachlage beizubringen wußte und augenscheinlich auf eine Antwort erpicht war[20], legte der Bürgermeister den Kopf auf die Seite, faltete die Hände über dem Bauche und sagte nachdenklich: „Schade, schade, daß der Herr Samuel sterben mußte! Ein fleißiger

[9] implies both stupidity and stubbornness [10] however perverse it might be and in which he could speak with any sort of authority [11] afoot [12] the older formal address [13] taken on a nice job [14] bleib mir vom Leibe = leave me alone [15] in toto [16] The Pharisees and Sadducees were two religious sects in the Holy Land at the time of Christ. [17] nothing doing [18] putting together of heads [19] set in motion [20] bent on

Herr, ein braver Herr, als Familienvater aus-
gezeichnet und als nützlicher Bürger, aber ein
Jude. Unleugbar ein Jude! Er hätte noch eine
Weile länger leben dürfen."

Herr Ive sagte ungeduldig: „Euer Gnaden[21]
werden Ihre rühmlich bekannte[22] Gerechtig-
keitsliebe beweisen und nicht dulden, daß Leute,
die Euer Gnaden selbst als nützliche Bürger bezeichnen, wie faules Obst in den Graben ge-
worfen, anstatt rechtlich begraben werden."

„Wie faules Obst in den Graben werfen!"
rief der Bürgermeister erschrocken. „Das wäre
in der Tat ein Unfug, den ich scharf ahnden
würde. Die Geistlichkeit läßt sich oft, wie wir
alle wissen, vom frommen Eifer hinreißen, allein
das bürgerliche[23] Haupt der Gemeinde folgt
unbestechlich der Gerechtigkeit. Es soll mir
nimmermehr ein verstorbener Jude, der tugend-
haft gelebt hat, wie faules Obst auf der Gasse
liegen!"

So würde, fragte Herr Ive, der Bürgermeister
Befehl geben, daß der Verstorbene schicklich
auf dem allgemeinen Friedhof beerdigt würde?
Das würde er freilich, antwortete jener, nachdem
er zuvor die Herren Gemeinderäte versammelt
und ihre Meinung eingeholt hätte: „Denn",
sagte er lächelnd, „den Tyrannen möchte ich
nicht spielen, gerade weil ich es könnte."

Herr Ive mußte sich bescheiden, unverrichteter
Sache[24] heimzukehren, und eilte zur Familie des
Samuel, um von dem Vorgefallenen Bericht zu
erstatten. Er hatte im Laufe der Verhandlungen
fast vergessen, daß sein Schwiegervater nicht in
Wirklichkeit tot war, wie er aber zu Hause die
vergnügten Gesichter sah, kam es ihm wieder
zur Besinnung, und er mußte lachen, daß der
Pfarrer sich dermaßen über eine Sache erhitzt
hatte, die nur in der Einbildung bestand. Die
zierliche Anitza warf sich auf einen Teppich und
lachte lautlos in ein Kissen, so daß ihr die Tränen
über das Gesicht liefen, aber ihre Mutter, eine
hohe, kräftige Frau, die nicht mit sich spaßen
ließ[25], stand auf und sagte: „Ive, du bist gut,
aber du hast einen Lammsmut[26], du verstehst
mit diesen Leuten nicht umzugehen, die man

nicht höflich, sondern grob und unverschämt,
wie sie selber sind, behandeln muß. Du wirst
bescheiden vor der Tür gestanden und um Erlaubnis gefragt haben, anstatt zu sagen: „Kurz
und gut[27], morgen begraben wir meinen
Schwiegervater, und wer sich mir in den Weg
stellt, dem zerschmettere ich mit diesen Fäusten
die Knochen zu Butter."

„Ich habe mich so fest und entschlossen benommen, wie ich glaube, daß ein Mann soll",
sagte Herr Ive, dessen helles, hübsches Gesicht
über und über rot geworden war, als ihm Zag-
haftigkeit vorgeworfen wurde. „Wenn es nötig
ist, kann ich auch dreinschlagen[28], doch ich
dachte, es wäre dazu immer noch Zeit."

Der junge Emanuel sagte: „Mama, die Leute
haben im Grunde ganz recht. Auf einen christlichen Kirchhof gehören Christen, auf einen
jüdischen Juden. Die Frage ist nicht so leicht zu
entwirren, wie du dir einbildest."

Nun loderte Frau Rosette in lichtem Zorne
auf[29] und rief: „Geh mir mit deinen Spitzfindig-
keiten! Dein Vater ist kein Dieb oder Mörder,
sondern ein besserer Mann als alle die Ochsen-
köpfe von Jeddam, die froh sein können, einen
solchen auf ihrem Friedhof begraben zu dürfen.
Glaubst du, sie würden dich und mich und
Anitza, obwohl wir gut katholische Christen
sind, achtungsvoller behandeln? Sie würden uns
auch in das erste beste[30] Loch werfen; aber sie
haben sich in mir verrechnet. Ich nehme es mit
andern Leuten auf[31] als mit dem hohlköpfigen
Pfarrer und dem windigen Bürgermeister."

Anitza klatschte vor Vergnügen in die Hände
und sagte zu ihrem Bruder: „Mama möchte,
daß wir beide stürben, nur damit sie uns dem
Pfarrer zum Tort[32] ein christliches Begräbnis
herrichten könnte!" Und Emanuel, der es liebte,
seine Mutter zu necken, sagte: „Frau und Kinder
gehen nach des Vaters Seite[33], und ich bezweifle,
ob wir das Recht haben, uns auf dem Jeddamer
Friedhof beerdigen zu lassen."

„Gelbschnabel[34]!" rief seine Mutter. „Meine
Urgroßväter, Großväter und mein Vater sind
hier begraben, und ich möchte den sehen, der

[21] Your Worship   [22] renowned   [23] civil   [24] without
having achieved his purpose   [25] was not to be trifled with
[26] the spirit of a lamb

[27] in short   [28] lay about me   [29] blazed up in flaming
anger   [30] any old   [31] I can take on better people   [32] to spite
the priest   [33] follow the father's religion   [34] young squirt

mich hindern kann, an ihrer Seite zu liegen. Ich gehe bis zum Kaiser, wenn es nötig ist, um diesen Prahlhänsen[35] zu zeigen, wo ich mich begraben lassen kann!"

Es gelang Herrn Ive, die zürnende Frau zu bewegen, daß sie den Bescheid abwartete, den er jetzt vom Gemeinderate bekommen würde, und er machte sich alsbald auf, um denselben in Empfang zu nehmen. Ehe er in das Beratungszimmer geführt wurde, wo sich unter den übrigen Herren auch der Pfarrer befand, sagte der Bürgermeister: „Es kommt mir nicht in den Sinn, nach Tyrannenweise das Recht zu beugen, und daß dem Rechte nach kein Jude auf unserm christlichen Gottesacker bestattet werden darf, sehe ich ein; doch halte ich mich gern an den alten lateinischen Spruch, der besagt, daß man zwar unerschütterlich im Handeln, aber gefällig und lieblich in der Form sein soll, und werde deshalb dem jungen Manne den abschlägigen Bescheid so sanft wie möglich eingehen lassen."

Als hierauf Herr Ive vorgelassen wurde, empfing er ihn mit wohlwollenden Blicken, streichelte kosend über das Protokollpapier, das vor ihm lag, und sagte: „Sie sind ein geschätzter Mitbürger, Herr Ive, auch der verstorbene Herr Samuel war es, soweit er Bürger war, als Bekenner stand er mir fern[36]. Sagen Sie selbst, gibt es eine jüdische Gemeinde hier?"

Diese Frage konnte Herr Ive nicht anders als mit nein! beantworten, worauf der Bürgermeister fortfuhr: „Es gibt hier keine jüdische Gemeinde, oder, was dasselbe sagen will, keine Juden. Gibt es aber keine Juden hier, so gibt es auch keinen Juden, und so hat auch Herr Samuel, der ein Jude war, im rechtlichen Sinne niemals hier existiert. Seine Familie mag ihn beweinen, seine Freunde, ja alle fühlenden Herzen mögen seinen Hinschied betrauern, die Gemeinde als solche muß ihn als nie dagewesen betrachten und kann ihn infolgedessen auch nicht begraben."

„So bitte ich den Herrn Bürgermeister, mir zu sagen", rief Herr Ive drohend, „wo ich ihn begraben soll, denn begraben muß er doch einmal werden."

„Das wäre zu wünschen", sagte der Bürger-

meister, „und es sei ferne von mir, den Hinterbliebenen darin auch nur das geringste[37] in den Weg zu legen. Nur den christlichen Gottesacker bitte ich auszunehmen, und daß innerhalb der Stadtgrenzen kein Toter sich aufhalten darf, ist Ihnen sowie jedermann bekannt."

Jetzt aber war es mit Herrn Ives Geduld zu Ende, und indem ihm das Blut heiß in die Wangen schoß, rief er: „Wenn ihr den lebenden Juden unter euch dulden konntet, werdet ihr auch den toten ertragen. Ich verlange kein Geläut und kein Geplärr und Gezeter[38] an seinem Grabe, aber ein Fleckchen Erde, wo er ruhig liegen kann, das soll er trotz euch haben. Laßt es euch gesagt sein, daß ich ihn morgen selber auf den Kirchhof bringen und jeden niederschlagen werde, der mich dabei stören will."

Diese groben Worte entzündeten ein heftiges Wortgemenge[39], das durch den plötzlichen Eintritt Frau Rosettens unterbrochen wurde, die, des Wartens überdrüssig, selbst gekommen war, um mit ein paar kernigen Worten die Leute zur Vernunft und die Sache zu Ende zu bringen. Als sie in großer Majestät, vom Kopf bis zu den Schuhen in Schwarz gekleidet, auf der Schwelle stand, verstummten alle, und der Bürgermeister beeilte sich, ihr entgegenzugehen und einige Worte des Beileids zu sprechen. „Laßt die Phrasen[40], Herr Bürgermeister," sagte sie abwehrend, „auf die ich keinen Wert lege. Ich verlange von Euch nichts als mein Recht, ich will meinen Mann auf den Kirchhof bringen, wo mir Vater und Mutter, Großväter und Urgroßväter ruhen, und darin verlange ich von Euch mehr unterstützt als behindert zu werden."

„Euer verewigter Vater war mein geschätzter Freund", sagte der Bürgermeister, indem er sich mit einem großen buntseidenen Taschentuche den Schweiß von der Stirn wischte, „und sein Grab gereicht[41] unserm Gottesacker zur Ehre. Er war ein guter Christ, und mehr braucht es nicht, um in Jeddam gut aufgenommen und begraben zu werden."

„So denke ich", sagte Frau Rosette, sich stolz umsehend, „daß ich diese Ehre verdiene. Ich

---

[35] braggarts [36] in religion we had nothing in common

[37] i.e., obstacle [38] no tolling of bells, no droning of prayers, no wailing [39] torrent of words [40] never mind the empty words [41] gereicht zur Ehre = is an honor

wünsche aber, was niemand einem christlichen Eheweibe verargen wird, dereinst an meines Gatten Seite zu ruhen."

Der Bürgermeister trocknete sich den Angstschweiß ab und besann sich, welche Gelegenheit der Pfarrer, der sich nur ungern das Wort so lange hatte nehmen lassen, ergriff und losfuhr: „Bückt ihr euch vor dieser stolzen und abgöttischen Jesebel[42]? Du hast einen Greuel in deine Familie und unsre Gemeinde gebracht, Weib, aber auf unsern Friedhof sollst du ihn nicht bringen. Es gibt genug Kehricht auf der Erde, wohin ihr eure ungläubigen Knochen werfen könnt, unserm heiligen Gottesgarten sollen sie fernbleiben!"

Frau Rosette trat dicht an den Pfarrer heran und sagte: „Höre du, ich mache mir zwar keine Ehre daraus, zwischen euern hohlen Gerippen begraben zu liegen, aber mein angeborenes und angestammtes Recht[43] lasse ich mir von euch nicht rauben und möchte gleich auf dem Flecke sterben, damit ihr mit ansehen müßtet, wie ich auf euern Schutthaufen Einzug halte."

Die Anzüglichkeit der Frau Rosette hatte auch die übrigen Gemeinderäte in Zorn versetzt, von denen einer sagte: „Die Frau eines Juden hat keinerlei Recht mehr in Jeddam."

„Ja, ich hätte meine Mitgift einem von euch hungrigen Bären bringen sollen!" höhnte sie.

„Besser ein Bär als ein Schwein!" rief ein andrer; denn so pflegte man die Juden in Jeddam zu nennen.

Frau Rosette erbleichte und sagte: „Du mußt wohl ein Hund sein, daß du einen edeln Toten beschimpfst." Dann legte sie eine Hand auf Herrn Ives Arm und sagte, indem sie ihn mit sich zog: „Komm, wir werden uns selber helfen."

Während der Bürgermeister auseinandersetzte, daß der Weise und Weltmann nicht schimpfe, sondern fest und gelinde auf dem Buchstaben des Rechtes beharre, trug der Pfarrer Sorge[44], daß die übermütige Frau Rosette ihren Samuel nicht insgeheim in den Kirchhof einschmuggelte.

Das war diese allerdings willens, aber nicht verstohlenerweise, sondern öffentlich und prächtig, am hellen Tage, indem sie darauf rechnete,

daß man es nicht zu einer Prügelei auf dem Kirchhof würde kommen lassen. Der Pfarrer hatte aber noch zur rechten Zeit eine Menge von Bauern versammelt und zu ihnen gesagt: „Kinder, der tote Jude wird unsre gute Erde verpesten! Leidet es nicht! Mag er draußen auf dem Felde liegen, wo es nur Raben und Krähen gibt! Wenn ihr nicht auf der Hut seid, werdet ihr Gift und Pestilenz und Viehseuche haben!" Die Folge davon war, daß die Knechte, die den Sarg mit dem künstlichen Samuel trugen, die Kirchhofpforte verrammelt und von feindseligen Bauern besetzt fanden, die ihnen den Eingang wehrten. Frau Rosette, Herr Ive und die Kinder, die in einem offenen Wagen folgten, sahen voll Erstaunen, wie sich ein tüchtiges Handgemenge entspann, in dem ihre Knechte bald den kürzeren zogen[45], da sie bedeutend in der Minderzahl waren. Herr Ive verfolgte den Kampf eine Weile mit dem Kennerblick eines jungen Straßenbuben und wachsender Ungeduld, bis er schließlich nicht mehr an sich zu halten vermochte, aus dem Wagen sprang, die Jacke abwarf und sich mit einem lauten, schnalzenden Schrei unter die Prügelnden mischte. Emanuel, dessen dunkle Augen vor Kampflust feucht geworden waren, schickte sich an, es seinem Schwager nachzutun, und die Mutter hatte Mühe, ihn festzuhalten und Anitzas Heiterkeit, die sich ihrer beim Anblick des tapfer ringenden Bräutigams bemächtigt hatte, durch Zupfen, Winken und Warnen in etwas zu mäßigen. Ihren Schwiegersohn sah Frau Rosette zwar mit Genugtuung und Billigung im Kampfgewühl, dennoch bat sie ihn, angesichts der immer wachsenden Zahl seiner Gegner, für heute abzustehen, da man mit so geringen Streitkräften nicht hoffen könne, den Sieg davonzutragen. Herr Ive, da er einmal im Raufen war, hörte nur ungern auf, doch sah er ein, daß seine Schwiegermutter recht hatte, und führte die Familie unter hellem Übermut[46] der Kinder und prasselndem Zornfeuer Frau Rosettens nach Hause zurück.

Die Zurückgebliebenen prügelten sich weiter und waren so eifrig dabei, daß es der Gemeindepolizei kaum gelang, sie bei einbrechender Nacht auseinander zu treiben. Dieser Auflauf machte

[42] Jezebel, the wicked wife of King Ahab of Israel (I. Kings 16 ff.) [43] my right by birth and inheritance [44] saw to it [45] got the worst of it [46] amidst the hilarity

den Bürgermeister und mehrere Herren vom Rate so bedenklich, daß sie sich nochmals in einem verschwiegenen[47] Zimmer des Wirtshauses, das öfter zu wichtigen Beratschlagungen diente, versammelten, um einen gütlichen Ausweg dieser heiklen Angelegenheit zu finden.

„Es ist nicht zu leugnen", begann der Bürgermeister freundlich, indem er tändelnd den Deckel seines Bierkrugs auf- und zuklappte, „das ein toter Mensch irgendwo begraben werden sollte. Auch kann man der Frau Rosette nicht zumuten, daß sie ihren verstorbenen Gatten zwischen ihren Getreidefeldern und Kartoffeläckern beerdigt."

„Beleibe nicht[48]!" rief der Pfarrer drohend. „Soll er unsern christlichen Erdboden verpesten? Hinaus mit ihm! Weit weg mit ihm! Werden doch auch die toten Pferde und Hunde da draußen eingescharrt."

Der Bürgermeister klapperte sinnend mit seinem Deckel und sagte: „Ich gebe zu, Ehrwürden[49], daß ein Jude kein Christ ist, sollte er aber deswegen unter die Tiere fallen?"

Hieran knüpfte sich eine längere Beratung, und nachdem in dieser Weise genugsam hin und her gestritten war, machte einer der Gemeinderäte folgenden Vorschlag: „Es wird den Herren bekannt sein", sagte er, „daß wir in einer Ecke des Kirchhofes, wo wildes Unkraut wächst und der Totengräber zu keiner Pflege und Säuberung verpflichtet ist, die kleinen Kinder begraben, die totgeboren wurden oder gleich nach der Geburt starben, so daß sie leider die heilige Taufe nicht empfangen konnten. Diese scheinen mir insofern mit dem Juden vergleichbar, als sie, wie er, ungetauft sind, und es dünkt mich deshalb nicht unschicklich, wenn man ihn dort in aller Stille vergrübe."

Der Bürgermeister wollte eben einen mäßigen Beifall dieses Vorschlages laut werden lassen, als der Pfarrer, die Hände über dem Kopfe zusammenschlagend[50], ausrief: „Wo ist euer Christentum? Ihr schwatzt wie Heiden und Türken daher! Wißt ihr nicht, daß die vor und während der Geburt gestorbenen Christenkinder Engel sind? Kleine Engelkinder, die ihre schwar-

zen Augen niemals aufgetan und durch den Anblick unsrer häßlichen Erde getrübt haben! die mit ihren kleinen Rosenfüßen niemals den Dreck berührt haben, durch den wir waten! Auf der Schwelle unsers Lebens haben sie die Flügel geschüttelt und sind wieder davongeflogen in den Himmel."

Hier fing der Pfarrer, der die kleinen Kinder zärtlich liebte, an zu weinen, und auch einige Gemeinderäte wischten sich die Augen, indessen der Bürgermeister sagte: „Es bleibt den Kindern unbenommen[51], in den Himmel zu fliegen, und dem Juden, in die Hölle zu fahren, nichtsdestoweniger sind sie vom bürgerlichen Standpunkte aus alle ungetauft, und es scheint mir daher billig und recht, daß sie am selben Orte begraben werden." Er fürchtete nämlich die große und behäbige Verwandtschaft Frau Rosettens, die sich zwar um Herrn Samuel wenig bekümmert hatte, von der es aber doch anzunehmen war, daß sie die Kränkung einer von ihrer Sippschaft übel vermerken würde[52].

Der Pfarrer konnte gegen den Gemeinderat, der einmütig war, nichts ausrichten, machte sich[53] aber an das Volk, stellte ihm die Unbill vor, die ihm angetan werden sollte, und ermunterte es, dieselbe in Gottes Namen mit Fäusten abzuwehren. „Würdet ihr ruhig zusehen", rief er, „wenn man einen Wolf in euern Schafstall ließe? Und sie wollen einen falschen Judas zwischen eure unschuldigen Kinder legen, die am Throne der Dreieinigkeit für arme Sünder beten. Pestilenz! Feuersbrunst! Wassernot! Kriegsnot und Hungersnot werden über euch kommen, wenn ihr zulaßt, daß der heilige Gottesacker durch diesen Verräter vergiftet wird."

Die Bürger von Jeddam ließen sich dies nicht zweimal sagen, rotteten sich zusammen und schwuren, jedweden totzuschlagen, der den toten Samuel auf ihren Friedhof bringen würde. Am furchtbarsten unter den Aufwieglern war ein Großbauer namens Pomilko, ein hünengroßer Mann mit dickem Kopf und weißblonden Haaren, der mit seinem Gefolge von Angehörigen, Verwandten, Abhängigen und Knechten das ganze Gemeinwesen hätte über den

---

[47] i.e., private   [48] under no circumstances   [49] Your Reverence   [50] a sign of astonishment or horror

[51] permitted   [52] would resent   [53] appealed

Haufen werfen[54] können. Pomilko hatte vor kurzem eine zweite Frau genommen, die ihm ein totes Kind geboren hatte. Demselben hatte er zwar keinen Blick geschenkt, sondern, als ihm die Botschaft gebracht worden war, hatte er sich fluchend und zähneknirschend aufs Feld begeben und sich zwei Tage lang nicht im Hause blicken lassen; jedoch sah er es als eine gröbliche Ehrenkränkung an, daß ein Jude in der Nähe seines Sprößlings begraben sein sollte, und er erklärte laut, er fürchte weder den Bürgermeister noch den Kaiser und würde diesen zeigen, was Pomilko vermöchte, wenn sie sich ihn zu beleidigen getrauten. Er hatte aus erster Ehe eine erwachsene Tochter namens Sorka, ein großes, starkes Mädchen mit kecken, blitzenden Augen, einem feinen Munde und Zähnen, die fest wie Kieselsteine und gelbglänzend wie Marmor waren. Als das Mädchen hörte, daß eine Stiefmutter ins Haus ziehen sollte, erklärte sie dem Vater, sie wolle das nicht leiden, er möchte davon abstehen, was ihn bewog, die Heirat um so schneller zu vollziehen. Als Sorka beim ersten gemeinsamen Mittagsmahle fehlte, der Vater sie hereinrief und die Stiefmutter ihr mit saurer Miene die Suppe in den Teller füllte, schob Sorka denselben so heftig zurück, daß das reine Tischtuch über und über bespritzt wurde, sagte: „Ich esse nicht, was du gekocht hast!" und schaute dem Vater und seiner Frau herausfordernd und mit verhaltenem Frohlocken ins Gesicht. „So magst du hungern", rief der Vater zornig, „andre Speise gibt es hier für dich nicht!" Sorka lachte und sagte: „Lieber such ich mir selbst mein Brot", und zog stracks mit einem Bündel Habseligkeiten aus dem Hause.

Sie nahm, da sie nicht gleich etwas andres fand, bei einem kleinen Bauer einen Dienst an und hatte bald eine Liebschaft mit dessen Sohn, was der Vater, der alte Darinko, geschehen ließ, weil er wußte, daß Pomilko seiner Tochter ihr mütterliches Erbe nicht vorenthalten konnte. Diese Vorgänge hatten den Pomilko mit übler Laune, Ärger, Zorn und Rachsucht ganz angefüllt, weshalb er die Gelegenheit, zu zanken, zu raufen und allenfalls jemand totzuschlagen, sogleich ergriffen hatte.

Der Bürgermeister konnte sich nicht verhehlen, daß eine förmliche Revolution im Anzuge sei, und in seiner Verlegenheit hielt er eine Ansprache an das Volk, er würde die Frage wegen des Judengrabes Seiner Majestät dem Kaiser zur Entscheidung vorlegen, inzwischen möchten sie ihren Geschäften nachgehen und sich still verhalten, das Gemeinwesen ruhe sicher in seinen Händen. In Wirklichkeit begab er sich nicht zum Kaiser, sondern zu dem Kommandanten einer Garnison, die im nächsten Orte lag, und dieser erklärte sich vollständig einverstanden, daß Herr Samuel in jener Ecke des Jeddamer Kirchhofes, wo die ungetauften Kinder lägen, beerdigt würde, bewilligte auch dem Bürgermeister eine kleine Abteilung Soldaten für den Fall, daß bei der Bestattung Ruhestörungen vorkämen.

Es wurde nun der Frau Rosette mitgeteilt, wo und wie sie ihren Gemahl beerdigen dürfe, und sie wurde zugleich ersucht, das Begräbnis bei Nacht vor sich gehen[55] zu lassen, damit Ärgernis vermieden würde. Frau Rosettens Stolz wurde dadurch zwar nicht ganz befriedigt, doch sagte sie sich, daß es sich eigentlich nicht um ihren Samuel, sondern nur um eine nachgemachte Puppe handle, und daß sie froh sein müsse, wenn die Schwindelei so bald wie möglich von der Erde verschwände, und versprach infolgedessen, sich gemäß der empfangenen Weisung zu verhalten.

Die Bürger von Jeddam hatten angesichts der Soldaten beschlossen, sich in diese Sache nicht mehr zu mischen, hielten sich aber während des Begräbnisses in den Häusern, da sie es doch nicht anständig fanden, gegenwärtig zu sein und keinen Tumult zu veranstalten. Es trabte also der schwarzverhangene Wagen durch die stille Mitternacht, als wäre das Dorf durch Zauberei gebannt oder versteinert, und nichts war hörbar als das Trotten der Pferde, das Rollen der Räder und das leise Schwatzen von Frau Rosette und Herrn Ive, die im leichten Gefährt dem Sarge folgten. Mit Hilfe des Totengräbers wurde der

[54] mop the floor with

[55] take place

vermeintliche Samuel aufs Geratewohl[56] in jene verwilderte Ecke gestopft, worauf die Familie, die unterdessen schon die Koffer gepackt hatte, sich schleunig auf die Reise begab, um sich mit dem Vater wieder zu vereinigen. Herr Ive blieb einstweilen wegen der Angelegenheiten, um derentwillen der ganze Betrug angezettelt war, in Jeddam zurück.

Dort war aber der Kampf noch keineswegs beendet. Es fanden sich nämlich am Tage nach dem Begräbnis auf der Kirchhofmauer, da, wo die ungetauften Kinder lagen, allerlei fürwitzige[57] Inschriften angemalt, wie zum Beispiel: Hier ist Schweinemarkt! oder: Misthaufen von Jeddam! oder: Kehrichthof! und andre Witze dieser Art, was bald zu den Ohren der Leute kam, die Kinder an dieser Stelle begraben hatten. An die Spitze der Beleidigten stellte sich der mächtige Pomilko, dem es ohnehin lieber war, auf seiten der Regierung zu stehen, und der nicht zweifelte, daß der alte Darinko, bei dem sich seine Tochter befand, ihm diese Beschimpfung angetan hätte. Dadurch wurde dieser das Haupt einer geistlichen Partei, die fortfuhr, gegen die Anwesenheit des verstorbenen Samuel auf dem Kirchhof zu meutern; er leugnete zwar, die Inschriften an der Mauer verfaßt zu haben, war es aber übrigens wohl zufrieden, aus seiner ärmlichen Bedeutungslosigkeit herausgerissen zu sein, und raufte und hetzte fröhlich unter dem Schutze der Kirche und des Pfarrers. Allmählich geriet der tote Jude, der die Ursache des langwierigen Kampfes gewesen war, bei den beiden Rotten in Vergessenheit, und sie benutzten die Gelegenheit, um allerlei alten Hader auszufechten, taten sich alle erdenklichen Übel an, und es gab so viel blutige Köpfe, gebrochene Gliedmaßen und brennende Scheuern, daß Ärzte, Bader[58], Polizei und Löschmannschaft Tag und Nacht vollauf zu tun und zu laufen hatten. Der Bürgermeister hätte gern zum Pomilko gehalten, der der mächtigste und begütertste unter den Bauern war und zudem die gerechte Sache vertrat, allein die geistliche Partei war bei weitem zahlreicher, so daß er es mit dieser auch nicht verderben[59] wollte. Der Pfarrer war trunken vom Gefühl seiner Wichtigkeit und triumphierte außer sich[60]: „Feuer ist da! Brand ist da! Vatermord und Brudermord ist da! Habe ich es nicht prophezeit? Habe ich euch nicht gewarnt? Jeddam ist verpestet! Durch Unglauben ist es verpestet! Heraus mit der Eiterbeule von Jeddam! Heraus mit dem ungetauften Gebein aus Jeddam, oder wir werden alle verderben! Kinder, wir werden alle verderben!" Und er weinte, weil er durchaus nicht mehr zweifelte, daß es wirklich so wäre. Der Bürgermeister bat ihn, gleichfalls unter Tränen, dergleichen aufreizende Reden zu unterlassen und lieber das wütende Heer zu beruhigen, aber er brachte den Pfarrer dadurch nur noch mehr auf, der entrüstet sagte, er würde seinen Gott nicht verkaufen und wenn man ihm hundert Goldgulden dafür böte.

Vielleicht wäre Jeddam in Blut und Flammen untergegangen, wenn sich der Bürgermeister nicht aufgemacht hätte, um noch einmal die Hilfe des Kommandanten in Anspruch zu nehmen. Die Nachricht, daß der Kaiser an der Spitze eines Regimentes daherziehe und die Aufrührer niederschmettern würde, verbreitete lähmenden Schrecken, und einer nach dem andern schlich sich nach Hause und an seine Arbeit.

„Darinko", sagte der Pfarrer an diesem Tage zum Sohne des kleinen Bauern, der an der Spitze der geistlichen Partei gestanden hatte, „ich verspreche dir, daß du Sorka heiraten und ihr Erbe ungeschmälert erhalten wirst, wenn du diese Nacht auf den Kirchhof gehst, den Samuel ausgräbst und in die Melk wirfst."

„Das will ich wohl tun", sagte der junge Darinko, „und ich wundere mich, daß wir es nicht schon längst getan haben."

„Tu es heute", sagte der Pfarrer, „und es wird dich nicht gereuen", was alles Darinko der Sorka getreulich wieder erzählte. Sorka erklärte, dem Geliebten in diesem Unternehmen beistehen zu wollen, da es für ihn allein eine schwierige Sache gewesen wäre, denn er mußte sich mit vielen Werkzeugen versehen, nicht nur um das Grab, sondern auch um den schweren Sarg aus Eichenholz zu öffnen, den er nicht bis zum Flusse hätte tragen können. Als es völlig Nacht und

[56] at random   [57] smart alecky   [58] barber-surgeon   [59] get in wrong with

[60] beside himself

rings alles still war, stahlen sie sich aus dem väterlichen Hof und machten sich auf den Weg. Es war eine lange und harte Arbeit, das Grab des Samuel zu finden, das auf keinerlei Art bezeichnet war, und sie mußten graben und wühlen, daß ihnen der Schweiß von der Stirne troff, bis sie endlich auf den großen Sarg stießen, den sie als den richtigen erkannten. Sie atmeten erleichtert auf[61], und da sie noch eine Weile Zeit hatten, kauerten sie sich nebeneinander auf die aufgeworfene Erde nieder, und Sorka holte Brot, Käse und eine Flasche Bier hervor, die sie zur Stärkung mitgenommen hatte. Ohnehin vergnügt über die Aussicht auf die Heirat, die ihnen der Pfarrer eröffnet hatte, teilten sie das Essen miteinander, faßten sich bei den Händen und küßten sich, und Sorka sagte: „Meinetwegen hätte der alte Jude hier können liegen bleiben, der Stiefmutter zum Tort.“

„War sie wirklich so schrecklich böse?“ fragte Darinko neugierig.

„Sie war nicht böser als ich“, sagte Sorka, „aber ich mochte sie nicht leiden, und darum bin ich weggelaufen und lache, wenn sie sich ärgert,“ und sie lachte, daß ihre gelben Zähne glänzten.

Sie hatten inzwischen die Arbeit wieder aufgenommen und machten sich daran[62], den Sarg zu öffnen, was um so schwieriger war, als sie sich bemühen mußten, so wenig Lärm wie möglich dabei zu machen. Als es gelungen war, hielt Darinko einen Augenblick inne und sagte: „Jetzt kommt das schwerste Geschäft; es ist dunkle Mitternacht, und wir sind ganz allein.“ Sorka sah ihn listig an und sagte: „Fürchtest du dich? Hast du dich doch nicht gefürchtet, als du mir den ersten Kuß gabst, und ich hätte dir doch ebensogut eine Ohrfeige geben können wie der tote Jude?“

Darinko fühlte seinen Mut durch die Erinnerung an dieses Heldenstück neu belebt, schlug den Deckel zurück und faßte den, der im Sarge lag, um den Leib, in der Absicht, geschwind, ohne ihn anzusehen, mit ihm davonzulaufen und ihn in die Melk zu werfen. Kaum hatte er ihn aber gefaßt, als er ihn mit einem Schrei wieder fallen ließ, etwas so Unerwartetes und Unheim-

liches war es, den Strohbalg zu berühren. Sorka lachte hell auf über die Bangigkeit des Darinko und beugte sich über die zusammengefallene Puppe, um zu sehen, was es da Fürchterliches gäbe. Als sie inne wurden, daß sie wirklich nur eine ausgestopfte Figur mit Larve und Wachshänden vor sich hatten, blieb dem Darinko vor Erstaunen der Mund offen stehen, während Sorka so unmäßig lachte, daß sie sich auf die Erde werfen und hin und her wälzen mußte. „Was kann das bedeuten?“ fragte endlich Darinko, der unsicher war, ob es sich vielleicht um eine zauberhafte Verwandlung oder sonst eine höllische Kunst handelte. „Was geht das uns an?“ sagte Sorka. „Wir können keinen andern Samuel in die Melk werfen als den, den wir gefunden haben; ob es der richtige ist, das ist nicht unsre Sache.“ Sie war unterdessen aufgestanden und untersuchte die Puppe eifrig unter fortwährendem Gelächter, wobei sie denn auch den herrlichen Diamantring entdeckte, der noch am Zeigefinger der einen Wachshand saß, sei es, daß Frau Rosette ihn vergessen hatte, oder daß sie ihn absichtlich als ein freiwilliges Opfer zum glücklichen Ausgang des dreisten Abenteuers hatte mit begraben lassen. Jetzt erschrak auch Sorka und fuhr zurück im Gedanken, es könnte hier Gott weiß was für eine Teufelsschlinge verborgen sein; doch gewöhnte sie sich schnell an die Seltsamkeit und kam zu der Überzeugung, der Ring sei ein kostbarer Ring und nichts weiter, den sie mit Fug und Recht[63] als Belohnung für ihre Arbeit an sich nehmen und für sich behalten könnten. Sie bemächtigten sich des Ringes, gaben sich gegenseitig das Wort, über ihre Entdeckungen gegen jedermann zu schweigen, und fast berauscht vor Glückseligkeit kugelten und tummelten sie sich noch eine geraume Weile auf dem nächtlichen Friedhof; dann schleppte Darinko den Balg in die Melk, während Sorka den leeren Sarg wieder eingrub die Erde darüberschaufelte und alles machte, wie es zuvor gewesen war.

Die Soldaten, die am andern Tage in Jeddam einrückten, fanden nichts mehr zu tun, und da die Rädelsführer bei den verschiedenen Brandstiftungen, Raufereien und andern Missetaten

[61] heaved a sigh of relief [62] set about [63] with full right

schwer festzustellen waren, kam es auch nicht zu erheblichen Bestrafungen.

Nach einiger Zeit, als in weiter Ferne der arglose Herr Samuel, dem die Familie die Vorfälle in Jeddam verschwiegen hatte, damit er sich nicht etwa eine Kränkung daraus zöge, das gute alte häßliche Gesicht von Wiedersehensfreude glänzend, seine Lieben in die Arme schloß, saß der Pfarrer von Jeddam beim Bürgermeister zu Tisch, und der letztere sagte: „Jedermann weiß, daß Ehrwürden in der Theologie und allen Dingen der Gottesfurcht weiser sind als meine Wenigkeit[64]. Doch kann ich die Bemerkung nicht unterdrücken, daß Pestilenz, Feuersbrunst und Kriegsnot vorüber sind, seit die Soldaten bei uns einrückten, wiewohl der tote Samuel nach wie vor[65] inmitten der ungetauften Kinder begraben liegt."

[64] my humble self [65] still

„Das tut er bei Gott nicht", triumphierte der Pfarrer und schlug mit der Faust auf den Tisch, daß es klirrte. „In der Nacht, ehe die Soldaten kamen, habe ich ihn ausgraben und in die Melk werfen lassen, die ihn wohl längst ins Meer geschwemmt hat, wo er bei Fischen und anderm Unrat liegen bleiben mag."

Der Bürgermeister war so verblüfft, daß er nicht wußte, ob er lachen oder zornig werden sollte. „Meint Ihr wirklich", fragte er endlich, „daß das die Ursache ist, warum Frieden und Wohlergehen wieder bei uns eingekehrt sind?"

„Was sonst?" rief der Pfarrer; „unser Gemeinwesen war in großer Gefahr, und ich habe es gerettet, doch prahle ich nicht laut damit, sondern gebe Gott die Ehre." Und er erhob das volle Weinglas und hielt es dem Bürgermeister zum Anstoßen hin, der, obwohl ihn seine Niederlage wurmte, es für das Feinste hielt, zu schweigen und zu trinken.

Stefan George · 1868–1933

George was born and raised in the Rhineland in a middle-class, Roman Catholic setting. He attended the *Gymnasium* at Darmstadt, then traveled extensively in Europe and studied foreign languages at the universities of Paris, Berlin, and Munich. His outer life was uneventful. Wishing to have no material encumbrances he never acquired a fixed abode; the energy he saved from domestic burdens he directed into building a school of disciples whom he controlled rigidly, the famous *Georgekreis*, made up of notable scholars, artists, and men of letters. When the National Socialists came to power and prepared to use his name for purposes of propaganda, he left Germany for Switzerland, where he died and is buried.

George is one of the remarkable figures in the history of literature, a man of iron will and clear purpose, of extraordinary self-assurance and belief in his own mission to regenerate a whole nation. He was able to impress a group of Germany's ablest young men with his ideals, at least for some time. Such fanatical loyalty as there was to the master can be explained only by the fact that he was an outstanding poet; when he spoke of regenerating the German language, he was able to show by example what he meant. Moreover, while in one sense his Spartan horizon was narrow, in another he was a cosmopolitan free from chauvinism, open to literary influences from abroad, and original. The strange Maximin cult which he initiated, the typographical innovations he instituted to frighten off the philistine, his haughty manner were so different that they were bound either to repel or to impress; they did both.

The imperious master evolved from a traditional, intellectually timid young writer whom we still see in the early volumes of poetry. With the turn of the century and the publication of *Der Teppich des Lebens* (1900) he emerges as a prophet and seer in control of his own emotions and ready to direct those of his readers. He identifies himself with Dante and Hölderlin and promulgates a new decalogue of Nietzschean hardness, pagan beauty, aristocratic conservatism, heroic worship of a leader, deification of the body, and male friendship. His later volumes of poetry are largely documents of a war against the *Zeitgeist*, with which George, like Nietzsche, was wholly out of sympathy.

As an artist, George was from the first opposed to the realistic tradition dominant in European literature at the end of the nineteenth century. He had in his early youth been intensely interested in languages, had even invented a language of his own in which he wrote some early poems. It is as a purifier of language that he began his literary career. He followed the symbolists in seeking the rare word and image, but departed from symbolist theory in that he did not seek to have literature approximate to music, i.e., deal in vague, suggestive nuances. On the contrary, his use of the word was always classical. He strove for precision, for the clear outline. His poetry had a hard, sculptural quality like that of Gautier, Leconte de Lisle, Baudelaire, and Conrad Ferdinand Meyer. It is not musical in the sense that most German lyric poetry is. Once the reader can accommodate himself to the brittle, gemlike, jewelled quality of the verse, he will enjoy its rare beauty. But it is cold when judged by romantic standards of taste.

George is classical too in his composition. The strict symmetry that characterizes his individual poems and the arrangement of his books of poems is classical in the definition of Wölfflin. George has carried this principle of symmetry farther than any other German poet. *Der Teppich des Lebens*, *Der siebente Ring*, and *Der Stern des Bundes* are perhaps unique in their strict adherence to the architectonic principle.

Everything in a George poem (vocabulary, imagery, diction, syntax, typography, punctuation, and arrangement) combines to lend it dignity, majesty, indeed pomp. In reading it one is supposed to be transported into a religious atmosphere, and the poet himself chanted his verses as if they were parts of a liturgy.

George's principal writings include: *Hymnen Pilgerfahrten Algabal* (1891), *Die Bücher der Hirten und Preisgedichte, der Sagen und Sänge und der Hängenden Gärten* (1895), *Das Jahr der Seele* (1897), *Der Teppich des Lebens* (1900), *Der siebente Ring* (1907), *Der Stern des Bundes* (1914), *Das neue Reich* (1928). He translated Baudelaire's *Fleurs du mal*, Shakespeare's sonnets, sections from Dante's *Divine Comedy*, and a number of decadents and symbolists including Rossetti, Swinburne, Mallarmé, Verlaine, Rimbaud, Verhaeren, Jacobsen, and D'Annunzio.

Many of George's poems first appeared in the *Blätter für die Kunst*, a literary journal which he founded and in which the work of his disciples and of kindred spirits was published. At first George refused to make his work available to a larger public; but later a collected edition of his writings in 18 volumes was issued by Georg Bondi in Berlin. Our text follows this edition.

George evolved a special sans serif type, did not use capitals for common nouns nor the ß. In place of the comma he used a dot in midline · He also used special paper resembling vellum. Some of the volumes supplied samples of George's striking handwriting and printing.

❧❧

Mühle lass die arme still
Da die haide[1] ruhen will.
Teiche auf den tauwind harren·
Ihrer[2] pflegen lichte lanzen
Und die kleinen bäume starren   5
Wie getünchte ginsterpflanzen[3].

Weisse kinder[4] schleifen leis
Überm see auf blindem[5] eis
Nach dem segentag· sie kehren
Heim zum dorf in stillgebeten·   10
DIE[6] beim fernen gott der lehren·
DIE schon bei dem naherflehten.

Kam ein pfiff am grund entlang[7]?
Alle lampen flackern bang.
War es nicht als ob es riefe?   15
Es empfingen ihre bräute
Schwarze knaben[8] aus der tiefe..
Glocke läute glocke läute!

VOGELSCHAU

Weisse schwalben sah ich fliegen·
Schwalben schnee- und silberweiss·
Sah sie sich im winde wiegen·
In dem winde hell und heiss.

Bunte häher[1] sah ich hüpfen·   5
Papagei und kolibri[2]
Durch die wunder-bäume schlüpfen
In dem wald der Tusferi[3].

Grosse raben sah ich flattern·
Dohlen[4] schwarz und dunkelgrau   10
Nah am grunde über nattern[5]
Im verzauberten gehau[6].

Schwalben seh ich wieder fliegen·
Schnee- und silberweisse schar·
Wie sie sich im winde wiegen   15
In dem winde kalt und klar!

DIE SPANGE

Ich wollte sie aus kühlem eisen
Und wie ein glatter fester streif·
Doch war im schacht auf allen gleisen[1]
So kein metall zum gusse reif.

Nun aber soll sie also sein: 5
Wie eine grosse fremde dolde[2]
Geformt aus feuerrotem golde
Und reichem blitzendem gestein[3].

DER RINGER

Sein arm — erstaunen und bewundrung – rastet
An seiner rechten hüfte· sonne spielt
Auf seinem starken leib und auf dem lorbeer
An seiner schläfe· langsam wälzet jubel
Sich durch die dichten reihen wenn er kommt 5
Entlang die grade grünbestreute strasse.
Die frauen lehren ihre kinder hoch-
Erhebend seinen namen freudig rufen
Und palmenzweige ihm entgegenstrecken.

MÜHLE: From *Hymnen Pilgerfahrten Algabal* (1891). The situation: a group of girls, returning from Easter Communion service, cross the ice, which breaks and draws some of them to their death.   [1] = Heide   [2] refers to *Teiche*; the lances are the reeds and rushes at the edge of the ponds   [3] tinted broom; the cult of artificial flowers was characteristic of the symbolists [4] i.e., children dressed in white   [5] i.e., melting   [6] some; (some of the girls have been deeply moved by the confirmation ceremony and feel that they have been saved; others are still without grace)   [7] probably the sound made by the cracking ice   [8] the personification of death wooing his victims

SPANGE: Source as above. This poem expresses George's aesthetic credo. His ideal of poetry is the hard, chaste, chiseled verse that Théophile Gautier celebrated in his poem *L'Art*. [1] trucks (used in the mines for transporting ore)   [2] umbel (a type of blossom)   [3] jewels

VOGELSCHAU: Source as above. *Vogelschau* means augury. In ancient religions the flight of birds was used to foretell the future. In this poem George reviews his artistic past and takes leave of the exotic world in which he has been living. He had begun with the naive acceptance of traditional values (stanza 1); had then pursued the exotic and magical, even embracing the sinister and decadent (Algabal = Heliogobalus, the boy-emperor of decadent Rome). Now he wishes to return to the first level of experience, not to be carried away emotionally, however, but in a cool, detached frame of mind.   [1] jays [2] parrot and humming bird   [3] forest of incense   [4] jackdaws   [5] adders   [6] clearing

DER RINGER: From *Die Bücher der Hirten und Preisgedichte* (1895), first of two poems entitled *Die Lieblinge des Volkes*. The other popular favorite is the lute player. The two youths may be said to symbolize the dual aspect of George's ideal: a union of body and mind.

Er geht· mit vollem fusse wie der löwe   10
Und ernst· nach vielen unberühmten jahren
Die zierde ganzen landes und er sieht nicht
Die zahl der jauchzenden und nicht einmal
Die eltern stolz aus dem gedränge ragen.

☙

Komm in den totgesagten[1] park und schau:
Der schimmer ferner lächelnder gestade[2]·
Der reinen wolken unverhofftes blau
Erhellt die weiher und die bunten pfade.

Dort nimm das tiefe gelb· das weiche grau   5
Von birken und von buchs[3]· der wind ist lau·
Die späten rosen welkten noch nicht ganz·
Erlese[4] küsse sie und flicht den kranz.

Vergiss auch diese letzten astern nicht·
Den purpur um die ranken[5] wilder reben   10
Und auch was übrig blieb von grünem leben
Verwinde[6] leicht im herbstlichen gesicht[7].

☙

Es lacht in dem steigenden[1] jahr dir
Der duft aus dem garten noch leis.
Flicht in dem flatternden haar dir
Eppich und ehrenpreis[2].

Die wehende saat ist wie gold noch·   5
Vielleicht nicht so hoch mehr und reich·
Rosen begrüssen dich hold noch·
Ward auch ihr glanz etwas bleich.

Verschweigen wir was uns verwehrt ist·
Geloben wir[3] glücklich zu sein   10
Wenn auch nicht mehr uns beschert[4] ist
Als noch ein rundgang[5] zu zwein.

☙

Ihr tratet zu dem herde
Wo alle glut verstarb·
Licht war nur an der erde
Vom monde leichenfarb.

Ihr tauchtet in die aschen   5
Die bleichen finger ein
Mit suchen tasten haschen[1] —
Wird es noch einmal schein!

Seht was mit trostgebärde
Der mond euch rät: 10
Tretet weg vom herde·
Es ist worden[2] spät.

DER FREUND DER FLUREN

Kurz vor dem frührot sieht man in den fähren[1]
Ihn schreiten· in der hand die blanke hippe[2]
Und wägend greifen in[3] die vollen ähren
Die gelben körner prüfend mit der lippe.

Dann sieht man zwischen reben ihn mit basten[4] 5
Die losen binden an die starken schäfte[5]
Die harten grünen herlinge[6] betasten
Und brechen einer ranke überkräfte[7].

Er schüttelt dann ob er dem wetter trutze[8]
Den jungen baum und misst der wolken schieben
Er gibt dem liebling einen pfahl zum schutze 10
Und lächelt ihm dem erste früchte trieben.

Er schöpft und giesst mit einem kürbisnapfe[9]
Er beugt sich oft die quecken auszuharken[10]
Und üppig blühen unter seinem stapfe[11]   15
Und reifend schwellen um ihn die gemarken[12].

IHR TRATET: Source as above. Theme: it is futile to seek life-sustaining values in dead ideals. And the true ideals must be sought, for it is late.   [1] seeking, groping, snatching [2] = geworden

DER FREUND DER FLUREN: First published in *Blätter für die Kunst* (the literary journal which George edited); included in *Der Teppich des Lebens* (1900); a symbolic poem depicting the god of fertility making his daily round.   [1] furrows [2] scythe [3] grasp, weighing [4] raffia [5] shafts or stalks [6] unripe grapes [7] excessive strength [8] = trotze, defy [9] gourd (used as a dipper) [10] rake out the crab grass [11] footprint [12] fields

KOMM IN DEN: From *Das Jahr der Seele* (1897). The poet reconstructs a landscape by enumerating the colors that constitute it.   [1] said, i.e., thought, to be dead   [2] shores [3] boxwood. The clause *der wind ist lau* is a parenthesis. [4] select [5] tendrils [6] entwine [7] vision

ES LACHT: Source as above. Theme: in praise of the autumn of life; *amor fati*; make the best of what life still has to offer. [1] i.e., climbing to its end [2] ivy and veronica [3] let us vow [4] destined [5] walk around the garden

DER JÜNGER

Ihr sprecht von wonnen die ich nicht begehre
In mir die liebe schlägt für meinen Herrn
Ihr kennt allein die süsse· ich die hehre[1]·
Ich lebe meinem hehren Herrn.

Mehr als zu jedem werke eurer gilde   5
Bin ich geschickt zum werke meines Herrn
Da werd ich gelten[2]· denn mein Herr ist milde
Ich diene meinem milden Herrn.

Ich weiss in dunkle lande führt die reise
Wo viele starben · doch mit meinem Herrn   10
Trotz ich gefahren· denn mein Herr ist weise
Ich traue meinem weisen Herrn.

Und wenn er allen lohnes mich entblösste[3]:
Mein lohn ist in den blicken meines Herrn.
Sind andre reicher: ist mein Herr der grösste   15
Ich folge meinem grössten Herrn.

    ᔡᔧ

  Trübe seele — so fragtest du — was[1] trägst du trauer?
   Ist dies für unser grosses glück dein dank?
  Schwache seele — so sagt ich dir — schon ist in trauer
   Dies glück verkehrt und macht mich sterbens krank.

  Bleiche seele — so fragtest du — dann losch die flamme   5
   Auf ewig dir die göttlich in uns brennt?
  Blinde seele — so sagt ich dir — ich bin voll flamme:
   Mein ganzer schmerz ist sehnsucht nur die brennt.

  Harte seele — so fragtest du — ist mehr zu geben
   Als jugend gibt? ich gab mein ganzes gut ...   10
  Und kann von höherem wunsch ein busen beben
   Als diesem: nimm zu deinem heil mein blut!

  Leichte seele — so sagt ich dir — was ist dir lieben!
   Ein schatten kaum von dem was ich dir bot ...
  Dunkle seele — so sagtest du — ich muss dich lieben   15
   Ist auch[2] durch dich mein schöner traum nun tot.

    ᔡᔧ

An baches ranft[1]
Die einzigen frühen
Die hasel blühen.
Ein vogel pfeift
In kühler au[2].   5
Ein leuchten streift

Erwärmt uns sanft
Und zuckt und bleicht[3].
Das feld ist brach[4]·
Der baum noch grau..   10
Blumen streut vielleicht
der lenz[5] uns nach.

DER JÜNGER: Source as above   [1] sublime   [2] i.e., prove my worth   [3] deprived of

TRÜBE SEELE: First published in the 5th series of *Blätter für die Kunst* (1900-1901); included in *Der siebente Ring* (1907). One of a cycle of poems dealing with an unhappy love. The poem describes an altercation between the poet and his beloved; he realizes he stands so far above her that a communion of souls is impossible.   [1] = warum   [2] though

AN BACHES RANFT: Source as above.   [1] border or edge   [2] low forest near a river   [3] grows pale   [4] fallow   [5] spring

⚬⚭

Ich bin der Eine und bin Beide
Ich bin der zeuger[1] bin der schooss
Ich bin der degen[2] und die scheide
Ich bin das opfer bin der stoss[3]
Ich bin die sicht[4] und bin der seher   5
Ich bin der bogen bin der bolz[5]
Ich bin der altar und der fleher[6]
Ich bin das feuer und das holz
Ich bin der reiche bin der bare[7]
Ich bin das zeichen bin der sinn   10
Ich bin der schatten bin der wahre[8]
Ich bin ein end und ein beginn.

⚬⚭

Alles habend alles wissend seufzen sie:
»Karges[1] leben! drang[2] und hunger überall!
Fülle fehlt!«
Speicher[3] weiss ich über jedem haus
Voll von korn das fliegt und neu sich häuft —   5
Keiner nimmt..
Keller unter jedem hof wo siegt[4]
Und im sand verströmt der edelwein —
Keiner trinkt..
Tonnen[5] puren golds verstreut im staub: 10
Volk in lumpen streift es mit dem saum[6] —
Keiner sieht.

⚬⚭

Weltabend lohte[1]· wieder ging der Herr
Hinein zur reichen stadt mit tor und tempel
Er arm verlacht der all dies stürzen wird.
Er wusste: kein gefügter[2] stein darf stehn
Wenn nicht der grund· das ganze· sinken soll.   5
Die sich bestritten nach dem gleichen trachtend[3]:
Unzahl von händen rührte sich und unzahl
Gewichtiger worte fiel und Eins war not.
Weltabend lohte.. rings war spiel und sang.
Sie alle sahen rechts — nur Er sah links.   10

⚬⚭

Wer je die flamme umschritt
Bleibe der flamme trabant[1]!
Wie er auch wandert und kreist:
Wo noch ihr schein ihn erreicht
Irrt er zu weit nie vom ziel.   5
Nur wenn sein blick sie verlor
Eigener schimmer ihn trügt:
Fehlt ihm der mitte gesetz
Treibt[2] er zerstiebend ins all.

⚬⚭

Neuen adel den ihr suchet
Führt nicht her von schild und krone!
Aller stufen halter[1] tragen
Gleich den feilen[2] blick der sinne
Gleich den rohen blick der spähe[3]..   5
Stammlos wachsen im gewühle[4]
Seltne sprossen eignen ranges
Und ihr kennt die mitgeburten[5]
An der augen wahrer glut.

ICH BIN DER EINE: From *Der Stern des Bundes* (1914). According to Ernst Morwitz the theme is: behind the multiplicity of the phenomenal world and its seeming contradictions there is a fundamental unity in polarity. [1] procreator … womb   [2] sword … sheath   [3] thrust   [4] sight   [5] arrow or shaft   [6] beseecher   [7] needy one   [8] i.e., reality as opposed to mere shadow

ALLES HABEND: First published in the 9th series of *Blätter für die Kunst*; included in *Der Stern des Bundes*. One of a cycle of poems in which the poet pours out his wrath on his contemporaries for their blindness to the spiritual treasures which life has in abundance for them.   [1] meager   [2] distress   [3] granaries   [4] = versiegt, dries up   [5] kegs   [6] hem (of the cloak)

WELTABEND LOHTE: Source as above. In the preceding poems George has been chastising his contemporaries for the state of decay into which they have fallen. He has declared that nothing can save contemporary civilization; it must be razed to the ground by a catastrophe and rebuilt anew. This is also the theme of the present poem, illustrated by an episode from the life of Jesus.   [1] glowed   [2] fitted   [3] striving for

WER JE DIE FLAMME: Source as above. In this and the following poems George sketches a blueprint of his ideal society. He favors an aristocracy of talent and character, of men devoted to the ideal (= Flamme), always mindful of something higher than themselves.   [1] satellite   [2] drifts; *zerstiebend* = scattering, disintegrating

NEUEN ADEL: From *Der Stern des Bundes*.   [1] representatives of all social strata   [2] venal   [3] spying   [4] throng (i.e., common people)   [5] those of equal rank with you

☗☗

AUF NEUE TAFELN SCHREIBT DER NEUE STAND[1]:
Lasst greise des erworbnen guts sich freuen
Das ferne wettern[2] reicht nicht an ihr ohr.
Doch alle jugend sollt ihr sklaven nennen
Die heut mit weichen klängen sich betäubt   5
Mit rosenketten überm abgrund tändelt[3].
Ihr sollt das morsche[4] aus dem munde spein
Ihr sollt den dolch[5] im lorbeerstrausse tragen
Gemäss[6] in schritt und klang der nahen Wal[7].

SCHLUSSCHOR

GOTTES PFAD IST UNS GEWEITET
Gottes land ist uns bestimmt
Gottes krieg ist uns entzündet
Gottes kranz ist uns erkannt.
Gottes ruh in unsren herzen   5
Gottes kraft in unsrer brust
Gottes zorn auf unsren stirnen
Gottes brunst[1] auf unsrem mund.
Gottes band hat uns umschlossen
Gottes blitz hat uns durchglüht   10
Gottes heil ist uns ergossen
Gottes glück ist uns erblüht.

EINEM JUNGEN FÜHRER IM ERSTEN WELTKRIEG

Wenn in die heimat du kamst   aus dem zerstampften gefild
Heil aus dem prasselnden guss[1]   höhlen von berstendem schutt
Keusch fast die rede dir floss   wie von notwendigem dienst
Von dem verwegensten ritt   von den gespanntesten mühn ..
Freier die schulter sich hob   drauf man als bürde schon lud   5
Hunderter schicksal:

Lag noch im ruck[2] deines arms   zugriff[3] und schneller befehl
In dem sanft-sinnenden aug   obacht der steten gefahr
Drang eine kraft von dir her   sicher gelassenheit
Dass der weit ältre geheim   seine erschüttrung bekämpft   10
Als sich die knabengestalt   hochaufragend und leicht
Schwang aus dem sattel.

Anders als ihr euch geträumt   fielen die würfel des streits ..
Da das zerrüttete[4] heer   sich seiner waffen begab[5]
Standest du traurig vor mir   wie wenn nach prunkendem[6] fest
Nüchterne woche beginnt   schmückender ehren beraubt ..   15
Tränen brachen dir aus   um den vergeudeten[7] schatz
Wichtigster jahre.

AUF NEUE TAFELN: Source as above. [1] social class [2] storm
(of war or civil war) [3] toys [4] decay or rot [5] dagger;
Lorbeerstrauss = laurel wreath [6] measured [7] = Walstatt,
battle
SCHLUSSCHOR: First published in the 9th series of *Blätter
für die Kunst*; later inserted as the concluding poem of *Der*

Stern des Bundes. The citizens of the ideal community chant
a paean of triumph in unison, confident that they are chosen
by God to show the new way to humanity. [1] fervor
EINEM JUNGEN FÜHRER: From *Das neue Reich* (1928).
[1] i.e., the hail of ammunition [2] (jerky) movement [3] swift
action [4] shattered [5] laid down [6] splendid [7] squandered

Du aber tu es nicht gleich   unbedachtsamem schwarm
Der was er gestern bejauchzt   heute zum kehricht[8] bestimmt   20
Der einen markstein[9] zerhaut   dran er strauchelnd sich stiess ..
Jähe erhebung und zug   bis an die pforte des siegs
Sturz unter drückendes joch   bergen in sich einen sinn
Sinn in dir selber.

Alles wozu du gediehst[10]   rühmliches ringen hindurch   25
Bleibt dir untilgbar bewahrt   stärkt dich für künftig getös[11] ..
Sieh· als aufschauend um rat   langsam du neben mir schrittst
Wurde vom abend der sank   um dein aufflatterndes haar
Um deinen scheitel der schein   erst von strahlen ein ring
Dann eine krone.   30

Das Wort

Wunder von ferne oder traum
Bracht ich an meines landes saum[1]

Und harrte bis die graue norn[2]
Den namen fand in ihrem born —

Drauf konnt ichs greifen dicht und stark   5
Nun blüht und glänzt es durch die mark[3]...

Einst langt ich an nach guter fahrt
Mit einem kleinod reich und zart

Sie suchte lang und gab mir kund:
›So schläft hier nichts auf tiefem grund‹   10

Worauf es meiner hand entrann
Und nie mein land den schatz gewann...

So lernt ich traurig den verzicht:
Kein ding sei wo das wort gebricht[4].

☙

Du schlank und rein wie eine flamme
Du wie der morgen zart und licht
Du blühend reis[1] vom edlen stamme
Du wie ein quell geheim[2] und schlicht

Begleitest mich auf sonnigen matten[3]   5
Umschauerst[4] mich im abendrauch
Erleuchtest meinen weg im schatten
Du kühler wind du heisser hauch

Du bist mein wunsch und mein gedanke
Ich atme dich mit jeder luft   10
Ich schlürfe dich mit jedem tranke
Ich küsse dich mit jedem duft

Du blühend reis vom edlen stamme
Du wie ein quell geheim und schlicht
Du schlank und rein wie eine flamme   15
Du wie der morgen zart und licht.

---

[8] rubbish heap [9] milestone [10] throve, or flourished [11] i.e., the din of life

DAS WORT: Source as above. Theme: the importance of the poet's craft—he gives names to objects and thereby reveals their true essence. The poet reveals the world to men by his handling of words; what he does not express in words remains unknown to them. [1] hem, i.e., border [2] In Germanic mythology the three Norns shaped human destiny as did the three Fates in Greek mythology. [3] i.e., land [4] is lacking

DU SCHLANK: First published in the 11–12th series of *Blätter für die Kunst* (1919); the closing poem of *Das neue Reich*. Theme: the poet's ideal of beauty, expressed as the perfect fusion of beautiful man in a beautiful natural setting. The poet begins by comparing man with nature but ends by identifying the two as inextricably woven together. [1] scion [2] mysterious [3] meadows [4] quiver about; *Abendrauch* = evening haze

Paul Ernst · 1866–1933

Paul Ernst was a versatile and prolific writer and, in his prose, a stylist of distinction. His short *Novellen* in the manner of the Italians are masterpieces of the miniature genre and will always be read with delight. He was a publicist as well as a creative writer. He had begun life as a proletarian and socialist but soon outgrew his radical convictions and moved to the extreme right. In doing so he lost his balance of judgment and fulminated against all modernism as if the modern institutions he disliked were the machinations of evil men. This campaign extended to literature as well. He bitterly attacked naturalism and especially its great star, Gerhart Hauptmann. He advocated a new classicism of form which would liberate literature from the *Zeitgeist* and render it timelessly beautiful and significant. Ernst himself supplied examples of such classical works of art in his dramas and long poems; not one of these has any life in it.

Paul Ernst's works appeared in nineteen volumes, of which three were devoted to drama, six to his theoretical writings, and ten to his fiction. In addition he published long poems, including *Das Kaiserbuch* (1923–1928), a three-volume verse history of the German medieval emperors. Of this mass of literature the stories deserve special mention: *Komödianten- und Spitzbubengeschichten* (1929) and *Geschichten von deutscher Art* (1928).

Das moderne Drama

Zur Zeit der Hochflut des Naturalismus bezeichnete man so ziemlich[1] alle damals neuere Literatur als naturalistisch, wenn sie nur der einen Bedingung entsprach, sich von der damaligen Konvention abzuwenden und sich enger an die Natur anzuschließen. Seitdem neben die naturalistische noch andere Strömungen getreten sind, welche gewisse derartige „Naturalisten" für sich reklamieren[2], wird man doch wohl Unterschiede machen müssen und das Wort in einem begrenzteren Sinn gebrauchen, bei dem es nicht mehr angeht, so unvereinbare Erscheinungen wie etwa Zola[3], Ibsen und Tolstoi zusammenzuwerfen. Man wird sich beschränken müssen, „naturali-

stisch" diejenigen Dichter zu nennen, welche ihrem Schaffen die Umweltlehre[4] zugrunde legen und etwa noch in ein ähnliches Gebiet passende Lehren, wie die der Vererbung[5]. Man kann sagen, daß diese Dichter die Menschen, welche sie schaffen, vornehmlich vom gesellschaftswissenschaftlichen[6] Standpunkt aus betrachten, wie ja auch, offen oder heimlich, bei ihnen immer die Neigung ist, ein großes Gesellschaftsbild zu geben. Sie knüpfen darin in heutiger Weise[7] an Bestrebungen an, welche in früherer Zeit etwa „Wilhelm Meister" vertritt[8].

Die naturgemäße Form für ein Dichten[9] auf solchen Grundlagen ist der Roman. Der Roman ist die einzige Dichtungsform, welche breite Schilderungen geben kann und damit die Umwelt darstellen, welche die feinen Beziehungen zwischen Persönlichkeit und Umwelt aufzuwei-

From the volume of critical essays *Der Weg zur Form* (1906; reissued in 1915 and 1928). [1] nearly [2] claim [3] Émile Zola (1840–1902) was the "founder" of French naturalism. His principal achievement is the cycle of 20 novels, the *Rougon-Macquart* series, which describes the history of a family under the Second French Empire, i.e., 1850–1870. He also wrote the manifesto of naturalism, *Le Roman expérimental*, in which he advocated the application to literature of the experimental method used in the natural sciences. Henrik Ibsen (1828–1906) was a forerunner of naturalism and exercised a profound influence on the movement. Leo Tolstoy (1828–1910) influenced European naturalism through his tragedy *The Power of Darkness* (1887).

[4] the milieu theory, formulated by the French literary historian Hippolyte Taine (1828–1893), that man is essentially the product of his environment [5] The naturalists placed much emphasis on the importance of heredity in determining human conduct. Ibsen's *Ghosts* exploits this theme; so do Zola's novels. [6] The naturalists preened themselves on their scientific approach to literature; they regarded themselves as sociologists. [7] in the fashion of our own day [8] Goethe's *Wilhelm Meisters Wanderjahre* has strong sociological tendencies. [9] literary creation

sen vermag durch Untersuchung des Verfassers; welche als erzählende und mit einem ruhigen Fluß zufriedene, keine großen Kämpfe und damit keine überragenden Menschen nötig hat, sondern sich mit dem Alltäglichen begnügen kann, wenn es nur fein und künstlerisch dargestellt ist.

In Deutschland haben wir es nicht zum naturalistischen Roman gebracht[10]. In der günstigen Zeit hat sich keine entsprechende Begabung entwickelt, und heute haben wir die Richtung bereits so weit hinter uns, daß sie schon in der besseren Unterhaltungsliteratur[11] herrschend ist und wohl bald in die schlechtere hinabsinken wird. Dagegen sind bei uns die Grundsätze des Naturalismus auf das Drama angewendet, und wir haben dadurch ein ganz eigenartiges neueres Drama erhalten, das keine andere Nation besitzt und das man heute wohl noch als „das neuere Drama" bezeichnen kann. So hat gegenwärtig im „Deutschen Theater" in Berlin Hauptmanns „Fuhrmann Henschel[12]" einen Erfolg allerersten Ranges, ein Stück, das eigentlich nur Umwelt ist und nichts weiter. Bei diesen großen Erfolgen der Richtung drängt sich aber, auch für den, welcher sonst dem Anschluß der Kunst an die Natur geneigt ist, die Frage auf, ob hier nicht eine Beeinflussung der Theaterbesucher vorliegt, ob dieses naturalistische Drama überhaupt den Lebensbedingungen des Dramas entspricht.

Vergessen wir zunächst nicht, daß die Dinge, in denen die Hauptstärke des naturalistischen Romans liegt, beim Drama überhaupt nicht in Frage kommen: im Drama kann die Umwelt nicht geschildert werden; nur kann der Dichter durch ausführliche Spielbemerkungen[13] die engste, durch vier Wände begrenzte Umwelt seiner Personen beschreiben und durch den Spielleiter herstellen lassen, sowie durch eine möglichste Fülle von Nebenfiguren das übrige andeuten. Und im Drama können nicht durch Untersuchung des Verfassers die Beziehungen zwischen Umwelt und Personen nachgewiesen werden, sondern, da die Menschen sich nur unmittelbar geben[14] können, so muß man diesen Nachweis, bei möglichst fein ausgearbeiteter

Ausdrucksweise der Personen, von der mitdichtenden[15] Phantasie des Zuschauers erwarten; diesem wird damit eine Aufgabe zugemutet, die noch keine dichterische Richtung ihm gestellt hat. Deshalb muß sie sehr leicht gemacht werden, d.h. sich auf das Allgemeinste beschränken.

Dafür[16] teilt das naturalistische Drama gänzlich die Eigenschaft des Romans, daß nur gewöhnliche und mittelmäßige Menschen in dieser Technik dargestellt werden können. Denn außergewöhnliche Menschen sind eben nicht das Ergebnis der Umwelt, sondern werden durch andere Kräfte gebildet, wirken also in einem Umweltdrama unwahrscheinlich und zersprengen damit das ganze Stück. Das Höchste, was man von ihnen bringen kann, ist die Art, wie sie sich räuspern und spucken[17], alles das Gemeine, was sie mit dem gewöhnlichen Pack[18] gemein haben; ihr eigentliches Wesen bleibt undarstellbar. Soll uns menschliche Größe auf der Bühne wahrscheinlich erscheinen, so muß alles, was um sie herum sich befindet, gleichfalls gehoben sein, und es muß jede Erinnerung an die gemeine Natürlichkeit auf das sorgfältigste vermieden werden.

Nun liegt es aber im Wesen des Dramas, daß es die Schicksale hochstehender Menschen zum Inhalt hat und nicht das, was dem Ersten Besten[19] passiert. Das ist in seinen äußeren Lebensbedingungen begründet: Aufführung durch Schauspieler vor einer größeren Menge von Menschen.

Die Umweltlehre ist unzweifelhaft für die Menge richtig. Die Menschen sind im allgemeinen das Ergebnis der Umwelt und noch einer Anzahl ähnlicher Mächte. Diese wirken auf sie, und dementsprechend handeln sie und leiden. Im Roman, wo man solche Dinge durch eine Masse kleiner Züge lebendig machen kann, wo man nichts vor sich sieht, sondern behaglich sich alles ausmalen kann, wo man eine bequeme Entwicklung mit Verständnis genießt, mag das fesseln. Aber im Drama fesselt es nicht. Sieht man das von Schauspielern vorgeführt, in einem großen Raum, den man mit einer erwartungsvollen Menge teilt, so wird man enttäuscht und

---

[10] realized, achieved [11] literature of entertainment [12] a proletarian tragedy by Gerhart Hauptmann; see p. 73 [13] stage directions [14] show themselves

[15] collaborating [16] on the other hand [17] clear their throats and spit (a quotation from Schiller's *Wallensteins Lager*, ll. 208–209) [18] mob [19] any man at all

fragt ärgerlich: Ja, was geht mich denn das an?
Im Drama fesseln andere Dinge als im Roman.
Was im Drama fesselt, nennt man gewöhnlich
„Handlung". Es muß vor allem etwas geschehen,
durch die Menschen oder mit und an[20] ihnen.
Alles, was nicht zur Handlung gehört, zum
Beispiel also ein das Notwendigste übersteigendes
Gespräch, wird uns unerträglich: wir deuten uns
die Handlung ja schon selber und sind gespannt,
wie es weitergeht. Das Wesen des Naturalismus
besteht darin, daß er die Vorgänge durch eine
Unmenge von Einzelheiten erklären will. Im
Roman sehen wir die Einzelheiten nicht und
lassen uns deshalb vom Erzähler allmählich auf
sie führen; auf der Bühne sehen wir das Vorhandene mit einem Blick; und was uns nach
diesem Blick noch gesagt wird, langweilt bereits. Da die Personen aber nur Ergebnisse der
Umwelt sind, so haben wir sie eben mit diesem
einen Blick schon erkannt und wissen genau,
wie sie sich in dem und dem Fall benehmen werden. Ein Lehrer[21] der Richtung meint, daß die
Kunst die Neigung habe, wieder Natur zu werden, daß das, wenn auch unerreichbare, Ideal des
Dramas das sei, daß es eine genaue Wiederholung
des entsprechenden Vorgangs in der Natur gebe.
Diese Zuspitzung[22] macht die Sache ganz klar:
offenbar würden wir uns nicht drei Stunden lang
ins Theater setzen, um einen solchen Vorgang
anzusehen, sondern bestenfalls werden wir ihn
als Notiz im Vermischten[23] einer Zeitung genießen. Das würde uns einfach langweilig sein.
Irgendwie hervorragende Menschen sind nicht
lediglich aus der Umgebung und ähnlichen Dingen zu erklären, sondern das unerklärbare X in
ihrem Wesen ist weit größer als bei anderen
Menschen. Deshalb verstehen wir sie nicht auf
den ersten Blick, und manche entschlüpfen überhaupt unserem völligen Verständnis, wie etwa
Hamlet. Deshalb wissen wir auch nicht vorher,
wie sie bei den Vorgängen zurückwirken werden, oder es ist uns interessant, wie sie zurückwirken.
Ein Beispiel aus Tolstois „Macht der Finsternis"
möge das klar machen. Tolstoi ist von Haus aus[24]

Erzähler, daher als Dramatiker zu breit, und sein
Stück hat dadurch eine große äußerliche Ähnlichkeit mit heutigen deutschen Dramen. Der
Held ist zunächst ein ganz gewöhnlicher Bauern-
bursche. Sein Schicksal verflicht ihn in das Verbrechen der Ermordung seines Herrn, und er
heiratet dann die Frau, mit der er schon vorher
eine Liebschaft gehabt hat. Ein gemeiner Weiter-
gang würde sein, daß er die Frau prügelt, sich
selbst betrinkt, und daß die Frau, weil sie von
ihm vernachlässigt wird, sich erhängt. Das wäre
ein möglicher Romanstoff. Aber im Drama
zeigt es sich, daß der Mann über diese Gewöhn-
lichkeit hinausragt. Nachdem die Finsternis noch
weitere Macht über ihn gewonnen hat, kehrt er
plötzlich um und bekennt offen seine Schuld.
Es macht nichts aus, daß auch das noch nicht
genügend dramatisch ist, weil die Gründe der
Umkehr zu sehr in ihm selbst liegen, und ein
bloß seelischer Kampf nur einen geringen dra-
matischen Eindruck macht. Jedenfalls erweckt
dieser Bauer unser steigendes Mitgefühl dadurch,
daß er nicht so ist, wie er eigentlich sein müßte
nach der Umweltlehre. Er ist nicht willenloses
Ergebnis der Umwelt, sondern es ist gerade
etwas in ihm, was gegen die Umwelt ankämpft.
Hier haben wir den springenden Punkt[25]. Alte
Lehrer pflegten den Inhalt des Dramas zu bestimmen als einen Kampf zwischen Menschen
und Schicksal. Das Schicksal ist zum größten
Teil eine Sendung der Umwelt; und die Aufgabe
des Dramas ist nun gerade, zu zeigen, wie ein
Mensch dem nicht willenlos unterliegt, sondern
mit ihm kämpft. Das willenlose Unterliegen ist
das Alltägliche und ist deshalb gleichgültig;
das Bewegende ist der Kampf.
Es ist sehr bezeichnend für etwas oben Gesag-
tes, daß bei der „Macht der Finsternis" die Umkehr des Helden nicht ganz wahrscheinlich
wirkt. Tolstoi hat sich zu eng an die Natur gehalten in dem Stück, nicht die nötige Entfernung
genommen, und deshalb fällt der eigenartige
Charakter etwas heraus[26].
Die naturalistische Lehre ist, wie noch viele
andere Lehren auf den entlegensten Gebieten,
nichts als der Widerschein der demokratischen
Bewegung in der heutigen Gesellschaft. Die

---

[20] to   [21] Arno Holz (1863–1929), in his critical treatise *Die
Kunst, ihr Wesen und ihre Gesetze* (1891)   [22] overemphasis
[23] item in the miscellaneous column   [24] by nature
[25] salient point   [26] is not in keeping with the others

Menge stellt heute die für sie gültigen Gesetze als die allgemein gültigen auf, sowie früher ein Adel das tat. Das hat auf vielen Gebieten eine Berechtigung, vor allem auf den äußeren, gewerblichen; aber von allen Gebieten, wo es unberechtigt sein muß, bleibt die Kunst das, wo es am unberechtigsten ist. Denn die Kunst, selbst wenn sie von der Menge genossen wird, wird es doch auch dann nur in den Stunden, wo die gewöhnlichen Menschen über sich hinauswachsen. Jede Köchin, welche über ihrem Roman Tränen vergießt, wenn die Unschuld verfolgt wird, aber schließlich doch siegt und einen Grafen heiratet, hat da einen richtigeren und natürlicheren Sinn als die Herrschaft[27], welche sich ein heutiges, naturalistisches Stück ansieht und sich einbildet, daß sie über den Fuhrmann Henschel Kummer empfindet.

Man würde das Kind mit dem Bade ausschütten, wenn man sich durch solche Erwägungen bestimmen ließe, im heutigen Drama eine bloße Verirrung zu sehen, und, wie es wohl geschieht, wieder auf die verlassene Epigonenliteratur[28] zurückginge. Wir haben doch sehr gelernt durch feinere Ausgestaltung des Aus-

drucks, die es geschaffen hat; und die Weltanschauung, aus der es herausgewachsen ist, enthält doch gleichfalls einen Fortschritt gegen früher. Wir müssen es als notwendiges Glied der Entwicklung betrachten, die uns zu etwas Höherem zu führen scheint, wie ja immer die Zeiten engsten Anschlusses an die Natur und genauer Anpassung an die Zeitanschauung[29] gegenüber gedankenlosem Nachahmen des Alten die Vorgänger hoher Kunstblüten[30] gewesen sind.

Vor allem wird es sich für uns darum handeln, uns wieder eine sittliche Weltanschauung zu erringen. Denn das Drama ist Weltanschauungsdichtung, der Kampf des Menschen mit dem Schicksal ist der größte Vorwurf[31], den es für den Künstler überhaupt geben kann. Gelingt es uns, auf irgendeine Weise die Pöbelmeinung zu überwinden, daß der Mensch nichts für sich kann, nur ein Resultat der äußeren Verhältnisse sei, und finden wir irgendwie die sittliche Freiheit des Menschen wieder, dann wird es uns auch gelingen, mit den durch den Naturalismus geschaffenen feineren Mitteln ein neues volkstümliches Drama, ein nicht nur „modernes", zu erzeugen.

[27] i.e., the cook's employer [28] the literature of the later 19th century, which was largely imitative of the classical German writers

[29] the popular views of the day [30] i.e., golden ages in literature [31] theme, subject

Hugo von Hofmannsthal · 1874–1929

In a remarkable document entitled *Ad me ipsum*, Hugo von Hofmannsthal tells us that between the ages of sixteen and twenty-two he lived in a mystical frame of mind which he designates as "pre-existence." It was a dreamy, idealistic, egocentric, purely contemplative state, akin to that of religious grace, remote from contact with everyday life, unhampered by the limitations imposed on men by the environment, by the problems of space and time, change and decay, free from the restlessness and dissatisfaction that result from the interplay of personalities in a social existence. In this state there was as yet no consciousness of individuality or responsibility; the poet lived in a condition like that of the child in the mother's womb. He had visions of truths and insights that were far beyond his range of normal experience. He grasped by intuition a harmonious universe in which all conflicts were absent—a wholeness of existence that is ideal. In this state of grace he created the poems and lyrical dramas of his "first period."

Hofmannsthal himself calls this state of pre-existence a "glorious but dangerous condition." For the child must sooner or later emerge from the maternal womb; the poet had to come to grips with real existence. The transition to reality precipitated a crisis in his thinking, a paralysis of the mental faculties which led him to despair of his own powers. This state of mind is described with deep feeling and consummate art in the *Brief des Lord Chandos*. It was only by undergoing a profound spiritual transformation (the results of which are reflected in the works of the "third period"—from about 1910 on) that Hofmannsthal was able to extricate himself from the crisis that had gripped him and to arrive at a positive solution to the problem of life.

Such is the picture which recent scholarship gives us of Hofmannsthal's development, based chiefly on his own analysis in *Ad me ipsum*. However, one may well take a more earthy view of that development. The outstanding fact about the young Hofmannsthal was his precocity, which was even more remarkable than that of a Chatterton or Rimbaud. That this youth possessed a rich vein of creative talent goes without saying. But part of the pre-cocity consisted in an amazing power to assimilate the experience of others and to re-express it in the exquisite poetic language that was his by divine right. At seventeen he had read and digested the writings of the most diverse ages and men. He seemed equally at home in the cultures of ancient Greece and Rome, the Orient, the Renaissance, the Middle Ages. He was also one of the ultramoderns. His early essays testify to the fact that he understood the decadent spirit of writers like Banville, Baudelaire, Bourget, the Goncourts, D'Annunzio, Swinburne, Wilde, Schnitzler, and George. These men were creating the intellectual climate that we now designate as "symbolism," "impressionism," "aestheticism," "decadence." It is through their eyes that the young Hofmannsthal saw the world, which he describes in his early poems and lyrical dramas.

These early writings bring before us a series of highly cultivated men, overeducated or overrefined, adventurers or voluptuaries, all of whom have lost the power to enjoy whole-some life such as is still possible for the simple untutored peasant or worker. His men have suffered from the moral corrosion that scepticism has wrought in the fabric of life; they cannot integrate the many perceptions and experiences into a harmonious and meaningful pattern. The most powerful, aesthetically, of these early anti-heroes is Claudio the fool in *Der Tor und der Tod*.

That the unhappiness of his Claudio was a reflexion of Hofmannsthal's own state of mind is best proved by the mental crisis that overtook him. There were several possible solutions for this crisis. Through such symbols as the innocence of children and peasants or the lost paradise that comes to consciousness at the moment of confrontation with death (*Der Tod des Tizian, Der Tor und der Tod, Die Frau im Fenster*), the early writings had suggested a Wertherian solution; for Werther, too, had measured existence by the higher standard of pre-existence and found the gap between the two so intolerable that life was not worth living. Goethe himself did not follow Werther; he found a more mature way out of the Werther crisis, the way of Faust, which was a way of activity directed toward the betterment of mankind.

The later Hofmannsthal suggests a third way, the Christian way of an active life for the glory of God. A preliminary version of this final solution is offered in the gospel of activity that emerges in the works which follow immediately upon the years of crisis and which celebrate the poet's liberation from the mental paralysis through which he has passed. Christ-ian action, transformation, is the solution he found: an action based on sacrifice of self in the interest of a world order which is conservative in spirit and which subjects man to God. In *Die Frau ohne Schatten* the three spirits lay down the program: "Hab Ehrfurcht! Mut! Erfülle dein Geschick!" Here the acceptance of one's destiny expresses itself in the symbol of motherhood. In the *Große Welttheater* it is expressed by the beggar's submission to the will of God.

This great spiritual drama was enacted on the background of an imperturbable outer existence. Hofmannsthal was born and raised in Vienna and lived near the Austrian capital all his life. He came of mixed stock—German, Jewish, Italian. He enjoyed financial ease throughout his life. His early literary activity brought him in touch with the outstanding German and Austrian men of letters and artists of the day. For some years he collaborated with the composer Richard Strauß to produce a series of librettos for Strauß's operas. After his marriage in 1901 he lived in a large baroque mansion at Rodaun near Vienna, but he traveled extensively, visiting cultural centres in Germany, France and Italy.

Hofmannsthal belongs to that small segment of German poets (Platen, Heine, Conrad Ferdinand Meyer, George, Rilke) whose art has strong affinities with the French spirit. He is a stylist of rare distinction. It is a paradox that, although he wrote little lyric poetry, his genius is essentially a lyrical one. In general his art developed from a highly sophisticated, symbolist cult of the unusual word and image to a looser, more homely diction that has its roots in popular speech.

Hofmannsthal's most important dramatic works include: *Der Tor und der Tod* (1893), *Elektra* (1903), *Œdipus und die Sphinx* (1906), *Jedermann* (1911), *Der Rosenkavalier* (1911), *Ariadne auf Naxos* (1912), *Die Frau ohne Schatten* (1916), *Der Schwierige* (1920), *Das Salzburger Große Welttheater* (1922), *Der Turm* (1925, 1927). He also wrote a number of *Novellen* and much criticism. Three memorable essays of his should be mentioned: *Brief des Lord Chandos* (1901), *Der Dichter und diese Zeit* (1907), and *Das Schrifttum als geistiger Raum der Nation* (1927). Finally his two anthologies of German prose deserve mention: *Deutsches Lesebuch* (1922–1923), *Wert und Ehre deutscher Sprache* (1927).

Vorfrühling

Es läuft der Frühlingswind
Durch kahle Alleen,
Seltsame Dinge sind
In seinem Wehn.

Er hat sich gewiegt, 5
Wo Weinen war,
Und hat sich geschmiegt
In zerrüttetes[1] Haar.

Er schüttelte nieder
Akazienblüten[2] 10
Und kühlte die Glieder,
Die atmend glühten.

Lippen im Lachen
Hat er berührt,
Die weichen und wachen 15
Fluren[3] durchspürt.

Er glitt durch die Flöte
Als schluchzender Schrei,
An dämmernder Röte[4]
Flog er vorbei. 20

Er flog mit Schweigen
Durch flüsternde[5] Zimmer
Und löschte im Neigen
Der Ampel Schimmer.

The arrangement of the following poems is that favored by Hofmannsthal himself. They appeared in journals and newspapers and were first collected in *Augewählte Gedichte* (1903) at the suggestion of Stefan George. A definitive edition appeared as *Die gesammelten Gedichte* (1907). The dates for the poems are those suggested by Herbert Steiner in his collected edition of Hofmannsthal's works.

VORFRÜHLING: 1892 This poem is a pure example of symbolism; it seeks to achieve the effect of music through words. It traces the course of the early spring wind through various stages of its journey. The "meaning" of the poem lies not in what it says but in what it suggests. [1] disheveled [2] locust blossoms [3] fields; durchspürt = frequented [4] i.e., the sunset glow [5] i.e., in which there was whispering

Es läuft der Frühlingswind   25
Durch kahle Alleen,
Seltsame Dinge sind
In seinem Wehn.

Durch die glatten
Kahlen Alleen   30
Treibt sein Wehn
Blasse Schatten.

Und den Duft,
Den er gebracht,
Von wo er gekommen   35
Seit gestern nacht.

Die Beiden

Sie trug den Becher in der Hand
— Ihr Kinn und Mund glich seinem Rand —,
So leicht und sicher war ihr Gang,
Kein Tropfen aus dem Becher sprang.

So leicht und fest war seine Hand: 5
Er ritt auf einem jungen Pferde,
Und mit nachlässiger Gebärde
Erzwang er, daß es zitternd stand.

Jedoch, wenn er aus ihrer Hand
Den leichten Becher nehmen sollte,   10
So war es beiden allzu schwer:
Denn beide bebten sie so sehr,
Daß keine Hand die andre fand
Und dunkler Wein am Boden rollte.

Ballade des äußeren Lebens

Und Kinder wachsen auf mit tiefen Augen,
Die von nichts wissen, wachsen auf und sterben,
Und alle Menschen gehen ihre Wege.

Und süße Früchte werden aus den herben
Und fallen nachts wie tote Vögel nieder   5
Und liegen wenig Tage und verderben.

DIE BEIDEN: 1896?
BALLADE: 1895?

Und immer weht der Wind, und immer wieder
Vernehmen wir und reden viele Worte
Und spüren Lust und Müdigkeit der Glieder.

Und Straßen laufen durch das Gras, und Orte   10
Sind da und dort, voll Fackeln, Bäumen, Teichen,
Und drohende, und totenhaft verdorrte...

Wozu sind diese aufgebaut? und gleichen
Einander nie? und sind unzählig viele?
Was[1] wechselt Lachen, Weinen und Erbleichen[2]?

Was frommt das alles uns und diese Spiele,   15
Die wir doch groß und ewig einsam sind
Und wandernd nimmer suchen irgend Ziele?

Was frommts, dergleichen viel gesehen haben?
Und dennoch sagt der viel, der „Abend" sagt,   20
Ein Wort, daraus Tiefsinn und Trauer rinnt

Wie schwerer Honig aus den hohlen Waben[3].

Über Vergänglichkeit[1]

Noch spür ich ihren Atem auf den Wangen:
Wie kann das sein, daß diese nahen Tage
Fort sind, für immer fort, und ganz vergangen?

Dies ist ein Ding, das keiner voll aussinnt[2],
Und viel zu grauenvoll, als daß man klage: 5
Daß alles gleitet und vorüberrinnt

Und daß mein eignes Ich, durch nichts gehemmt,
Herüberglitt aus einem kleinen Kind
Mir wie ein Hund unheimlich stumm und fremd.

Dann: daß ich auch vor hundert Jahren war   10
Und meine Ahnen, die im Totenhemd,
Mit mir verwandt sind wie mein eignes Haar,

So eins mit mir als wie mein eignes Haar.

[1] = warum   [2] blanching (also dying)   [3] honeycombs
ÜBER VERGÄNGLICHKEIT: 1894 This is the first of 3 poems
bearing the general title of *Terzinen*, i.e., the verse form of
Dante's *Divine Comedy*.   [1] Vergänglichkeit = transitoriness
[2] can think through

Manche freilich . . .

Manche freilich müssen drunten sterben,
Wo die schweren Ruder der Schiffe streifen,
Andre wohnen bei dem Steuer droben,
Kennen Vogelflug und die Länder der Sterne[1].

Manche liegen immer mit schweren Gliedern   5
Bei den Wurzeln des verworrenen Lebens,
Andern sind die Stühle gerichtet
Bei den Sibyllen[2], den Königinnen,
Und da sitzen sie wie zu Hause,
Leichten Hauptes und leichter Hände.   10

Doch ein Schatten fällt von jenen Leben
In die anderen Leben hinüber,
Und die leichten sind an die schweren
Wie an Luft und Erde gebunden:

Ganz vergessener Völker Müdigkeiten   15
Kann ich nicht abtun[3] von meinen Lidern,
Noch weghalten von der erschrockenen Seele
Stummes Niederfallen ferner Sterne.

Viele Geschicke weben[4] neben dem meinen,
Durcheinander spielt sie alle das Dasein,   20
Und mein Teil ist mehr als dieses Lebens
Schlanke Flamme oder schmale Leier.

Das Salzburger grosse Welttheater

Daß es ein geistliches Schauspiel von Calderon gibt, mit Namen
‚Das große Welttheater‘, weiß alle Welt. Von diesem ist hier
die das Ganze tragende Metapher[1] entlehnt: daß die Welt ein
Schaugerüst aufbaut[2], worauf die Menschen in ihren von Gott
ihnen zugeteilten Rollen das Spiel des Lebens aufführen; ferner
der Titel dieses Spiels und die Namen der sechs Gestalten, durch
welche die Menschheit vorgestellt wird – sonst nichts. Diese
Bestandteile aber eignen nicht[3] dem großen katholischen Dichter
als seine Erfindung, sondern gehören zu dem Schatz von Mythen
und Allegorien, die das Mittelalter ausgeformt und den späteren
Jahrhunderten übermacht hat.

MANCHE FREILICH: 1895? 1896? Life is pictured as a galley sailing through the sea of life.   [1] The flight of birds and the course of the stars were used in ancient times as guides in navigation.   [2] The sybils were the Wise Women in classical mythology.   [3] shake off   [4] stir or are woven

DAS SALZBURGER GROSSE WELTTHEATER
Hofmannsthal organized the Salzburg festival plays in collaboration with Max Reinhardt, Richard Strauß, and others. The venture was conceived as a cultural mission to bring about the renascence of the German spirit. The festival plays began in 1920 with a performance of *Jedermann* on the cathedral square. In the same year the *Große Welttheater* was given its première in the Kollegienkirche in Salzburg. Both this play and *Der Turm* are based on dramas by the Spanish poet Calderón de la Barca (1600–1681), whose baroque dramas have exerted a considerable influence on European literature, especially on Austrian writers.

The Austrian dialect in which this play is written deviates from standard German in the following ways. Strong nouns are sometimes treated as weak or are not inflected. The umlaut in the *-er* form of the present tense is often omitted (*gefallt* instead of *gefällt*). In addition the following differences occur:

a = auch
an = einen
eins = einer, eine (a person)
-eln = -lein
eppa = etwa
g- = ge-
halt = nur, bloß, doch, ja,
  nicht wahr?

i = ich
ka = kein
-l = -lein
meinig, deinig = mein,
  dein
nit = nicht
san = sind
sein = sind

[1] i.e., symbol   [2] furnishes a stage   [3] are not the property

PERSONEN

MEISTER	VORWITZ[4]	UNVERKÖRPERTE SEELEN[5]	WEISHEIT
ENGEL	TOD	KÖNIG	REICHER
ZWEITER ENGEL	WIDERSACHER[6]	SCHÖNHEIT	BAUER
WELT			BETTLER

Musik. Heilige Männer und Frauen: Propheten und Sibyllen[7], hereintretend, blicken erwartungs-
voll stufenauf gegen den Palast des Meisters. Engel tritt herein, Welt hinter ihm. Ihr folgen Tod
und Vorwitz. Tod ist schwarz gekleidet, mit Mantel, weißem Hut und Degen, Vorwitz trägt
scheckige Lakaienkleidung[8], einen Fächer im Gürtel und eine Laute umgehängt.

WELT. Wohin führst du mich?   5

ENGEL *(weist ihr einen Platz an)*. Hier warte. Deine Leut hinter dir. Du bist berufen[9].

WELT. Wer sind dort die?

ENGEL. Auch berufen; achte, wie ich sie grüße. *(Tritt hin, neigt sich.)* Gegrüßet seid mir,
heilige Propheten, weissagende[10] Frauen; eurer Worte jegliches[11] glänzt durch die
Zeiten. Der Herr ist mit euch.   10

WELT. Ich kenn euch wohl. Meine Berge haben euch getragen, die Hände zum Himmel
zu recken, meine Höhlen waren der rechte Ort, wo ihr die Schatten der Gewesenen
beschwören konntet; ihr möget mich auch zuvor grüßen.

PROPHETEN *(zusammen)*. Du großes Wunderwerk der sieben Tage, Welt, sei uns gegrüßt.

WELT *(zu den Sibyllen, die in Schweigen verharren)*. Seid ihr Weiber so stolz? Mit eurem   15
A O U[12] habt ihr viel Geister gerufen und viel Ruhm ergattert[13]. Wem aber das
Volle gegeben ist, der schreit nicht A noch U und dem ist die Zunge zu schwer für
Sprüch[14], aber wenn er wollte, möcht er leicht mehr sagen, als ihr vermocht habt.
Was führt uns hier an dieser Statt zusammen?

PROPHETEN. Der Wille, der alles vermag, was er will. Wir sind beschieden und harren.   20
(Fanfaren.)

WELT. Das tönt nach einem großen Herrn! Kommt jetzt der Meister gegangen? *(Sieht*
sich um.)

ENGEL. Schweig und harre.

     (Widersacher tritt vorsichtig heran, er ist schwarz gekleidet als ein Gelehrter).   25

WELT. Ist der Schleicher[15] auch da — das ist eine sonderliche Zusammenkunft!

ENGEL. Wo du bist, da ist ihm Zutritt gegeben, so wie dem, der hinter dir steht. Ruhig
jetzt. *(Fanfaren abermals, Propheten und Sibyllen wenden sich ehrfurchtsvoll gegen den Palast.)*

WELT. Von wo kommt er? Ich sehe ringsum nichts.

ENGEL. Schau nach oben, und wenn du siehst, dann fall in die Kniee.   30

---

[4] Impertinence   [5] souls not yet embodied   [6] the Adversary,
i.e., Satan   [7] sybils, i.e., prophetic women in antiquity   [11] = jedes   [12] i.e., mysterious sounds   [13] raked up   [14] pretty
[8] checkered lackey's costume   [9] called   [10] soothsaying   speeches   [15] sneaky fellow

(Fanfaren zum drittenmal. Es dunkelt und wird gleich wieder hell. Der Meister steht da im Sternenmantel. Propheten und Sibyllen fallen in die Kniee, die ausgebreiteten Hände nach hinten genommen. Welt fällt auch in die Kniee, ebenso der Engel und hinter ihm Tod und Vorwitz. Widersacher drückt sich rechts in die Vorhänge.)

(Meister richtet seinen Blick auf die Welt, nicht mit Strenge). 5

WELT *(auf den Knieen)*. Meister, was befiehlst du mir, deiner Magd?

MEISTER. Ein Fest und Schauspiel will ich mir bereiten. Dazu die Bühne heiß ich dich aufschlagen. Heb dich und gehs an[16]!

WELT *(auf ihren Füßen)*. Du bist aller vier Elemente Schöpfer, aller Berge Türmer[17], aller Meere Dämmer[18], was kann ich schaffen, das dir könnte Veränderung bereiten, 10 Überraschung oder Ergetzen[19]? Oder dennoch? Ja? Stürz ich Berg über Meer, Meer über Berg — reiß ich die ewigen Ströme aus ihrem Bett und schmeiß sie in Katarakten nieder ans Feste? Willst du alle Elemente glühend? Ich bin zu lange ein zahmes Weib gewesen, laß mich wieder los von der Kette, und ich will ein Schauspiel geben, darüber der Mond erschrecken soll! 15

MEISTER. Was du da herbietest, wäre mir nicht mehr, als ein zweijährig Kind spielen sehen mit Strohhalmen. Ein ganz anderes auserlesenes Werkstück will ich betrachten, ein lebendes, geheimes freies Wirken. Zu solchem Schauspiel rüste du mir die Bühne.

WELT *(sieht sich um)*. Von welchem Geheimnis redet der Meister da?

VORWITZ. Chymie[20]! Chymie! Das ist seine Sache! Er will Gold machen aus niedrigen 20 Erden!

WIDERSACHER. Er wiederholt sich nie. In solcher Weise hab ich ihn von Geschaffenem nie reden hören. *(Engel tritt auf ihn zu, als[21] ihn zum Schweigen zu verhalten).*

MEISTER *(winkt dem Engel, den Widersacher in Ruhe zu lassen, dann zur Welt, gütig).* Von dem Menschen rede ich, deinem Gast. 25

WELT. Die Menschen? an den Käfern willst du dich ergetzen? Wie Ameisen laufen sie hin und her, vorwärts und rückwärts, bauen Städte, gründen Reiche, zerstörens wieder, lassen keinen Stein auf dem anderen. In einem Schwarm Wespen ist mehr Vernunft als in denen.

MEISTER. In dem, worin du sie nicht fassest, ist ihr Großes: denn wisse, nach meinem Eben- 30 bilde habe ich sie geschaffen. Du aber bist da, damit du der Menschen Füße tragest. Das ist das Herrlichste, das wird von dir gesagt werden.

WIDERSACHER. Was will er Sonderbares? auf was geht das hinaus? Ich muß mich bereit halten. Meine Bücher zum Nachschlagen, meine Kompendien[22]! — *(Setzt seine Brille auf.)* Der Avicenna[23] fehlt, der Lukrez ist nicht da — schlampig[24] mir eingepackt, der 35 junge Grasteufel, mein Bibliothekar.

---

[16] up with you and get to work   [17] who makes the mountains to tower aloft   [18] who dams the seas   [19] = Ergötzen, delight   [20] alchemy, the aim of which was making gold out of various elements   [21] as if   [22] handbooks (of law)

[23] Abu ibn Sina (980–1036), Persian physician and philosopher. *Lukrez* = Lucretius, Roman poet of the 1st century B.C., author of the philosophical poem *De Rerum Natura*   [24] that lively fellow, my librarian, has been sloppy in packing

WELT. Ho, Herr! Der Mensch ist mein Werkstück, wenn auch das ansehnlichste nicht. Was an ihm taugt, habe ich ihm mitgegeben. Wäre er wohlberaten und bliebe in seinen Schranken, hielte er sein irrwitziges Denken im Zaum, begehrte nichts, als meine Herrlichkeiten zu genießen, und sänke, wo ihm der Atem ausgeht, in mich wieder hin, da geschähe[25] ihm wohl, dem Tausendfuß, dem vermaledeiten, der an   5 lotrechten Mauern klettern will.

ENGEL. Zähm den ungesalbten[26] Mund, scheckig[27] Wesen! Heidenweib! Hat der Herr dich nicht einmal schon ersäuft[28], und als du am letzten warst[29], einen neuen Weltstand über dich aufgehen lassen[30]! Hüte dich!

EINER DER PROPHETEN. Prunkest du mit deinen Kräften, Welt, weil du noch immer   10 fest auf den Füßen stehst! Es kommt schon der Tag, wo auch du in die Kniee brichst; und der jetzt hinter dir steht, springt dir in deinen Nacken als dein Reiter, und unter dem fährst du dahin in die Finsternis.

(Welt stöhnt auf, verbirgt ihr Gesicht. Vorwitz versteckt sich.)

WIDERSACHER *(einen Schritt nähertretend, nimmt sein Barett ab).* Ich sehe, es wird hier ein   15 Hofgericht[31] gehalten, und dabei geht es streng her über[32] ein armes Weib, das eine schwere Zunge hat. Ich meine, mit Erlaubnis, daß ihr ein Anwalt gebührt. Ich wäre bereit, obwohl mir der Handel unbekannt ist — wenn mir wollte gestattet werden, als Prokurator[33] dieser Frau zur Seite zu treten — ich müßte aber zuvor ein Gespräch mit ihr haben, damit sie mich einweiht in ihre Sach. Ich bin Doktor der Logik, aber   20 auch in rechtlichen[34] Sachen sehr erfahren —

MEISTER *(ohne ihn zu achten, gütig wie zuvor).* Genug. Der Menschen Tun und Treiben ist mir zum Schauspiel würdig. Dazu hab ich mir diese Gäste geladen. Jetzt bau uns die Bühne her und laß das Spiel anheben.

WELT. Wie denn, ich weiß noch nichts!   25

ENGEL *(auf einen Wink des Meisters zur Welt).* Rufe du ungeborener Seelen jetzt einen Haufen hier herauf und bekleide sie mit Leibern, dann wird ihrer jedem Er ein Geschick zuteilen.

WIDERSACHER. Erlaub der Herr die eine Frage: wie kann ein Schauspiel den ergetzen, der es vorbestimmt, Eingang und Ausgang, bis aufs I-Tüpfel[35]? *(Einen Schritt näher)*   30 Da steht, der gesagt hat: Unsere Werke in uns wirkst du allein[36]! Da steht er, einer von deinen Propheten. Er soll mir Zeugnis geben! Will der Herr sich selber vorspielen mit Puppen, die an Drähten hängen in seinen Händen?

MEISTER. Wahl ist ihnen gegeben zwischen Gut und Böse, das ist ihre Kreaturschaft[37], in die ich sie gestellt habe. Tust du, als wissest du das nicht? Es ist dein Weideplatz von An-   35 beginn! Einbläser[38] von Evas Apfel her, blas ein, welchen du willst. Ich hab ihre Ohren nicht verklebt. Damit sie sich entscheide, dazu hab ich der höchsten Freiheit einen Funken in die Kreatur gelegt.

---

[25] he would be well off, the milliped   [26] i.e., unchristian, rude   [27] checkered   [28] drowned (allusion to the Flood of the Old Testament)   [29] when you were close to your doom   [30] created a new order above you (Genesis 9:12)

[31] High Court of Justice   [32] things are going hard with   [33] plenipotentiary   [34] legal   [35] to the dot on the *i*   [36] Job 34:11   [37] their condition of being creatures   [38] prompter

(Welt flüstert leise mit Vorwitz, der ihr etwas vorzustellen[39] scheint. Meister steigt auf die obere Bühne, sein Gefolge hinter ihm, dort bleibt er stehen. Engel tritt aus dem Palast, einen Arm voll Rollen tragend; reicht sie dem Meister dar.)

VORWITZ. Kleider her! Kleider machen Leute, das ists, was der gnädige Herr hat sagen wollen!   5

WELT. Das schaff ich her mit einem Wink. Dergleichen halt ich immer bereit, Kammern und Speicher voll. Der den König spielt, wird seine Kron von mir empfangen und der Bauer seinen Spaten. Da sind geistliche Kutten[40] und Hofkleider, Hirtenstäb und Schwerter, vergoldete Harnisch und Bettlers Fetzen, zehnmal geflickt.

(Es werden, währenddem sie spricht, von Dienern Körbe hereingebracht, die Kronen und 10 *Harnische, Mitren und Bischofsstäbe[41], Frauenkleider und Hauben[42], Masken und Fächer enthalten.)*

Soll ich sie einkleiden[43], wie sie dastehen, kunterbunt[44]?

MEISTER *(von der oberen Bühne, eine Rolle in der Hand)*. Sein Geschick teil ich einem jeden zu. Das findet er geschrieben in der Rolle, die ich ihm reichen werde. Wie es der Rolle 15 gemäß ist, so dann kleide du ihn an.

WELT *(auf Vorwitz' Flüstern)*. Da werden etliche die kurzen Rollen haben, Herr, die werden nicht weggehen wollen von der Bühne! Es wird hart gehen, sie zum Abtreten[45] zu bringen, soweit kenn ich die Menschen!

MEISTER. Gut erinnert[46], so heiß ich den, der hinter dir steht —   20

VORWITZ. He Tod, Herr Kämmerer, man redet Euer Gnaden an!

MEISTER. Den heiß ich Bühnenmeister[47] sein. Wen du abrufst, der wird mir für gut von der Bühne treten und nicht wieder hinauf, dafür sorgst du mir. *(Tod neigt sich, beugt seine Kniee.)*

VORWITZ *(leise zur Welt)*. Eine schlechte Rolle spielt uns keiner, auch wenn sie lang ist! 25

WELT *(tritt einen Schritt auf den Meister zu, der sich wendet)*. Meister!

MEISTER *(wendet sich noch einmal zur Welt)*. Was beschwert dich? Ist nicht alles gesagt?

WELT. Herr, nein! Es sind meine Kinder dennoch, das Wort wirst du mir wohl verstatten[48] — und so kenne ich sie auch gut. Es hält sich jeder für das Mittelstück aller Sachen, eine schlechte Rolle wissentlich annehmen, das werde ich ihnen nicht auf- 30 zwingen. Eine undankbare Rolle wird mir jeder vor die Füße schmeißen und mich eine böse Stiefmutter, eine Schinderin[49] und was noch für Namen nennen!

MEISTER. Wer heißt sie im voraus wissen, was eine schlechte Rolle ist und was eine gute?

WELT. Das weiß wohl jeder, der hineinsieht, wenn er Geschriebenes lesen kann! Viel befehlen und anschaffen[50], herrisch und gut leben, das große Wort führen, andere 35 seine Macht fühlen lassen: das ist eine gute Rolle. Stöß und Püffe[51] hinnehmen, harte Worte hinunterschlucken, sich ducken, den Mund halten, wenn andere reden: das ist eine schlechte Rolle — so halten es die Menschen von Adams Zeiten her.

---

[39] suggest [40] cowls [41] mitres and croziers [42] bonnets   reminded me [47] stage director [48] archaic for *gestatten*,
[43] invest [44] pell mell [45] relinquishing [46] it's well you   permit [49] slave driver [50] demand [51] blows and buffets

MEISTER. So halten sie es töricht, und darum sollst du Meisterin sein und sie weisen[52].

WELT. Wie denn, wenn ich selber besser nicht weiß?

MEISTER. Es ist ein Spiel, sticht[53] dir das Wort nicht den Star? Bedeut sie!

DER ERSTE ENGEL *(tritt vor und spricht zur Welt von der oberen Bühne aus).* Bist so schwer
von Begriffen[54]? Anschaffen und gehorchen, sich aufrecken[55] und sich ducken, 5
prassen und entbehren, das alles geschieht von denen, die im Spiel stehen: gleichnis-
weise[56] aber geschieht es und nicht für wirklich, und gut oder schlecht wird nicht
die Rolle heißen, sondern das Spiel dann, wenn die Dinge an ihr Ende kommen[57] sind;
und nicht um seiner Rolle willen, er mag den Bettelstab in Händen gehabt haben oder
Königs Schwert und Zepter, sondern um dessentwillen, was er aus ihr gemacht hat, 10
werden einer oder etliche[58] an des Meisters Tisch gerufen werden — aber einen
Stümper sieht sein Meister ungnädig an, und es gibt kein Ausbessern nachher, wo
einer auf der Bühne vertan[59] hat. Das alles weise ihnen in Eile noch ein[60], sofern sie
dir lieb sind.

(Wendet sich, dem Meister nachzugehen, der Vorhang an der Palasttür wird von Engeln zur 15
Seite gehoben.)

VORWITZ *(läuft ihm nach).* Es ist uns weder der Name von dem Stück gesagt worden
noch der Vorgang[61] — nicht einmal[62] so im gröbsten wie bei einem Stegreifspiel!

(Meister hinauf in den Palast, Gefolge hinter ihm. Zweiter Engel mit den Rollen folgt hinein.
Fanfaren.) 20

DER ERSTE ENGEL *(tritt wieder vor).* Den Namen des Schauspiels sag ich euch an: Tuet
Recht! Gott über euch!

STIMMEN *(von oben).* Tuet Recht! Gott über euch!

ENGEL. Habt ihrs vernommen?

VORWITZ. Zweimal sogar. Wir sind aber davon nicht klüger als zuvor. Von dem Gang 25
der Handlung hast du uns kein Wort gesagt, mit Erlaubnis[63], nicht einmal einen
Fingerzeig[64], an den ein sinniger[65] Mensch sich halten könnte!

ENGEL *(vortretend, ein Buch in der Hand, das ihm von einem andern gereicht worden).*
Das ich da in Händen halte, das Buch, das ihr alle kennt, darin ist Kern und Sinn
eures Spieles gefaßt in einen Spruch. Da steht geschrieben: Du sollst deinen Nächsten 30
lieben wie dich selbst, und aber deinen Gott, den sollst du lieben über alles[66]. — Somit
ist gewiesen, was das Spiel enthalten soll, und es ist das Gleiche, als der Titel in sich
begreift[67]: Tuet Recht! Gott über euch! *(Stille.)*

VORWITZ. Das, wie er den Titel und den Inhalt da zusammengemischt hat, das ist gar
nicht dumm, das hätte ganz gut als Prolog gepaßt, da hätte er aber warten sollen, 35
bis die Schauspieler angezogen, die Lichter angezündet und alles fix und fertig[68]
gewesen wäre — jetzt sind wir noch nicht so weit. Jetzt kommen erst die Schauspieler

---

[52] instruct [53] doesn't the word open your eyes? Interpret
for them (einem den Star stechen = to operate on a person for
cataract) [54] are you so lacking in perceptiveness [55] stand
upright ... duck down ... revel ... renounce [56] symbo-
lically [57] = gekommen [58] = einige [59] erred [60] inform
[61] plot [62] not even roughly, as they do in an impromptu
play [63] begging Your pardon [64] hint [65] thoughtful
[66] Matthew 22: 37–39; Mark 12: 30–31 [67] contains [68] ready

ganz langsam anmarschiert! Und das Rollenausteilen wird auch nicht ohne Sek-
katuren[69] abgehen —

(Die unverkörperten Seelen ziehen auf, stellen sich singend auf der unteren Bühne in zwei
Halbkreise. Sie tragen fahle, kuttenartige Gewänder, eine wie die andere. Auch ihre Gesichter
gleichen einander wie die Larven, ohne jedes Merkmal des Geschlechtes, des Alters oder der 5
Person. Sobald sie auf der unteren Bühne aufgestellt sind, die Gesichter dem Palast zugewandt,
verstummt ihr Gesang. Welt, Tod und Vorwitz sind ins Proszenium[70] ausgewichen. Wider-
sacher hat sich gleichfalls im Proszenium auf einer abwärts führenden Stufe eingerichtet, indem
er schon seit geraumer Zeit seine Handbibliothek[71] aus der Reisetasche nimmt und vor sich ordnet.
Der zweite Engel tritt aus der Palasttür hervor, er trägt ein Bündel Pergamentrollen im Arm.) 10

ZWEITER ENGEL *(an den Rand der oberen Bühne vortretend).* Euch leiblose Seelen mit meinem
Auge zu unterscheiden lehrte mich der Meister. So rufe ich euch auf, ihr seid auserlesen,
vor ihm zu spielen. Tritt her, du, *(er winkt einer der Seelen)* und empfange des Königs
Rolle.

(Eine der Seelen tritt heran und empfängt aus der Hand des Engels, der sich ihr oben entgegen- 15
neigt, die Rolle. Rollt sie auf und blickt hinein. Andere treten hinzu, sehen ihr neugierig über
die Schulter in das Blatt.)

ZWEITER ENGEL *(deutet auf eine andere der Seelen).* Du, spiele die Weisheit!

WELT *(tritt näher, winkt den Dienern).* Kron und Mantel dem! Das Schwert mit goldenem
Griff! — Die Weisheit wird von einer Nonne vorgestellt! Ein Habit her! Ein 20
Zingulum[72]!

ZWEITER ENGEL *(auf eine dritte Seele deutend).* Du bist der Bauer!

WELT. Vorwärts! Dem Bauern grobe Schuh, ein grobes Gewand, einen Spaten. Vorwärts!

ZWEITER ENGEL *(wie oben).* Du sollst die Schönheit spielen!

(Einige von den Dienern haben etliche Stücke Teppich oder Seidendamast gebracht, zugerichtet 25
zu Vorhängen, nur zweimannshoch, mitsammen[73] breit genug, die vordere Bühne abzuschließen.
Drei von ihnen haben hohe lange Stangen in Händen mit Gabeln oben, damit stützen sie die
Vorhänge, so daß die untere Bühne nun ganz verhängt, aber zwischen den Vorhangteilen
Aus- oder Eintritt gegeben ist. Vorwitz gibt ihnen dabei Anordnungen, weist ihnen läppisch die
Plätze an, wo sie stehen müssen.) 30

WELT *(tritt durch den Vorhang heraus, späht aber zwischen den Falten wieder hinein, wie das*
Ankleiden drin vor sich gehe. Ruft zwischendurch nach außen). Es wird gleich angehen[74]!

(Man hört die Musiker ihre Instrumente versuchen, Welt horcht auf sie. Man hört indessen eine
Unruhe auf der Bühne. Daraus hebt sich eine starke Stimme ab[75], die öfter heftig: Nein! ruft.)

VORWITZ *(schlüpft aus dem Vorhang hervor, dumm aufgeregt).* Es ist da eine Vorfallenheit[76] 35
untergekommen, wie sie mir jedenfalls noch nicht untergekommen ist!

WELT. WO?

---

[69] petty annoyances [70] proscenium, the space between the
curtain and the orchestra [71] reference library [72] cingulum,
a belt worn by Roman Catholic clergy [73] altogether

[74] = anfangen [75] stands out [76] Vorwitz' artificial invention
for *Vorfall*, incident. Similarly, *untergekommen* is a clumsy
substitute for *untergelaufen*.

VORWITZ *(zeigt hinter sich)*. Da auf der Bühne, bei dem Rollenausteilen. Da! Schau sich[77] die Frau das an!

(Eine Seele, der Bettler, tritt eilig zwischen den Vorhängen hervor. Sie trägt eine Rolle in der Hand. Ihr nach tritt ein Theaterdiener, der ein zerfetztes Flickenwerk[78], das Kostüm des Bettlers, trägt.) 5

SEELE *(tritt auf die Welt zu)*. Da, nimm die Rolle wieder, die mir zugeteilt ist. Ein anderer mag das spielen, ich nicht! Ich nicht! Ich nicht! *(Der Theaterdiener geht hinter ihm drein, bleibt hinter ihm stehen.)*

WELT. Was soll sein? was schreist du: Ich nicht!

SEELE. Ich spiele die Rolle nicht. Ich ziehe dieses Gewand nicht an. *(Nimmts dem Theater-* 10 *diener aus der Hand, wirfts der Welt vor die Füße.)*

VORWITZ. Das wäre eine neue Mode. Oder ist da vielleicht ein Irrtum geschehen? *(Nimmt ihm die Rolle aus der Hand, besieht sie.)* Rolle: der Bettler. In Klammern: ein unglücklicher Mensch. *(Besieht das Gewand, indem ers vorsichtig anrührt.)* Gewand des Bettlers. Vollständig entsprechend. Sehr bettelhaft. Da ist alles in Ordnung. Was 15 will der Schauspieler? worüber beschwert er sich? Das sind schwierige Leute!

SEELE *(zur Welt)*. Dir sag ich nein! Lieber ungeboren dahin[79]! Tot sein und bleiben! *(Hält ihr die Rolle hin.)*

WELT *(nimmt die Rolle, sieht hinein, blickt um sich)*. Was zürnt der Ungeborene so? Versteht ihn einer? 20

VORWITZ. Wie halt die Rollen ausgeteilt sind, das kann er nicht verschmerzen.

SEELE. Da! *(Reißt ihr die Rolle aus der Hand.)*

VORWITZ. Das möcht[80] ich mir ausgebeten haben, daß du der Spielmeisterin so lümmelhaft an den Leib fährst!

WELT. Laß. Er soll reden. 25

SEELE *(hält ihr die Rolle hin)*. Da! Da! Das soll ein Leben sein! Das da eines Lebens Anfang! Eine Jugend das? *(Er blättert in der Rolle.)* Das eines Mannes Lebenszeit! Da: Qual und Not, Not und Qual, Qual und Not! Spott und Hohn! Einsamkeit, gräßlich, eine Hölle! Da stöhne ich in Verlassenheit! Da hause ich unter einer Brücke und zehre von dem, was Ratten nicht mehr wollen. Da schrei ich in Herzensangst, und sie 30 zucken die Achseln — da bleck[81] ich die Zähne in Verzweiflung. Da, verlassen wie kein Hund, raff ich mich noch einmal auf und lebe, lebe noch immer, rede fast nichts mehr. Da singe ich Lieder! Ahnst du, was das für Lieder sein werden, die da mein zahnloser Mund singen wird?

WELT. Und? was noch? 35

SEELE *(packt das Gewand und hält ihrs unter die Augen)*. Das soll mein Gewand sein! Ein verhaderter[82] Fetzen — das Kleid der Unehre, stinkend! Darin soll ich leben und sterben! — Und deiner Tiere letztes[83], Frau, trägt ein seidenweiches Fell oder ein Schuppenkleid[84] aus Gold und Silber! *(Wirft das Gewand wieder hin und tritt darauf.)*

WELT. Bist du so feige, Menschenseele? Geh mir aus den Augen, ich mag kein feiges Geschöpf sehen. Meiner Tiere letztes steht tapfer in dem Kampf, in den ich es hineingestellt habe. Und du willst nicht einmal im Spiel den schlechten Part auf dich   5 nehmen? Zieh dich an, oder ich muß Knechte rufen! Damit wir weiterkommen!

VORWITZ. Feige Leute sind uns zum Ekel! Hast du nie was von einer Sach reden gehört, die man beispielmäßig[85] Mut nennt? Das war schon den Römern bekannt!

WELT. Ruf Knechte her, kleidet diesen in seine Spieltracht. Es ist Zeit, daß wir anfangen.

(Theaterdiener winkt, es treten zwei andere hervor. Sie fassen die Seele, machen Miene, ihr das   10 Bettlergewand anzuziehen.)

SEELE *(macht sich los).* Läßt du durch deinen Bedienten mich einen Feigling schimpfen, der das Harte nicht auf sich nehmen will? so wisse das: die Jammerrolle spiel ich nicht! Und es soll sie kein anderer auch nicht[86] spielen! *(Er zerknittert die Rolle in der Hand.)*

WIDERSACHER. Gesprochen wie ein Mann! Ich erhebe für diese Seele den Anspruch auf   15 natürliche Gleichheit des Schicksals!

WELT *(winkt den Dienern).* Es ist genug Zeit vertan. Angezogen den Mann und hinaus auf die Bühne! Wenn er dort steht, wird er sich hineinfinden ins Spiel!

WIDERSACHER. Intercedo! Ich tue Einspruch[87]! Ich protestiere gegen Vergewaltigung! Es ist eh und immer[88] geklagt worden, daß eine blinde, tyrannische Gewalt hat   20 geschaltet über die Menschen schon im Mutterleib — von zweien Zwillingen[89], ungeboren beide, unschuldig beide, zum voraus den Jakob begnadet, den Esau verworfen! Soll das so weitergehen und in unserer erleuchteten Zeit dergleichen Willkür fortrasen?

(Engel tritt zwischen den Vorhängen hervor.)

SEELE *(hat sich den Händen der Diener entrissen, schreit auf).* Nein!   25

WIDERSACHER. Ich sehe, die Herrschaft schickt einen Boten. Es wird auf einen Ausgleich herausgehen. Der junge Mann hat das Wort. Wir sind begierig[90].

ENGEL. Zu dir red ich nicht. — Warum hältst du uns auf, unbotmäßige[91] Seele? Die andern sind gekleidet. Der Bühnenmeister wills Zeichen geben. — Was schnaubst du so, wie ein Pferd, das der Schmied hat werfen[92] müssen? Sprich zu mir.   30

(Seele noch auf den Knieen, sieht zu ihm auf. Die Theaterdiener sind zurückgetreten, einer behält das Bettlergewand in der Hand.)

ENGEL *(beugt sich über die Seele mit einem Lächeln).* Weißt du denn, ob du Esaus Los gezogen hast und nicht Jakobs? Ein Feuer ist deiner Seele eingeboren, das nach oben lodert, das weist mehr auf Jakob als auf Esau. Seine[93] Flamme brannte dunkel und   35 rauchig.

---

[83] i.e., lowest   [84] dress embroidered with scales   [85] so to say   [86] The double negative is frequent in Biblical and dialect German.   [87] I intercede. I object.   [88] for ever and aye   [89] Genesis 25 ff.   [90] eager (to hear what he has to say)   [91] insubordinate   [92] throw down (to shoe)   [93] i.e., Esau's

SEELE *(steht auf)*. Und wär ich Jakob. Es darf so nicht gehandelt werden wie an Esau. Ich leid es nicht. Die Rolle ist verflucht. *(Will sie zerreißen, kanns nicht.)*

ENGEL. Laß. Menschenhände zerreißen kein Pergamen, das von dorther kommt. — Reich mir die Rolle. Ich gebe sie dir wieder, sobald du deiner mächtig bist.

SEELE. Niemals. Nicht denken[94], daß einer soll verdammt sein, so zu leben!   5

ENGEL. Tapfere Seele — ich weiß: nicht daß du leiden sollst für eines Spieles kurze Stunde, schaudert dich, dich schaudert zu erkennen die Finsternis, in der Adams Kinder hausen.

SEELE. Es sind welche im Spiel, in deren Hand ist Macht gelegt, es sind Herren und Knechte, Mündige und Unmündige. Wer teilts aus? Das Glück? Ich will nicht unter einer blinden Metze Fuchtel[95] stehen. Ich will nicht!   10

ENGEL. Dein Mund redet wüst[96], aber in dir, wie eines Bergmanns Lampe, ruhig leuchtend in der tiefsten Tiefe, brennt das Einverständnis.

SEELE. Du hältst mir einen Köder[97] hin, und etwas in mir zuckt freilich danach, ihn zu verschlucken.

ENGEL. Bekennst du das? Ehrliche Seele!   15

SEELE. Aber ich weiß, wenn ich den gekrümmten Haken verschluckt habe, dann reißest du mich gegen Strom dahin, und ich will nicht! Gib mir eine Rolle, in der Freiheit ist, soviel als eines braucht, um nicht zu ersticken, oder laß mich heraus aus dem Spiel!

ENGEL. Aber wer Freiheit hat und ist ihrer würdig, der fragt: wozu habe ich Freiheit? und ruht nicht, bis er erkennt, welche Frucht sie bringen. Die Frucht aber der Freiheit   20
ist eine: das Rechte zu tun.

SEELE. Betrüg mich nicht! — Nein. Du betrügst mich nicht! So erbarm dich!

ENGEL. Die Tat allein ist Schöpfung über der Schöpfung. Ihren Duft unmittelbar zu Gott zu tragen ist unser Dienst. Erfassest du, heldenhafte Seele, dein ungeheures Vorrecht? Spielst du also den Bettler? *(Er hebt die Rolle.)*   25

SEELE. Du sprichst: Tat? Meine Seele dürstet nach Tat! Wo wäre in dieser jammervollen Rolle der Raum für eine einzige Tat?

ENGEL. Spiele die Rolle, und dir wird sich enthüllen, was sie gehaltet[98].

SEELE. Ich kann nicht. Laß mich heraus. Es sind welche für diesmal ohne Rolle. Ich verstecke mich unter denen.   30

ENGEL. Du aber hast eine bekommen. So bist du gewählt.

SEELE *(ringt mit sich)*. Ich habe Worte in der Rolle gesehen, die dürfen nach Recht aus keiner Kreatur Munde gehen!

ENGEL. Hast du diese Worte gelesen: Mein Gott, mein Gott, warum hast du mich verlassen[99]? Und auch diese: Aber nicht mein, sondern dein Wille geschehe —?   35

(Seele bedeckt ihr Gesicht.)

---

[94] supply: *man sollte*   [95] under the scourge of a blind prosti-
tute   [96] coarsely   [97] bait   [98] = enthält   [99] the words of Christ on the Cross (Matthew 27:46)

ENGEL. Nimm[1] auf dich! Schmiege dich! Wie sollte das Unsagbare zu dir sprechen als in diesem Schauder?

SEELE *(knieend).* Muß ich?

ENGEL. Schmiege dich in das Kleid, das dir zugeteilt ist.

SEELE *(greift nach der Rolle).* Ich will, kleidet mich an! 5

(Winkt den Diener an sich heran, tritt durch den Vorhang, Diener mit dem Gewand folgt ihr. Engel tritt an einer anderen Stelle durch den Vorhang. Welt tritt an den Vorhang, sieht durch einen Spalt.)

VORWITZ *(schneuzt sich).* Ich habe bis jetzt gemeint, das Ganze wird eine recht lustige Kreuzerkomödie[2], — aber mir scheint, wenn das so wird, werd ich mein Schneuz- 10 tüchel auch strapazieren[3] müssen, beispielmäßig. Das ist unverhofft.

WELT *(am Vorhang, dreht sich gegen das Publikum).* Gewaltig schön wird mein Spiel. Aufgeputzt sind sie aus meinen Kisten. Ihre Augen funkeln vor Kräften, und sie können es kaum erwarten, daß sie das Lebensspiel anfangen. Soll die Musik schon anheben! Blaset und tretet die Orgel[4] und singet, daß alle, die von oben zusehen, es 15 inne werden, was ich auf meiner Bühne vermag.

(Die Symphonie hebt an, die Welt steht vor dem Vorhang und singt hinein. Die Männer, die den Vorhang halten, treten auseinander. Vorwitz springt nach links, klappt den Faltstuhl auf, auf einem erhöhten Platz, richtet der Welt einen Thron. Die untere Bühne wird sichtbar. Sie ist leer, nur links steht ein Fels, rechts ein Baum. Engel stehen auf der oberen Bühne. Die Welt 20 setzt sich auf ihren Platz ins Proszenium. Tod auf ihren Wink geht querüber, stellt sich rechts zwischen die Vorhänge. Widersacher kauert rechts unten im Proszenium. Die Symphonie endet.)

ENGEL *(tritt vor an den Rand der oberen Bühne in der Mitte).*
Ihr Menschen, zu des Lebens Spiel erwacht,
Nehmt eurer Tritte jeglichen in acht. 25
Ihr wandelt von der Wiege Ruh
Auf eueres Sarges Frieden zu.
Der Meister vom erhabnen Thron
Sieht hin und wägt euch Straf und Lohn.

VORWITZ. Jetzt ist schon angesagt und verkündigt genug, jetzt könnten sie schon einmal 30 anfangen. *(Fanfaren, minder gewaltig als beim Kommen des Meisters.)*

KÖNIG *(tritt von links auf und schreitet auf die Mitte der Bühne zu).*
An diesen Platz ziehts meine Schritte;
Hier bleibe ich: der Herr steh in der Mitte.
Wohin ich schau, mir alles untertan[5], 35
Herrschen ist Leben — alles sonst ein Wahn.
Die Gaun und Marken[6], kaum zu zählen,
Empfangen Glanz und Reichtum von Befehlen.
Die Berge schaun herein, die Flüsse blitzen,
Und sehn mich in ererbten Ehren sitzen. 40

---

[1] shoulder the burden, yield [2] i.e., a cheap farce, for which one pays an entrance fee of a Kreuzer [3] work my handkerchief [4] tread the bellows [5] subject
[6] districts and borderlands

Sei mir das Herz im Herzen eingeweiht,
Und mit der herrlichen Gerechtigkeit,
Mit dem Verstand, der Weisheit und der Stärke,
Gesegnet meine Tag' und meine Werke.
Daß ich des Lands als Leu[7] und Adler walte,　　　　　　　　　　　5
Das Hohe hoch, das Niedre niedrig halte.

VORWITZ. Eine schöne Sprach! Aber schön reden und gut spielen ist zweierlei! *(Schönheit von links, Weisheit von rechts treten auf. Sie gehen sehr langsam aufeinander zu.)* Die ist sehr schön. Das muß eine Hofdam sein! — Und die andere eine Klosterfrau! O je[8], so jung!　　　　　　　　　　　10

KÖNIG. Zwei herrlich wunderbare Fraun.
Die müssen mir sogleich sich anvertraun.
Gesegnet, daß ichs hab in Mächten[9],
Solche zu mir zu ziehen in Glanz und Prächten!

SCHÖNHEIT *(bleibt stehen)*. O schöne Welt, o aufgetane[10] Pracht,　　　　　15
Wie alles zu mir blitzt und äugt[11] und lacht!
Reizende Ferne, zauberhafte Nähe,
In der ich als ein Zauberwesen stehe.
Um mich dies Gartenfest hält seinen Atem an,
Und dort im Hintergrund ein schöner Mann —　　　　　　　　　　　20
Und wär er König, Herrscher über alle,
Er tritt mir nah und ist schon mein Vasalle!

VORWITZ. Ah, die ist zu schön! Jetzt schaut sie sich in Spiegel! Recht hat's!

SCHÖNHEIT *(senkt den Spiegel)*. Beinahe Angst haucht auf mich aus dem Spiegel,
Darf ein denn offen tragen Gottes Siegel?　　　　　　　　　　　25

WEISHEIT. Wie sollte Erdenlust in Spiegel sehen
Und nicht ein Todeshauch sie überwehen[12]?

SCHÖNHEIT *(erblickt ihre Hand)*. Du aber, meine Hand, du wunderbar Gebilde,
Du Elfenbein, du Blume, zaubrisch Zeichen,
Was führest du, geschmeidige, im Schilde,　　　　　　　　　　　30
Den Schlüssel drehest mir zu welchen irdischen Reichen?

WEISHEIT *(birgt ihre Hände)*. Du meine Hand, aufschließ die stille Zelle,
Schnell überschreit, mein Fuß, willkommene Friedensschwelle!

SCHÖNHEIT. Sieh auf! Es lacht auf uns die ganze Welt,
Für uns bewimpelt[13], Jugend seidnes Zelt!　　　　　　　　　　　35
Sieh auf, du Liebe!

WEISHEIT.　　　　　　　Liebe, laß mich fort,
Uns beide herbergt nie der gleiche Ort.

SCHÖNHEIT. Nein, bleib bei mir, ich mag allein nicht stehen.

WEISHEIT. Es will schon jemand dir zur Seite gehen!　　　　　　　40

---

[7] = Löwe　　[8] = O Jesus, O my!　　[9] in my power　　[10] revealed　　　[11] makes eyes　　[12] breathe upon her　　[13] beflagged

SCHÖNHEIT. Bleib da, ich will! Man soll allein zu mir nicht treten!

WEISHEIT. Mich ziehts, wo ich allein: in Einsamkeit zu beten!

(Sie tritt einen Schritt nach links.)

VORWITZ. Die ist mir fad[14]! Alleweil beten! Beten! So a junge Person!

SCHÖNHEIT. Mich anschaun darf er ja, weil jedes Auge lacht!   5

WEISHEIT. Mich soll nur einer sehen, der sieht auch durch die Nacht.

(König tritt auf Schönheit zu.)

SCHÖNHEIT *(aus dem Augenwinkel).*
  Wie Macht und hoher Stolz noch einen Mann verschönt!

WEISHEIT. Ein Mensch wie andre auch: ein schwaches Haupt, gekrönt!   10

(Beide neigen sich.)

KÖNIG. Zu mir, du Namenlos, du herrlich Wesen!
  Wohin du schwebest zwar ist Königes Palast.
  Helenas[15] Werke sind nicht einst gewesen,
  Sie werfen ab Jahrtausendlast,   15
  Sind wieder, sind von heut, sind ewig da!
  Was jemals herrlich war, ist wieder nah,
  Du bleibst mir, an meiner Seite hier!
  Meinst du, wer dich gesehn, der ließe[16] noch von dir?
  Ich bitte nicht, dem König gilt kein Nein,   20
  So braucht es auch kein Ja. Es muß so sein!
  Dorthin! bei mir!

(Er führt sie ein paar Schritte zu dem Platz an seiner Linken, kehrt dann zurück, tritt zur Weisheit.)

      Doch du, so weise, klar und mild,   25
  Zu meiner Rechten hier nimm Platz, du edles Bild.
  Und ziehn wir uns zu frommem Sinnen ein,
  Erleucht uns du mit sanftem Ampelschein.

WEISHEIT. Zu nah dem Wirbel, der inmitten dieser Welt.
  Ich habe mich aus ihr in Ewigkeit gestellt.   30
  Siehst du den Fels — die schöne Einsamkeit —
  Dorthin!

KÖNIG.   Von meiner Stadt und meinem Hof so weit?
  Nicht gern. Doch wer kommt da? mein mächtger Handelsmann —

(Der Reiche ist aufgetreten, schreitet ehrerbietig auf den König zu.)   35

VORWITZ. Das ist der Reiche! Man schaut ihms völlig an. Der Pelz und die Ketten!

Sakra[17]! Ah, der Bauer ist auch da. Jetzt fehlt noch der Bettler, dann wär die Quart[18] beisamm!

---

[14] insipid [15] i.e., Helen of Troy [16] would desist [17] = Sakrament, a mild oath [18] the four of them

(Bauer ist gleich nach dem Reichen von der entgegengesetzten Seite aufgetreten (er trägt eine Sense, außerdem eine Axt und einen Spaten. Er tritt gleich zu dem Baum, lehnt die Axt und den Spaten daran und schickt sich an, seine Sense zu dengeln[19].)

KÖNIG. — Und dort! Der Nährstand[20], unser braver Untertan.

BAUER. Nur nit viel herschaun, das war mir[21] ka Ding —   5
    Gebts mir an Fried, daß i mei Arbeit vorwärtsbring.

          (Rückt, daß er hinter den Baum kommt.)

WEISHEIT. Ist Weisheit nicht in ihm, sie ist in seinem Tun.

KÖNIG *(zum Reichen).* Mein vielgewandter[22] Mann!

REICHER.   Wird deine Gnad geruhn[23],   10
    Was ich im Lande schuf, mit Hulden[24] anzusehn?

KÖNIG. Du bist mir hochgeehrt. Sollst mir zur Seiten gehn.
    Du hast schon viel gewirkt.

REICHER.   Viel mehr ist vorbereit',
    Wenn dies erhabne Schwert mir weiter Schutz verleiht.   15
    Dir ist gewaltiger Herrscherruhm beschieden,
    Mehrer des Reichs, du bists im tiefsten Frieden.
    Dein hoher Sinn hat sich der neuen Zeit
    Und ihren großen Dingen zugeneigt.
    Du hast dich als ein Fürst bezeigt,   20
    Den sie vor anderen hat eingeweiht
    Und ihm geheim ihr Losungswort vertraut:
    Der Gott der neuen Zeiten heißt Verkehr,
    Ihm sei dein Reich zum Tempel umgebaut:
    Der Berg durchstochen, Bergsee aufgestaut[25],   25
    Kanäle binden Fluß und Fluß,
    Ans Tal das Tal, die Ebne an das Meer —
    Denn jede Stund, da Ware schneller rollt,
    Schafft neuen Wert, ist bares Gold
    Und steigert deines Thrones Machtgenuß.   30
    Die Nachbarn, von so hoher Kraft bezwungen,
    Sie stimmen ein in ihren Zungen,
    Wo nicht, so werde, was doch werden muß,
    Zu ihrem Heile ihnen aufgedrungen!

BAUER. Wann dem die statischen Sachen[26] geraten,   35
    Steigt 's Körndl[27] um a paar Dukaten.
    War a nit schlecht so weit.

WEISHEIT. O Strafe ob der[28] Welt, o Gier, o Trachten[29]!

---

[19] hammer (the scythe) [20] the food-producing class [21] that would be nothing for my taste—leave me in peace [22] of many parts [23] deign [24] graciously [25] dammed [26] i.e., politics, diplomacy [27] the price of grain goes up [28] = über die [29] scheming

KÖNIG. Ich muß den Sinn, der in dir brennt,
  Verwandt mit meinem eignen achten,
  Weil er nicht Grenzen anerkennt.
  So bin auch ich: das Wort „genug" will ich nicht kennen.

REICHER. Genug? das ist ein niederträchtiges Wort,   5
  Mit dem die Faulen ihre Faulheit nennen,
  Uns sind zehn Flügel innen angewachsen,
  Verflucht, wer hockt an seinem niedren Ort,
  Mit Faulheit, Feigheit und den andern Faxen[30].

BAUER. Tät eins[31] nit hocken, wo's hinghört,   10
  Na könnts euch anschaun ...

KÖNIG.   Mir erprobt und wert,
  Schatzmeister bist du schon, sei mein Minister
  Und Kanzler auch: nur wer die neuen Wege weiß,
  Kann alle Kräfte straff zusammenhalten,   15
  Zur Einheit eines großen Ziels verwalten.

  (Reicher küßt ihm knieend die Hand, steht wieder auf, schweigt wie beschämt.)

WIDERSACHER *(prompt einflüsternd).* Und muß es sein, so wird dein Schwert für mich!

REICHER. Und muß es sein, so wird dein Schwert für mich —

WIDERSACHER. Aus seiner Scheid —   20

REICHER *(nimmts auf).*   Aus seiner Scheide blitzen —

KÖNIG. Was sagst du da? für dich?

WIDERSACHER *(schnell).*   Für das, was wir besitzen!
  Für unsre Macht und Ehr!

REICHER *(stark).* Für unsre Macht und Ehr!   25

KÖNIG.   Des mög der Ewige walten[32]!

  (Er zieht sein Schwert.)

WEISHEIT. Gedenk: das Hohe hoch, das Niedre niedrig halten!
  Tust du nach deinem Spruch?

SCHÖNHEIT *(sieht sich in dem Spiegel).* Wie schön im Widerschein der Macht   30
  Aufleucht ich vor mir selbst!

  (Bauer dengelt seine Sense. König stößt sein Schwert wieder in die Scheide.)

ENGEL.   Habet des Spieles acht,
  In dem ihr steht, und wie sein Name erst erklang.
  Der Herr ist über euch! Vergesset nicht den Gang[33].   35

  (Welt tut ein paar Griffe[34] auf ihrer Laute, die sie im Schoß hält.)

---

[30] nonsense   [31] Wenn einer nicht hockte, wo er hingehört, so könntet ihr nachher sehen, wohin ihr kämt.   [32] May the Eternal One determine this.   [33] the course of events   [34] sounds a few notes

KÖNIG *(winkt dem Reichen, den Platz zu seiner Rechten einzunehmen, und tritt selbst auf seinen Platz in der Mitte).* Mit hocherleuchtem[35] und bemühtem Sinn
    Hab ich mein Reich wie einen Ring gerundet
    Und schau zufrieden auf sein Blühen hin.
    Auf Schwertes Kraft ist Macht gegründet,   5
    Die Schönheit wohnt im goldenen Palast,
    Gebet steigt auf aus heiligen Mauern,
    Der Nährstand trägt nach Recht für uns die volle Last,
    Steht fest auf seinem treu beschränkten Sinn
    Und wird in diesem Sinn auch dauern.   10

BAUER *(hält im Dengeln inne).* Ich steh recht fest auf die zwei Füß, ja! ja!

WEISHEIT. Erbarm dich, Herr, und bleib auch nächtens[36] nah!

VORWITZ. Sehr zufrieden sind die alle! Gemütliche Leut hab ich gern. Jetzt möcht ich wissen, wo der noch alleweil[37] bleibt, der den Bettler spielen soll! Wann[38] der jetzt in eine solche zufriedene Gesellschaft hineinkäm, könnt er auch nicht grantig[39] sein.   15

        (Bettler kommt langsam, schleppenden Ganges, von rechts.)

VORWITZ *(sieht ihn, wie er noch weit ist).* Ah, da is er, der Bettler! habens'[40] den aber despektierlich hergricht!

(Bettler geht mit gesenktem Kopf, auf einen Knüppel gestützt; er spricht mit sich selber, scheint nichts zu sehen. Er geht auf der Bühne herum wie ein Verlorener.)   20

VORWITZ. Ein grausliches Gehwerk[41] hat der Mensch! er muß sich die Füß derfrört[42] haben!

(Weisheit verläßt ihren Platz und tritt auf den Bettler zu. Bettler murmelt vor sich.)

WEISHEIT *(in seinem Rücken).* Was hast du unbekannter Mann im Sinn?
    Komm!   25

BETTLER *(zuckt zusammen).* Da sind Leut, da mach ich mich davon.

WEISHEIT *(tritt vor ihn).* Tritt her. Ich will dich herbergen und pflegen.
    Mich dünkt, zu lang bist du in keinem Bett gelegen.

BETTLER *(ohne sie anzusehen).* In keinem Bett? das geht ins neunte Jahr.

WEISHEIT. Woher des Wegs[43]?   30

BETTLER.   Ich weiß nit, wo ich gestern war.
    Ich weiß nicht, wo ich heut hingeh.

WEISHEIT. Du hast gelitten Not und Weh.
    Nimm da, und pfleg dich.

        (Reicht ihm Geld aus einem Beutel. Bettler kehrt sich ab.)   35

WEISHEIT.   Steh mir Red[44]!

---

[35] enlightened   [36] at night   [37] = immer   [38] = wenn   [41] gruesome feet   [42] = erfroren   [43] where do you
[39] ill-humored   [40] they've outfitted him wretchedly   come from?   [44] answer me

BETTLER. Ich steh nicht Red.

WEISHEIT. Nimm meine Gabe hin,
Ich bin des Guts nur die Verweserin[45],
Denn es ist dein und aller Armen.

BETTLER. Ich will kein Lirumlarum[46] hören, 5
Brauch keine Sprüch und kein Erbarmen,
Ich will davon! *(Er will gehen, versinkt aber wieder in Brüten.)*

WEISHEIT. Zweierlei Hochmut trägt der Mensch in sich:
In übermäßigem Glück und übermäßigem Leide.
Der oben thront, verwirft sie beide. 10

BETTLER *(ohne sie anzusehen)*. Ich mag deine Predigt nicht. Ich will nichts von der Welt.

WEISHEIT. Ich steh nicht für die Welt, ich steh dahier für Den,
Der nicht abläßt, nach dir so sehnlich zu begehren,
Daß du mit zehnfach Eisen um dein Herz
Ihn doch nicht kannst vom Herzen ab dir wehren[47]! 15

BETTLER *(sieht sie voll an)*. Red — Weiberred — Ich hab ein Weib gehabt,
Der ist kein unnütz Wort aus ihrem Mund — *(Er bricht ab.)*

WEISHEIT. Ist sie dahin?

BETTLER. Frag nichts! Ich steh nicht Red.

VORWITZ. An was ist sie denn g'storben? es wird schon nit so arg g'wesen sein! 20

BETTLER. Am Zufall is sie verstorben. Ich war zufällig nicht daheim —
Und der Stock da auch nicht —

BAUER *(sieht auf)*. Die Red hat gar kein' Reim[48]!

BETTLER. Da sind so ein paar fremde Hund über die Grenz daherkommen,
Und da hats mit ihrem Leben jählings ein End genommen. 25
Die Hütten war verbrannt und die Frau halt auch und die Kuh dazu.
Ganz still hat die Brandstatt geraucht in einer besonderen Ruh!
Die Kinder haben sich versteckt im Wald
Und die Geißen in ein Dörnicht[49] getrieben,
So sind sie den Tag am Leben geblieben. 30

BAUER. Ah! an der Grenz! da draußt! ja da is nit gut sein!
San bettelarme Leut und recht ein[50] schlechter Wein.
Dort wohnen stünd mir nicht zum Sinn[51],
Ich sitz im Landl[52] mitten drin. *(Er dengelt.)*

BETTLER *(stiert vor sich hin, halblaut)*. Warum, warum? 35

WEISHEIT. Ruf dir dein inneres Licht zuhilf.

---

[45] guardian   [46] rigmarole   [47] = abwehren   [48] i.e., sense   [49] briar patch   [50] = ein recht   [51] would not suit me   [52] dear land

BETTLER. Ist ausgangen das Licht. Noch nicht den Tag[53],
    Wo s' mir die Frau erschlagen haben,
    Nein später, wie ich hab müssen die Kinder
    In einer selbgrabenen Gruben begraben.

VORWITZ. Werden nit alle auf einmal g'storben sein!   5

BETTLER. Nein, nein. Auf einmal sind nicht alle viere g'storben
    An der schandgierigen Hungerseuch[54].
    Am Mittwoch nur zwei, am Donnerstag eins,
    Dann am Sonntag das letzte — es war eine stille Leich[55],
    Die Verwandtschaft, die Leichenträger und der Totengräber dazu   10
    War alles die nämliche Person. Und du?
    Du hast den Tag fleißig gebet'? ja, du?
    Schön g'sungen und mit Weihrauch geräuchert auch,
    Alls nach der Ordnung und heiligem Brauch,
    Und dicke Mauern um dich herum   15
    Und eiserne Gitter vor jedem Loch,
    Daß nur sicher war[56]! nur recht sicher doch!
    Und andre — andre sind vogelfrei
    Und können Händwinden[57] und Blutschwitzen
    Und zwingen sich keine Hilf herbei!   20
    Warum?

WEISHEIT. Es hat sein müssen. Trotzigem Warum
    Bleibt der saphirene Gerichtshof[58] stumm. *(Sie deutet nach oben.)*

BETTLER. Nein: es hat nicht sein müssen! Lüg nicht! Nein!

        (Er stößt seinen Knüppel auf den Boden.)   25

    Andern ist nichts passiert! Wer reich war, ist davon!
    Wer sich ein Pferd hat kaufen können,
    Hat mögen der Seuch aus dem Netz rennen!
    Warum? warum? wo steht das geschrieben!
    Mein Fleisch und Blut hat müssen auf den Mist,   30
    Den andern ihrs[59] ist springlebendig blieben!
    Wo steht das? wo? wo steht, daß meine Brut
    Zum frühzeitigen Sterben hat getaugt,
    Den andern ihre war dafür zu gut!
    Das Maul auftun jetzt! her mit dem Gericht,   35
    Das zwischen mir und euch den Handel schlicht't!
    Hier schrei ich um mein Recht!

WEISHEIT. Dein Schrei ist Qual der Kreatur[60],
    Doch gegen wen vor irdischen Schranken willst du klagen?
    Wer von den Unseren hat an dir mißgetan?   40

        (König tut einen Schritt.)

[53] = an dem Tage   [54] from the shameful, greedy, pestilential famine [55] burial [56] war = wäre [57] wringing of hands [58] i.e., Heaven [59] = dasjenige der andern; *springlebendig* = full of life [60] i.e., the agony of man as a finite creature, apart from any earthly complaints

Hier tritt heran, in dessen Hand der Stab.
Ihm bringe vor die giltige Beschwer[61]
Doch hüte dich, daß nicht ein finstrer Wahn
Sie über alle Maße treibe. *(Sie tritt gegen ihren Platz.)*

KÖNIG. Was will der Mensch? Wo kommt er uns daher! 5

BETTLER. Daher? Euch nicht zum Guten[62]!

WEISHEIT *(von ihrem Platz).* Bleibe
In Maßen, Mensch! todsündig[63] ist der Zorn!

KÖNIG. Wes Unrechts zeihst du welchen aus den Meinen[64]?
Wen zeihst du wessen? Rede gib! Wir haben — 10

BETTLER. Ihr habt, und ich hab nicht — das ist die Red,
Das ist der Streit und das, um was es geht!
Ihr habt das Weib und habt das Kind,
Und habt das Haus, den Hof und auch das Ingesind[65],
Ihr habt das Feld und habt die Kuh, 15
Und habt das Kleid und auch den Schuh,
Und habt ein warm satt Blut im Leib,
Und habt die Zeit und noch den Zeitvertreib,
Ihr habt den Tag und habt als zweiten Tag die Nacht
Mit Fackeln, Kerzen, Glanz und Pracht. 20
Ihr habt den Wein und noch ein Lautenspiel zum Wein,
Und habt das Ding und noch den Schein[66],
Und habt das ganze Erdenwesen
Und noch das Buch, darin recht schön und faul zu lesen,
Darin wird eure Welt beschmeichelt und bewitzelt[67], 25
Damit euch, was ihr habt, noch einmal traumweis kitzelt.
Das alles habt ihr und woher? weil ihrs gestohlen,
Gebaut das Haus auf Bruders schmählichem Verderbe!
Jakob[68], du sitzest in gestohlenem Erbe,
Und Esau kommt, das Seine sich zu holen! 30

WIDERSACHER *(bläst ein[69], da jener innehält).* Natur gibt mir und euch das gleiche Recht,
Natur kennt keinen reichen Dieb noch armen Vagabunden!

BETTLER *(ohne sich umzudrehen).* Schweig! Meine Red hab ich aus mir gefunden,
Brauch keinen Fürsprech[70].

WIDERSACHER. Ist mir zehnfach recht! 35
VORWITZ. Pfui Teufel[71], wie der schieche Kerl aufbegehrt!

SCHÖNHEIT *(tritt zum König, der unwillkürlich sein Schwert in der Scheide vom Gürtel gegen
die Brust erhoben).* Mein Herr, ich acht es für verlorne Stund,
Zu hören eine blinde Rede,
Die häßlich losringt aus verzerrtem Mund. 40

---

[61] bring before him your valid complaint   [62] not for your good   [63] a mortal sin   [64] any of my subjects   [65] servants   [66] the appearance or illusion of the thing, i.e., the reflection of life in art and entertainment as explained in the following lines   [67] praised in smooth and witty words   [68] Genesis 27   [69]prompts   [70] mouthpiece   [71] It's disgusting, how the miserable fellow claims his rights.

WIDERSACHER *(richtet sich auf)*. Samson war blind und hat das Haus zerschmissen[72],
  Drin tafelnd[73] der Philister lag!

WEISHEIT. Hast du geheim nicht noch ein ander Wissen,
  Du fremder Mann, als[74] tönt aus deiner wilden Klag?

SCHÖNHEIT. Sieh, wie er tierischen Blickes auf mich starrt,   5
  Mach mich des bösen Anblicks ledig[75]!

KÖNIG *(hebt den Mantel und birgt sie)*. Mein Kanzler!

REICHER *(beugt ein Knie)*.   Herr, was anbefiehlst du gnädig?

KÖNIG. Uns ziemt nicht mit erhabner Gegenwart,
  Ein solches freches Toben zu erdulden: 10
  Wo wir auftreten, wollen wir in Hulden
  Erkannt sein und in Ehrfurcht scheu und zart.
  Bedeut ihn! Maßen[76] unsres Amts nicht ist,
  Daß wir zu einem Streite uns erniedern —
  Sollst du an unsrer Stelle ihm erwidern.   15
  Weh, käm der Tag, da Rang und Ordnung wankte,
  So[77] wie dem Leibe, dem das Herz erkrankte,
  So widerführe dem gemeinen Wesen,
  Dessen zu wahren wir von Gott erlesen.
  Bedeut ihn das, verweis ihm seine Klage,   20
  Du wärest nicht, wofür wir dich erkannt,
  Stünd dir nicht Geist und Rede zu Gebot,
  Wo Geist, das Störrische zu lenken, not[78].

REICHER. Dir zu Befehl.

(König nimmt Schönheit bei der Hand, sie zurückzuführen. Schönheit, indem sie sich zum   25
  Abgehen anschickt, wendet sie ihr Gesicht voll dem Bettler zu.)

BETTLER *(gewahrt nun erst Schönheit in ihrer ganzen Macht)*.
                    Die! ist die auch bei dir!
  Ist dies da, Gabe unter allen Gaben,
  Wovon ein Strahl das ärmste Herz durchfährt,   30
  Unten in oben, Nacht in Tag verkehrt,
  Ist dies auch eingeschlossen in dein Haben[79]?

WEISHEIT. Heil dir, vermagst im Bilde überm Schrein[80]
  Den Abglanz du des Höchsten zu erkennen!
  So hoff ich noch.   35

BETTLER.   Nein, nein und dreimal nein!
  Das ist zuviel, daß dieses Lebens Krone
  Bei euch in eurer Diebesherberg wohne.
  Was? schmiegt sie sich an dich! jetzt hats ein Ende!

---

[72] Judges 16   [73] carousing   [74] supply *dasjenige, das*   to; *so* in the next line: thus would it happen to the com-
[75] mach ledig = rid me   [76] whereas   [77] as (would happen)   monwealth   [78] supply: *tut*   [79] possession   [80] shrine

Ich brech in dein Geheg[81]! ein neuer Weltstand her! *(Wirft den Stock weg.)*
Nieder, Philister! Hier sind Samsons nackte Hände!

(König hat Schönheit an ihren Platz geführt, steht selber an seinem.)

REICHER *(tritt auf den Bettler zu, mißt ihn erst mit dem Blick).*
    Heb auf den Stab, er wird dir nötig sein.   5
    Du habest denn[82] genug der wüsten Wanderschaft
    Und dieses Knüppels, wo[83] im Wald errafft,
    Und tauschest dir dafür ein nützlich Werkzeug ein. *(Einen Schritt näher)*
    Das rat ich dir. Du bist, mich dünkt, ein Mann,
    Ich bins gewohnt, mit Männern zu verkehren.   10
    Das hat ein rechter Mann an sich: man kann
    Mit einem rechten Wort ihn oft gradhin belehren.

BETTLER. Die Gall ist unser, Honig euer Teil.
    Willst du mir Honig um die Lippen schmieren?
    Was willst du sonst? nimm dich in acht!   15
    Nämlich: ich hab nichts zu verlieren!

REICHER. Doch manches, denk ich, zu gewinnen,
    Genau so wie wir Werkleut alle,
    Wir alle hier und du, wir sind im gleichen Falle,
    Vielleicht geht dir davon ein Licht zu Sinnen.   20

BETTLER *(finster, verhalten[84]).* Der Weltstand muß dahin, neu werden muß die Welt
    Und sollte sie zuvor in einem Flammenmeer
    Und einer blutigen Sintflut[85] untertauchen,
    So ists das Blut und Feuer, das wir brauchen.

REICHER. Ordnung ists, die ihr braucht!   25

BETTLER.   Mit dem verfluchten Wort
    Kommst du mir nicht[86]. So nennt ihr die Gewalt,
    Die uns in Boden druckt.

REICHER.   Warum spritzt deine Rede
    Nicht aus dem Aug, das dir sich wütend ballt[87],   30
    Warum nicht aus der Faust mit ihrem wilden Schwunge,
    Warum vertraust du sie der ungelenken[88] Zunge?

BETTLER. Was?

REICHER.   Weil in deinem Leibe so die Ordnung ist!
    Willst du da deine wilde Klag herbellen[89],   35
    Uns alle vor den Richter stellen,
    Die Zung nach Amt und Ordnung muß dir dienen.
    Aufstampfen wüst, blutunterlaufne Mienen[90],
    Die tuens nicht allein. Und soll die Zung nicht stammeln

---

[81] preserves; *Weltstand* = world order   [82] unless you have
[83] = irgendwo; *erraffen* snatch   [84] brooding, restraining
himself   [85] flood   [86] I don't want to hear that cursed word.   [87] rolls   [88] clumsy   [89] bark out   [90] violent stamping of your feet, an apoplectic look on your face

Und deiner Klagred nicht, indem sie sie gebiert,
Als einer Totgeburt noch schnell den Weg verrammeln,
So muß dein innrer Sinn an ganz geheimem Ort
Sich ein Gedankenbild, ein sinnvoll Wunderzeichen,
Erschaffen und der Zung es nach der Ordnung reichen,   5
Zu schießen gegen uns das scharfgeprägte[91] Wort.
Noch mehr: dies Wunderding der Ordnung nachzuschaffen,
Muß sich der innre Sinn erst den Begriff erraffen
Aus einer Geisterwelt[92], die wie das Sternenmeer
Sich oben wölbt und blitzt und schießet Strahlen her,   10
Denn wenn er nicht hinauf nach solchen Lichtern griffe,
So lahmet deine Red, sie läuft nur durch Begriffe.
Was du herbelferst[93] hier von Herr und Knecht,
Von Erbe und Enterbt, Gerecht und Ungerecht,
Es ist[94] dir nicht von selbst zu Hirn gediehen,   15
Jahrtausendaltem Schatz hast dus, der Ordnung nach[95], entliehen —
So seh ich dich, den Samson unsrer Welt,
Den Rütteler am Pfeiler unsres Hauses,
Heraufbeschwörer[96] wüsten Höllengrauses,
Dich, der gen[97] jede Ordnung aufrebellt,   20
Mit allem deinem Toben, deinem Trotzen,
Dich an uralter Ordnung noch schmarotzen[98].
Reiß Ordnung ein, den heilgen, alten Damm,
Reiß ein, lös auf die ganze Welt in Schlamm!

WIDERSACHER. Aus Schlamm, erfuhr ich, ward die Welt einmal,   25
    Soll sie aus Schlamm noch einmal auferstehen,
    Und wärs in dreiunddreißigjährigen Wehen!
    Bevor wir uns von wortgewandten Fratzen[99]
    Noch einmal lassen um das Erbe schwatzen.

REICHER *(noch einen halben Schritt herantretend).*   30
    Zerreiß, zerschlag, entwurzel alles um und um[1],
    Stoß uns dein Messer ins Gekröse[2],
    Doch wisse auch: nicht nur verrucht und böse
    Hast du gehandelt, sondern dumm. —
    Dies Ganze, diesen würdigen, alten Leib,   35
    Den unumfaßbaren, ausmessen wolltest du
    Mit einem frechen Blick in einem einzigen Nu,
    Mit deinem kurzen Sinn, der reicht von da bis da?
    Ist es denn, wie du meinst, ein Ganzes nur von Sachen[3],
    Von Räubern ein zusammgescharrter Hort,   40
    Bewacht am mauerfesten Ort
    Von ewgen Unrechts alten Drachen,
    Und kannst du nicht zu einem Blick erwachen,
    Wo es ein Ganzes dir aus Kräften deuchte[4],

[91] clearly coined   [92] i.e., the world of transcendental (Platonic) ideas   [93] bark   [94] a product of your own brain   [95] as it should be   [96] creator of wild hellish horror   [97] = gegen   [98] batten on   [99] fools who are clever with words   [1] all over   [2] bowels   [3] i.e., of disconnected things   [4] seemed

Die, stets erneuert, nach geheim gebotnen Zielen
Mit Feuerlust[5] so durcheinanderspielen,
Daß zu des Dranges letztestem Genügen
Es auch noch deiner Kräfte bräuchte[6]?
Und ruft dich nichts, dich diesem einzufügen?　　　　5

WIDERSACHER. O Rattenkönig schlau verfitzter Lügen[7]! *(Zum Bettler, einbläserisch)*
Jetzt geh ihn an! wirfs ihm in sein Gesicht!
Einfügen? wir? wir gehn im Göpel[8] Nacht und Tag
Und sehen keine Frucht von unserer Plag
Und sehn kein End — Aus Werk wird Fron[9],　　　　10
Geschändte Tag', vermaledeiter Lohn!
Sags ihm hinein[10]!

REICHER.　　　　Ich warte drauf.

KÖNIG. Man steht dir Rede, man verstattet[11] dir
Entgegnung, ungescheute. Mach Gebrauch!　　　　15

WEISHEIT. Erwidre. Teil die innre Last! Im Wort,
Das aus dem Munde fliegt, ist Gottes Hauch!

BETTLER. Ich steh nicht Red. Das wär euch recht —
Daß ich aufs Stichwort meine Red anbrächt.
Eu'r Stichwort zieht bei mir nicht[12]. Richt't euch ein[13]!　　　　20
Was jetzt anhebt, wird ohne Sprüche sein!

VORWITZ *(halblaut)*. Sapperment[14]!

REICHER. Bist du zu stumpf, du tust mir leid,
Den wunderbaren Webstuhl zu erfassen,
Der webt aus Erdenstoff ein wechselnd Geisteskleid,　　　　25
So bleibt dir freilich nichts, als uns zu hassen.
Dann geh nur auch von unsern Arbeitsstätten,
Nur wie wir liegen, können wir dich betten[15].

BETTLER. Ob ich geh oder nicht, das wird sich zeigen.

REICHER. Bring etwas vor, so läßt sich etwas doch beginnen,　　　　30
Aus Spinnweb etwa noch ein Faden spinnen —
Aus Nichts wird nichts[16]! *(Bettler schweigt. König wendet sich ab.)*
　　　　Ein häßlich böses Schweigen!
Wir kehren uns von ihm — *(Bettler lacht.)*

WEISHEIT *(hebt die Hände zu Gott)*. Wend ab die fürchterliche Tat,　　　　35
Zu der dies Schweigen sich zusammenpreßt!

---

[5] i.e., with the vitality of fire (which constantly shoots up)
[6] = brauchte　[7] maze of cunning tangled lies; the Rattenkönig is a group of several rats whose tails have grown
together　[8] capstan　[9] serfdom　[10] say it to his face

[11] = gestattet　[12] finds no response　[13] get set
[14] = Sakrament, a mild oath: Lord　[15] i.e., we can only
talk to you in our own language　[16] an old proverb

WIDERSACHER. Wie Donner jetzt ein Wort! ein Manifest!
Ein einzig ungeheures Diktat[17]!
Davon wir in die Erde sausen! *(Bettler schweigt.)*
Du machst mir selber kalt mit deinen Pausen!

       (Bettler tut ein paar Schritte seitwärts, als wolle er gehen.)   5

Nun — nun — die Spannung noch nicht hoch genug,
Daß sie in einem Blitzschlag sich entlade!
Noch nicht genug Gewölk um deine Brust versammelt!
Vollstreckungsaufschub[18] — wie? doch keine Gnade!
Der Ausweg bleibt euch ganz und gar verrammelt[19]!   10

(Bettler ist mit langsamen Schritten bis dorthin gekommen, wo der Bauer steht, der sich mit seinem Arbeitsgerät befaßt und tut, als achte er nicht auf ihn. Reicher tut einen Schritt ihm nach. Bettler wendet sich zum Gehen. Reicher mit beherrschter Miene, wendet sich auch, an seinen Platz zurückzutreten. Alle sehen mit verhaltener Beklommenheit auf den Bettler, ob er abgehe oder nicht. Bettler geht sehr langsam, wie in dumpfes Brüten verloren.)   15

VORWITZ *(halblaut)*. Na, geht er schon amal — oder geht er nit! War höchste Zeit!

(Bettler geht noch ein paar Schritte, bleibt dann, schon ganz an der Seite der Bühne, vor dem Bauern stehen.)

BAUER *(hat vor einer Weile seine Sense in den Baum gehängt und aus seiner Tasche ein Stück Brot mit Speck gezogen und seine Mahlzeit gehalten, anscheinend ohne auf die andern zu*   20
achten. Jetzt, wie die Reiche auf ihn hinsieht, schiebt er den letzten Brocken Brot und Speck schnell in seinen Mund und nimmt wieder seine Sense, legt sie sich auf die Knie und dengelt. Nichts an ihm verrät, ob er die letzten Reden gehört hat oder nicht).

Mein Sensen is uneben wor'n[20],
Muß einghaut haben in ein Dorn.   25
Was will der Mensch von mir? *(Laut)*
Was stehst, wer bist?

BETTLER. Wer bist denn du, damit ich dich halt grüß?

BAUER *(tut noch ein paar Klopfer[21] auf die Sense)*. Ich? Hm. Ein Bauer. Weißt nit, was das is?

       (Er steht auf und richtet sich vor dem Bettler auf.)   30

Is halt ein Brotlaib[22] auf zwei Füß. *(Nach einer Pause)*
Was schaust herum?

BETTLER.   Dahint[23] der Hof ist dein?

BAUER. Is mein.

BETTLER.   Die Wiesen da?   35

BAUER.   Sind mein.

BETTLER. Der Streifen Feld?

---

[17] command   [18] stay of execution   [19] blocked   [20] = geworden   [21] strokes   [22] loaf of bread   [23] = dahinten

BAUER. Is mein.

BETTLER. Und dort
Der andre?

BAUER. Mein.

BETTLER. Der Garten dort? 5

BAUER. Is bald gnug gfragt?

BETTLER. Dich kost's ja nur ein Wort.

BAUER. I gib dir noch zehn Wörteln[24] zu.
Das Hemd am Leib is Web[25] aus meinigem Flachs.
Aus meinigem Leder sind die Schuh,
Stadel und Gattern[26], Dach und Fach und Wänd 10
Aus meinigem Holz, zugricht[27] mit meine Händ.
In der Weis[28] sitz ich zwischen Hart und Bach
Auf meiner selbgeschaffenen Sach.

WEISHEIT. Nennst du geschaffen, was ein andrer dir geliehen, 15
Vergissest du, durch wen der Hände Werk gediehen?

BETTLER *(mit erhobenem Kopf, zieht die Luft ein, vor sich)*.
O Luft von überm Bach am Wiesenrain[29]!

BAUER *(für sich, unruhig)*. Mir scheint, der schmeckt die Wurst im Rauchfang drein[30]!

BETTLER *(nach einer Pause)*. Da bleiben, da! und wieder still und ständig sein! 20
Ob ihr an Arbeit für mich hätts[31]?

BAUER *(besieht ihn prüfend)*. Waß nit — schwer Arbeit war dir eppa z'letz[32] —

BETTLER. Ich bin nicht landfremd. Von da droben, zwei Stund von da,
Bin ich, von drüberm Hart.

BAUER. Aha, ja, ja! 25

BETTLER. Der Vater war Waldbauer, Heger[33] dann,
Ein Baum hat ihn erschlagen, 's war ein armer Mann.

BAUER. Könnt wohl so möglich sein. San bettelarme Leut
Und a nit stark. A saure Wiesen is geschwind gheut[34],
A magre Geiß gschwind gmolken. Haben ihr Leben nit gschafft, 30
Im Sack kein Geld, im Arm kein Saft und Kraft,
Drum wandern s' aus und schliefen[35] wieder heim,
Hat alls kein Wesen und kein Reim.

BETTLER *(finster)*. An Arbeit ob der Bauer hätt[36] — im Stall? am Feld? —

---

[24] little words [25] weave [26] barns and fences; *Fach* = framework (of the house) [27] = zugerichtet, built [28] = in dieser Weise; *Hart* = forest [29] edge of the meadow [30] he smells the sausage up the chimney; *schmeckt* = dialect for *riecht* [31] = hättet [32] Ich weiß nicht, schwere Arbeit wäre dir etwa beschwerlich. [33] forester [34] a sour meadow is quickly mowed (because of its scanty growth) [35] slink [36] Ob der Bauer keine Arbeit hätt' (the beggar uses the impersonal form of address)

BAUER *(nimmt hintern Baum eine langstielige Axt hervor, wiegt sie in der Hand).*
    Hab Kinder Stucker acht[37] und schaff mei Arbeit selb.
    Wär alls scho g'fehlt[38], wanns nit so wär,
    Dann wär der Acker stärker als der Herr. *(Bettler will gehen.)*

BAUER *(die Axt in der Hand).* An Holzknecht brauchert[39] ich.   5

BETTLER *(bleibt stehen).*   Ist deinig auch der Wald?

BAUER. Ang'forstet[40] ist der Hof seiter sechshundert Jahr.
    Schlagrecht[41] is mein. Wie's Mahlrecht dort am Bach,
    Weidrecht im Tal und Fischrecht in der Ach.

BETTLER. Bist ja mit Recht und Recht gspickt[42] wie ein Igel gar,   10
    Wer dir was nehmen wollt —

BAUER *(wiegt die Axt auf den Knieen).*
               Der lasset Haar[43]!

(Welt tut einen Griff auf ihrer Laute. Bettler tut abermals einen Schritt, als wolle er gehen.)

    So willst halt nicht. *(Macht Miene, die Axt hintern Baum zu stellen.)*   15
            I bau an neuchen Stadel[44] aus mein' Holz,
    Brauch Plöch[45] und Bretter. Wär jetzt d' Jahrzeit recht.
    Im Wald fehlt nix, was fehlt, das is der Knecht.

BETTLER. Schlagrecht. Kein Klafter[46] Brennholz, Tür und Dach,
    Nix kaufen, alles aus der eigenen Sach,   20
    Nix kaufen, Wiegen nicht und nicht das Hochzeitsbett,
    Auch nicht den Sarg —

BAUER.   Holz kaufen? war a lausigs Gfrett[47]!
    Willst oder nit? i hab ka Zeit. *(Hält ihm die Hacke hin.)*
    I gib drei Taler Jahrlohn, ein Paar Schuh,   25
    Und Hauswoll auf a Joppen[48] noch dazu.
    Die Hütten steht im Wald, Laubstreu[49] is frei,
    A Pfann is drin, 's Fetthäfen[50] steht dabei.

BETTLER *(hält unschlüssig die Axt in der Hand).*
    Schaff Holz fürs Bett, und im Bett drin wern[51] andre liegen,   30
    An andern seine Kinder[52] in der hölzern Wiegen —
    Aber der Wald is schön, und in der Einschicht[53] sein
    Is besser, als da stehn und zornig umeinanderschrein[54].
    Na, Bauer: wenn ich aushalt bis ans End
    Und robott[55] dir im Wald mit die zwei Händ,   35
    Und halt dir orntlich[56] wie a Stubn dein Wald —
    An Sarg spendierst mir doch, sechs Bretteln[57] halt,
    Aus deinigem Holz?

---

[37] Ich habe acht Stück Kinder; Stück = an der Zahl [38] It would be a complete mess by this time. [39] = könnte ich brauchen [40] forested; seiter = seit [41] the right to cut timber; *Mahlrecht* = the right to mill flour; *Weidrecht* = hunting rights; Ach = brook [42] bristling [43] i.e., he'd pay for it dearly [44] a new shed [45] tree trunks [46] cord [47] would be lousy trouble [48] wool for a jacket [49] foliage for litter and bed [50] fat pot [51] = werden [52] die Kinder eines andern [53] loneliness [54] = herumschreien [55] slave [56] = ordentlich, neat [57] = Brettlein

BAUER.   Fehlt nix[58]. Die kriegst.

BETTLER.   Ich steh dir ein[59].
  Mi ziehts in Wald wie mit an Strick.

BAUER. Na[60] mußt in Wald, is halt dei G'schick.
  Wart noch. Hab noch was anzuschaffen,   5
  Daß d' mir ein Ordnung haltst im Wald:
  Das Krummholz is a richtigs Gsindel halt[61],
  Schmarotzt mir am Waldboden, zehrt'n aus[62] auf Schritt und Tritt,
  Bettelbagagi[63], weg damit!
  Verstanden? Wart noch! mußt di nur neindenken frei[64],   10
  Was d' bist! na, was? Waldpolizei!
  Das nämlich', was dahier am Hof der Hund,
  Bist du am Hart und drent[65] im schattigen Grund.
  Verstehst? *(Bettler will fort.)*
  Wart noch. Wird doch nicht gar so eilig sein!   15
  Is neuerdings Holzklauben gar so in Schwung kommen[66],
  Und hat a wenig überhand gnommen[67].
  Da fahrst ma drein[68], sind Witwen allermeist
  Und Kinder gar, daß d' mir nit viel rumschreist,
  Richt[69] einer nix beim Glumpet mit an Gschrei,   20
  Anzeigt wird nix[70], das macht nur Schererei.
  Hau drein[71], jags aus, dös Schandpack soll mein Waldl respektieren
  Und anderswo herumvagabundieren —
  Verstehst?

BETTLER *(für sich)*. Mir steht jetzt was bevor, ganz nah[72]!   25

BAUER. Ah, machst ja schon zvor a grimmigs Gsicht,
  Recht wie der Teufel dort beim höllischen G'richt!
  Gehst du den Dienst mit so ein' Eifer an?
  Ja, dann wer'n wir zwei beieinander[73] bleiben,
  Muß immer ein Nagel den andern treiben,   30
  Dann wirds was Rechts! Jetzt schau zu deiner Sach,
  Schau nur dazu, daß dir dein Dienst recht gfallt —
  Was is? *(Springt auf.)*

BETTLER *(springt gegen die Mitte, drohend gegen alle)*.
           Ja, ich muß Ordnung machen,   35
  Das is mir ein'geben[74], aber nicht allein im Wald!

           (Schwingt die Hacke gegen alle.)

  Ihr Dieb' und Schänder alle miteinander,
  Euch gehts an Balg[75]!

---

[58] = Das ist in Ordnung.   [59] I accept   [60] = nachher [61] the underbrush has become a real nuisance   [62] consumes it, drains it   [63] pack of beggars   [64] you must think it out clearly   [65] = da unten   [66] wood thieving has become the fashion   [67] has got out of bounds   [68] you must use force [69] accomplishes; *Glumpet* = slavish pack   [70] There'll be no reporting to the police; that merely causes trouble. [71] use your club; *Schandpack* = disgraceful rabble   [72] there's something in store for me, very close   [73] together   [74] = eingegeben, revealed   [75] euch geht's an den Leib, you're going to get it

BAUER *(springt ihm nach).* Heda, Falott[76], laß mir die Hacken aus der Hand,
Der böhmische Zirkel[77] ist nit eingführt hiezuland.

BETTLER. Was willst du da, was schreist mit deinem Mund?

BAUER. Die Hacken her und fort von hier! Du Vagabund!
Abgstrafter Kerl[78]!   5

BETTLER. Was? wer?

BAUER.   Was? wer?
Der Bauer bin ich, und du stehst auf mei'm Grund.
Marsch, oder ich brauch Hausrecht[79]!

BETTLER *(ungeheuer[80]).*   Noch ein Recht!   10

BAUER. Und Herrenrecht dazu, wannst[81] aufrebellst, du Knecht!

BETTLER *(mächtig die Axt hebend).*
Dieb! Deine Recht sind g'stohl'n, und zu der Stund
Ruf ich mirs heim[82] als wie verlaufene Hund. *(Er pfeift.)*
Jetzt kommt gleich 's erste Recht. Schlagrecht[83] ist jetzt bei mir!   15
Siehst jetzt? die Recht sind lumpige Lakai'n[84]
Die allezeit dem Stärkern dienstbar sein.

WIDERSACHER. Auf! Was du tun willst, lieber Sohn, tu schnell,
Gerecht vergoßnes Blut ist ewiger Freuden Quell. *(Welt ist aufgesprungen.)*

BAUER *(in großer Angst).* Is niemand da? Zu Hilf! Herbei! *(Will ausweichen.)*   20

BETTLER. Maul halten mit dem Wehgeschrei.
Mach deine Seel fürs letzte End bereit.
Jetzt kommt zum Ausgleich der uralte Streit. *(Faßt ihn.)*
Fahr hin! Verreck[85] im Straßengraben!
Hab ich nix g'habt, sollst du das gleiche haben.   25

WEISHEIT *(mit angstvoll erhobenen Armen, Reicher, König, Schönheit, alle vier treten zugleich einen Schritt vor).* Halt ein, Mörder, halt ein!

ENGEL. Denkt, wer euch sieht, denkt an des Spieles Gang!

WEISHEIT. Da du ein Kind warst, grausete dich Kain[86],
Willst du in sein Geschick?   30

SCHÖNHEIT *(geht auf den Bettler zu).* Schlag mich! Erschlag uns alle!

ALLE ZUGLEICH. Schlag zu und bring mit eins[87] die ganze Welt zu Falle!

(Bettler, die Axt hoch erhoben, blicklosen[88] Blickes, steht ihnen allen furchtbar gegenüber.)

WELT. Trompeten drein[89]!
Jetzt ist mein Spiel dort, wo's höher nicht mehr geht. *(Eine Pause)*   35

---

[76] rascal [77] i.e., thieving [78] jailbird [79] rights of a property owner [80] terrible of aspect [81] = wenn du [82] I reclaim them [83] a pun: the right to beat you up [84] unprincipled lackeys [85] perish [86] you felt horror at the deed of Cain [87] all at once [88] vacant [89] blow trumpets

WEISHEIT. Schlag zu! Wir sind für unser End bereit!
  Und tritt es her mit schreckensvollen Mienen,
  Wo wär das Schrecknis, das wir nicht verdienen? *(Wirft sich auf die Kniee, zu Gott)*
  Du aber thronend ob verworrenen Geschicken,
  Du siehst zu, wie in des Unrechts Netz   5
  Wir alle, alle uns geheim verstricken.
  Wie leicht wär alles dir mit einem Hauch zu schlichten,
  Mit einem Fingerwink ins Grade dies zu richten,
  Doch dir beliebt vom hocherhabnen Pfühl[90]
  Ein ungeheueres Gewährenlassen[91],   10
  Um dann mit Adlersaug durchdringend das Gewühl
  Mit Adlersklau die Beute dir zu fassen.
  Du machst mit einem fürchterlichen Winke
  Dem anbefohlnen Spiel ein jähes End,
  Sieh willig uns von deiner Bühne weichen,   15
  Und — eh in Schatten unser Spiel versinke —
  Sieh noch zuletzt die aufgereckten Händ!

(Sie verharrt noch einen Augenblick mit gefalteten Händen, dann steht sie auf und spricht weiter stehend zu den übrigen)

  Denn es ist nun an dem[92] — seid ihr auch des belehrt?   20
  Daß wir sehr schnell von dieser Bühne schwinden,
  Ein kurzer Augenblick ist allen uns gewährt
  Abtretend aus dem Spiel uns zu uns selbst zu finden.
  Und er, des höchsten Willens arger Bot
  Furchtbar gewürdigt[93], uns hinwegzurufen —   25
  Auch sein Spiel ist vorbei, darin er gräßlich uns bedroht,
  Er steigt mit uns hinab der Bühne wenige Stufen.

(Nach oben gewandt, gewaltsam den Bettler nicht ins Auge fassend, spricht sie das Weitere. Der Bettler indessen geht auf sie zu, die Axt erhoben. Je näher er ihr[93a], desto fester, die tiefste Angst überwindend, wird ihre Stimme. Der Bettler steht vor ihr wie festgewurzelt; sein Gesicht 30 *verändert sich ungeheuer. Die erhobene Hand, darin die Axt, sinkt herab. Der Bauer liegt nächst dem Baum, das Gesicht im Arm geborgen, wie ein Toter, regungslos.)*

  Du aber, Leben über allem Leben,
  Du wunderbar Gericht, das in den Dingen ruht,
  Sieh mich nunmehr für ihn die Händ erheben: 35
  Gnad ihm[94], wenn er jetzt bebend vor dich trägt,
  Gräßlich gefärbt mit unser aller Blut,
  Den Wesensschein[95], den furchtbar schicksalvollen,
  Drein[96] Du erhabnen Willens Spur geprägt!
  Gnad ihm, ihm war von Deines Spieles Rollen   40
  Die eine überschwere auferlegt!

BETTLER *(zitternd)*. Wo ist der Baum?

---

[90] cushion (of your throne) [91] terrifying indifference [92] it has now come to this [93] endowed with fearful dignity [93a] i.e., kommt [94] show him grace [95] the certificate of true character (which you assigned him) [96] = worein, into which

WEISHEIT.   Was für ein Baum?

BETTLER. Den ich wie Donner schlug,
Der niederkrachend euch und mich begrub!
Doch ich —

WEISHEIT.   Und du?   5

BETTLER.   Weib? was geschah? Wo ist das Licht?

WEISHEIT. Was für ein Licht?

BETTLER.   Das aus der Krone brach,
Mit einer Menschenstimme zu mir sprach!
War dies zuvor? war dies nachher? Weib — was geschah?   10
Daß ich nicht auf dich schlug! — Du tratest nah —

WEISHEIT. Brach da ein Licht hervor? — und —

ENGEL.   War das nicht
Des Saulus[97] Blitz und redend Himmelslicht?

BETTLER. Du hobest deine Händ und betetest für mich?   15

WEISHEIT. Für dich!

BETTLER.   Verstehend mich und mein Gericht?

ENGEL. War das nicht Isaaks Lamm[98], das schimmernd sank vor dich?

BETTLER. O du mein Gott! *(Er kniet nieder, birgt sein Gesicht in den Händen.)*

ENGEL. Nach Taten, Seele, war dein Drang!   20
Untat war nah in finstrem Wahn,
Doch herrlich ist des Spieles Gang!
Statt Untat ist jetzt Tat getan!

BETTLER. Getan?

WEISHEIT.   Getan!   25

BETTLER.   Schlug ich?

WEISHEIT.   Du schlugest nicht!

WIDERSACHER. Ein Blutandrang, ein schwindelnd Flimmerlicht
Und alles wiederum zunicht!

(Er wirft wütend seine Bücher zur Seite. Des Bettlers Blick, der, wieder auf seinen Füßen, wie   30
ein Entrückter[99] um sich sieht, trifft den Blick der Weisheit, die wieder von ihrem Platz zwei
Schritte auf ihn zugetreten ist. Sie lächelt. Er lächelt auch. Sein Gesicht hat einen verwandelten
Ausdruck.)

WEISHEIT. Bist du befreit von deiner Strafbegier[1],
Um die dein Bruder dir in Fäusten[2] ächzte,   35

---

[97] the light which Paul saw on the road to Damascus (Acts   son Isaac (Genesis 22:13)   [99] in a trance   [1] desire to punish
9:3)   [98] the lamb that Abraham sacrificed in place of his   others   [2] with clenched fists

Indes die Seele in der Seele[3] dir
Unbändig nach Unendlichkeiten lechzte[4]?
Empfingest du in jähem Himmelsschein[4]
Die ungeheuerste der Gaben,
Und kannst du deinen Brüdern nun verzeihn   5
Am schalen Erdengut ihr dumpfes Haben?

BETTLER. Was schiert mich[5], was ihr habt? Ich bin so voller Freuden
Und will in Wald, daß ich umblitzt von Ewigkeit
Mich beieinander halt[6], an keinen Hauch der Zeit
Die innre Himmelsfülle zu vergeuden!   10

WEISHEIT. Begnadigt uns nunmehr dein umgewandter Sinn?

BETTLER. Was weiß ich, wer ihr seid — was weiß ich, wer ich bin?
Als wie von Ewigkeit
Ist mir der Wald bereit,
Da ich ein schuldlos Kind   15
Auf moosigem Stein gelegen.
Dort liegen und in Lust
Mich ganz zu Gott zu regen!

WEISHEIT. O Seele, du bist jäh zum großen Ziel gekommen,
Grab dich in Waldesgrund und blühe als ein Christ!   20

(Bettler ist zum Gehen gewandt.)

WIDERSACHER *(ihm seitlich in den Weg tretend)*.
Was! lahm die Hand, die einmal richten konnte!
Und Unrecht, wie's nur eh und je[7] sich sonnte[8],
In frechem Licht schlägt wiederum sein Rad[9],   25
Und du im Walde wandelst Träumerpfad!
O Ekel, pfui! o kann ein Hirn den Unsinn fassen?
Vertan die Manneskraft! das schöpferische Hassen!
Graust dich denn nicht vor dir?

BETTLER *(mit einem ablehnenden Armheben gegen ihn)*.   30
Ich ward hineingestellt,
Als Gegenspieler diesen zugesellt
Denn dies ist Gottes Spiel,
Wir heißen es die Welt.

WIDERSACHER. Leckst so feig du den Fuß, der auf dich tritt?   35

BETTLER. Ich bin bei Gott, in aller Dinge Mitt!
Doch in dem Spiel bin ich der Bettler halt,
Von dem ich Wesen anhab und Gestalt.
Was soll ich denn von denen wollen?
Noch deren Sprüch und Sprüng[10] herein in meine reißen?   40

---

[3] the soul within your soul, i.e., within the depths of your being   [4] i.e., in sudden inspiration   [5] what do I care   [6] must restrain myself from ...   [7] ever and anon   [8] sunned itself, i.e., boldly enjoyed itself   [9] displays its beauty (the peacock, in displaying its tail feathers, arranges them in a circle)   [10] jabber and gestures

Da müßte ich ein Geck und Stümper heißen!
Wollt ich dem dort die pelzern' Schaub[11] abziehen,
Dem dort sein goldnes Schwert aus Händen schlagen —
Und setz ich stracks mich auf den Thron für ihn
Und sitz dort breit zu meinen Lebenstagen,   5
So sitzt Hans Wurst[12] zu Thron, das Blatt bleibt ungewendet,
Und diese Welt wie eh und je geschändet.
Ob ich mich spreiz mit Machtgebärden
An ihrer Statt, verschlägt nicht viel[13]:
Es muß für wahr und ganz ein neuer Weltstand werden,   10
Sonst blieb dies gar ein ärmlich puppig[14] Spiel. *(Er tut einen Schritt.)*
Ich haus mit denen nicht, ich muß woanders hin,
Mir hat die Sternenuhr die große Zeit geschlagen,
Nun weck ich selber mich, entzünd in mir den Sinn,
Davon um Mitternacht der finstre Wald wird tagen: 15
Ich hab ein Wort gehört, das war mir lang verloren,
Mir ist, da ichs gehört, da war ich ungeboren,
Und eines Engels Mund gab mir so zarte Lehre —
Von Freiheit war das Wort und welcher Art die wäre.
Ich war — mein Seel — nicht frei, als ich in finstrem[15] Drang   20
Scharf Eisen über diese schwang,
Des bin ich inne worden[16] jäh,
Wie der inner gemalten Scheiben steh[17],
Die Bilder inne wird. Freiheit ist alleweil nah,
Doch greifst du hart nach ihr, so ist sie jählings fern;   25
Kaum schmiegest du dich sanft, so ist sie wieder da
Und weht von dir hinan bis an die Himmelsstern.
Sie ist geheim und läßt sich irdisch nicht benennen:
Sie ist ein Abgrund, über den sichs herrlich lehnet,
Doch der mit Macht sich auch dich zu verschlingen sehnet;   30
Ich will in wilden Wald, sie völlig zu erkennen —
Mich deucht[18], sie ist von Gott, und bleib ich nur allein,
So dringet sie durch Gott schon tief in mich hinein
Und gehet dann mit mir auf jeden Pfad und Steg:
Somit laß ab von mir und gib mir frei den Weg!   35

(Er geht langsam an ihm vorbei.)

WEISHEIT. Geh hin und sei im Wald ein guter Geist,
Und lobe Gott den Herrn, der alle Wege weist!
Ich neige mich vor dir! *(Bettler wendet sich nach rechts, abzugehen.)*
Halt noch, nimm dein Gerät.   40

(Sie geht hin, wo das Beil liegt, bückt sich, hebts auf und gibts ihm.)

BETTLER *(nimmts nicht).* Es ist nicht mein.

---

[11] fur coat [12] the clown of the older German drama [13] does
not matter much [14] puppetlike [15] i.e., blind [16] became aware [17] as he who stands inside the painted
windows, i.e., inside the church; *steh* = steht [18] methinks

WEISHEIT.   Nimms hin und brauchs als dein.
 So spricht der Herr: Ihr sollt nicht müßig sein.
 Soll dich mein hoher Wald umhegen,
 Einsiedel, mußt du seiner pflegen,
 Sanft wie der Hirtenstab im Schattensaal,   5
 Wandle die Axt voraus dem Himmelsstrahl[19],
 Und wie die Glocke tön ihr voller satter Schlag
 Ins Dorf und melde Herbst und friedereichen Tag.

(Bettler befestigt die Axt an dem Stricke, der ihm die Lenden gürtet, und geht langsam hinaus.
Bauer sieht ihm, halb hinterm Baum geborgen, nach, bis er verschwindet. Vorwitz hebt sich auf 10
die Fußspitzen, um dem Abgehenden noch bis in die Kulisse nachzusehen, dann stößt er einen
hörbaren Seufzer der Erleichterung aus. Weisheit ist auf ihren Platz zurückgegangen, faltet die
Hände zum stillen Gebet. Alle fünf Figuren verharren ruhig auf ihren Plätzen. Bauer blickt in
die Kulisse, gleichsam in den Wald, in den der Bettler verschwunden. Er macht ein befriedigtes
Gesicht, deutet pantomimisch an, er höre ihn Holz machen. Ein Signal.) 15

WELT *(ergreift ihre Laute, spielt und singt nach einem kurzen Präludium).*
 Flieg hin, Zeit, du bist meine Magd,
 Schmück mich, wenn es nächtet, schmück mich, wenn es tagt,
 Flicht mir mein Haar, spiel mir um den Schuh,
 Ich bin die Frau, die Magd bist du.   20
 Heia! *(Sie greift dumpfer in die Laute[20], ihr Gesicht verfinstert sich.)*
 Doch einmal trittst du zornig herein,
 Die Sterne schießen schiefen Schein,
 Der Wind durchfährt den hohen Saal,
 Die Sonn geht aus, das Licht wird fahl,   25
 Der Boden gibt einen toten Schein,
 Da wirst du meine Herrin sein!
 O weh!
 Und ich deine Magd, schwach und verzagt,
 Gott seis geklagt! *(Wieder lebhafter und heller)*   30
 Flieg hin, Zeit! die Zeit ist noch weit!
 Heia!

(Das Licht auf der Bühne verändert sich, währenddem sie singt, wie gegen einen trüben Abend hin.)

SCHÖNHEIT *(nach einer Stille, wie aus einem Traum erwachend).*
 O weh! was ist mir widerfahren?   35
 Ich spürs von Sohlen bis zu Haaren!

   (Sie sieht sich in dem Spiegel, läßt ihn gleich wieder sinken.)

 O weh! an mir ist unversehen,
 Ein Unheil fürchterlich geschehen!
 Zeit ist geflohen wie der Wind,   40
 Ich war noch just ein blühend Kind,
 Und sie hat an mir mißgehandelt,
 Schmählich mein Angesicht verwandelt.

---

[19] the rays of the sun which will penetrate the forest after the axe has felled the trees   [20] plucks somber tones on the lute

Bin ich denn keine junge Frau?
An Schläfen schien mir wie ein Grau! *(Sieht wieder in den Spiegel.)*
O Gott! nun seh ichs wohl, nun seh ichs wieder!
Und was soll denn der dunkle böse Strich
Unter dem Schlage[21] meiner Lider?   5
Das Ganze freilich ist noch da *(Sie lächelt ihr Bild an.)*
Und doch ein Böses etwa nah;
Schaut ich mit starrem Blick und zu genau,
Ich säh die Larve einer alten Frau!

           (Sie läßt den Spiegel sinken, blickt versteckt nach dem König hin.)   10

Auch er! der Gleiche und doch wieder nicht!
Ein scharf und furchig Etwas in Gesicht! *(Sieht nach dem Bauer.)*
Und der! verwandelt bis in die Gestalt!
Wie grau! wie stumpf und dumpf! wie jählings alt!

(Sie verläßt ihren Platz und tut ein paar Schritte nach links, blickt verstohlen auf den Reichen.)   15

Ein Adlerblick aus selbstbewußten[22] Brauen.
Vorbei[23]! leichthin nur wie Vorüberschauen[24],
Sonst sieht er starr auf mich! und doch im Flug[25]
Ich hab gesehen und ich weiß genug! *(Läuft zur Weisheit hinüber.)*
Und du, wie schön bist du, wie leuchten deine Mienen,   20
Von wo sind sie mit diesem Glanz beschienen,
Wo nimmst du dieses nicht mehr irdische Lächeln,
Was sinds für Lüfte, die um deine Stirne fächeln? *(Näher)*
Und doch! auch du! gealtert, doch nur wie der Edelstein,
Der alternd aushaucht eingesognen Schein.   25
Auch du?

WEISHEIT *(lächelt, wie aus der Entrückung erwacht).*
Was sprachest du?

SCHÖNHEIT *(in der Mitte stehend, ringt die Hände).* O herzzerfressend Leid!
O einzig wahres Unheil ob der Welt,   30
Das unsres Daseins hohe Lust vergällt!

WEISHEIT. Was klagest du?

SCHÖNHEIT.   Die Zeit! die Mörderin! die Zeit!
Die Zeit ist über uns mit Räuberfaust gefallen,
Hat böslich mißgetan an dir und mir und allen!   35

(Ein Paukenschlagen hebt an, dazu ein Windesrauschen. Die Figuren, wie aus einer Starrheit erwachend, verlassen ihre Plätze und treten durcheinander, aber wie Träumende, indem sie jeder für sich sprechen, ohne auf die anderen zu achten und dabei die Hände ringen, außer der Weisheit, welche die ihren gefaltet hält.)

---

[21] i.e., under my lowered eyelids; (*Schlag* = carriage door)
[22] self-assured   [23] let me pass by him (quickly)   [24] let me just glance at him lightly, for if I study his features,

he will look fixedly at me   [25] i.e., but even this fleeting glance I give him is enough to show me that he too shows the marks of age

KÖNIG. Macht ist Ohnmacht! Das geht mir ein[26]
Und schneidet mir durch Mark und Bein[27].

REICHER. Ich kannte Zwang nicht, noch Gesetz,
Allein ein Etwas zwingt mich jetzt!

BAUER. Hab stets mein' festen Stand dahier[28],   5
Was springt so geistisch[29] um mit mir?

WEISHEIT. Im Sturmeswehn ist deine Spur,
Erbarm dich deiner Kreatur —

SCHÖNHEIT. O Schwäche, Bangen ohne Ruh,
Was wird aus mir in diesem Nu!   10

ALLE *(zusammen unter dem Paukenschlag).* Ein fahler Schein, ein hahler[30] Wind,
Weh, daß wir Kreaturen sind!

*(Das Windesbrausen verstummt. Sie halten alle inne. Jeder findet sich auf seinem Platz. Sie
stehen starr. Vorwitz ist, wie ihr tanzartiges Durcheinandertreten anhebt, neugierig hinzugetreten
und wird, ohne es zu wollen, darein verstrickt und tanzt mit ihnen bis ans Ende, aber ohne den*   15
*Mund aufzutun. Jetzt wischt er sich die Stirn und schlüpft auf seinen Platz zurück. Auch der
Paukenschlag verstummt.)*

ENGEL *(wendet sich, wie von einem Wink getroffen, gegen den Palast des Meisters und blickt
ehrerbietig nach dem Balkon).* Hier, deines Winks gewärtig!

(Er eilt hin, horcht nach oben, eilt sogleich wieder nach vorne, immer auf der oberen Bühne und   20
*ruft dem Tod, der seitlich auf der oberen Bühne schon dann und wann sichtbar gewesen, von
weitem zu.)*

Zu Ende gehen soll schon bald das Spiel,
Ruf du jetzt einen nach dem andern ab!

TOD *(tritt von wo er steht an den Rand der oberen Bühne vor und ruft laut).*   25
Du, der des Königs Rolle hat, tritt ab!
Dein Part ist ausgespielt! Geh von der Bühne!

*(Tritt wieder ganz seitwärts, wo er aber sichtbar bleibt. König erfaßt's. Schönheit und Reicher
zucken zusammen. Bauer tut, als hätte er nichts gehört, er gräbt mit dem Spaten. Weisheit
wirft dem König einen strahlenden Blick zu.)*   30

KÖNIG *(tritt vor, blickt nach oben, nimmt die Krone vom Haupt, betrachtet sie).*
Wie? Solch ein Schattenspiel! So schnell dahin!
Und schien voll Wirklichkeit und Pracht und Sinn!
Mein Augenwink[31], an dem sie alle hingen —
Mein Aug, bald selber liegts bei weggeworfnen Dingen.
Du Reif[32], du schienst ein Teil des Hauptes selbst zu sein.   35
Nun lösest du dich leicht und wahrest deinen Schein[33].
O Schein, o edler Schein, Schein über allem Schein!
Wer sich zu dir erschwäng[34], dem wärst du wahres Sein,

---

[26] becomes clear   [27] i.e., to my very core   [28] = hier   [33] preserve your splendor; but also: empty appearance,
[29] ghostlike   [30] dry   [31] my imperious look   [32] i.e., crown   opposed to *Sein* (l. 39)   [34] attained your plane

Herrliche Wesenheit, gewaltig[35], zu bezwingen
Den dumpfen Widerstreit von selbgebundnen[36] Dingen.
Wem laß ich dich? wo ist die dreimal würdige Hand,
Darein ich scheidend leg dies geisterhafte Pfand?

(Er tut einen Schritt auf die Weisheit zu.)   5

Du heilig weise Frau, für die der Schein nicht scheinet,
Das Scheinen mit dem Sein zu höhrem Schein sich einet,
Willst du mir hüten dieses Zeichen,
Dem Höchsterkornen[37] einst es reichen?

(Er will der Weisheit die Krone überreichen.)   10

WELT *(steht jäh auf und tritt dazwischen).*
  Mir! Mir! Ich hab euch all in meinem Haus,
  Ich zieh euch an und zieh euch aus.
  Mir gibs und geh. Und sorg dich weiter nicht!

(Nimmt dem König die Krone aus der Hand. Setzt sich wieder und hält die Krone auf dem Schoß.)   15

TOD. Abgehn! Das Zögern kann nicht frommen!

KÖNIG. O Meister überm Spiele, sieh mich kommen! *(Er geht.)*
  Nun muß ich schwacher Kniee und mit Zagen
  Den Spieler eines Königs vor dich tragen! *(Ab.)*

SCHÖNHEIT *(tritt angstvoll von ihrem Platz und ringt die Hände).*   20
  Wo muß er hin? Was ist geschehen?
  Wie kann das sein? Er muß von hinnen[38] gehen?
  Wer wagts, dem Mächtigen zu befehlen?
  Was wird aus mir? Er hat mich so geliebt!
  Durch ihn nur war ich schön, in seinen goldnen Sälen!   25
  Wohin mit mir? Wo ist das Land, das mir ihn wiedergibt!
  Wohin mit mir Verlassenen?

REICHER *(tritt vor).*   Zu mir!

(Schönheit tut unwillkürlich einen Schritt von ihm weg auf Weisheit zu.)

REICHER. Zu mir! An meiner Seite ist dein Platz,   30
  Du im geheimen längst mir zugeeignet,
  All meiner Schätze höchster Schatz!

SCHÖNHEIT *(erschrocken, bang).* Weh mir!

REICHER *(stärker).*   Zu mir! Was hat sich viel ereignet?

SCHÖNHEIT. Der Mächtige, der mein Gebieter war   35
  Und deiner und von diesen allen,
  Vom Volk geliebt, umhuldigt von Vasallen,
  Hast du denn nicht gesehn? Begreifst dus nicht für wahr?

---

[35] possessing power   [36] limited, self-contained, selfish   [37] chosen as the highest   [38] from here

REICHER. So müsse denn die Maske endlich fallen!
Zu mir! Nun faßt dich dieser Arm — für ihn!
Denn ich bin wahrhaft, was er schien.

(Schönheit weicht vor ihm zurück. Reicher folgt ihr, sie kommen beide nach vorne).

Wenn er zum Schein auf goldnem Wagen stand,   5
Die Zügel lenkte diese Hand!
Ich war Gewalt, die hunderthändige!
Ich wars und bins allein, der dieses Ganze bändige[39].
Den Schein verschmähend für den Pöbel stumm,
Wend ich den Himmel wie die Erde um.   10
Da ist kein Wesen, das sich mir entzöge
In Abgrundsnacht, und keines himmelhoch getürmt,
Das meine Kraft mir nicht erflöge[40],
Die Feste ist nicht, die ich nicht erstürmt.
Hier kam die Herrlichkeit der Welt zu erben, *(er deutet auf seine Brust)*   15
Hierher auch du! Der Rest sind Scherben[41]!

SCHÖNHEIT. O Schwester, nimm dich meiner an!
Schütz mich vor diesem ungeheuren Mann!

WEISHEIT. Dies Licht, das fürchterlich in Dunkel sinkt,
Kann es dich nicht in deiner Seele mahnen?   20

REICHER. Närrin, die du in Einsamkeit dich brüstest,
Durch die hindurch ein totes Lichtlein blinkt,
Wenn du von da bis da den Weg der Dinge wüßtest,
Klug wärest, nur die Wahrheit zu erahnen,
So ahnte dir: daß du und deinesgleichen,   25
Daß ihr besteht in schützenden Bereichen,
Es ist von mir mit großem Sinn geduldet,
Was Geist ist, was euch hebet übers Tier,
Ist meines Tuens Blüte, mir geschuldet.
Tritt aus dem Weg, es ist nichts außer mir!   30

TOD *(tritt in die Mitte und spricht herab).*
Du Schöne, tritt jetzt von der Bühne.
Dein Spiel ist schon zu End. *(Er bleibt danach an der gleichen Stelle stehen.)*

SCHÖNHEIT *(in Angst sich an Weisheit klammernd).* Zu End, weh mir!
Bei dir! schütz mich! nicht ganz vergehen!   35

(Reicher tritt zurück, steht wie erstarrt.)

WEISHEIT *(die fast ohnmächtige Schönheit in ihren Armen haltend und stützend).*
Kannst du denn, Seele, ganz vergehen?

SCHÖNHEIT. Angst!

WEISHEIT.   Fasse dich! Erfaß ein mächtig Wort,   40
Es trägt dich wie mit Flügeln fort.

[39] control; *bändige* agrees with *ich*   [40] i.e., could attain   [41] i.e., worthless trash

SCHÖNHEIT. Was für ein Wort?

WEISHEIT.   „Ich bin bei euch[42]."

SCHÖNHEIT. Sprichst du mit mir?
  Bist du bei mir? Ich sprech mit dir! *(Weisheit sucht sie von sich loszuwinden.)*

TOD *(zur Weisheit)*. Geh hin mit ihr, auch deine Zeit ist um.   5

WEISHEIT *(schickt sich an zu gehen, wobei sie die Schönheit stützt)*.
  Ich geh mit dir!

SCHÖNHEIT.   Mit mir! Mit mir! Jetzt fort!
  Sag jetzt das Wort — sag immerfort das Wort!
  Bei mir! Bei mir!   10

WELT *(steht auf und tritt ihnen in den Weg, zur Schönheit)*.
                    Gib deinen Spiegel her,
  Dort, wo du hingehst, brauchst du ihn nicht mehr. *(Zur Weisheit)*
  Und du dein Kreuz! *(Schönheit gibt wie bewußtlos den Spiegel hin; sie gehen.)*

WEISHEIT *(bleibt stehen, hebt ihren Blick zu Gott)*. Nimm hin: in jenen Reichen   15
  Strahlt Wesenheit, dort brauchts kein Zeichen.

SCHÖNHEIT. Sprich du für uns!

WEISHEIT. O du, des[43] Namen ich vor Zittern jetzt nicht nenne,
  Gib ohne Grenzen mir, damit ich dich erkenne.
  Ich bin das Nichts und hab an allem Not,   20
  Du, der du Alles bist, gib diesem Nichts
  Von deinem All in seinen armen Tod.
  Du hast ja nicht gegeizt, als du der Sterne Glast[44]
  An Himmel warfst, die Nacht mit Sonnen überschienst,
  In denen tausend Sonnen widerschienen: 25
  Der du auch mich aus Nacht geschaffen hast,
  Verklär mich ohne jegliches Verdienst,
  Ich habe nicht vermocht, mir zu verdienen.

SCHÖNHEIT. Amen. *(Sie gehen.)*

TOD *(ist von der oberen Bühne auf die untere herabgestiegen. Er scheint den Bauer zu suchen,*   30
  der hinter seinem Baum duckt. Doch wirft er auch auf den Reichen einen langen Blick. Endlich
  hebt er die Hand gegen den Bauern und ruft ihm zu).
  Abtreten, du, dein Spiel ist aus. *(Bauer tut, als hörte er nicht. Stärker)*
  Du dort, tritt ab!

BAUER *(sieht auf, tut, als bezöge ers nicht auf sich, deutet in die Kulisse)*.   35
  Ah, den meinst, den im Wald da drin,
  Dem möchtst was schaffen? Das hast du im Sinn!
  Ja mein[45], drin is er scho[46], ma hört 'n öfter, wohl!
  Holzschlagen hört ma 'n, etla mal[47] auch singen,

---

[42] perhaps an allusion to Genesis 28: 15   [43] = dessen
[44] radiance   [45] = mein Gott   [46] = schon, certainly   [47] = etliche mal

Jetzt hab i 'n scho recht lang net g'hört.
Sollt ich ihm leicht[48] die Botschaft bringen?
Schaffst[49], daß i hingeh und dir 'n außer[50] hol?

TOD *(schüttelt den Kopf, tritt ihm näher).*
Die Botschaft bring ich jedem selber.   5

BAUER *(ängstlich, eifrig).*   Selm[51]?
Ja, der verschlieft sich[52] so in Wald hinein,
Den Viechern[53] nach, weil ers halt alleweil kuriert
Und g'spaßg[54] gar mit ihnen disputiert — *(Ruft)*
He du! — Er wird do[55] nit taub g'worden sein!   10

TOD. Dich mein ich, du geh ab, dein Erdgeschäft ist aus.

BAUER. Ah na, beileib nit[56]! War nit aus!
I hab kein Zeit —

TOD *(stark).*   Dazu ist nun die Zeit!
Du mußt jetzt von der Bühne wandern.   15

BAUER. Nur stad[57], nur einen nach 'm andern
Hast gesagt! I hab no z'tuan. San müßige Leut no gnua[58],
Die umer[59] stehn, da schau dazua.

TOD. Du gehst jetzt. Dann der andre.

BAUER *(sieht wieder auf den Reichen hin).* Hab ka Zeit.   20

REICHER *(stöhnt).* O nicht umfallen unter diesem Blick.
Stehn! Aufrecht stehn! Es geht vorbei!
O! Wiederum! Mein Ich, wohin? wohin?
So nichts! Und jetzt so schwer! O wie ein Berg aus Blei!
Mein Ich! Jetzt gräßlich groß bis an die Sterne,   25
Zergehts, zerflatterts mir in grauenhafter Ferne,
Jetzt wird es klein, so gräßlich klein und fällt und fällt,
Fällt wie ein Stein, wohin denn aus der Welt?
Wohin? wohin denn noch! *(Er taumelt, fällt.)*
O Wirbel ohne Gnade.   30
Genug! Genug! Genug! Genug! Genug! *(Er trocknet sich die Stirn.)*

TOD *(tritt auf den Bauer zu).*
Nun! Bauer!

BAUER.   Häufig viel[60] is z' schaffen,
Bevor der Schnee kimmt[61], und i g'spür ihn schon[62],   35
Laubstreu muß einer —

TOD.   Nein, du mußt davon!

---

48 = vielleicht   49 do you command   50 = heraus   51 =   58 = Es sind noch genug müßige (idle) Leute.   59 = umher
selber   52 sneaks away   53 cattle   54 comically   55 = doch   60 a great deal   61 = kommt   62 = und ich spüre ihn
56 under no circumstances   57 gently   schon

BAUER. Was? I davon? Na ja, nach derer Seiten,
Recht hast, der Mist muß schleunig auf die Leiten[63]!

TOD. Nein, du mußt in dein Grab.

BAUER.   Jessas! Dös a vergessen[64],
Zaunflechten[65], Most aus meine Äpfel pressen,   5
Den Weibern Flachs zum Brechen richten[66] —

TOD *(stark, indem er ihn bei der Schulter faßt).*
Aus ist das Bauerspiel. Es ist soweit[67].

BAUER *(wankt, kleinlaut).* Hab alleweil gemeint, es kommt an Enderl Zeit[68]
— Ausrasten — zuwasitzen[69] auf die Bänk,   10
Daß i an Aichtl[70] auf mein Herrgott denk
Und Reu erweck für meine Schlechtigkeit,
Jetzt reißt[71] mich so dahin. Du laßt an ja ka Zeit,
Jetzt tuats[72] mi g'reun, daß mi so wenig g'reut!
G'schafft hab i viel, bet[73] hab i net recht viel,   15
Nimm halt der Meister vorlieb[74] mit dem G'spiel! *(Er geht.)*

VORWITZ *(nimmt ihm den Spaten ab).*
Ganz gut hat er sein Abgang gemacht, der Bauer.

TOD *(zum Reichen).* Jetzt fort mit dir! *(Gegen die Kulisse mit starker, aber sanfter Stimme)*
Und du, komm aus dem Wald hervor,   20
Tritt ab wie alle durch des Grabes Tor! *(zum Reichen)*
Noch immer da? Hinweg! *(Reicher am Boden, stöhnt dumpf.)*

BETTLER *(kommt aus der Kulisse. Es ist ihm ein starker weißer Bart gewachsen. Er scheucht einen
Vogel weg, der zwitschert).* Geh fort! Flieg du zurück in Wald! Schnell! Schnell!
Hier bist du nicht an deiner rechten Stell!   25
Hier sind die Menschen!

TOD.   Hier bin ich!

BETTLER.   Wer bist denn du?

(Betrachtet ihn, erkennt ihn, sein Gesicht leuchtet auf.)

Du! *(Er breitet die Arme aus.)*   30
Nimmst du mich jetzt hin? zu dieser Stund?

(Tod nickt. Bettler kniet nieder, küßt den Grund.)

TOD. Was tust du da?

BETTLER.   Ich küß den lieben Erdengrund,
Der mich aufnehmen wird zu kleiner Ruh.   35
Süß wird sie sein, des Saatkorns Ruh,
Dann steh ich auf — *(Er steht auf. Er wendet sich dem Tod zu.)* in einem Nu.

---

[63] mountain slope   [64] = Jesus! Das auch vergessen
[65] splitting wood for fences; *Most* = cider   [66] prepare
flax (by drying) for cutting   [67] the time (for departure) has
come   [68] a brief span of time   [69] = hinsetzen   [70] mite
[71] = reißt du   [72] = tut es   [73] = gebetet   [74] may the
Master be satisfied

Ich bin schon alt und voller Ungeduld
Komm doch, erweis mir deine große Huld.

TOD *(zum Reichen).* Hinweg mit dir zuvor, wie ich befahl!

REICHER *(an der Erde).* O bodenloser Abgrund von Verderben,
O nie gelotet[75] Meer von Qual!   5

BETTLER *(nähert sich dem Reichen).* Du! *(Beugt sich über ihn.)*
                           Komm, mein Bruder, komm doch, es geht sterben[76]!

REICHER. Angst! du! *(Zuckt zurück.)*

BETTLER *(freundlich).*   Wovor denn?

REICHER.   Gräßliches Gesicht.   10

BETTLER. Nicht knirschen. Komm! An mir empor dich richt[77]!

REICHER *(mühsam).* Wer bist du?

BETTLER.   Doch dein Bruder!

REICHER *(ängstlich, nicht verstehend).*   Wie? woher
Kommst du zu mir?   15

BETTLER.   Aus meiner Herrlichkeit.

REICHER *(angstvoll).* Woher?

BETTLER.   Ei, nicht gar weit.
Dort aus dem Wald. Ich lag auf meiner Blätterstreu[78],
Da riefs mit Macht nach mir: so schickte ich mich drein   20
Und schritt hervor aus meinem lichten Kanaan[79]
Und trat herein in eure Wüsten ein
Zu sehen, was mir aufgetragen wär.
Was ängstet dich? was liegt dir auf der Brust?
Auch du bist ja gerufen! Bruder, auf!   25
Ist dir die süße Ladung[80] nicht bewußt?

REICHER *(indem ihm die Zähne klappern).*
Groß, klein — gewaltig, nichts — gewaltig — nichts —
Bei dir ist Kraft! Ich habe stets die Kraft gesucht.
War ich deswegen ganz und gar verrucht?   30

BETTLER *(stark).* Kraft, herrlich Wort! gesegnet sei der Mund,
Aus dem dies Wort ausgeht in dieser letzten Stund.
Kraft sei bei dir, daß sie mit männlich starker Reue
Dich Sterbenden bis in dein Mark erneue!
Jetzt auf und einmal noch mit Adlersblick   35
Schwing dich gewaltig über dein Geschick!
Durchschau dies Gaukelspiel[81], reiß dich aus ihm heraus:

---

[75] sounded   [76] it is time to die   [77] stand up by holding on
to me   [78] litter of foliage   [79] Canaan, the Biblical land of promise   [80] summons
                                      [81] jugglery

Man ruft uns ab: sie löschen schon die Lichter aus —
Nun auf[82] die krampfigen Händ', damit wir zeigen:
Alles war Requisit! Und nichts blieb uns zu eigen! *(Öffnet ihm sanft die Hände.)*
Jetzt komm, wir wollen gehn und miteinander singen.
Komm nur! Hinunter da! Wir werdens zwingen, 5
Wir finden hin[83], wo wir als Spielgesellen
Uns bloß und abgeschminkt[84] vor unsern Meister stellen!

(Er nimmt ihn an der Hand, sie gehen weg, der Bettler stimmt ein frommes Lied an. Tod geht hinüber, stellt sich hinter die Welt. Welt ist schon vordem aufgestanden. Vorwitz hat den Faltstuhl an sich genommen, die Laute umgehängt. Engel eilt im Augenblick, da der Bettler 10
mit dem Reichen abgeht, in den Palast des Meisters. Die Bühne halb verfinstert.)

WELT. Hurtig[85]! Nehmt ihnen alles ab, was wir ihnen geliehen haben! Dem Bauer
seine groben Schuh, der Nonne noch ihr härenes[86] Hemde, zieht sie flink alle aus,
es ist nichts ihrer! Vielleicht soll das Spiel gleich wieder anheben, dann müssen andere
in die gleichen Kleider hinein; was gehts mich an! Eilig! 15

(Diener springen sogleich herzu, verstellen die untere Bühne mit dem Vorhang. — Auf der einen Seite Welt mit ihrem Gefolge, auf der andern der Widersacher, der indessen seine Bücher zusammengepackt und sein Barett aufgesetzt hat, stehen im Proszenium. Musik. Nach kurzer Weile springen die Diener zurück. Die untere Bühne wird nun ganz leer in einem grünlich-bleichen Licht. Der Baum und der Fels sind weggeräumt. Man hört in der Ferne das De Profundis[87] 20
singen. Die Seelen — vordem König, Reicher, Bauer, Bettler, Weisheit und Schönheit, alle in gleichen weißen Totenhemden — betreten die untere Bühne, von der Seite her, und zwar in zwei Gruppen, je zu dritt[88]. Sie unterscheiden sich durch nichts als die Gesichter voneinander. Sie schreiten langsam aufeinander zu, bleiben dann stehen, etwa sechs Schritte voneinander entfernt. Die obere Bühne bleibt leer.) 25

DIE EINE SEELE *(vormals der König).* O Zagen!

EINE ANDERE SEELE *(vormals die Weisheit).* O Freude!

EINE ANDERE *(vormals der Reiche).* O gräßlich Erbangen! O nahes Gericht!

EINE ANDERE *(vormals der Bettler).* O frohes Verlangen, o wachsendes Licht!

ZWEI *(der Bauer und die Schönheit zugleich).* O Harren! O Zagen! 30

ZWEI ANDERE *(die Weisheit und der Bettler zugleich).* O blitzendes Tagen!

(Der Engel schreitet aus dem Palast bis an den vorderen Rand der oberen Bühne.)

WELT *(ruft ihre Knechte an, auf die sechs Toten hindeutend).* Wollet ihr noch immer mit einem
Ichts[89] prunken, ihr Toten! so fahre meiner Verwesung grüner Sturm an euch und
wirble euch elende Schatten dahin, daß ihr in tausend Nichts zerstäubet! Eilig! *(Ein* 35
Sturm hebt an.)

ENGEL *(gebietet dem Sturm Stille, der sich sogleich legt).* Tritt weg, Welt, denn deinen
Auftrag hast du erfüllt, und dein Meister ist mit dir zufrieden. Diese aber sind dir
nicht mehr untergeben: es sind Seelen, unzerstörbare, und was dein Auge an ihnen

---

[82] = mach auf [83] we'll find the place [84] without makeup   burial service, based on Psalm 130   [88] each consisting of
[85] = schnell [86] hairy [87] part of the Roman Catholic   3 persons [89] = etwas

für eine Miene nimmt, das ist das Siegel ihrer geistigen Wesenheit, damit[90] Er sie
gesiegelt hat. Daran rühren deine Stürme nicht. — Du bist entlassen.

(Welt neigt sich und tritt zurück.)

ENGEL. Du aber, dem des Bettlers Rolle war,
 Dein Spiel vor deinen Spielgenossen allen 5
 Hat userm Meister wohlgefallen.
 So tritt in den Palast und sei von ihm bedankt,
 Und brich mit ihm das Brot, vor dem die Hölle bangt.

(Bettler läßt die andern los und tritt heran.)

ENGEL. Nächst ihm hast, Weisheit, du im Spiel bestanden, 10
 Doch deine Rolle war die minder schwere,
 Nächst ihm sei dir des Spieles Preis und Ehre.

WEISHEIT *(tritt heran).* Und diese hier, die hilflos stehen und zittern,
 Beinah vergehend, Höll und Himmel wittern?

ENGEL. Reich ihnen, Wesen hoher Werke, 15
 Mit deiner Hand ein Etwas deiner Stärke.
 Verbunden euch durch goldne Gnadenkette,
 Hier vor dem Tor sei ihres Harrens Stätte.

(Da Schönheit, die Letzte in der Kette, auch dem Reichen ihre freie Hand hinstrecken will.)

ENGEL. Nicht ihm! 20

WEISHEIT. Ihm nie? O sprich nicht aus das fürchterliche Wort!
 Weis ihm den einsam kalten finstern Ort,
 Doch sprich kein Nie!

ENGEL *(deutet auf eine Stelle tiefer unten, wo der Reiche hinkniet; dann zu den andern).*
    Hinauf! Vor Meisters Angesicht! 25
 Bereitet euch auf ungeheures Licht.

*Er tritt ihnen voran, alle folgen. Aus dem Palast treten fahnenschwenkende Engel. Engel schreitet
hinein, Bettler und Weisheit folgen. Schönheit, König und Bauer knieen seitlich dem Eingang,
der Reiche tiefer unten, im Dunkel. Musik und Gesang.*

[90] = womit

Albert Schweitzer · 1875–

Few men in our century have so completely won the admiration and reverence of mankind as Albert Schweitzer. In a world of turmoil, distress, and cruelty he has been for a generation a beacon of light and hope. By his life of devotion to human welfare at the most humble level he has given the lie to Nietzsche's cynical *mot* that the last Christian died on the Cross.

Schweitzer is highly gifted in various fields of intellectual and artistic endeavor—as a music critic, a theologian, a philosopher—and he has published distinguished works in all these fields. He is also an accomplished organist and an authority on the art of organ building. At the age of thirty he gave up a brilliant musical career and began to study medicine so that he might help suffering humanity on the African continent. He lives in French Equatorial Africa, personally ministering to the sick natives. He was awarded the Nobel Peace Prize in 1952.

The basic idea in Schweitzer's own thinking is that "reverence for life" of which he speaks in the essay reprinted here. This principle is not to be confused with the vitalism of the *Lebensphilosophie* which sanctions man's irrational nature and justifies "biological" thinking. Schweitzer's doctrine leads in the opposite direction. Reverence for life is a humanizing force which engenders compassion for all God's creatures and acts as a curb on the will to power. In an age that has more and more forsaken reason, Schweitzer stands firmly on the ground of a rational humanism and liberal Christianity.

Schweitzer's principal writings include: *J. S. Bach*, 2 vols., in French (1905), *Die Geschichte der Leben-Jesu Forschung* (1906), *Geschichte der Paulinischen Forschung* (1911), *Kulturphilosophie* (1923), *Kultur und Ethik* (1924), *Die Mystik des Apostels Paul* (1930), *Aus meinem Leben und Denken* (1932), *Die Weltanschauung der indischen Denker* (1934).

Ehrfurcht vor dem Leben

Zeitgeist und Skeptizismus

Zwei Erlebnisse werfen ihre Schatten auf mein Dasein. Das eine besteht in der Einsicht, daß die Welt unerklärlich geheimnisvoll und voller Leid ist; das andere darin, daß ich in eine Zeit des geistigen Niedergangs der Menschheit hineingeboren bin. Mit beiden bin ich durch das Denken, das mich zur ethischen Welt- und Lebensbejahung der Ehrfurcht vor dem Leben geführt hat, fertig geworden[1]. In ihr hat mein Leben Halt und Richtung gefunden.

So stehe und wirke ich in der Welt als einer, der die Menschen durch Denken innerlicher und besser machen will....

This essay forms the epilogue to *Aus meinem Leben und Denken* (1932). [1] i.e., came to terms

Der moderne Verzicht auf Denken

In einer Zeit, die alles, was sie irgendwie als rationalistisch und freisinnig[2] empfindet, als lächerlich, minderwertig, veraltet und schon längst überwunden ansieht und sogar über die im 18. Jahrhundert erfolgte Aufstellung von unverlierbaren Menschenrechten spottet, bekenne ich mich als einen, der sein Vertrauen in das vernunftgemäße Denken setzt. Ich wage unserem Geschlechte zu sagen, daß es nicht meinen soll, mit dem Rationalismus fertig zu sein, weil der bisherige zuerst der Romantik und dann einer auf dem Gebiete des Geistigen wie des Materiellen zur Herrschaft kommenden Realpolitik[3] Platz machen mußte. Wenn es alle Tor-

[2] i.e., liberal [3] statesmanship which disregards idealistic considerations and acts solely on the basis of materialistic self-interest. The term, first used by Bismarck, became popular in late 19th-century Germany and is now associated with the cynical and brutal conduct of political affairs.

heiten dieser universellen Realpolitik durchgemacht hat und durch sie immer tiefer in geistiges und materielles Elend geraten ist, wird ihm zuletzt nichts anderes übrigbleiben, als sich einem neuen Rationalismus, der tiefer und leistungsfähiger ist als der vergangene, anzuvertrauen und in ihm Rettung zu suchen.

Verzicht auf Denken ist geistige Bankrotterklärung. Wo die Überzeugung aufhört, daß die Menschen die Wahrheit durch ihr Denken erkennen können, beginnt der Skeptizismus. Diejenigen, die daran arbeiten, unsere Zeit in dieser Art skeptisch zu machen, tun dies in der Erwartung, daß die Menschen durch Verzicht auf selbsterkannte Wahrheit zur Annahme dessen, was ihnen autoritativ und durch Propaganda als Wahrheit aufgedrängt werden soll, gelangen werden.

Die Rechnung ist falsch. Wer der Flut des Skeptizismus die Schleusen öffnet, daß sie sich über das Land ergieße, darf nicht erwarten, sie nachher eindämmen zu können. Nur ein kleiner Teil derer, die sich entmutigen lassen, in eigenem Denken Wahrheit erreichen zu wollen, findet Ersatz dafür in übernommener Wahrheit. Die Masse selber bleibt skeptisch. Sie verliert den Sinn für Wahrheit und das Bedürfnis nach ihr und findet sich darein[4], in Gedankenlosigkeit dahinzuleben[5] und zwischen Meinungen hin- und hergetrieben zu werden.

Aber auch das Übernehmen autoritativer Wahrheit mit geistigem und ethischem Gehalt bringt den Skeptizismus nicht zum Aufhören, sondern deckt ihn nur zu. Der unnatürliche Zustand, daß der Mensch nicht an eine von ihm selber erkennbare Wahrheit glaubt, dauert an und wirkt sich aus[6]. Die Stadt der Wahrheit kann nicht auf dem Sumpfboden des Skeptizismus erbaut werden. Weil unser geistiges Leben durch und durch mit Skeptizismus durchsetzt ist, ist es durch und durch morsch. Darum leben wir in einer Welt, die in jeder Hinsicht voller Lüge ist. An der Tatsache, daß wir auch die Wahrheit organisieren wollen, sind wir im Begriffe, zugrunde zu gehen.

Die übernommene Wahrheit des gläubig gewordenen Skeptizismus hat nicht die geistigen Qualitäten der im Denken entstandenen. Sie ist veräußerlicht[7] und erstarrt. Sie bekommt Einfluß auf den Menschen, aber sie vermag nicht, sich mit seinem Wesen von innen her zu verbinden. Lebendige Wahrheit ist nur die, die im Denken entsteht.

Wie der Baum Jahr für Jahr dieselbe Frucht, aber jedesmal neu bringt, so müssen auch alle bleibend wertvollen Ideen in dem Denken stets von neuem geboren werden. Unsere Zeit aber will es unternehmen, den unfruchtbaren Baum des Skeptizismus dadurch fruchtbar zu machen, daß sie Früchte der Wahrheit an seine Zweige bindet.

Allein durch die Zuversicht, in unserem individuellen Denken zu Wahrheit gelangen zu können, sind wir für Wahrheit aufnahmefähig. Das freie Denken, das Tiefe hat, verfällt nicht in Subjektivismus. Mit den eigenen Ideen bewegt es diejenigen in sich, die in der Überlieferung irgendwie als Wahrheit Geltung haben, und bemüht sich, sie als Erkenntnis besitzen zu können.

So stark wie der Wille zur Wahrheit muß der zur Wahrhaftigkeit sein. Nur eine Zeit, die den Mut der Wahrhaftigkeit aufbringt[8], kann Wahrheit besitzen, die als geistige Kraft in ihr wirkt.

Wahrhaftigkeit ist das Fundament des geistigen Lebens.

Durch seine Geringschätzung des Denkens hat unser Geschlecht den Sinn für Wahrhaftigkeit und mit ihm auch den für Wahrheit verloren. Darum ist ihm nur dadurch zu helfen, daß man es wieder auf den Weg des Denkens bringt.

Weil ich diese Gewißheit habe, lehne ich mich gegen den Geist der Zeit auf und nehme mit Zuversicht die Verantwortung auf mich, an der Wiederanfachung des Feuers des Denkens beteiligt zu sein.

Elementares und unelementares Denken

Schon durch seine Art ist das Denken der Ehrfurcht vor dem Leben in besonderer Weise befähigt, den Kampf gegen den Skeptizismus aufzunehmen. Es ist elementar.

Elementar ist das Denken, das von den fun-

---

[4] accommodates itself [5] drift along [6] takes effect [7] externalized, i.e., mechanical, without spirit [8] musters

damentalen Fragen des Verhältnisses des Menschen zur Welt, des Sinnes des Lebens und des
Wesens des Guten ausgeht. In unmittelbarer
Weise steht es mit dem sich in jedem Menschen
regenden Denken in Verbindung. Es geht auf
es ein[9] und erweitert und vertieft es...

Eigentlich besteht die ganze Geschichte der
Philosophie darin, daß die Gedanken ethischer
Welt- und Lebensbejahung, die naturhaft in dem
Menschen sind, sich mit dem Ergebnis des einfachen, logischen Denkens über den Menschen
und sein Verhältnis zur Welt nicht zufrieden
geben können, weil sie sich in ihm nicht zu
begreifen vermögen. Also nötigen sie das Denken, Umwege einzuschlagen[10], auf denen sie
zum Ziele zu kommen hoffen. So entsteht neben
dem elementaren ein vielgestaltiges unelementares
Denken, das jenes umrankt und oft ganz zudeckt.

Die Umwege, die das Denken einschlägt, laufen vornehmlich in der Richtung des Versuchs
einer Welterklärung, die den Willen zum ethischen Wirken in der Welt als sinnvoll dartun
soll. Im Spätstoizismus eines Epiktet[11] und eines
Marc Aurel, im Rationalismus des 18. Jahrhunderts und bei Kungtse (Konfuzius), Mengtse
(Mencius), Mitse (Micius) und anderen chinesischen Denkern gelangt die von dem elementaren Problem des Verhältnisses des Menschen zur
Welt ausgehende Philosophie zu ethischer Welt-
und Lebensbejahung dadurch, daß sie das Weltgeschehen auf einen ethische Ziele verfolgenden
Weltwillen zurückführt und den Menschen für
diesen in Dienst nimmt. In dem Denken der
Brahmanen[12], Buddhas, wie überhaupt in den
indischen Systemen und der Philosophie Scho-
penhauers, wird die andere Welterklärung aufgestellt, daß das in Raum und Zeit sich abspie-
lende Sein sinnlos sei und zu Ende gebracht
werden müsse. Das sinnvolle Verhalten des
Menschen zur Welt sei also, ihr und dem Leben
abzusterben.

Neben solchem wenigstens seinem Ausgangspunkt und seinen Interessen nach[13] elementar
gebliebenen Denken geht, besonders in der
europäischen Philosophie, eines[14] einher, das
dadurch vollständig unelementar ist, daß es die
Frage des Verhältnisses des Menschen zur Welt
nicht mehr zum Mittelpunkt hat. Es beschäftigt
sich mit dem erkenntnistheoretischen Problem[15],
mit logischen Spekulationen, mit Naturwissen-
schaft, mit Psychologie, mit Soziologie oder mit
irgend etwas anderem, als hätte es die Philosophie mit der Lösung dieser Fragen an sich[16]
zu tun oder bestünde sie gar nur in dem Sichten
und Zusammenfassen[17] der Ergebnisse der verschiedenen Wissenschaften. Statt den Menschen
zu stetigem Nachdenken über sich und sein
Verhältnis zur Welt anzuhalten, teilt ihm diese
Philosophie Ergebnisse der Erkenntnistheorie,
der logischen Spekulation, der Naturwissenschaften, der Psychologie oder der Soziologie als
etwas mit, nach dem sich seine Ansicht über sein
Leben und sein Verhältnis zur Welt einfach zu
richten habe. Dies alles trägt sie ihm vor, als
wäre er nicht ein Wesen, das in der Welt ist und
sich in ihr erlebt, sondern eines, das neben ihr
steht und sie anschaut.

Weil diese unelementare europäische Philosophie von irgendeinem willkürlich gewählten
Punkte her auf das Problem des Verhältnisses
des Menschen zur Welt eingeht oder an ihm
vorbeigeht, hat sie etwas Uneinheitliches, Un-
ruhiges, Gekünsteltes[18], Exzentrisches und Frag-
mentarisches an sich. Zugleich aber ist sie die
reichste und universellste. In ihren aufeinander-
folgenden und durcheinandergehenden[19] Systemen, Halbsystemen und Nichtsystemen bekommt sie das Problem der Weltanschauung

---

[9] accepts it   [10] to take to roundabouts ways   [11] Epic-
tetus, Greek Stoic philosopher of the 1st century A.D.
Marcus Aurelius Antoninus (121–180 A.D.), Roman emperor,
a follower of the Stoic philosophy, which advocated a rational
life based on self-control and freedom from passion. Confucius (551–478 B.C.), Chinese philosopher, stressed the
traditional virtues of love, justice, moderation, respect for
tradition. Mencius or Meng-tse (372–289 B.C.), Chinese
philosopher, renewed the philosophy of Confucius and gave
it the form in which it became so influential in Chinese life.
He stressed the importance of the family against the individual.
Mo-ti or Me-ti or Mo-tzu, Chinese philosopher of the 5th
century B.C., taught absolute authority of the State and
universal love among men.   [12] the Brahmans, a priestly
order, the highest caste among the Hindus. Prince Gautama
or Siddhartha or Sakia Muni, known as the Buddha (= the
enlightened), was the founder of the Buddhist religion (6th
century B.C.)

[13] with respect to; refers to *seinem Ausgangspunkt und seinen
Interessen*   [14] i.e., ein Denken   [15] the theory of knowledge
[16] as such, in themselves   [17] sifting and summarizing
[18] artificial   [19] consecutive and interfused

von allen Seiten her und in jeder möglichen Perspektive zu Gesicht. Auch ist sie die sachlichste insofern, als sie auf die Naturwissenschaften, die Geschichte und die Fragen der Ethik tiefer eingeht als die anderen.

Die kommende Weltphilosophie wird nicht so sehr in der Auseinandersetzung zwischen europäischem und nichteuropäischem Denken als in der zwischen elementarem und nichtelementarem Denken entstehen.

Abseits in dem Geistesleben unserer Zeit steht die Mystik. Ihrem Wesen nach ist sie elementares Denken, weil sie in unmittelbarer Weise damit beschäftigt ist, den Menschen in ein geistiges Verhältnis zur Welt gelangen zu lassen. Aber sie verzweifelt daran, daß dies in logischem Denken möglich sei, und zieht sich auf das intuitive zurück, in dem sich die Phantasie betätigen kann. In gewissem Sinne geht also auch die bisherige Mystik auf ein Denken zurück, das Umwege versucht. Da uns nur eine in logischem Denken entstandene Erkenntnis als Wahrheit gilt, können die in solcher Mystik enthaltenen Überzeugungen der Art nach, wie sie von ihr ausgesprochen und begründet sind, nicht unser geistiger Besitz werden. Überdies sind sie auch an sich nicht befriedigend. Von aller bisherigen Mystik gilt, daß ihr ethischer Gehalt zu gering ist. Sie bringt die Menschen auf den Weg der Innerlichkeit, aber nicht auch auf den der lebendigen Ethik. Die Wahrheit einer Weltanschauung hat sich darin zu erweisen, daß das geistige Verhältnis zum Sein und zur Welt, in das wir durch sie kommen, innerliche Menschen mit tätiger Ethik aus uns macht.

Gegen die Gedankenlosigkeit unserer Zeit kann also weder das unelementare Denken, das den Umweg über die Welterklärung einschlägt, noch das mystisch-intuitive etwas ausrichten[20]. Macht über den Skeptizismus ist nur dem elementaren gegeben, das auf das natürliche Denken, das in den vielen Einzelnen vorhanden ist, eingeht und es entwickelt. Das unelementare Denken hingegen, das ihnen irgendwelche Denkresultate vorsetzt, zu denen es auf irgendeine Weise gelangt ist, ist nicht imstande, ihnen das eigene Denken zu erhalten, sondern nimmt es

ihnen, um ihnen dafür ein anderes zu eigen zu geben[21]. Diese Übernahme anderen Denkens bedeutet eine Störung und Schwächung des Eigendenkens. Sie ist ein Schritt auf dem Wege zur Übernahme von Wahrheit und damit ein Schritt zum Skeptizismus. So bereiteten die zu ihrer Zeit mit Enthusiasmus aufgenommenen großen Systeme der deutschen Philosophie zu Beginn des 19. Jahrhunderts den Boden, auf dem sich nachher Skeptizismus entwickelte.

Die Menschen wieder denkend machen heißt also, sie ihr eigenes Denken wieder finden lassen, daß sie in ihm zur Erkenntnis, deren sie zum Leben bedürfen, zu gelangen suchen. In dem Denken der Ehrfurcht vor dem Leben findet eine Erneuerung des elementaren Denkens statt. Der Strom, der eine lange Strecke unterirdisch floß, kommt wieder an die Oberfläche.

Das elementare Denken der Ehrfurcht vor dem Leben

Daß das elementare Denken jetzt zur ethischen Welt- und Lebensbejahung gelangt, um die es sich früher vergeblich bemühte, ist nicht eine Selbsttäuschung, sondern hängt damit zusammen, daß es durchaus sachlich geworden ist.

Früher setzte es sich mit der Welt nur als mit einer Totalität von Geschehen auseinander. Mit dieser Totalität von Geschehen kann der Mensch in kein anderes geistiges Verhältnis kommen, als daß er mit seinem natürlichen Unterworfensein[22] unter sie durch Resignation geistig fertig zu werden sucht. Seinem Tun vermag er bei dieser Auffassung der Welt keinen Sinn zu geben. Durch keine Erwägung kann er sich in den Dienst der ihn erdrückenden Totalität des Geschehens stellen. Der Weg zur Welt- und Lebensbejahung und zur Ethik ist ihm versperrt.

Was das durch diese unlebendige und unvollständige Vorstellung der Welt behinderte elementare Denken auf natürliche Weise nicht zu erreichen vermag, sucht es dann, vergeblich, durch irgendeine Erklärung der Welt zu erzwingen. Es ist wie ein Strom, der auf seinem Wege zum Meere durch ein Gebirge aufgehalten

[20] achieve anything

[21] to present   [22] state of subjection

wird. Nun suchen seine Wasser auf Umwegen einen Ausgang zu finden. Umsonst. Sie gelangen nur immer in neue Täler, die sie ausfüllen. Nach Jahrhunderten gelingt dann der gestauten Flut der Durchbruch.

Die Welt ist nicht nur Geschehen, sondern auch Leben. Zu dem Leben der Welt, soweit es in meinen Bereich tritt, habe ich mich nicht nur leidend[23], sondern auch tätig zu verhalten. Indem ich mich in den Dienst des Lebendigen stelle, gelange ich zu einem sinnvollen, auf die Welt gerichteten Tun.

So einfach und selbstverständlich sich die Ersetzung des unlebendigen Weltbegriffes durch die wirkliche, von Leben erfüllte Welt ausnimmt, wenn sie einmal vollzogen ist, so bedurfte es doch einer langen Evolution, bis sie möglich wurde. Wie das Gestein eines aus dem Meere emporgestiegenen Gebirges erst sichtbar wird, nachdem die es bedeckenden Kalkschichten[24] nach und nach durch den Regen abgeschwemmt worden sind, also überlagert in den Fragen der Weltanschauung unsachliches Denken das sachliche.

Die Idee der Ehrfurcht vor dem Leben ergibt sich als die sachliche Lösung der sachlich gestellten Frage, wie der Mensch und die Welt zusammengehören. Vor der Welt weiß der Mensch nur, daß alles was ist, Erscheinung vom Willen zum Leben ist, wie er selber. Mit dieser Welt steht er im Verhältnis sowohl der Passivität wie der Aktivität. Einerseits ist er dem Geschehen unterworfen, das in dieser Gesamtheit von Leben gegeben ist; andererseits ist er fähig, hemmend oder fördernd, vernichtend oder erhaltend auf Leben, das in seinen Bereich kommt, einzuwirken.

Die einzige Möglichkeit, seinem Dasein einen Sinn zu geben, besteht darin, daß er sein natürliches Verhältnis zur Welt zu einem geistigen erhebt. Als erleidendes Wesen kommt er in ein geistiges Verhältnis zur Welt durch Resignation. Wahre Resignation besteht darin, daß der Mensch in seinem Unterworfensein unter das Weltgeschehen zur innerlichen Freiheit von den Schicksalen, die das Äußere seines Daseins ausmachen, hindurchdringt. Innerliche Freiheit will

heißen, daß er die Kraft findet, mit allem Schweren in der Art fertig zu werden, daß er dadurch vertieft, verinnerlicht[25], geläutert, still und friedvoll wird. Resignation ist also die geistige und ethische Bejahung des eignen Daseins. Nur der Mensch, der durch Resignation hindurchgegangen ist, ist der Weltbejahung fähig.

Als tätiges Wesen kommt er in ein geistiges Verhältnis zur Welt dadurch, daß er sein Leben nicht für sich lebt, sondern sich mit allem Leben, das in seinen Bereich kommt, eins weiß, dessen Schicksale in sich erlebt, ihm, so viel er nur immer kann, Hilfe bringt und solche durch ihn vollbrachte Förderung und Errettung von Leben als das tiefste Glück, dessen er teilhaftig werden kann, empfindet.

Wird der Mensch denkend über das Geheimnisvolle seines Lebens und der Beziehungen, die zwischen ihm und dem die Welt erfüllenden Leben bestehen, so kann er nicht anders, als daraufhin seinem eigenen Leben und allem Leben, das in seinen Bereich tritt, Ehrfurcht vor dem Leben entgegen zu bringen und diese in ethischer Welt- und Lebensbejahung zu betätigen. Sein Dasein wird dadurch in jeder Hinsicht schwerer als wenn er für sich lebte, zugleich aber auch reicher, schöner und glücklicher. Aus Dahinleben wird es jetzt wirkliches Erleben[26] des Lebens.

In unmittelbarer und absolut zwingender Weise führt das Denkendwerden[27] über Leben und Welt zur Ehrfurcht vor dem Leben. Es enthält keine Schlußfolgerungen, die auch in anderer Richtung laufen könnten.

Will der einmal denkend gewordene Mensch in dem Dahinleben verharren, so kann er dies nur dadurch, daß er sich, wenn er es über sich bringt, wieder der Gedankenlosigkeit ergibt und sich in ihr betäubt. Verbleibt er im Denken, so kann er zu keinem anderen Ergebnis als zur Ehrfurcht vor dem Leben gelangen.

Alles Denken, in dem[28] Menschen zum Skeptizismus oder zum Leben ohne ethische Ideale zu gelangen behaupten, ist kein Denken, sondern nur als Denken auftretende Gedankenlosigkeit, die sich als solche dadurch erweist, daß sie nicht

---

[23] passively   [24] layers of calcium

[25] spiritualized   [26] i.e., spiritual experiencing   [27] i.e., awakening to thought   [28] the relative pronoun

mit dem Geheimnisvollen des Lebens und der Welt beschäftigt ist.

Die ethische Mystik der Ehrfurcht vor dem Leben

Die Ehrfurcht vor dem Leben enthält in sich Resignation, Welt- und Lebensbejahung und Ethik, die drei Grundelemente einer Weltanschauung, als untereinander zusammenhängende Ergebnisse des Denkens.

Bisher gab es Weltanschauungen der Resignation, Weltanschauungen der Welt- und Lebensbejahung und Weltanschauungen, die dem Ethischen zu genügen suchten. Keine aber vermochte die drei Elemente miteinander zu vereinigen. Möglich wird dies erst daraufhin, daß alle drei ihrem Wesen nach aus der Allgemeinüberzeugung der Ehrfurcht vor dem Leben begriffen und als miteinander in ihr enthalten erkannt werden. Resignation und Welt- und Lebensbejahung führen kein Eigendasein neben der Ethik, sondern sind ihre unteren Oktaven.

Aus sachlichem Denken entstanden, ist die Ethik der Ehrfurcht vor dem Leben sachlich und bringt den Menschen in sachliche und stetige Auseinandersetzung mit der Wirklichkeit.

Auf den ersten Blick will es scheinen, als ob Ehrfurcht vor dem Leben etwas zu Allgemeines und zu Unlebendiges sei, um den Inhalt einer lebendigen Ethik ausmachen zu können. Das Denken hat sich aber nicht darum zu kümmern, ob seine Ausdrücke lebendig genug lauten, sondern nur darum, ob sie zutreffen und Leben in sich haben. Wer unter den Einfluß der Ethik der Ehrfurcht vor dem Leben gerät, wird durch das, was sie von ihm verlangt, alsbald zu spüren bekommen, welches Feuer in dem unlebendigen Ausdruck glüht. Die Ethik der Ehrfurcht vor dem Leben ist die ins Universelle erweiterte Ethik der Liebe. Sie ist die als denknotwendig erkannte Ethik Jesu.

Beanstandet wird an ihr auch, daß sie dem natürlichen Leben einen zu großen Wert beilege. Darauf kann sie erwidern, daß es der Fehler aller bisherigen Ethik war, nicht das Leben als solches

als den geheimnisvollen Wert erkannt zu haben, mit dem sie es zu tun hat.

Alles geistige Leben tritt uns in natürlichem entgegen. Die Ehrfurcht vor dem Leben gilt also dem natürlichen und dem geistigen Leben miteinander. Der Mann im Gleichnis Jesu[29] rettet nicht die Seele des verlorenen Schafes, sondern das ganze Schaf. Mit der Stärke der Ehrfurcht vor dem natürlichen Leben wächst die vor dem geistigen.

Besonders befremdlich findet man an der Ethik der Ehrfurcht vor dem Leben, daß sie den Unterschied zwischen höherem und niedererem, wertvollerem und weniger wertvollem Leben nicht geltend mache. Sie hat ihre Gründe, dies zu unterlassen.

Das Unternehmen, allgemeingültige Wertunterschiede zwischen den Lebewesen zu statuieren[30], läuft hinaus, sie danach zu beurteilen, ob sie uns Menschen nach unserm Empfinden näher oder ferner zu stehen scheinen, was[31] ein ganz subjektiver Maßstab ist. Wer von uns weiß, was das andere Lebewesen an sich und in dem Weltganzen für eine Bedeutung hat?

Im Gefolge dieser Unterscheidung kommt dann die Ansicht auf, daß es wertloses Leben gäbe, dessen Schädigung und Vernichtung nichts auf sich habe[32]. Unter wertlosem Leben werden dann, je nach den Umständen, Arten von Insekten oder primitive Völker verstanden.

Dem wahrhaft ethischen Menschen ist alles Leben heilig, auch das, das uns vom Menschenstandpunkt aus als tieferstehend vorkommt. Unterschiede macht er nur von Fall zu Fall und unter dem Zwange der Notwendigkeit, wenn er nämlich in die Lage kommt, entscheiden zu müssen, welches Leben er zur Erhaltung des anderen zu opfern hat. Bei diesem Entscheiden von Fall zu Fall ist er sich bewußt, subjektiv und willkürlich zu verfahren und die Verantwortung für das geopferte Leben zu tragen zu haben...

Die in dem Denken entstehende Ethik ist also nicht „verstandesgemäß", sondern irrational und enthusiastisch. Sie steckt keinen klug abgemessenen Kreis von Pflichten ab, sondern legt dem Menschen die Verantwortung für alles Leben,

[29] Matthew 12:11   [30] establish   [31] i.e., Unternehmen
[32] does not matter at all

das in seinem Bereich ist, auf und zwingt ihn, sich ihm helfend hinzugeben.

Tiefe Weltanschauung ist Mystik insofern, als sie den Menschen in ein geistiges Verhältnis zum Unendlichen bringt. Die Weltanschauung der Ehrfurcht vor dem Leben ist ethische Mystik. Sie läßt das Einswerden mit dem Unendlichen durch ethische Tat verwirklicht werden. Diese ethische Mystik entsteht in logischem Denken. Wird unser Wille zum Leben über sich und die Welt denkend, so gelangen wir dazu, das Leben der Welt, soweit es in unseren Bereich tritt, in dem unseren zu erleben und unseren Willen zum Leben durch Tat an den unendlichen Willen zum Leben hinzugeben. Mit Notwendigkeit endet rationales Denken, wenn es in die Tiefe geht, in dem Irrationalen der Mystik. Es hat es ja mit dem Leben und der Welt zu tun, die beide irrationale Größen sind.

In der Welt offenbart sich uns der unendliche Wille zum Leben als Schöpferwille, der voll dunkler und schmerzlicher Rätsel für uns ist, in uns als Wille der Liebe, der durch uns die Selbstentzweiung[33] des Willens zum Leben aufheben will.

Die Weltanschauung der Ehrfurcht vor dem Leben hat also religiösen Charakter. Der Mensch, der sich zu ihr bekennt und sie betätigt, ist in elementarer Weise fromm.

Die aus dem Denken kommende Frömmigkeit

Durch ihre religiös geartete[34] tätige Ethik der Liebe und durch ihre Innerlichkeit ist die Weltanschauung der Ehrfurcht vor dem Leben der des Christentums wesensverwandt. Damit ist die Möglichkeit gegeben, daß das Christentum und das Denken in ein anderes, für das geistige Leben ersprießlicheres Verhältnis zueinander kommen als bisher.

Schon einmal, in der Zeit des Rationalismus des 18. Jahrhunderts, ging das Christentum eine Verbindung mit dem Denken ein. Es tat dies, weil ihm das Denken damals mit einer enthusia-

stischen, religiös gearteten Ethik entgegenkam. In Wirklichkeit aber hatte das Denken diese Ethik gar nicht selber hervorgebracht, sondern sie unbewußt vom Christentum übernommen. Als es in der Folge dann sich auf seine eigene beschränken mußte, erwies sich diese als so wenig lebendig und so wenig religiös, daß sie mit der christlichen nicht viel gemein hatte. Daraufhin lösten sich die Bande zwischen dem Christentum und dem Denken. Heute ist es so, daß das Christentum sich ganz auf sich selber zurückgezogen hat und nur noch mit der Geltendmachung[35] seiner Ideen als solcher beschäftigt ist. Es legt keinen Wert mehr darauf, ihre Übereinstimmung mit dem Denken zu erweisen, sondern will sie als etwas außerhalb des Denkens und über ihm Stehendes angesehen haben. Damit verliert es aber den Zusammenhang mit dem geistigen Leben der Zeit und die Möglichkeit, es wirksam zu beeinflussen....

Was dem Christentum not tut, ist, daß es ganz von dem Geist Jesu erfüllt sei und in diesem sich zur lebendigen Religion der Verinnerlichung und der Liebe vergeistige, die es seiner Bestimmung nach ist. Nur als diese vermag es Sauerteig des geistigen Lebens der Menschheit zu werden. Was seit neunzehn Jahrhunderten als Christentum in der Welt auftritt, ist erst ein Anfang vom Christentum, voller Schwachheiten und Irrungen, nicht volles Christentum aus dem Geiste Jesu.

Weil ich dem Christentum in tiefer Liebe ergeben bin, suche ich ihm in Treue und Wahrhaftigkeit zu dienen. In keiner Weise unternehme ich es, mit dem krummen und brüchigen[36] Denken christlicher Apologetik für es einzutreten, sondern halte es dazu an, sich im Geiste der Wahrhaftigkeit mit seiner Vergangenheit und dem Denken auseinanderzusetzen, daß es sich dadurch seines wahren Wesens bewußt werde.

Daß das Aufkommen des elementaren, zur ethisch-religiösen Idee der Ehrfurcht vor dem Leben gelangenden Denkens dazu beitrage, das Christentum und das Denken einander näherzubringen, ist meine Hoffnung.

---

[33] splitting up   [34] i.e., oriented   [35] validation   [36] full of flaws

Rainer Maria Rilke · 1875–1926

Rilke's life was outwardly uneventful. After a very unhappy childhood he attended the university in his native Prague but never completed his studies. Instead he broke away from parental influence and began a literary career in Munich and Berlin. He also traveled over wide areas of Europe and the near East and stayed for long periods in Russia, France, Spain, Italy, the Dalmatian coast, and Switzerland. Rilke's magnetic personality, his air of childlike sincerity and innocence, his gentleness and unfailing courtesy attracted many people, especially women. He could always find some patron who enabled him to live frugally but independently. He carried on an elaborate correspondence (about eighteen thousand letters) with people of varied station in life—obscure young would-be poets, the troubled in spirit who sought help from him, and outstanding men and women. Thus his life passed in creative effort, in contemplation, in frustration. It is strange that this very great poet received none of the many literary awards that were showered on his lesser colleagues. His great reward was the admiration of the discerning few and the glorious burst of inspiration which, after years of relative aridity, produced the memorable harvest of the *Duineser Elegien* and the *Sonette an Orpheus*, as well as the *Späte Gedichte* and the French poems.

The first impression that Rilke made on those who came into contact with him was that of a very gentle person who would go to infinite pains to help anyone in need of comfort or aid. But behind this apparent readiness to efface himself there is evident an iron will that is intent upon the spiritual development of the poet's self. From another point of view this strength of will expressed itself in the form of intellectual independence. Rilke took nothing for granted in the realm of thought and taste. He had to live every experience and test every belief for himself. It was years before he could accept Goethe as a poet and guide, although every schoolboy in German-speaking territory was raised in the conviction that Goethe was the unchallenged classic. And it took Rilke a lifetime to arrive at a whole-hearted affirmation of life. The long and painful struggle he went through bears the most striking testimony to his sincerity and independence.

Rilke was filled with such a lofty vision of perfection that the world of everyday reality was bound to present itself to him as a failure and a disillusionment. Moreover he suffered from an anxiety neurosis. Among other expressions of this state was his fear of losing his intellectual faculties, his memory, and his powers of concentration. He was subject to that periodic mental desiccation that medieval physicians called acedia, a temporary breakdown of the life force. He was torn between the need to be with people and the need to keep them at a distance.

Of all the great poets no one was so deeply conscious of the cracks in the universe as Rilke was; no one struggled so long and so painfully to restore it to wholeness. He did make the transition from lament to praise, but only at the end of his life. To follow him in his efforts to attain affirmation is a profound spiritual experience, because one is aware all the way of being guided by a first-rate mind that was absolutely sincere in its search and that was prepared at all times to face the most unbearable realities until it emerged into the light of acceptance. And the quest is doubly rewarding because it is made in the company of a great artist, a poet who possesses to a high degree all the faculties that produce great poetry—an original imagination, a gift for creating myth, the power to crystallize thought into rich, condensed, multivalent imagery, a unique command of vocabulary, and an unsurpassed feeling for the musical possibilities of language.

Rilke's development as an artist is as astonishing as everything else about his inner life. Only a crystal gazer could have seen any future for the brash young author of the early poems and prose. The verse was derivative and maudlin, the prose was cheaply clever and cynical. Then suddenly, with the publication of *Mir zur Feier* and the first part of the *Stunden-buch* (both in 1899), he appeared as an artist of astonishing perfection of form and depth of experience. From now on, it may be said, he never wrote a banal line. He has written some very simple poems and some of the most difficult in German literature. He uses symbols in a highly original, striking, and challenging way. He sounds a great variety of moods and has a wry, often grotesque humor.

What does Rilke write about? Much of his work reflects his struggle to overcome his inherent tendency to pessimism. He carries on the traditional German preoccupation with the problem of death. He seeks a unifying principle in life that will reconcile us to whatever comes after it. Within life itself he is tormented by the problems of transitoriness, by the frustration of man's noblest aspirations, by the continual degeneracy of enthusiasm and inspiration into routine and stagnation, and by the mechanization of life. The social note, so prominent in contemporary literature, is virtually absent in his work. If he pities the poor and downtrodden, it is because he rebels against the degrading effects of suffering; he has no social program to suggest. Equally striking is the absence of love between the sexes as a poetic theme. His interest in love is a metaphysical one; the idea that a poet should interpret the experience for his readers seems alien to him. His use of symbols is highly original, striking, and profound. His symbols are filled with multiple meanings and include: the knight on horseback, Narcissus, the unicorn and other animals, the young virgin, Orpheus, the rose, the tree, the mirror, the act of falling, many artefacts, and, above all, the angel.

Rilke's reputation has grown steadily since his death throughout the civilized world. Already the interpretative literature on him is immense and of a very high calibre. The essay by Hans Carossa reprinted below (pp. 331–337) gives a vivid picture of Rilke as a distinguished contemporary saw him.

Rilke's principal writings include: *Die frühen Gedichte* (= *Mir zur Feier*, 1899), *Das Stunden-buch* (1899–1903), *Geschichten vom lieben Gott* (1900–1904), *Das Buch der Bilder* (1902), *Neue Gedichte*, 2 vols. (1907–1908), *Die Aufzeichnungen des Malte Laurids Brigge* (1910), *Duineser Elegien* (1923), *Sonette an Orpheus* (1923). Rilke was also an accomplished translator of Michelangelo, Petrarch, Louise Labé, Marianne Alcoforado, Elizabeth Barrett Browning, André Gide, Paul Valéry, Stéphane Mallarmé, and Paul Verlaine. His published letters occupy ten volumes.

Das ist die Sehnsucht: wohnen im Gewoge[1]
und keine Heimat haben in der Zeit.
Und das sind Wünsche: leise Dialoge
täglicher Stunden mit der Ewigkeit.

Und das ist Leben. Bis aus einem Gestern   5
die einsamste von allen Stunden steigt,
die, anders lächelnd als die andern Schwestern,
Dem Ewigen entgegenschweigt[2].

Du darfst nicht warten, bis Gott zu dir geht
und sagt: Ich bin.
Ein Gott, der seine Stärke eingesteht,
hat keinen Sinn.
Da mußt du wissen, daß dich Gott durchweht[1]
seit Anbeginn,   5
    und wenn dein Herz dir glüht und nichts
        verrät,
dann schafft er drin.

All of the poems, except the last, are from *Sämtliche Werke*, Band 1 (1956).

DAS IST DIE SEHNSUCHT: from *Frühe Gedichte* (1909; a second revised version of *Mir zur Feier*, 1899). This poem,

which opens the collection, was written in Berlin on November 3, 1897.   [1] surge (of life)   [2] meets eternity with silence

DU DARFST NICHT WARTEN: Source as above; written 1898–1899; the closing poem of the collection.   [1] penetrates

꧁꧂

Werkleute sind wir: Knappen[1], Jünger, Meister,
und bauen dich, du hohes Mittelschiff[2].
Und manchmal kommt ein ernster Hergereister[3],
geht wie ein Glanz durch unsre hundert Geister
und zeigt uns zitternd einen neuen Griff[4].   5

Wir steigen in die wiegenden Gerüste[5],
in unsern Händen hängt der Hammer schwer,
bis eine Stunde uns die Stirnen küßte,
die strahlend und als ob sie alles wüßte
von dir kommt wie der Wind vom Meer.   10

Dann ist ein Hallen[6] von dem vielen Hämmern
und durch die Berge geht es Stoß um[7] Stoß.
Erst wenn es dunkelt lassen wir dich los:
Und deine kommenden Konturen dämmern.

Gott, du bist groß.   15

꧁꧂

Was wirst du tun, Gott, wenn ich sterbe?
Ich bin dein Krug (wenn ich zerscherbe[1]?)
Ich bin dein Trank (wenn ich verderbe[2]?)
Bin dein Gewand und dein Gewerbe[3],
mit mir verlierst du deinen Sinn.   5

Nach mir hast du kein Haus, darin[4]
dich Worte, nah und warm, begrüßen.
Es fällt von deinen müden Füßen
die Samtsandale[5], die ich bin.

Dein großer Mantel läßt dich los.   10
Dein Blick[6], den ich mit meiner Wange
warm, wie mit einem Pfühl[7], empfange,
wird kommen, wird mich suchen, lange —
und legt beim Sonnenuntergange
sich fremden Steinen in den Schoß.   15

Was wirst du tun, Gott? Ich bin bange.

Alle, welche dich suchen, versuchen dich.
Und die, so[1] dich finden, binden dich
an Bild und Gebärde.

Ich aber will dich begreifen[2],
wie dich die Erde begreift;   5
mit meinem Reifen
reift
dein Reich.

Ich will von dir keine Eitelkeit,
die dich beweist.   10
Ich weiß, daß die Zeit[3]
anders heißt
als du.

Tu mir kein Wunder zulieb.
Gib deinen Gesetzen recht,   15
die von Geschlecht zu Geschlecht
sichtbarer sind.

꧁꧂

Wenn etwas mir vom Fenster fällt
(und wenn es auch das Kleinste wäre),
wie stürzt sich das Gesetz der Schwere
gewaltig wie ein Wind vom Meere
auf jeden Ball und jede Beere   5
und trägt sie in den Kern der Welt.

Ein jedes Ding ist überwacht
von einer flugbereiten[1] Güte
wie jeder Stein und jede Blüte
und jedes kleine Kind bei Nacht.   10
Nur wir, in unsrer Hoffart[2], drängen
aus einigen[3] Zusammenhängen
in einer Freiheit leeren Raum,
statt, klugen Kräften hingegeben,
uns aufzuheben wie ein Baum[4].   15

[4] = worin   [5] velvet sandal   [6] i.e., the rays of the afternoon
sun   [7] cushion
ALLE WELCHE DICH SUCHEN: Source as above; *Zweites
Buch: Das Buch von der Pilgerschaft* (1901); written September
19, 1901.   [1] = die welche   [2] in the double sense of conceive
and grasp physically   [3] i.e., temporal, transitory, changing
reality
WENN ETWAS MIR: Source as above; written on the same
day.   [1] ready to take flight   [2] arrogance   [3] unified, i.e.,
organic as opposed to *manche* in line 18 = unintegrated
[4] i.e., with its roots in the ground

WERKLEUTE SIND WIR: Written September 26, 1899;
published in *Das Stundenbuch. Erstes Buch: Das Buch vom
mönchischen Leben* (1899). The conception of the emergent
God is symbolized by the medieval cathedral which the
artisans help to build.   [1] apprentices, disciples   [2] (central)
nave   [3] i.e., a craftsman from abroad   [4] skill   [5] scaffolding
[6] echoing   [7] upon
WAS WIRST DU TUN, GOTT: Source as above; written on
the same day. Theme: God needs man as much as man needs
God.   [1] am broken to bits   [2] spoil   [3] gown and trade

Statt in die weitesten Geleise
sich still und willig einzureihn,
verknüpft man sich auf manche Weise, —
und wer sich ausschließt jedem Kreise,
ist jetzt so namenlos allein.   20

Da muß er lernen von den Dingen,
anfangen wieder wie ein Kind,
weil sie, die Gott am Herzen hingen,
nicht von ihm fortgegangen sind.
Eins muß er wieder können: fallen,   25
geduldig in der Schwere ruhn,
der sich vermaß, den Vögeln allen
im Fliegen es zuvorzutun[5].

(Denn auch die Engel fliegen nicht mehr[6].
Schweren Vögeln gleichen die Seraphim[7],
welche um i h n sitzen und sinnen;   30
Trümmern von Vögeln, Pinguinen
gleichen sie, wie sie verkümmern...)

            ☙❧

Denn, Herr, die großen Städte sind
Verlorene und Aufgelöste[1];
wie Flucht vor Flammen ist die größte, —
und ist[2] kein Trost, daß er sie tröste,
und ihre kleine Zeit verrinnt[3].   5

Da leben Menschen, leben schlecht und schwer,
in tiefen Zimmern, bange von Gebärde,
geängsteter denn eine Erstlingsherde[4];
und draußen wacht und atmet deine Erde,
sie aber sind und wissen es nicht mehr.   10

Da wachsen Kinder auf an Fensterstufen[5],
die immer in demselben Schatten sind,
und wissen nicht, daß draußen Blumen rufen
zu einem Tag voll Weite, Glück und Wind, —
und müssen Kind sein und sind traurig Kind.   15

Da blühen Jungfraun auf zum Unbekannten
und sehnen sich nach ihrer Kindheit Ruh;
das aber ist nicht da, wofür sie brannten,
und zitternd schließen sie sich wieder zu.

Und haben in verhüllten[6] Hinterzimmern   20
die Tage der enttäuschten Mutterschaft,
der langen Nächte willenloses Wimmern
und kalte Jahre ohne Kampf und Kraft.
Und ganz im Dunkel stehn die Sterbebetten,
und langsam sehnen sie sich dazu hin;   25
und sterben lange, sterben wie in Ketten
und gehen aus[7] wie eine Bettlerin.

Herbst

Die Blätter fallen, fallen wie von weit,
als welkten in den Himmeln ferne Gärten;
sie fallen mit verneinender Gebärde.

Und in den Nächten fällt die schwere Erde
aus allen Sternen in die Einsamkeit.   5

Wir alle fallen. Diese Hand da fällt.
Und sieh dir andre an: es ist in allen.

Und doch ist Einer, welcher dieses Fallen
unendlich sanft in seinen Händen hält.

Der Auszug
des verlorenen Sohnes

Nun fortzugehn von alledem Verworrnen,
das unser ist und uns doch nicht gehört,
das, wie das Wasser in den alten Bornen[1],
uns zitternd spiegelt und das Bild zerstört;
von allem diesen, das sich wie mit Dornen   5
noch einmal an uns anhängt — fortzugehn
und Das und Den,
die man schon nicht mehr sah
(so täglich waren sie und so gewöhnlich),
auf einmal anzuschauen: sanft, versöhnlich   10
und wie an einem Anfang und von nah;
und ahnend einzusehn, wie unpersönlich,
wie über alle hin[2] das Leid geschah,
von dem die Kindheit voll war bis zum Rand —:

---

[5] outdo   [6] i.e., we don't concede them the power of flight
[7] one of the orders of angels, endowed with love and associated with light, ardor, and purity
DENN, HERR: From *Drittes Buch: Das Buch von der Armut und vom Tode* (1903); written April 14, 1903.   [1] i.e., like a chemical which has been dissolved into its elements (cf. note 3 to the previous poem)   [2] there is   [3] runs down (like the sand in an hourglass)   [4] herd of novices   [5] window platforms

[6] i.e., without light   [7] become extinguished
HERBST: From *Das Buch der Bilder* (1902); written September 11, 1902.
DER AUSZUG DES VERLORENEN SOHNES: From Part I of *Neue Gedichte* (1907); written in Paris, June 1906. Rilke also treated the theme of the Prodigal Son in the closing pages of *Malte Laurids Brigge* (1910). André Gide's *Le Retour de l'enfant prodigue* (1907) should also be read in this connection.
[1] = Brunnen, wells   [2] i.e., impersonally

Und dann doch fortzugehen, Hand aus Hand[3], 15
als ob man ein Geheiltes neu zerrisse,
und fortzugehn: wohin? Ins Ungewisse,
weit in ein unverwandtes[4] warmes Land,
das hinter allem Handeln[5] wie Kulisse
gleichgültig sein wird: Garten oder Wand[6];
und fortzugehn: warum? Aus Drang, aus
    Artung[7],
aus Ungeduld, aus dunkler Erwartung,
aus Unverständlichkeit und Unverstand[8]:

Dies alles auf sich nehmen und vergebens
vielleicht Gehaltnes[9] fallen lassen, um   25
allein zu sterben, wissend nicht warum —

Ist das der Eingang eines neuen Lebens?

Der Panther

im Jardin des Plantes[1], Paris

Sein Blick ist vom Vorübergehn der Stäbe[2]
so müd geworden, daß er nichts mehr hält.
Ihm ist, als ob es tausend Stäbe gäbe
und hinter[3] tausend Stäben keine Welt.

Der weiche Gang geschmeidig starker Schritte,
der sich im allerkleinsten Kreise dreht,   6
ist wie ein Tanz von Kraft um eine Mitte,
in der betäubt ein großer Wille steht.

Nur manchmal schiebt der Vorhang der Pupille[4]
sich lautlos auf —. Dann geht ein Bild hinein,   10
geht durch der Glieder angespannte[5] Stille —
und hört im Herzen auf zu sein.

Römische Fontäne

Borghese[1]

Zwei Becken, eins das andre übersteigend
aus einem alten runden Marmorrand,
und aus dem oberen[2] Wasser leis sich neigend
zum Wasser, welches unten wartend stand,

dem leise redenden entgegenschweigend   5
und heimlich, gleichsam in der hohlen Hand
ihm Himmel hinter Grün und Dunkel zeigend
wie einen unbekannten Gegenstand;

sich selber ruhig in der schönen Schale
verbreitend ohne Heimweh, Kreis aus Kreis,   10
nur manchmal träumerisch und tropfenweis

sich niederlassend an den Moosbehängen[3]
zum letzten Spiegel, der sein Becken leis
von unten lächeln macht mit Übergängen[4].

Das Karussell

Jardin du Luxembourg[1]

Mit einem Dach und seinem Schatten dreht
sich eine kleine Weile der Bestand[2]
von bunten Pferden, alle aus dem Land,
das lange zögert, eh es untergeht.
Zwar manche sind an Wagen angespannt,   5
doch alle haben Mut in ihren Mienen;
ein böser roter Löwe geht mit ihnen
und dann und wann ein weißer Elefant.

---

[3] i.e., alone (recalling the phrase Hand in Hand)   [4] i.e.,
foreign or strange   [5] action on the stage; *Kulisse* = wing
[6] i.e., stage garden or wall   [7] in obedience to one's nature
[8] The Prodigal Son cannot understand the situation *(Unverstand)*; it is in itself incomprehensible *(Unverständlichkeit).*
[9] what is solid and possessed
    DER PANTHER: Source as above; written in Paris in 1903
and published that same year. Although Rilke denied that
the poem has symbolic value, it has often been interpreted
as a symbolic depiction of man's soul in captivity.   [1] the
Zoological Garden in Paris   [2] Note that the bars pass in
front of the panther (so it seems to him)   [3] For the panther
the world is behind bars.   [4] a vertical membrane, peculiar
to the cat family, called the nictitating membrane   [5] tense

    RÖMISCHE FONTÄNE: Source as above; written July 8, 1906.
[1] a Renaissance palace at Rome, formerly the property of
the Borghese family   [2] i.e., Becken   [3] overhanging moss
[4] transitions and overflowings
    DAS KARUSSELL: Source as above; written June 1906 and
first published in *Insel Almanach auf das Jahr* 1908. Note the
intricate metre and the sonnet form of the first 14 lines.
[1] the garden surrounding the Palais du Luxembourg   [2] stock

Sogar ein Hirsch ist da, ganz wie im Wald,
nur daß er einen Sattel trägt und drüber   10
ein kleines blaues Mädchen aufgeschnallt[3].

Und auf dem Löwen reitet weiß ein Junge
und hält sich mit der kleinen heißen Hand,
dieweil[4] der Löwe Zähne zeigt und Zunge.

Und dann und wann ein weißer Elefant.   15

Und auf den Pferden kommen sie vorüber,
auch Mädchen, helle, diesem Pferdesprunge
fast schon entwachsen; mitten in dem Schwunge
schauen sie auf, irgendwohin, herüber —

Und dann und wann ein weißer Elefant.   20

Und das geht hin und eilt sich, daß es endet,
und kreist und dreht sich nur und hat kein Ziel.
Ein Rot, ein Grün, ein Grau vorbeigesendet,
ein kleines kaum begonnenes[5] Profil —.
Und manchesmal ein Lächeln, hergewendet,   25
ein seliges, das blendet und verschwendet
an dieses atemlose blinde Spiel…

Spanische Tänzerin

Wie in der Hand ein Schwefelzündholz, weiß,
eh es zur Flamme kommt, nach allen Seiten
zuckende Zungen streckt —: beginnt im Kreis
naher Beschauer hastig, hell und heiß
ihr runder Tanz sich zuckend auszubreiten.   5

Und plötzlich ist er Flamme, ganz und gar.

Mit einem Blick entzündet sie ihr Haar
und dreht auf einmal mit gewalter Kunst
ihr ganzes Kleid in diese Feuersbrunst,
aus welcher sich, wie Schlangen die erschrecken,
die nackten Arme wach und klappernd[1] strecken.

Und dann: als würde ihr das Feuer knapp[2],
nimmt sie es ganz zusamm und wirft es ab
sehr herrisch, mit hochmütiger Gebärde
und schaut: da liegt es rasend auf der Erde   15
und flammt noch immer und ergibt sich nicht —.
Doch sieghaft, sicher und mit einem süßen
grüßenden Lächeln hebt sie ihr Gesicht
und stampft es aus mit kleinen festen Füßen.

Archaïscher Torso Apollos

Wir kannten nicht sein unerhörtes[1] Haupt,
darin[2] die Augenäpfel reiften. Aber
sein Torso glüht noch wie ein Kandelaber,
in dem sein Schauen, nur zurückgeschraubt,

sich hält und glänzt[3]. Sonst könnte nicht der Bug[4]
der Brust dich blenden, und im leisen Drehen   6
der Lenden[5] könnte nicht ein Lächeln gehen
zu jener Mitte, die die Zeugung[6] trug.

Sonst stünde dieser Stein entstellt[7] und kurz
unter der Schultern durchsichtigem Sturz[8]   10
und flimmerte nicht so wie Raubtierfelle;

und bräche nicht aus allen seinen Rändern
aus wie ein Stern: denn da ist keine Stelle,
die dich nicht sieht. Du mußt dein Leben ändern.

[3] strapped down   [4] = während   [5] because it vanishes before
we have time to see it properly
SPANISCHE TÄNZERIN: Source as above; written June 1906
and first published in 1907.   [1] rattling (with castanets) The
word *klappernd* is associated with *Schlangen* in line 10:
Klapperschlange = rattlesnake. (*Rilke, Selected Poems*, with
English translation by C.F.MacIntyre. University of California Press, 1956, p. 140.)

[2] i.e., dying down
ARCHAÏSCHER TORSO APOLLOS: From Part II of *Neue
Gedichte* (1908); written early summer 1908. According to
MacIntyre, Rilke is writing about a torso of Apollo from
the Theater of Miletus, dating from the early 5th century.
He saw the statue in the Archaic Room of the Louvre.
Theme: This torso of Apollo compels the spectator to
reconstruct its missing parts and to worship the wonderful
statue in its entirety. It radiates a spiritual light that is the
symbol of perfection and which transcends reality. The
power emanating from it is such as to compel one to transcend
one's life from a fragmentary existence into an organic
whole.   [1] i.e., fabulous, unique or legendary   [2] = worin
[3] The torso glows like a candelabrum in which two candles
(*Schauen* = eyes), though burning low (*zurückgeschraubt*),
maintain themselves and gleam. So the torso, though lacking
eyes, gleams through the marble of the body, as it were with
subdued light.   [4] curve   [5] loins   [6] organs of procreation
[7] maimed   [8] plunge

Eva

Einfach steht sie an der Kathedrale
großem Aufstieg[1], nah der Fensterrose[2],
mit dem Apfel in der Apfelpose,
schuldlos-schuldig ein für alle Male

an dem Wachsenden, das sie gebar,   5
seit sie aus dem Kreis der Ewigkeiten
liebend fortging, um sich durchzustreiten
durch die Erde, wie ein junges Jahr.

Ach, sie hätte gern in jenem Land
noch ein wenig weilen mögen, achtend   10
auf der Tiere Eintracht[3] und Verstand.

Doch da sie den Mann entschlossen fand,
ging sie mit ihm, nach dem Tode trachtend;
und sie hatte Gott noch kaum gekannt.

Sankt Georg

Und sie hatte ihn die ganze Nacht
angerufen, hingekniet, die schwache

wache Jungfrau: Siehe, dieser Drache,
und ich weiß es nicht, warum er wacht.

Und da brach er aus dem Morgengraun   5
auf dem Falben[1], strahlend Helm und Haubert[2],
und er sah sie, traurig und verzaubert
aus dem Knieen aufwärtsschaun

zu dem Glanze, der er war.
Und er sprengte glänzend längs der Länder   10
abwärts mit erhobnem Doppelhänder[3]
in die offene Gefahr,

viel zu furchtbar, aber doch erfleht[4].
Und sie kniete knieender, die Hände
fester faltend, daß er sie bestände[5];   15
denn sie wußte nicht, daß Der besteht,

den ihr Herz, ihr reines und bereites,
aus dem Licht des göttlichen Geleites
niederreißt. Zuseiten seines Streites
stand, wie Türme stehen, ihr Gebet.   20

Die Flamingos

Jardin des Plantes[1], Paris

In Spiegelbildern[2] wie von Fragonard
ist doch von ihrem[3] Weiß und ihrer Röte
nicht mehr gegeben, als dir einer böte,
wenn er von seiner Freundin sagt: sie war

noch sanft von Schlaf. Denn steigen sie ins Grüne
und stehn, auf rosa Stielen[4] leicht gedreht,   6
beisammen, blühend, wie in einem Beet,
verführen sie verführender als Phryne[5]

sich selber; bis sie ihres Auges Bleiche
hinhalsend[6] bergen in der eignen Weiche,   10
in welcher Schwarz und Fruchtrot sich versteckt.

Auf einmal kreischt ein Neid durch die Volière[7];
sie aber haben sich erstaunt gestreckt
und schreiten einzeln ins Imaginäre.

[3] two-handed sword   [4] i.e., responding to her prayer
[5] should withstand her
DIE FLAMINGOS: Source as above; written between autumn
1907 and spring 1908; first published in *Insel Almanach auf
das Jahr* 1909. [1] the Botanical Gardens [2] reflected images;
J.H.Fragonard (1732–1806) was a painter distinguished for
his delicate coloring. [3] i.e., the flamingos' [4] pink stems
[5] a celebrated Greek courtesan; accused of immorality, she
is said to have disarmed her judges by unveiling her body
before them [6] craning their necks [7] aviary

EVA: Source as above; written summer 1908. [1] rise, i.e.,
the central nave [2] rose window [3] harmony
SANKT GEORG: Source as above; written early August 1907.
St.George, the patron saint of England, was popularly
believed to have slain a dragon. [1] dun horse [2] hauberk
(long coat of mail; originally, neckpiece)

๛

Nur wer die Leier schon hob
auch unter Schatten,
darf[1] das unendliche Lob
ahnend erstatten.

Nur wer mit Toten vom Mohn[2]   5
aß, von dem ihren,
wird nicht den leisesten Ton
wieder verlieren.

Mag auch die Spieglung[3] im Teich
oft uns verschwimmen: 10
Wisse das Bild.

Erst in dem Doppelbereich[4]
werden die Stimmen
ewig und mild.

๛

O erst dann, wenn der Flug
nicht mehr um seinetwillen
wird in die Himmelstillen
steigen, sich selber genug,

um in lichten Profilen,   5
als das Gerät, das gelang,
Liebling der Winde zu spielen,
sicher, schwenkend und schlank, —

erst wenn ein reines Wohin
wachsender Apparate   10
Knabenstolz überwiegt,

wird, überstürzt von Gewinn,
jener den Fernen Genahte
sein, was er einsam erfliegt.

๛

Oh sage, Dichter, was du tust?

            — Ich rühme.

Aber das Tödliche und Ungetüme,
wie hältst du's aus, wie nimmst du's hin?

            — Ich rühme.

Aber das Namenlose, Anonyme,
Wie rufst du's Dichter, dennoch an?

            — Ich rühme.

Woher dein Recht, in jeglichem Kostüme,
in jeder Maske wahr zu sein?

            — Ich rühme.

Und daß das Stille und das Ungestüme
wie Stern und Sturm dich kennen?

            : — weil ich rühme.

The *Sonette an Orpheus* arose out of that tempest of inspiration that swept over Rilke in February 1922 at the château de Muzot, and which produced, beside the 55 sonnets, at least six of the *Duineser Elegien* and many of the poems later included in *Späte Gedichte* (1934). The sonnets were written as a memorial to a young dancer, Wera Ouckama Knoop, with whom Rilke had been slightly acquainted. Wera's mother sent him a journal she had kept during the girl's long illness. Rilke was deeply moved by the document. Within three days he wrote down the first sequence of 26 sonnets "without one word being in doubt or requiring to be altered." Between the 12th and 20th of February he composed the second cycle of 29 sonnets.

The sonnets deal with the basic problem of all spiritual experience: is it possible to find a unity in all the phenomena of life, to include even death, which is beyond life? Rilke answers: yes, for the first time in his long career of spiritual searching. All being is one: life, death, man with all his activities and experiences are aspects of one great timeless process—that of transformation or *Wandlung*. The symbol which Rilke has chosen to embody this affirmation of life is Orpheus. He had seen a little engraving of the god with his lyre in a shop window; in a flash the sonnets had grouped themselves around this figure and taken on its name. Orpheus was the legendary Greek poet who tamed the wild beasts with his sweet song, who was drawn by his love for his dead wife Eurydice into the world beyond life, and who returned to earth. Orpheus was thus at home in both life and death; he bridged the gulf between the two experiences, through love and unselfish devotion.

NUR WER DIE LEIER: This poem is the 9th of the first cycle; it was written between February 2 and 5, 1922. [1] Because Orpheus played his lyre among the dead he has a right to come back to earth and sing a song of affirmation toward life and the infinite. [2] The poppy yields oblivion. [3] i.e., the delusive, phenomenal world, which destroys eternal, timeless, unchanging being by subjecting it to the vicissitudes of experience. But underneath the distorted, evanescent appearance there is the permanent reality (*das Bild*). [4] i.e., here and in the beyond

O ERST DANN: Number 23 of Part I of the *Sonette an Orpheus*; written on February 12 or 13, 1922. This is the second of three poems which lament the ravages of the machine upon our civilization—a theme which recurs in Rilke's work from the *Stundenbuch* on. The theme: technological achievement has value only when it serves some spiritual purpose (*reines Wohin*). The temporal and transitory must give way before the eternal.

OH SAGE DICHTER: From *Sämtliche Werke*, Band 2 (1957). Originally published in *Späte Gedichte* (1934); written at Muzot, December 20, 1921. In an unpublished note for a projected essay on the Belgian poet Verhaeren, Rilke wrote: „Irrtum plötzlich von der Kunst zu verlangen, daß sie bessere, helfe — sie tut nichts von alledem. Sie rühmt." The poem is inscribed to Leonie Zacharias.

Thomas Mann · 1875–1955

Thomas Mann was descended from a patrician family which settled in Lübeck in the early eighteenth century, flourished, and declined there. The fortunes of this family are chronicled in *Buddenbrooks*, Mann's first novel; it shows a race of vigorous, aggressive merchants who gradually move from commerce to culture, the growth in civilization being accompanied by a decline in vigor and adaptability to life. So it was in the Mann family. After an unhappy schooling, Thomas joined his widowed mother in Munich and entered an insurance office as an unsalaried clerk to learn the business. But he had already tasted the joys of literary recognition in a modest way; he attended the university, went to Italy, and began working on his novel *Buddenbrooks*, which was published in 1900 and established his reputation as a writer of the first rank. For some time his life was outwardly uneventful, consisting of a long series of literary triumphs, which culminated in the award of the Nobel Prize for literature in 1929. The success of National Socialism brought him face to face with the decision which every intellectual in a totalitarian country has to make: to live on in a hostile atmosphere or to emigrate. Thomas Mann had bitterly attacked the Nazis; nevertheless his prestige abroad was so great that he was promised forgiveness if he would henceforth see the "positive" sides of the New Germany. He preferred exile, left for Switzerland, later settled in the United States, and finally returned to Switzerland, where he died.

A considerable body of Thomas Mann's work is "political" in character and reveals a most interesting ideological development, which is in some respects typical of intellectual Germany. Till the end of the First World War Mann may be labeled a conservative champion of "Germanic" values as against Western ideals. He was at that time steeped in the irrationalism of Schopenhauer, Wagner, and Nietzsche. Although never a narrow-minded Pan-Germanist, he did support the general attitude to life we now call "Prussian" and recognize as having been the breeding ground for the Nazi ideology.

Basic to this *Weltanschauung* is a contempt for *Geist* or intellect and the glorification of instinct as a guide to life. Intellectualism leads to weakness and decadence, whereas instinct and the underground forces maintain health, strength, and vigor. This is essentially a restatement of Rousseau's original thesis and lies at the root of virtually all romanticism. It is therefore not surprising to find the early Thomas Mann steeped in the German romantic writers, sharing their interest in the metaphysical problems of disease, decay, and death. These pathological traits are functionally related to *Geist* or mind; as man is irresistibly impelled to develop his mental faculties, to refine his sensibilities, even at the risk of undermining his robust physical health and of losing the power to act with the vigor of the nonintellectual, so he is drawn, despite himself, to the phenomena of decay and death. The more refined, more sensitive, more intellectual and artistic he becomes, the less he is able to behave "normally," like the well-adjusted bourgeois. He loses his self-confidence, he feels himself an outsider in society, a gypsy beyond the pale, or sometimes a charlatan who lives by his wits. Or he is attracted to a decadent existence that leads to his ultimate disintegration. In any case, he is in a perpetual state of conflict and torment, both drawn to the normal life and repelled by it, feeling by turns superior and inferior to the *Bürger*.

The theme of *Geist* as a problematical virtue (perhaps the oldest theme in Western literature) is presented dramatically in Thomas Mann's work as the conflict between two types: the philistine bourgeois and the bohemian artist-intellectual. The latter appears in many different guises—as a writer, painter, musician, actor, dilettante, intellectual, even ruler. All these are men who lead a "formal" existence; they are divorced from hard life; they stand above it, only too often because they are not up to it.

But what has all this to do with politics? Nothing at all directly; and no one would have suspected that there was a political undercurrent in the novels and *Novellen* from *Der kleine Herr Friedemann* to *Der Tod in Venedig*. But during the First World War, when Germany found herself facing the tribunal of a hostile world opinion, Thomas Mann placed his pen in defence of "Germanic" ideals. He did this by transforming his two civilian types—the *Bürger* and the *Künstler*—into two national character types. The *Bürger* became identified with the German: a simple, unproblematical, nonintellectual, conservative man, living by instinct, endowed with piety for the past, cherishing the noble traditions of his country—God, patriotism, the family. The artist-intellectual, on the other hand, he saw as a man who was intoxicated with empty phrases, which he shapes into equally empty ideals, prone to use words as a weapon to befuddle the honest *Bürger*; as a revolutionary who is inclined to extremes, the slave of doctrines and abstract formulas, playing at politics, legalistic, Jesuitical. In his purest form he was a Frenchman. The two types were reduced to a long series of antithetical qualities: life and mind, soul and intellect, religion and politics, racial community and democracy, love and equality, loyalty and the demand for "rights," *Dichter* and *Literat*.

This crude and oversimplified statement of Mann's earlier position is elaborated in the *Betrachtungen eines Unpolitischen*, which was written during the First World War and published in 1918. That book, however, marked the end of a phase in his development which had already caused him qualms. With the birth of the Weimar Republic he began to emerge as a sincere convert to liberal ideals. This change of basic attitude can be traced through the many essays he wrote in the twenties and thirties. Its first important crystallization in an imaginative work is to be found in the *Zauberberg*, a farewell to the many former sympathies, which are now recognized as having been seductive but dangerous. It is *Geist* which is now equated with life and felt to further life. The artist-intellectual is no longer conceived as an empty word-and-concept-maker who stands aside from life because he is no match for it. Hostility to *Geist* is now condemned (*Der Zauberberg, Mario und der Zauberer*, the *Joseph* tetralogy). The *Joseph* novel is a magnificent apotheosis of *Geist*; in it Mann traces the typical, timeless evolution of man and society, implying that every civilization follows the same stages of development from a patriarchal to a socialized, urban society, dominated (though not exclusively) by the intellectual faculties.

But it would be quite erroneous to picture Thomas Mann's intellectual development as following a straight line from conservative anti-intellectualism to liberal humanism. The tradition of dialectical thinking is too strong in Germany not to have left its mark upon him. He is keenly aware of the polar nature of thought. In his later work he emphasizes the attraction of opposites for each other: the pull exerted by primitive instinct on the intellectual, and the natural yearning of the simple mind for the complexities of the intellectual life. "Er war sinnenheiß," he writes at the beginning of *Das Gesetz*, "darum verlangte es ihn nach dem Geistigen, Reinen und Heiligen." This dialectical conception of human nature is formulated in philosophical terms in the essay *Goethe und Tolstoy*. With the *Zauberberg* Mann begins to think of a possible synthesis of the two warring elements, a balance of forces between both rational and irrational factors in the human mind, between *Geist* and *Seele*. The embodiment of this harmony is Joseph, who progresses through egoistic individualism, through suffering, to a life of service for mankind, tempered by sensitiveness to beauty.

Thomas Mann is a forbidding writer; he does not make things easy for his readers. His novels have no plots; his characters carry on endless discussions on philosophical issues. What could be less promising in a writer of fiction? the critics have asked. Yet his books have popular appeal; they have sold in mass editions. The fact is that Mann offers much to offset these deficiencies in the ingredients of the usual novel. He has grasped the problems of our age and depicted them with an insight and a subtlety that no other contemporary possesses. His ironical presentation of character at all levels and ages is likewise unsurpassed. And there is the magnificent style, the long, meandering sentences which are so artistically constructed, the easy transitions from sharp, cerebral irony to rich romantic description of landscape. Many twentieth-century writers who are lauded as stylists do not stand up under close scrutiny. But Thomas Mann has never written a commonplace sentence.

Mann's most important novels are: *Buddenbrooks*, 2 vols., (1901); *Der Zauberberg*, 2 vols. (1924), *Joseph und seine Brüder*, 4 vols. (1933–1943); *Doktor Faustus* (1947), *Bekenntnisse des Hochstaplers Felix Krull* (1922–1954). Among his many *Novellen* the following are best known: *Tonio Kröger* (1903), *Der Tod in Venedig* (1913), *Unordnung und frühes Leid* (1926), *Mario und der Zauberer* (1930), *Die vertauschten Köpfe* (1940), *Das Gesetz* (1944). There are eight volumes of essays, speeches, and occasional pieces. Of these the most solid are *Friedrich und die Große Koalition* (1914), *Betrachtungen eines Unpolitischen* (1918), *Goethe und Tolstoy* (1922), the several essays on Goethe, and those on Freud, Wagner, Schopenhauer, and Nietzsche.

Tristan

Hier ist „Einfried[1]", das Sanatorium! Weiß und geradlinig liegt es mit seinem langgestreckten Hauptgebäude und seinem Seitenflügel inmitten des weiten Gartens, der mit Grotten, Laubgängen und kleinen Pavillons[2] aus Baumrinde ergötzlich ausgestattet ist, und hinter seinen Schieferdächern ragen tannengrün[3], massig und weich zerklüftet[4] die Berge himmelan.

Nach wie vor leitet Doktor Leander die An-

Tristan was written in 1902 and published the following year, together with five other *Novellen*. In its setting and problem it is clearly the germ from which *Der Zauberberg* grew. Artistically it is, as Henry Hatfield has pointed out, a forerunner of Mann's great parodies (like those on the Joseph and Faust myths). For here is a mock-heroic treatment of the Tristan myth, in which an ill-matched young wife is swept away by passionate love and finds relief from her tension in death alone. Wagner's *Tristan und Isolde*, Platen's poem *Tristan*, Heine's *Es war ein alter König* are relevant. So are the metaphysics of Schopenhauer; except that Schopenhauer's values have, so to speak, been stood on their head. This early work of Thomas Mann shows him already at his most subtle and mature stage of artistic development.

[1] allusion to Wagner's house „Wahnfried" in Bayreuth [2] arbored walks and small pleasure houses [3] overgrown with evergreens [4] softly divided

stalt. Mit seinem zweispitzigen schwarzen Bart, der hart und kraus ist wie das Roßhaar, mit dem man die Möbel stopft, seinen dicken, funkelnden Brillengläsern und diesem Aspekt eines Mannes, den die Wissenschaft gekältet, gehärtet und mit stillem, nachsichtigem Pessimismus erfüllt hat, hält er auf kurz[5] angebundene und verschlossene Art die Leidenden in seinem Bann — alle diese Individuen, die, zu schwach, sich selbst Gesetze zu geben und sie zu halten, ihm ihr Vermögen ausliefern, um sich von seiner Strenge schützen lassen zu dürfen.

Was Fräulein von Osterloh betrifft, so steht sie mit unermüdlicher Hingabe dem Haushalte vor. Mein Gott, wie tätig sie treppauf und treppab, von einem Ende der Anstalt zum andern eilt! Sie herrscht in Küche und Vorratskammer, sie klettert in den Wäscheschränken umher, sie kommandiert die Dienerschaft und bestellt[6] unter den Gesichtspunkten der Sparsamkeit, der Hy-

[5] in his abrupt and uncommunicative way [6] *bestellt ... den Tisch* = manages the dining room

giene, des Wohlgeschmacks und der äußeren Anmut[7] den Tisch des Hauses, sie wirtschaftet mit einer rasenden Umsicht, und in ihrer extremen Tüchtigkeit liegt ein beständiger Vorwurf für die gesamte Männerwelt verborgen, von der noch niemand darauf verfallen ist, sie heimzuführen[8]. Auf ihren Wangen aber glüht in zwei runden, karmoisinroten Flecken die unauslöschliche Hoffnung, dereinst[9] Frau Doktor Leander zu werden ...

Ozon und stille, stille Luft ... für Lungenkranke ist „Einfried", was Doktor Leanders Neider und Rivalen auch sagen mögen, aufs wärmste zu empfehlen. Aber es halten sich nicht nur Phthisiker[10], es halten sich Patienten aller Art, Herren, Damen und sogar Kinder hier auf; Doktor Leander hat auf den verschiedensten Gebieten Erfolge aufzuweisen. Es gibt hier gastrisch Leidende, wie die Magistratsrätin[11] Spatz, die überdies an den Ohren krankt, Herrschaften[12] mit Herzfehlern, Paralytiker, Rheumatiker und Nervöse in allen Zuständen. Ein diabetischer General verzehrt hier unter immerwährendem Murren seine Pension. Mehrere Herren mit entfleischten Gesichtern werfen auf jene unbeherrschte Art ihre Beine[13], die nichts Gutes bedeutet. Eine fünfzigjährige Dame, die Pastorin Höhlenrauch, die neunzehn Kinder zur Welt gebracht hat und absolut keines Gedankens mehr fähig ist, gelangt dennoch nicht zum Frieden, sondern irrt, von einer blöden Unrast getrieben, seit einem Jahre bereits am Arm ihrer Privatpflegerin starr und stumm, ziellos und unheimlich durch das ganze Haus.

Dann und wann stirbt jemand von den „Schweren[14]", die in ihren Zimmern liegen und nicht zu den Mahlzeiten, noch im Konversationszimmer erscheinen, und niemand, selbst der Zimmernachbar nicht, erfährt etwas davon. In stiller Nacht wird der wächserne Gast beiseite geschafft, und ungestört nimmt das Treiben in „Einfried" seinen Fortgang, das Massieren, Elektrisieren und Injizieren[15], das Duschen, Baden, Turnen, Schwitzen und Inhalieren in den verschiedenen mit allen Errungenschaften der Neuzeit ausgestatteten Räumlichkeiten ...

Ja, es geht lebhaft zu hierselbst[16]. Das Institut steht in Flor[17]. Der Portier, am Eingange des Seitenflügels, rührt die große Glocke, wenn neue Gäste eintreffen, und in aller Form[18] geleitet Doktor Leander, zusammen mit Fräulein von Osterloh, die Abreisenden zum Wagen. Was für Existenzen[19] hat „Einfried" nicht schon beherbergt! Sogar ein Schriftsteller ist da, ein exzentrischer Mensch, der den Namen irgendeines Minerals oder Edelsteins[20] führt und hier dem Herrgott die Tage stiehlt[21] ...

Übrigens ist, neben Herrn Doktor Leander, noch ein zweiter Arzt vorhanden, für die leichten Fälle und die Hoffnungslosen. Aber er heißt Müller und ist überhaupt nicht der Rede wert.

☙❧

Anfang Januar brachte Großkaufmann Klöterjahn[22] — in Firma A. C. Klöterjahn & Komp. — seine Gattin nach „Einfried"; der Portier rührte die Glocke, und Fräulein von Osterloh begrüßte die weithergereisten Herrschaften im Empfangszimmer zu ebener Erde[23], das, wie beinahe das ganze vornehme alte Haus, in wunderbar reinem Empirestil[24] eingerichtet war. Gleich darauf erschien auch Doktor Leander; er verbeugte sich, und es entspann sich eine erste, für beide Teile orientierende Konversation.

Draußen lag der winterliche Garten mit Matten[24a] über den Beeten, verschneiten Grotten und vereinsamten Tempelchen, und zwei Hausdiener schleppten vom Wagen her, der auf der Chaussee vor der Gartenpforte hielt — denn es führte keine Anfahrt zum Hause —, die Koffer der neuen Gäste herbei.

„Langsam, Gabriele, take care, mein Engel, und halte den Mund zu", hatte Herr Klöterjahn gesagt, als er seine Frau durch den Garten führte;

---

[7] good form [8] hit upon the idea of marrying her [9] some day [10] consumptives [11] wife of the magistrate [12] ladies and gentlemen [13] probably suffering from *tabes dorsalis*, a form of syphilis [14] the serious cases [15] giving of injections

[16] an affected form of *hier*, used with ironical intent [17] is flourishing [18] with great ceremony [19] lives [20] i.e., Jewish names like Silberstein, Edelstein, Goldstein. The allusion is to Spinell (a vitreous magnesium aluminate), a name which is not, however, "typically" Jewish. [21] wastes his time [22] = noisy John, indicative of his robustness and philistine self-assurance [23] on the ground floor [24] the style of the Napoleonic Empire [24a] mats of grass or hay to protect the roots from the early spring sun

und in dieses „take care" mußte zärtlichen und zitternden Herzens jedermann innerlich einstimmen, der sie erblickte — wenn auch nicht zu leugnen ist, daß Herr Klöterjahn es anstandslos auf deutsch hätte sagen können.

Der Kutscher, der die Herrschaften von der Station zum Sanatorium gefahren hatte, ein roher, unbewußter[25] Mann ohne Feingefühl, hatte geradezu die Zunge zwischen die Zähne genommen vor ohnmächtiger Behutsamkeit, während der Großkaufmann seiner Gattin beim Aussteigen behilflich war; ja, es hatte ausgesehen, als ob die beiden Braunen[26], in der stillen Frostluft qualmend, mit rückwärts gerollten Augen angestrengt diesen ängstlichen Vorgang verfolgten, voll Besorgnis für so viel schwache Grazie und zarten Liebreiz.

Die junge Frau litt an der Luftröhre, wie ausdrücklich in dem anmeldenden Schreiben zu lesen stand, das Herr Klöterjahn vom Strande der Ostsee aus an den dirigierenden Arzt von „Einfried" gerichtet hatte, und Gott sei Dank, daß es nicht die Lunge war! Wenn es aber dennoch die Lunge gewesen wäre — diese neue Patientin hätte keinen holderen und veredelteren, keinen entrückteren und unstofflicheren[27] Anblick gewähren können, als jetzt, da sie an der Seite ihres stämmigen Gatten, weich und ermüdet in den weiß lackierten, geradlinigen Armsessel zurückgelehnt, dem Gespräche folgte.

Ihre schönen, blassen Hände, ohne Schmuck bis auf den schlichten Ehering, ruhten in den Schoßfalten eines schweren und dunklen Tuchrockes, und sie trug eine silbergraue, anschließende Taille[28] mit festem Stehkragen, die mit hochaufliegenden[29] Samtarabesken über und über besetzt war. Aber diese gewichtigen und warmen Stoffe ließen die unsägliche Zartheit, Süßigkeit und Mattigkeit des Köpfchens nur noch rührender, unirdischer und lieblicher erscheinen. Ihr lichtbraunes Haar, tief im Nacken zu einem Knoten zusammengefaßt, war glatt zurückgestrichen, und nur in der Nähe der rechten Schläfe fiel eine krause, lose Locke in die Stirn, unfern der Stelle, wo über der markant[30]

gezeichneten Braue ein kleines, seltsames Äderchen sich blaßblau und kränklich in der Klarheit und Makellosigkeit dieser wie[31] durchsichtigen Stirn verzweigte. Dies blaue Äderchen über dem Auge beherrschte auf eine beunruhigende Art das ganze feine Oval des Gesichtes. Es trat sichtbarer hervor, sobald die Frau zu sprechen begann, ja, sobald sie auch nur lächelte, und es gab alsdann[32] dem Gesichtsausdruck etwas Angestrengtes, ja selbst Bedrängtes, was unbestimmte Befürchtungen erweckte. Dennoch sprach sie und lächelte. Sie sprach freundlich mit ihrer leicht verschleierten Stimme, und sie lächelte mit ihren Augen, die ein wenig mühsam blickten, ja hier und da eine kleine Neigung zum Verschließen zeigten, und deren Winkel, zu beiden Seiten der schmalen Nasenwurzel, in tiefem Schatten lagen, sowie mit ihrem schönen, breiten Munde, der blaß war und dennoch zu leuchten schien, vielleicht, weil seine Lippen so überaus scharf und deutlich umrissen waren. Manchmal hüstelte[33] sie. Hierbei führte sie ihr Taschentuch zum Munde und betrachtete es alsdann.

„Hüstle nicht, Gabriele", sagte Herr Klöterjahn. „Du weißt, daß Doktor Hinzpeter zu Hause es dir extra verboten hat, darling, und es ist bloß, daß man sich zusammennimmt, mein Engel. Es ist, wie gesagt, die Luftröhre", wiederholte er. „Ich glaubte wahrhaftig, es wäre die Lunge, als es losging, und kriegte, weiß Gott, einen Schreck. Aber es ist nicht die Lunge, nee, Deubel noch mal[34], auf so was lassen wir uns nicht ein[35], was, Gabriele? hö, hö!"

„Zweifelsohne", sagte Doktor Leander und funkelte sie mit seinen Brillengläsern an.

Hierauf verlangte Herr Klöterjahn Kaffee — Kaffee und Buttersemmeln, und er hatte eine anschauliche Art, den K-Laut ganz hinten im Schlunde zu bilden und „Bottersemmeln" zu sagen, daß jedermann Appetit bekommen mußte.

Er bekam, was er wünschte, bekam auch Zimmer für sich und seine Gattin, und man richtete sich ein.

Übrigens übernahm Doktor Leander selbst die Behandlung, ohne Doktor Müller für den Fall in Anspruch zu nehmen.

[25] ignorant [26] brown horses [27] more rapt and ethereal [28] tight-fitting bodice [29] her bodice was covered with velvet embroidery in a brocaded pattern [30] strongly

[31] as it were [32] = dann [33] coughed slightly [34] damn it all [35] we don't go in for such things

☙❦

Die Persönlichkeit der neuen Patientin erregte ungewöhnliches Aufsehen in „Einfried", und Herr Klöterjahn, gewöhnt an solche Erfolge, nahm jede Huldigung, die man ihr darbrachte, mit Genugtuung entgegen. Der diabetische General hörte einen Augenblick zu murren auf, als er ihrer zum ersten Male ansichtig wurde, die Herren mit den entfleischten Gesichtern lächelten und versuchten angestrengt, ihre Beine zu beherrschen, wenn sie in ihre Nähe kamen, und die Magistratsrätin Spatz schloß sich ihr sofort als ältere Freundin an. Ja, sie machte Eindruck, die Frau, die Herrn Klöterjahns Namen trug! Ein Schriftsteller, der seit ein paar Wochen in „Einfried" seine Zeit verbrachte, ein befremdender Kauz, dessen Name wie der eines Edelgesteines lautete, verfärbte sich geradezu, als sie auf dem Korridor an ihm vorüberging, blieb stehen und stand noch immer wie angewurzelt, als sie schon längst entschwunden war.

Zwei Tage waren noch nicht vergangen, als die ganze Kurgesellschaft mit ihrer Geschichte vertraut war. Sie war aus Bremen gebürtig, was übrigens, wenn sie sprach, an gewissen liebenswürdigen Lautverzerrungen zu erkennen war, und hatte dortselbst[36] vor zwiefacher Jahresfrist dem Großhändler Klöterjahn ihr Jawort fürs Leben erteilt. Sie war ihm in seine Vaterstadt, dort oben am Ostseestrande, gefolgt und hatte ihm vor nun etwa zehn Monaten unter ganz außergewöhnlich schweren und gefährlichen Umständen ein Kind, einen bewundernswert lebhaften und wohlgeratenen Sohn und Erben beschert. Seit diesen furchtbaren Tagen aber war sie nicht wieder zu Kräften gekommen[37], gesetzt[38], daß sie jemals bei Kräften gewesen war. Sie war kaum vom Wochenbett erstanden, äußerst erschöpft, äußerst verarmt an Lebenskräften, als sie beim Husten ein wenig Blut aufgebracht hatte — oh, nicht viel, ein unbedeutendes bißchen Blut; aber es wäre doch besser überhaupt nicht zum Vorschein gekommen,

und das Bedenkliche war, daß derselbe kleine und unheimliche Vorfall sich nach kurzer Zeit wiederholte. Nun, es gab Mittel hiergegen, und Doktor Hinzpeter, der Hausarzt, bediente sich ihrer. Vollständige Ruhe wurde geboten, Eisstückchen wurden geschluckt, Morphium ward gegen den Hustenreiz verabfolgt und das Herz nach Möglichkeit beruhigt. Die Genesung aber wollte sich nicht einstellen, und während das Kind, Anton Klöterjahn der Jüngere, ein Prachtstück von einem Baby, mit ungeheurer Energie und Rücksichtslosigkeit seinen Platz im Leben eroberte und behauptete, schien die junge Mutter in einer sanften und stillen Glut dahinzuschwinden ... Es war, wie gesagt, die Luftröhre, ein Wort, das in Doktor Hinzpeters Munde eine überraschend tröstliche, beruhigende, fast erheiternde Wirkung auf alle Gemüter ausübte. Aber obgleich es nicht die Lunge war, hatte der Doktor schließlich den Einfluß eines milderen Klimas und des Aufenthaltes in einer Kuranstalt zur Beschleunigung der Heilung als dringend wünschenswert erachtet, und der Ruf des Sanatoriums „Einfried" und seines Leiters hatte das übrige getan.

So verhielt es sich[39]; und Herr Klöterjahn selbst erzählte es jedem, der Interesse dafür an den Tag legte. Er redete laut, salopp[40] und gutgelaunt, wie ein Mann, dessen Verdauung sich in so guter Ordnung befindet wie seine Börse, mit weit ausladenden Lippenbewegungen, in der breiten und dennoch rapiden Art der Küstenbewohner vom Norden. Manche Worte schleuderte er hervor, daß jeder Laut einer kleinen Entladung glich, und lachte darüber wie über einen gelungenen Spaß.

Er war mittelgroß, breit, stark und kurzbeinig und besaß ein volles, rotes Gesicht mit wasserblauen Augen, die von ganz hellblonden Wimpern beschattet waren, geräumigen Nüstern und feuchten Lippen. Er trug einen englischen Backenbart[41], war ganz englisch gekleidet und zeigte sich entzückt, eine englische Familie, Vater, Mutter und drei hübsche Kinder mit ihrer nurse, in „Einfried" anzutreffen, die sich hier aufhielt, einzig und allein, weil sie nicht wußte, wo sie sich sonst aufhalten sollte, und mit der er

---

[36] and there, two years ago, she had accepted his proposal of marriage. (The author uses the wooden, elevated style of commercial correspondence, hinting that the information came from Herr Klöterjahn. See l. 26 in column 2
[37] regained her strength   [38] assuming

[39] so matters stood   [40] sloppily   [41] i.e., side whiskers

morgens englisch frühstückte[42]. Überhaupt liebte er es, viel und gut zu speisen und zu trinken, zeigte sich als ein wirklicher Kenner von Küche und Keller und unterhielt die Kurgesellschaft[43] aufs anregendste von den Diners, die daheim in seinem Bekanntenkreise gegeben wurden, sowie mit der Schilderung gewisser auserlesener, hier unbekannter Platten. Hierbei zogen seine Augen sich mit freundlichem Ausdruck zusammen, und seine Sprache[44] erhielt etwas Gaumiges und Nasales, indes leicht schmatzende Geräusche im Schlunde sie begleiteten. Daß er auch anderen irdischen Freuden nicht grundsätzlich abhold war, bewies er an jenem Abend, als ein Kurgast von „Einfried", ein Schriftsteller von Beruf, ihn auf dem Korridor in ziemlich unerlaubter Weise mit einem Stubenmädchen scherzen sah — ein kleiner, humoristischer Vorgang, zu dem der betreffende Schriftsteller eine lächerlich angeekelte Miene machte.

Was Herrn Klöterjahns Gattin anging, so war klar und deutlich zu beobachten, daß sie ihm von Herzen zugetan war. Sie folgte lächelnd seinen Worten und Bewegungen; nicht mit der überheblichen Nachsicht, die manche Leidenden den Gesunden entgegenbringen, sondern mit der liebenswürdigen Freude und Teilnahme gutgearteter Kranker an den zuversichtlichen Lebensäußerungen von Leuten, die in ihrer Haut sich wohlfühlen[45].

Herr Klöterjahn verweilte nicht lange in „Einfried". Er hatte seine Gattin hierher geleitet; nach Verlauf einer Woche aber, als er sie wohl aufgehoben[46] und in guten Händen wußte, war seines Bleibens nicht länger. Pflichten von gleicher Wichtigkeit, sein blühendes Kind, sein ebenfalls blühendes Geschäft, riefen ihn in die Heimat zurück; sie zwangen ihn, abzureisen und seine Frau im Genusse der besten Pflege zurückzulassen.

✢

Spinell hieß der Schriftsteller, der seit mehreren Wochen in „Einfried" lebte, Detlev Spinell war sein Name, und sein Äußeres war wunderlich.

Man vergegenwärtige sich einen Brünetten am Anfang der Dreißiger und von stattlicher Statur, dessen Haar an den Schläfen schon merklich zu ergrauen beginnt, dessen rundes, weißes, ein wenig gedunsenes Gesicht aber nicht die Spur irgendeines Bartwuchses zeigt. Es war nicht rasiert — man hätte es gesehen; weich, verwischt und knabenhaft, war es nur hier und da mit einzelnen Flaumhärchen besetzt. Und das sah ganz merkwürdig aus. Der Blick seiner rehbraunen, blanken Augen war von sanftem Ausdruck, die Nase gedrungen[47] und ein wenig zu fleischig. Ferner besaß Herr Spinell eine gewölbte, poröse[48] Oberlippe römischen Charakters, große kariöse[49] Zähne und Füße von seltenem Umfange. Einer der Herren mit den unbeherrschten Beinen, der ein Zyniker und Witzbold[50] war, hatte ihn hinter seinem Rücken „der verweste Säugling[51]" getauft; aber das war hämisch und wenig zutreffend. — Er ging gut und modisch gekleidet, in langem schwarzen Rock[52] und farbig punktierter Weste.

Er war ungesellig und hielt mit keiner Seele Gemeinschaft. Nur zuweilen konnte eine leutselige, liebevolle und überquellende Stimmung ihn befallen, und das geschah jedesmal, wenn Herr Spinell in ästhetischen Zustand verfiel, wenn der Anblick von irgend etwas Schönem, der Zusammenklang zweier Farben, eine Vase von edler Form, das vom Sonnenuntergang bestrahlte Gebirge ihn zu lauter Bewunderung hinriß. „Wie schön!" sagte er dann, indem er den Kopf auf die Seite legte, die Schultern emporzog, die Hände spreizte und Nase und Lippen krauste. „Gott, sehen Sie, wie schön!" Und er war imstande, blindlings die distinguiertesten Herrschaften, ob Mann oder Weib, zu umhalsen in der Bewegung solcher Augenblicke ...

Beständig lag auf seinem Tische, für jeden sichtbar, der sein Zimmer betrat, das Buch, das er geschrieben hatte. Es war ein Roman von mäßigem Umfange, mit einer vollkommen verwirrenden Umschlagzeichnung[53] versehen und

---

[42] The English breakfast, in contrast to the continental, is a heavy meal, including fish, bacon, and eggs. [43] the population of the health resort [44] his speech took on a palatal and nasal quality, accompanied by slightly smacking noises in his throat [45] i.e., physically well [46] well looked after

[47] squat, flat [48] curved, with large pores [49] carious [50] wag [51] the decayed infant [52] i.e., a Prince Albert coat [53] dust-jacket design

gedruckt auf einer Art von Kaffeesiebpapier mit
Buchstaben, von denen ein jeder aussah wie eine
gotische Kathedrale[54]. Fräulein von Osterloh
hatte es in einer müßigen Viertelstunde gelesen
und fand es „raffiniert", was ihre Form war, das
Urteil „unmenschlich langweilig" zu umschrei-
ben. Es spielte in mondänen Salons[55], in üppigen
Frauengemächern, die voller erlesener Gegenstände waren, voll von Gobelins[56], uralten
Meubles[57], köstlichem Porzellan, unbezahlbaren
Stoffen und künstlerischen Kleinodien aller Art.
Auf die Schilderung dieser Dinge war der liebe-
vollste Wert gelegt, und beständig sah man
dabei Herrn Spinell, wie er die Nase kraus zog
und sagte: „Wie schön! Gott, sehen Sie wie
schön!" ... Übrigens mußte es wundernehmen,
daß er noch nicht mehr Bücher verfaßt hatte
als dieses eine, denn augenscheinlich schrieb er
mit Leidenschaft. Er verbrachte den größeren
Teil des Tages schreibend auf seinem Zimmer
und ließ außerordentlich viele Briefe zur Post
befördern, fast täglich einen oder zwei — wobei
es nur als befremdend und belustigend auffiel,
daß er seinerseits höchst selten welche empfing...

⊗⑥

Herr Spinell saß der Gattin Herrn Klöterjahns
bei Tische gegenüber. Zur ersten Mahlzeit, an
der die Herrschaften teilnahmen, erschien er ein
wenig zu spät in dem großen Speisesaal im Erd-
geschoß des Seitenflügels, sprach mit weicher
Stimme einen an alle gerichteten Gruß und begab sich an seinen Platz, worauf Doktor Leander
ihn ohne viel Zeremonie den neu Angekom-
menen vorstellte. Er verbeugte sich und begann
dann, offenbar ein wenig verlegen, zu essen,
indem er Messer und Gabel mit seinen großen,
weißen und schön geformten Händen, die aus
sehr engen Ärmeln hervorsahen, in ziemlich
affektierter Weise bewegte. Später ward er frei
und betrachtete in Gelassenheit abwechselnd
Herrn Klöterjahn und seine Gattin. Auch richtete
Herr Klöterjahn im Verlaufe der Mahlzeit einige

Fragen und Bemerkungen betreffend die Anlage
und das Klima von „Einfried" an ihn, in die
seine Frau in ihrer lieblichen Art zwei oder drei
Worte einfließen ließ, und die Herr Spinell höflich beantwortete. Seine Stimme war mild und
recht angenehm; aber er hatte eine etwas behinderte und schlürfende[58] Art zu sprechen, als
seien seine Zähne der Zunge im Wege.

Nach Tische, als man ins Konversationszimmer hinübergegangen war, und Doktor Leander
den neuen Gästen im besonderen eine gesegnete
Mahlzeit wünschte, erkundigte sich Herrn Klöterjahns Gattin nach ihrem Gegenüber.

„Wie heißt der Herr?" fragte sie ... „Spinelli?
Ich habe den Namen nicht verstanden."

„Spinell ... nicht Spinelli, gnädige Frau.
Nein, er ist kein Italiener, sondern bloß aus
Lemberg[59] gebürtig, soviel ich weiß ..."

„Was sagten Sie? Er ist Schriftsteller? Oder
was?" fragte Herr Klöterjahn; er hielt die Hände
in den Taschen seiner bequemen englischen
Hose, neigte sein Ohr dem Doktor zu und
öffnete, wie manche Leute pflegen, den Mund
beim Horchen.

„Ja, ich weiß nicht — er schreibt ..." antwortete Doktor Leander. „Er hat, glaube ich, ein
Buch veröffentlicht, eine Art Roman, ich weiß
wirklich nicht ..."

Dieses wiederholte „Ich weiß nicht" deutete
an, daß Doktor Leander keine großen Stücke auf
den Schriftsteller hielt[60] und jede Verantwortung
für ihn ablehnte.

„Aber das ist ja sehr interessant!" sagte Herrn
Klöterjahns Gattin. Sie hatte noch nie einen
Schriftsteller von Angesicht zu Angesicht gesehen.

„O ja", erwiderte Doktor Leander entgegen-
kommend. „Er soll sich eines gewissen Rufes
erfreuen ..." Dann wurde nicht mehr von dem
Schriftsteller gesprochen.

Aber ein wenig später, als die neuen Gäste sich
zurückgezogen hatten und Doktor Leander ebenfalls das Konversationszimmer verlassen wollte,
hielt Herr Spinell ihn zurück und erkundigte
sich auch seinerseits.

---

[54] This seems to be a satire on the elaborate pains that
Stefan George took to make his poems artistic: special punctuation, type, absence of capitals, choice paper, etc. See p. 159.
[55] upper-class drawing rooms   [56] tapestries manufactured
at the Gobelin factories in Paris   [57] furniture (French)

[58] inhibited and drawling   [59] a city in Galicia, Poland, at
that time part of the Austro-Hungarian Empire. Spinell's
Polish origin is an additional reason for holding him in
contempt.   [60] placed no great value

„Wie ist der Name des Paares?" fragte er ...
„Ich habe natürlich nichts verstanden."

„Klöterjahn", antwortete Doktor Leander und ging schon wieder.

„Wie heißt der Mann?" fragte Herr Spinell...

„Klöterjahn heißen sie!" sagte Doktor Leander und ging seiner Wege. — Er hielt gar keine großen Stücke auf den Schriftsteller.

☙❧

Waren wir schon so weit, daß Herr Klöterjahn in die Heimat zurückgekehrt war? Ja, er weilte wieder am Ostseestrande, bei seinen Geschäften und seinem Kinde, diesem rücksichtslosen und lebensvollen kleinen Geschöpf, das seiner Mutter sehr viele Leiden und einen kleinen Defekt an der Luftröhre gekostet hatte. Sie selbst aber, die junge Frau, blieb in „Einfried" zurück, und die Magistratsrätin Spatz schloß sich ihr als ältere Freundin an. Das aber hinderte nicht, daß Herrn Klöterjahns Gattin auch mit den übrigen Kurgästen gute Kameradschaft pflegte, zum Beispiel mit Herrn Spinell, der ihr zum Erstaunen aller (denn er hatte bislang mit keiner Seele Gemeinschaft gehalten)[61] von Anbeginn eine außerordentliche Ergebenheit und Dienstfertigkeit entgegenbrachte, und mit dem sie in den Freistunden, die eine strenge Tagesordnung ihr ließ, nicht ungern plauderte.

Er näherte sich ihr mit einer ungeheuren Behutsamkeit und Ehrerbietung und sprach zu ihr nicht anders, als mit sorgfältig gedämpfter Stimme, so daß die Rätin Spatz, die an den Ohren krankte, meistens überhaupt nichts von dem verstand, was er sagte. Er trat auf den Spitzen seiner großen Füße zu dem Sessel, in dem Herrn Klöterjahns Gattin zart lächelnd lehnte, blieb in einer Entfernung von zwei Schritten stehen, hielt das eine Bein zurückgestellt und den Oberkörper vorgebeugt und sprach in seiner etwas behinderten und schlürfenden Art leise, eindringlich und jeden Augenblick bereit, eilends zurückzutreten und zu verschwinden, sobald ein Zeichen von Ermüdung und Überdruß sich auf ihrem Gesicht bemerkbar machen würde. Aber er verdroß sie nicht; sie forderte ihn auf, sich

[61] kept company

zu ihr und der Rätin zu setzen, richtete irgendeine Frage an ihn und hörte ihm dann lächelnd und neugierig zu, denn manchmal ließ er sich so amüsant und seltsam vernehmen[62], wie es ihr noch niemals begegnet war.

„Warum sind Sie eigentlich in ‚Einfried'?" fragte sie. „Welche Kur gebrauchen Sie, Herr Spinell?"

„Kur? ... Ich werde ein bißchen elektrisiert. Nein, das ist nicht der Rede wert. Ich werde Ihnen sagen, gnädige Frau, warum ich hier bin. — Des Stiles wegen."

„Ah!" sagte Herrn Klöterjahns Gattin, stützte das Kinn in die Hand und wandte sich ihm mit einem übertriebenen Eifer zu, wie man ihn[63] Kindern vorspielt, wenn sie etwas erzählen wollen.

„Ja, gnädige Frau. ‚Einfried' ist ganz Empire, es ist ehedem ein Schloß, eine Sommerresidenz gewesen, wie man mir sagt. Dieser Seitenflügel ist ja ein Anbau aus späterer Zeit, aber das Hauptgebäude ist alt und echt. Es gibt nun Zeiten, in denen ich das Empire einfach nicht entbehren kann, in denen es mir, um einen bescheidenen Grad des Wohlbefindens zu erreichen, unbedingt nötig ist. Es ist klar, daß man sich anders befindet zwischen Möbeln, weich und bequem bis zur Laszivität[64], und anders zwischen diesen geradlinigen Tischen, Sesseln und Draperien ... Diese Helligkeit und Härte, diese kalte, herbe Einfachheit und reservierte Strenge verleiht mir Haltung und Würde, gnädige Frau, sie hat auf die Dauer eine innere Reinigung und Restaurierung zur Folge, sie hebt mich sittlich, ohne Frage ..."

„Ja, das ist merkwürdig", sagte sie. „Übrigens verstehe ich es, wenn ich mir Mühe gebe."

Hierauf erwiderte er, daß es irgendwelcher Mühe nicht lohne, und dann lachten sie miteinander. Auch die Rätin Spatz lachte und fand es merkwürdig; aber sie sagte nicht, daß sie es verstünde.

Das Konversationszimmer war geräumig und schön. Die hohe, weiße Flügeltür zu dem anstoßenden Billardraume stand weit geöffnet, wo die Herren mit den unbeherrschten Beinen und andere sich vergnügten. Andererseits gewährte

[62] expressed himself [63] such as one [64] sensuality

eine Glastür den Ausblick auf die breite Terrasse und den Garten. Seitwärts davon stand ein Piano. Ein grün ausgeschlagener[65] Spieltisch war vorhanden, an dem der diabetische General mit ein paar anderen Herren Whist spielte. Damen lasen und waren mit Handarbeiten beschäftigt. Ein eiserner Ofen besorgte die Heizung, aber vor dem stilvollen[66] Kamin, in dem nachgeahmte, mit glühroten Papierstreifen beklebte Kohlen lagen, waren behagliche Plauderplätze.

„Sie sind ein Frühaufsteher, Herr Spinell", sagte Herrn Klöterjahns Gattin. „Zufällig habe ich Sie nun schon zwei- oder dreimal um halb acht Uhr am Morgen das Haus verlassen sehen."

„Ein Frühaufsteher? Ach, sehr mit Unterschied, gnädige Frau. Die Sache ist die, daß ich früh aufstehe, weil ich eigentlich ein Langschläfer bin."

„Das müssen Sie nun erklären, Herr Spinell!" — Auch die Rätin Spatz wollte es erklärt haben.

„Nun, ... ist man ein Frühaufsteher, so hat man es, dünkt mich, nicht nötig, gar so früh aufzustehen. Das Gewissen, gnädige Frau, ... es ist eine schlimme Sache mit dem Gewissen! Ich und meinesgleichen, wir schlagen uns zeit unseres Lebens damit herum[67] und haben alle Hände voll zu tun, es hier und da zu betrügen und ihm kleine, schlaue Genugtuungen zuteil werden zu lassen[68]. Wir sind unnütze Geschöpfe, ich und meinesgleichen, und abgesehen von wenigen guten Stunden schleppen wir uns an dem Bewußtsein unserer Unnützlichkeit wund und krank. Wir hassen das Nützliche, wir wissen, daß es gemein und unschön ist, und wir verteidigen diese Wahrheit, wie man nur Wahrheiten verteidigt, die man unbedingt nötig hat. Und dennoch sind wir so ganz vom bösen Gewissen zernagt, daß kein heiler Fleck mehr an uns ist. Hinzu kommt[69], daß die ganze Art unserer inneren Existenz, unsere Weltanschauung, unsere Arbeitsweise ... von schrecklich ungesunder, unterminierender, aufreibender Wirkung ist, und auch dies verschlimmert die Sache. Da gibt es nun kleine Linderungsmittel, ohne die man es einfach nicht aushielte. Eine gewisse Artigkeit und hygienische Strenge der Lebensführung zum Beispiel ist manchen von uns Bedürfnis. Früh aufstehen, grausam früh, ein kaltes Bad und ein Spaziergang hinaus in den Schnee ... Das macht[70], daß wir vielleicht eine Stunde lang ein wenig zufrieden mit uns sind. Gäbe ich mich, wie ich bin, so würde ich bis in den Nachmittag hinein im Bette liegen, glauben Sie mir. Wenn ich früh aufstehe, so ist das eigentlich Heuchelei."

„Nein, weshalb, Herr Spinell! Ich nenne das Selbstüberwindung ... Nicht wahr, Frau Rätin?" — Auch die Rätin Spatz nannte es Selbstüberwindung.

„Heuchelei oder Selbstüberwindung, gnädige Frau! Welches Wort man nun vorzieht. Ich bin so gramvoll ehrlich veranlagt[71], daß ich ..."

„Das ist es. Sicher grämen Sie sich zu viel."

„Ja, gnädige Frau, ich gräme mich viel."

— Das gute Wetter hielt an. Weiß, hart und sauber, in Windstille und lichtem Frost, in blendender Helle und bläulichem Schatten lag die Gegend, lagen Berge, Haus und Garten, und ein zartblauer Himmel, in dem Myriaden von flimmernden Leuchtkörperchen, von glitzernden Kristallen zu tanzen schienen, wölbte sich makellos über dem Ganzen. Der Gattin Herrn Klöterjahns ging es leidlich in dieser Zeit; sie war fieberfrei, hustete fast gar nicht und aß ohne allzuviel Widerwillen. Oftmals saß sie, wie das ihre Vorschrift war, stundenlang im sonnigen Frost auf der Terrasse. Sie saß im Schnee, ganz in Decken und Pelzwerk verpackt, und atmete hoffnungsvoll die reine, eisige Luft, um ihrer Luftröhre zu dienen. Dann bemerkte sie zuweilen Herrn Spinell, wie er, ebenfalls warm gekleidet und in Pelzschuhen, die seinen Füßen einen phantastischen Umfang verliehen, sich im Garten erging. Er ging mit tastenden Schritten und einer gewissen behutsamen und steif-graziösen Armhaltung durch den Schnee, grüßte sie ehrerbietig, wenn er zur Terrasse kam, und stieg die unteren Stufen hinan, um ein kleines Gespräch zu beginnen.

„Heute auf meinem Morgenspaziergang habe ich eine schöne Frau gesehen ... Gott, sie war schön!" sagte er, legte den Kopf auf die Seite und spreizte die Hände.

[65] covered [66] artistic [67] struggle with it all our lives [68] to grant [69] added to this is the fact

[70] that's the reason [71] I have such a grievously honest nature

„Wirklich, Herr Spinell? Beschreiben Sie sie mir doch!"

„Nein, das kann ich nicht. Oder ich würde Ihnen doch ein unrichtiges Bild von ihr geben. Ich habe die Dame im Vorübergehen nur mit einem halben Blicke gestreift, ich habe sie in Wirklichkeit nicht gesehen. Aber der verwischte[72] Schatten von ihr, den ich empfing, hat genügt, meine Phantasie anzuregen und mich ein Bild mit fortnehmen zu lassen, das schön ist ... Gott, es ist schön!"

Sie lachte. „Ist das Ihre Art, sich schöne Frauen zu betrachten, Herr Spinell?"

„Ja, gnädige Frau; und es ist eine bessere Art, als wenn ich ihnen plump und wirklichkeitsgierig ins Gesicht starrte und den Eindruck einer fehlerhaften Tatsächlichkeit davontrüge.."

„Wirklichkeitsgierig ... Das ist ein sonderbares Wort! Ein richtiges Schriftstellerwort, Herr Spinell! Aber es macht Eindruck auf mich, will ich Ihnen sagen. Es liegt so manches darin, wovon ich ein wenig verstehe, etwas Unabhängiges und Freies, das sogar der Wirklichkeit die Achtung kündigt[73], obgleich sie doch das Respektabelste ist, was es gibt, ja das Respektable selbst ... Und dann begreife ich, daß es etwas gibt außer dem Handgreiflichen, etwas Zarteres ..."

„Ich weiß nur ein Gesicht", sagte er plötzlich mit einer seltsam freudigen Bewegung in der Stimme, erhob seine geballten Hände zu den Schultern und ließ in einem exaltierten Lächeln seine kariösen Zähne sehen ... „Ich weiß nur ein Gesicht, dessen veredelte Wirklichkeit durch meine Einbildung korrigieren zu wollen, sündhaft wäre, das ich betrachten, auf dem ich verweilen möchte, nicht Minuten, nicht Stunden, sondern mein ganzes Leben lang, mich ganz darin verlieren und alles Irdische darüber vergessen ..."

„Ja, ja, Herr Spinell. Nur daß Fräulein von Osterloh doch ziemlich abstehende Ohren hat."

Er schwieg und verbeugte sich tief. Als er wieder aufrecht stand, ruhten seine Augen mit einem Ausdruck von Verlegenheit und Schmerz auf dem kleinen, seltsamen Äderchen, das sich blaßblau und kränklich in der Klarheit ihrer wie durchsichtigen Stirn verzweigte.

∽

Ein Kauz, ein ganz wunderlicher Kauz! Herrn Klöterjahns Gattin dachte zuweilen nach über ihn, denn sie hatte sehr viele Zeit zum Nachdenken. Sei es, daß der Luftwechsel anfing, die Wirkung zu versagen, oder daß irgendein positiv schädlicher Einfluß sie berührt hatte: ihr Befinden war schlechter geworden, der Zustand ihrer Luftröhre schien zu wünschen übrig zu lassen[74], sie fühlte sich schwach, müde, appetitlos, fieberte nicht selten; und Doktor Leander hatte ihr aufs entschiedenste Ruhe, Stillverhalten und Vorsicht empfohlen. So saß sie, wenn sie nicht liegen mußte, in Gesellschaft der Rätin Spatz, verhielt sich still und hing, eine Handarbeit im Schoße, an der sie nicht arbeitete, diesem oder jenem Gedanken nach.

Ja, er machte ihr Gedanken, dieser absonderliche Herr Spinell, und, was das Merkwürdige war, nicht sowohl über seine als über ihre eigene Person; auf irgendeine Weise rief er in ihr eine seltsame Neugier, ein nie gekanntes Interesse für ihr eigenes Sein hervor. Eines Tages hatte er gesprächsweise geäußert: „Nein, es sind rätselvolle Tatsachen, die Frauen ... so wenig neu es ist, so wenig kann man ablassen, davor zu stehen und zu staunen. Da ist ein wunderbares Geschöpf, eine Sylphe, ein Duftgebild, ein Märchentraum von einem Wesen. Was tut sie? Sie geht hin und ergibt sich einem Jahrmarktsherkules oder Schlächterburschen[75]. Sie kommt an seinem Arme daher, lehnt vielleicht sogar ihren Kopf an seine Schulter und blickt dabei verschlagen[76] lächelnd um sich her, als wollte sie sagen: Ja, nun zerbrecht euch die Köpfe[77] über diese Erscheinung! — Und wir zerbrechen sie uns."

Hiermit hatte Herrn Klöterjahns Gattin sich wiederholt beschäftigt.

Eines anderen Tages fand zum Erstaunen der Rätin Spatz folgendes Zwiegespräch zwischen ihnen statt.

„Darf ich einmal fragen, gnädige Frau (aber

---

[72] blurred, fleeting [73] i.e., refuses to bow before reality

[74] i.e., seemed unsatisfactory [75] a muscle man at a fair or butcher's boy [76] cunningly, subtly [77] rack your brains

es ist wohl naseweis), wie Sie heißen, wie eigentlich Ihr Name ist?"

„Ich heiße doch Klöterjahn, Herr Spinell!"

„Hm. — Das weiß ich. Oder vielmehr: ich
leugne es. Ich meine natürlich Ihren eigenen
Namen, Ihren Mädchennamen. Sie werden gerecht sein und einräumen, gnädige Frau, daß,
wer Sie ,Frau Klöterjahn' nennen wollte, die
Peitsche verdiente."

Sie lachte so herzlich, daß das blaue Äderchen
über ihrer Braue beängstigend deutlich hervortrat und ihrem zarten, süßen Gesicht einen Ausdruck von Anstrengung und Bedrängnis verlieh,
der tief beunruhigte.

„Nein! Bewahre[78], Herr Spinell! Die Peitsche? Ist ,Klöterjahn' Ihnen so fürchterlich?"

„Ja, gnädige Frau, ich hasse diesen Namen
aus Herzensgrund, seit ich ihn zum erstenmal
vernahm. Er ist komisch und zum Verzweifeln
unschön, und es ist Barbarei und Niedertracht,
wenn man die Sitte so weit treibt, auf Sie den
Namen Ihres Herrn Gemahls zu übertragen."

„Nun, und ,Eckhof'? Ist Eckhof schöner?
Mein Vater heißt Eckhof."

„Oh, sehen Sie! ,Eckhof' ist etwas ganz anderes! Eckhof hieß sogar ein großer Schauspieler[79]. Eckhof passiert[80]. — Sie erwähnten
nur Ihres Vaters. Ist Ihre Frau Mutter ..."

„Ja; meine Mutter starb, als ich noch klein
war."

„Ah. — Sprechen Sie mir doch ein wenig
mehr von Ihnen, darf ich Sie bitten? Wenn es
Sie ermüdet, dann nicht. Dann ruhen Sie, und
ich fahre fort, Ihnen von Paris zu erzählen, wie
neulich. Aber Sie könnten ja ganz leise reden,
ja, wenn Sie flüstern, so wird das alles nur
schöner machen ... Sie wurden in Bremen geboren?" Und diese Frage tat er beinahe tonlos,
mit einem ehrfurchtsvollen und inhaltsschweren
Ausdruck, als sei Bremen eine Stadt ohnegleichen, eine Stadt voller unnennbarer Abenteuer
und verschwiegener Schönheiten, in der geboren zu sein, eine geheimnisvolle Hoheit ver-
leihe.

„Ja, denken Sie!" sagte sie unwillkürlich. „Ich
bin aus Bremen."

„Ich war einmal dort", bemerkte er nachdenklich. —

„Mein Gott, Sie waren auch dort? Nein,
hören Sie, Herr Spinell, zwischen Tunis und
Spitzbergen[81] haben Sie, glaube ich, alles gesehen!"

„Ja, ich war einmal dort", wiederholte er.
„Ein paar kurze Abendstunden. Ich entsinne
mich einer alten, schmalen Straße, über deren
Giebeln schief und seltsam der Mond stand.
Dann war ich in einem Keller, in dem es nach
Wein und Moder roch. Das ist eine durch-
dringende Erinnerung ..."

„Wirklich? Wo mag das gewesen sein? — Ja,
in solchem grauen Giebelhause, einem alten
Kaufmannshause mit hallender Diele und weiß
lackierter Galerie, bin ich geboren."

„Ihr Herr Vater ist also Kaufmann?" fragte
er ein wenig zögernd.

„Ja. Aber außerdem und eigentlich wohl in
erster Linie ist er ein Künstler."

„Ah! Ah! Inwiefern?"

„Er spielt die Geige ... Aber das sagt nicht
viel. Wie er sie spielt, Herr Spinell, das ist die
Sache! Einige Töne habe ich niemals hören
können, ohne daß mir die Tränen so merkwürdig brennend in die Augen stiegen, wie sonst
bei keinem Erlebnis. Sie glauben es nicht ..."

„Ich glaube es! Ach, ob ich[82] es glaube ...
Sagen Sie mir, gnädige Frau: Ihre Familie ist
wohl alt? Es haben wohl schon viele Generationen in dem grauen Giebelhaus gelebt, gearbeitet
und das Zeitliche gesegnet[83]?"

„Ja. — Warum fragen Sie übrigens?"

„Weil es nicht selten geschieht, daß ein Geschlecht mit praktischen, bürgerlichen und trok-
kenen Traditionen sich gegen das Ende seiner
Tage noch einmal durch die Kunst verklärt."

„Ist dem so[84]? — Ja, was meinen Vater betrifft, so ist er sicherlich mehr ein Künstler, als
mancher, der sich so nennt und vom Ruhme
lebt. Ich spiele nur ein bißchen Klavier. Jetzt
haben sie es mir ja verboten; aber damals, zu
Hause, spielte ich noch. Mein Vater und ich,
wir spielten zusammen ... Ja, ich habe all die

---

[78] Heaven forbid   [79] Konrad Ekhof (1720–1778), noted actor
and stage director in Gotha   [80] will do

[81] Tunis in Africa; Spitzbergen, north of Norway   [82] do I!
[83] passed away   [84] is that the case?

Jahre in lieber Erinnerung; besonders den Garten, unseren Garten, hinterm Hause. Er war jämmerlich verwildert und verwuchert und von zerbröckelten, bemoosten Mauern eingeschlossen; aber gerade das gab ihm viel Reiz. In der Mitte war ein Springbrunnen, mit einem dichten Kranz von Schwertlilien umgeben. Im Sommer verbrachte ich dort lange Stunden mit meinen Freundinnen. Wir saßen alle auf kleinen Feldsesseln rund um den Springbrunnen herum ...“

„Wie schön!“ sagte Herr Spinell und zog die Schultern empor. „Saßen Sie und sangen?“

„Nein, wir häkelten meistens.“

„Immerhin ... Immerhin ...“

„Ja, wir häkelten und schwatzten, meine sechs Freundinnen und ich ...“

„Wie schön! Gott, hören Sie, wie schön!“ rief Herr Spinell, und sein Gesicht war gänzlich verzerrt.

„Was finden Sie nun hieran so besonders schön, Herr Spinell!“

„Oh, dies, daß es sechs außer Ihnen waren, daß Sie nicht in diese Zahl eingeschlossen waren, sondern daß Sie gleichsam als Königin daraus hervortraten ... Sie waren ausgezeichnet vor Ihren sechs Freundinnen. Eine kleine goldene Krone, ganz unscheinbar, aber bedeutungsvoll, saß in Ihrem Haar und blinkte ...“

„Nein, Unsinn, nichts von einer Krone ...“

„Doch, sie blinkte heimlich. Ich hätte sie gesehen, hätte sie deutlich in Ihrem Haar gesehen, wenn ich in einer dieser Stunden unvermerkt im Gestrüpp gestanden hätte ...“

„Gott weiß, was Sie gesehen hätten. Sie standen aber nicht dort, sondern eines Tages war es mein jetziger Mann, der zusammen mit meinem Vater aus dem Gebüsch hervortrat. Ich fürchte, sie hatten sogar allerhand von unserem Geschwätz belauscht ...“

„Dort war es also, wo Sie Ihren Herrn Gemahl kennen lernten, gnädige Frau?“

„Ja, dort lernte ich ihn kennen!“ sagte sie laut und fröhlich, und indem sie lächelte, trat das zartblaue Äderchen angestrengt und seltsam über ihrer Braue hervor. „Er besuchte meinen Vater in Geschäften, wissen Sie. Am nächsten Tage war er zum Diner geladen, und noch drei Tage später hielt er um meine Hand an.“

„Wirklich! Ging das alles so außerordentlich schnell?“

„Ja ... Das heißt, von nun an ging es ein wenig langsamer. Denn mein Vater war der Sache eigentlich gar nicht geneigt, müssen Sie wissen, und machte eine längere Bedenkzeit zur Bedingung. Erstens wollte er mich lieber bei sich behalten, und dann hatte er noch andere Skrupel. Aber ...“

„Aber?“

„Aber ich w o l l t e es eben“, sagte sie lächelnd, und wieder beherrschte das blaßblaue Äderchen mit einem bedrängten und kränklichen Ausdruck ihr ganzes liebliches Gesicht.

„Ah, Sie wollten es.“

„Ja, und ich habe einen ganz festen und respektablen Willen gezeigt, wie Sie sehen ...“

„Wie ich es sehe. Ja.“

„... So daß mein Vater sich schließlich darein ergeben[85] mußte.“

„Und so verließen Sie ihn denn und seine Geige, verließen das alte Haus, den verwucherten Garten, den Springbrunnen und Ihre sechs Freundinnen und zogen mit Herrn Klöterjahn.“

„Und zog mit ... Sie haben eine Ausdrucksweise, Herr Spinell! — Beinahe biblisch! — Ja, ich verließ das alles, denn so will es ja die Natur.“

„Ja, so will sie es wohl.“

„Und dann handelte es sich ja um mein Glück.“

„Gewiß. Und es kam, das Glück ...“

„Das kam in der Stunde, Herr Spinell, als man mir zuerst den kleinen Anton brachte, unseren kleinen Anton, und als er so kräftig mit seinen kleinen gesunden Lungen schrie, stark und gesund wie er ist ...“

„Es ist nicht das erstemal, daß ich Sie von der Gesundheit Ihres kleinen Anton sprechen höre, gnädige Frau. Er muß ganz ungewöhnlich gesund sein.“

„Das ist er. Und er sieht meinem Mann so lächerlich ähnlich!“

„Ah! — Ja, so begab es sich also. Und nun heißen Sie nicht mehr Eckhof, sondern anders und haben den kleinen gesunden Anton und leiden ein wenig an der Luftröhre.“

„Ja. — Und Sie sind ein durch und durch

[85] yield

rätselhafter Mensch, Herr Spinell, dessen versichere ich Sie …"

„Ja, straf' mich Gott, das sind Sie!" sagte die
Rätin Spatz, die übrigens auch noch vorhanden
war.

Aber auch mit diesem Gespräch beschäftigte
Herrn Klöterjahns Gattin sich mehrere Male in
ihrem Innern[86]. So nichtssagend es war, so barg
es doch einiges auf seinem Grunde, was ihren
Gedanken über sich selbst Nahrung gab. War 10
dies der schädliche Einfluß, der sie berührte?
Ihre Schwäche nahm zu, und oft stellte Fieber
sich ein, eine stille Glut, in der sie mit einem
Gefühle sanfter Gehobenheit ruhte, der sie sich
in einer nachdenklichen, preziösen, selbstge- 15
fälligen und ein wenig beleidigten Stimmung
überließ. Wenn sie nicht das Bett hütete und
Herr Spinell auf den Spitzen seiner großen
Füße mit ungeheurer Behutsamkeit zu ihr trat,
in einer Entfernung von zwei Schritten stehen 20
blieb und, das eine Bein zurückgestellt und den
Oberkörper vorgebeugt, mit ehrfürchtig gedämpfter Stimme zu ihr sprach, wie als höbe er
sie in scheuer Andacht sanft und hoch empor
und bettete sie auf Wolkenpfühle, woselbst kein 25
schriller Laut und keine irdische Berührung sie
erreichen solle …, so erinnerte sie sich der Art,
in der Herr Klöterjahn zu sagen pflegte: „Vorsichtig, Gabriele, take care, mein Engel, und
halte den Mund zu!" eine Art, die wirkte, als 30
schlüge er einem hart und wohlmeinend auf die
Schulter. Dann aber wandte sie sich rasch von
dieser Erinnerung ab, um in Schwäche und Gehobenheit auf den Wolkenpfühlen zu ruhen,
die Herr Spinell ihr dienend bereitete. 35

Eines Tages kam sie unvermittelt auf das
kleine Gespräch zurück, das sie mit ihm über
ihre Herkunft und Jugend geführt hatte.

„Es ist also wahr", fragte sie, „Herr Spinell,
daß Sie die Krone gesehen hätten?" 40

Und obgleich jene Plauderei schon vierzehn
Tage zurücklag, wußte er sofort, um was es sich
handelte, und versicherte ihr mit bewegten
Worten, daß er damals am Springbrunnen, als
sie unter ihren sechs Freundinnen saß, die kleine 45
Krone hätte blinken — sie heimlich in ihrem
Haar hätte blinken sehen.

[86] i.e., mind

Einige Tage später erkundigte sich ein Kurgast
aus Artigkeit bei ihr nach dem Wohlergehen
ihres kleinen Anton daheim. Sie ließ zu Herrn
Spinell, der sich in der Nähe befand, einen hur-
tigen Blick hinübergleiten und antwortete ein 5
wenig gelangweilt: „Danke; wie soll es dem
wohl gehen[87]? — Ihm und meinem Mann geht
es gut."

☙

Ende Februar, an einem Frosttage, reiner und
leuchtender als alle, die vorhergegangen waren,
herrschte in „Einfried" nichts als Übermut. Die
Herrschaften mit den Herzfehlern besprachen
sich untereinander mit geröteten Wangen, der 15
diabetische General trällerte wie ein Jüngling,
und die Herren mit den unbeherrschten Beinen
waren ganz außer Rand und Band[88]. Was ging
vor? Nichts Geringeres, als daß eine gemeinsame Ausfahrt unternommen werden sollte, eine
Schlittenpartie in mehreren Fuhrwerken mit
Schellenklang und Peitschenknall ins Gebirge
hinein; Doktor Leander hatte zur Zerstreuung 25
seiner Patienten diesen Beschluß gefaßt.

Natürlich mußten die „Schweren" zu Hause
bleiben. Die armen „Schweren"! Man nickte
sich zu und verabredete sich, sie nichts von dem
Ganzen wissen zu lassen; es tat allgemein wohl[89],
ein wenig Mitleid üben und Rücksicht nehmen
zu können. Aber auch von denen, die sich an
dem Vergnügen sehr wohl hätten beteiligen
können, schlossen sich einige aus. Was Fräulein
von Osterloh anging, so war sie ohne weiteres 35
entschuldigt. Wer wie sie mit Pflichten über-
häuft war, durfte an Schlittenpartien nicht ernst-
lich denken. Der Hausstand verlangte gebiete-
risch ihre Anwesenheit, und kurzum: sie blieb
in „Einfried". Daß aber auch Herrn Klöterjahns 40
Gattin erklärte, daheim bleiben zu wollen, ver-
stimmte allseitig. Vergebens redete Doktor Leander ihr zu, die frische Fahrt auf sich wirken
zu lassen; sie behauptete, nicht aufgelegt zu sein,
Migräne zu haben, sich matt zu fühlen, und so 45
mußte man sich fügen. Der Zyniker und Witzbold aber nahm Anlaß zu der Bemerkung: „Ge-

[87] how would you expect him to be? [88] out of control [89] it
gave general satisfaction

ben Sie acht, nun fährt auch der verweste Säugling nicht mit."

Und er bekam recht, denn Herr Spinell ließ wissen, daß er heute nachmittag arbeiten wolle; — er gebrauchte sehr gern das Wort „arbeiten" für seine zweifelhafte Tätigkeit. Übrigens beklagte sich keine Seele über sein Fortbleiben, und ebenso leicht verschmerzte man es, daß die Rätin Spatz sich entschloß, ihrer jüngeren Freundin Gesellschaft zu leisten, da das Fahren sie seekrank mache.

Gleich nach dem Mittagessen, das heute schon gegen zwölf Uhr stattgefunden hatte, hielten die Schlitten vor „Einfried", und in lebhaften Gruppen, warm vermummt, neugierig und angeregt, bewegten sich die Gäste durch den Garten. Herrn Klöterjahns Gattin stand mit der Rätin Spatz an der Glastür, die zur Terrasse führte, und Herr Spinell am Fenster seines Zimmers, um der Abfahrt zuzusehen. Sie beobachteten, wie unter Scherzen und Gelächter kleine Kämpfe um die besten Plätze entstanden, wie Fräulein von Osterloh, eine Pelzboa um den Hals, von einem Gespann zum anderen lief, um Körbe mit Eßwaren unter die Sitze zu schieben, wie Doktor Leander, die Pelzmütze in der Stirn, mit seinen funkelnden Brillengläsern noch einmal das Ganze überschaute, dann ebenfalls Platz nahm und das Zeichen zum Aufbruch gab … Die Pferde zogen an, ein paar Damen kreischten und fielen hintüber[90], die Schellen klapperten, die kurzstieligen Peitschen knallten und ließen ihre langen Schnüre im Schnee hinter den Kufen dreinschleppen[91], und Fräulein von Osterloh stand an der Gatterpforte und winkte mit ihrem Schnupftuch, bis an einer Biegung der Landstraße die gleitenden Gefährte verschwanden, das frohe Geräusch sich verlor. Dann kehrte sie durch den Garten zurück, um ihren Pflichten nachzueilen, die beiden Damen verließen die Glastür, und fast gleichzeitig trat auch Herr Spinell von seinem Aussichtspunkte ab.

Ruhe herrschte in „Einfried". Die Expedition war vor Abend nicht zurückzuerwarten. Die „Schweren" lagen in ihren Zimmern und litten. Herrn Klöterjahns Gattin und ihre ältere Freundin unternahmen einen kurzen Spaziergang, worauf sie in ihre Gemächer zurückkehrten. Auch Herr Spinell befand sich in dem seinen und beschäftigte sich auf seine Art. Gegen vier Uhr brachte man den Damen je einen halben Liter Milch, während Herr Spinell seinen leichten Tee erhielt. Kurze Zeit darauf pochte Herrn Klöterjahns Gattin an die Wand, die ihr Zimmer von dem der Magistratsrätin Spatz trennte, und sagte: „Wollen wir nicht ins Konversationszimmer hinuntergehen, Frau Rätin? Ich weiß nicht mehr, was ich hier anfangen soll."

„Sogleich, meine Liebe!" antwortete die Rätin. „Ich ziehe nur meine Stiefel an, wenn Sie erlauben. Ich habe nämlich auf dem Bette gelegen, müssen Sie wissen."

Wie zu erwarten stand, war das Konversationszimmer leer. Die Damen nahmen am Kamine Platz. Die Rätin Spatz stickte Blumen auf ein Stück Stramin[92], und auch Herrn Klöterjahns Gattin tat ein paar Stiche, worauf sie die Handarbeit in den Schoß sinken ließ und über die Armlehne ihres Sessels hinweg ins Leere träumte. Schließlich machte sie eine Bemerkung, die nicht lohnte, daß man ihretwegen die Zähne voneinander tat[93]; da aber die Rätin Spatz trotzdem „Wie?" fragte, so mußte sie zu ihrer Demütigung den ganzen Satz wiederholen. Die Rätin Spatz fragte nochmals „Wie?" In diesem Augenblicke aber wurden auf dem Vorplatze Schritte laut, die Tür öffnete sich, und Herr Spinell trat ein.

„Störe ich?" fragte er noch an der Schwelle mit sanfter Stimme, während er ausschließlich Herrn Klöterjahns Gattin anblickte und den Oberkörper auf eine gewisse zarte und schwebende Art nach vorne beugte … Die junge Frau antwortete: „Ei, warum nicht gar? Erstens ist dieses Zimmer doch als Freihafen gedacht, Herr Spinell, und dann: worin sollten Sie uns stören. Ich habe das entschiedene Gefühl, die Rätin zu langweilen …"

Hierauf wußte er nichts mehr zu erwidern, sondern ließ nur lächelnd seine kariösen Zähne sehen und ging unter den Augen der Damen mit ziemlich unfreien Schritten bis zur Glastür, woselbst er stehen blieb und hinausschaute, indem er in etwas unerzogener Weise den Damen den

[90] backwards [91] drag along behind the runners [92] a fine canvas used for tapestry work [93] separated

Rücken zuwandte. Dann machte er eine halbe Wendung rückwärts, fuhr aber fort, in den Garten hinauszublicken, indes er sagte: „Die Sonne ist fort. Unvermerkt hat der Himmel sich bezogen. Es fängt schon an, dunkel zu werden."

„Wahrhaftig, ja, alles liegt in Schatten", antwortete Herrn Klöterjahns Gattin. „Unsere Ausflügler werden doch noch Schnee bekommen, wie es scheint. Gestern war es um diese Zeit noch voller Tag; nun dämmert es schon."

„Ach", sagte er, „nach allen diesen überhellen Wochen tut das Dunkel den Augen wohl. Ich bin dieser Sonne, die Schönes und Gemeines mit gleich aufdringlicher Deutlichkeit bestrahlt, geradezu dankbar, daß sie sich endlich ein wenig verhüllt."

„Lieben Sie die Sonne nicht, Herr Spinell?"

„Da ich kein Maler bin ... Man wird innerlicher, ohne Sonne. — Es ist eine dicke, weißgraue Wolkenschicht. Vielleicht bedeutet es Tauwetter für morgen. Übrigens würde ich Ihnen nicht raten, dort hinten noch auf die Handarbeit zu blicken, gnädige Frau."

„Ach, seien Sie unbesorgt, das tue ich ohnehin nicht. Aber was soll man beginnen?"

Er hatte sich auf dem Drehsessel vorm Piano niedergelassen, indem er einen Arm auf den Deckel des Instrumentes stützte.

„Musik ..." sagte er. „Wer jetzt ein bißchen Musik zu hören bekäme! Manchmal singen die englischen Kinder kleine nigger-songs, das ist alles."

„Und gestern nachmittag hat Fräulein von Osterloh in aller Eile die Klosterglocken[94] gespielt", bemerkte Herrn Klöterjahns Gattin.

„Aber Sie spielen ja, gnädige Frau", sagte er bittend und stand auf ... „Sie haben ehemals täglich mit Ihrem Herrn Vater musiziert."

„Ja, Herr Spinell, das war damals! Zur Zeit des Springbrunnens, wissen Sie ..."

„Tun Sie es heute!" bat er. „Lassen Sie dies eine Mal ein paar Takte hören! Wenn Sie wüßten, wie ich dürste ..."

„Unser Hausarzt sowie Doktor Leander haben es mir ausdrücklich verboten, Herr Spinell."

„Sie sind nicht da, weder der eine noch der andere! Wir sind frei ... Sie sind frei, gnädige Frau! Ein paar armselige Akkorde ..."

„Nein, Herr Spinell, daraus wird nichts[95]. Wer weiß, was für Wunderdinge Sie von mir erwarten! Und ich habe alles verlernt, glauben Sie mir. Auswendig kann ich beinahe nichts."

„Oh, dann spielen Sie dieses Beinahe-nichts! Und zum Überfluß sind hier Noten, hier liegen sie, oben auf dem Klavier. Nein, dies hier ist nichts. Aber hier ist Chopin ..."

„Chopin?"

„Ja, die Nocturnes. Und nun fehlt nur, daß ich die Kerzen anzünde ..."

„Glauben Sie nicht, daß ich spiele, Herr Spinell! Ich darf nicht. Wenn es mir nun schadet?!"

Er verstummte. Er stand, mit seinen großen Füßen, seinem langen schwarzen Rock und seinem grauhaarigen, verwischten, bartlosen Kopf, im Lichte der beiden Klavierkerzen und ließ die Hände hinunterhängen.

„Nun bitte ich nicht mehr", sagte er endlich leise. „Wenn Sie fürchten, sich zu schaden, gnädige Frau, so lassen Sie die Schönheit tot und stumm, die unter Ihren Fingern laut werden möchte. Sie waren nicht immer so sehr verständig[96]; wenigstens nicht, als es im Gegenteil galt, sich der Schönheit zu begeben[97]. Sie waren nicht besorgt um Ihren Körper und zeigten einen unbedenklicheren und festeren Willen, als Sie den Springbrunnen verließen und die kleine goldene Krone ablegten ... Hören Sie", sagte er nach einer Pause, und seine Stimme senkte sich noch mehr, „wenn Sie jetzt hier niedersitzen und spielen wie einst, als noch Ihr Vater neben Ihnen stand und seine Geige jene Töne singen ließ, die Sie weinen machten, ... dann kann es geschehen, daß man sie wieder heimlich in Ihrem Haar blinken sieht, die kleine goldene Krone ..."

„Wirklich?" fragte sie und lächelte ... Zufällig versagte ihr die Stimme bei diesem Wort, so daß es zur Hälfte heiser und zur Hälfte tonlos herauskam. Sie hüstelte und sagte dann: „Sind es wirklich die Nocturnes von Chopin, die Sie da haben?"

„Gewiß. Sie sind aufgeschlagen, und alles ist bereit."

---

[94] a conventional piano number

[95] nothing will come of that   [96] i.e., prudent   [97] renounce

„Nun, so will ich denn in Gottes Namen[98] eins davon spielen", sagte sie. „Aber nur eines, hören Sie? Dann werden Sie ohnehin für immer genug haben."

Damit erhob sie sich, legte ihre Handarbeit beiseite und ging zum Klavier. Sie nahm auf dem Drehsessel Platz, auf dem ein paar gebundene Notenbücher lagen, richtete die Leuchter und blätterte in den Noten. Herr Spinell hatte einen Stuhl an ihre Seite gerückt und saß neben ihr wie ein Musiklehrer.

Sie spielte das Nocturne in Es-Dur[99], Opus 9, Nummer 2. Wenn sie wirklich einiges verlernt hatte, so mußte ihr Vortrag ehedem vollkommen künstlerisch gewesen sein. Das Piano war nur mittelmäßig, aber schon nach den ersten Griffen wußte sie es mit sicherem Geschmack zu behandeln. Sie zeigte einen nervösen Sinn für differenzierte Klangfarbe[1] und eine Freude an rhythmischer Beweglichkeit, die bis zum Phantastischen ging. Ihr Anschlag[2] war sowohl fest als weich. Unter ihren Händen sang die Melodie ihre letzte Süßigkeit aus, und mit einer zögernden Grazie[3] schmiegten sich die Verzierungen um ihre Glieder.

Sie trug das Kleid vom Tage ihrer Ankunft: die dunkle, gewichtige Taille mit den plastischen Samtarabesken, die Haupt und Hände so unirdisch zart erscheinen ließ. Ihr Gesichtsausdruck veränderte sich nicht beim Spiele, aber es schien, als ob die Umrisse ihrer Lippen noch klarer würden, die Schatten in den Winkeln ihrer Augen sich vertieften. Als sie geendigt hatte, legte sie die Hände in den Schoß und fuhr fort, auf die Noten zu blicken. Herr Spinell blieb ohne Laut und Bewegung sitzen.

Sie spielte noch ein Nocturne, spielte ein zweites und drittes. Dann erhob sie sich; aber nur, um auf dem oberen Klavierdeckel nach neuen Noten zu suchen.

Herr Spinell hatte den Einfall, die Bände in schwarzen Pappdeckeln zu untersuchen, die auf dem Drehsessel lagen. Plötzlich stieß er einen unverständlichen Laut aus, und seine großen, weißen Hände fingerten leidenschaftlich an einem dieser vernachlässigten Bücher.

„Nicht möglich! ... Es ist nicht wahr! ..." sagte er ... „Und dennoch täusche ich mich nicht! ... Wissen Sie, was es ist? ... Was hier lag? ... Was ich hier halte? ..."

„Was ist es?" fragte sie.

Da wies er ihr stumm das Titelblatt[4]. Er war ganz bleich, ließ das Buch sinken und sah sie mit zitternden Lippen an.

„Wahrhaftig? Wie kommt das hierher? Also geben Sie," sagte sie einfach, stellte die Noten aufs Pult, setzte sich und begann nach einem Augenblick der Stille mit der ersten Seite.

Er saß neben ihr, vornübergebeugt, die Hände zwischen den Knien gefaltet, mit gesenktem Kopfe. Sie spielte den Anfang mit einer ausschweifenden und quälenden Langsamkeit, mit beunruhigend gedehnten Pausen zwischen den einzelnen Figuren. Das Sehnsuchtsmotiv, eine einsame und irrende Stimme in der Nacht, ließ leise seine bange Frage vernehmen. Eine Stille und ein Warten. Und siehe, es antwortet: derselbe zage und einsame Klang, nur heller, nur zarter. Ein neues Schweigen. Da setzte mit jenem gedämpften und wundervollen Sforzato[5], das ist wie[6] ein Sich-Aufraffen und seliges Aufbegehren der Leidenschaft, das Liebesmotiv[7] ein, stieg aufwärts, rang sich entzückt empor bis zur süßen Verschlingung, sank, sich lösend, zurück, und mit ihrem tiefen Gesange von schwerer, schmerzlicher Wonne traten die Celli hervor und führten die Weise fort ...

Nicht ohne Erfolg versuchte die Spielende auf dem armseligen Instrument die Wirkung des Orchesters anzudeuten. Die Violinläufe der großen Steigerung[8] erklangen mit leuchtender Präzision. Sie spielte mit preziöser Andacht[9], verharrte gläubig bei jedem Gebilde[10] und hob demütig und demonstrativ das Einzelne hervor, wie der Priester das Allerheiligste[11] über sein Haupt erhebt. Was geschah? Zwei Kräfte, zwei entrückte Wesen strebten in Leiden und Selig-

---

[4] It is a piano version of the music from Wagner's *Tristan und Isolde*. This music is of an intensely passionate, sexual character. [5] strongly accented [6] as it were [7] The principal leitmotifs in Wagner's opera are the love yearning and the death motifs. [8] climax [9] refined devotion [10] phrase [11] i.e., the Host in the Roman Catholic Mass

---

[98] i.e., by all means [99] E flat major [1] timbre [2] touch
[3] the embellishments (or graces) clung to her limbs with a lingering grace

keit nach einander und umarmten sich in dem verzückten und wahnsinnigen Begehren nach dem Ewigen und Absoluten ... Das Vorspiel flammte auf und neigte sich. Sie endigte da, wo der Vorhang sich teilt, und fuhr dann fort, schweigend auf die Noten zu blicken.

Unterdessen hatte bei der Rätin Spatz die Langeweile jenen Grad erreicht, wo sie des Menschen Antlitz entstellt, ihm die Augen aus dem Kopfe treibt und ihm einen leichenhaften und furchteinflößenden Ausdruck verleiht. Außerdem wirkte diese Art von Musik auf ihre Magennerven, sie versetzte diesen dyspeptischen Organismus in Angstzustände und machte, daß die Rätin einen Krampfanfall befürchtete.

„Ich bin genötigt, auf mein Zimmer zu gehen", sagte sie schwach. „Leben Sie wohl, ich kehre zurück ..."

Damit ging sie. Die Dämmerung war weit vorgeschritten. Draußen sah man dicht und lautlos den Schnee auf die Terrasse herniedergehen. Die beiden Kerzen gaben ein wankendes und begrenztes Licht.

„Den zweiten Aufzug", flüsterte er; und sie wandte die Seiten und begann mit dem zweitem Aufzug.

Hörnerschall[12] verlor sich in der Ferne. Wie? oder war es das Säuseln des Laubes? Das sanfte Rieseln des Quells? Schon hatte die Nacht ihr Schweigen durch Hain und Haus gegossen, und kein flehendes Mahnen vermochte dem Walten der Sehnsucht mehr Einhalt zu tun[13]. Das heilige Geheimnis[14] vollendete sich. Die Leuchte erlosch, mit einer seltsamen, plötzlich gedeckten Klangfarbe[15] senkte das Todesmotiv sich herab, und in jagender Ungeduld ließ die Sehnsucht ihren weißen Schleier dem Geliebten entgegenflattern, der ihr mit ausgebreiteten Armen durchs Dunkel nahte.

O überschwenglicher und unersättlicher Jubel der Vereinigung im ewigen Jenseits der Dinge! Des quälenden Irrtums entledigt, den Fesseln des Raumes und der Zeit entronnen, verschmolzen das Du und das Ich, das Dein und Mein sich zu

erhabener Wonne[16]. Trennen konnte sie des Tages tückisches Blendwerk, doch seine prahlende Lüge vermochte die Nachtsichtigen[17] nicht mehr zu täuschen, seit die Kraft des Zaubertrankes ihnen den Blick geweiht. Wer liebend des Todes Nacht und ihr süßes Geheimnis erschaute, dem blieb im Wahn des Lichtes ein einzig Sehnen, die Sehnsucht hin zur heiligen Nacht, der ewigen, wahren, der einsmachenden ...

O sink hernieder, Nacht der Liebe, gib ihnen jenes Vergessen, das sie ersehnen, umschließe sie ganz mit deiner Wonne und löse sie los von der Welt des Truges und der Trennung[18]! Siehe, die letzte Leuchte verlosch! Denken und Dünken[19] versank in heiliger Dämmerung, die sich welterlösend über des Wahnes Qualen breitet. Dann, wenn das Blendwerk erbleicht, wenn in Entzücken sich mein Auge bricht: Das, wovon die Lüge des Tages mich ausschloß, was sie zu unstillbarer Qual meiner Sehnsucht täuschend entgegenstellte — selbst dann, o Wunder der Erfüllung! selbst dann bin ich die Welt[20]. — Und es erfolgte zu Brangänens dunklem Habet-Acht-Gesange[21] jener Aufstieg der Violinen, welcher höher ist als alle Vernunft.

„Ich verstehe nicht alles, Herr Spinell; sehr vieles ahne ich nur. Was bedeutet doch dieses — Selbst — dann bin ich die Welt —?"

Er erklärte es ihr, leise und kurz.

„Ja, so ist es. — Wie kommt es nur, daß Sie, der Sie es so gut verstehen, es nicht auch spielen können?"

Seltsamerweise vermochte er dieser harmlosen Frage nicht standzuhalten. Er errötete, rang die Hände und versank gleichsam mit seinem Stuhle[22].

„Das trifft selten zusammen", sagte er endlich

---

[12] In the following pages the author recreates the atmosphere of Wagner's opera by the use of a rhythmic poetic prose, Wagnerian imagery and alliteration. [13] check [14] i.e., the mystery of sexual union [15] veiled timbre

[16] The following paragraphs introduce Schopenhauerian metaphysics, which influenced Wagner deeply. [17] those who could see at night [18] According to Schopenhauer our ordinary existence is one of delusion because we live as differentiated individuals, failing to realize that in reality we are all manifestations of the same Primal Will which is the essence of the universe. [19] illusion (connected with everyday rational existence) [20] i.e., the incarnation of the Primal Will [21] in Act 2, Scene 2, where Brangäne, the lady in waiting to Isolde, warns the lovers of the treachery that may overcome them in the night [22] i.e., seemed to be swallowed up by the earth

gequält. „Nein, spielen kann ich nicht. — Aber fahren Sie fort."

Und sie fuhren fort in den trunkenen Gesängen des Mysterienspieles[23]. Starb je die Liebe? Tristans Liebe? Die Liebe deiner und meiner Isolde? Oh, des Todes Streiche erreichen die Ewige nicht! Was stürbe wohl ihm, als was uns stört, was die Einigen täuschend entzweit? Durch ein süßes Und verknüpfte sie beide die Liebe ... zerriß es der Tod[24], wie anders, als mit des einen eigenem Leben, wäre dem anderen der Tod gegeben? Und ein geheimnisvoller Zwiegesang vereinigte sie in der namenlosen Hoffnung des Liebestodes, des endlos ungetrennten Umfangenseins im Wunderreiche der Nacht. Süße Nacht! Ewige Liebesnacht! Alles umspannendes Land der Seligkeit! Wer dich ahnend erschaut, wie könnte er ohne Bangen je zum öden Tage zurückerwachen? Banne du das Bangen, holder Tod! Löse du nun die Sehnenden ganz von der Not des Erwachens! O fassungsloser Sturm der Rhythmen! O chromatisch[25] empordrängendes Entzücken der metaphysischen Erkenntnis! Wie sie fassen, wie sie lassen, diese Wonne fern den Trennungsqualen des Lichts? Sanftes Sehnen ohne Trug und Bangen, hehres, leidloses Verlöschen, überseliges Dämmern im Unermeßlichen! Du Isolde, Tristan ich, nicht mehr Tristan, nicht mehr Isolde — — —

Plötzlich geschah etwas Erschreckendes. Die Spielende brach ab und führte ihre Hand über die Augen, um ins Dunkle zu spähen, und Herr Spinell wandte sich rasch auf seinem Sitze herum. Die Tür dort hinten, die zum Korridor führt, hatte sich geöffnet, und herein kam eine finstere Gestalt, gestützt auf den Arm einer zweiten. Es war ein Gast von „Einfried", der gleichfalls nicht in der Lage gewesen war, an der Schlittenpartie teilzunehmen, sondern diese Abendstunde zu einem seiner instinktiven und traurigen Rundgänge durch die Anstalt benutzte, es war jene Kranke, die neunzehn Kinder zur Welt gebracht hatte und keines Gedankens mehr fähig war, es war die Pastorin Höhlenrauch am Arme ihrer Pflegerin. Ohne aufzublicken, durchmaß sie mit tappenden, wandernden Schritten den Hintergrund des Gemaches und entschwand durch die entgegengesetzte Tür — stumm und stier, irrwandelnd und unbewußt. — Es herrschte Stille.

„Das war die Pastorin Höhlenrauch", sagte er.

„Ja, das war die arme Höhlenrauch", sagte sie. Dann wandte sie die Blätter und spielte den Schluß des Ganzen, spielte Isoldens Liebestod[26].

Wie farblos und klar ihre Lippen waren, und wie die Schatten in den Winkeln ihrer Augen sich vertieften! Oberhalb der Braue, in ihrer durchsichtigen Stirn, trat angestrengt und beunruhigend das blaßblaue Äderchen deutlicher und deutlicher hervor. Unter ihren arbeitenden Händen vollzog sich die unerhörte Steigerung, zerteilt von jenem beinahe ruchlosen, plötzlichen Pianissimo, das wie ein Entgleiten des Bodens unter den Füßen und wie ein Versinken in sublime Begierde ist. Der Überschwang einer ungeheuren Lösung und Erfüllung brach herein, wiederholte sich, ein betäubendes Brausen maßloser Befriedigung, unersättlich wieder und wieder, formte sich zurückflutend um, schien verhauchen zu wollen, wob noch einmal das Sehnsuchtsmotiv in seine Harmonie, atmete aus, erstarb, verklang, entschwebte. Tiefe Stille.

Sie horchten beide, legten die Köpfe auf die Seite und horchten.

„Das sind Schellen", sagte sie.

„Es sind die Schlitten", sagte er. „Ich gehe."

Er stand auf und ging durch das Zimmer. An der Tür dort hinten machte er halt, wandte sich um und trat einen Augenblick unruhig von einem Fuß auf den anderen. Und dann begab es sich, daß er, fünfzehn oder zwanzig Schritte von ihr entfernt, auf seine Knie sank, lautlos auf beide Knie. Sein langer schwarzer Gehrock breitete sich auf dem Boden aus. Er hielt die Hände über seinem Munde gefaltet, und seine Schultern zuckten.

Sie saß, die Hände im Schoße, vornübergelehnt, vom Klavier abgewandt, und blickte auf ihn. Ein ungewisses und bedrängtes Lächeln lag auf ihrem Gesicht, und ihre Augen spähten sinnend und so mühsam ins Halbdunkel, daß sie eine kleine Neigung zum Verschließen zeigten.

Aus weiter Ferne her näherten sich Schellen-

[23] mystery play (here used loosely in the nontechnical sense of a drama that deals with the mystery of love) [24] if death severed this bond [25] chromatically, i.e., using half tones

[26] Act 2, Scene 2, the climax of the opera

klappern, Peitschenknall und das Ineinander-
klingen[27] menschlicher Stimmen.

※

Die Schlittenpartie, von der lange noch alle
sprachen, hatte am 26. Februar stattgefunden.
Am 27., einem Tauwettertage, an dem alles sich
erweichte, tropfte, plantschte[28], floß, ging es der
Gattin Herrn Klöterjahns vortrefflich. Am 28.
gab sie ein wenig Blut von sich … oh, un-
bedeutend; aber es war Blut. Zu gleicher Zeit
wurde sie von einer Schwäche befallen, so groß
wie noch niemals, und legte sich nieder.

Doktor Leander untersuchte sie, und sein Gesicht war steinkalt dabei. Dann verordnete er,
was die Wissenschaft vorschreibt: Eisstückchen,
Morphium, unbedingte Ruhe. Übrigens legte
er am folgenden Tage wegen Überbürdung die
Behandlung nieder und übertrug sie Doktor
Müller, der sie pflicht- und kontraktgemäß in
aller Sanftmut übernahm; ein stiller, blasser,
unbedeutender und wehmütiger Mann, dessen
bescheidene und ruhmlose Tätigkeit den beinahe
Gesunden und den Hoffnungslosen gewidmet
war.

Die Ansicht, der er vor allem Ausdruck gab,
war die, daß die Trennung zwischen dem Klö-
terjahnschen Ehepaar nun schon recht lange
währe. Es sei dringend wünschenswert, daß
Herr Klöterjahn, wenn anders[29] sein blühendes
Geschäft es irgend gestatte, wieder einmal zu
Besuch nach „Einfried" käme. Man könne ihm
schreiben, ihm vielleicht ein kleines Telegramm
zukommen lassen … Und sicherlich werde es
die junge Mutter beglücken und stärken, wenn
er den kleinen Anton mitbrächte, abgesehen
davon, daß es für die Ärzte geradezu interessant
sein werde, die Bekanntschaft dieses gesunden
kleinen Anton zu machen.

Und siehe, Herr Klöterjahn erschien. Er hatte
Doktor Müllers Telegramm erhalten und kam
vom Strande der Ostsee. Er stieg aus dem Wagen,
ließ sich Kaffee und Buttersemmeln geben und
sah sehr verdutzt aus.

„Herr", sagte er, „was ist? Warum ruft man
mich zu ihr?"

„Weil es wünschenswert ist", antwortete Doktor Müller, „daß Sie jetzt in der Nähe Ihrer Frau
Gemahlin weilen."

„Wünschenswert … Wünschenswert …
Aber auch notwendig? Ich sehe auf mein Geld[30],
mein Herr, die Zeiten sind schlecht, und die
Eisenbahnen sind teuer. War diese Tagesreise
nicht zu umgehen? Ich wollte nichts sagen,
wenn es beispielsweise die Lunge wäre; aber
da es Gott sei Dank die Luftröhre ist …"

„Herr Klöterjahn", sagte Doktor Müller
sanft, „erstens ist die Luftröhre ein wichtiges
Organ …" Er sagte unkorrekterweise „erstens",
obgleich er gar kein „zweitens" darauf folgen
ließ.

Gleichzeitig aber mit Herrn Klöterjahn war
eine üppige, ganz in Rot, Schottisch[31] und Gold
gehüllte Person in „Einfried" eingetroffen, und
sie war es, die auf ihrem Arme Anton Klöterjahn den Jüngeren, den kleinen gesunden Anton
trug. Ja, er war da, und niemand konnte leugnen,
daß er in der Tat von einer exzessiven Gesundheit war. Rosig und weiß, sauber und frisch
gekleidet, dick und duftig lastete er auf dem
nackten, roten Arm seiner betreßten[32] Dienerin,
verschlang gewaltige Mengen von Milch und
gehacktem Fleisch, schrie und überließ sich in
jeder Beziehung seinen Instinkten.

Vom Fenster seines Zimmers aus hatte der
Schriftsteller Spinell die Ankunft des jungen
Klöterjahn beobachtet. Mit einem seltsamen,
verschleierten und dennoch scharfen Blick hatte
er ihn ins Auge gefaßt, während er vom Wagen
ins Haus getragen wurde, und war dann noch
längere Zeit mit demselben Gesichtsausdruck an
seinem Platze verharrt.

Von da an mied er das Zusammentreffen mit
Anton Klöterjahn dem Jüngeren soweit als tun-
lich.

※

Herr Spinell saß in seinem Zimmer und „arbeitete".

Es war ein Zimmer wie alle in „Einfried":
altmodisch, einfach und distinguiert. Die massige

---

[27] medley [28] splashed [29] if … really

[30] i.e., I have to budget my income [31] Scottish tartan
[32] covered with braid

Kommode war mit metallenen Löwenköpfen beschlagen, der hohe Wandspiegel war keine glatte Fläche, sondern aus vielen kleinen, quadratischen, in Blei gefaßten Scherben zusammengesetzt, kein Teppich bedeckte den bläulich lackierten Estrich[33], in dem die steifen Beine der Meubles als klare Schatten sich fortsetzten. Ein geräumiger Schreibtisch stand in der Nähe des Fensters, vor das der Romancier[34] einen gelben Vorhang gezogen hatte, wahrscheinlich, um sich innerlicher[35] zu machen.

In gelblicher Dämmerung saß er über die Platte des Sekretärs gebeugt und schrieb — schrieb an einem jener zahlreichen Briefe, die er allwöchentlich zur Post befördern ließ, und auf die er belustigenderweise meistens gar keine Antwort erhielt. Ein großer, starker Bogen lag vor ihm, in dessen linkem oberen Winkel unter einer verzwickt[36] gezeichneten Landschaft der Name Detlev Spinell in völlig neuartigen Lettern zu lesen war, und den er mit einer kleinen, sorgfältig gemalten und überaus reinlichen Handschrift bedeckte.

„Mein Herr!" stand dort. „Ich richte die folgenden Zeilen an Sie, weil ich nicht anders kann, weil das, was ich Ihnen zu sagen habe, mich erfüllt, mich quält und zittern macht, weil mir die Worte mit einer solchen Heftigkeit zuströmen, daß ich an ihnen ersticken würde, dürfte ich mich ihrer nicht in diesem Briefe entlasten . . ."

Der Wahrheit die Ehre zu geben, so war das mit dem „Zuströmen" ganz einfach nicht der Fall, und Gott wußte, aus was für eitlen Gründen Herr Spinell es behauptete. Die Worte schienen ihm durchaus nicht zuzuströmen, für einen, dessen bürgerlicher Beruf das Schreiben ist, kam er jämmerlich langsam von der Stelle, und wer ihn sah, mußte zu der Anschauung gelangen, daß ein Schriftsteller ein Mann ist, dem das Schreiben schwerer fällt als allen anderen Leuten.

Mit zwei Fingerspitzen hielt er eins der sonderbaren Flaumhärchen an seiner Wange erfaßt und drehte viertelstundenlang daran, indem er ins Leere starrte und nicht um eine Zeile vorwärts rückte, schrieb dann ein paar zierliche Wörter und stockte aufs neue. Andererseits muß man zugeben, daß das, was schließlich zustande kam, den Eindruck der Glätte und Lebhaftigkeit erweckte, wenn es auch inhaltlich einen wunderlichen, fragwürdigen und oft sogar unverständlichen Charakter trug.

„Es ist", so setzte der Brief sich fort, „das unabweisliche Bedürfnis, das, was ich sehe, was seit Wochen als eine unauslöschliche Vision vor meinen Augen steht, auch Sie sehen zu machen, es Sie mit meinen Augen, in derjenigen sprachlichen Beleuchtung[37] schauen zu lassen, in der es vor meinem inneren Blicke steht. Ich bin gewohnt, diesem Drange zu weichen, der mich zwingt, in unvergeßlich und flammend richtig an ihrem Platze stehenden Worten meine Erlebnisse zu denen der Welt zu machen. Und darum hören Sie mich an!

Ich will nichts, als sagen, was war und ist, ich erzähle lediglich eine Geschichte, eine ganz kurze, unsäglich empörende Geschichte, erzähle sie ohne Kommentar, ohne Anklage und Urteil, nur mit meinen Worten. Es ist die Geschichte Gabriele Eckhofs, mein Herr, der Frau, die Sie die Ihrige nennen . . . und merken Sie wohl! Sie waren es, der sie erlebte; und dennoch bin ich es, dessen Wort sie Ihnen erst in Wahrheit zur Bedeutung eines Erlebnisses[38] erheben wird.

Erinnern Sie sich des Gartens, mein Herr, des alten, verwucherten Gartens hinter dem grauen Patrizierhause? Das grüne Moos sproß in den Fugen[39] der verwitterten Mauern, die seine verträumte Wildnis umschlossen. Erinnern Sie sich auch des Springbrunnens in seiner Mitte? Lilafarbene Lilien neigten sich über sein morsches Rund, und sein weißer Strahl plauderte geheimnisvoll auf das zerklüftete Gestein hinab. Der Sommertag neigte sich.

Sieben Jungfrauen saßen im Kreis um den Brunnen; in das Haar der Siebenten aber, der Ersten, der Einen, schien die sinkende Sonne heimlich ein Abzeichen der Oberhoheit[40] zu weben. Ihre Augen waren wie ängstliche Träume, und dennoch lächelten ihre klaren Lippen...

Sie sangen. Sie hielten ihre schmalen Gesichter zur Höhe des Springstrahles emporgewandt,

---

[33] floor [34] novelist [35] i.e., more withdrawn from contact with the outside world [36] intricately

[37] verbal elucidation [38] i.e., significant spiritual experience [39] cracks, joints [40] insignia of majesty

dorthin, wo er in müder und edler Rundung sich zum Falle neigte, und ihre leisen, hellen Stimmen umschwebten seinen schlanken Tanz. Vielleicht hielten sie ihre zarten Hände um ihre Knie gefaltet, indes sie sangen ...

Entsinnen Sie sich des Bildes, mein Herr? Sahen Sie es? Sie sahen es nicht. Ihre Augen waren nicht geschaffen dafür, und Ihre Ohren nicht, die keusche Süßigkeit seiner Melodie zu vernehmen. Sahen Sie es? — Sie durften nicht[41] wagen, zu atmen, Sie mußten Ihrem Herzen zu schlagen verwehren. Sie mußten gehen, zurück ins Leben, in Ihr Leben, und für den Rest Ihres Erdendaseins das Geschaute als ein unantastbares und unverletzliches Heiligtum in Ihrer Seele bewahren. Was aber taten Sie?

Dies Bild war ein Ende[42], mein Herr; mußten Sie kommen und es zerstören, um ihm eine Fortsetzung der Gemeinheit und des häßlichen Leidens zu geben? Es war eine rührende und friedevolle Apotheose[43], getaucht in die abendliche Verklärung des Verfalles, der Auflösung und des Verlöschens. Ein altes Geschlecht, zu müde bereits und zu edel zur Tat und zum Leben, steht am Ende seiner Tage, und seine letzten Äußerungen sind Laute der Kunst, ein paar Geigentöne, voll von der wissenden Wehmut der Sterbensreife ... Sahen Sie die Augen, denen diese Töne Tränen entlockten? Vielleicht, daß die Seelen der sechs Gespielinnen dem Leben gehörten; diejenige aber ihrer schwesterlichen Herrin gehörte der Schönheit und dem Tode.

Sie sahen sie, diese Todesschönheit: sahen sie an, um ihrer zu begehren. Nichts von Ehrfurcht, nichts von Scheu berührte Ihr Herz vor ihrer rührenden Heiligkeit. Es genügte Ihnen nicht, zu schauen; Sie mußten besitzen, ausnützen, entweihen ... Wie fein Sie Ihre Wahl trafen! Sie sind ein Gourmand[44], mein Herr, ein plebejischer Gourmand, ein Bauer mit Geschmack.

Ich bitte Sie, zu bemerken, daß ich keineswegs den Wunsch hege, Sie zu kränken. Was ich sag ist kein Schimpf, sondern die Formel, die ein-

fache psychologische Formel für Ihre einfache, literarisch gänzlich uninteressante Persönlichkeit, und ich spreche sie aus, nur weil es mich treibt, Ihnen Ihr eigenes Tun und Wesen ein wenig zu erhellen, weil es auf Erden mein unausweichlicher Beruf ist, die Dinge bei Namen zu nennen, sie reden zu machen, und das Unbewußte zu durchleuchten. Die Welt ist voll von dem, was ich den ‚unbewußten Typus‘ nenne; und ich ertrage sie nicht, alle diese unbewußten Typen! Ich ertrage es nicht, all dies dumpfe, unwissende und erkenntnislose Leben und Handeln, diese Welt von aufreizender Naivität um mich her! Es treibt mich mit qualvoller Unwiderstehlichkeit, alles Sein in der Runde — soweit meine Kräfte reichen — zu erläutern, auszusprechen und zum Bewußtsein zu bringen — unbekümmert darum, ob dies eine fördernde oder hemmende Wirkung nach sich zieht, ob es Trost und Linderung bringt oder Schmerz zufügt.

Sie sind, mein Herr, wie ich sagte, ein plebejischer Gourmand, ein Bauer mit Geschmack. Eigentlich von plumper Konstitution und auf einer äußerst niedrigen Entwicklungsstufe befindlich, sind Sie durch Reichtum und sitzende Lebensweise[45] zu einer plötzlichen, unhistorischen[46] und barbarischen Korruption des Nervensystems gelangt, die eine gewisse lüsterne Verfeinerung des Genußbedürfnisses nach sich zieht. Wohl möglich, daß die Muskeln Ihres Schlundes in eine schmatzende Bewegung gerieten, wie angesichts einer köstlichen Suppe oder seltenen Platte, als Sie beschlossen, Gabriele Eckhof zu eigen zu nehmen[47] ...

In der Tat, Sie lenken ihren verträumten Willen in die Irre, Sie führen sie aus dem verwucherten Garten in das Leben und in die Häßlichkeit, Sie geben ihr Ihren ordinären[48] Namen und machen sie zum Eheweibe, zur Hausfrau, machen sie zur Mutter. Sie erniedrigen die müde, scheue und in erhabener Unbrauchbarkeit blühende Schönheit des Todes in den Dienst des gemeinen Alltags und jenes blöden, ungefügen und verächtlichen Götzen[49], den man die Natur nennt, und nicht eine Ahnung von der tiefen Nieder-

---

[41] you shouldn't have [42] culmination, i.e., perfect [43] glorification [44] glutton. Spinell probably means "gourmet," connoisseur, a man who likes the fine things in life. The two French words are often confused in German, as in English, usage.

[45] a sedentary life [46] i.e., without roots in your past [47] make your wife [48] common [49] stupid, clumsy, contemptible idol

tracht dieses Beginnens regt sich in Ihrem bäurischen Gewissen.

Nochmals: Was geschieht? Sie, mit den Augen, die wie ängstliche Träume sind, schenkt Ihnen ein Kind; sie gibt diesem Wesen, das eine Fortsetzung der niedrigen Existenz seines Erzeugers ist, alles mit, was sie an Blut und Lebensmöglichkeit besitzt, und stirbt. Sie stirbt, mein Herr! Und wenn sie nicht in Gemeinheit dahinfährt, wenn sie dennoch zuletzt sich aus den Tiefen ihrer Erniedrigung erhob und stolz und selig unter dem tödlichen Kusse der Schönheit vergeht, so ist das meine Sorge gewesen. Die Ihrige war es wohl unterdessen, sich auf verschwiegenen Korridoren mit Stubenmädchen die Zeit zu verkürzen.

Ihr Kind aber, Gabriele Eckhofs Sohn, gedeiht, lebt und triumphiert. Vielleicht wird er das Leben seines Vaters fortführen, ein Handel treibender, Steuern zahlender und gut speisender Bürger werden; vielleicht ein Soldat oder Beamter, eine unwissende und tüchtige Stütze des Staates; in jedem Falle ein amusisches[50], normal funktionierendes Geschöpf, skrupellos und zuversichtlich, stark und dumm.

Nehmen Sie das Geständnis, mein Herr, daß ich Sie hasse, Sie und Ihr Kind, wie ich das Leben selbst hasse, das gemeine, das lächerliche und dennoch triumphierende Leben, das Sie darstellen, den ewigen Gegensatz und Todfeind der Schönheit. Ich darf nicht sagen, daß ich Sie verachte. Ich kann es nicht. Ich bin ehrlich. Sie sind der Stärkere. Ich habe Ihnen im Kampfe nur Eines entgegenzustellen, das erhabene Gewaffen und Rachewerkzeug der Schwachen: Geist und Wort. Heute habe ich mich seiner bedient. Denn dieser Brief — auch darin bin ich ehrlich, mein Herr — ist nichts als ein Racheakt, und ist nur ein einziges Wort darin scharf, glänzend und schön genug, Sie betroffen zu machen, Sie eine fremde Macht spüren zu lassen, Ihren robusten Gleichmut einen Augenblick ins Wanken zu bringen, so will ich frohlocken[51].

Detlev Spinell."

Und dieses Schriftstück kuvertierte und frankierte[52] Herr Spinell, versah es mit einer zierlichen Adresse und überlieferte es der Post.

Herr Klöterjahn pochte an Herrn Spinells Stubentür; er hielt einen großen, reinlich beschriebenen Bogen in der Hand und sah aus wie ein Mann, der entschlossen ist, energisch vorzugehen. Die Post hatte ihre Pflicht getan, der Brief war seinen Weg gegangen; er hatte die wunderliche Reise von „Einfried" nach „Einfried" gemacht und war richtig in die Hände des Adressaten gelangt. Es war vier Uhr am Nachmittage.

Als Herr Klöterjahn eintrat, saß Herr Spinell auf dem Sofa und las in seinem eigenen Roman mit der verwirrenden Umschlagzeichnung. Er stand auf und sah den Besucher überrascht und fragend an, obgleich er deutlich errötete.

„Guten Tag", sagte Herr Klöterjahn. „Entschuldigen Sie, daß ich Sie in Ihren Beschäftigungen störe. Aber darf ich fragen, ob Sie dies geschrieben haben?" Damit hielt er den großen, reinlich beschriebenen Bogen mit der linken Hand empor und schlug mit dem Rücken der Rechten darauf, so daß er heftig knisterte. Hierauf schob er die Rechte in die Tasche seines weiten, bequemen Beinkleides, legte den Kopf auf die Seite und öffnete, wie manche Leute pflegen, den Mund zum Horchen.

Sonderbarerweise lächelte Herr Spinell; er lächelte zuvorkommend, ein wenig verwirrt und halb entschuldigend, führte die Hand zum Kopfe, als besänne er sich und sagte: Ah, richtig ... ja ... ich erlaubte mir ..."

Die Sache war die, daß er sich heute gegeben hatte[53], wie er war, und bis gegen Mittag geschlafen hatte. Infolge hiervon litt er an schlimmem Gewissen und blödem[54] Kopfe, fühlte er sich nervös und wenig widerstandsfähig. Hinzu kam[55], daß die Frühlingsluft, die eingetreten war, ihn matt und zur Verzweiflung geneigt machte. Dies alles muß erwähnt werden als Erklärung dafür, daß er sich während dieser Szene so äußerst albern benahm.

„So! Aha! Schön!" sagte Herr Klöterjahn, indem er das Kinn auf die Brust drückte, die Brauen emporzog, die Arme reckte und eine

[50] inartistic [51] rejoice [52] put in an envelope and stamped
[53] i.e., had yielded to his natural impulses [54] thick
[55] added to this was the fact

Menge ähnlicher Anstalten traf, nach Erledigung dieser Formfrage ohne Erbarmen zur Sache zu kommen. Aus Freude an seiner Person ging er ein wenig zu weit in diesen Anstalten; was schließlich erfolgte, entsprach nicht völlig der drohenden Umständlichkeit dieser mimischen Vorbereitungen. Aber Herr Spinell war ziemlich bleich.

„Sehr schön!" wiederholte Herr Klöterjahn. „Dann lassen Sie sich die Antwort mündlich geben, mein Lieber, und zwar in Anbetracht des Umstandes, daß ich es für blödsinnig halte, jemandem, den man stündlich sprechen kann, seitenlange Briefe zu schreiben ..."

„Nun ... blödsinnig ..." sagte Herr Spinell lächelnd, entschuldigend und beinahe demütig. .

„Blödsinnig!" wiederholte Herr Klöterjahn und schüttelte heftig den Kopf, um zu zeigen, wie unangreifbar sicher er seiner Sache sei. „Und ich würde dies Geschreibsel nicht eines Wortes würdigen, es wäre mir, offen gestanden, ganz einfach als Butterbrotpapier[56] zu schlecht, wenn es mich nicht über gewisse Dinge aufklärte, die ich bis dahin nicht begriff, gewisse Veränderungen ... Übrigens geht Sie das nichts an und gehört zur Sache. Ich bin ein tätiger Mann, ich habe Besseres zu bedenken, als Ihre unaussprechlichen Visionen ..."

„Ich habe ,unauslöschliche Vision' geschrieben", sagte Herr Spinell und richetete sich auf. Es war der einzige Moment dieses Auftrittes, in dem er ein wenig Würde an den Tag legte.

„Unauslöschlich ... unaussprechlich ...!" entgegnete Herr Klöterjahn und blickte ins Manuskript. „Sie schreiben eine Hand, die miserabel ist, mein Lieber; ich möchte Sie nicht in meinem Kontor beschäftigen. Auf den ersten Blick scheint es ganz sauber, aber bei Licht besehen ist es voller Lücken und Zittrigkeiten[57]. Aber das ist Ihre Sache und geht mich nichts an. Ich bin gekommen, um Ihnen zu sagen, daß Sie erstens ein Hanswurst[58] sind — nun, das ist Ihnen hoffentlich bekannt. Außerdem aber sind Sie ein großer Feigling, und auch das brauche ich Ihnen wohl nicht ausführlich zu beweisen. Meine Frau hat mir einmal geschrieben, Sie sähen den Weibsperso-

nen, denen Sie begegnen, nicht ins Gesicht, sondern schielten nur so hin[59], um eine schöne Ahnung davonzutragen, aus Angst vor der Wirklichkeit. Leider hat sie später aufgehört, in ihren Briefen von Ihnen zu erzählen; sonst wüßte ich noch mehr Geschichten von Ihnen. Aber so sind Sie. ,Schönheit' ist Ihr drittes Wort, aber im Grunde ist es nichts als Bangebüchsigkeit und Duckmäuserei[60] und Neid, und daher wohl auch Ihre unverschämte Bemerkung von den ,verschwiegenen Korridoren', die mich wahrscheinlich so recht durchbohren sollte und mir doch bloß Spaß gemacht hat, Spaß hat sie mir gemacht! Aber wissen Sie nun Bescheid? Habe ich Ihnen Ihr ... Ihr ,Tun und Wesen' nun ,ein wenig erhellt', Sie Jammermensch? Obgleich es nicht mein ,unausbleiblicher Beruf' ist, hö, hö!"

„Ich habe ,unausweichlicher Beruf' geschrieben", sagte Herr Spinell; aber er gab es gleich wieder auf. Er stand da, hilflos und abgekanzelt[61], wie ein großer, kläglicher, grauhaariger Schuljunge.

„Unausweichlich ... unausbleiblich ... Ein niederträchtiger Feigling sind Sie, sage ich Ihnen. Täglich sehen Sie mich bei Tische. Sie grüßen mich und lächeln, Sie reichen mir Schüsseln und lächeln, Sie wünschen mir gesegnete Mahlzeit und lächeln. Und eines Tages schicken Sie mir solch einen Wisch[62] voll blödsinniger Injurien[63] auf den Hals. Hö, ja, schriftlich haben Sie Mut! Und wenn es bloß dieser lachhafte Brief wäre. Aber Sie haben gegen mich intrigiert, hinter meinem Rücken gegen mich intrigiert, ich begreife es jetzt sehr wohl ... obgleich Sie sich nicht einzubilden brauchen, daß es Ihnen etwas genützt hat! Wenn Sie sich etwa der Hoffnung hingeben, meiner Frau Grillen[64] in den Kopf gesetzt zu haben, so befinden Sie sich auf dem Holzwege[65], mein wertgeschätzter Herr, dazu ist sie ein zu vernünftiger Mensch! Oder wenn Sie am Ende gar glauben, daß sie mich irgendwie anders als sonst empfangen hat, mich und das Kind, als wir kamen, so setzen Sie Ihrer Abgeschmacktheit die Krone auf[66]! Wenn sie dem Kleinen

[56] wrapping paper for sandwiches [57] gaps and quavers [58] clown, i.e., jackass

[59] only squinted at them   [60] cowardice and sneakiness [61] bawled out [62] scrawl [63] insults [64] i.e., "ideas" [65] on the wrong track [66] you put the finishing touch to your absurdity

keinen Kuß gegeben hat, so geschah es aus Vorsicht, weil neuerdings die Hypothese aufgetaucht ist, daß es nicht die Luftröhre, sondern die Lunge ist und man in diesem Falle nicht wissen kann ... obgleich es übrigens noch sehr zu beweisen ist, das mit der Lunge, und Sie mit Ihrem ‚sie stirbt, mein Herr!‘ Sie sind ein Esel!"

Hier suchte Herr Klöterjahn seine Atmung ein wenig zu regeln. Er war nun sehr in Zorn geraten, stach beständig mit dem rechten Zeigefinger in die Luft und richtete das Manuskript in seiner Linken aufs übelste zu. Sein Gesicht, zwischen dem blonden englischen Backenbart, war furchtbar rot, und seine umwölkte Stirn war von geschwollenen Adern zerrissen wie von Zornesblitzen.

„Sie hassen mich", fuhr er fort, „und Sie würden mich verachten, wenn ich nicht der Stärkere wäre ... Ja, das bin ich, zum Teufel, ich habe das Herz auf dem rechten Fleck, während Sie das Ihre wohl meistens in den Hosen haben, und ich würde Sie in die Pfanne hauen[67] mitsamt Ihrem ‚Geist und Wort‘, Sie hinterlistiger Idiot, wenn das nicht verboten wäre. Aber damit ist nicht gesagt, mein Lieber, daß ich mir Ihre Invektiven so ohne weiteres gefallen lasse, und wenn ich das mit dem ‚ordinären Namen‘ zu Haus meinem Anwalt zeige, so wollen wir sehen, ob Sie nicht Ihr blaues Wunder erleben[68]. Mein Name ist gut, mein Herr, und zwar durch mein Verdienst. Ob Ihnen jemand auf den Ihren auch nur einen Silbergroschen[69] borgt, diese Frage mögen Sie mit sich selbst erörtern, Sie hergelaufener Bummler[70]! Gegen Sie muß man gesetzlich vorgehen[71]! Sie sind gemeingefährlich[72]! Sie machen die Leute verrückt! ... Obgleich Sie sich nicht einzubilden brauchen, daß es Ihnen diesmal gelungen ist, Sie heimtückischer Patron[73]! Von Individuen, wie Sie eins sind, lasse ich mich denn doch nicht aus dem Felde schlagen. Ich habe das Herz auf dem rechten Fleck ..."

Herr Klöterjahn war nun wirklich äußerst erregt. Er schrie und sagte wiederholt, daß er das Herz auf dem rechten Flecke habe.

„‚Sie sangen‘. Punkt. Sie sangen gar nicht! Sie strickten. Außerdem sprachen sie, soviel ich verstanden habe, von einem Rezept für Kartoffelpuffer[74], und wenn ich das mit dem ‚Verfall‘ und der ‚Auflösung‘ meinem Schwiegervater sage, so belangt er Sie gleichfalls von Rechts wegen[75], da können Sie sicher sein! ... ‚Sahen Sie das Bild, sahen Sie es?‘ Natürlich sah ich es, aber ich begreife nicht, warum ich deshalb den Atem anhalten und davonlaufen sollte. Ich schiele den Weibern nicht am Gesicht vorbei, ich sehe sie mir an, und wenn sie mir gefallen, und wenn sie mich wollen, so nehme ich sie mir. Ich habe das Herz auf dem rechten Fl..."

Es pochte. — Es pochte gleich neun- oder zehnmal ganz rasch hintereinander an die Stubentür, ein kleiner, heftiger, ängstlicher Wirbel[76], der Herrn Klöterjahn verstummen machte, und eine Stimme, die gar keinen Halt hatte, sondern vor Bedrängnis fortwährend aus den Fugen ging[77], sagte in größter Hast: „Herr Klöterjahn, Herr Klöterjahn, ach, ist Herr Klöterjahn da?"

„Draußen bleiben", sagte Herr Klöterjahn unwirsch ... „Was ist? Ich habe hier zu reden."

„Herr Klöterjahn", sagte die schwankende und sich brechende Stimme, „Sie müssen kommen .. auch die Ärzte sind da ... oh, es ist so entsetzlich traurig ..."

Da war er mit einem Schritt an der Tür und riß sie auf. Die Rätin Spatz stand draußen. Sie hielt ihr Schnupftuch vor den Mund, und große, längliche Tränen rollten paarweise in dieses Tuch hinein.

„Herr Klöterjahn", brachte sie hervor ... „es ist so entsetzlich traurig ... Sie hat so viel Blut aufgebracht, so fürchterlich viel ... Sie saß ganz ruhig im Bett und summte ein Stückchen Musik vor sich hin, und da kam es, lieber Gott, so übermäßig viel ..."

„Ist sie tot?!" schrie Herr Klöterjahn ... Dabei packte er die Rätin am Oberarm und zog sie auf der Schwelle hin und her. „Nein, nicht ganz, wie? Noch nicht ganz, sie kann mich noch sehen ... Hat sie wieder ein bißchen Blut aufgebracht? Aus der Lunge, wie? Ich gebe zu, daß es vielleicht aus der Lunge kommt ... Gabriele!" sagte er

---

[67] I'd beat you up   [68] you'll get the surprise of your life   [69] a dime   [70] common tramp   [71] take legal action   [72] a public menace   [73] malicious fellow

[74] potato pancakes   [75] he'll have the law on you   [76] tattoo [77] i.e., broke

plötzlich, indem die Augen ihm übergingen[78], und man sah, wie ein warmes, gutes, menschliches und redliches Gefühl aus ihm hervorbrach. „Ja, ich komme!" sagte er, und mit langen Schritten schleppte er die Rätin aus dem Zimmer hinaus und über den Korridor davon. Von einem entlegenen Teile des Wandelganges[79] her vernahm man noch immer sein rasch sich entfernendes „Nicht ganz, wie? ... Aus der Lunge, was? ..."

⊚⊚

Herr Spinell stand auf dem Fleck, wo er während Herrn Klöterjahns so jäh unterbrochener Visite gestanden hatte und blickte auf die offene Tür. Endlich tat er ein paar Schritte vorwärts und horchte ins Weite. Aber alles war still, und so schloß er die Tür und kehrte ins Zimmer zurück.

Eine Weile betrachtete er sich im Spiegel, hierauf ging er zum Schreibtisch, holte ein kleines Flakon[80] und ein Gläschen aus einem Fache hervor und nahm einen Kognak zu sich, was kein Mensch ihm verdenken konnte. Dann streckte er sich auf dem Sofa aus und schloß die Augen.

Die obere Klappe[81] des Fensters stand offen. Draußen im Garten von „Einfried" zwitscherten die Vögel, und in diesen kleinen, zarten und kecken Lauten lag fein und durchdringend der ganze Frühling ausgedrückt. Einmal sagte Herr Spinell leise vor sich hin: „Unausbleiblicher Beruf ..." Dann bewegte er den Kopf hin und her und zog die Luft durch die Zähne ein, wie bei einem heftigen Nervenschmerz.

Es war unmöglich, zur Ruhe und Sammlung zu gelangen. Man ist nicht geschaffen für so plumpe Erlebnisse wie dieses da! — Durch einen seelischen Vorgang, dessen Analyse zu weit führen würde, gelangte Herr Spinell zu dem Entschlusse, sich zu erheben und sich einige Bewegung zu machen, sich etwas im Freien zu ergehen[82]. So nahm er den Hut und verließ das Zimmer.

Als er aus dem Hause trat und die milde, würzige Luft ihn umfing, wandte er das Haupt und ließ seine Augen langsam an dem Gebäude empor bis zu einem der Fenster gleiten, einem verhängten Fenster, an dem sein Blick eine Weile ernst, fest und dunkel haftete. Dann legte er die Hände auf den Rücken und schritt über die Kieswege dahin. Er schritt in tiefem Sinnen.

Noch waren die Beete mit Matten[83] bedeckt, und Bäume und Sträucher waren noch nackt; aber der Schnee war fort, und die Wege zeigten nur hier und da noch feuchte Spuren. Der weite Garten mit seinen Grotten, Laubgängen und kleinen Pavillons lag in prächtig farbiger Nachmittagsbeleuchtung, mit kräftigem Schatten und sattem, goldigem Licht, und das dunkle Geäst der Bäume stand scharf und zart gegliedert gegen den hellen Himmel.

Es war um die Stunde, da die Sonne Gestalt annimmt, da die formlose Lichtmasse zur sichtbar sinkenden Scheibe wird, deren sattere, mildere Glut das Auge duldet. Herr Spinell sah die Sonne nicht; sein Weg führte ihn so, daß sie ihm verdeckt und verborgen war. Er ging gesenkten Hauptes und summte ein Stückchen Musik vor sich hin, ein kurzes Gebild, eine bang und klagend aufwärtssteigende Figur, das Sehnsuchtsmotiv ... Plötzlich aber, mit einem Ruck, einem kurzen, krampfhaften Aufatmen, blieb er gefesselt stehen, und unter heftig zusammengezogenen Brauen starrten seine erweiterten Augen mit dem Ausdruck entsetzter Abwehr geradeaus.

Der Weg wandte sich; er führte der sinkenden Sonne entgegen. Durchzogen von zwei schmalen, erleuchteten Wolkenstreifen mit vergoldeten Rändern, stand sie groß und schräg am Himmel, setzte die Wipfel der Bäume in Glut und goß ihren gelbrötlichen Glanz über den Garten hin. Und inmitten dieser goldigen Verklärung, die gewaltige Gloriole[84] der Sonnenscheibe zu Häupten[85], stand hochaufgerichtet im Wege eine üppige, ganz in Rot, Gold und Schottisch gekleidete Person, die ihre Rechte in die schwellende Hüfte stemmte und mit der Linken ein grazil[86] geformtes Wägelchen leicht vor sich hin und her bewegte. In diesem Wägelchen aber saß das

[78] filled with tears [79] corridor [80] flask [81] wing (French windows, opening inward and consisting of an upper and lower half) [82] take a walk

[83] mats of grass or hay to protect the roots from the early spring sun [84] halo [85] over her head [86] gracefully

Kind, saß Anton Klöterjahn der Jüngere, saß Gabriele Eckhofs dicker Sohn!

Er saß, bekleidet mit einer weißen Flausjacke[87] und einem großen weißen Hut, pausbäckig[88], prächtig und wohlgeraten in den Kissen, und sein Blick begegnete lustig und unbeirrbar demjenigen Herrn Spinells. Der Romancier war im Begriffe, sich aufzuraffen, er war ein Mann, er hätte die Kraft besessen, an dieser unerwarteten, in Glanz getauchten Erscheinung vorüberzuschreiten und seinen Spaziergang fortzusetzen. Da aber geschah das Gräßliche, daß Anton Klöterjahn zu lachen und zu jubeln begann, er kreischte vor unerklärlicher Lust, es konnte einem unheimlich zu Sinne werden[89].

Gott weiß, was ihn anfocht[90], ob die schwarze Gestalt ihm gegenüber ihn in diese wilde Heiterkeit versetzte, oder was für ein Anfall von ani-malischem Wohlbefinden ihn packte. Er hielt in der einen Hand einen knöchernen Beißring und in der anderen eine blecherne Klapperbüchse[91]. Diese beiden Gegenstände reckte er jauchzend in den Sonnenschein empor, schüttelte sie und schlug sie zusammen, als wollte er jemand spottend verscheuchen. Seine Augen waren beinahe geschlossen vor Vergnügen, und sein Mund war so klaffend[92] aufgerissen, daß man seinen ganzen rosigen Gaumen sah. Er warf sogar seinen Kopf hin und her, indes er jauchzte.

Da machte Herr Spinell kehrt[93] und ging von dannen. Er ging, gefolgt von dem Jubilieren des kleinen Klöterjahn, mit einer gewissen behutsamen und steif-graziösen Armhaltung über den Kies, mit den gewaltsam zögernden Schritten jemandes, der verbergen will, daß er innerlich davonläuft.

[87] jacket of coarse cloth   [88] chubbycheeked   [89] it could give one an uncanny feeling   [90] possessed

[91] rattle   [92] gaping   [93] turned on his heels

Hermann Hesse · 1877 –

The comparison between Hermann Hesse and Thomas Mann has undoubtedly been overworked. Yet it forces itself on the consciousness; for both men are concerned with the same basic problem in our society: the position of the superior man, the intellectual and artist, in a highly restrictive and hostile environment. But where the powerful and clear intellect of Thomas Mann has developed a dialectic of the human mind seen in terms of this one problem, Hermann Hesse has lived through the tormenting confusions into which the intellectual-artist of our time is thrown, and has reflected these confusions, passions, and frustrations in his many works. The difference expresses itself also in the art of the two men. Thomas Mann depicts the conflict between life and mind in modern man's soul in the most restrained situations and in serene prose. In Hermann Hesse's work the conflict appears much more nakedly, with daemonic power and passion, with tormented violence, with strong emphasis on the sensual element involved. Whatever depths Mann may have plumbed in his exploration of the soul (and it would be foolish to assert that he was unaware of the part played by the daemonic element in life), he always presents it in a delicate, restrained, elevated, ironic form. Compare the love scenes in *Tristan* or the climactic situation in which Hans Castorp woos Mme Chauchat in the *Zauberberg* with any treatment of *eros* in Hesse's writings.

The difference is rooted in the lives of the two men. As against the solid bourgeois respectability of Thomas Mann's family tradition, Hesse had led a turbulent, irregular life. He came from a Pietistic family of Protestant missionaries to the Orient. In his home strict, puritanical Christianity was practiced, together with a sincere adherence to the doctrine of Christian love in external relations with one's fellowmen. Being a boy of strong character, absolute sincerity, and uncompromising honesty, Hesse came into conflict with the narrow authoritarian attitude represented by both parents and teachers. He changed schools, ran away, was apprenticed to a machinist, worked as a clerk in a bookstore. Finally at the age of twenty-six he became a writer. He married but was unable to live with his wife. A journey to India in 1911 brought him into direct contact with the mental world of the Orient, which he had glimpsed at home through books and through his parents. On returning to Europe he settled in Switzerland, where he has lived to this day. A nervous breakdown in 1914 introduced him to the world of psychoanalysis, which plays a considerable role in his work. During the First World War he remained in Switzerland, doing relief work with German prisoners. His outspoken refusal to adopt the chauvinistic attitude prevalent at the time earned him much abuse from the German patriots.

The publication of the novel *Demian* in 1919 brought Hesse back into popularity with German youth; since then he has been in the front rank of German men of letters. He has received various distinctions, including the Nobel Prize for literature, which was awarded to him in 1946 on the occasion of his seventieth birthday.

Hesse's early novels, stories, and poems reveal him as a romantic in the popular sense of the word: a mystical worshipper of nature, a rebel against bourgeois philistinism, an apostle of simplicity and primitivism, succumbing to the lure of night and death. Gradually his vision deepened and he began at an early point in the new century to see our age as an era of crisis for Western man. Novalis and Friedrich Schlegel, Kierkegaard, Dostoevski, Nietzsche, Freud, and Mann helped him to realize the ravages that modern civilization have made on man's soul. And so the cleavage between life and mind appears in the novels and stories since *Demian* in a very different key from that prevailing in the earlier works. Man's agony is now depicted with the extreme passion that the expressionists brought into literature. Modern man is shown in danger of destroying himself by losing all firm moral sense, all conviction, forgetting the difference between right and wrong, alternating between a life-destroying asceticism and—as a rebellion against it—a life-destroying debauchery. Hesse sees this modern man living a life of lies, insincerity, self-deception, corroding scepticism, or adherence to stupid convention. And in the background lurk the evils that the existentialists point up: anxiety, neurosis, fear of death, a sense of the emptiness and absurdity of life.

What can man do about it? He can heed the admonitions of the great teachers of the race, become his true self in spite of all the stumbling blocks that society and convention put in his path. This alienation of man from his true self is the basic theme of the mature Hesse. It is stated with the pungency of an aphorism in *Demian*: "Nothing in the world is more odious to man than to walk the road that leads to himself." And in the beautiful parable *Der schwere Weg* this resistance and its conquest are movingly depicted. At times the process of self-realization involves the unleashing of dark, daemonic forces, including sin and crime. If it does so, man must have the courage to sin and to commit crimes. The message of *Demian*, of *Siddharta*, of *Narziß und Goldmund* is, in Hesse's own words: "There is no duty, no duty whatever, for awakened humanity except the one duty to seek one's self, to become firm within oneself, to grope one's way forward no matter where the road may lead." As late as 1951 he restated this credo of individualism in a letter to that other great individualist, André Gide.

But of course Hesse never preached the gospel of unbridled self-realization as it was interpreted by the half-baked Bohemians, that is, as an excuse for lasciviousness. What then *is* his message precisely, and to whom is it addressed? Like all the other great individualists he is writing for the intellectual elite, not for the mass man, and he makes the same assumptions that most individualists do: that man may err but will eventually come through error to the right path. This is in line with Goethe's faith as expressed in *Faust*. The dangers that beset man on this path toward himself are great; Hesse does not minimize them. But the alternative is too horrible: the development of a race of submen whose intellectuals are products of the conveyor belt, whose souls have been smothered by institutions, whose authentic I has been deformed into an impersonal It.

The query: what is Hesse's message precisely? is not an easy one to answer. Has he any specific solution for the enigmatic question that has been asked so often: what then shall we do? how shall we live? Certainly Hesse's answer is not one of those chameleon syntheses that so many have proclaimed but no one has succeeded in capturing. He recognizes with Thomas Mann that there is a mutual polar attraction between life and mind, that the one is instinctively drawn to transform itself into the other. But where Mann dreams of a "third humanism" that will harmonize both poles, Hesse accepts life as it is, with its incessant alternation between the two opposites. "Anyone who surveyed the totality of my life and work," he writes, "would see it, not as a harmony but as a constant struggle with lasting but not desperate suffering." His poetic symbol for this attitude is the river (in *Siddharta*), which flows on and carries with it the whole contradictory, irrational stream of humanity. It is at this river that Siddharta learns ultimate wisdom: that destiny fulfills itself in many ways and that each man must find his own road to salvation; that what is salvation for Harry Haller, the Steppenwolf, is not the right formula for Goldmund, the Dionysian artist. Harry Haller must forsake his tortured asceticism and embrace life; he must learn to see Mozart in the jazz musician Pablo. But Goldmund, having been caught up in the whirl of existence (the world of the Mother), must return to the world of the Father, to disengaged, contemplative existence in the monastery. And Joseph Knecht in the *Glasperlenspiel*, after a life of contemplation in apparent serenity, finds himself drawn back into the maelstrom of reality. He dies, like Hans Castorp after his seven years in the magic mountain, and like Goldmund after he leaves the monastery; for life, though noble, is tragic. One cannot learn to live from books or teachers; life alone can teach us. And so Siddharta, the eternal seeker, goes his own way bowing to no one. He must disregard the wishes of his father, the advice of his friend Govinda, finally even the counsel of the great Buddha. Only thus can he find his way to his true self.

Hermann Hesse's writings are widely varied in tone, mood, atmosphere, and content. He has written wonderful fairy tales in modern settings; delicate psychological analyses of the adolescent soul; magnificent descriptions of nature in all her moods; elaborate satires on bourgeois life in the manner of Gottfried Keller. He is also the author of bitter fulminations against barbarous, soulless, mechanized modern man and his gadget civilization. In these attacks on moral corruption he can thunder like an Old Testament prophet. But whatever his tone or mood, his diction is always pure and limpid; his imagery is never farfetched or precious, his sentence structure is always clear. His verse, in particular, is a marvel of simplicity and directness. Like Kafka, Hesse the stylist is always natural and right.

Hesse's writings include poems which have been collected in one volume: *Gedichte* (1947); many of these have been set to music. His novels include *Unterm Rad* (1906), *Knulp* (1915), *Demian* (1919), *Siddharta* (1922), *Der Steppenwolf* (1927), *Narziß und Goldmund* (1930), *Das Glasperlenspiel* (1943). He also wrote numerous *Novellen* and fairy tales; a selection of these was published under the title *Gerbersau*, 2 vols. (1949). Hesse was also very active as an editor and anthologist. Finally, he wrote books of travel and literary and historical essays.

Heumond

Das Landhaus Erlenhof lag nicht weit vom Wald und Gebirge in der hohen Ebene.

Vor dem Hause war ein großer Kiesplatz[2], in den die Landstraße mündete. Hier konnten die Wagen vorfahren, wenn Besuch kam. Sonst lag der viereckige Platz immer leer und still und schien dadurch noch größer, als er war, namentlich bei gutem Sommerwetter, wenn das blendende Sonnenlicht und die heiße Zitterluft[3] ihn so anfüllte, daß man nicht daran denken mochte, ihn zu überschreiten.

Der Kiesplatz und die Straße trennten das Haus vom Garten. „Garten" sagte man wenigstens, aber es war vielmehr ein mäßig großer Park, nicht sehr breit, aber tief, mit stattlichen Ulmen[4], Ahornen und Platanen, gewundenen[5] Spazierwegen, einem jungen Tannendickicht[6] und vielen Ruhebänken. Dazwischen lagen sonnige, lichte Rasenstücke, einige leer und einige mit Blumenrondells oder Ziersträuchern[7] geschmückt, und in dieser heiteren, warmen Rasenfreiheit standen allein und auffallend zwei große einzelne Bäume.

Der eine war eine Trauerweide[8]. Um ihren Stamm lief eine schmale Lattenbank[9], und ringsum hingen die langen, seidig zarten, müden Zweige so tief und dicht herab, daß es innen ein Zelt oder Tempel war, wo trotz des ewigen Schattens und Dämmerlichtes eine stete, matte Wärme brütete.

Der andere Baum, von der Weide durch eine niedrig umzäumte[10] Wiese getrennt, war eine mächtige Blutbuche[11]. Sie sah von weitem dunkelbraun und fast schwarz aus. Wenn man jedoch näher kam oder sich unter sie stellte und emporschaute, brannten alle Blätter der äußeren Zweige, vom Sonnenlichte durchdrungen, in einem warmen, leisen Purpurfeuer, das mit verhaltener[12] und feierlich gedämpfter Glut wie in Kirchenfenstern leuchtete. Die alte Blutbuche war die berühmteste und merkwürdigste Schönheit des großen Gartens, und man konnte sie von überallher sehen. Sie stand allein und dunkel mitten in dem hellen Graslande, und sie war hoch genug, daß man, wo man auch vom Park aus nach ihr blickte, ihre runde, feste, schöngewölbte Krone mitten im blauen Luftraum stehen sah, und je heller und blendender die Bläue war, desto schwärzer und feierlicher ruhte der Baumwipfel in ihr. Er konnte je nach der Witterung und Tageszeit sehr verschieden aussehen. Oft sah man ihm an, daß er wußte, wie schön er sei und daß er nicht ohne Grund allein und stolz weit von den anderen Bäumen stehe. Er brüstete sich und blickte kühl über alles hinweg in den Himmel. Oft auch sah er aber aus, als wisse er wohl, daß er der einzige seiner Art im Garten sei und keine Brüder habe. Dann schaute er zu den übrigen, entfernten Bäumen hinüber, suchte und hatte Sehnsucht. Morgens war er am schönsten, und auch abends, bis die Sonne rot wurde, aber dann war er plötzlich gleichsam erloschen, und es schien an seinem Orte eine Stunde früher Nacht zu werden als sonst überall. Das eigentümlichste und düsterste Aussehen hatte er jedoch an Regentagen. Während die anderen Bäume atmeten und sich reckten und freudig mit hellerem Grün erprangten, stand er wie tot in seiner Einsamkeit, vom Wipfel bis zum Boden schwarz anzusehen. Ohne daß er zitterte, konnte man doch sehen, daß er fror und daß er mit Unbehagen und Scham so allein und preisgegeben[13] stand.

Früher war der regelmäßig angelegte Lustpark ein strenges Kunstwerk gewesen. Als dann aber Zeiten kamen, in welchen den Menschen ihr mühseliges Warten und Pflegen und Beschneiden verleidet war und niemand mehr nach den mit Mühe hergepflanzten Anlagen fragte, waren die Bäume auf sich selber angewiesen. Sie hatten Freundschaft untereinander geschlossen, sie hatten ihre kunstmäßige[14], isolierte Rolle vergessen,

---

Heumond (= July) was first published in the collection of *Novellen* entitled *Diesseits* (1907).   [2] graveled square   [3] vibrating air   [4] elms, maples and sycamores (or planes)   [5] winding   [6] pine thicket   [7] round flower beds or decorative shrubs   [8] weeping willow   [9] bench made of slats   [10] encircled by a low fence   [11] copper beech   [12] subdued   [13] abandoned   [14] artificial

sie hatten sich in der Not ihrer alten Waldheimat erinnert, sich aneinandergelehnt, mit den Armen umschlungen und gestützt. Sie hatten die schnurgeraden[15] Wege mit dickem Laub verborgen und mit ausgreifenden[16] Wurzeln an sich gezogen und in nährenden Waldboden verwandelt, ihre Wipfel ineinander verschränkt und festgewachsen, und sie sahen in ihrem Schutze ein eifrig aufstrebendes junges Baumvolk aufwachsen, das mit glatteren Stämmen und lichteren Laubfarben die Leere füllte, den brachen Boden eroberte und durch Schatten und Blätterfall die Erde schwarz, weich und fett machte, so daß nun auch die Moose und Gräser und kleinen Gesträuche ein leichtes Fortkommen hatten.

Als nun später von neuem Menschen herkamen und den einstigen Garten zu Rast und Lustbarkeit gebrauchen wollten, war er ein kleiner Wald geworden. Man mußte sich bescheiden[17]. Zwar wurde der alte Weg zwischen den zwei Platanenreihen wiederhergestellt, sonst aber begnügte man sich damit, schmale und gewundene Fußwege durch das Dickicht zu ziehen, die heidigen Lichtungen[18] mit Rasen zu besäen und an guten Plätzen grüne Sitzbänke aufzustellen. Und die Leute, deren Großväter die Platanen nach der Schnur gepflanzt und beschnitten und nach Gutdünken[19] gestellt und geformt hatten, kamen nun mit ihren Kindern zu ihnen zu Gast und waren froh, daß in der langen Verwahrlosung aus den Alleen[20] ein Wald geworden war, in welchem Sonne und Winde ruhen und Vögel singen und Menschen ihren Gedanken, Träumen und Gelüsten nachhängen konnten.

Paul Abderegg lag im Halbschatten zwischen Gehölz und Wiese und hatte ein weiß und rot gebundenes Buch in der Hand. Bald las er darin, bald sah er übers Gras hinweg den flatternden Bläulingen[21] nach. Er stand eben da, wo Frithjof[22] über Meer fährt, Frithjof der Liebende der Tempelräuber, der von der Heimat Verbannte. Groll und Reue in der Brust, segelt er über die ungastliche See, am Steuer stehend; Sturm und Gewoge bedrängen das schnelle Drachenschiff[23], und bitteres Heimweh bezwingt den starken Steuermann.

Über der Wiese brütete die Wärme, hoch und gellend sangen die Grillen, und im Innern des Wäldchens sangen tiefer und süßer die Vögel. Es war herrlich, in dieser einsamen Wirrnis von Düften und Tönen und Sonnenlichtern hingestreckt in den heißen Himmel zu blinzeln, oder rückwärts in die dunkeln Bäume hineinzulauschen, oder mit geschlossenen Augen sich auszurecken und das tiefe, warme Wohlsein durch alle Glieder zu spüren. Aber Frithjof fuhr über Meer, und morgen kam Besuch, und wenn er nicht heute noch das Buch zu Ende las, war es vielleicht wieder nichts damit[24], wie im vorigen Herbst. Da war er auch hier gelegen und hatte die Frithjofsage angefangen, und es war auch Besuch gekommen, und mit dem Lesen hatte es ein Ende gehabt. Das Buch war dageblieben, er aber ging in der Stadt in seine Schule und dachte zwischen Homer und Tacitus beständig an das angefangene Buch und was im Tempel geschehen würde, mit dem Ring und der Bildsäule.

Er las mit neuem Eifer, halblaut, und über ihm lief ein schwacher Wind durch die Ulmenkronen, sang das Gevögel und flogen die gleißenden Falter, Mücken und Bienen. Und als er zuklappte[25] und in die Höhe sprang, hatte er das Buch zu Ende gelesen, und die Wiese war voll Schatten, und am hellroten Himmel erlosch der Abend. Eine müde Biene setzte sich auf seinen Ärmel und ließ sich tragen. Die Grillen sangen noch immer. Paul ging schnell davon, durchs Gebüsch und den Platanenweg und dann über die Straße und den stillen Vorplatz ins Haus. Er war schön anzusehen, in der schlanken Kraft seiner sechzehn Jahre, und den Kopf hatte er mit stillen Augen gesenkt, noch von den Schicksalen des nordischen Helden erfüllt und zum Nachdenken genötigt.

Die Sommerstube, wo man die Mahlzeiten hielt, lag zuhinterst[26] im Hause. Sie war eigentlich eine Halle, vom Garten nur durch eine

[15] laid out with a string [16] reaching out [17] make the best of it [18] heathlike clearings [19] according to their best judgment [20] boulevards [21] argus butterflies [22] the hero of the Icelandic saga that bears his name. The epic was written in the 14th century; Paul is reading a translation from the version by Esaias Tegner (1783–1846).

[23] ship with a dragon's head carved at the bow [24] i.e., he would get nowhere [25] banged the book shut [26] at the extreme back

Glaswand getrennt, und sprang geräumig als ein kleiner Flügel aus dem Hause vor. Hier war nun der eigentliche Garten, der von alters her[27] „am See" genannt wurde, wenngleich statt eines Sees nur ein kleiner, länglicher Teich zwischen den Beeten, Spalierwänden[28], Wegen und Obstpflanzungen lag. Die aus der Halle ins Freie führende Treppe war von Oleander und Palmen eingefaßt, im übrigen sah es „am See" nicht herrschaftlich[29], sondern behaglich ländlich aus.

„Also morgen kommen die Leutchen[30]", sagte der Vater. „Du freust dich hoffentlich, Paul?"

„Ja, schon[31]."

„Aber nicht von Herzen? Ja, mein Junge, da ist nichts zu machen. Für uns paar Leute ist ja Haus und Garten viel zu groß, und für niemand soll doch die ganze Herrlichkeit nicht da sein! Ein Landhaus und ein Park sind dazu da, daß fröhliche Menschen darin herumlaufen, und je mehr, desto besser. Übrigens kommst du mit solenner[32] Verspätung. Suppe ist nimmer[33] da."

Dann wandte er sich an den Hauslehrer[34].

„Verehrtester[35], man sieht Sie ja gar nie im Garten. Ich hatte immer gedacht, Sie schwärmen fürs Landleben."

Herr Homburger runzelte die Stirn.

„Sie haben vielleicht recht. Aber ich möchte die Ferienzeit doch möglichst zu meinen Privatstudien verwenden."

„Alle Hochachtung[36], Herr Homburger! Wenn einmal Ihr Ruhm die Welt erfüllt, lasse ich eine Tafel unter Ihrem Fenster anbringen[37]. Ich hoffe bestimmt, es noch zu erleben."

Der Hauslehrer verzog das Gesicht[38]. Er war sehr nervös.

„Sie überschätzen meinen Ehrgeiz", sagte er frostig. „Es ist mir durchaus einerlei, ob mein Name einmal bekannt wird oder nicht. Was die Tafel betrifft —"

„Oh, seien Sie unbesorgt, lieber Herr! Aber Sie sind entschieden zu bescheiden. Paul, nimm dir ein Muster[39]!"

Der Tante schien es nun an der Zeit, den Kan-

didaten[40] zu erretten. Sie kannte diese Art von höflichen Dialogen, die dem Hausherrn so viel Vergnügen machten, und sie fürchtete sie. Indem sie Wein anbot, lenkte sie das Gespräch in andere Gleise und hielt es darin fest.

Es war hauptsächlich von den erwarteten Gästen die Rede. Paul hörte kaum darauf. Er aß nach Kräften[41] und besann sich nebenher wieder einmal darüber, wie es käme, daß der junge Hauslehrer neben dem fast grauhaarigen Vater immer aussah, als sei er der Ältere.

Vor den Fenstern und Glastüren begann Garten, Baumland, Teich und Himmel sich zu verwandeln, vom ersten Schauer der heraufkommenden Nacht berührt. Die Gebüsche wurden schwarz und rannen in dunkle Wogen zusammen, und die Bäume, deren Wipfel die ferne Hügellinie überschnitten[42], reckten sich mit ungeahnten, bei Tage nie gesehenen Formen dunkel und mit einer stummen Leidenschaft in den lichteren Himmel. Die vielfältige fruchtbare Landschaft verlor ihr friedlich buntes zerstreutes Wesen mehr und mehr und rückte in großen, fest geschlossenen Massen zusammen. Die entfernten Berge sprangen kühner und entschlossener empor, die Ebene lag schwärzlich hingebreitet und ließ nur noch die stärkeren Schwellungen des Bodens durchfühlen. Vor den Fenstern kämpfte das noch vorhandene Tageslicht müde mit dem herabfallenden Lampenschimmer.

Paul stand in dem offenen Türflügel und schaute zu, ohne viel Aufmerksamkeit und ohne viel dabei zu denken. Er dachte wohl, aber nicht an das, was er sah. Er sah es Nacht werden. Aber er konnte nicht fühlen, wie schön es war. Er war zu jung und lebendig, um so etwas hinzunehmen und zu betrachten und sein Genüge daran zu finden. Woran er dachte, das war eine Nacht am nordischen Meer. Am Strande zwischen schwarzen Bäumen wälzt der düster lodernde Tempelbrand Glut und Rauch gen[43] Himmel, an den Felsen bricht sich die See und spiegelt wilde rote Lichter, im Dunkel enteilt mit vollen Segeln ein Wikingerschiff[44].

„Nun, Junge", rief der Vater, „was hast du

---

[27] from olden times [28] trellises [29] manorial [30] folks [31] well, yes [32] i.e., considerable [33] i.e., no more [34] private tutor [35] my dear sir [36] my highest respect (for you) [37] I shall have a plaque affixed [38] made a wry face [39] here's a man to emulate

[40] a student before taking his professional degree [41] as much as he could [42] crossed [43] = gegen [44] Viking ship

denn heut wieder für einen Schmöker[45] draußen gehabt?"

„O, den Frithjof!"

„So so, lesen das die jungen Leute noch immer? Herr Homburger, wie denken Sie darüber? Was hält man heutzutage von diesem alten Schweden[46]? Gilt er noch[47]?"

„Sie meinen Esajas Tegner?"

„Ja, richtig. Esajas. Nun?"

„Ist tot, Herr Adberegg, vollkommen tot."

„Das glaub' ich gerne! Gelebt hat der Mann schon zu meinen Zeiten nicht mehr, ich meine damals, als ich ihn las. Ich wollte fragen, ob er noch Mode ist."

„Ich bedaure, über Mode und Moden bin ich nicht unterrichtet. Was die wissenschaftlich ästhetische Wertung betrifft —"

„Nun ja, das meinte ich. Also die Wissenschaft — —?"

„Die Literaturgeschichte verzeichnet jenen Tegner lediglich noch als Namen. Er war, wie Sie sehr richtig sagten, eine Mode. Damit ist ja alles gesagt. Das Echte, Gute ist nie Mode gewesen, aber es lebt. Und Tegner ist, wie ich sagte, tot. Er existiert für uns nicht mehr. Er scheint uns unecht, geschraubt[48], süßlich . . ."

Paul wandte sich heftig um.

„Das kann doch nicht sein, Herr Homburger!"

„Darf ich fragen, warum nicht?"

„Weil es schön ist! Ja, es ist einfach schön."

„So? Das ist aber noch kein Grund, sich so aufzuregen."

„Aber Sie sagen, es sei süßlich und habe keinen Wert. Und es ist doch wirklich schön."

„Meinen Sie? Ja, wenn Sie so felsenfest wissen, was schön ist, sollte man Ihnen einen Lehrstuhl einräumen[49]. Aber wie Sie sehen, Paul — diesmal stimmt Ihr Urteil nicht mit der Ästhetik. Sehen Sie, es ist gerade umgekehrt wie mit Thukydides. Den findet die Wissenschaft schön, und Sie finden ihn schrecklich. Und den Frithjof —"

„Ach, das hat doch mit der Wissenschaft nichts zu tun."

„Es gibt nichts, schlechterdings nichts in der Welt, womit die Wissenschaft nichts zu tun hätte. — Aber, Herr Abderegg, Sie erlauben wohl, daß ich mich empfehle."

„Schon?"

„Ich sollte noch etwas schreiben."

„Schade, wir wären gerade so nett ins Plaudern gekommen. Aber über alles[50] die Freiheit! Also gute Nacht!"

Herr Homburger verließ das Zimmer höflich und steif und verlor sich geräuschlos im Korridor.

„Also die alten Abenteuer haben dir gefallen, Paul?" lachte der Hausherr. „Dann laß sie dir von keiner Wissenschaft verhunzen[51], sonst geschieht's dir recht. Du wirst doch nicht verstimmt sein?"

„Ach, es ist nichts. Aber weißt du, ich hatte doch gehofft, der Herr Homburger würde nicht mit aufs Land kommen. Du hast ja gesagt, ich brauche in diesen Ferien nicht zu büffeln[52]."

„Ja, wenn ich das gesagt habe, ist's auch so, und du kannst froh sein. Und der Herr Lehrer beißt dich ja nicht."

„Warum mußte er denn mitkommen?"

„Ja siehst du, Junge, wo hätt' er denn sonst bleiben sollen? Da, wo er daheim ist, hat er's leider nicht sonderlich schön. Und ich will doch auch mein Vergnügen haben! Mit unterrichteten und gelehrten Männern verkehren ist Gewinn[53], das merke dir. Ich möchte unsern Herrn Homburger nicht gern entbehren."

„Ach, Papa, bei dir weiß man nie, was Spaß und was Ernst ist."

„So lerne es unterscheiden, mein Sohn. Es wird dir nützlich sein. Aber jetzt wollen wir noch ein bißchen Musik machen, nicht?"

Paul zog den Vater sogleich freudig ins nächste Zimmer. Es geschah nicht so häufig, daß Papa unaufgefordert mit ihm spielte. Und das war kein Wunder, denn er war ein Meister auf dem Klavier, und der Junge konnte, mit ihm verglichen, nur eben so ein wenig klimpern[54].

Tante Gret blieb allein zurück. Vater und Sohn gehörten zu den Musikanten, die nicht gerne einen Zuhörer vor der Nase haben, aber

---

[45] thriller [46] i.e., Tegner; see note 22. The expression also means "old worthy." [47] i.e., is he still valued? [48] stilted [49] give you a professorship at the University

[50] above everything else [51] be spoiled [52] cram, plug [53] possibly an allusion to Wagner's words to Faust: Mit Euch, Herr Doktor, zu spazieren, Ist ehrenvoll und ist Gewinn (*Faust I*, lines 941–942) [54] tinkle

gerne einen unsichtbaren, von dem sie wissen, daß er nebenan sitzt und lauscht. Das wußte die Tante wohl. Wie sollte sie es auch nicht wissen? Wie sollte ihr irgendein kleiner, zarter Zug an den beiden fremd sein, die sie seit Jahren mit Liebe umgab und behütete und die sie beide wie Kinder ansah?

Sie saß ruhend in einem der biegsamen Rohrsessel[55] und horchte. Was sie hörte, war eine vierhändig gespielte Ouvertüre, die sie gewiß nicht zum erstenmal vernahm, deren Namen sie aber nicht hätte sagen können; denn so gern sie Musik hörte, verstand sie doch wenig davon. Sie wußte, nachher würde der Alte oder der Bub beim Herauskommen fragen: „Tante, was war das für ein Stück?" Dann würde sie sagen „von Mozart" oder „aus Carmen" und dafür ausgelacht werden, denn es war immer etwas anderes gewesen.

Sie horchte, lehnte sich zurück und lächelte. Es war schade, daß niemand es sehen konnte, denn ihr Lächeln war von der echten Art. Es geschah weniger mit den Lippen als mit den Augen; das ganze Gesicht, Stirn und Wangen glänzten innig mit, und es sah aus wie ein tiefes Verstehen und Liebhaben.

Sie lächelte und horchte. Es war eine schöne Musik, und sie gefiel ihr höchlich. Doch hörte sie keinesweges die Ouvertüre allein, obwohl sie ihr zu folgen versuchte. Zuerst bemühte sie sich herauszubringen, wer oben sitze und wer unten. Paul saß unten, das hatte sie bald erhorcht[56]. Nicht daß es gehapert hätte[57], aber die oberen Stimmen klangen so leicht und kühn und sangen so von innen heraus, wie kein Schüler spielen kann. Und nun konnte sich die Tante alles vorstellen. Sie sah die zwei am Flügel sitzen. Bei prächtigen Stellen sah sie den Vater zärtlich schmunzeln. Paul aber sah sie bei solchen Stellen mit geöffneten Lippen und flammenden Augen sich auf dem Sessel höher recken. Bei besonders heiteren Wendungen paßte sie auf, ob Paul nicht lachen müsse. Dann schnitt nämlich der Alte manchmal eine Grimasse oder machte so eine burschikose Armbewegung, daß es für junge Leute nicht leicht war, an sich zu halten[58].

Je weiter die Ouvertüre vorwärtsgedieh[59], desto deutlicher sah das Fräulein ihre beiden vor sich, desto inniger las sie in ihren vom Spielen erregten Gesichtern. Und mit der raschen Musik lief ein großes Stück Leben, Erfahrung und Liebe an ihr vorbei.

❧❧

Es war nacht, man hatte einander schon „Schlaf wohl" gesagt, und jeder war in sein Zimmer gegangen. Hier und dort ging noch eine Türe, ein Fenster auf oder zu. Dann ward es still.

Was auf dem Lande sich von selber versteht, die Stille der Nacht, ist doch für den Städter immer wieder ein Wunder. Wer aus seiner Stadt heraus auf ein Landgut oder einen Bauernhof kommt und den ersten Abend am Fenster steht oder im Bette liegt, den umfängt diese Stille wie ein Heimatzauber und Ruheport[60], als wäre er dem Wahren und Gesunden nähergekommen und spüre ein Wehen des Ewigen.

Es ist ja keine vollkommene Stille. Sie ist voll von Lauten, aber es sind dunkle, gedämpfte, geheimnisvolle Laute der Nacht, während in der Stadt die Nachtgeräusche sich von denen des Tages so bitter[61] wenig unterscheiden. Es ist das Singen der Frösche, das Rauschen der Bäume, das Plätschern des Baches, der Flug eines Nachtvogels, einer Fledermaus. Und wenn etwa einmal ein verspäteter Leiterwagen[62] vorüberjagt oder ein Hofhund anschlägt[63], so ist es ein erwünschter Gruß des Lebens und wird majestätisch von der Weite des Luftraums gedämpft und verschlungen.

Der Hauslehrer hatte noch Licht brennen und ging unruhig und müde in der Stube auf und ab. Er hatte den ganzen Abend bis gegen Mitternacht gelesen. Dieser junge Herr Homburger war nicht, was er schien oder scheinen wollte. Er war kein Denker. Er war nicht einmal ein wissenschaftlicher Kopf. Aber er hatte einige Gaben, und er war jung. So konnte es ihm, in dessen Wesen es keinen befehlenden und unausweichlichen Schwerpunkt[64] gab, an Idealen nicht fehlen.

---

[55] flexible reed armchairs   [56] i.e., guessed   [57] was faulty
[58] control themselves

[59] progressed   [60] haven of rest   [61] i.e., precious   [62] farm wagon with sides that look like ladders   [63] barks   [64] dominant and inescapable center of gravity

Zur Zeit beschäftigten ihn einige Bücher, in welchen merkwürdig schmiegsame Jünglinge sich einbildeten, Bausteine zu einer neuen Kultur aufzutürmen, indem sie in einer weichen, wohllauten[65] Sprache bald Ruskin[66], bald Nietzsche um allerlei kleine, schöne, leicht tragbare Kleinode bestahlen. Diese Bücher waren viel amüsanter zu lesen als Ruskin und Nietzsche selber, sie waren von koketter Grazie, groß in kleinen Nuancen und von seidig vornehmem Glanze. Und wo es auf einen großen Wurf, auf Machtworte und Leidenschaft ankam[67], zitierten sie Dante oder Zarathustra[68].

Deshalb war auch Homburgers Stirn umwölkt, sein Auge müde wie vom Durchmessen ungeheurer Räume und sein Schritt erregt und ungleich. Er fühlte, daß an die ihn umgebende schale Alltagswelt allenthalben Mauerbrecher[69] gelegt waren und daß es galt, sich an die Propheten und Bringer der neuen Seligkeit zu halten. Schönheit und Geist würde ihre Welt durchfluten, und jeder Schritt in ihr würde von Poesie und Weisheit triefen.

Vor seinen Fenstern lag und wartete der gestirnte[70] Himmel, die schwebende Wolke, der träumende Park, das schlafend atmende Feld und die ganze Schönheit der Nacht. Sie wartete darauf, daß er ans Fenster trete und sie schaue. Sie wartete darauf, sein Herz mit Sehnsucht und Heimweh zu verwunden, seine Augen kühl zu baden, seiner Seele gebundene Flügel zu lösen. Er legte sich aber ins Bett, zog die Lampe näher und las im Liegen weiter.

Paul Abderegg hatte kein Licht mehr brennen, schlief aber noch nicht, sondern saß im Hemde auf dem Fensterbrett und schaute in die ruhigen Baumkronen hinein. Den Helden Frithjof hatte er vergessen. Er dachte überhaupt an nichts Bestimmtes, er genoß nur die späte Stunde, deren reges Glücksgefühl ihn noch nicht schlafen ließ. Wie schön die Sterne in der Schwärze standen! Und wie der Vater heute wieder gespielt hatte! Und wie still und märchenhaft der Garten da im Dunkeln lag!

Die Juninacht umschloß den Knaben zart und dicht, sie kam ihm still entgegen, sie kühlte, was noch in ihm heiß und flammend war. Sie nahm ihm leise den Überfluß seiner Jugend ab, bis seine Augen ruhig und seine Schläfen kühl wurden, und dann blickte sie ihm lächelnd als eine gute Mutter in die Augen. Er wußte nicht mehr, wer ihn anschaue und wo er sei, er lag schlummernd auf dem Lager, atmete tief und schaute gedankenlos hingegeben[71] in große, stille Augen, in deren Spiegel Gestern und Heute zu wunderlich verschlungenen Bildern und schwer zu entwirrenden Sagen wurden.

Auch des Kandidaten Fenster war nun dunkel. Wenn jetzt etwa ein Nachtwanderer auf der Landstraße vorüberkam und Haus und Vorplatz, Park und Garten lautlos im Schlummer liegen sah, konnte er wohl mit einem Heimweh herüberblicken und sich des ruhevollen Anblicks mit halbem Neide freuen. Und wenn es ein armer, obdachloser Fechtbruder[72] war, konnte er unbesorgt in den arglos offenstehenden Park eintreten und sich die längste Bank zum Nachtlager aussuchen.

⁊⁊

Am Morgen war diesmal gegen seine Gewohnheit der Hauslehrer vor allen andern wach. Munter war er darum nicht. Er hatte sich mit dem langen Lesen bei Lampenlicht Kopfweh geholt; als er dann endlich die Lampe gelöscht hatte, war das Bett schon zu warmgelegen und zerwühlt[73] zum Schlafen, und nun stand er nüchtern und fröstelnd mit matten Augen auf. Er fühlte deutlicher als je die Notwendigkeit einer neuen Renaissance, hatte aber für den Augenblick zur Fortsetzung seiner Studien keine Lust, sondern spürte ein heftiges Bedürfnis nach frischer Luft. So verließ er leise das Haus und wandelte langsam feldeinwärts.

Überall waren schon die Bauern an der Arbeit und blickten dem ernst Dahinschreitenden flüchtig und, wie es ihm zuweilen scheinen wollte, spöttisch nach. Dies tat ihm weh, und er beeilte

---

[65] melodious [66] John Ruskin (1819–1900), English writer on aesthetics, sociology, and ethics [67] when a bold idea, a powerful phrase and passion were called for [68] see p. 42 [69] battering rams [70] starry

[71] i.e., completely relaxed [72] beggar without a roof over his head; (*Fechtbruder* is hobo slang) [73] too warm for his body and too mussed

sich, den nahen Wald zu erreichen, wo ihn Kühle und mildes Halblicht umfloß. Eine halbe Stunde trieb er sich verdrossen dort umher. Dann fühlte er eine innere Öde und begann zu erwägen, ob es nun wohl bald einen Kaffee geben werde. Er kehrte um und lief an den schon warm besonnten Feldern und unermüdlichen Bauersleuten vorüber wieder heimwärts.

Unter der Haustür kam es ihm plötzlich unfein vor, so heftig und happig[74] zum Frühstück zu eilen. Er wandte um, tat sich Gewalt an[75] und beschloß, vorher noch gemäßigten Schrittes einen Gang durch die Parkwege zu tun, um nicht atemlos am Tisch zu erscheinen. Mit künstlich bequemem Schlenderschritt[76] ging er durch die Platanenallee und wollte soeben gegen den Ulmenwinkel umwenden, als ein unvermuteter Anblick ihn erschreckte.

Auf der letzten, durch Holundergebüsche[77] etwas versteckten Bank lag ausgestreckt ein Mensch. Er lag bäuchlings[78] und hatte das Gesicht auf die Ellbogen und Hände gelegt. Herr Homburger war im ersten Schreck geneigt, an eine Greueltat zu denken, doch belehrte ihn bald das feste tiefe Atmen des Daliegenden, daß er vor einem Schlafenden stehe. Dieser sah abgerissen aus, und je mehr der Lehrersmann[79] erkannte, daß er es mit einem vermutlich ganz jungen und unkräftigen Bürschlein zu tun habe, desto höher stieg der Mut und die Entrüstung in seiner Seele. Überlegenheit und Mannesstolz erfüllten ihn, als er nach kurzem Zögern entschlossen nähertrat und den Schläfer wachschüttelte.

„Stehen Sie auf, Kerl! Was machen Sie denn hier?"

Das Handwerksbürschlein taumelte erschrocken empor und starrte verständnislos und ängstlich in die Welt. Er sah einen Herrn im Gehrock[80] befehlend vor sich stehen und besann sich eine Weile, was das bedeuten könne, bis ihm einfiel, daß er zu Nacht in einen offenen Garten eingetreten sei und dort genächtigt habe. Er hatte mit Tagesanbruch weiterwollen, nun war er verschlafen und wurde zur Rechenschaft gezogen.

„Können Sie nicht reden, was tun Sie hier?"

„Nur geschlafen hab' ich", seufzte der Angedonnerte[81] und erhob sich vollends. Als er auf den Beinen stand, bestätigte sein schmächtiges Gliedergerüste[82] den unfertig jugendlichen Ausdruck seines fast noch kindlichen Gesichts. Er konnte höchstens achtzehn Jahr' alt sein.

„Kommen Sie mit mir!" gebot der Kandidat und nahm den willenlos folgenden Fremdling mit zum Hause hinüber, wo ihm gleich unter der Türe Herr Abderegg begegnete.

„Guten Morgen, Herr Homburger, Sie sind ja früh auf! Aber was bringen Sie da für merkwürdige Gesellschaft?"

„Dieser Bursche hat Ihren Park als Nachtherberge benützt. Ich glaube Sie davon unterrichten zu müssen."

Der Hausherr begriff sofort. Er schmunzelte.

„Ich danke Ihnen, lieber Herr. Offen gestanden[83], ich hätte kaum ein so weiches Herz bei Ihnen vermutet. Aber Sie haben recht, es ist ja klar, daß der arme Kerl zum mindesten einen Kaffee bekommen muß. Vielleicht sagen Sie drinnen dem Fräulein, sie möchte ein Frühstück für ihn herausschicken? Oder warten Sie, wir bringen ihn gleich in die Küche. — Kommen Sie mit, Kleiner, es ist schon was übrig."

Am Kaffeetisch umgab sich der Mitbegründer[84] einer neuen Kultur mit einer majestätischen Wolke von Ernst und Schweigsamkeit, was den alten Herrn nicht wenig freute. Es kam jedoch zu keiner Neckerei, schon weil die heute erwarteten Gäste alle Gedanken in Anspruch nahmen.

Die Tante hüpfte immer wieder sorgend und lächelnd von einer Gaststube in die andere, die Dienstboten nahmen maßvoll[85] an der Aufregung teil oder grinsten zuschauend, und gegen Mittag setzte sich der Hausherr mit Paul in den Wagen, um zur nahen Bahnstation zu fahren.

Wenn es in Pauls Wesen lag, daß er die Unterbrechungen seines gewohnten stillen Ferienlebens durch Gastbesuche fürchtete, so war es ihm ebenso natürlich, die einmal Angekom-

---

[74] greedily [75] restrained himself [76] strolling pace [77] lilac bushes [78] on his stomach [79] derisive: our schoolmaster [80] Prince Albert coat

[81] the victim of the bawling out [82] slender frame [83] frankly [84] charter member. The Neue Kultur is that alluded to on p. 265/1/3 ff., discussed in the many student organizations that flourished in Germany for the purpose of regenerating culture in the name of Nietzsche, Tolstoy, Ibsen, Ellen Key, Ruskin, Morris, Jacobsen. [85] with dignity

menen nach seiner Weise möglichst kennenzu-
lernen, ihr Wesen zu beobachten und sie sich
irgendwie zu eigen zu machen[86]. So betrachtete
er auf der Heimfahrt im etwas überfüllten Wagen die drei Fremden mit stiller Aufmerksamkeit, zuerst den lebhaft redenden Professor, dann
mit einiger Scheu die beiden Mädchen.

Der Professor gefiel ihm, schon weil er wußte,
daß er ein Duzfreund[87] seines Vaters war. Im
übrigen fand er ihn ein wenig streng und ältlich,
aber nicht zuwider und jedenfalls unsäglich gescheit. Viel schwerer war es, über die Mädchen
ins reine zu kommen[88]. Die eine war eben
schlechthin ein junges Mädchen, ein Backfisch[89],
jedenfalls ziemlich gleich alt wie er selber. Es
würde nur darauf ankommen, ob sie von der
spöttischen oder gutmütigen Art war, je nachdem würde es Krieg oder Freundschaft zwischen
ihm und ihr geben. Im Grunde waren ja alle
jungen Mädchen dieses Alters gleich, und es war
mit allen gleich schwer zu reden und auszukom-
men. Es gefiel ihm, daß sie wenigstens still war
und nicht gleich einen Sack voll Fragen aus-
kramte.

Die andere gab ihm mehr zu raten. Sie war,
was er freilich nicht zu berechnen verstand,
vielleicht drei- oder vierundzwanzig und gehörte zu der Art von Damen, welche Paul zwar
sehr gerne sah und von weitem betrachtete, deren näherer Umgang ihn aber scheu machte und
meist in Verlegenheiten verwickelte. Er wußte
an solchen Wesen die natürliche Schönheit
durchaus nicht von der eleganten Haltung und
Kleidung zu trennen, fand ihre Gesten und ihre
Frisuren meist affektiert und vermutete bei ihnen
eine Menge von überlegenen Kenntnissen über
Dinge, die ihm tiefe Rätsel waren.

Wenn er genau darüber nachdachte, haßte er
diese ganze Gattung. Sie sahen alle schön aus,
aber sie hatten auch alle die gleiche demütigende
Zierlichkeit und Sicherheit im Benehmen, die
gleichen hochmütigen Ansprüche und die gleiche
geringschätzende Herablassung gegen Jünglinge
seines Alters. Und wenn sie lachten oder lächelten, was sie sehr häufig taten, sah es oft so un-

leidich maskenhaft und verlogen aus. Darin
waren die Backfische doch viel erträglicher.

Am Gespräch nahm außer den beiden Männern nur Fräulein Thusnelde — das war die
ältere, elegante — teil. Die kleine blonde Berta
schwieg ebenso scheu und beharrlich wie Paul,
dem sie gegenübersaß. Sie trug einen großen,
weich gebogenen, ungefärbten Strohhut mit
blauen Bändern und ein blaßblaues, dünnes
Sommerkleid mit losem Gürtel und schmalen
weißen Säumen. Es schien, als sei sie ganz in den
Anblick der sonnigen Felder und heißen Heu-
wiesen verloren.

Aber zwischenein warf sie häufig einen schnellen Blick auf Paul. Sie wäre noch einmal so gern
mit nach Erlenhof gekommen, wenn nur der
Junge nicht gewesen wäre. Er sah ja sehr ordentlich aus, aber gescheit, und die Gescheiten waren
doch meistens die Widerwärtigsten. Da würde
es gelegentlich so heimtückische Fremdwörter
geben und auch solche herablassende Fragen,
etwa nach dem Namen einer Feldblume, und
dann, wenn sie es nicht wußte, so ein unver-
schämtes Lächeln, und so weiter. Sie kannte das
von ihren zwei Vettern, von denen einer Student
und der andere Gymnasiast war, und der Gymnasiast war eher[90] der schlimmere, einmal buben-
haft ungezogen[91] und ein andermal von jener
unausstehlich höhnischen Kavalierhöflichkeit[92],
vor der sie so Angst hatte.

Eins wenigstens hatte Berta gelernt, und sie
hatte beschlossen, sich auch jetzt auf alle Fälle
daran zu halten: Weinen durfte sie nicht, unter
keinen Umständen. Nicht weinen und nicht
zornig werden, sonst war sie unterlegen. Und
das wollte sie hier um keinen Preis. Es fiel ihr
tröstlich ein, daß für alle Fälle auch noch eine
Tante da sein würde; an die wollte sie sich dann
um Schutz wenden, falls es nötig werden sollte.

„Paul, bist du stumm?" rief Herr Abderegg
plötzlich.

„Nein, Papa. Warum?"

„Weil du vergißt, daß du nicht allein im Wagen sitzest. Du könntest dich der Berta schon
etwas freundlicher zeigen."

Paul seufzte unhörbar. Also nun fing es an.

---

[86] identify himself with them [87] intimate friend (addressed
with the familiar *du*) [88] to make up one's mind [89] teen-
ager

[90] if anything [91] as ill-mannered as a boy [92] intolerable
mocking gentlemanliness

„Sehen Sie, Fräulein Berta, dort hinten ist dann unser Haus."

„Aber Kinder, ihr werdet doch nicht Sie zueinander sagen!"

„Ich weiß nicht, Papa — ich glaube doch." 5

„Na, dann weiter! Ist aber recht überflüssig."

Berta war rot geworden, und kaum sah es Paul, so ging es ihm nicht anders. Die Unterhaltung zwischen ihnen war schon wieder zu Ende, und beide waren froh, daß die Alten es 10 nicht merkten. Es wurde ihnen unbehaglich, und sie atmeten auf, als der Wagen mit plötzlichem Krachen auf den Kiesweg einbog und am Hause vorfuhr.

„Bitte, Fräulein", sagte Paul und half Berta 15 beim Aussteigen. Damit war er der Sorge um sie fürs erste[93] entledigt, denn im Tor stand schon die Tante, und es schien, als lächle das ganze Haus, öffne sich und fordere zum Eintritt auf, so gastlich froh und herzlich nickte sie und 20 streckte die Hand entgegen und empfing eins um das andere[94] und dann jedes noch ein zweites Mal. Die Gäste wurden in ihre Stuben begleitet und gebeten, recht bald und recht hungrig zu Tische zu kommen. 25

∞

Auf der weißen Tafel standen zwei große Blumensträuße und dufteten in die Speisengerüche hinein. Herr Abderegg tranchierte[95] den 30 Braten, die Tante visierte[96] scharfäugig Teller und Schüsseln. Der Professor saß wohlgemut und festlich im Gehrock am Ehrenplatz, warf der Tante sanfte Blicke zu und störte den eifrig arbeitenden Hausherrn durch zahllose Fragen 35 und Witze. Fräulein Thusnelde half zierlich und lächelnd beim Herumbieten[97] der Teller und kam sich zuwenig beschäftigt vor, da ihr Nachbar, der Kandidat, zwar wenig aß, aber noch 40 weniger redete. Die Gegenwart eines altmodischen Professors und zweier junger Damen wirkte versteinernd auf ihn. Er war im Angstgefühl seiner jungen Würde beständig auf irgendwelche Angriffe, ja Beleidigungen gefaßt, 45 welche er zum voraus durch eiskalte Blicke und

angestrengtes Schweigen abzuwehren bemüht war.

Berta saß neben der Tante und fühlte sich geborgen. Paul widmete sich mit Anstrengung dem Essen, um nicht in Gespräche verwickelt zu werden, vergaß sich darüber und ließ es sich wirklich besser schmecken[98] als alle anderen.

Gegen das Ende der Mahlzeit hatte der Hausherr nach hitzigem Kampfe mit seinem Freunde das Wort an sich gerissen und ließ es sich nicht wieder nehmen. Der besiegte Professor fand nun erst Zeit zum Essen und holte maßvoll nach[99]. Herr Homburger merkte endlich, daß niemand Angriffe auf ihn plane, sah aber nun zu spät, daß sein Schweigen unfein gewesen war, und glaubte sich von seiner Nachbarin höhnisch betrachtet zu wissen. Er senkte deshalb den Kopf so weit, daß eine leichte Falte unterm Kinn entstand, zog die Augenbrauen hoch und schien Probleme im Kopf zu wälzen.

Fräulein Thusnelde begann, da der Hauslehrer versagte, ein sehr zärtliches Geplauder mit Berta, an welchem die Tante sich beteiligte.

Paul hatte sich inzwischen vollgegessen und legte, indem er sich plötzlich übersatt fühlte, Messer und Gabel nieder. Aufschauend erblickte er zufällig gerade den Professor in einem komischen Augenblick: Er hatte eben einen stattlichen Bissen zwischen den Zähnen und noch nicht von der Gabel los, als ihn gerade ein Kraftwort[1] in der Rede Abdereggs aufzumerken nötigte. So vergaß er für Augenblicke die Gabel zurückzuziehen und schielte großäugig und mit offenem Munde auf seinen sprechenden Freund hinüber. Da brach Paul, der einem plötzlichen Lachreiz[2] nicht widerstehen konnte, in ein mühsam gedämpftes Kichern aus.

Herr Abderegg fand im Drang der Rede nur Zeit zu einem eiligen Zornblick. Der Kandidat bezog das Lachen auf sich und biß auf die Unterlippe. Berta lachte mitgerissen[3] ohne weiteren Grund plötzlich auch. Sie war so froh, daß Paul diese Jugendhaftigkeit[4] passierte. Er war also wenigstens keiner von den Tadellosen.

[93] for the present   [94] one after the other   [95] carved
[96] watched over   [97] passing

[98] enjoyed it more   [99] made up for lost time in a dignified way   [1] strong word   [2] impulse to laugh   [3] carried along, i.e., in sympathy   [4] youthful indiscretion

„Was freut Sie denn so?" fragte Fräulein Thusnelde.

„Oh, eigentlich gar nichts."

„Und dich, Berta?"

„Auch nichts. Ich lache nur so mit."

„Darf ich Ihnen noch einschenken?" fragte Herr Homburger mit gepreßtem Ton.

„Danke, nein."

„Aber mir, bitte", sagte die Tante freundlich, ließ jedoch den Wein alsdann ungetrunken stehen.

Man hatte abgetragen, und es wurden Kaffee, Kognak und Zigarren gebracht.

Paul wurde von Fräulein Thusnelde gefragt, ob er auch rauche.

„Nein", sagte er, „es schmeckt mir gar nicht". Dann fügte er, nach einer Pause, plötzlich ehrlich hinzu: „Ich darf auch noch nicht."

Als er das sagte, lächelte Fräulein Thusnelde ihm schelmisch zu, wobei sie den Kopf etwas auf die Seite neigte. In diesem Augenblick erschien sie dem Knaben scharmant, und er bereute den vorher auf sie geworfenen Haß.

Sie konnte doch sehr nett sein.

∂☾

Der Abend war so warm und einladend, daß man noch um elf Uhr unter den leise flackernden Windlichtern im Garten draußen saß. Und daß die Gäste sich von der Reise müde gefühlt hatten und eigentlich früh zu Bett hatten gehen wollen, daran dachte jetzt niemand mehr.

Die warme Luft wogte in leichter Schwüle ungleich und träumend hin und wider, der Himmel war ganz in der Höhe sternklar und feuchtglänzend, gegen[5] die Berge hin tiefschwarz und goldig vom fiebernden Geäder des Wetterleuchtens überspannt. Die Gebüsche dufteten süß und schwer, und der weiße Jasmin schimmerte mit unsicheren Lichtern fahl aus der Finsternis.

„Sie glauben also, diese Reform unserer Kultur werde nicht aus dem Volksbewußtsein kommen, sondern von einem oder einigen genialen Einzelnen?"

Der Professor legte eine gewisse Nachsicht in den Ton seiner Frage.

„Ich denke es mir so —", erwiderte etwas steif der Hauslehrer und begann eine lange Rede, welcher außer dem Professor niemand zuhörte.

Herr Adberegg scherzte mit der kleinen Berta, welcher die Tante Beistand leistete. Er lag voll Behagen im Stuhl zurück und trank Weißwein mit Sauerwasser[6].

„Sie haben den ‚Ekkehard[7]‘ also auch gelesen?" fragte Paul das Fräulein Thusnelde.

Sie lag in einem sehr niedriggestellten Klappstuhl, hatte den Kopf ganz zurückgelegt und sah geradeaus in die Höhe.

„Jawohl", sagte sie. „Eigentlich sollte man Ihnen solche Bücher noch verbieten."

„So? Warum denn?"

„Weil Sie ja doch noch nicht alles verstehen können."

„Glauben Sie?"

„Natürlich."

„Es gibt aber Stellen darin, die ich vielleicht besser als Sie verstanden habe."

„Wirklich? Welche denn?"

„Die lateinischen."

„Was Sie für Witze machen!"

Paul war sehr munter. Er hatte zu Abend etwas Wein zu trinken bekommen, nun fand er es köstlich, in die weiche, dunkle Nacht hineinzureden, und wartete neugierig, ob es ihm gelänge, die elegante Dame ein wenig aus ihrer trägen Ruhe zu bringen, zu einem heftigeren Widerspruch oder zu einem Gelächter. Aber sie schaute nicht zu ihm herüber. Sie lag unbeweglich, das Gesicht nach oben, eine Hand auf dem Stuhl, die andre bis zur Erde herabhängend. Ihr weißer Hals und ihr weißes Gesicht hoben sich matt schimmernd von den schwarzen Bäumen ab.

„Was hat Ihnen denn im ‚Ekkehard‘ am besten gefallen?" fragte sie jetzt, wieder ohne ihn anzusehen.

„Der Rausch des Herrn Spazzo."

„Ach?"

„Nein, wie die alte Waldfrau vertrieben wird."

„So?"

---

[5] spreading toward the mountains a cover (or canopy) of deep black and gold, caused by the network of sheet lightning

[6] charged water   [7] a historical novel by Viktor von Scheffel (1826–1886). It deals with life in the medieval monastery at St. Gallen in Switzerland.

„Oder eigentlich hat mir doch das am besten gefallen, wie die Praxedis ihn aus dem Kerker entwischen läßt. Das ist fein."

„Ja, das ist fein. Wie war es nur?"

„Wie sie nachher Asche hinschüttet —"

„Ach ja. Ja, ich weiß."

„Aber jetzt müssen Sie mir auch sagen, was Ihnen am besten gefällt."

„Im ,Ekkehard'?"

„Ja, natürlich."

„Dieselbe Stelle. Wo Praxedis dem Mönch davonhilft. Wie sie ihm da noch einen Kuß mitgibt und dann lächelt und ins Schloß zurückgeht."

„Ja — ja", sagte Paul langsam, aber er konnte sich des Kusses nicht erinnern.

Des Professors Gespräch mit dem Hauslehrer war zu Ende gegangen. Herr Abderegg steckte sich eine Virginia[8] an, und Berta sah neugierig zu, wie er die Spitze der langen Zigarre über der Kerzenflamme verkohlen[9] ließ. Das Mädchen hielt die neben ihr sitzende Tante mit dem rechten Arm umschlungen und hörte großäugig den fabelhaften Erlebnissen zu, von denen der alte Herr ihr erzählte. Es war von Reiseabenteuern, namentlich in Neapel[10], die Rede.

„Ist das wirklich wahr?" wagte sie einmal zu fragen.

Herr Abderegg lachte.

„Das kommt allein auf Sie an, kleines Fräulein. Wahr ist an einer Geschichte immer nur das, was der Zuhörer glaubt."

„Aber nein?! Da muß ich Papa drüber fragen."

„Tun Sie das!"

Die Tante streichelte Bertas Hand, die ihre Taille umfing.

„Es ist ja Scherz, Kind."

Sie hörte dem Geplauder zu, wehrte die taumelnden Nachtmotten von ihres Bruders Weinglas ab und gab jedem, der sie etwa anschaute, einen gütigen Blick zurück. Sie hatte ihre Freude an den alten Herren, an Berta und dem lebhaft schwatzenden Paul, an der schönen Thusnelde, die aus der Gesellschaft heraus in die Nachtbläue schaute, am Hauslehrer, der seine klugen Reden nachgenoß[11]. Sie war noch jung

genug und hatte nicht vergessen, wie es der Jugend in solchen Gartensommernächten warm und wohl sein kann. Wieviel Schicksal noch auf alle diese schönen Jungen und klugen Alten wartete! Auch auf den Hauslehrer. Wie jedem sein Leben und seine Gedanken und Wünsche so wichtig waren! Und wie schön Fräulein Thusnelde aussah! Eine wirkliche Schönheit.

Die gütige Dame streichelte Bertas rechte Hand, lächelte dem etwas vereinsamten Kandidaten lieblich zu und fühlte von Zeit zu Zeit hinter den Stuhl des Hausherrn, ob auch seine Weinflasche noch im Eise stehe.

„Erzählen Sie mir etwas aus Ihrer Schule!" sagte Thusnelde zu Paul.

„Ach, die Schule! Jetzt sind doch Ferien."

„Gehen Sie denn nicht gern ins Gymnasium?"

„Kennen Sie jemand, der gern hineingeht?"

„Sie wollen aber doch studieren?"

„Nun ja. Ich will schon[12]."

„Aber was möchten Sie noch lieber?"

„Noch lieber? — Haha —. Noch lieber möcht' ich Seeräuber werden."

„Seeräuber?"

„Jawohl, Seeräuber. Pirat."

„Dann könnten Sie aber nimmer soviel lesen."

„Das wäre auch nicht nötig. Ich würde mir schon die Zeit vertreiben."

„Glauben Sie?"

„O gewiß. Ich würde —"

„Nun?"

„Ich würde —, ach, das kann man gar nicht sagen."

„Dann sagen Sie es eben nicht."

Es wurde ihm langweilig. Er rückte zu Berta hinüber und half ihr zuhören. Papa war ungemein lustig. Er sprach jetzt ganz allein, und alles hörte zu und lachte.

Da stand Fräulein Thusnelde in ihrem losen, feinen englischen Kleide langsam auf und trat an den Tisch.

„Ich möchte gute Nacht sagen."

Nun brachen alle auf, sahen auf die Uhr und konnten nicht begreifen, daß es wirklich schon Mitternacht sei.

Auf dem kurzen Weg bis zum Hause ging Paul neben Berta, die ihm plötzlich sehr gut ge-

---

[8] a brand of cigar with a straw in it, which is charred
[9] char   [10] Naples   [11] savored in retrospect
[12] I suppose I do

fiel, namentlich seit er sie über Papas Witze so herzlich hatte lachen hören. Er war ein Esel gewesen, sich über den Besuch zu ärgern. Es war doch fein, so des Abends mit Mädchen zu plaudern.

Er fühlte sich als Kavalier und begann zu bedauern, daß er sich den ganzen Abend nur um die andere gekümmert hatte. Die war doch wohl ein Fratz[13]. Berta war ihm viel lieber, und es tat ihm leid, daß er sich heute nicht zu ihr gehalten hatte. Und er versuchte ihr das zu sagen. Sie kicherte.

„Oh, Ihr Papa war so unterhaltend! Es war reizend."

Er schlug ihr für morgen einen Spaziergang auf dem Eichelberg vor. Es sei nicht weit und so schön. Er kam ins Beschreiben, sprach vom Weg und von der Aussicht und redete sich ganz in Feuer.

Da ging gerade Fräulein Thusnelde an ihnen vorüber, während er im eifrigsten Reden war. Sie wandte sich ein wenig um und sah ihm ins Gesicht. Es geschah ruhig und etwas neugierig, aber er fand es spöttisch und verstummte plötzlich. Berta blickte erstaunt auf und sah ihn verdrießlich werden, ohne zu wissen warum.

Da war man schon im Hause. Berta gab Paul die Hand. Er sagte gute Nacht. Sie nickte und ging.

Thusnelde war vorausgegangen, ohne ihm gute Nacht zu sagen. Er sah sie mit einer Handlampe die Treppe hinaufgehen, und indem er ihr nachschaute, ärgerte er sich über sie.

❧

Paul lag wach im Bette und verfiel dem feinen Fieber der warmen Nacht. Die Schwüle war im Zunehmen, das Wetterleuchten zitterte beständig an den Wänden. Zuweilen glaubte er es in weiter Ferne leise donnern zu hören. In langen Pausen kam und ging ein schlaffer Wind, der kaum die Wipfel rauschen machte.

Der Knabe überdachte halb träumend den vergangenen Abend und fühlte, daß er heute anders gewesen sei als sonst. Er kam sich erwachsener vor, vielmehr schien ihm die Rolle

des Erwachsenen heute besser geglückt[14] als bei früheren Versuchen. Mit dem Fräulein hatte er sich doch ganz flott unterhalten und nachher auch mit Berta.

Es quälte ihn, ob Thusnelde ihn ernstgenommen habe. Vielleicht hatte sie eben doch nur mit ihm gespielt. Und das mit dem Kuß der Praxedis mußte er morgen nachlesen. Ob er das wirklich nicht verstanden oder nur vergessen hatte?

Er hätte gern gewußt, ob Fräulein Thusnelde wirklich schön sei, richtig schön. Es schien ihm so, aber er traute weder sich noch ihr. Wie sie da beim schwachen Lampenlicht im Stuhl halb saß und halb lag, so schlank und ruhig, mit der auf den Boden niederhängenden Hand, das hatte ihm gefallen. Wie sie lässig nach oben schaute, halb vergnügt und halb müde, und der weiße schlanke Hals — im hellen, langen Damenkleid —, das könnte geradeso auf einem Gemälde vorkommen.

Freilich, Berta war ihm entschieden lieber. Sie war ja vielleicht ein wenig sehr naiv, aber sanft und hübsch, und man konnte doch mit ihr reden ohne den Argwohn, sie mache sich heimlich über einen lustig. Wenn er es von Anfang an mit ihr gehalten hätte[15], statt erst im letzten Augenblick, dann könnten sie möglicherweise jetzt schon ganz gute Freunde sein. Überhaupt begann es ihm jetzt leid zu tun, daß die Gäste nur zwei Tage bleiben wollten.

Aber warum hatte ihn, als er beim Heimgehen mit der Berta lachte, die andere so angesehen?

Er sah sie wieder an sich vorbeigehen und den Kopf umwenden, und er sah wieder ihren Blick. Sie war doch schön. Er stellte sich alles wieder deutlich vor, aber er kam nicht darüber hinweg[16] — ihr Blick war spöttisch gewesen, überlegen spöttisch. Warum? Noch wegen des „Ekkehard"? Oder weil er mit der Berta gelacht hatte?

Der Ärger darüber folgte ihm noch in den Schlaf.

❧

Am Morgen war der ganze Himmel bedeckt, doch hatte es noch nicht geregnet. Es roch überall nach Heu und nach warmen Erdstaub.

[13] silly person [14] more successful [15] if he had stuck to her [16] could not get over the fact

„Schade", klagte Berta beim Herunterkommen, „man wird heute keinen Spaziergang machen können?"

„Oh, es kann sich den ganzen Tag halten", tröstete Herr Abderegg.

„Du bist doch sonst nicht so eifrig fürs Spaziergengehen", meinte Fräulein Thusnelde.

„Aber wenn wir doch nur so kurz hier sind!"

„Wir haben eine Luftkegelbahn[17]", schlug Paul vor. „Im Garten. Auch ein Krocket. Aber Krocket ist langweilig."

„Ich finde Krocket sehr hübsch", sagte Fräulein Thusnelde.

„Dann können wir ja spielen."

„Gut, nachher. Wir müssen doch erst Kaffee trinken."

Nach dem Frühstück gingen die jungen Leute in den Garten; auch der Kandidat schloß sich an. Fürs Krocketspielen fand man das Gras zu hoch, und man entschloß sich nun doch zu dem andern Spiel. Paul schleppte eifrig die Kegel herbei und stellte auf.

„Wer fängt an?"

„Immer der, der fragt."

„Also gut. Wer spielt mit?"

Paul bildete mit Thusnelde die eine Partei. Er spielte sehr gut und hoffte, von ihr dafür gelobt oder auch nur geneckt zu werden. Sie sah es aber gar nicht und schenkte überhaupt dem Spiel keine Aufmerksamkeit. Wenn Paul ihr die Kugel gab, schob sie unachtsam und zählte nicht einmal, wieviel Kegel fielen. Statt dessen unterhielt sie sich mit dem Hauslehrer über Turgenjeff[18]. Herr Homburger war heute sehr höflich. Nur Berta schien ganz beim Spiel zu sein. Sie half stets beim Aufsetzen und ließ sich von Paul das Zielen zeigen.

„König aus der Mitte[19]!" schrie Paul. „Fräulein, nun gewinnen wir sicher. Das gilt zwölf."

Sie nickte nur.

„Eigentlich ist Turgenjeff gar kein richtiger Russe", sagte der Kandidat und vergaß, daß es an ihm war zu spielen. Paul wurde zornig.

„Herr Homburger, Sie sind dran!"

„Ich?"

„Ja doch, wir warten alle."

Er hätte ihm am liebsten die Kugel ans Schienbein geschleudert. Berta, die seine Verstimmung bemerkte, wurde nun auch unruhig und traf nichts mehr.

„Dann können wir ja aufhören."

Niemand hatte etwas dagegen. Fräulein Thusnelde ging langsam weg, der Lehrer folgte ihr. Paul warf verdrießlich die noch stehenden Kegel mit dem Fuße um.

„Sollen wir nicht weiterspielen?" fragte Berta schüchtern.

„Ach, zu zweien ist es nichts. Ich will aufräumen."

Sie half ihm bescheiden. Als alle Kegel wieder in der Kiste waren, sah er sich nach Thusnelde um. Sie war im Park verschwunden. Natürlich, er war ja für sie nur ein dummer Junge.

„Was nun?"

„Vielleicht zeigen Sie mir den Park ein wenig?"

Da schritt er so rasch durch die Wege voran, daß Berta außer Atem kam und fast laufen mußte, um nachzukommen. Er zeigte ihr das Wäldchen und die Platanenallee, dann die Blutbuche und die Wiesen. Während er sich beinahe ein wenig schämte, so grob und wortkarg zu sein, wunderte er sich zugleich, daß er sich vor Berta gar nimmer geniere[20]. Er ging mit ihr um, wie wenn sie zwei Jahre jünger wäre. Und sie war still, sanft und schüchtern, sagte kaum ein Wort und sah ihn zuweilen an, als bäte sie für irgend etwas um Entschuldigung.

Bei der Trauerweide trafen sie mit den beiden andern zusammen. Der Kandidat redete noch fort, das Fräulein war still geworden und schien verstimmt. Paul wurde plötzlich gesprächiger. Er machte auf den alten Baum aufmerksam, schlug die herabhängenden Zweige auseinander und zeigte die um den Stamm laufende Rundbank.

„Wir wollen sitzen", befahl Fräulein Thusnelde.

Alle setzten sich nebeneinander auf die Bank. Es war hier sehr warm und dunstig, die grüne Dämmerung war schlaff und schwül und machte schläfrig. Paul saß rechts neben Thusnelde.

[17] open-air bowling alley   [18] Ivan Turgenev (1818–1883), Russian novelist   [19] a king pin with a double head used in German bowling

[20] never felt embarrassed

„Wie still es da ist!" begann Herr Homburger. Das Fräulein nickte.

„Und so heiß!" sagte sie. „Wir wollen eine Weile gar nichts reden."

Da saßen alle vier schweigend. Neben Paul lag auf der Bank Thusneldes Hand, eine lange und schmale Damenhand mit schlanken Fingern und feinen, gepflegten, mattglänzenden Nägeln. Paul sah beständig die Hand an. Sie kam aus einem weiten hellgrauen Ärmel hervor, so weiß wie der bis übers Gelenk sichtbare Arm, sie bog sich vom Gelenk etwas nach außen und lag ganz still, als sei sie müde.

Und alle schwiegen. Paul dachte an gestern abend. Da war dieselbe Hand auch so lange und still und ruhend herabgehängt und die ganze Gestalt so regungslos halb gesessen, halb gelegen. Es paßte zu ihr, zu ihrer Figur und zu ihren Kleidern, zu ihrer angenehm weichen, nicht ganz freien[21] Stimme, auch zu ihrem Gesicht, das mit den ruhigen Augen so klug und abwartend und gelassen[22] aussah.

Herr Homburger sah auf die Uhr.

„Verzeihen Sie, meine Damen, ich sollte nun an die Arbeit. Sie bleiben doch hier, Paul?" Er verbeugte sich und ging.

Die andern blieben schweigend sitzen. Paul hatte seine Linke langsam und mit ängstlicher Vorsicht wie ein Verbrecher der Frauenhand genähert und dann dicht neben ihr liegen lassen. Er wußte nicht, warum er es tat. Es geschah ohne seinen Willen, und dabei wurde ihm so drückend bang und heiß, daß seine Stirne voll von Tropfen stand.

„Krocket spiele ich auch nicht gerne", sagte Berta leise, wie aus einem Traum heraus. Durch das Weggehen des Hauslehrers war zwischen ihr und Paul eine Lücke entstanden, und sie hatte sich die ganze Zeit besonnen, ob sie herrücken solle oder nicht. Es war ihr, je länger sie zauderte, immer schwerer vorgekommen, es zu tun, und nun fing sie, nur um sich nicht länger ganz allein zu fühlen, zu reden an.

„Es ist wirklich kein nettes Spiel", fügte sie nach einer langen Pause mit unsicherer Stimme hinzu. Doch antwortete niemand.

Es war wieder ganz still. Paul glaubte sein

Herz schlagen zu hören. Es trieb ihn, aufzuspringen und irgend etwas Lustiges oder Dummes zu sagen oder wegzulaufen. Aber er blieb sitzen, ließ seine Hand liegen und hatte ein Gefühl, als würde ihm langsam, langsam die Luft entzogen, bis zum Ersticken. Nur war es angenehm, auf eine traurige, quälende Art angenehm.

Fräulein Thusnelde blickte in Pauls Gesicht, mit ihrem ruhigen und etwas müden Blick. Sie sah, daß er unverwandt auf seine Linke schaute, die dicht neben ihrer Rechten auf der Bank lag.

Da hob sie ihre Rechte ein wenig, legte sie fest auf Pauls Hand und ließ sie da liegen.

Ihre Hand war weich, doch kräftig und von trockener Wärme. Paul erschrak wie ein überraschter Dieb und fing zu zittern an, zog aber seine Hand nicht weg. Er konnte kaum noch atmen, so stark arbeitete sein Herzschlag, und sein ganzer Leib brannte und fror zugleich. Langsam wurde er blaß und sah das Fräulein flehend und angstvoll an.

„Sind Sie erschrocken?" lachte sie leise. „Ich glaube, Sie waren eingeschlafen?"

Er konnte nichts sagen. Sie hatte ihre Hand weggenommen, aber seine lag noch da und fühlte die Berührung noch immer. Er wünschte sie wegzuziehen, aber er war so matt und verwirrt, daß er keinen Gedanken oder Entschluß fassen und nichts tun konnte, nicht einmal das.

Plötzlich erschreckte ihn ein ersticktes, ängstliches Geräusch, das er hinter sich vernahm. Er wurde frei und sprang tiefatmend auf. Auch Thusnelde war aufgestanden.

Da saß Berta tiefgebückt an ihrem Platz und schluchzte.

„Gehen Sie hinein", sagte Thusnelde zu Paul, „wir kommen gleich nach."

Und als Paul wegging, setzte sie noch hinzu: „Sie hat Kopfweh bekommen."

„Komm, Berta. Es ist zu heiß hier, man erstickt ja vor Schwüle. Komm, nimm dich zusammen! Wir wollen ins Haus gehen."

Berta gab keine Antwort. Ihr magerer Hals lag auf dem hellblauen Ärmel des leichten Backfischkleidchens, aus dem der dünne, eckige Arm mit dem breiten Handgelenk herabhing. Und sie weinte still und leise schluckend, bis sie nach

[21] i.e., slightly husky   [22] i.e., serene

einer langen Weile rot und verwundert sich
aufrichtete, das Haar zurückstrich und langsam
und mechanisch zu lächeln begann.

Paul fand keine Ruhe. Warum hatte Thusnelde ihre Hand so auf seine gelegt? War es nur
ein Scherz gewesen? Oder wußte sie, wie seltsam
weh das tat? So oft er es sich wieder vorstellte,
hatte er von neuem dasselbe Gefühl: ein erstik-
kender Krampf vieler Nerven oder Adern, ein
Druck und leichter Schwindel im Kopf, eine
Hitze in der Kehle und ein lähmend ungleiches,
wunderliches Wallen des Herzens, als sei der
Puls unterbunden[23]. Aber es war angenehm, so
weh es tat.

Er lief am Hause vorbei zum Weiher und in
den Obstgängen auf und ab. Indessen nahm die
Schwüle stetig zu. Der Himmel hatte sich vollends ganz bezogen und sah gewitterig aus. Es
ging kein Wind, nur hin und wieder im Gezweig ein feiner, zager Schauer, vor dem auch
der fahle, glatte Spiegel des Weihers für Augenblicke kraus und silbern erzitterte.

Der kleine alte Kahn, der angebunden am
Rasenufer lag, fiel dem Jungen ins Auge. Er
stieg hinein und setzte sich auf die einzige noch
vorhandene Ruderbank. Doch band er das
Schifflein nicht los: es waren auch schon längst
keine Ruder mehr da. Er tauchte die Hände ins
Wasser, das war widerlich lau.

Unvermerkt überkam ihn eine grundlose
Traurigkeit, die ihm ganz fremd war. Er kam
sich wie in einem beklemmenden Traume vor —
als könnte er, wenn er auch wollte, kein Glied
rühren. Das fahle Licht, der dunkel bewölkte
Himmel, der laue dunstige Teich und der alte,
am Boden moosige Holznachen ohne Ruder,
das sah alles unfroh, trist[24] und elend aus, einer
schweren, faden Trostlosigkeit hingegeben, die er
ohne Grund teilte.

Er hörte Klavierspiel vom Hause herübertö-
nen, undeutlich und leise. Nun waren also die
andern drinnen, und wahrscheinlich spielte Papa
ihnen vor. Bald erkannte Paul auch das Stück,
es war aus Griegs Musik zum „Peer Gynt"[25], und
er wäre gern hinein gegangen. Aber er blieb

sitzen, starrte über das träge Wasser weg und
durch die müden, regungslosen Obstzweige in
den fahlen Himmel. Er konnte sich nicht einmal
wie sonst auf das Gewitter freuen, obwohl es
sicher bald ausbrechen mußte und das erste
richtige in diesem Sommer sein würde.

Da hörte das Klavierspiel auf, und es war eine
Weile ganz still. Bis ein paar zarte, wiegend laue
Takte aufklangen, eine scheue und ungewöhnliche Musik. Und nun Gesang, eine Frauen-
stimme. Das Lied war Paul unbekannt, er hatte
es nie gehört, er besann sich auch nicht darüber.
Aber die Stimme kannte er, die leicht gedämpfte,
ein wenig müde Stimme. Das war Thusnelde.
Ihr Gesang war vielleicht nichts Besonderes, aber
er traf und reizte den Knaben ebenso beklem-
mend und quälend wie die Berührung ihrer
Hand. Er horchte, ohne sich zu rühren, und
während er noch saß und horchte, schlugen die
trägen Regentropfen lau und schwer in den
Weiher. Sie trafen seine Hände und sein Gesicht,
ohne daß er es spürte. Er fühlte nur, daß etwas
Drängendes, Gärendes, Gespanntes um ihn her
oder auch in ihm selber sich verdichte und
schwelle und Auswege suche. Zugleich fiel ihm
eine Stelle aus dem „Ekkehard" ein, und in
diesem Augenblick überraschte und erschreckte
ihn plötzlich die sichere Erkenntnis. Er wußte,
daß er Thusnelde lieb habe. Und zugleich wußte
er, daß sie erwachsen und eine Dame war, er
aber ein Schuljunge, und daß sie morgen ab-
reisen würde.

Da klang — der Gesang war schon eine Weile
verstummt — die helltönige Tischglocke, und
Paul ging langsam zum Hause hinüber. Vor der
Türe wischte er sich die Regentropfen von den
Händen, strich das Haar zurück und tat einen
tiefen Atemzug, als sei er im Begriff, einen
schweren Schritt zu tun.

❧

„Ach, nun regnet es doch schon", klagte
Berta. „Nun wird also nichts daraus?"

„Aus was denn?" fragte Paul, ohne vom Teller
aufzublicken.

„Wir hatten ja doch — — Sie hatten mir ver-

[23] as if the artery of the pulse were tied [24] sad [25] inci-
dental music to Ibsen's drama *Peer Gynt* by Edvard Grieg
(1843–1907)

sprochen, mich heute auf den Eichelberg zu führen."

„Ja so. Nein, das geht bei dem Wetter freilich nicht."

Halb sehnte sie sich danach, er möchte sie ansehen und eine Frage nach ihrem Wohlsein tun, halb war sie froh, daß er's nicht tat. Er hatte den peinlichen Augenblick unter der Weide, da sie in Tränen ausgebrochen war, völlig vergessen. Dieser plötzliche Ausbruch hatte ihm ohnehin wenig Eindruck gemacht und ihn nur in dem Glauben bestärkt, sie sei doch noch ein recht kleines Mädchen. Statt auf sie zu achten, schielte er beständig zu Fräulein Thusnelde hinüber.

Diese führte mit dem Hauslehrer, der sich seiner albernen Rolle von gestern schämte, ein lebhaftes Gespräch über Sportsachen. Es ging Herrn Homburger dabei wie vielen Leuten; er sprach über Dinge, von denen er nichts verstand, viel gefälliger und glatter als über solche, die ihm vertraut und wichtig waren. Meistens hatte die Dame das Wort, und er begnügte sich mit Fragen, Nicken, Zustimmen und pausenfüllenden Redensarten. Die etwas kokette Plauderkunst der jungen Dame enthob ihn seiner gewohnten dickblütigen Art; es gelang ihm sogar, als er beim Weineinschenken daneben goß[26], selber zu lachen und die Sache leicht und komisch zu nehmen. Seine mit Schlauheit eingefädelte[27] Bitte jedoch, dem Fräulein nach Tisch ein Kapitel aus einem seiner Lieblingsbücher vorlesen zu dürfen, wurde zierlich abgelehnt.

„Du hast kein Kopfweh mehr, Kind?" fragte Tante Grete.

„O nein, gar nimmer[28]", sagte Berta halblaut. Aber sie sah noch elend genug aus.

„O ihr Kinder!" dachte die Tante, der auch Pauls erregte Unsicherheit nicht entgangen war. Sie hatte mancherlei Ahnungen und beschloß, die zwei Leutchen nicht unnötig zu stören, wohl aber aufmerksam zu sein und Dummheiten zu verhüten. Bei Paul war es das erstemal, dessen war sie sicher. Wie lang noch, und er würde ihrer Fürsorge entwachsen sein und seine Wege ihrem Blick entziehen! — O ihr Kinder!

Draußen war es beinahe finster geworden. Der Regen rann und ließ nach mit den wechselnden Windstößen, das Gewitter zögerte noch, und der Donner klang noch meilenfern.

„Haben Sie Furcht vor Gewittern?" fragte Herr Homburger seine Dame.

„Im Gegenteil, ich weiß nichts Schöneres. Wir könnten nachher in den Pavillon gehen und zusehen. Kommst du mit, Berta?"

„Wenn du willst, ja, gern."

„Und Sie also auch, Herr Kandidat? — Gut, ich freue mich darauf. Es ist in diesem Jahr das erste Gewitter, nicht?"

Gleich nach Tisch brachen sie mit Regenschirmen auf, zum nahen Pavillon. Berta nahm ein Buch mit.

„Willst du dich denen nicht anschließen, Paul?" ermunterte die Tante.

„Danke, nein. Ich muß eigentlich üben."

Er ging in einem Wirrwarr von quellenden Gefühlen ins Klavierzimmer. Aber kaum hatte er zu spielen begonnen, er wußte selbst nicht was, so kam sein Vater herein.

„Junge, könntest du dich nicht um einige Zimmer weiter verfügen? Brav, daß du üben wolltest, aber alles hat seine Zeit, und wir älteren Semester[29] möchten bei dieser Schwüle doch gern ein wenig zu schlafen versuchen. Auf Wiedersehen, Bub!"

Der Knabe ging hinaus und durchs Eßzimmer, über den Gang und zum Tor. Drüben sah er gerade die andern den Pavillon betreten. Als er hinter sich den leisen Schritt der Tante hörte, trat er rasch ins Freie und eilte mit unbedecktem Kopf, die Hände in den Taschen, durch den Regen davon. Der Donner nahm stetig zu, und erste scheue Blitze rissen zuckend durch das schwärzliche Grau.

Paul ging um das Haus herum und gegen den Weiher hin. Er fühlte mit trotzigem Leid den Regen durch seine Kleider dringen. Die noch nicht erfrischte, schwebende Luft erhitzte ihn, so daß er beide Hände und die halbentblößten Arme in die schwerfallenden Tropfen hielt. Nun saßen die andern vergnügt im Pavillon beisammen, lachten und schwatzten, und an ihn dachte niemand. Es zog ihn hinüber, doch überwog sein Trotz; hatte er einmal nicht mitkommen wollen, so wollte er ihnen auch nicht hinterdrein

[26] spilled the wine [27] broached [28] none at all

[29] older fellows

nachlaufen. Und Thusnelde hatte ihn ja überhaupt nicht aufgefordert. Sie hatte Berta und
Herrn Homburger mitkommen heißen und ihn
nicht. Warum ihn nicht?

Ganz durchnäßt kam er, ohne auf den Weg zu 5
achten, ans Gärtnerhäuschen. Die Blitze jagten
jetzt fast ohne Pause herab oder quer durch den
Himmel in phantastisch kühnen Linien, und
der Regen rauschte lauter. Unter der Holz-
treppe des Gärtnerschuppens klirrte es auf, und 10
mit verhaltenem Grollen kam der große Hofhund heraus. Als er Paul erkannte, drängte er
sich fröhlich und schmeichelnd an ihm. Und
Paul, in plötzlich überwallender Zärtlichkeit,
legte ihm den Arm um den Hals, zog ihn in den 15
dämmernden Treppenwinkel zurück und blieb
dort bei ihm kauern und sprach und koste mit
ihm, er wußte nicht wie lang.

Im Pavillon hatte Herr Homburger den eisernen Gartentisch an die gemauerte Rückwand[30] 20
geschoben, die mit einer italienischen Küsten-
landschaft bemalt war. Die heiteren Farben,
Blau, Weiß und Rosa, paßten schlecht in das
Regengrau und schienen trotz der Schwüle zu
frieren. 25

„Sie haben schlechtes Wetter für Erlenhof",
sagte Herr Homburger.

„Warum? Ich finde das Gewitter prächtig."

„Und sie auch, Fräulein Berta?"

„Oh, ich sehe es ganz gerne." 30

Es machte ihn wütend, daß die Kleine mit-
gekommen war. Gerade jetzt, wo er anfing,
sich mit der schönen Thusnelde besser zu verstehen.

„Und morgen werden Sie wirklich schon 35
wieder reisen?"

„Warum sagen Sie das so tragisch?"

„Es muß mir doch leid tun."

„Wahrhaftig?"

„Aber gnädiges Fräulein[31] —" 40

Der Regen prasselte auf dem dünnen Dach
und quoll in leidenschaftlichen Stößen aus den
Mündungen der Traufen.

„Wissen Sie, Herr Kandidat, Sie haben da
einen lieben Jungen zum Schüler. Es muß ein 45
Vergnügen sein, so einen zu unterrichten."

„Ist das Ihr Ernst?"

„Aber gewiß. Er ist doch ein prächtiger
Junge. — Nicht, Berta?"

„Oh, ich weiß nicht, ich sah ihn ja kaum."

„Gefällt er dir denn nicht?"

„Ja, das schon. — O ja."

„Was stellt das Wandbild da eigentlich vor,
Herr Kandidat? Es scheint eine Rivieravedute[32]?"

Paul war nach zwei Stunden ganz durchnäßt
und todmüde heimgekommen, hatte ein kaltes
Bad genommen und sich umgekleidet. Dann
wartete er, bis die drei ins Haus zurückkehrten,
und als sie kamen und als Thusneldes Stimme im
Gang laut wurde, schrak er zusammen und bekam Herzklopfen. Dennoch tat er gleich darauf
etwas, wozu er sich selber noch einen Augenblick
zuvor den Mut nicht zugetraut hätte.

Als das Fräulein allein die Treppe heraufstieg,
lauerte er ihr auf und überraschte sie in der oberen Flur. Er trat auf sie zu und streckte ihr einen
kleinen Rosenstrauß entgegen. Es waren wilde
Heckenröschen[33], die er im Regen draußen abgeschnitten hatte.

„Ist das für mich?" fragte Thusnelde.

„Ja, für Sie."

„Womit hab' ich denn das verdient? Ich
fürchtete schon, Sie könnten mich gar nicht
leiden."

„Oh, Sie lachen mich ja nur aus."

„Gewiß nicht, lieber Paul. Und ich danke
schön für die Blumen. Wilde Rosen, nicht?"

„Hagrosen[34]."

„Ich will eine davon anstecken, nachher."
Damit ging sie weiter nach ihrem Zimmer.

❧

Am Abend blieb man diesmal in der Halle[35]
sitzen. Es hatte schön abgekühlt, und draußen
fielen noch die Tropfen von den blankgespülten[36]
Zweigen. Man hatte im Sinn gehabt zu musizie-
ren, aber der Professor wollte lieber die paar
Stunden noch mit Abderegg verplaudern. So
saßen nun alle bequem plaudernd in dem großen
Raum, die Herren rauchten, und die jungen
Leute hatten Limonadebecher vor sich stehen.

[30] rear brick wall [31] my dear lady

[32] a view of the Riviera, the strip of Mediterranean shore
between Marseilles and Genoa [33] hedge roses [34] = Hecken-
rosen [35] the large drawing room of a manor house
[36] washed shiny

Die Tante sah mit Berta ein Album an und erzählte ihr alte Geschichten. Thusnelde war guter Laune und lachte viel. Den Hauslehrer hatte das lange erfolglose Reden im Pavillon stark mitgenommen, er war wieder nervös und zuckte leidend mit den Gesichtsmuskeln. Daß sie jetzt so lächerlich mit dem Büblein Paul kokettierte, fand er geschmacklos, und er suchte wählerisch nach einer Form, ihr das zu sagen.

Paul war der lebhafteste von allen. Daß Thusnelde seine Rosen im Gürtel trug und daß sie „lieber Paul" zu ihm gesagt hatte, war ihm wie Wein zu Kopf gestiegen. Er machte Witze, erzählte Geschichten, hatte glühende Backen und ließ den Blick nicht von seiner Dame, die sich seine Huldigung so graziös gefallen ließ. Dabei rief es im Grund seiner Seele ohne Unterlaß[37]: „Morgen geht sie fort! morgen geht sie fort!", und je lauter und schmerzlicher es rief, desto sehnlicher klammerte er sich an den schönen Augenblick, und desto lustiger redete er darauf los[38].

Herr Abderegg, der einen Augenblick herüberhorchte, rief lachend: „Paul, du fängst früh an!"

Er ließ sich nicht stören. Für Augenblicke faßte ihn ein drängendes Verlangen, hinauszugehen, den Kopf an den Türpfosten zu lehnen und zu schluchzen. Aber nein, nein!

Währenddessen hatte Berta mit der Tante „Du" gemacht und gab sich dankbar unter ihren Schutz. Es lag wie eine Last auf ihr, daß Paul von ihr allein nichts wissen wollte, daß er den ganzen Tag kaum ein Wort an sie gerichtet hatte, und müde und unglücklich überließ sie sich der gütigen Zärtlichkeit der Tante.

Die beiden alten Herren überboten einander im Aufwärmen von Erinnerungen und spürten kaum etwas davon, daß neben ihnen junge unausgesprochene Leidenschaften sich kreuzten und bekämpften.

Herr Homburger fiel mehr und mehr ab. Daß er hin und wieder eine schwach vergiftete Pointe ins Gespräch warf wurde kaum beachtet, und je mehr die Bitterkeit und Auflehnung in ihm wuchs, desto weniger wollte es ihm gelingen, Worte zu finden. Er fand es kindisch, wie Paul sich gehen ließ, und unverzeihlich, wie das Fräulein darauf einging. Am liebsten hätte er gute Nacht gesagt und wäre gegangen. Aber das mußte aussehen wie ein Geständnis, daß er sein Pulver verschossen habe und kampfunfähig sei. Lieber blieb er da und trotzte. Und so widerwärtig ihm Thusneldes ausgelassen spielerisches Wesen heute abend war, so hätte er sich doch vom Anblick ihrer weichen Gesten und ihres schwach geröteten Gesichtes jetzt nicht trennen mögen.

Thusnelde durchschaute ihn und gab sich keine Mühe, ihr Vergnügen über Pauls leidenschaftliche Aufmerksamkeiten zu verbergen, schon weil sie sah, daß es den Kandidaten ärgerte. Und dieser, der in keiner Hinsicht ein Kraftmensch[39] war, fühlte langsam seinen Zorn in jene weichlich trübe, faule Resignation übergehen, mit der bis jetzt fast alle seine Liebesversuche geendet hatten. War er denn je von einem Weib verstanden und nach seinem Wert geschätzt worden? Oh, aber er war Künstler genug, um auch die Enttäuschung, den Schmerz, das Einsambleiben mit allen ihren verborgensten Reizen zu genießen. Wenn auch mit zuckender Lippe, er genoß es doch; und wenn auch verkannt und verschmäht, er war doch der Held in der Szene, der Träger einer stummen Tragik, lächelnd mit dem Dolch im Herzen.

∞

Man trennte sich erst spät. Als Paul in sein kühles Schlafzimmer trat, sah er durchs offene Fenster den beruhigten Himmel mit stillstehenden, milchweißen Flaumwölkchen[40] bedeckt; durch ihre dünnen Flöre[41] drang das Mondlicht weich und stark und spiegelte sich tausendmal in den nassen Blättern der Parkbäume. Fern über den Hügeln, nicht weit vom dunkeln Horizont, leuchtete schmal und langgestreckt wie eine Insel ein Stück reinen Himmels feucht und milde, darin ein einziger blasser Stern.

Der Knabe blickte lange hinaus und sah es nicht, sah nur ein bleiches Wogen und fühlte reine, frisch gekühlte Lüfte um sich her, hörte niegehörte, tiefe Stimmen wie entfernte Stürme

[37] incessantly [38] talked away

[39] a strong character [40] small fleecy clouds [41] veils

brausen und atmete die weiche Luft einer anderen Welt. Vorgebeugt stand er am Fenster und schaute, ohne etwas zu sehen, wie ein Geblende-ter, und vor ihm ungewiß und mächtig ausge-breitet lag das Land des Lebens und der Leiden-schaften, von heißen Stürmen durchzittert und von dunkelschwülem Gewölk verschattet.

Die Tante war die letzte, die zu Bette ging. Wachsam hatte sie noch Türen und Läden revi-diert[42], nach den Lichtern gesehen und einen Blick in die dunkle Küche getan, dann war sie in ihre Stube gegangen und hatte sich beim Kerzen-licht in den altmodischen Sessel gesetzt. Sie wußte ja nun, wie es um den Kleinen stand, und sie war im Innersten[43] froh, daß morgen die Gäste wieder reisen wollten. Wenn nur auch alles gut ablief! Es war doch eigen, so ein Kind von heut auf morgen[44] zu verlieren. Denn daß Pauls Seele ihr nun entgleiten und mehr und mehr undurchsichtig werden müsse, wußte sie wohl, und sie sah ihn mit Sorge seine ersten, knaben-haften Schritte in den Garten der Liebe tun, von dessen Früchten sie selber zu ihrer Zeit nur wenig und fast nur die bitteren gekostet hatte. Dann dachte sie an Berta, seufzte und lächelte ein wenig und suchte dann lange in ihren Schubladen nach einem tröstenden Abschiedsgeschenk für die Kleine. Dabei erschrak sie plötzlich, als sie sah, wie spät es schon war.

Über dem schlafenden Haus und dem däm-mernden Garten standen ruhig die milchweißen, flaumig dünnen Wolken, die Himmelsinsel am Horizont wuchs langsam zu einem weiten, rei-nen, dunkelklaren Felde, zart von schwachglän-zenden Sternen durchglüht, und über die ent-ferntesten Hügel lief eine milde, schmale Silber-linie, sie vom Himmel trennend. Im Garten at-meten die erfrischten Bäume tief und rastend, und auf der Parkwiese wechselte mit dünnen, wesenlosen Wolkenschatten der schwarze Schat-tenkreis der Blutbuche.

☙❧

Die sanfte, noch von Feuchtigkeit gesättigte Luft dampfte leise gegen den völlig klaren Him-mel. Kleine Wasserlachen[45] standen auf dem

Kiesplatz und auf der Landstraße, blitzten goldig oder spiegelten die zarte Bläue. Knirschend fuhr der Wagen vor, und man stieg ein. Der Kandidat machte mehrere tiefe Bücklinge[46], die Tante nickte liebevoll und drückte noch einmal allen die Hände, die Hausmädchen sahen vom Hinter-grunde der Flur der Abfahrt zu.

Paul saß im Wagen Thusnelde gegenüber und spielte den Fröhlichen. Er lobte das gute Wetter, sprach rühmend von köstlichen Ferientouren[47] in die Berge, die er vorhabe, und sog jedes Wort und jedes Lachen des Mädchens gierig ein. Am frühen Morgen war er mit schlechtem Gewissen in den Garten geschlichen und hatte in dem peinlich geschonten Lieblingsbeet seines Vaters die prächtigste halboffene Teerose abgeschnitten. Die trug er nun, zwischen Seidenpapier gelegt, versteckt in der Brusttasche und war beständig in Sorge, er könnte sie zerdrücken. Ebenso bang war ihm vor der Möglichkeit einer Entdeckung durch den Vater.

Die kleine Berta war ganz still und hielt den blühenden Jasminzweig vors Gesicht, den ihr die Tante mitgegeben hatte. Sie war im Grunde fast froh, nun fortzukommen.

„Soll ich Ihnen einmal eine Karte schicken?" fragte Thusnelde munter.

„O ja, vergessen Sie es nicht! Das wäre schön."

Und dann fügte er hinzu: „Aber Sie müssen dann auch unterschreiben, Fräulein Berta."

Sie schrak ein wenig zusammen und nickte.

„Also gut, hoffentlich denken wir auch daran", sagte Thusnelde.

„Ja, ich will dich dann erinnern."

Da war man schon am Bahnhof. Der Zug sollte erst in einer Viertelstunde kommen. Paul empfand diese Viertelstunde wie eine unschätz-bare Gnadenfrist[48]. Aber es ging ihm sonderbar; seit man den Wagen verlassen hatte und vor der Station auf und ab spazierte, fiel ihm kein Witz und kein Wort mehr ein. Er war plötzlich bedrückt und klein, sah oft auf die Uhr und horchte, ob der kommende Zug schon zu hören sei. Erst im letzten Augenblick zog er seine Rose hervor und drückte sie noch an der Wagen-treppe dem Fräulein in die Hand. Sie nickte ihm

---

[42] inspected [43] in her heart [44] over night [45] puddles

[46] low, stiff bows [47] vacation tours [48] invaluable period of grace

fröhlich zu und stieg ein. Dann fuhr der Zug ab, und alles war aus.

Vor der Heimfahrt mit dem Papa graute ihm, und als dieser schon eingestiegen war, zog er den Fuß wieder vom Tritt zurück und meinte: „Ich hätte eigentlich Lust, zu Fuß heimzugehen."

„Schlechtes Gewissen, Paulchen?"

„O nein, Papa, ich kann ja auch mitkommen."

Aber Herr Abderegg winkte lachend ab und fuhr allein davon.

„Er soll's nur ausfressen[49]", knurrte er unterwegs vor sich hin, „umbringen wird's ihn nicht." Und er dachte, seit Jahren zum erstenmal, an sein erstes Liebesabenteuer und war verwundert, wie genau er alles noch wußte. Nun war also schon die Reihe an seinem Kleinen! Aber es gefiel ihm, daß der Kleine die Rose gestohlen hatte. Er hatte sie wohl gesehen.

Zu Hause blieb er einen Augenblick vor dem Bücherschrank im Wohnzimmer stehen. Er nahm den Werther[50] heraus und steckte ihn in die Tasche, zog ihn aber gleich darauf wieder heraus, blätterte ein wenig darin herum, begann ein Lied zu pfeifen und stellte das Büchlein an seinen Ort zurück.

Mittlerweile lief Paul auf der warmen Landstraße heimwärts und war bemüht, sich das Bild der schönen Thusnelde immer wieder vorzustellen. Erst als er heiß und erschlafft die Parkhecke erreicht hatte, öffnete er die Augen und besann sich, was er nun treiben solle. Da zog ihn die plötzlich aufblitzende Erinnerung unwiderstehlich zur Trauerweide hin. Er suchte den Baum mit heftig wallendem Verlangen auf, schlüpfte durch die tief hängenden Zweige und setzte sich auf dieselbe Stelle der Bank, wo er gestern neben Thusnelde gesessen war und wo sie ihre Hand auf seine gelegt hatte. Er schloß die Augen, ließ die Hand auf dem Holze liegen und fühlte noch einmal den ganzen Sturm, der gestern ihn gepackt und berauscht und gepeinigt hatte. Flammen wogten um ihn, und Meere rauschten, und heiße Ströme zitterten sausend auf purpurnen Flügeln vorüber.

Paul saß noch nicht lange an seinem Platz, so klangen Schritte, und jemand trat herzu. Er blickte verwirrt auf, aus hundert Träumen gerissen, und sah den Herrn Homburger vor sich stehen.

„Ah, Sie sind da, Paul? Schon lange?"

„Nein, ich war ja mit an der Bahn. Ich kam zu Fuß zurück."

„Und nun sitzen Sie hier und sind melancholisch."

„Ich bin nicht melancholisch."

„Also nicht. Ich habe Sie zwar schon munterer gesehen."

Paul antwortete nicht.

„Sie haben sich ja sehr um die Damen bemüht."

„Finden Sie?"

„Besonders um die eine. Ich hätte eher gedacht, Sie würden dem jüngeren Fräulein den Vorzug geben."

„Dem Backfisch? Hm."

„Ganz richtig, dem Backfisch."

Da sah Paul, daß der Kandidat ein fatales[51] Grinsen aufsetzte, und ohne noch ein Wort zu sagen, kehrte er sich um und lief davon, mitten über die Wiese.

Mittags bei Tisch ging es sehr ruhig zu.

„Wir scheinen ja alle ein wenig müde zu sein", lächelte Herr Abderegg. „Auch du, Paul. Und Sie, Herr Homburger? Aber es war eine angenehme Abwechslung, nicht?"

„Gewiß, Herr Abderegg."

„Sie haben sich mit dem Fräulein gut unterhalten? Sie soll ja riesig belesen[52] sein."

„Darüber müßte Paul unterrichtet sein. Ich hatte leider nur für Augenblicke das Vergnügen."

„Was sagst du dazu, Paul?"

„Ich? Von wem sprecht ihr denn?"

„Von Fräulein Thusnelde, wenn du nichts dagegen hast. Du scheinst einigermaßen zerstreut zu sein —."

„Ach, was wird der Junge sich viel um die Damen gekümmert haben[53]", fiel die Tante ein.

☙

Es wurde schon wieder heiß. Der Vorplatz strahlte Hitze aus, und auf der Straße waren die

[49] work it out of his system   [50] Goethe's novel of disappointed love   [51] vexatious   [52] immensely well-read   [53] the boy can't have bothered much about the ladies

letzten Regenpfützen vertrocknet. Auf ihrer sonnigen Wiese stand die alte Blutbuche, von warmem Licht umflossen, und auf einem ihrer starken Äste saß der junge Paul Abderegg, an den Stamm gelehnt und ganz von rötlich dunkeln Laubschatten umfangen. Das war ein alter Lieblingsplatz des Knaben, er war dort vor jeder Überraschung sicher. Dort auf dem Buchenast hatte er heimlicherweise im Herbst vor drei Jahren die „Räuber[54]" gelesen, dort hatte er seine erste halbe Zigarre geraucht, und dort hatte er damals das Spottgedicht auf seinen früheren Hauslehrer gemacht, bei dessen Entdeckung sich die Tante so furchtbar aufgeregt hatte. Er dachte an diese und andere Streiche mit einem überlegenen, nachsichtigen Gefühl, als wäre das alles vor Urzeiten gewesen. Kindereien, Kindereien[55]!

Mit einem Seufzer richtete er sich auf, kehrte sich behutsam im Sitze um, zog sein Taschenmesser heraus und begann am Stamm zu ritzen. Es sollte ein Herz daraus werden, das den Buchstaben T umschloß, und er nahm sich vor, es schön und sauber auszuschneiden, wenn er auch mehrere Tage dazu brauchen sollte.

Noch am selben Abend ging er zum Gärtner hinüber, um sein Messer schleifen zu lassen. Er trat selber das Rad dazu. Auf dem Rückweg setzte er sich eine Weile in das alte Boot, plätscherte mit der Hand im Wasser und suchte sich auf die Melodie des Liedes zu besinnen, das er gestern von hier aus hatte singen hören. Der Himmel war halb verwölkt, und es sah aus, als werde in der Nacht schon wieder ein Gewitter kommen.

[54] Schiller's youthful melodrama   [55] childish stuff

Wilhelm Schäfer · 1868–1952

Wilhelm Schäfer will have a secure niche in the history of German literature as a master of shorter fiction. From Kleist and Johann Peter Hebel he learned to compress his material, to write with terseness and dry humor. His short stories, which he referred to as *Histörchen* and anecdotes, usually express an ethical message or psychological point without, however, thrusting the moral into the reader's face. The same cannot be said for his anecdotal history of Germany: *Die dreizehn Bücher der deutschen Seele.* Here Schäfer ceases to be an artist and becomes a propagandist for German nationalism, with a mission to save the German people from the sin of modernism through a return to a healthy, glorious national past. For "the flowers of humanity do not thrive in the international hothouse of intellect, but on the emotional meadow of nationhood." Schäfer's writing suffers in direct ratio to his patriotic fervor; his style in *Die dreizehn Bücher* is turgid and monotonous. It is in stories like *Der falsche Patient* that he is at his best.

Schäfer was descended from peasant and craftsman stock and grew up in the Rhineland. He studied painting but, realizing that he lacked talent, became a schoolteacher. Out of patriotic fervor he edited a regional journal, *Die Rheinlande,* for a quarter of a century. Then he lived by his pen. As an ardent apostle of German *Volkstum,* Schäfer was hostile to all liberal institutions and to the Weimar Republic. His star began to rise under the Hitler regime. He won various literary distinctions, including the Goethe Prize in 1941. After the Second World War he was treated as a Nazi intellectual by the Allied occupation authorities. He died an embittered old man.

Schäfer's writings include several volumes of *Anekdoten* (published at various times from 1908 on); *Karl Stauffers Lebensgang* (1912); *Lebenstag eines Menschenfreundes* (1915); *Die dreizehn Bücher der deutschen Seele* (1922); *Huldreich Zwingli* (1926); *Der Hauptmann von Köpenick* (1930); *Theodorich* (1939); *Rechenschaft* (1948); *Die Biberburg* (1951).

Der falsche Patient

In jenem Frühjahr 1834, da die Wiener sich um die Plätze im Josephstädtischen Theater[1] rissen, Ferdinand Raimund[2] als Tischler Valentin in seinem Zaubermärchen „Der Verschwender" das Hobellied singen zu hören, war der Dichter eines Morgens mit andern Gedanken unterwegs[3]. Denn eben von jenem Gleichmut, den sein Valentin sang, besaß er selber nicht das geringste; er kannte wie einer[4] die Hoffnungslosigkeit schwarzer Nächte und die bleierne Luft nicht aufgegangener[5] Tage, ehe am Abend die Theaterlampen angesteckt wurden.

Es war Ende März, und ein mißmutiger Morgen konnte mit der Nebelnässe der Nacht nicht fertig werden, als sein schwarzer Mantel die Wollzeile[6] herauf gegen Sankt Stephan[7] kam und in die Goldschmiedegasse einbog; denn da wohnte der Doktor, zu dem er diesmal unterwegs war. Er wußte zwar, daß die Wiener den Mann spöttisch die Heilkröte[8] nannten, weil er

mit seinem bürgerlichen[9] Namen Kröte hieß und um seiner kuriosen[10] Kuren willen viel Zulauf hatte, obwohl er seinen Patienten selten Mixturen[11] verschrieb und Instrumente zum Schneiden überhaupt nicht besaß: Krankheit sei schlechtes Wetter! war eine von seinen Redensarten: Man müsse den Sonnenschein abwarten können.

Diese und andere Bosheiten wußte der mißmutige Liebling der Wiener zwar, während er in der Goldschmiedegasse die Nummer suchte und, als er sie gefunden hatte, in den ungastlichen Torweg hinein tappte; aber er trotzte: Soviel berühmte Doktoren haben mir nicht von meiner Melancholie helfen können, warum soll ich es nicht mit diesem berüchtigten auch noch versuchen?

Die dunkle Wendelstiege[12] zu der Wohnung des Doktors hinauf war nicht einladend, und das Wartezimmer, in das er durch die ältliche Schwester Agathe hinein gelassen wurde, hatte nur ein Fenster gegen die kahle Wand. Er mußte da neben den anderen Patienten auf einer hölzernen Bank sitzen und ziemlich eine halbe Stunde lang warten, bis er an der Reihe war, in das Sprechzimmer einzutreten, wo der Doktor hinter dem breiten Schreibtisch unter den Fenstern thronte und ihn mit einer geläufigen[13] Handbewegung einlud, in dem Lederstuhl Platz zu nehmen. Da nämlich saßen ihm seine Besucher in voller Beleuchtung, während sie seinen rundlichen Umriß von Licht umzüngelt[14] wie ein Götterbild sahen; denn die Heilkröte war übermäßig beleibt und kahlköpfig, überdies an beiden Beinen gelähmt.

Die lange Warterei[15] hatte den Mißmut des Dichters gesteigert; er wehrte mit beiden Hän-

Written in 1932; published in *Wendekreis neuer Anekdoten* (1937). [1] one of Vienna's suburban theatres (established 1788), in which popular plays were given; *sich rissen* = fought [2] Ferdinand Raimund (1790–1836) was a Viennese actor and writer of vaudeville and fairy comedies, a genre which he elevated to a high plane. Among the best of these is *Der Verschwender* (1833), in which the *Hobellied* occurs. This song, which became famous throughout German-speaking countries, opens as follows:

> Da streiten sich die Leut herum
> Oft um den Wert des Glücks,
> Der eine heißt den andern dumm,
> Am End' weiß keiner nix.
> Das ist der allerärmste Mann,
> Der andre viel zu reich,
> Das Schicksal setzt den Hobel an
> Und hobelt 's beide gleich.

Raimund was a neurasthenic and took his own life in a fit of despondency.
[3] i.e., taking a stroll   [4] as much as anyone else   [5] sombre (on which the sun did not seem to have risen)   [6] a street in Vienna   [7] St. Stephen's Church   [8] healing toad

[9] i.e., family [10] strange [11] i.e., medicines [12] winding staircase [13] habitual, practiced [14] surrounded [15] waiting around

den die Einladung ab und bat um die Erlaubnis, hin- und hergehen zu dürfen; er könne sitzend nichts sagen!

„Ganz wie es den Grillen des Herrn beliebt!" beruhigte ihn mit sanfter Stimme der Doktor, der sogleich wußte, daß er in dem blauäugigen Mann einen schweren Melancholiker[16] vor sich habe. Einer, dem es in seiner Haut nicht wohl ist[17]! überschlug[18] er: Will nach[19] einem Künstler aussehen in dem wild geknoteten Halstuch, scheint aber ein kleiner Beamter zu sein, der mit unzureichendem Verstand grübelt.

Der so eingeschätzte Dichter hatte unterdessen zunächst einmal seinen Hut in den Lederstuhl gelegt, das Stilleben[20] tiefsinnig anzustarren, bis er auf eine trockene Weise lachte.

„Passen Sie auf!" sagte er mit völligem Ernst, „der Stuhl wird Grillen bekommen!"

„Das macht seinem gegerbten Leder nichts[21]!" tröstete der Doktor ebenso ernst, „wenn der Herr sie nur los wird."

Erst diese zweite Antwort, unerwartet wie die erste, erinnerte den Dichter an die erbetene Erlaubnis; er warf dem Doktor einen Blick zu, als ob er einen Feind in seiner thronenden Fleischmasse wittere und begann wie ein Wolf im Käfig auf und ab zu wandern, ohne freilich dem angeblichen Zweck näher zu kommen; denn er sagte kein Wort, hob nur einmal in einer schauspielerhaften Gebärde die Hand, sie kopfschüttelnd wieder sinken zu lassen.

So hielt es der Doktor für an der Zeit[22], die Kunst seiner Menschenbehandlung spielen zu lassen. Er langte sein Krankenbuch[23] her und begann, gemächlich zu schreiben, als ob dies in Ordnung wäre, daß seine Feder über das Papier kratzte, und der andere schritt hin und her. Es dauerte denn auch nicht lange, so war der Dichter gehemmt, weil sein erstaunter Seitenblick nicht von dem gleichmütigen Schreiber loskam.

„Was machen Sie da?" fragte er mißtrauisch und blieb vor dem Schreibtisch stehen.

„Ich habe nicht soviel überflüssige Zeit wie an-

scheinend der Herr!" sagte der Doktor nebensächlich und ließ den Gänsekiel[24] wieder kratzen, bis der Dichter sich seufzend in den Lehnstuhl fallen ließ, aus dem er seinen Hut gerafft hatte, den schwarzen Rand so rastlos[25] zwischen den Händen zu drehen, wie er vorher auf und ab gegangen war. Und der Doktor konnte noch eine Weile schreiben, ehe er auf den Hut hinab zu sprechen begann.

„Wenn eins[26], Herr Doktor," sagte er grimmig, „garnix zu klagen hat und tuts doch; wenn eins essen kann, was es mag und trinken, soviel es will, aber ihm schmeckts nichts; wenn eins im Sonnenschein Schatten sucht und kann keine Bäume leiden: was, Herr Doktor, ist los mit solch einem Mann?"

„Er hats an der Galle[27]!" gab der Doktor prompt zurück, der die Feder gleich hingelegt und die Hände auf der Bauchbrust[28] gefaltet hatte, ihm zuzuhören: „Er sollte in Karlsbad[29] die Kur machen, wenn er das Geld dazu hat!"

Der so beschiedene[30] Dichter schüttelte verbissen[31] den Kopf dazu, der blond und schon angegraut war. „Nein, eine solche Karlsbader Galle hat der betreffende Patient nicht!" tadelte er: „es ist ein Wurm, Herr Doktor, der ihm das Herz abfrißt, ein Herzwurm, Herr Doktor! Und man hat mir gesagt, Sie könnten die Herzwürmer töten."

Also Praecordialangst[32]! stellte der Doktor heimlich fest; aber der Dichter hatte kein Ohr für fremde Gedanken.

„Ich bin am Leben krank, das mir so leid ist wie einem Hecht das Wasser im Fischkasten[33]!" begann er seine Bitterkeit strömen zu lassen: „Wenn ich es ausspeien könnte, ich würde es tun. Das Leben selbst ist meine Krankheit. Oder hat dies eine Vernunft, daß wir zum Sterben geboren sind? Daß wir auf Kirchhöfen leben? Daß unsere Freuden und Leiden nur Grimassen sind, die wir den Mächten im Parterre zur Unterhaltung schneiden?"

Diese Sätze und noch viele andere sagte der

---

[16] explained in note 42   [17] who is not happy within himself
[18] reflected   [19] like   [20] still life (i.e., the chair with the hat on it)   [21] won't hurt its tanned leather   [22] timely   [23] record of patients

[24] goose quill   [25] incessantly   [26] = einer (Viennese dialect); *nix* = nichts   [27] his bile is out of order   [28] stomach   [29] a famous spa in Bohemia (Czechoslovakia)   [30] instructed   [31] doggedly   [32] anxiety associated with pain in the chest   [33] the box in the river in which fish are kept until ready to be used

Dichter Ferdinand Raimund, den die Wiener
für einen Liebling der Götter hielten, in seinen
Filzhut hinein, als wäre es eine Schüssel, die
Bitterkeit aufzufangen, und hob den Blick kein
einziges Mal zu dem Doktor, der regungslos 5
hinter dem Schreibtisch saß, die Hände auf seiner
Bauchbrust gefaltet wie ein gesättigter Buddha.
Die da in dem Klagestuhl saßen, sangen alle
das gleiche Lied, nur in verschiedener Tonart:
ihm aber kam es mehr auf die falschen als auf 10
die richtigen Töne an, damit er höre, wo die
Kehle des Sängers nicht in Ordnung war.

Während der Doktor so das Instrument seiner
Ohren geöffnet hielt, geschah es ihm unversehens
durch das eine Wort Parterre, daß die Gedanken 15
sich an einen andern Ort und in eine andere Zeit
verliefen, nämlich in den vergangenen Abend,
wo er mit seinem Gebrechen — seit langem
wieder — im Josephstädtischen Theater gesessen
und lächelnd die Tränen der Rührung aus den 20
Augen gewischt hatte, weil der Ferdinand
Raimund als Tischler Valentin sein einfältiges
Hobellied sang.

Was diesem Kleinbürger fehlt und gestern
die Fülle war[34], ist der Humor! schlug er in 25
Gedanken eine rasche Brücke zu dem Patienten
zurück und glaubte, leichtfertiger, als er sonst
war, das Heilmittel für seine närrische Melancholie gefunden zu haben.

„Lieber Herr,“ sagte er in einen Spalt der 30
bitteren Rede hinein, „habt Ihr schon den Valentin im ‚Verschwender‘ das Hobellied singen
hören?“

Das war nun freilich für den Dichter Ferdinand
Raimund eine merkwürdige Frage; er konnte 35
nicht länger anders, er mußte den Kopf aus dem
Hut heben und sein Gesicht dem Doktor zuwenden, mißtrauisch, ob der ihn kenne und
eine Hinterlist vorhabe?

Der Doktor erstaunte zwar, wie kinderklar 40
die blauen Augen des Mannes in den schmerzlichen und, wie er nun sah, wohl gebildeten
Zügen standen; doch war er schon viel zu sehr
im Eifer seiner Medizin, die Verwandlung noch
zu beachten, die er angerichtet hatte. „Ihr geht 45
wohl nicht ins Theater?“ kurierte er weiter:
„Habt auch nichts verloren damit! Nur, wie der

[34] of which there was an abundance yesterday

göttliche Raimund sein Hobellied singt, das
solltet Ihr hören!“

„Was hat das mit meinem Herzwurm zu tun?“
murrte der Dichter, der immer noch eine
Schalkerei beargwöhnte; aber der Doktor hob
beschwörend die Hände: „Weil es die rechte
Medizin für Euren Herzwurm ist!“ Und hatte
der Dichter seine Bitterkeit in den Hut träufeln
lassen, den er wie eine Schüssel vor sich hielt, so
brach der Ton seiner Rede aus dem Buddha wie
eine Trompete:

„Lieber Herr, Eure Krankheit ist nur ein Hochmut, als ob Ihr damit schon etwas Besonderes
wäret, daß Euch die Welt mißbehagt! Ihr seid
wahrhaftig der Hecht im Fischkasten, weil Ihr
Euch selber das Wasser verseicht[35] mit Euren
Gedanken! Hört Euch den Valentin an, sage
ich drum! Der ist nur ein Tischler, und es geht
ihm krummer als Euch; aber er lacht, wo Ihr
einen Hut voll falscher Gedanken redet: weil er
Humor hat, und Ihr habt keinen!“

Der Dichter bei dieser Posaunenrede ließ seine
blauen Augen verwirrt im Zimmer des Doktors
umher gehen, über die Goldrahmen der Wand-
bilder, über den weißen Ofenturm[36] mit den
Messingstreifen und über den eifernden Buddha[37]
hinter dem breiten Schreibtisch aus gelbem
Kirschbaumholz.

„Hat Ihnen das Lied denn so arg[38] gut gefallen?“ fragte er törichterweise. So wenigstens
schien es dem polternden Doktor; denn den
schüchternen Schalk in den Augen des Patienten
sah sein Eifer nicht. Noch weniger erkannte er
die Lockung, Rühmliches über das Spiel, das
Stück und den Dichter zu sagen; auch bedurfte es
dieser Lockung nicht mehr, weil ihn der eigene
Schalk seiner Begeisterung ritt[39]. Er sprach von
der Heilsidee des Stückes und von seiner Wirkung
auf jedermann, nicht bloß auf Studierte[40]; er
sprach von dem Dichter, der ein österreichischer
Shakespeare sei, nicht nur einen Zipfel[41] vom
Leben, sondern es ganz zu greifen; er sprach

[35] muddy   [36] a little tower surmounting a tiled stove
(*Kachelofen*), which is used in Germanic lands to heat
individual rooms. *Messingstreifen* = brass bands framing the
warming recess of the stove.   [37] declaiming Buddha (the
squat figure of the doctor gives him the appearance of
Buddha)   [38] = sehr (South German)   [39] made him its
victim   [40] the educated   [41] i.e., fragment

von seiner Kunst der Menschengestaltung, drei Worte nur und ein Charakter stände da als Gestalt; er sprach von seinem Humor[42], der übelsten Säfte Herr zu werden, nicht mit albernen Witzen, sondern mit einer natürlichen Einsicht in das Geheimnis der Säfte, der schwarzen und gelben Galle, des weißen Schleimes und roten Blutes, aus denen die vier Humores des Melancholikers und Cholerikers, des Phlegmatikers und Sanguinikers kämen, die Temperamente geheißen: er müsse ein begnadeter[43] Mensch sein, dieser Ferdinand Raimund, ein Liebling der Götter und für das Wiener Volk der Gesundbeter[44]!

Bin ich, meinen Nekrolog[45] anzuhören, zu dieser Heilkröte gekommen? grollte der Dichter, dessen Ohren gleichwohl kein Wort seines so eifrig verkündeten Ruhmes ausgelassen hatten; und um die Eitelkeit abzuwehren, machte er den höhnischen Einwand: Soviel er wisse, sei der Schauspieler Raimund kein glücklicher Mensch!

Aber das Stichwort war schon gefallen, und er hatte es nur überhört, durch das ihm der Hochmut seiner Melancholie anders kuriert werden sollte, als selbst die ahnungslose Heilkröte dachte.

Ihn beeindrucke das Hörensagen über den Schauspieler Raimund wenig! sagte der Doktor beiläufig: Ob der Herr hingegen schon etwas von den schlesischen Gesundbetern[46] gehört habe? Die einem andern die Krankheit wegbeten könnten; aber sie ginge damit in den Beter über. Solch ein Gesundbeter sei wahrscheinlich der Dichter überhaupt, und der Ferdinand Raimund sei es gewiß. Damit die Wiener lachen könnten, müsse er unglücklich sein. Er sei kein Späßemacher, wie der Herr anscheinend meine; er habe Humor, und Humor haben hieß mit

allen Säften des Elends gewaschen sein, den schwarzen und gelben, weißen und roten!

Einmal an ein so schlagendes Beispiel geraten, konnte die Heilkröte ihre Ausschweifung nicht bändigen, den Liebling der Wiener in allen Farben seiner Gesundbeterei schillern[47] zu lassen. Daß er etwa, wenn der Raimund in diesem Lederstuhl säße und solche Reden vom Hecht im Fischkasten führe, wie der Herr sie geführt habe, daß er ihm sagen müsse: „Lieber Freund, es geschieht dir nach deiner Natur und deinem Beruf. Oder meinst du, die über dich lachen und weinen und ihr eigenes Elend vergessen, meinst du, sie könnten das, wenn du nicht ihr Gesundbeter wärst? Du mußt ihre Rührung mit deinen Grimassen bezahlen. Das ist dein Los, daß du ihnen den bitteren Essig des Lebens süß machen mußt, indem du selber den schwarzen Bodensatz[48] trinkst!"

„Also kann den Ferdinand Raimund keiner kurieren?" fragte der Dichter und stand aus dem ledernen Klagestuhl auf, die blauen Augen starr auf das grausam umzüngelte Götterbild hinter dem Schreibtisch gerichtet, und die schmerzlichen Lippen waren geschürzt[49], als wäre ein Spott darin stecken geblieben.

„Diesem kleinen Beamtengehirn habe ich seine Melancholie gründlich eingeweicht[50]!" triumphierte der Doktor mit einem Blick in das verstörte Gesicht, tief befriedigt von seiner Wortmacht. Sich gleichsam aus geistigen Höhen herab lassend, fragte er herrisch, denn nun wollte er dem Patienten suggestiv kommen[51]. „Also nach diesem, denke ich, wird der Herr heute abend wohl ins Theater finden[52]?"

„Das werde ich müssen!" sagte der Dichter mit einem grausamen Galgenhumor[53] und hob den Hut auf, der ihm aus den Händen gefallen war, mit gesenkter Stirn dazustehen.

„Und werdet den Ferdinand Raimund als Valentin das Hobellied singen hören!" drängte der Doktor weiter, die Suggestion zu vollenden. Aber da hob der aufsässige[54] Patient sein Gesicht gegen ihn, darin[55] aus den blauen Augen zwei

---

[42] the ancient theory of the four humors or liquids which regulate physical well being. They are blood (red), choler (yellow), phlegm (white), melancholy (black). These liquids are secreted in various internal organs of the body and sent through the system. An exact balance of the four humors would produce the perfectly adjusted man. But such an ideal adjustment rarely, if ever, occurs. Normally some one humor preponderates and stamps a man's character as sanguine, choleric, phlegmatic, or melancholy. [43] i.e., fortunate [44] the healer (by prayer) [45] obituary [46] religious sects which heal by prayer

[47] glitter, scintillate [48] dregs [49] curled [50] I gave him a piece of my mind (*jemand etwas einweichen* = soften bread so that it must be ladled out) [51] get at by suggestion [52] find his way [53] the wry humor of the man about to be hanged [54] rebellious [55] = worin

nasse Rinnen rechts und links von der Nase liefen, und der Doktor meinte, nie einen so sturen[56] Eigensinn in einem Menschengesicht gesehen zu haben.

„Warum also nicht?" brach er los und legte die Hände vor sich auf den Tisch, wie wenn er trotz seiner gelähmten Beine aufspringen wollte.

„Weil ich den Valentin selber singe!" sagte der Dichter leise und sah dem Zornigen von unten her blau und groß ins Gesicht, während er nach 10

[56] stubborn

seiner Gewohnheit den Kopf seitlich hängen ließ; und fügte mit einem abgründigen[57] Lächeln um seine noch immer spöttisch geschürzten Lippen hinzu: „weil ich doch selber euer Gesundbeter bin."

Und Ferdinand Raimund hatte auf all seinem Theater noch keinen Abgang gehabt wie diesen, da er die Bühne der Heilkröte mit der gewohnten Verbeugung gegen das Parterre kopfschüttelnd verließ.

[57] unfathomable

Agnes Miegel · 1879–

A native of Königsberg, East Prussia, Agnes Miegel was held by her love of her native province in the east until it was lost to Russia at the end of the Second World War. She then came to West Germany. Her work won early recognition. In 1913 she received the coveted Kleist prize; other distinctions followed, including the Goethe prize in 1940.

She has written extensively in both prose and verse, but her fame will rest on her mastery of the ballad, a genre which is practiced more widely in Germany than elsewhere today. Her ballads deal with national and mythical-legendary as well as modern themes. There is an earthy realism, a tough manliness, a terseness in her diction which makes her ballads memorable even when they are compared with the more intellectual, sophisticated ballads of Börries von Münchhausen, her contemporary peer in this genre.

Agnes Miegel's principal works are: *Gedichte* (1901), *Balladen und Lieder* (1907), *Gedichte und Spiele* (1920), *Geschichten aus Altpreußen* (1926), *Blume der Götter* (1949).

Schöne Agnete

Als Herrn Ulrichs Wittib[1] in der Kirche gekniet,
Da klang vom Kirchhof herüber ein Lied.
Die Orgel droben, die hörte auf zu gehn,
Die Priester und die Knaben[2], alle blieben stehn,
Es horchte die Gemeinde, Greis, Kind und Braut,   5
Die Stimme draußen sang wie die Nachtigal so laut:

„Liebste Mutter in der Kirche, wo des Mesners[3] Glöcklein klingt,
Liebe Mutter, hör, wie draußen deine Tochter singt,
Denn ich kann ja nicht zu dir in die Kirche hinein,
Denn ich kann ja nicht mehr knien vor Mariens Schrein[4],   10

All the ballads printed here are from *Gesammelte Werke*, Band 2 (1953).

SCHÖNE AGNETE: [1] = Witwe [2] the boys who assist the priest at Mass [3] sexton [4] i.e., the altar

Denn ich hab ja verloren die ewige Seligkeit,
Denn ich hab ja den schlammschwarzen Wassermann[5] gefreit.

Meine Kinder spielen mit den Fischen im See,
Meine Kinder haben Flossen zwischen Finger und Zeh,
Keine Sonne trocknet ihrer Perlenkleidchen Saum,   15
Meiner Kinder Augen schließt nicht Tod noch Traum[6]....

Liebste Mutter, ach ich bitte dich,
Liebste Mutter, ach ich bitte dich flehentlich,
Wolle beten mit deinem Ingesind[7]
Für meine grünhaarigen Nixenkind',   20
Wolle beten zu den Heiligen und zu Unsrer Lieben Frau,
Vor jeder Kirche und vor jedem Kreuz in Feld und Au!
Liebste Mutter, ach, ich bitte dich sehr,
Alle sieben Jahre einmal darf ich Arme nur hierher,

Sage du dem Priester nun,   25
Er soll weit auf die Kirchentüre tun[8],
Daß ich sehen kann der Kerzen Glanz,
Daß ich sehen kann die güldene Monstranz[9],
Daß ich sagen kann meinen Kinderlein,
Wie so sonnengolden strahlt des Kelches Schein!"   30

Die Stimme schwieg.
                    Da hub die Orgel an[10],
Da ward die Türe weit aufgetan, —
Und das ganze heilige Hochamt lang[11]
Ein weißes weißes Wasser vor der Kirchentüre sprang.   35

Die Domina[1]

Sie ritten dahin im Sonnenbrand
Den rostigen Spieß in der Arbeitshand,
Und als sie ritten stumm und still,
Schrie im Tal ein Glöcklein hell und schrill.
Da sprach der Hauptmann: „Domina,   5
Deines Klosters letzte Stunde ist da!"

Ihre Äxte klopften ans Klostertor:
„Nun, Frau Domina, komm hervor,
Gestern brannte Sankt Alberts Abtei[2],
Heute ist an dir die Reih,   10

---

[5] slime-black watersprite   [6] According to legend the spirits
of the deep are immortal.   [7] retinue, servants   [8] auftun =
open   [9] monstrance (the golden vessel in which the Host
is kept)   [10] hub an = fing an   [11] during the whole
High Mass
      DIE DOMINA: [1] abbess (head of a convent)   [2] abbey

Gestern das Mönchsnest war lustige Beute,
Bessre sind die Nönnchen heute!
Heiligenkronen und Meßgewänder³
Geben blanken Helmschmuck und Schärpenbänder⁴!"

Von der Mauer droben sah sie herab, 15
In den welken Händen den Hirtenstab⁵,
Unter dem weißen Schleiertuch
Blitzten die Augen tief und klug,
Und als sie auf den Hauptmann sah,
Lächelte bitter die Domina. 20

„Jochen Ballenstedt, meiner Muhme⁶ Sohn!"
Und zum nächsten dann: „Dich kannte ich schon,
Als du am Zaun dich aufgereckt,
Und ich deine Hand voll Kirschen gesteckt!"
Zum langen Lorenz, der neben ihm stand, 25
Sprach sie: „Dich schlug ich ins Wickelband⁷!"
Und zum nächsten: „Bei Schnarre⁸ und Feuergeschrei
Stand ich deiner Mutter bei!"

Sie schwieg und sah auf die Schar im Sand,
Da war keiner, den sie nicht gekannt. 30
Bauern und Knechte, dicht gedrängt,
Standen den Blick zu Boden gesenkt.

Jochen Ballenstedt sprach: „Domina, hör!
Deinen falschen Glauben abschwör,
Bekenne dich frei zu Luthers Lehr, 35
Dir und den Deinen gilt's Gut und Ehr⁹!"

Die Domina sah hinab voll Ruh:
„Jochen, ich bin zu alt dazu,
Fünfzig Jahr beugt ich die Knie
Vor meiner guten Mutter Marie. 40
Fünfzig Jahr gut und gern
Dient ich ihr, wie die Magd dem Herrn.

Und wenn ihr alle von ihr geht,
Eine bleibt, die zu ihr steht.
Dies ist mein Spruch und ist mein Sinn, 45
So wahr ich eine Ritdorf bin!" —
Hochauf, den silbernen Stab in der Hand,
Mit funkelnden Augen die Domina stand.

---

³ surplices ⁴ they give shining decorations for our helmets
and ribbons for our sashes ⁵ crozier (crooked staff) ⁶ cousin
⁷ diaper ⁸ rattle used to call citizens in case of fire ⁹ it's a
matter of property and honor

Und der Hauptmann nach kurzem Besinnen:
„Sei es drum[10], Domina, zieh von hinnen[11],
Steig herab und geh zu den Deinen,
Schwer fällt[12] alten Augen das Weinen!"   50

Sprach die Domina: „Jochen Ballenstedt,
Ich bin wie einer, der zur Richtstatt[13] geht,
Drum um Gott und alter Freundschaft willen,   55
Wolle mir eine Bitte erfüllen,
Laß mich in meines Mantels Falten
Tragen, was ich in Ehren gehalten.
Gib mir dein ritterliches Wort,
Daß ich sicher aus dem Tore dort   60
Trage, was ich einst bekommen!" — —

Da murrten die unten, scheu und beklommen
Und stampften vor Zorn: „Die Alte ist schlau,
Sie meint das Gerät Unsrer Lieben Frau,
Die goldne Monstranz, das Altarbehänge,   65
Sankt Brigitt und Kathrinens buntes Gepränge[14],
Sind alles Lehn- und Bürgegaben,
Nun sollen's die Krämer wiederhaben!"
Der Hauptmann hörte nicht Murren noch Schrein,
Er hob die Hand: „So soll es sein!"   70

Da kreischten drinnen die Riegel am Tor,
Langsam trat die Domina vor,
Und weit um sie, starrseiden[15] und blau,
Stand der Mantel Unsrer Lieben Frau.
Die draußen ballten die Fäuste: „Vertrackt[16],   75
Was die Alte alles aufgepackt!"

Die Greisin hat nicht aufgeblickt,
Schwer ging sie, wankend und tiefgebückt.
Beim ersten Schritt war sie heiß und rot,
Beim zweiten blasser als der Tod.   80
Als sie kam an den ersten Mann,
Der Schweiß von ihrer Stirne rann,
Als sie schritt die Brücke entlang,
Das Wasser aus ihren Augen sprang
Und als sie stand auf dem Wiesengrund,   85
Da quoll das Blut aus ihrem Mund,
Da fiel der seidene Mantel ins Gras —,
Fünf junge Gesichter, verweint[17] und blaß,
Lugten[18] hervor und duckten sich wieder
Zitternd auf die Domina nieder.   90

---

[10] for that very reason   [11] away   [12] = ist   [13] place   [16] confound it   [17] showing signs of tears   [18] peered
of execution   [14] splendor   [15] made of stiff silk

Die griff mit den Händen in Kraut und Klee,
„Tritt her, Jochen Ballenstedt, daß ich dich seh,
Kalt wird die Hand, die nach deiner faßt,
Ich trug zu schwer an der jungen Last,
Ich trug sie bis an den Wiesenrain[19].   95
Hier gehen die Straßen ins Land hinein,
Hier gehen die Straßen nach Süd und West
Zu meiner Tauben Heimatsnest.
Ich habe dein Wort, und keiner kann's wehren,
Daß sie sicher und heil zu Neste kehren,   100
Und ein ritterlich Wort ist ein gutes Geleite!"

Sprach's[20] und neigte ihr Haupt zur Seite[21].

Die Mär vom Ritter Manuel

Das ist die Mär[1] vom Ritter Manuel,
Der auf des fremden Magiers Geheiß[2]
Sein Haupt in eine Zauberschale[3] bog,
Und als er's wieder aus dem Wasser zog,
Da seufzte er und sprach: „Mein Haar ist weiß,   5
Gebrochen meine Kraft. O allzulange
Qualvolle Wanderschaft!" Die Höflingsschar,
Die ringsum stand, rief: „Dunkel ist dein Haar,
Frage den König!"
                            Staunend sprach und bange
Da der Verzauberte: „O Herr, die Zeit   10
Ist hold und spurlos dir vorbeigeglitten!
Als ich vor zwanzig Jahren fortgeritten,
Warst du wie heut. An dem gestickten Kleid
Trugst du den Gürtel mit den Pantherschließen[4]
Und an der Hand den gleichen Amethyst."
„Erzähle", sprach der Fürst und sprach's voll List,   15
„Was dir begegnet, seit wir uns verließen!"

Der Arme sann, und seine Augen waren
Wie Kinderaugen, noch vom Traum befangen[5].
„König, ich bin so weit von Euch gegangen,   20
So vieles sah ich! Und in späten Jahren,
An dunklen Wintertagen und in schwülen
Hochsommernächten will ich dir erzählen
Von allem. Und vor deinen stillen Sälen
Soll meines bunten Lebens Brandung spülen.   25
Nur jetzt noch laß mich schweigen.
                                    Denn ein Gram

---

[19] edge of the meadow [20] = sie sprach es [21] i.e., died   DIE MÄR: [1] story [2] bidding [3] magic bowl [4] i.e., a
(echo of John 19: 30)   buckle shaped like a panther's head [5] held

Durchrüttelt[6] mich, den nie ein Mensch gekannt.
Sieh, ich verließ mein Weib in jenem Land,
Und weiß es nicht mehr, welchen Weg ich kam,
Und weiß den Namen jenes Landes nicht,   30
Wo sie am Fenster kauernd, kinderschmal[7],
Aus dem Kastell hinabspäht in das Tal,
Bis jäh die Felsen glühn im Abendlicht
Und jäh erbleichen.
                    Durch das samtne[8] Dunkel
Der Nacht strahlt freundlich einer Ampel Schein,   35
Um Führer meiner Wanderschaft zu sein,
Und purpurn glänzt, wie ein Rubingefunkel,
In ihrem Licht des Bergstroms dunkle Flut.
Sein Name nur? Sehr seltsam klang er, wie
Der Felsen Name, uralt auch wie sie.   40
Und jene Frau, die mir im Arm geruht, —
Weh, meine Liebe kann sie nicht mehr rufen,
Der süße Laut entglitt mir, wie im Tann[9]
Dem Schlafenden entglitt der Talisman,
Den sie mir umhing auf des Schlosses Stufen!" —   45

Dann schrie er auf und hielt des Königs Knie
Wie ein um Hilfe Flehender umklammert.
Der sprach, — und er war bleich und ernst —:
                                        „Mich jammert[10]
Der Qual des armen Narrn, der zu mir schrie.
Magier, tritt vor! Zerbrich des Zaubers Bann!"
Der König wartete. Die Diener liefen   50
In allen Gängen hin und her und riefen,
Die Ritter sahn sich groß, verwundert an.
Denn keiner fand den Magier. Ein'ge schwuren,
Sie hätten an dem Springbrunn ihn gesehen   55
Murmelnd die goldne Zauberschale drehn, —
Doch in dem Sande sah man keine Spuren.

Und wie die Stürme auf dem hohen Meer
Das längstverlaßne Wrack[11] des Seglers jagen,
So trieb durch Jahre voller Sorg und Fragen   60
Erinnerungsqual den Grübelnden umher,
Bis ihn beim Jagen einst ein fremd Geschoß[12],
Vielleicht aus Mitleid, in die Schläfe traf.
Still wie ein Kind sank er ins Moos zum Schlaf
Und stammelte, eh er die Augen schloß:
„Tamara!" und er starb.
                    Die Zeit verrann.   65

---

[6] **shakes through**   [7] slender as a child   [8] velvety   [9] forest   [10] I feel for   [11] wreckage; *Segler* = sailboat   [12] missile

Doch einmal abends klang im Hof Geklirr[13]
Von vielen Waffen, und ein bunt Geschwirr[14]
Landfremder Sprachen. Und ein brauner Mann,
Sehr alt und fürstlich, dessen welke Hand   70
Auf seidnem Kissen trug der Herrschaft Zeichen,
Trat vor den König wie vor seinesgleichen
Und rief: „Wo ist, nach dem wir ausgesandt,
Mein König Manuel, Tamaras Gatte,
Den sie in ihrem Felsenschloß beweint?   75
Westwärts ging ich, soweit die Sonne scheint,
Bis ich zu deinem Reich gefunden hatte.
Hier, sprach der sternenkundge[15] Magier, werde
Ich meinen Herren finden, — Weise[16] mich,
Daß ich ihn krönen kann!"
                Da neigte sich   80
Der König still, griff eine Handvoll Erde
Aus einer Schale, drin die Rosen blühten,
Und wies sie still dem Suchenden.
                      Der stand
Ganz lange still. Dann schlug er sein Gewand
Weit um den Kronreif[17], dessen Steine sprühten.   85
So schritt er aus dem Saal.
                Ein Klaggesang
Kam langgezogen, trostlos durch die Nacht.
Dann ein Geklirr und Hufgetrappel[18], sacht
Und langsam, — bis auch das im Sturm verklang.

In jener Nacht, bei seiner Kerzen Qualmen   90
Saß lang der König auf. Sein Page schlief
Und schrak empor, denn eine Stimme rief:
„Sieh, keine Antwort find ich in den Psalmen!
Erbarmer aller Welt, sprich: was ist Schein?" —
Und lange vor dem Kruzifixe stand   95
Der König starr, mit ausgestreckter Hand.

So sagt der Page. Doch er ist noch klein,
Furchtsam und hat den Kopf voll Märchenflausen[19]. —

---

[13] clang   [14] medley   [15] knowing the stars   [16] direct   [17] crown   ring   [18] trampling of hooves   [19] fantastic fairy whims

Oswald Spengler · 1880–1936

Spengler was an unknown high school teacher who leaped to fame after the First World War with the publication of his magnum opus *Der Untergang des Abendlandes* (Volume I, 1918; Volume II, 1922). This "morphology of history" revived the organic view of historical development which Vico and Herder had championed—that the development of civilizations follows the same cycle of birth, growth, decay, and death to which any organism is subject. On the basis of a comparison between various cultures (Indian, Semitic, Graeco-Roman, Germanic-European), Spengler ventured to assert that our civilization has now reached its winter. The heroic age of the national epics had been our spring; the Gothic cathedrals and Shakespeare our summer; Goethe, Kant, and Hegel constituted our autumn; the nineteenth and twentieth centuries represent winter. The creative spirit which is necessary for any culture is gone; its place has been taken by the Alexandrine spirit of knowledge and technology. The healthy aristocratic relation between men which existed up to the close of the Middle Ages has given way to decadent democracy and humanitarian ideals. This portends the end.

While Spengler professes to regard this evolution as inevitable, he frequently steps out of his role of impartial historian to don the mantle of the prophet and moralist and to tell us that if the West has declined, it is because it forsook the vital values, that is, the heroic values which Nietzsche advocated. The passage reprinted here is a good example of Spengler in the role of the moralist; it shows him as a crude disciple of Nietzsche, advocating the same opposition to Western values that one finds in the early writings of Ernst Jünger and other champions of "heroic" irrationalism.

Spengler was immensely influential between the two world wars. By 1950 the first volume of the *Untergang des Abendlandes* had sold 81,000 copies; the second was not far behind. Other of his writings include *Preußentum und Sozialismus* (1920) and *Der Mensch und die Technik* (1931).

Der politische Horizont

Wir leben in einer gewaltigen Zeit. Es ist die größte, welche die Kultur des Abendlandes je erlebt hat und erleben wird, dieselbe, welche die Antike von Cannä[1] bis Aktium erlebt hat, dieselbe, aus der die Namen Hannibal, Scipio[2], Gracchus, Marius, Sulla, Cäsar herüberleuchten.

Der Weltkrieg[3] war für uns nur der erste Blitz und Donner aus der Gewitterwolke, die schicksalsschwer über dieses Jahrhundert dahinzieht. Die Form der Welt wird heute aus dem Grunde[4] umgeschaffen wie damals durch das beginnende Imperium Romanum[5], ohne daß das Wollen und Wünschen der meisten beachtet und ohne daß die Opfer gezählt werden, die jede solche Entscheidung fordert. Aber wer versteht das? Wer erträgt das? Wer empfindet es als Glück, dabei zu sein? Die Zeit ist gewaltig, aber um so kleiner sind die Menschen. Sie ertragen keine Tragödie mehr, weder auf der Bühne noch in Wirklichkeit. Sie wollen das Happy End flacher Unterhaltungsromane, kümmerlich und müde wie sie sind. Aber das Schicksal, das sie in diese

From *Jahre der Entscheidung* (1933); part of Chapter 3 of the opening section. [1] the city at which the Carthaginian general Hannibal (246–182 B.C.) defeated the Romans in 216 B.C. In 31 B.C. the Roman Emperor Augustus defeated Anthony and Cleopatra at Actium off the Greek coast. [2] Scipio the Elder (237–183 B.C.), brilliant Roman general in the Second Punic War against Carthage; Tiberius and Caius Gracchus (2nd century B.C.), Roman tribunes and radical social reformers; Marius (156–86 B.C.), Roman general and democratic statesman, rival of Lucius Cornelius Sulla (138–78 B.C.), Roman dictator, leader in the civil war against Marius; Julius Caesar (100–44 B.C.) Roman general and statesman, conquered Gaul and Britain.

[3] the First World War (1914–1918) [4] fundamentally [5] the Roman Empire

Jahrzehnte hineingeworfen hat, packt sie beim Kragen und tut mit ihnen, was getan werden muß, ob sie nun wollen oder nicht. Die feige Sicherheit vom Ausgang des vorigen Jahrhunderts ist zu Ende. Das Leben in Gefahr, das eigentliche Leben der Geschichte, tritt wieder in sein Recht. Alles ist ins Gleiten gekommen. Jetzt zählt nur der Mensch, der etwas wagt, der den Mut hat, die Dinge zu sehen und zu nehmen, wie sie sind. Die Zeit kommt — nein, sie ist schon da! — die keinen Raum mehr hat für zarte Seelen und schwächliche Ideale. Das uralte Barbarentum, das Jahrhunderte lang unter der Formenstrenge einer hohen Kultur verborgen und gefesselt lag, wacht wieder auf, jetzt wo die Kultur[6] vollendet ist und die Zivilisation begonnen hat, jene kriegerische gesunde Freude an der eigenen Kraft, welche das mit Literatur gesättigte Zeitalter des rationalistischen Denkens verachtet, jener ungebrochene Instinkt der Rasse, der anders leben will als unter dem Druck der gelesenen Büchermasse und Bücherideale. Im westeuropäischen Volkstum[7] lebt noch genug davon, auch in den amerikanischen Prärien und darüber hinaus in der großen nordasiatischen Ebene, wo die Welteroberer wachsen...

Es gibt ein nordisches Weltgefühl — von England bis nach Japan hin — voll Freude gerade an der Schwere des menschlichen Schicksals. Man fordert es heraus, um es zu besiegen. Man geht stolz zugrunde, wenn es sich stärker erweist als der eigene Wille. So war die Anschauung in den alten echten Stücken des Mahabharata[8], die vom Kampf zwischen den Kurus und Pandus berichten, bei Homer, Pindar[9] und Aischylos, in der germanischen Heldendichtung und bei Shakespeare, in manchen Liedern des chinesischen Schuking[10] und im Kreise der japanischen Samurai[11]. Es ist die tragische Auffassung des Lebens, die heute nicht ausgestorben ist, die in Zukunft eine neue Blüte erleben wird und sie im Weltkrieg schon erlebt hat. Deshalb sind alle ganz großen Dichter aller nordischen Kulturen Tragiker gewesen und die Tragödie über Ballade und Epos hinaus die tiefste Form dieses tapferen Pessimismus. Wer keine Tragödie erleben, keine ertragen kann, kann auch keine Gestalt von Weltwirkung sein. Wer Geschichte nicht erlebt, wie sie wirklich ist, nämlich tragisch, vom Schicksal durchweht, vor dem Auge der Nützlichkeitsanbeter[12] also ohne Sinn, Ziel und Moral, der ist auch nicht imstande, Geschichte zu machen. Hier scheidet sich das überlegene und das unterlegene Ethos[13] des menschlichen Seins. Das Leben des einzelnen ist niemand wichtig als ihm selbst: ob er es aus der Geschichte flüchten oder für sie opfern will, darauf kommt es an. Die Geschichte hat mit menschlicher Logik nichts zu tun. Ein Gewitter, ein Erdbeben, ein Lavastrom, die wahllos Leben vernichten, sind den planlos elementaren Ereignissen der Weltgeschichte verwandt. Und wenn auch Völker zugrunde gehen und alte Städte altgewordener Kulturen brennen oder in Trümmer sinken, deshalb kreist doch die Erde ruhig weiter um die Sonne und die Sterne ziehen ihre Bahn.

Der Mensch ist ein Raubtier. Ich werde es immer wieder sagen. All die Tugendbolde[14] und Sozialethiker, die darüber hinaus sein oder gelangen wollen, sind nur Raubtiere mit ausgebrochenen Zähnen, die andere wegen der Angriffe hassen, die sie selbst weislich vermeiden. Seht sie doch an: sie sind zu schwach, um ein Buch über Kriege zu lesen, aber sie laufen auf der Straße zusammen, wenn ein Unglück geschehen ist, um ihre Nerven an dem Blut und Geschrei zu erregen, und wenn sie auch das nicht mehr wagen können, dann genießen sie es im Film und in den illustrierten Blättern. Wenn ich den Menschen ein Raubtier nenne, wen habe ich damit beleidigt, den Menschen — oder das Tier? Denn die großen Raubtiere sind edle Geschöpfe in vollkommenster Art und ohne die Verlogenheit menschlicher Moral aus Schwäche.

---

[6] intellectual and spiritual achievement as opposed to mere technical advance (= *Zivilisation*) [7] i.e., the healthy people, uncorrupted by *Zivilisation* [8] a Hindu epic; the extant version, probably composed *c.* 200 B.C., chronicles the fortunes of two related but rival royal families, the Kurus and the Pandus. [9] Pindar (*c.* 522–442 B.C.), the most celebrated Greek lyric poet [10] a collection of 311 odes, edited by Confucius (551–478 B.C.) [11] title of the feudal warrior caste of Japan

[12] worshippers of utilitarianism [13] i.e., Nietzsche's *Herren- und Sklavenmoral* [14] paragons of virtue; *Sozialethiker* = social reformers; *darüber hinaus* = beyond this

Sie schreien: Nie wieder Krieg! — aber sie wollen den Klassenkampf. Sie sind entrüstet, wenn ein Lustmörder hingerichtet wird, aber sie genießen es heimlich, wenn sie den Mord an einem politischen Gegner erfahren. Was haben sie je gegen die Schlächtereien der Bolschewisten einzuwenden gehabt? Nein, der Kampf ist die Urtatsache des Lebens, ist das Leben selbst, und es gelingt auch dem jämmerlichsten Pazifisten nicht, die Lust daran in seiner Seele ganz auszurotten. Zum mindesten theoretisch möchte er alle Gegner des Pazifismus bekämpfen und vernichten.

Je tiefer wir in den Cäsarismus[15] der faust-ischen Welt hineinschreiten, desto klarer wird sich entscheiden, wer ethisch zum Subjekt[16] und wer zum Objekt des historischen Geschehens bestimmt ist. Der triste[17] Zug der Weltverbesserer, der seit Rousseau durch diese Jahrhunderte trottete und als einziges Denkmal seines Daseins Berge bedruckten Papiers auf dem Wege zurückließ, ist zu Ende. Die Cäsaren werden an ihre Stelle treten. Die große Politik als die Kunst des Möglichen[18] fern von allen Systemen und Theorien, als die Meisterschaft, mit den Tatsachen als Kenner zu schalten, die Welt wie ein guter Reiter durch den Schenkeldruck[19] zu regieren, tritt wieder in ihre ewigen Rechte.

---

[15] i.e., love of conquest and imperialism. Spengler calls Western civilization "Faustian" because it is ruled by the spirit of dynamic energy, boundless striving, dissatisfaction, endless conquest. According to Spengler, Goethe's Faust is the symbol of this spirit.

[16] i.e., ruler; *Objekt* = ruled   [17] sad, dull   [18] Bismarck's definition of politics as "the art of the possible"   [19] by pressing his thighs against the horse's flanks

Georg Trakl · 1887–1914

Trakl was twenty-seven years old when he died; the slenderness of his output was bound to work against a just assessment of his poetic stature. Rilke and Werfel appreciated his achievement, his powerful and original imagery, the purity, depth and musical quality of his diction, the tremendous force of his gruesome visions of darkness, decay, terror and destruction. "In his work," Paul Fechter recently wrote, "the pictures of Franz Marc have become verse and poetry, visions in words."

Georg Trakl was the child of prosperous bourgeois parents. He was raised in Salzburg, where he lived most of his life. Academic failure in the secondary school intensified his tendency to introversion and emotional instability, from which he sought escape in alcohol and drugs. He prepared himself for a career as a pharmacist and served in this capacity in the Austrian medical corps. Several attempts to settle down to a bourgeois existence failed. At the outbreak of World War I he rejoined the army as a lieutenant in the medical corps. After the Austrian defeat at Grodek (1914), he was left in charge of ninety serious casualties in a barn. The experience was too much for him. He attempted suicide and was removed to a mental hospital for observation. Four weeks later he died from an overdose of cocaine.

The fact that his talented sister Margarete committed suicide three years later suggests that the family had a hereditary nervous taint. In any case Trakl was one of the *poètes maudits*, cursed with an exaggerated sensibility toward the evil in this world, the obverse perhaps of an exalted vision of Christian purity and spirituality. Trakl described himself as a devout Christian, though in a non-denominational sense, and used Christian symbols, doctrines, and attitudes in his poems (bread and wine, the Holy Communion, Grace, angels, the corruption of the flesh, death as fulfillment, the guilt of original sin and the pristine state of innocence before the Fall). He regarded his own poetry as a penance for his existential guilt, that is the guilt incurred by the very act of living.

It has been argued that the visions of decline and destruction which form the content of Trakl's poetry are not nihilistic (as are Benn's, for instance), but presuppose a hope of resurrection in the future, perhaps in a future life. Others have claimed more modestly that Trakl's resignation and melancholy are a manly despair; he was an "athlete amidst the ruins," which would make his position an anticipation of Heidegger's. To arbitrate between these different views is impossible because Trakl's poetry, like that of the symbolists and imagists, is hermetic. Trakl creates visions and uses images and symbols which are intellectually ambiguous. Any reader of his poetry is immediately aware that the general atmosphere is one of agony and despair. But just what the individual visions yield as a composite picture of life and man's destiny is not clear. Perhaps it is not even important. What if we do not know the precise significance of his mysterious figures — Sebastian, Elis, Helian, die Mönchin, die Jünglingin, die Schwester—or the exact connotation of his strange adjectives? The rhythmic pattern of even his prose poems is aesthetically rewarding enough to make us want to read him. Added to this is the striking use he makes of adjectives in composing his images; new adjectives like *mondne Füße, hyazinthine Stille, die härene Sonne;* or traditional epithets used in a new and striking context: *blaue Klage, ein rosiger Reigen, der weiße Sohn, ein roter Schatten, verwesende Bläue.* Even when he adopts the word *golden,* whose poetic possibilities Goethe and Hölderlin had seemingly exhausted, he is able to give it new life, thus fulfilling Mallarmé's injunction to the poet "to give a new sense to the words of the tribe."

Trakl's work, as was said above, is small in compass. He had two dramas performed at the age of nineteen. In 1913 Franz Werfel edited a collection of his *Gedichte,* which was published by Kurt Wolff in Leipzig. In the following year a second volume of verse appeared under the title *Sebastian im Traum.* Much of his poetry was first published in the literary journal *Der Brenner,* edited by Ludwig von Ficker, who discovered and helped Trakl in every way. In recent years his star has been shining brightly. It will never go out.

Verklärter Herbst

Gewaltig endet so das Jahr
Mit goldnem Wein und Frucht der Gärten.
Rund schweigen Wälder wunderbar
Und sind des Einsamen Gefährten.

Da sagt der Landmann: Es ist gut.   5
Ihr Abendglocken lang und leise
Gebt noch zum Ende frohen Mut.
Ein Vogelzug grüßt auf der Reise.

Es ist der Liebe milde Zeit.
Im Kahn den blauen Fluß hinunter   10
Wie schön sich Bild an Bildchen reiht —
Das geht in Ruh und Schweigen unter.

VERKLÄRTER HERBST: From *Gedichte* (1913). This early poem is still conventionally impressionistic.

Elis

1

Vollkommen ist die Stille dieses goldenen Tags.
Unter alten Eichen
Erscheinst du, Elis, ein Ruhender mit runden Augen.

Ihre Bläue spiegelt den Schlummer der Liebenden.
An deinem Mund   5
Verstummten ihre rosigen Seufzer.

Am Abend zog der Fischer die schweren Netze ein.
Ein guter Hirt
Führt seine Herde am Waldsaum hin.
O! wie gerecht sind, Elis, alle deine Tage.   10

Leise sinkt
An kahlen Mauern des Ölbaums blaue Stille,
Erstirbt eines Greisen dunkler Gesang.

Ein goldener Kahn[1]
Schaukelt, Elis, dein Herz am einsamen Himmel.   15

2

Ein sanftes Glockenspiel tönt in Elis' Brust
Am Abend,
Da sein Haupt in schwarze Kissen sinkt.

Ein blaues Wild
Blutet leise im Dornengestrüpp.   20

Ein brauner Baum steht abgeschieden[2] da;
Seine blauen Früchte fielen von ihm.

Zeichen und Sterne
Versinken leise im Abendweiher.

Hinter dem Hügel ist es Winter geworden.   25

Blaue Tauben
Trinken nachts den eisigen Schweiß,
Der von Elis' kristallener Stirne rinnt.

Immer tönt
An schwarzen Mauern Gottes einsamer Wind.   30

ELIS: From *Sebastian im Traum* (1914); first published in *Der Brenner* in 1913. Elis is a mythical invention of the poet's. The youth is perhaps a symbol of innocence and purity, doomed to destruction in this world. The parallel with Christ is suggested by *Ölbaum* (l. 12), *Dornengestrüpp* (l. 20), *Baum* (l. 21). The adjectives *golden, rosig, kahl, blau, einsam, schwarz, eisig, kristallen* are favorites with Trakl. [1] The golden boat is a recurrent image in Trakl. As in Hölderlin and Rimbaud, the boat is a symbol of life. [2] separated

Der Herbst des Einsamen

Der dunkle Herbst kehrt ein voll Frucht und Fülle,
Vergilbter Glanz von schönen Sommertagen.
Ein reines Blau tritt aus verfallner Hülle;
Der Flug der Vögel tönt von alten Sagen.
Gekeltert ist der Wein, die milde Stille   5
Erfüllt[1] von leiser Antwort dunkler Fragen.

Und hier und dort ein Kreuz auf ödem Hügel;
Im roten Wald verliert sich eine Herde.
Die Wolke wandert übern Weiherspiegel;
Es ruht des Landmanns ruhige Gebärde.   10
Sehr leise rührt des Abends blauer Flügel
Ein Dach von dürrem Stroh, die schwarze Erde[2].

Bald nisten Sterne in des Müden Brauen;
In kühle Stuben kehrt ein still Bescheiden
Und Engel treten leise aus den blauen   15
Augen der Liebenden, die sanfter leiden.
Es rauscht das Rohr; anfällt ein knöchern Grauen,
Wenn schwarz der Tau tropft von den kahlen Weiden.

Klage

Schlaf und Tod, die düstern Adler
Umrauschen nachtlang dieses Haupt:
Des Menschen goldnes Bildnis[1]
Verschlänge[2] die eisige Woge
Der Ewigkeit. An schaurigen[3] Riffen   5
Zerschellt der purpurne Leib.
Und es klagt die dunkle Stimme
Über dem Meer.
Schwester[4] stürmischer Schwermut
Sieh ein ängstlicher Kahn versinkt   10
Unter Sternen,
Dem schweigenden Antlitz der Nacht.

DER HERBST DES EINSAMEN: Source as above   [1] = ist erfüllt   [2] object of *rührt*, in apposition with *Dach*

KLAGE: From *Die Dichtungen* (1919); first published in *Der Brenner* (1915). The poem is a vision of present destruction caused by the War and the possible ultimate destruction of all life.   [1] The "golden image" is man as he might or ought to be. *Bildnis* is the object, *Woge* the subject, of the sentence.   [2] imperfect subjunctive: might or would swallow   [3] inspiring dread   [4] symbol of the feminine counterpart to his masculine self, a spiritual alter ego or *anima* (in the Jungian psychology)

Grodek

Am Abend tönen die herbstlichen Wälder
Von tödlichen Waffen, die goldnen Ebenen
Und blauen Seen, darüber die Sonne
Düstrer hinrollt; umfängt[1] die Nacht
Sterbende Krieger, die wilde Klage   5
Ihrer zerbrochenen Münder.
Doch stille sammelt im Weidengrund[2]
Rotes Gewölk, darin ein zürnender Gott wohnt,
Das vergossne Blut sich, mondne Kühle;
Alle Straßen münden in schwarze Verwesung.   10
Unter goldnem Gezweig der Nacht und Sternen[3]
Es schwankt der Schwester[4] Schatten durch den schweigenden Hain,
Zu grüßen die Geister der Helden, die blutenden Häupter;
Und leise tönen im Rohr die dunklen Flöten des Herbstes.
O stolzere Trauer! ihr ehernen Altäre,   15
Die heiße Flamme des Geistes nährt heute ein gewaltiger Schmerz,
Die ungebornen Enkel[5].

GRODEK: Source as above. For the experience that suggested the poem see p. 294. [1] The subject is *Nacht;* the inversion is caused by the opening phrase *Am Abend,* which is understood here. [2] valley with willows; *sammelt* goes with *sich* in l. 9 [3] dative plural also depending on *unter* [4] see note 4   of the previous poem [5] The unborn grandsons are the *Geist* that is nourished by the pain suffered here. The term "unborn" is frequent in Trakl and often means: innocent and pure.

Franz Kafka · 1883–1924

Franz Kafka was born in Prague of middle-class Jewish parents. He took a degree in law at the German University in Prague and then entered the Workmen's Accident Insurance Institute, where he served for nine years as a minor official. The onset of tuberculosis compelled him to give up his post, to which he never returned.

Kafka suffered from a severe anxiety neurosis; his self-confidence was completely undermined and he was unable to cope with the small things in life. The world which he depicts is the most disorderly universe that any major artist has ever presented. It is a world in which those in authority are always wrong and yet manage to give the impression that they are always right. In this world there is no justice; men feel strange, excluded, alienated, so that their most intense desire is "to belong," to be admitted, to be ordered about. They run away from freedom into servitude. They live in ignorance of ultimate goals and do not know how to attain such goals as they do recognize. Cause and effect are reversed; because a man is accused of some crime whose nature he cannot even suspect, he becomes guilty, (of what? he doesn't know), acknowledges his guilt, and is executed for it. In most cases there is not even this negative certainty, but man goes through life in a state of ambivalence, feeling guilty and not guilty, so that neither submission nor rebellion is a solution to his problem. Thus existence is a half-way house between "not yet" and "no longer". All this irrationality is taken for granted by the mass of humanity as perfectly normal. It is only the hero-victim who feels bewilderment at these senseless procedures. Often not even he: it is the narrator who makes the victim's plight clear to the reader.

Kafka's themes are numerous and varied, although they all support the basic thesis about the nature of human existence. He sees life as a labyrinth, as a journey, as a prison with people seeking to break into it, not out of it. He presents man as a stranger and wanderer, searching (for what?) but being thwarted in his search by a mass of petty officials. He shows the degradation of man under the symbols of a bug, a mouse, a monkey, a dog. And he reveals the frustration caused by a multitude of misunderstandings, accidents, arbitrary meannesses, and calculated brutalities.

His world has been compared to that presented in a Chaplin comedy, a Disney cartoon, or a nightmare: flight and pursuit, sudden beginnings that end abruptly and prematurely, fateful late arrivals, enormous efforts that end in futility. His dialogue is correspondingly grotesque: the solid ground of human reason constantly shifts through oversubtle hairsplitting. Two excellent examples of this are *Von den Gleichnissen* and the Talmudic argument that follows the parable *Vor dem Gesetz* in the novel *Der Prozeß*. Albert Einstein is reported to have said that he was unable to read a Kafka novel because the human mind was not that complex.

The grotesque character of Kafka's world is emphasized all the more by a setting of tranquillity, an utter absence of all melodrama, and by prose of classical clarity. Never was there so flagrant a violation of the aesthetic canon that content and form should be a unity.

Kafka's reputation in the world of 1950 is tremendous. At first sight one is inclined to reduce his fame to the topical character of his writings; for he does reflect, better than any other twentieth-century writer, the spirit of our age of crisis; and he saw our situation very early in the century. But there is an original, penetrating quality about this writing which is above fashion and which leads to the conviction that he will live as an artist.

Kafka's principal writings include three novels (all unfinished)—*Amerika* (1912–1927), *Der Prozeß* (1925), *Das Schloß* (1926); and a number of *Novellen* published in groups—*Betrachtung* (1913), *Das Urteil* (1913), *Die Verwandlung* (1915), *Ein Landarzt* (1919), *In der Strafkolonie* (1919), *Ein Hungerkünstler* (1924), *Beschreibung eines Kampfes* (1936). Kafka's diaries and letters are also appearing. A collected edition of his work is being published under the editorship of his friend Max Brod.

Von den Gleichnissen

Viele beklagen sich, daß die Worte der Weisen immer wieder nur Gleichnisse seien, aber unverwendbar im täglichen Leben, und nur dieses[2] allein haben wir. Wenn der Weise sagt: „Gehe hinüber", so meint er nicht, daß man auf die andere Seite hinübergehen solle, was man immerhin noch leisten könnte, wenn das Ergebnis des Weges wert wäre, sondern er meint irgendein sagenhaftes Drüben, etwas, das wir nicht kennen, das auch von ihm nicht näher zu bezeichnen ist und das uns also hier gar nichts helfen kann. Alle diese Gleichnisse wollen eigentlich nur sagen, daß das Unfaßbare unfaßbar ist, und das haben wir gewußt. Aber das, womit wir uns jeden Tag abmühen, sind andere Dinge.

Darauf sagte einer: „Warum wehrt ihr euch? Würdet ihr den Gleichnissen folgen, dann wäret ihr selbst Gleichnisse geworden und damit schon der täglichen Mühe frei."

Ein anderer sagte: „Ich wette, daß auch das ein Gleichnis ist."

All the pieces reprinted here (except the last) are from *Beschreibung eines Kampfes* (1936).

VON DEN GLEICHNISSEN: [1] This is Kafka's statement of the conflict between the Bürger who lives in the world of hard, everyday reality, and the artist-intellectual, who lives in the world of the imagination or thinks in symbols; *Gleichnisse* = parables [2] i.e., das tägliche Leben

Der erste sagte: „Du hast gewonnen."

Der zweite sagte: „Aber leider nur im Gleichnis."

Der erste sagte: „Nein, in Wirklichkeit; im Gleichnis hast du verloren."

Der Schlag ans Hoftor

Es war im Sommer, ein heißer Tag. Ich kam auf dem Nachhauseweg mit meiner Schwester an einem Hoftor vorüber. Ich weiß nicht, schlug sie[1] aus Mutwillen ans Tor oder aus Zerstreutheit oder drohte sie nur mit der Faust und schlug gar nicht. Hundert Schritte weiter an der nach links sich wendenden Landstraße begann das Dorf. Wir kannten es nicht, aber gleich nach dem ersten Haus kamen Leute hervor und winkten uns, freundschaftlich oder warnend, selbst erschrocken, gebückt vor Schrecken. Sie zeigten nach dem Hof, an dem wir vorübergekommen waren, und erinnerten uns an den Schlag ans Tor. Die Hofbesitzer werden uns verklagen, gleich werde die Untersuchung beginnen. Ich war sehr ruhig und beruhigte auch meine Schwester. Sie hatte den Schlag wahrscheinlich gar nicht getan, und hätte sie ihn getan, so wird deswegen nirgends auf der Welt ein Beweis geführt. Ich suchte das auch den Leuten um uns begreiflich zu machen, sie hörten mich an, enthielten sich aber eines Urteils. Später sagten sie, nicht nur meine Schwester, auch ich, als Bruder werde angeklagt werden. Ich nickte lächelnd. Alle blickten wir zum Hofe zurück, wie man eine ferne Rauchwolke beobachtet und auf die Flamme wartet. Und wirklich, bald sahen wir Reiter ins weit offene Hoftor einreiten. Staub erhob sich, verhüllte alles, nur die Spitzen der hohen Lanzen blinkten. Und kaum war die Truppe im Hof verschwunden, schien sie gleich die Pferde gewendet zu haben und war auf dem Wege zu uns. Ich drängte meine Schwester fort, ich werde alles allein ins Reine bringen[2]. Sie weigerte sich, mich allein zu lassen. Ich sagte, sie solle sich aber wenigstens umkleiden, um in einem besseren Kleid vor die Herren zu treten. Endlich folgte[3] sie und machte sich auf den langen Weg nach Hause. Schon waren die Reiter bei uns, noch von den Pferden herab fragten sie nach meiner Schwester. Sie ist augenblicklich nicht hier, wurde ängstlich geantwortet, werde aber später kommen. Die Antwort wurde fast gleichgültig aufgenommen; wichtig schien vor allem, daß sie mich gefunden hatten. Es waren hauptsächlich zwei Herren, der Richter, ein junger, lebhafter Mann und sein stiller Gehilfe, der Aßmann genannt wurde. Ich wurde aufgefordert in die Bauernstube einzutreten. Langsam, den Kopf wiegend, an den Hosenträgern rückend[4], setzte ich mich unter den scharfen Blicken der Herren in Gang. Noch glaubte ich fast, ein Wort werde genügen, um mich, den Städter, sogar noch unter Ehren, aus diesem Bauernvolk zu befreien. Aber als ich die Schwelle der Stube überschritten hatte, sagte der Richter, der vorgesprungen war und mich schon erwartete: „Dieser Mann tut mir leid." Es war aber über allem Zweifel, daß er damit nicht meinen gegenwärtigen Zustand meinte, sondern das, was mit mir geschehen würde. Die Stube sah einer Gefängniszelle ähnlicher als einer Bauernstube. Große Steinfliesen, dunkel, ganz kahle Wand, irgendwo eingemauert ein eiserner Ring, in der Mitte etwas, das halb Pritsche[5], halb Operationstisch war.

Könnte ich noch andere Luft schmecken als die des Gefängnisses? Das ist die große Frage oder vielmehr, sie wäre es, wenn ich noch Aussicht auf Entlassung hätte.

Der Aufbruch

Ich befahl mein Pferd aus dem Stall zu holen. Der Diener verstand mich nicht. Ich ging selbst in den Stall, sattelte mein Pferd und bestieg es. In der Ferne hörte ich eine Trompete blasen, ich fragte ihn, was das bedeutete. Er wußte nichts und hatte nichts gehört. Beim Tore hielt er mich

[3] obeyed   [4] tugging   [5] bunk

Der Schlag ans Hoftor: Written about 1919; not published by Kafka.   [1] = ob sie ... schlug   [2] clear up

Der Aufbruch: Cf. Baudelaire's prose poem *N'importe ou hors du monde*.

auf und fragte: „Wohin reitet der Herr?" „Ich weiß es nicht", sagte ich, „nur weg von hier, nur weg von hier. Immerfort weg von hier, nur so kann ich mein Ziel erreichen." „Du kennst also dein Ziel?" fragte er. „Ja", antwortete ich, „ich ₅ sagte es doch. Weg von hier — das ist mein Ziel."

Gibs auf!

Es war sehr früh am Morgen, die Straßen rein und leer, ich ging zum Bahnhof. Als ich eine Turmuhr mit meiner Uhr verglich, sah ich, daß es schon viel später war, als ich geglaubt hatte, ₁₅ ich mußte mich sehr beeilen, der Schrecken über diese Entdeckung ließ mich im Weg unsicher werden, ich kannte mich in dieser Stadt noch nicht gut aus, glücklicherweise war ein Schutzmann in der Nähe, ich lief zu ihm und fragte ihn ₂₀ atemlos nach dem Weg. Er lächelte und sagte: „Von mir willst du den Weg erfahren?" „Ja", sagte ich, „da ich ihn selbst nicht finden kann." „Gibs auf, gibs auf", sagte er und wandte sich mit einem großen Schwunge ab, so wie Leute, ₂₅ die mit ihrem Lachen allein sein wollen.

Eine alltägliche Verwirrung

₃₀

Ein alltäglicher Vorfall: sein Ertragen eine alltägliche Verwirrung. A hat mit B aus H ein wichtiges Geschäft abzuschließen. Er geht zur Vorbesprechung nach H, legt den Hin- und ₃₅ Herweg in je zehn Minuten zurück und rühmt sich zu Hause dieser besonderen Schnelligkeit. Am nächsten Tag geht er wieder nach H, diesmal zum endgültigen Geschäftsabschluß. Da dieser voraussichtlich mehrere Stunden erfordern ₄₀ wird, geht A sehr früh morgens fort. Obwohl aber alle Nebenumstände[1], wenigstens nach As Meinung, völlig die gleichen sind wie am Vortag, braucht er diesmal zum Weg nach H zehn Stunden. Als er dort ermüdet abends ankommt, sagt ₄₅ man ihm, daß B, ärgerlich wegen As Ausbleiben, vor einer halben Stunde zu A in sein Dorf ge-

gangen sei und sie sich eigentlich unterwegs hätten treffen müssen. Man rät A zu warten. A aber, in Angst wegen des Geschäftes, macht sich sofort auf und eilt nach Hause.

Diesmal legt er den Weg, ohne besonders darauf zu achten, geradezu in einem Augenblick zurück. Zu Hause erfährt er, B sei doch schon gleich früh gekommen — gleich nach dem Weggang As; ja, er habe A im Haustor getroffen, ₁₀ ihn an das Geschäft erinnert, aber A habe gesagt, er hätte jetzt keine Zeit, er müsse jetzt eilig fort.

Trotz diesem unverständlichen Verhalten As sei aber B doch hier geblieben, um auf A zu warten. Er habe zwar schon oft gefragt, ob A nicht schon wieder zurück sei, befinde sich aber noch oben in As Zimmer. Glücklich darüber[2], B jetzt noch zu sprechen und ihm alles erklären zu können, läuft A die Treppe hinauf. Schon ist er fast oben, da stolpert er, erleidet eine Sehnenzerrung[3] und, fast ohnmächtig vor Schmerz, unfähig sogar zu schreien, nur winselnd[4] im Dunkel hört er, wie B — undeutlich ob in großer Ferne oder knapp[5] neben ihm — wütend die Treppe hinunterstampft und endgültig verschwindet.

Der Kübelreiter

Verbraucht[2] alle Kohle; leer der Kübel; sinnlos die Schaufel; Kälte atmend der Ofen; das Zimmer vollgeblasen von Frost; vor dem Fenster Bäume starr im Reif[3]; der Himmel, ein silberner Schild gegen den, der von ihm Hilfe will. Ich muß Kohle haben; ich darf doch nicht erfrieren; hinter mir der erbarmungslose Ofen, vor mir der Himmel ebenso, infolgedessen muß ich scharf zwischendurch reiten und in der Mitte beim Kohlenhändler Hilfe suchen. Gegen meine gewöhnlichen Bitten aber ist er schon abgestumpft[4]; ich muß ihm ganz genau nachweisen, daß ich kein einziges Kohlenstäubchen[5] mehr

[2] at the fact   [3] sprained sinew   [4] whimpering   [5] close
DER KÜBELREITER: From the diary for 1918–1919; first published in the "Prager Presse" December 25, 1921. The experience behind the sketch is the coal shortage in Prague during the winter of 1917–1918. The title means: bucket rider
[2] = past participle   [3] hoar frost   [4] blunted, i.e., hardened
[5] speck of coal

EINE ALLTÄGLICHE VERWIRRUNG: [1] attendant circumstances

habe und daß er daher für mich geradezu die Sonne am Firmament bedeutet. Ich muß kommen wie der Bettler, der röchelnd[6] vor Hunger an der Türschwelle verenden[7] will und dem deshalb die Herrschaftsköchin[8] den Bodensatz[9] des letzten Kaffees einzuflößen[10] sich entscheidet; ebenso muß mir der Händler, wütend, aber unter dem Strahl des Gebotes „Du sollst nicht töten!" eine Schaufel voll in den Kübel schleudern.

Meine Auffahrt schon muß es entscheiden; ich reite deshalb auf dem Kübel hin. Als Kübelreiter, die Hand oben am Griff, dem einfachsten Zaumzeug[11], drehe ich mich beschwerlich[12] die Treppe hinab; unten aber steigt mein Kübel auf, prächtig, prächtig; Kamele, niedrig am Boden hingelagert, steigen, sich schüttelnd unter dem Stock des Führers, nicht schöner auf. Durch die festgefrorene Gasse[13] geht es in ebenmäßigem Trab; oft werde ich bis zur Höhe der ersten Stockwerke gehoben; niemals sinke ich bis zur Haustüre hinab. Und außergewöhnlich hoch schwebe ich vor dem Kellergewölbe[14] des Händlers, in dem er tief unten an seinem Tischchen kauert[15] und schreibt; um die übergroße Hitze abzulassen, hat er die Tür geöffnet.

„Kohlenhändler!" rufe ich mit vor Kälte hohlgebrannter Stimme, in Rauchwolken des Atems gehüllt, „bitte, Kohlenhändler, gib mir ein wenig Kohle. Mein Kübel ist schon so leer, daß ich auf ihm reiten kann. Sei so gut. Sobald ich kann, bezahle ich's."

Der Händler legt die Hand ans Ohr. „Hör' ich recht?" fragte er über die Schulter weg seine Frau, die auf der Ofenbank strickt, „hör' ich recht? Eine Kundschaft[16]."

„Ich höre gar nichts", sagte die Frau, ruhig aus- und einatmend über den Stricknadeln, wohlig[17] im Rücken gewärmt.

„O ja", rufe ich, „ich bin es: eine alte Kundschaft; treu ergeben; nur augenblicklich mittellos."

„Frau", sagt der Händler, „es ist, es ist jemand; so sehr kann ich mich doch nicht täuschen; eine

alte, eine sehr alte Kundschaft muß es sein, die mir so zum Herzen zu sprechen weiß."

„Was hast du, Mann?" sagte die Frau und drückt, einen Augenblick ausruhend, die Handarbeit an die Brust, „niemand ist es, die Gasse ist leer, alle unsere Kundschaft ist versorgt; wir können für Tage das Geschäft sperren[18] und ausruhn."

„Aber ich sitze doch hier auf dem Kübel", rufe ich und gefühllose Tränen der Kälte verschleiern mir die Augen, „bitte seht doch herauf; Ihr werdet mich gleich entdecken; um eine Schaufel voll bitte ich; und gebt Ihr zwei, macht Ihr mich überglücklich. Es ist doch schon alle übrige Kundschaft versorgt. Ach, hörte ich es doch schon in dem Kübel klappern[19]!"

„Ich komme", sagt der Händler und kurzbeinig will er die Kellertreppe emporsteigen, aber die Frau ist schon bei ihm, hält ihn beim Arm fest und sagt: „Du bleibst. Läßt du von deinem Eigensinn[20] nicht ab, so gehe ich hinauf. Erinnere dich an deinen schweren Husten heute nacht. Aber für ein Geschäft, und sei es auch nur ein eingebildetes, vergißt du Frau und Kind und opferst deine Lungen. Ich gehe." „Dann nenn ihm aber alle Sorten, die wir auf Lager haben; die Preise rufe ich dir nach." „Gut", sagt die Frau und steigt zur Gasse auf. Natürlich sieht sie mich gleich. „Frau Kohlenhändlerin", rufe ich, „ergebenen Gruß; nur eine Schaufel Kohle; gleich hier in den Kübel; ich führe sie selbst nach Hause; eine Schaufel von der schlechtesten. Ich bezahle sie natürlich voll, aber nicht gleich, nicht gleich." Was für ein Glockenklang sind die zwei Worte „nicht gleich" und wie sinnverwirrend mischen sie sich mit dem Abendläuten, das eben vom nahen Kirchturm zu hören ist!

„Was will er also haben?" ruft der Händler. „Nichts", ruft die Frau zurück, „es ist ja nichts; ich sehe nichts, ich höre nichts; nur sechs Uhr läutet es und wir schließen. Ungeheuer ist die Kälte; morgen werden wir wahrscheinlich noch viel Arbeit haben."

Sie sieht nichts und hört nichts; aber dennoch löst sie das Schürzenband und versucht mich mit der Schürze fortzuwehen. Leider gelingt es. Alle Vorzüge eines guten Reittieres hat mein Kübel;

---

[6] with the death rattle in his throat [7] perish [8] cook of the mansion (*Herrschaft* = the ruling class) [9] grounds [10] pour down his throat [11] bridle [12] with difficulty [13] = Straße [14] cellar vault [15] crouches [16] customer [17] comfortably

[18] close [19] rattle [20] stubbornness

Widerstandskraft hat er nicht; zu leicht ist er; eine Frauenschürze jagt ihm die Beine vom Boden.

„Du Böse", rufe ich noch zurück, während sie, zum Geschäft sich wendend, halb verächtlich, halb befriedigt mit der Hand in die Luft schlägt, „du Böse! Um eine Schaufel von der schlechtesten habe ich gebeten und du hast sie mir nicht gegeben." Und damit steige ich in die Regionen der Eisgebirge und verliere mich auf Nimmerwiedersehen.

Die Prüfung

Ich bin ein Diener, aber es ist keine Arbeit für mich da. Ich bin ängstlich und dränge mich nicht vor, ja ich dränge mich nicht einmal in eine Reihe mit den andern, aber das ist nur die eine Ursache meines Nichtbeschäftigtseins, es ist auch möglich, daß es mit meinem Nichtbeschäftigtsein überhaupt nichts zu tun hat, die Hauptsache ist jedenfalls, daß ich nicht zum Dienst gerufen werde, andere sind gerufen worden und haben sich nicht mehr darum beworben als ich, ja haben vielleicht nicht einmal den Wunsch gehabt, gerufen zu werden, während ich ihn wenigstens manchmal sehr stark habe.

So liege ich also auf der Pritsche[1] in der Gesindestube, schaue zu den Balken auf der Decke hinauf, schlafe ein, wache auf und schlafe schon wieder ein. Manchmal gehe ich hinüber ins Wirtshaus, wo ein saueres Bier ausgeschenkt[2] wird, manchmal habe ich schon vor Widerwillen ein Glas davon ausgeschüttet, dann aber trinke ich es wieder. Ich sitze gern dort, weil ich hinter dem geschlossenen kleinen Fenster, ohne von irgend jemandem entdeckt werden zu können, zu den Fenstern unseres Hauses hinübersehen kann. Man sieht ja dort nicht viel, hier gegen die Straße zu liegen, glaube ich, nur die Fenster der Korridore und überdies nicht jener Korridore, die zu den Wohnungen der Herrschaft[3] führen. Es ist möglich, daß ich mich aber auch irre, irgend jemand hat es einmal, ohne daß ich ihn

gefragt hätte, behauptet und der allgemeine Eindruck dieser Hausfront bestätigt das. Selten nur werden die Fenster geöffnet, und wenn es geschieht, tut es ein Diener und lehnt sich dann wohl auch an die Brüstung[4], um ein Weilchen hinunterzusehn. Es sind also Korridore, wo er nicht überrascht werden kann. Übrigens kenne ich diese Diener nicht, die ständig[5] oben beschäftigten Diener schlafen anderswo, nicht in meiner Stube.

Einmal, als ich ins Wirtshaus kam, saß auf meinem Beobachtungsplatz schon ein Gast. Ich wagte nicht genau hinzusehn und wollte mich gleich in der Tür wieder umdrehn und weggehn. Aber der Gast rief mich zu sich, und es zeigte sich, daß er auch ein Diener war, den ich schon einmal irgendwo gesehn hatte, ohne aber bisher mit ihm gesprochen zu haben.

„Warum willst du fortlaufen? Setz dich her und trink! Ich zahl's." So setzte ich mich also. Er fragte mich einiges, aber ich konnte es nicht beantworten, ja ich verstand nicht einmal die Fragen. Ich sagte deshalb: „Vielleicht reut es dich jetzt, daß du mich eingeladen hast, dann gehe ich", und ich wollte schon aufstehn. Aber er langte[6] mit seiner Hand über den Tisch herüber und drückte mich nieder: „Bleib", sagte er, „das war ja nur eine Prüfung. Wer die Fragen nicht beantwortet, hat die Prüfung bestanden."

Heimkehr

Ich bin zurückgekehrt, ich habe den Flur durchschritten und blicke mich um. Es ist meines Vaters alter Hof. Die Pfütze[1] in der Mitte. Altes, unbrauchbares Gerät, ineinanderverfahren[2], verstellt den Weg zur Bodentreppe. Die Katze lauert auf dem Geländer. Ein zerrissenes Tuch, einmal im Spiel[3] um eine Stange gewunden, hebt sich im Wind. Ich bin angekommen. Wer wird mich empfangen? Wer wartet hinter der Tür der Küche? Rauch kommt aus dem

[4] railing   [5] permanently   [6] reached
HEIMKEHR: This is Kafka's version of the legend of the prodigal son.   [1] puddle   [2] implements all tangled together
[3] i.e., in some game

DIE PRÜFUNG: [1] cot; *Gesindestube* = servants' room
[2] served   [3] i.e., my employers

Schornstein, der Kaffee zum Abendessen wird gekocht. Ist dir heimlich, fühlst du dich zu Hause? Ich weiß es nicht, ich bin sehr unsicher. Meines Vaters Haus ist es, aber kalt steht Stück neben Stück, als wäre jedes mit seinen eigenen Angelegenheiten beschäftigt, die ich teils vergessen habe, teils niemals kannte. Was kann ich ihnen nützen, was bin ich ihnen und sei ich auch des Vaters, des alten Landwirts Sohn. Und ich wage nicht, an der Küchentür zu klopfen, nur von der Ferne horche ich, nur von der Ferne horche ich stehend, nicht so, daß ich als Horcher überrascht werden könnte. Und weil ich von der Ferne horche, erhorche[4] ich nichts, nur einen leichten Uhrenschlag höre ich oder glaube ihn vielleicht nur zu hören, herüber aus den Kindertagen. Was sonst in der Küche geschieht, ist das Geheimnis der dort Sitzenden, das sie vor mir wahren[5]. Je länger man vor der Tür zögert, desto fremder wird man. Wie wäre es, wenn jetzt jemand die Tür öffnete und mich etwas fragte. Wäre ich dann nicht selbst wie einer, der sein Geheimnis wahren will?

Vor dem Gesetz

Vor dem Gesetz steht ein Türhüter[1]. Zu diesem Türhüter kommt ein Mann vom Lande[2] und bittet um Eintritt in das Gesetz. Aber der Türhüter sagt, daß er ihm jetzt den Eintritt nicht gewähren könne. Der Mann überlegt und fragt dann, ob er also später werde eintreten dürfen. „Es ist möglich", sagt der Türhüter, „jetzt aber nicht." Da das Tor zum Gesetz offensteht wie

immer und der Türhüter beiseitetritt, bückt sich[3] der Mann, um durch das Tor in das Innere zu sehen. Als der Türhüter das merkt, lacht er und sagt: „Wenn es dich so lockt, versuche es doch, trotz meines Verbotes[4] hineinzugehen. Merke aber: Ich bin mächtig. Und ich bin nur der unterste Türhüter. Von Saal zu Saal stehn aber Türhüter, einer mächtiger als der andere. Schon[5] den Anblick des dritten kann nicht einmal ich mehr ertragen." Solche Schwierigkeiten hat der Mann vom Lande nicht erwartet; das Gesetz soll doch jedem und immer zugänglich[6] sein, denkt er, aber als er jetzt den Türhüter in seinem Pelzmantel genauer ansieht, seine große Spitznase, den langen, dünnen, schwarzen tatarischen[7] Bart, entschließt er sich, doch lieber zu warten, bis er die Erlaubnis zum Eintritt bekommt. Der Türhüter gibt ihm einen Schemel[8] und läßt ihn seitwärts von der Tür sich niedersetzen. Dort sitzt er Tage und Jahre. Er macht viele Versuche, eingelassen zu werden, und ermüdet den Türhüter durch seine Bitten. Der Türhüter stellt öfters kleine Verhöre[9] mit ihm an, fragt ihn über seine Heimat aus[10] und nach vielem andern, es sind aber teilnahmslose[11] Fragen, wie sie große Herren stellen, und zum Schlusse sagt er ihm immer wieder, daß er ihn noch nicht einlassen könne. Der Mann, der sich für seine Reise mit vielem ausgerüstet[12] hat, verwendet alles, und sei es noch so wertvoll, um den Türhüter zu bestechen[13]. Dieser nimmt zwar alles an, aber sagt dabei: „Ich nehme es nur an, damit du nicht glaubst, etwas versäumt[14] zu haben." Während der vielen Jahre beobachtet der Mann den Türhüter fast ununterbrochen. Er vergißt die andern Türhüter, und dieser erste scheint ihm das einzige Hindernis für den Eintritt in das Gesetz. Er verflucht den unglücklichen Zufall, in den ersten Jahren rücksichtslos[15] und laut, später, als er alt wird, brummt[16] er nur noch vor sich hin. Er wird kindisch, und, da er in dem jahrelangen Studium des Türhüters auch die Flöhe in seinem Pelzkragen erkannt hat, bittet er auch die Flöhe, ihm zu helfen und den Türhüter umzustimmen[17].

[4] hear   [5] keep

VOR DEM GESETZ: Originally published in 1919 in the collection of stories *Ein Landarzt*; later incorporated into the novel *Der Prozeß*, where it is followed by a long interpretative dialogue. *Gesetz* is the Yiddish translation of the Hebrew *Torah*, which, for Orthodox Jews, includes the whole body of Orthodox Judaism. The wish to enter the "law" is therefore equivalent to a yearning for acceptance, that is, for grace. The image of the man sitting before the door all his life may have been suggested by a passage in *Pirke Aboth*, a collection of Rabbinical aphorisms which is well known to Orthodox Jews: "Rabbi Jacob said: 'This world is like a vestibule to the next. Prepare yourself in the vestibule that you may enter the palace.'" (4:21)

[1] doorkeeper   [2] a literal translation of the Hebrew *am ha-aretz*, i.e., the average, untutored, unsophisticated man, everyman

[3] bends down   [4] prohibition   [5] even   [6] accessible [7] Tartaric   [8] (3-legged) stool   [9] hearings; *stellt an* = institutes [10] fragt aus = questions   [11] apathetic   [12] equipped   [13] bribe [14] neglected   [15] recklessly   [16] grumbles   [17] convert

Schließlich wird sein Augenlicht schwach, und er weiß nicht, ob es um ihn wirklich dunkler wird, oder ob ihn nur seine Augen täuschen. Wohl aber erkennt er jetzt im Dunkel einen Glanz, der unverlöschlich[18] aus der Türe des Gesetzes bricht. Nun lebt er nicht mehr lange. Vor seinem Tode sammeln sich in seinem Kopfe alle Erfahrungen der ganzen Zeit zu einer Frage, die er bisher an den Türhüter noch nicht gestellt hat. Er winkt[19] ihm zu, da er seinen erstarrenden Körper nicht mehr aufrichten kann. Der Türhüter muß sich tief zu ihm hinunterneigen, denn der Größenunterschied hat sich sehr zuungun-

sten[20] des Mannes verändert. „Was willst du denn jetzt noch wissen?" fragte der Türhüter, „du bist unersättlich[21]" „Alle streben doch nach dem Gesetz", sagt der Mann, „wie kommt es, daß in den vielen Jahren niemand außer mir Einlaß verlangt hat?" Der Türhüter erkennt, daß der Mann schon an seinem Ende ist, und, um sein vergehendes[22] Gehör noch zu erreichen, brüllt[23] er ihn an: „Hier konnte niemand sonst Einlaß erhalten, denn dieser Eingang war nur für dich bestimmt. Ich gehe jetzt und schließe ihn."

[18] inextinguishably [19] winkt zu = beckons to

[20] to the disadvantage [21] insatiable [22] i.e., fading [23] roars

Georg Kaiser · 1878–1945

Kaiser was over thirty when he published his first play. But once launched, he wrote prolifically. In forty years of creative activity he produced some sixty dramas and two novels. During the expressionist decade his plays were immensely popular. He brought two qualities to the theatre: an agile mind, rich in ideas which were presented in piquant form with highly original twists and paradoxes, and an almost unerring sense of what is good theatre. It is no wonder, therefore, that his plays were more often performed than those of any other recent German except Gerhart Hauptmann. Kaiser forms a striking contrast to Hauptmann, showing the profound change in artistic sensibility that had occurred in the movement away from realism toward expressionism. His dramas lack completely the solid human basis that is always present in Hauptmann; for Kaiser is not interested in people but in the dialectical movement of abstract ideas and intellectual forces. Thinking is to him a sensual pleasure. "The voluptuousness of thought gives the artist a deeper thrill," he writes. "He alone knows what sensuality is."

His "geometry" of drama draws its themes from a wide sphere of myth, legend, history, and contemporary life. Many of his plays present revaluations of intellectual positions held by previous dramatists and thinkers. With Rilke, he shares a marvellous gift for reinterpreting myths in subtle, often startling ways. With Shaw and Giraudoux he is the most fertile practitioner of the drama of ideas in the twentieth century.

Kaiser began his literary career as a disciple of Strindberg and Wedekind, with a series of attacks on bourgeois intellectualist morality, championing (like Nietzsche and Wedekind) the cult of naked instinct and the glorification of the flesh. This disparagement of intellect in favor of "life" assumes the form of an ironical chiding in the early Thomas Mann and Anatole France and a sincere religious fanaticism in Wedekind and D. H. Lawrence; Kaiser employs a brutal, grotesque cynicism in exposing morality and intellect as a cheap substitute for emotional impotence.

With *Die Bürger von Calais* (1914) a new Kaiser emerges, who has been caught by the spirit of earnestness, by the religious fervor of the expressionists. He now conceives of the literary artist as a man with a vision. "Of what nature is this vision? There is only one: that of the renewal of man." The dream of the new man is projected in the plays between *Die Bürger von Calais* and the *Gas* trilogy. It is essentially a Christian vision of man, demanding the sacrifice of self for the ideal. It singles out modern industrialism as the prime factor in destroying our culture and calls for a return to the simple, preindustrial life. With the *Gas* trilogy the dream ends in despair. Like Shaw and Wells in their last days, Kaiser gives man up as doomed to destroy himself by his own folly.

This in 1920. Kaiser went on writing for another twenty-five years. While there is no development traceable in this last period, his intellectual and artistic powers remained undiminished. His last three dramas, dealing with famous Greek myths, show a depth of imagination unsurpassed by any contemporary master.

It is not surprising that Kaiser's geometrical mind should express itself artistically in a mathematical-cubistic form. The principles of symmetry in structure, of parallelism and antithesis are carried to an extreme which may to many seem artificial and give his characters the appearance of automata. Of this rigid symmetry of structure *Gas II* is a striking example. In harmony with the abstract-symmetrical structure of the play are the use of robotlike type figures and telegrammatic diction that was the style of the expressionists. This diction is, however, highly rhythmical and approaches a metrical pattern of verse.

Georg Kaiser's principal works include *Die jüdische Witwe* (1911), *Die Bürger von Calais* (1914), *Von morgens bis mitternachts* (1916), *Die Koralle* (1917), *Gas I* (1918), *Hölle Weg Erde* (1919), *Gas II* (1920), *Der gerettete Alkibiades* (1920), *Nebeneinander* (1923), *Zweimal Oliver* (1926), *Die Lederköpfe* (1928), *Rosamunde Floris* (1940), *Griechische Dramen (Pygmalion, Zweimal Amphitryon, Bellerophon)* (1948).

GAS II (written and first performed in 1920) is the third part of a trilogy dealing with the fate of industrial capitalist society. In the first of the three plays, *Die Koralle* (1917), Kaiser argues that the lust for money has its roots in the fear of poverty, not in the will to power. The billionaire amasses great wealth because the dread of his early poverty is still in him. But he knows that wealth and power do not bring happiness, which lies in the life of nature and contented innocence. The billionaire's secretary is such a happy man. The two are identical, in appearance, dress, and behavior. The one distinguishing mark between them is the piece of coral which hangs from the secretary's watch chain and which symbolizes the beauty of the coral reef beneath the turbulent sea of life. In the course of the play the billionaire makes three attempts to find happiness. First through his children: he tries to provide for them that carefree existence that was denied him in his youth. But both his son and daughter have developed a social conscience which rebels against living a life of ease while the masses suffer. Then the billionaire kills his secretary, takes the coral from his watch chain, and tries to pass himself off as his own secretary. But this attempt at identification and mystical union fails too. He is arrested for the murder of himself. In prison, awaiting execution, he discovers the third way to happiness: in Buddhistic renunciation of the will to live, in a total escape from the feverish activity that is life.

This is the billionaire's solution, but not Kaiser's. In the second part of the trilogy, *Gas I* (1918), the billionaire's son has reorganized society on the basis of Christian socialism. It is a cooperative society, democratic, non-profit making. It produces gas, which is a symbol for industrial technology. But although the "system" works perfectly, there is an explosion, that is, the system breaks down. For the evil is not industrial capitalism, but industrialism itself, which destroys the human soul and enslaves man to the machine. The remedy for the explosions is the abandonment of industrial society and a return to a primitive, pastoral existence. Thus the billionaire's son reasons with the workers. But these victims of industrialism reject his plea, for they can no longer conceive of happiness except in terms of machines. What mankind needs is a new race, trained from birth to despise machines and to love the simple life of nature. This new race the billionaire's daughter vows to create.

Between the end of *Gas I* and the beginning of *Gas II* a generation has passed. The new man is here. He is the grandson of the original billionaire of the *Koralle*. Ostensibly a mere worker in the gas factory, on a level with all the other workers, he really holds a position of moral leadership. He has remained loyal to the ideals of his mother and uncle, and is merely waiting for a chance to put them into practice. The opportunity comes when a great war is produced by the industrial competition between two great powers. This is the situation as our play opens.

It is profitable to compare with Kaiser's trilogy Jean Giraudoux' *La Folle de Chaillot* (1945), which deals with the same theme and suggests a similar remedy for the ills

Gas

Zweiter Teil

Schauspiel in drei Akten

PERSONEN

MILLIARDÄRARBEITER	ERSTE ⎫	ERSTE ⎫
GROSSINGENIEUR	ZWEITE ⎪	ZWEITE ⎪
	DRITTE ⎪	DRITTE ⎪
	VIERTE ⎬ BLAUFIGUR	VIERTE ⎬ GELBFIGUR
	FÜNFTE ⎪	FÜNFTE ⎪
	SECHSTE ⎪	SECHSTE ⎪
	SIEBENTE ⎭	SIEBENTE ⎭

Arbeitermänner, Arbeiterfrauen, Arbeitergreise[1], Arbeitergreisinnen, Arbeiterhalbwüchsige[2].

Erster Akt

Betonhalle[3]. Stäubendes Bogenlampenlicht[4]. Von dunsthoher Kuppel[5] Drähte dicht senkrecht[6] nach der eisernen Tribüne und weiter schräg[7] verteilt an kleine eiserne Tische — drei rechts, drei links. Rotfarbig nach links — grünfarbig nach rechts die Drähte. An jedem Tisch eine Blaufigur — in Uniform steif sitzend — starrend auf Glasscheibe im Tisch, die — rot links, grün rechts — aufleuchtend das Gesicht mitfärbt. Quervorn[8] längerer eiserner Tisch mit schachbretteliger Platte[9], darin grüne und rote Stöpsel[10] — von der ersten Blaufigur bedient. Stille.

ZWEITE BLAUFIGUR *(vor rotheller Scheibe).* Meldung von drittem Kampfabschnitt[11]: Ballung von Feind im Werden[12]. *(Scheibe verlöscht.)*

ERSTE BLAUFIGUR *(umsteckt[13] roten Stöpsel).*

FÜNFTE BLAUFIGUR *(vor grünheller Scheibe).* Meldung von drittem Werk: Leistung ein Strich unter Auftrag. *(Scheibe verlöscht.)*

ERSTE BLAUFIGUR *(umsteckt grünen Stöpsel).*

DRITTE BLAUFIGUR *(vor rotheller Scheibe).* Meldung von zweitem Kampfabschnitt: Ballung von Feind im Werden. *(Scheibe verlöscht.)*

ERSTE BLAUFIGUR *(umsteckt roten Stöpsel).*

SECHSTE BLAUFIGUR *(vor grünheller Scheibe).* Meldung von zweitem Werk: Leistung ein Strich unter Auftrag. *(Scheibe verlöscht.)*

ERSTE BLAUFIGUR *(umsteckt grünen Stöpsel).*

VIERTE BLAUFIGUR *(vor rotheller Scheibe).* Meldung von erstem Kampfabschnitt: Ballung von Feind im Werden. *(Scheibe verlöscht.)*

ERSTE BLAUFIGUR *(umsteckt roten Stöpsel).*

SIEBENTE BLAUFIGUR *(vor grünheller Scheibe).* Meldung von erstem Werk: Leistung zwei Strich unter Auftrag. *(Scheibe verlöscht.)*

ERSTE BLAUFIGUR *(umsteckt grünen Stöpsel. Stille.)*

ZWEITE BLAUFIGUR *(vor rotheller Scheibe).* Meldung von drittem Kampfabschnitt: Losbruch von Feind in Rollen *(Scheibe verlöscht.)*

ERSTE BLAUFIGUR *(umsteckt roten Stöpsel).*

FÜNFTE BLAUFIGUR *(vor grünheller Scheibe).* Meldung von drittem Werk: Leistung drei Strich unter Auftrag. *(Scheibe verlöscht.)*

ERSTE BLAUFIGUR *(umsteckt grünen Stöpsel).*

DRITTE BLAUFIGUR *(vor rotheller Scheibe).*

---

of our society.   [1] aged workers   [2] adolescent workers
[3] concrete hall   [4] spraylike beam of light from an arc lamp
[5] misty high cupola   [6] close together and running vertically
[7] diagonally   [8] across and in front   [9] checkered top   [10] pegs
[11] fighting unit   [12] enemy concentration in the making
[13] changes the position. Kaiser treats many separable verbs as inseparables: *untergehen, absinken, abgleiten, abblinken,* etc.

Meldung von zweitem Kampfabschnitt: Losbruch von Feind in Rollen. *(Scheibe verlöscht.)*

ERSTE BLAUFIGUR *(umsteckt roten Stöpsel).*

SECHSTE BLAUFIGUR *(vor grünheller Scheibe).* Meldung von zweitem Werk: Leistung fünf Strich unter Auftrag. *(Scheibe verlöscht.)*

ERSTE BLAUFIGUR *(umsteckt grünen Stöpsel).*

VIERTE BLAUFIGUR *(vor rotheller Scheibe).* Meldung von erstem Kampfabschnitt: Losbruch von Feind in Rollen *(Scheibe verlöscht.)*

ERSTE BLAUFIGUR *(umsteckt roten Stöpsel).*

SIEBENTE BLAUFIGUR *(vor grünheller Scheibe).* Meldung von erstem Werk: Leistung acht Strich unter Auftrag. *(Scheibe verlöscht.)*

ERSTE BLAUFIGUR *(umsteckt grünen Stöpsel. Stille).*

ZWEITE BLAUFIGUR *(vor rotheller Scheibe).* Meldung von drittem Kampfabschnitt: Einbruch von Feind in Wachsen. *(Scheibe verlöscht.)*

ERSTE BLAUFIGUR *(umsteckt roten Stöpsel).*

FÜNFTE BLAUFIGUR *(vor grünheller Scheibe).* Meldung von drittem Werk: Leistung neun Strich unter Auftrag. *(Scheibe verlöscht.)*

ERSTE BLAUFIGUR *(umsteckt grünen Stöpsel).*

DRITTE BLAUFIGUR *(vor rotheller Scheibe).* Meldung von zweitem Kampfabschnitt: Einbruch von Feind in Wachsen. *(Scheibe verlöscht.)*

ERSTE BLAUFIGUR *(umsteckt roten Stöpsel).*

SECHSTE BLAUFIGUR *(vor grünheller Scheibe).* Meldung von zweitem Werk: Leistung elf Strich unter Auftrag. *(Scheibe verlöscht.)*

ERSTE BLAUFIGUR *(umsteckt grünen Stöpsel).*

VIERTE BLAUFIGUR *(vor rotheller Scheibe).* Meldung von erstem Kampfabschnitt: Einbruch von Feind in Wachsen. *(Scheibe verlöscht.)*

ERSTE BLAUFIGUR *(umsteckt roten Stöpsel).*

SIEBENTE BLAUFIGUR *(vor grünheller Scheibe).* Meldung von erstem Werk: Leistung zwölf Strich unter Auftrag. *(Scheibe verlöscht.)*

ERSTE BLAUFIGUR *(ins Telephon vor sich).* Der Großingenieur!

(Großingenieur kommt: gealtert ins Petrefakt fanatischer Werkenergie[14]; kantiges[15] Profil — Haarkamm weiß; weißer Kittel[16].)

ERSTE BLAUFIGUR. Zählstationen kontrollie-

ren[17] verminderte Herstellung von Gas. Nach Strichen bis zwölf bleibt Sein hinter Soll[18].

GROSSINGENIEUR. Zusammenbrüche von Arbeitern vor Sichtglas[19] — auf Schaltblock — an Hebel[20].

ERSTE BLAUFIGUR. Warum kein Ersatz?

GROSSINGENIEUR. Jede Schicht ausgemustert[21] ohne ein letztes Zuviel von Mann oder Frau.

ERSTE BLAUFIGUR. Tritt Seuche im Werk auf?

GROSSINGENIEUR. Mit keinem sichtbaren Zeichen.

ERSTE BLAUFIGUR. Stockt die Lieferung von Lebensmitteln?

GROSSINGENIEUR. Stetige Zuweisung mit reichlichem Vorzug.

ERSTE BLAUFIGUR. Enttäuscht Belöhnung aus vollem Gewinn, der verteilt wird?

GROSSINGENIEUR. Barer Überschuß schwillt schon Halbwüchsigen ins Summenhafte.

ERSTE BLAUFIGUR. — — Wie erklären Sie — den Nachlaß?

GROSSINGENIEUR. Bewegung wurde Gesetz aus sich. Übermaß von Dauer der einen Handlung stumpft den Ansporn aus Willen zum Werk. Gas ist nicht mehr Ziel — in kleine Handreichung[22] verstieß sich[23] Zweck, der wiederholt und wiederholt, was zwecklos wird im Teil ohne Ganzes. Planlos schafft der Mann am Werkzeug — das Werk entzog sich der Übersicht[24], wie der Mann durch Tag und Tag tiefer ins gleichförmige Einerlei glitt. Rad saust neben Rad und kerbt nicht mehr die Nabe von Gegenrad und Gegenrad. Schwung tost leer und stürzt ohne Widerstand vor sich zu Boden.

ERSTE BLAUFIGUR. Entdecken Sie kein Mittel, die Produktion zu sichern?

GROSSINGENIEUR. Neue Massen von Arbeitern ins Werk.

ERSTE BLAUFIGUR. Die finden sich nicht, wo siebenmal gesiebt wurde.

GROSSINGENIEUR. Schon Kinder halten die volle Schicht.

ERSTE BLAUFIGUR. Was wird?

GROSSINGENIEUR. Ein steil steigendes Minus an Gas.

---

[14] aged to a petrified bundle of fanatical energy of labor [15] angular [16] top of his hair white; white smock

[17] report the observation of [18] i.e., what it ought to be [19] pressure gauge; *Schaltblock* switchboard [20] lever [21] discharged [22] aid [23] was sidetracked [24] i.e., control

ERSTE BLAUFIGUR *(auf die Tischplatte zeigend).* Sehen Sie das? Maßtafel von Angriff und Abwehr. Wie die Kräfte sich gegenhalten.

GROSSINGENIEUR. Rot dringt vor.

ERSTE BLAUFIGUR. Feind gewinnt Raum.

GROSSINGENIEUR. Grün weicht weg.

ERSTE BLAUFIGUR. Gas stützt nicht Verteidigung.

GROSSINGENIEUR *(stumm).*

ERSTE BLAUFIGUR. Dieser Tisch rechnet das Exempel. Wir sind nach Zahl im Kampf schwächer — aber im Mittel der Technik überlegen. Das balanciert den Ausgang. Wenn wir in Technik nicht verzagen! — Unsere Fabriken arbeiten mit Antrieb von Gas, das nur wir herstellen, über die Möglichkeiten von Feind in seinen Fabriken. Ein Strich vom Produkt Gas weniger, als hier errechnet — — und wir verlieren die Aussicht auf Rettung rascher — — als wir sie bisher einbüßten!

GROSSINGENIEUR *(starrt an).* Zermalung von Feind nicht mehr — —??

ERSTE BLAUFIGUR. Heute Phantom!

GROSSINGENIEUR. Das Ende??

ERSTE BLAUFIGUR. Im besten Fall ein Remis[25] mit zwei schachmatten[26] Parteien!

GROSSINGENIEUR *(stützt sich am Tisch).*

ERSTE BLAUFIGUR. Das erleichtert die Entscheidung. Sie ist gefallen, wie sie nur fallen kann. Kampf und Untergang. Angriff und Widerstand verbluten aneinander. Gegner untergeht mit Gegner. Von Völkern bleibt ein Rest, der entkräftet vergeht. Kein Mensch läuft aus der Vernichtung. *(Stark zum Großingenieur.)* Das wissen nur wir!

GROSSINGENIEUR *(rafft sich).* Was wird?

ERSTE BLAUFIGUR. Steigerung der Leistung von Gas ohne Rücksicht auf Mann oder Frau oder Kind. Keine Schichten mehr — Schicht schiebt sich in Schicht ohne Entlassung nach Stunden. Von Zusammenbruch bis Zusammenbruch ist jeder angespannt. Keine Frist von Rast länger! Absinkt die letzte tote Hand vom Hebel — abgleitet der letzte tote Fuß vom Schaltblock — abblinkt[27] das letzte glasige Auge vom Sichtglas — — ging das Exempel auf[28]: letzter

Feind ist vom Erdboden vertilgt — und letzter Kämpfer von uns ohne Odem[29]!

GROSSINGENIEUR *(gestrafft[30]).* Ich erfülle die Erforderung!

ERSTE BLAUFIGUR *(streckt ihm die Hand hin).* Hinein mit uns in den Tunnel ohne Mündung!

GROSSINGENIEUR *(Hand erwidernd).* Gas! *(Ab.)* *(Gleich draußen hohe scharfe Sirenen in Nähe — aus Ferne neue Sirenen — ebbend — still.)*

ERSTE BLAUFIGUR *(ins Telephon).* Der Milliardärarbeiter!

(Milliardärarbeiter kommt: mittenzwanzigjährig; Werktracht — Haar geschoren — barfuß.)

ERSTE BLAUFIGUR. Stehen Sie in Schicht?

MILLIARDÄRARBEITER *(verneint).* In Ablösung, die aufgerufen ist.

ERSTE BLAUFIGUR. Vorzeitig.

MILLIARDÄRARBEITER. Der Entschluß mußte sich Ihnen aufdrängen.

ERSTE BLAUFIGUR. Mit welchem Zwang?

MILLIARDÄRARBEITER. Kein Arbeiter hält die frühere Schicht länger durch.

ERSTE BLAUFIGUR. Was raten Sie?

MILLIARDÄRARBEITER. Was gilt hier meine Meinung?

ERSTE BLAUFIGUR. Sie hören, ich frage.

MILLIARDÄRARBEITER. Die Erkundigung haben Sie bei jedem Arbeiter im Werk.

ERSTE BLAUFIGUR. Ich suche sie bei keinem Arbeiter — ich will sie vom Chef.

MILLIARDÄRARBEITER. Wer ist Chef?

ERSTE BLAUFIGUR *(sieht ihn fest an).* Vor mir — der Chef.

MILLIARDÄRARBEITER. — — Weichen Sie von Ihrem Platz?

ERSTE BLAUFIGUR. Die neue Aufgabe fordert doppelte Kräfte: — der Chef und wir bewältigen sie in gemeinsamer Anstrengung.

MILLIARDÄRARBEITER. Was wird verlangt?

ERSTE BLAUFIGUR. Gas mit verzehnfachter Mächtigkeit!

MILLIARDÄRARBEITER *(achselzuckend).* Bestimmen Sie das Erträgnis.

ERSTE BLAUFIGUR. Es genügt nicht. Die Arbeiter sind schlaff. Befehl würde in ihren mürben Hirnen verrinnen und nicht stacheln.

[25] stalemate [26] checkmated [27] glances away [28] if our plan worked without a hitch

[29] = Atem [30] tensely

MILLIARDÄRARBEITER. Verhängen Sie peinigendere Strafen.

ERSTE BLAUFIGUR. Es entzieht Arbeiter.

MILLIARDÄRARBEITER. Werden alle unentbehrlich?

ERSTE BLAUFIGUR. Für den letzten Aufwand! — Vernichtung auf beiden Seiten — aber Vernichtung!

MILLIARDÄRARBEITER (*zuckt zusammen — sammelt sich*). — Was wollen Sie von mir?

ERSTE BLAUFIGUR. Den Strom durchs Werk schicken, der alle mitreißt. Es gilt[31]: zum Untergang fanatisieren. Das Fieber aus Haß und Stolz hitzt noch einmal in jedem die kälteste Ader — Nacht wird Tag im Dienst für das Ziel, das blutrotes Fanal bläht!

MILLIARDÄRARBEITER. Das ist das Ziel?

ERSTE BLAUFIGUR. Von Ihrem Munde verkündet! Stehen Sie in den Hallen — mischen Sie Ihre Stimme in das Toben der Kolben und Rauschen der Riemen — übertosen Sie den Lärm mit Ihrem Aufruf, der Ziel zeigt und Sinn sagt: Hände werden wieder hart um den Hebel — Füße schwer auf dem Schaltblock — Augen klar vorm Sichtglas. Arbeit flutet aus entschlossenen Schleusen — und Gas wird Macht im Gewicht vor Übermacht!

MILLIARDÄRARBEITER (*sehr ruhig*). Ich werde gestraft, wenn ich die Schicht versäume.

ERSTE BLAUFIGUR. Sie sind nicht mehr Arbeiter.

MILLIARDÄRARBEITER. Sie können mich nicht entlassen, weil ich Arbeiter in diesem Werk bin.

ERSTE BLAUFIGUR. Ich schicke Sie mit besonderem Auftrag ins Werk.

MILLIARDÄRARBEITER. Ich übernehme ihn nicht.

ERSTE BLAUFIGUR. — — Stellen Sie Bedingungen?

MILLIARDÄRARBEITER. Ich wiederhole die eine und dieselbe, die die Forderung meiner Mutter und des Vaters meiner Mutter war: geben Sie das Werk frei.

ERSTE BLAUFIGUR (*heftig*). Ihr Großvater und Ihre Mutter protestierten gegen die Herstellung von Gas. Das machte die Verwaltung des Werks

[31] the problem is

unter Zwang notwendig. Sonst war unsere Rüstung zum Stillstand verurteilt!

MILLIARDÄRARBEITER. Das bestätigte beide in ihrer unerschütterlichen Ablehnung.

ERSTE BLAUFIGUR. Wir stehn im Kampf, wie noch niemals eine Partie verstrickt war.

MILLIARDÄRARBEITER. Ich habe jedem Befehl schweigsam gehorcht.

ERSTE BLAUFIGUR. Jetzt wird Ihre Sprache notwendig!

MILLIARDÄRARBEITER. Gegen mich selbst und gegen meine Mutter?

ERSTE BLAUFIGUR. Für die Arbeiter, die wollen, daß Gas wird! Sie kehrten nach der Explosion zurück — sie bauten das Werk auf — sie blieben in den Hallen trotz Gefahr, die stündlich droht — sie bückten sich willig unter den Herrn, der Gas hieß — — der heute Untergang heißt, wenn eine Stimme ihn verkündete, die aufhorchen läßt! Ihre Stimme ist es, die durchdringt — vor Ihrer Zusage brandet das Ja und Ja der Tausende zur zermalmenden Sturzwelle auf. Ihre Umkehr zu uns macht Halbtote lebendig zum Werk!

MILLIARDÄRARBEITER. Ich schütze das Erbe meines Großvaters.

ERSTE BLAUFIGUR. Die Arbeiter verlachten seine Pläne!

MILLIARDÄRARBEITER. Die Form für Menschen wird sich offenbaren.

ERSTE BLAUFIGUR. Für andere, die überleben. Wir haben keine Zukunft.

MILLIARDÄRARBEITER. Ein Ausweg bleibt immer.

ERSTE BLAUFIGUR. Suchen Sie den ohne uns?

MILLIARDÄRARBEITER. Mit euch und in euch!

ERSTE BLAUFIGUR (*nach einem Besinnen*). — Wir werden die Leistungen mit Strafen erzielen, die wir brauchen! (*Entlassende Geste.*) (*Milliardärarbeiter ab. Stille.*)

ZWEITE BLAUFIGUR (*vor rotheller Scheibe*). Meldung von drittem Kampfabschnitt: maßloser Druck von Feind unaufhörlich. (*Scheibe verlöscht.*)

ERSTE BLAUFIGUR (*umsteckt roten Stöpsel*).

DRITTE BLAUFIGUR (*vor rotheller Scheibe*). Meldung von zweitem Kampfabschnitt: maßloser Druck von Feind unaufhörlich. *(Scheibe verlöscht.)*

ERSTE BLAUFIGUR *(umsteckt roten Stöpsel).*

VIERTE BLAUFIGUR *(vor rotheller Scheibe).* Meldung von erstem Kampfabschnitt: maßloser Druck von Feind unaufhörlich. *(Scheibe verlöscht).*

ERSTE BLAUFIGUR *(springt auf).* Keine Meldung vom Werk?! *(Großingenieur kommt in Hast.)*

GROSSINGENIEUR. Störung im ganzen Betrieb! Schichtwechsel stockt! Ablösung greift nicht in Standschicht[32]! Zum erstenmal klafft eine Lücke im Schwung von Jahrreihen frei! Das Pendel baumelt! Der Automat schnurrt ab[33]!

ERSTE BLAUFIGUR. Ihre Anordnungen?

GROSSINGENIEUR. Mit Sirenen verkündet! Von Standschicht mit Schichtschluß beantwortet — von Ablösung mit Abweisung erledigt!

ERSTE BLAUFIGUR. Ruft wer zum Widerstand auf?

GROSSINGENIEUR. Keine Rädelsführer! Der Automat läuft aus sich — und läuft aus, weil der Umschwung in seinem Triebwerk verändert! Die neue Zeitteilung stört den alten Takt und bremst das Tempo auf Sekunden — die zur Besinnung genügen, um sich zu besinnen! Blitz stößt in die Köpfe und erklärt die Bahn, die jahrreihenlang[34] gehetzt! Der Taumel wurde Gesicht — und grinst aus grausiger Fratze den Erschrockenen ins erfrierende Gehirn!

ERSTE BLAUFIGUR. Jetzt — — Streik?

GROSSINGENIEUR. Was ist Streik?

ERSTE BLAUFIGUR. Weg von Hebel und Schaltblock und Sichtglas?

GROSSINGENIEUR. Schon Geschehnis aus Vergangenheit! Der Stillstand schlug um in Bewegung!

ERSTE BLAUFIGUR. Aufruhr?

GROSSINGENIEUR. Durch Hallen entzündet! Keine Stimme — kein Schrei — kein Wortschwall[35]! — — eisiges Schweigen — bloß Blicke vor sich — und schon schielend zum nächsten bei ihm — und der über ihn hin zum Gefährten und zu Gefährten! Aus Augen wird

es — was wird, um uns hier zu zerschellen: — — der Sturm!

ERSTE BLAUFIGUR. — Kordon um die Hallen und auf die Tore gehalten[36], wer austritt!!

GROSSINGENIEUR. Bleibt Zeit?!

FÜNFTE BLAUFIGUR *(vor grünheller Scheibe).* Meldung vom dritten Werk: — —

GROSSINGENIEUR *(hin[37] — ablesend).* Werk steht still — Arbeiter verlassen die Hallen!!

ERSTE BLAUFIGUR. Sperrt die anderen Werke!

SECHSTE BLAUFIGUR *(vor grünheller Scheibe).* Meldung von zweitem Werk: — —

GROSSINGENIEUR *(hin).* Werk steht still — —

SIEBENTE BLAUFIGUR *(vor grünheller Scheibe).* Meldung von erstem Werk: — —

GROSSINGENIEUR *(hin).* Arbeiter verlassen die Hallen!!

ERSTE BLAUFIGUR. Alarm über den Werkbezirk[38]!!

GROSSINGENIEUR. Zu spät! Im Druck der Wucht der Zahl sind wir zermalmt! Die Woge türmt furchtbarer auf — gereizt von uns, die hier sind, wenn sie kommen!!

ERSTE BLAUFIGUR. Dringen sie ein?!

GROSSINGENIEUR. Im Marsch ohne Wahl hierher! Der Zug drängt ins Zentrum zurück, woher unser Sporn antrieb! Da knäult sich die Böe[39]! Die Entladung[40] trifft uns — wenn sie uns noch trifft!

ERSTE BLAUFIGUR *(schiebt mit raschem Griff die Stöpsel auf dem Schaltbetrieb[41] durcheinander).* Die Rechnung ging nicht auf[42] — es blieb ein Rest! *(Ab mit Großingenieur und Blaufiguren.)*

(Leere Halle. Von den dunstgrauen Rändern langsam ringförmig Menge schwellend: Arbeitermänner — Arbeitergreise — Arbeiterhalbwüchsige in Tracht von grau, geschoren und barfuß; Arbeiterfrauen — Arbeitergreisinnen — Arbeitermädchen in gleicher Tracht, barfuß und graue Tücher eng ums Haar. In einigem Abstand von den Tischen stockt die totenstill vordringende Bewegung. Dann ist überflutender Losbruch — doch stumm — eilig: die Tische sind umgestürzt und von Hand zu Hand in den Randschatten der Betonhalle gehoben — die Drähte von

---

[32] relief gang does not dovetail with working shift [33] the machine idles [34] for years without stopping [35] flood of words

[36] keep open the gates (to see) [37] = hingehend [38] factory district [39] the squall is gathering [40] i.e., the storm [41] switchboard [42] did not come out even

*der Tribüne nach den Tischen — aus der Kuppel nach
der Tribüne weggerissen. Dann herrscht volle Stille.
Die Frauen zerren die Tücher von den Köpfen und
beginnen ihr Haar zu strähnen.)*
ALLE MÄNNER UND FRAUEN *(nach Blicken
zueinander — mit großem Aufschrei).* Kein Gas!!!!

Zweiter Akt

*Betonhalle. Vermindertes Bogenlampenlicht. Volle
Halle.*

STIMMEN *(aus Surren schwellend — hell).* Was
mit uns?!

MÄDCHEN *(auf die Tribüne — Haar um sich
spreitend).* Morgen für uns mit Tag, der Frühe
bleibt so voll Lust von Licht, die ihn aufhält im
Wandel von Stunden. Strahl schießt in den Morgen, der anhebt — wie noch kein Morgen für
uns entstand. Scheu blickt das Auge und zuckt
in Betroffenheit zögernd die Sicht zu erweitern,
die in den Strudel von Weiße und Bunt taucht
— bald ist das Wunder gewohnt und im Hinblick gebannt: — Morgen für mich lenkt zu
mir den Geliebten!

JUNGER ARBEITER *(zum Mädchen auf die Tribüne).* Morgen für dich und für mich, der ver-
schmilzt zu unserer Erfüllung. Leer blieb Sein
und Sucht aus Tag und Tag ohne Sein von dir
und mir bis an diesen Morgen, der hochglänzt
— nun bricht Flut aus Stauung los ins Ufer, das
neu gilt! — Eiland wuchernd in Farbe und Laut
von Hochzeit!

MÄDCHEN *(jungen Arbeiter umschlingend).* Morgen für dich!

JUNGER ARBEITER *(Mädchen haltend).* Morgen
für dich!

MÄDCHEN UND JUNGE ARBEITER *(um die Tribüne drängend — sich umfassend).* Morgen für
uns!! *(Mädchen und junger Arbeiter von der Tribüne.)*

STIMMEN *(der andern).* Mehr für uns!

FRAU *(auf die Tribüne).* Mittag für uns. Aus
Anfang zog ich noch nicht die Kurve, die
bäumt nach der Höhe — die kroch platt am
Boden. Da war zwischen Mann und Frau nichts

hinterm Morgen — taube Hülse knirrte[43], die
nietet und nicht verbindet. Jetzt perlt Guß von
Glanz — gestäubt[44] über mich mit funkelndem
Bogenlauf. Goldentzündet brüstet sich Gewölk,
das verrinnt ringsüberrund[45], und schleust
triefendes Gut[46], das erwärmt und reichtränkt,
auf die totbrache Kruste[47]: — Eingang[48] körnt
wieder locker — aus Beginn buchtet sich breite
Erschließung ins Volle —: Mittag wird Zeit
unserer Verschränkung von Frau und Mann mit
letztem Atem von einem zum andern, wo eines
Teil und anderen Teil unauffindbar versinkt:
— kein Anspruch bleibt ledig der Antwort —
sie klingt mit eifriger Schelle unaufhörlich mit-
täglich hell, weil Mittag blaut[49] über uns!

MANN *(zur Frau auf die Tribüne).* Mittag aus
dir mit Schwarm blausäumiger Wolken treibend.
Mittag über mich gezogen wie Zelt der Be-
ständigkeit — fester Bezirk, der mich bestimmt
für dich. Kein Ausgang, der verführt; wo nichts
lohnt — kein Willen, der trotzt, wo nichts bedeutet: — schon am Hauch der Silbe haftet
Verständigung, die beiden gebietet. Begierde
wuchs kühn und maßlos — Leib bindet Leib:
kein Überschwang beleidigt die Paarung — aus
Dopplung von Sein und Sein ohne Abstrich
einrichtet sich unser Gesetz, das nicht verbietet
und nicht erlaubt: — das Eins weiß nicht Be-
drängung und Widerstand[50] — es ist unteilbar
mit Einem von Mann und Frau im Mittag!

FRAU *(die Hände nach ihm streckend).* Mittag
für dich!

MANN *(sie fassend).* Mittag für dich!

FRAUEN UND MÄNNER *(um die Tribüne — sich
mit Händen suchend).* Mittag für uns!! *(Frau und
Mann von der Tribüne.)*

STIMMEN *(der andern).* Mehr für uns!

GREISIN *(auf die Tribüne).* Abend für uns. Einmal der Rundlauf beschwichtigt und die Knöchel still überm Schuh. Was schälte sich aus
meinem Morgen und Mittag? Ich sah den Unterschied nicht von Mittag und Morgen. Einerlei
war das und ohne Zeichen von Einschnitt[51] zum

[43] empty shell crackled   [44] sputtered   [45] round about
[46] sluices streaming bounty   [47] saturates on the dead fallow
crust   [48] orifice feels loosely grained again—from the beginning
a wide opening curves fully   [49] turns blue   [50] unity knows
neither urging nor resistance   [51] cutting into, i.e., transition

andern. Das glitt wie trübes Rinnsal über Höcker im Strombett[52], dem wir nicht auf den Grund schaun. Das war aus Morgen und Mittag das Sein. — War ich allein? War keiner bei mir im Anfang und später? War ich so sehr allein? Ging ich mit mir unter und griff nur mit einer Hand nach meiner andern, um mich aus dem Sinken zu bergen? Fand ich den einsamen Tod schon? — Der Abend schenkt alles Leben und schiebt jede Stunde, die verfehlt, zu Stunde und Stunde, die nun kommen. Die Zeit verteilt mit neuem Maß — ich höhle die Hände und fasse nicht mehr — es schüttet sich aus — ich blinzle in den Schatz: — da stellt sich heraus, der in Morgen und Mittag verlöschte und erst im Abend auftaucht!

GREIS *(zur Greisin auf die Tribüne).* Für uns der Abend. Rast von Schritt im Trott ohne Plan überdrängt Baum mit Schatten behängt. Wo tost Lärm? Wo eilt Gang? Stille betont müder Vogel aus Geäst — Wind rauscht verraschelnd. Tag ebbt glatt. Was ist es spät? Die Frühe ist ein Drängen von Hand in Hand, die nie endigt. Wo klafft[53] Verlust? Einer Lippe Krümmung austeilt mit Verschwendung. Du entbehrtest nicht — und ich versagte mir nichts: — unser Abend entdeckt uns Überfluß, den wir nie aufzehren! *(Er führt Greisin mit sich von der Tribüne.)*

GREISINNEN UND GREISE *(zu ihnen hin — einander stützend).* Abend für uns!!

STIMMEN *(der andern).* Mehr für uns!

EINE STIMME *(hoch).* Was mit uns?

STIMMEN *(verteilt).* Mehr für uns!!

STIMMEN *(entgegen).* Was mit uns?

STIMMEN *(Woge).* Mehr für uns!!!

STIMMEN *(Gegenwoge).* Was mit uns?!!

STIMMEN UND STIMMEN *(durcheinanderflutend).* Mehr für uns!!! Was mit uns?!! *(Im Schrei von Helle Abbruch[54]. Stille.)*

EINE STIMME. Der Milliardärarbeiter!

ALLE STIMMEN *(schwellend — sich vereinigend — jubelrufend).* Der Milliardärarbeiter!!! *(Stille.)*

MILLIARDÄRARBEITER *(ersteigt die Tribüne).* Ich bin willig vor euch und über euch nur nach Stufen, die meine Füße steigen! *(Oben.)* Kein Kopf denkt mehr — kein Mund spricht bered-

samer vor euch: ihr ruft Morgen und Mittag und Abend — und benennt das Sagbare mit Worten, die immer gelten. — Dir, Mädchen, ist Morgen Zeit deines Lebens, das sich begibt mit Anfang — und deinen Schwestern bei dir und euren Schwestern nach euch. Das ist Bestimmung von Ursprung! — Dir, Jüngling, bricht feurige Frühe durch Blut und Puls nach erster Umschlingung — und deinen Brüdern bei dir und euren Brüdern nach euch. Das ist Bestimmung von Ursprung! — Dir, Frau, ist Tag groß im Mittag, der jede Erfüllung vermittelt — und allen Frauen bei dir und Frauen und Frauen nach euch. Das ist Bestimmung von Ursprung! — Dir, Mann, brennt braun vom hohen Gestirn[55] das Stirnfeld[56] und zeichnet dich mit dem kräftigen Mal des Mittags — und alle Männer bei dir und Männern und Männern nach euch. Das ist Bestimmung von Ursprung! — Euch, Greisin und Greis, fällt aus Schatten und Windstille der Abend auf Schultern und Schoß — ihr seid besänftigt vor Nacht, in die ihr ohne Schrei und Schreck einschlaft. Das ist Bestimmung von Ursprung! — *(Stärker.)* Wieder ist Tag um euch — ganzer Tag mit Morgen und Mittag und Abend: — das entstellte Gesetz strahlt von erneuerter Tafel! — Ihr seid wieder bei euch — ausgegangen aus fronender Nötigung — eingekehrt[57] in letzte Verpflichtung!

STIMMEN. Was mit uns?!

MILLIARDÄRARBEITER. Ausruf von euch, wer ihr seid in eurer Erfindung! — Ihr vom Druck von äußerster Härte zum Boden gestoßen — ihr in Zwang gepfercht[58] wie Tiere vor der Abtötung — — ihr seid glaubwürdig! Eure Erfahrung bestätigt mit Siegel und Eid: — es ist kein bübisches Spiel. Euer Ruf gilt — mit jeder Wahrheit echt — in jedem Hauch ein volles Ja!!

STIMMEN UND STIMMEN. Was mit uns?!

MILLIARDÄRARBEITER. Mitteilung aus euch, wer ihr seid in Entfaltung! — Eure Entdeckung wird Frevel mit der Bewahrung eures Fundes. Furchtbar schwärzt euch der Makel, wenn ihr verschweigt. In eurem Haus fault um euch die

---

[52] trickled like a turbid channel over bumps in the river bed [53] gaps [54] in the scream of light, a sudden stop [55] i.e., the sun [56] dome of your forehead [57] restored [58] penned up

Luft, wenn ihr die Fenster verschließt und nicht das Licht über die Straße entlaßt. Kein Fluch zögert, sich auf euch zu stürzen und euch zu verdammen!!

ALLE STIMMEN. Was mit uns?!!

MILLIARDÄRARBEITER. Verkündet euch den andern!! Schickt den Schrei aus der Halle durch Luft über alle. Schont keine Mühe, die eure letzte wird — verschenkt euren Schatz, der sich nicht ausgibt und jeden Einsatz verzehnfacht mit Mehrzins — —: rollt die Kuppel frei!! *(Stille.)*

STIMMEN UND STIMMEN. Rollt die Kuppel frei!!

ALLE STIMMEN. Rollt die Kuppel frei!!!

MILLIARDÄRARBEITER. Spannt den Draht, aus dem der Funken spricht um das Rund des Erdballs!!

STIMME. Spannt den Draht!

STIMMEN UND STIMMEN. Spannt den Draht!!

ALLE STIMMEN. Spannt den Draht!!!

MILLIARDÄRARBEITER. Schickt das Signal vom Stillstand von Kampf über Kämpfer und Kämpfer!!

STIMME. Schickt das Signal!

STIMMEN UND STIMMEN. Schickt das Signal!!

ALLE STIMMEN. Schickt das Signal!!!

JUNGER ARBEITER *(an der Tribüne — Arme zur Kuppel)*. Von uns die Kuppel frei! *(Ab. Stille.)*

STIMME *(oben)*. In der Kuppel wir!

STIMMEN *(unten)*. Rollt die Kuppel frei!

STIMME *(oben)*. Rost hemmt in Schienen!

STIMMEN *(unten)*. Lockert an Nieten!

STIMME *(oben)*. Druck wuchtet mächtig!

STIMMEN *(unten)*. Sprengt unter die Wölbung!

STIMME *(oben)*. Locker schon Platten!

STIMMEN *(unten)*. Weitet die Lücke!

STIMME *(oben)*. Kuppel in Gleiten!

ALLE STIMMEN *(unten)*. Rollt die Kuppel frei!!!!

(Ein breiter Lichtbaum[59] senkt mit Sturz sich aus der Kuppel und steht wie eine funkelnde Säule vom Boden der Halle. In Blendung Stille — alle Gesichter hinauf.)

MILLIARDÄRARBEITER *(nach oben rufend)*. Fördert das Werk ohne Halt!

STIMME *(oben)*. Draht steil gerichtet!

[59] shaft of light

MILLIARDÄRARBEITER. Eilt mit der Vollendung!

STIMME *(oben)*. Funke in Spitze kräftig!

MILLIARDÄRARBEITER. Bedient, wie ich rufe!

STIMME *(oben)*. Am Sender!

MILLIARDÄRARBEITER. Entlaßt die Losung: Hände sind los von Verrichtung — Hände sind ab von Fron für Vernichtung — Hände sind frei für Druck aller Hände in unsern, die rasten: — kein Gas!

STIMME *(oben wiederholend)*. Hände sind los von Verrichtung — Hände sind ab von Fron für Vernichtung — Hände sind frei für Druck aller Hände in unsern, die rasten: — kein Gas!

ALLE STIMMEN *(unten)*. Kein Gas!!!!

MILLIARDÄRARBEITER. Hört nach der Antwort!

STIMMEN *(unten)*. Sagt uns die Antwort!

MILLIARDÄRARBEITER. Überhört nicht die Antwort! *(Stille.)*

STIMME *(oben)*. Ausbleibt Antwort! *(Stille.)*

MILLIARDÄRARBEITER. Schickt neuen Anruf: Taumel von Blut verflog — Fieber verwich in Kühle — Blick öffnet Augen nach euch, die begrüßen — Schicht schmolz in Dauer von Sein: — kein Gas!!

STIMME *(oben wiederholend)*. Taumel von Blut verflog — Fieber verwich in Kühle — Blick öffnet Augen nach euch, die begrüßen — Schicht schmolz in Dauer von Sein: — kein Gas!

ALLE STIMMEN *(unten)*. Kein Gas!!!!

MILLIARDÄRARBEITER. Wacht um die Antwort!

STIMMEN UND STIMMEN *(unten)*. Ruft uns die Antwort!!

MILLIARDÄRARBEITER. Überwacht gut die Antwort! *(Stille.)*

STIMME *(oben)*. Ausbleibt Antwort! *(Stille.)*

MILLIARDÄRARBEITER. Dringt um Erwiderung: Land wuchs in Land — Grenze stob ins All — Nachbar wird noch der Fernste — in Sammlung zu uns sind wir verteilt an euch und ein Ganzes: — kein Gas!!!

STIMME *(oben wiederholend)*. Land wuchs in Land — Grenze stob ins All — Nachbar ist noch der Fernste — in Sammlung zu uns sind wir verteilt an euch und ein Ganzes: — kein Gas!!!

ALLE STIMMEN *(unten)*. Kein Gas!!!!

MILLIARDÄRARBEITER. Mißhört nicht die Antwort!

ALLE STIMMEN *(unten).* Schreit uns die Antwort!!!!

MILLIARDÄRARBEITER. Vertauscht nicht Silbe und Silbe der Antwort!! *(Stille.)*

STIMME *(oben).* Ausbleibt Antwort! *(Totenstille.)*

STIMME *(vom äußersten Rand der Halle).* Ankunft von Fremden!

STIMMEN UND STIMMEN. Ankunft von Gelben!

ALLE STIMMEN. Ankunft von Feind!!!

(Weg bahnt sich vor sieben Gelbfiguren, die die Mitte erreichen. Milliardärarbeiter schwankend von der Tribüne.)

ERSTE GELBFIGUR. Die Rechnung ist nicht glatt aufgegangen[60]. Ein Bruch reißt ins Spiel[61]. Eure Partie warf die Karten hin. Wir übertrumpften. Bucht den Verlust, den wir summieren. *(Stille.)*

Eure Energie von Gas, das ihr herstellt, wird dienstbar unserm Bedürfnis. Eure Leistung tilgt von[62] der Schuld an uns, die ihr nicht auslöscht. Gas speist unsere Technik. *(Stille.)*

Das Werk fällt aus eurer Verfügung in unsere Bestimmung. Ohne Kurs[63] die Tabellen, die euren Anteil zusprechen[64]. Der Gewinn verschüttet sich nicht mehr in alle Hände — Lohn nach Maß der Notwendigkeit für Erhaltung der Kräfte von euch wird Gesetz. *(Stille.)*

Das Werk schafft wieder mit dieser Stunde Gas. Schicht zieht in Dienst hier aus der Halle — Schicht dient nach Schicht. Von uns der Auftrag nach Anspruch von Gas — die Leistung von Gas verantwortet der Großingenieur. *(Großingenieur kommt.)*

Der Großingenieur übt Macht über euch mit Befehl und Strafe. *(Stille. Zum Großingenieur.)*

Richten Sie die Halle ein.

GROSSINGENIEUR *(nach oben).* Schließt die Kuppel! *(Langsam verringert sich das Sonnenlicht — verlöscht.)*

Stellt die Tische auf!

(In lautloser Tätigkeit sind die Tische über Köpfe zur Mitte gehoben — errichtet.)

Spannt die Drähte!

(Mit stumpfem Eifer sind aus der Kuppel gesenkte Drähte zur Tribüne gestrafft — nach den Tischen gezogen.)

Speist alle Lampen!

(Stäubendes Bogenlampenlicht.)

Zieht ins Werk!

(Weichen ohne Ton nach den Rändern der Halle — Verschwinden.)

(Sechs Gelbfiguren lassen sich an den Tischen nieder. Erste Gelbfigur ordnet die Stöpsel auf dem Schachbrettisch. Großingenieur wartet.)

ERSTE GELBFIGUR *(zum Großingenieur).* Gas! *(Großingenieur ab.)*

Dritter Akt

Betonhalle. Stäubendes Bogenlampenlicht. An den Tischen die sieben Gelbfiguren. Stille.

ZWEITE GELBFIGUR *(vor rotheller Scheibe).* Meldung von Bedarfzentrale: Anspruch für dritten Distrikt zwei Quoten mehr. *(Scheibe verlöscht.)*

ERSTE GELBFIGUR *(umsteckt roten Stöpsel).*

FÜNFTE GELBFIGUR *(vor grünheller Scheibe).* Meldung von drittem Werk: Leistung ein Strich unter Auftrag. *(Scheibe verlöscht.)*

ERSTE GELBFIGUR *(umsteckt grünen Stöpsel).*

DRITTE GELBFIGUR *(vor rotheller Scheibe).* Meldung von Bedarfzentrale: Anspruch für zweiten Distrikt drei Quoten mehr. *(Scheibe verlöscht.)*

ERSTE GELBFIGUR *(umsteckt roten Stöpsel).*

SECHSTE GELBFIGUR *(vor grünheller Scheibe).* Meldung von zweitem Werk: Leistung ein Strich unter Auftrag. *(Scheibe verlöscht.)*

ERSTE GELBFIGUR *(umsteckt grünen Stöpsel).*

VIERTE GELBFIGUR *(vor rotheller Scheibe).* Meldung von Bedarfzentrale: Anspruch für ersten Distrikt vier Quoten mehr. *(Scheibe verlöscht.)*

ERSTE GELBFIGUR *(umsteckt roten Stöpsel).*

SIEBENTE GELBFIGUR *(vor grünheller Scheibe).* Meldung von erstem Werk: Leistung zwei Strich unter Auftrag. *(Scheibe verlöscht.)*

ERSTE GELBFIGUR *(umsteckt grünen Stöpsel. Stille.)*

ZWEITE GELBFIGUR *(vor rotheller Scheibe).* Meldung von Bedarfzentrale: Anspruch für dritten Distrikt fünf Quoten mehr. *(Scheibe verlöscht.)*

[60] did not come out even   [61] a fraction spoils the game
[62] partly pays off   [63] i.e., fluctuation   [64] assign

ERSTE GELBFIGUR *(umsteckt roten Stöpsel).*
FÜNFTE GELBFIGUR *(vor grünheller Scheibe).*
Meldung von drittem Werk: Leistung sechs
Strich unter Auftrag. *(Scheibe verlöscht.)*
ERSTE GELBFIGUR *(umsteckt grünhellen Stöpsel).*
DRITTE GELBFIGUR *(vor rotheller Scheibe).* Mel-
dung von Bedarfzentrale: Anspruch für zweiten
Distrikt acht Quoten mehr. *(Scheibe verlöscht.)*
ERSTE GELBFIGUR *(umsteckt roten Stöpsel.)*
SECHSTE GELBFIGUR *(vor grünheller Scheibe).*
Meldung von zweitem Werk: Leistung zehn
Strich unter Anspruch. *(Scheibe verlöscht.)*
ERSTE GELBFIGUR *(umsteckt grünen Stöpsel).*
VIERTE GELBFIGUR *(vor rotheller Scheibe).* Mel-
dung von Bedarfzentrale: Anspruch für ersten
Distrikt elf Quoten mehr. *(Scheibe verlöscht.)*
ERSTE GELBFIGUR *(umsteckt roten Stöpsel).*
SIEBENTE GELBFIGUR *(vor grünheller Scheibe).*
Meldung von erstem Werk: Leistung zwölf
Strich unter Auftrag. *(Scheibe verlöscht.)*
ERSTE GELBFIGUR *(springt auf — noch ins Tele-
phon).* Der Großingenieur! *(Großingenieur kommt
— ohne Beeilung.)* Zählstationen kontrollieren
verminderte Leistung von Gas. Nach Strichen
bis zwölf bleibt Sein hinter Soll.
GROSSINGENIEUR *(ruhig).* Überrascht Sie das?
ERSTE GELBFIGUR. Steht eigenes Urteil in
Frage?
GROSSINGENIEUR *(achselzuckend).* Wenn Sie
sich verleugnen können.
ERSTE GELBFIGUR. Wie jeder im Werk Auto-
mat.
GROSSINGENIEUR. In den Hallen laufen die
Automaten mit Nebengeräuschen[66].
ERSTE GELBFIGUR. — — Was umzischelt[67]?
GROSSINGENIEUR. Nicht für mich[68].
ERSTE GELBFIGUR. Mit welcher Deutung[69]?
GROSSINGENIEUR. Nicht für mich: dieser Hand
Hub[70] am Hebel. Nicht für mich: dieses Fußes
Stoß auf den Schaltblock. Nicht für mich:
dieses Auges Blick nach dem Sichtglas. Mein
Fleiß schafft — nicht für mich. Mein Schweiß
ätzt — nicht für mich. Mein Fron zinst — nicht
für mich.
ERSTE GELBFIGUR. Kennen Sie Ihre Verant-
wortung?

GROSSINGENIEUR. Für Gas.
ERSTE GELBFIGUR. Man wird Sie zur Rechen-
schaft ziehen für jeden Strich vom Minus der
Lieferung.
GROSSINGENIEUR *(eigentümlich).* Ich bin bereit
— zur Abrechnung[71].
ERSTE GELBFIGUR. Gebrauchten Sie Ihre
Machtmittel?
GROSSINGENIEUR *(wie vorher).* Noch nicht.
ERSTE GELBFIGUR. Verhängten Sie nicht Stra-
fen?
GROSSINGENIEUR. Über wen?
ERSTE GELBFIGUR. Wer zuckt am Hebel —
wer fehltritt auf dem Schaltblock — wer
zwinkert vorm Sichtglas.
GROSSINGENIEUR. So bliebe die Schicht ohne
Mann und Frau und Kind.
ERSTE GELBFIGUR. Sind alle in Widerstand?
GROSSINGENIEUR. Schicht wird lahmer mit
Schicht.
ERSTE GELBFIGUR. Was wird noch geschafft?
GROSSINGENIEUR *(stark).* Gas!
ERSTE GELBFIGUR. — — Warum stäupten[72]
Sie nicht den ersten, der nachließ?
GROSSINGENIEUR. Ich — stäupte ihn nicht.
ERSTE GELBFIGUR. Zweifelten Sie, daß weiter-
trieb, was bei einem sich zeigte?
GROSSINGENIEUR. Ich — zweifelte nicht.
ERSTE GELBFIGUR. Warum verschwiegen Sie,
was vorgeht?
GROSSINGENIEUR. Ich — verschwieg.
ERSTE GELBFIGUR. — — Unterstützen Sie die
Auflehnung?
GROSSINGENIEUR. Mit meinen Kräften!
FÜNFTE GELBFIGUR *(vor grünheller Scheibe).*
Meldung von drittem Werk: Werk — —
GROSSINGENIEUR *(triumphierend).* — steht still!!
SECHSTE GELBFIGUR *(vor grünheller Scheibe).*
Meldung von zweitem Werk: Werk — —
GROSSINGENIEUR. — steht still!!
SIEBENTE GELBFIGUR *(vor grünheller Scheibe).*
Meldung von erstem Werk: Werk — —
GROSSINGENIEUR. — steht still!! *(Die drei
Gelbfiguren verlassen ihre Tische.)*
ERSTE GELBFIGUR. Wer —??
GROSSINGENIEUR. Ich befahl es! Bei meinem
Weggang hierher. Mit meiner Macht, die mir

[66] accessory sounds [67] what is buzzing around [68] doesn't
concern me [69] what's your interpretation? [70] lift
[71] showdown [72] flogged

von euch bestellt. Gut folgt der Gehorsam. Keiner Hand Hub am Hebel mehr für andre — keines Fußes Stoß mehr für andre — keines Auges Blick ins Sichtglas für andre. Absinkt Hand und ballt Faust gegen euch — abschwingt Fuß und nimmt Anlauf gegen euch — abschielt Auge und schießt Blick gegen euch. Für uns Gas — — und Gas gegen euch!!

ERSTE GELBFIGUR. — — Übersehen Sie die Konsequenzen?

GROSSINGENIEUR. Keine Konsequenzen für uns!

ERSTE GELBFIGUR. Das Werk liegt von Batterien umzingelt.

GROSSINGENIEUR. In dreifachen Kreisen.

ERSTE GELBFIGUR. Schußbereit bei erster Empörung.

GROSSINGENIEUR. Empörung tobt!

ERSTE GELBFIGUR. In Schutt das Werk mit letztem Mann mit voller Salve.

GROSSINGENIEUR. Sind Sie sicher?

ERSTE GELBFIGUR. Wir lassen kleinste Frist und erwarten die Wiederaufnahme der Arbeit mit Ihrer Meldung! (*Er winkt den Gelbfiguren — mit ihnen ab.*)

GROSSINGENIEUR (*vorn am Tisch — ins Telephon*). Zieht aus dem Werk in die Halle — in die Versammlung! (*Zages Kommen — schiebende Verdichtung zur Mitte — volle Halle.*)

STIMME (*endlich schrill — angstvoll*). Wer entläßt uns?

GROSSINGENIEUR (*auf die Tribüne*). Wer füllt den Raum mit Druck zur Wand, die umläuft. Wer wich vom Werk und ließ Hebel und Schaltblock und Sichtglas instich[73]. Wer Stimme wird aus Lautlosigkeit verschüchterter Fron!

STIMMEN UND STIMMEN. Wer entläßt uns?!

GROSSINGENIEUR. Wer Hand krümmt zu Faust in Trotz. Wer Fuß hebt in Sturm zu Angriff. Wer im Auge mißt die Figur von Fronvogt!

ALLE STIMMEN. Wer entläßt uns?!!

GROSSINGENIEUR. Euer Befehl herrscht ins Schicksal von euch[74]. Euer Wort stiebt über euch mit eigenem Gesetz. Ihr seid gestern zehnt-

zinsende[75] Knechte — heute Beherrscher!! (*Stille.*)

STIMME. Was mit uns?

GROSSINGENIEUR. Entlassung von Schuld und Schuldenschuld für euch. Abhub[76] von Bürde und Buße für euch. Austritt aus erwürgender Zwinge[77] für euch!

STIMMEN UND STIMMEN. Was mit uns?!

GROSSINGENIEUR. Aufstand aus Knien in Steile[78] mit euch. Wachstum aus Schwäche in Kräfte mit euch. Schwung aus Scheu in Streit mit euch!

ALLE STIMMEN. Was mit uns?!!

GROSSINGENIEUR. Los die Wut, die faul trieb[79] in euch. Los der Haß, der lungerte[80] in euch. Los das Gift, das sinterte[81] in euch. Ihr sollt vergelten!!

STIMME. Sind wir mächtig?

GROSSINGENIEUR. Aus Schatten in Glanz geschoben. Aus Notdurft in Purpur gehüllt. Aus Nichts im Überfluß erhaben!

STIMMEN UND STIMMEN. Sind wir mächtig?

GROSSINGENIEUR. Wie noch kein Maß verteilt war. Keine Waffe schlug zu[82], wie ihr ausholt[83]. Kein Geschoß schlug ein, wie ihr aushaucht. Ihr seid Sieger im Aufmarsch!

ALLE STIMMEN. Sind wir mächtig?!!

GROSSINGENIEUR. Ohne Verlust einer Fingergliedesspitze besteht ihr den Kampf. Ohne Dauer von halbem Tag beschließt ihr die Schlacht. Ihr seid schrecklich mit eurem Mittel von Überwältigung: — — Giftgas!!

(*Holt eine rote Kugel aus dem Kittel.*)

Ich erfand es für euch. Bei euch fraß mich die Schmach, die uns duckt[84] zum Nutztier[85]. Keine Sekunde verstellte sich mir das Ziel, das entledigt der Zwingherrn — Haß und Scham formten die Formel, die endlich ergab, was befreit. Jetzt triumphiert ein Häutchen von Dünnglas, das ausbläst und ätzt gleich das Fleisch vom Gebein und bleicht storre[86] Knochen!

(*Stille.*)

Furchtbar verstörst[87] das Entsetzen, wer die Kraft der Vernichtung ansieht. Lähmung und Wahnsinn tritt ins Hirn des Beschauers, der

---

[73] left in the lurch   [74] your command takes a hand in your destiny

[75] giving tithes, i.e., forced taxes   [76] removal   [77] force   [78] into an upright position   [79] became rotten   [80] cringed   [81] oozed   [82] struck a blow   [83] raise your arms to strike   [84] degrades   [85] beast of burden   [86] stiff   [87] paralyzes

noch eben Lebende zu Skeletten entblößt trifft. Widerstand schreit sich nieder aus dem Munde des ersten Neugierigen, der zuläuft und Weltuntergang heult!

(Stille.)

Ihr seid Sieger nach dieser Stunde, die ewig entscheidet. Macht das Exempel, das alle Berechnung glatt löst. Tut den Wurf des Balls von der Kuppe[88] der Kuppel — zielt in Richtung zur Linie, die euch belagert — — kommt ihrem Anprall zuvor — — tut den Wurf!!

STIMME. Giftgas!

GROSSINGENIEUR. Seid Rächer!

STIMMEN UND STIMMEN. Giftgas!!

GROSSINGENIEUR. Seid Kämpfer!!

ALLE STIMMEN. Giftgas!!

GROSSINGENIEUR. Seid Sieger!!!

(Junge Arbeiter dringen auf Stufen der Tribüne — Hände nach der Kugel. Milliardärarbeiter schiebt sich zwischen sie — drückt die erhobenen Arme beiseite.)

MILLIARDÄRARBEITER. Faßt nicht nach dem Ball. Verwerft die Verführung. Zerstört nicht eure Macht mit dem Wurf!

STIMME. Der Milliardärarbeiter.

MILLIARDÄRARBEITER. Folgt nicht dem Anweis. Zielt nicht ins Dunkel. Zollt nicht mit Schacher!

STIMMEN UND STIMMEN. Der Milliardärarbeiter!!

MILLIARDÄRARBEITER. Schont euren Vorzug, mit dem ihr erwählt seid. Kennt euer Mittel, mit dem ihr überwindet. Baut das Haus, das unerschütterlich dauert auf Grund von Gestein!

ALLE STIMMEN. Der Milliardärarbeiter!!!

(Die jungen Arbeiter sind von den Stufen gewichen. Milliardärarbeiter tritt höher auf Stufen.)

MILLIARDÄRARBEITER. Spreitet die Sicht für das Neue, das ins Uralt sich verschlingt. Anfang ist endlich — und echt aus Bestand schon bekundeter Wahrheit. Große Gezeit[89] rollt in eure Zeit mit Wiederholung. Ihr seid nicht bemüht mit Erfindung — hinter Versuch und Beweis verrückt sich eure Erfüllung. Ihr seid gelost im Rad[90], das in Jahrtausenden drehte — rein aus

Siebung und Siebung sichtet sich eure Bestimmung!

(Stille.)

Kein Weg mit Windung und Windung weist wie eure Straße, die ihr ankommt, nach Vollendung. Aller Gewinn rechnete sich euch — Überfluß schwoll von euren Tischen. Um euch häufte sich Gut, das Hände hinstellen —: ihr wart vergeben[91] aus euch in den Besitz, der euch aufsog!

(Stille.)

Das zerging, wie Sand vertreibt, den ein Kind hinspielt[92]. Eines Windes Aufstand zögert nie ein Tagwerk zu zerbrechen — ihr verschließt nicht die Quellen, die schwarz sind von der Geburt des Orkans, der immer die Erde beunruhigt. Euch traf die Wucht mit Entladung, die euch niederwarf platt an den Boden. Euer Fall schwang tief. Der Turm eurer Höhe begrub euch!

(Stille.)

Groß galtet ihr früher — — jetzt werdet ihr mehr: — — Dulder!!

(Stille.)

Von euch schied sich die Sucht, die nie fertig: — Tagwerk! In euch schob sich das andre, das ohne Namen grenzenlos sättigt. Es hat nicht Tabelle und Schicht und Entlöhnung[93] — es speist sich mit eigner Münze, die nicht mehr und nicht minder sich zahlt!

(Stille.)

Zinst[94] mit der Fälschung, die von euch verlangt wird. Betrügt die Betrüger mit ihrer Währung[95], die matt klingt[96]. Leistet den Dienst, der nichts zeitigt[97]. Verwandelt die Geltung, die abläuft — höhlt den Wert, der nicht wuchert: — — seid Dulder im Werk — — Entlaßne[98] in euch!!

(Stille.)

Baut das Reich!! Es bürdet nicht Last über euch mit neuer Entdeckung — Ferne verscheucht nicht: Anbruch[99] drängt nah aus Verheißung[1], die nie kargte[2] — Sammlung von Gesetz und Gesetz ist längst geschehn — Vorbereitung aus

---

[91] given over   [92] destroys in play   [93] termination of employment   [94] pay interest   [95] currency   [96] has a dull sound, i.e., is counterfeit   [97] produces no effect   [98] i.e., freed men   [99] beginning   [1] promise   [2] was stingy

---

[88] peak   [89] tide   [90] i.e., your fortune is in the wheel

Zeit und Zeit überreif — nutzt euer Dasein, dem alles zufällt: — — baut das Reich, das ihr seid in euch mit letzter Befestigung!
(Stille.)
(Oben auf der Tribüne.)
Jetzt erfüllt sich in euch das Wagnis durch Geschlechter und Geschlechter. Über Triften[3] von Grüne lockte euch einer[4] vor mir — ihr verwiest ihn recht. Nichts um euch schont in euch das Beträchtliche — es hürdet sich[5] nicht im Geviert von Siedlung und Siedlung: — — nicht von dieser Welt ist das Reich!!!!
(Stille.)
Front den Fremden — zinst dem Zähler — laßt ihm den Lohn — schüttet ihm den Gewinn — duldet den Anspruch — verleugnet den Stachel, der an euch blutet: — — seid das Reich!!

(Atmende Stille.)
GROSSINGENIEUR *(auf Stufen herunter).* Findet ihr nicht den Schrei für Verrat, der euch anspeit? Schweigt euer Schelten vor einem Antrag, der euch schächtet[6]? Vergeßt ihr den Zuruf, der stieß zu mir mit Gelöbnis?!
MILLIARDÄRARBEITER. Stimmt zu euch die ihr seid — in euch entledigt[7]!
GROSSINGENIEUR. Meßt, wer ihr bleibt — in eurer Entrechtung[8]. Nacken für Peitsche, die striemig spornt[9] — Schicht für Schändung, die hohnlacht — Koppel[10] von Vieh, das mißbraucht ist! Ohne Schluß schleicht eure Mühsal — ein Göpel[11] im Kreis, der euch leiert in Stumpfheit und Dumpfheit. Bis in den Niederbruch eurer Knöchel foltert euch Züchtigung. So seid ihr verdingt!
MILLIARDÄRARBEITER. Richtet das Reich ein, das in euch mit Allmacht regiert!
GROSSINGENIEUR. Rechnet die Mächtigkeit aus, die ihr erbeutet. Euer wird Werk und Gewinn — ohne Krümmung eines Fingers von euch. Gas schafft für euch wie Zauber — ihr blockt am Hebel — auf Schalter — vor Sichtglas eure Fronknechte. Ihr nutzt euren Sieg nach Vorbild des Siegers von gestern!

MILLIARDÄRARBEITER. Löst euch in Duldung aus Fron, der in euch nicht anrührt!
GROSSINGENIEUR. Überschlagt[12] den Tribut, der euch anfällt[13]. Keine Zone des Erdrunds, die euch mit Eintrag[14] nicht gefügig[15]. Keines Schiffes Raum, der euch mit Fracht nicht verbunden. Keiner Brücke Sprung[16], der euch mit Zufuhr nicht buckelt[17]. Keines Drahtes Funken, der mit eurem Befehl nicht geladen. Eures Willens Bestimmung übt Herrschaft, die alles[18] benötigt!
MILLIARDÄRARBEITER. Hört den, der wiederholt, was schon vorging: — wieder zeigt einer den Glanz unter euch, der versucht und verblendet!
GROSSINGENIEUR. Faßt euren Vorsatz mit Schrei, der unerbittlich euch bindet!
MILLIARDÄRARBEITER. Überbietet[19] den kleinen Entschluß, der billig sich anpreist[20]!
GROSSINGENIEUR. Feilscht[21] mit der Frist, die euch bleibt — an die Beschießung!!
MILLIARDÄRARBEITER *(auf Stufen herunter).* Kehrt ins Werk um und leistet den Dienst, der euch gering ist!
GROSSINGENIEUR *(oben auf der Tribüne).* Zielt den Wurf, der entscheidet für euch mit einer Vergiftung!!
MILLIARDÄRARBEITER. Kehrt ins Werk um!!
GROSSINGENIEUR *(die rote Kugel über sich).* Errichtet die Herrschaft!!
MILLIARDÄRARBEITER. Gründet das Reich!!
GROSSINGENIEUR. Zündet das Giftgas!!!
(Stille.)
MILLIARDÄRARBEITER. Schweigt und hört: wie Himmel und Erde den Odem verhalten vor eurer Entschließung, die Weltschicksal besiegelt!!
(Stille.)
STIMME. Giftgas!!
STIMMEN UND STIMMEN. Giftgas!!!!
ALLE STIMMEN. Giftgas!!!!
GROSSINGENIEUR *(triumphierend).* Unser die Macht!! Unser die Welt!! Zielt den Ball — — beeilt den Wurf — — verderbt die Beschießung!!! — — Wer? *(Junge Arbeiter branden an der Tribüne auf.)*

---

[3] meadows [4] i.e., my father, the billionaire's son, in *Gas I* [5] is herded: *Geviert* quarter [6] slaughters [7] released in yourselves [8] disfranchisement [9] spurs you in with lashes [10] yoke [11] lever or winch

[12] calculate [13] falls to your lot [14] tribute [15] submissive [16] arch [17] arches its back, i.e., is subservient to you [18] object of *benötigt* [19] surpass [20] which advertises itself as requiring little effort [21] haggle

JUNGE ARBEITER. Ich!!

GROSSINGENIEUR. Schont die gefährliche Kugel!

MILLIARDÄRARBEITER *(die jungen Arbeiter aufhaltend — sich zum Großingenieur umwendend).* Ich bin der Bestimmte! Mich trifft Vorrecht vor andern!

ALLE STIMMEN. Der Milliardärarbeiter!!!!

GROSSINGENIEUR *(gibt ihm die Kugel — verläßt die Tribüne.)*

MILLIARDÄRARBEITER *(oben auf der Tribüne — die Kugel in hoher Hand).* Meines Blutes Blut schlug nach Verwandlung von uns!! Mein Eifer tränkte sich mit Eifer von Mutter und Muttervater!! Unsre Stimme konnte die Wüste wecken — — der Mensch ertaubte[22] vor ihr!! Ich bin gerechtfertigt!! Ich kann vollenden!! *(Er wirft die Kugel über sich — die zurückfällt und schwach klirrend zerbricht. Stille.)*

GROSSINGENIEUR. Giftgas!!!

ALLE STIMMEN. Giftgas!!!!

(Stille der Lähmung. Mit ungeheurem Schlag die Beschießung von außen. Gleich Dunkelheit — und tosender Einsturz von Wänden. Stille. Langsame Helle: die Halle ist ein Trümmerfeld von Betontafeln, die sich übereinander schieben wie aufgebrochne Grabplatten — ausragend die schon geweißten Skelette der Menschen in der Halle. Gelbfigur — Stahlhelm, Telephon am Kopf, Draht hinter sich ausrollend — über die Schutthalde anlaufend.)

GELBFIGUR *(hemmt — starrt irr — schreit ins Telephon).* Meldung von Wirkung von Beschießung: — — — — kehrt die Geschütze gegen euch und vernichtet euch — — — — die Toten drängen aus den Gruben — — — — jüngster Tag[23] — — — — dies irae — — solvet — — in favil — — — —
Er zerschießt den Rest in den Mund. In der dunstgrauen Ferne sausen die Garben von Feuerbällen gegeneinander — deutlich in Selbstvernichtung.

[22] grew deaf   [23] Judgment Day. The *Dies irae* is a hymn composed by Thomas de Celano (15th century). The first stanza is: the day of wrath, that day will dissolve the world into dust.

Franz Werfel · 1890–1945

Werfel was born in Prague, at that time part of the Austro-Hungarian Empire, the son of a wealthy Jewish merchant. Refusing to take up the commercial career which his father pressed on him, he left home after finishing high school, did his year of compulsory military service, and entered the publishing house of Kurt Wolff in Leipzig as a reader. In 1915 he joined the Austrian army and fought on the eastern front for two years, writing as time permitted. In 1917 he was transferred to the propaganda division of the army, but his pacifist views led to his arrest for high treason; he was saved only by the outbreak of the revolution which ended the war for Austria. The following year he met Gustav Mahler's widow, whom he later married; this highly gifted woman was of immense help to him as a companion and guide. They lived in Vienna until 1938, when the National Socialist seizure of Austria compelled them to flee to France. The collapse of 1940 forced them to flee to the United States. They lived first in Hollywood, then at Beverly Hills, California, where Werfel died after suffering from a long and severe heart ailment.

Werfel began publishing his verses while he was still in the *Gymnasium*. In his early twenties he became the foremost lyric poet of the expressionist school and then went steadily from success to success, achieving fame in all the three genres, lyric poetry, drama, and fiction. In 1925 he was awarded the Grillparzer prize and two years later shared in the coveted Schiller prize. His novels sold by the millions and were translated into many languages; two of them were filmed.

There is a powerful religious strain in Werfel's writing. In *Das Lied von Bernadette* he writes: "It was always my goal to glorify divine mystery and human holiness in my writings, disregarding our age which turns its back from these ultimate values of our life in mockery, anger, and indifference." The claim is fully justified. In his early expressionist period he clothed this religious feeling in a vague pantheism, a secular humanitarianism, preaching universal brotherhood, humility, pity, self-sacrifice, reverence, purity, pacifism. But it would be a gross error to conclude that he was a fuzzy sentimentalist; on the contrary, he showed a keen, subtle mind that was at home in the latest developments of contemporary philosophy and psychology. He felt the crisis that was later to be formulated by the existentialists: man's unhappiness in a world of confusion, his schizoid feelings, his reawakened sense of guilt and will to redemption, his eternal struggle against his lower self, the need for bold decisions in the face of the problems that confront him. The tone of Werfel's writing alternates between self-accusation, rapture, ecstasy, extravagant emotion on the one hand and cool, intellectual detachment on the other.

The baroque vein pervades his verse, which is overladen with passion, moral purpose, and paradox. He also makes liberal use of the baroque fondness for symmetrical structure. In later life he repudiated the expressionistic arrogance and vanity of his earlier lyric and dramatic style; he evidently felt ashamed of the strident tone that pervades his earlier poetry. In point of fact the histrionic quality which Thomas Mann described as "operatic" stayed with him to the end, but the core of his being was a sincere passion for righteousness and holiness.

Werfel's principal writings include the following collections of verse: *Der Weltfreund* (1911), *Wir sind* (1913), *Einander* (1915), *Der Gerichtstag* (1919), *Beschwörungen* (1921), *Gedichte aus dreißig Jahren* (1939; containing the volumes *Schlaf und Erwachen*, *Buch der Unruh*, *Hymnarium*), *Kunde vom irdischen Leben* (1943). The best known dramas are: *Die Troerinnen* (1913, an adaptation of Euripides' *Trojan Women*), *Spiegelmensch* (1920), *Juarez und Maximilian* (1924), *Paulus unter den Juden* (1926), *Jacobowsky und der Oberst* (1943). Werfel's fiction includes *Verdi: Roman der Oper* (1923), *Der Tod des Kleinbürgers* (1926), *Der Abituriententag* (1928), *Barbara oder die Frömmigkeit* (1929), *Die Geschwister von Neapel* (1931), *Die vierzig Tage des Musa Dagh* (1933), *Der veruntreute Himmel* (1939), *Das Lied von Bernadette* (1941), *Stern der Ungeborenen* (1945). He also published six volumes of essays and wrote three librettos for operas by Verdi.

Vater und Sohn

Wie wir einst in grenzenlosem Lieben
Späße der Unendlichkeit getrieben
Zu der Seligen[1] Lust, —
Uranos[2] erschloß des Atems Bläue,
Und vereint in lustiger Kindertreue   5
Schaukelten wir da durch seine Brust.

Aber weh! Der Äther ging verloren,
Welt erbraust und Körper ward geboren,
Nun sind wir entzweit.
Düster von erbosten Mittagsmählern   10
Treffen sich die Blicke stählern,
Feindlich und bereit.

Und in seinem schwarzen Mantelschwunge[3]
Trägt der Alte wie der Junge
Eisen[4] hassenswert.   15
Die sie reden, Worte, sind von kalter
Feindschaft der geschiedenen[5] Lebensalter,
Fahl und aufgezehrt.

Und der Sohn harrt, daß der Alte sterbe,
Und der Greis verhöhnt mich jauchzend: Erbe!
Daß der Abgrund widerhallt.   21
Und schon klirrt in unsern wilden Händen
Jener Waffen — kaum noch abzuwenden —
Höllische Gewalt.

Doch auch uns sind Abende beschieden   25
An des Tisches hauserhabenem[7] Frieden,
Wo das Wirre schweigt,
Wo wir's nicht verwehren, trauten Mutes,
Daß, gedrängt von Wallung gleichen Blutes,
Träne auf- und niedersteigt.   30

Wie wir einst in grenzenlosem Lieben
Späße der Unendlichkeit getrieben,
Ahnen wir im Traum.
Und die leichte Hand zuckt nach der greisen,
Und in einer wunderbaren, leisen   35
Rührung stürzt der Raum.

Hekuba

Manchmal geht sie durch die Nacht der Erde,
Sie, das schwerste ärmste Herz der Erde.
Wehet langsam unter Laub und Sternen,
Weht durch Weg und Tür und Atemwandern[1],
Alte Mutter, elendste der Mütter.   5

So viel Milch war einst in diesen Brüsten,
So viel Söhne gab es zu betreuen.
Weh dahin! — Nun weht sie nachts auf Erden,
Alte Mutter, Kern der Welt, erloschen,
Wie ein kalter Stern sich weiterwälzet.   10

Unter Stern und Laub weht sie auf Erden
Nachts durch tausend ausgelöschte Zimmer,
Wo die Mütter schlafen, junge Weiber,
Weht vorüber an den Gitterbetten[2],
An dem hellen runden Schlaf der Kinder.   15

Manchmal hält am Haupt sie eines Bettes,
Und sie sieht sich um mit solchem Wehe,
Sie, ein dürftiger Wind, von Schmerz gestaltet,
Daß der Schmerz in ihr Gestalt erst findet,
Und das Licht in toten Lampen aufweint[3].   20

Und die Frauen steigen aus den Betten,
Wie sie fortweht, nackten schweren Schrittes,
Sitzen lange an dem Schlaf der Kinder,
Schauen langsam in die Zimmertrübe,
Tränen habend unbegriffnen Wehes.   25

VATER UND SOHN: From *Wir sind* (1913) The poet imagines
a prenatal state in which father and son were not yet divided
by hatred. This is one of the many treatments of the *Vater-
Sohn* motif in recent literature. The metre is that of Schiller's
Die Götter Griechenlands: 2 lines of 5 trochees each, followed
by a line of 3 trochees. [1] i.e., the Olympian gods [2] the Greek
god of heaven, who confined his children in the nether
world immediately after their birth. One of them, Chronos,
rose against his father and dethroned him. From the blood
of the parricide were born the Furies. [3] i.e., the folds of his
mantle [4] i.e., a weapon [5] separated [6] i.e., you want to
become my heir [7] sublimely domestic

HEKUBA: From *Einander* (1915) Written to serve as an
epilogue to the tragedy *Die Troerinnen* (1913). Hecuba, wife of
Priam, King of Troy, is the symbol of suffering motherhood
because of the tragic death of her many children during her
lifetime. [1] where breath flows [2] iron bedsteads with
vertical bars [3] cries out

Fremde sind wir auf der Erde alle

Tötet euch mit Dämpfen[1] und mit Messern,
Schleudert Schrecken, hohe Heimatworte[2],
Werft dahin um Erde euer Leben!
Die Geliebte ist euch nicht gegeben.
Alle Lande werden zu Gewässern,   5
Unterm Fuß zerrinnen euch die Orte.

Mögen Städte aufwärts sich gestalten,
Ninive[3], ein Gottestrotz von Steinen!
Ach, es ist ein Fluch in unserm Wallen[4]:
Flüchtig muß vor uns das Feste fallen,   10
Was wir halten, ist nicht mehr zu halten,
Und am Ende bleibt uns nicht als Weinen.

Berge sind und Flächen sind geduldig,
Staunen, wenn wir dringen vor und weichen.
Fluß wird alles, wo wir eingezogen.   15
Wer zum Sein noch Mein sagt[5], ist betrogen.
Schuldvoll sind wir, und uns selber schuldig,
Unser Teil ist: Schuld, sie[6] zu begleichen!

Mütter leben, daß sie uns entschwinden.
Und das Haus ist, daß es uns zerfalle.
Selige Blicke, daß sie uns entfliehen.   20
Selbst der Schlag des Herzens ist geliehen,
Fremde sind wir auf der Erde alle,
Und es stirbt, womit[7] wir uns verbinden.

Solang noch im bayrischen Wald   5
Die Axt im Morgengraun hallt,
Solang auch der Einsame sitzt,
Der Gott und die Heiligen schnitzt.

Solang auf ligurischer[4] Fahrt
Das Meer seine Fischer gewahrt[5],   10
Solang wird am Strande es schaun
Die spitzenklöppelnden[6] Fraun.

Ihr Völker der Erde, mich rührt
Das Bleibende, das ihr vollführt.
Ich selbst, ohne Volk, ohne Land,   15
Stütz nun meine Stirn in die Hand.

Abendgesang

Jedes Schlafengehn
Ist eine Niederlage.
Was ich getan am Tage
Ist tief mißlungen.
Ein fester Ring er hat mich hingezwungen.
Nun da's geschehn,   6
Und lang ich liege,
Ist es viel schöner doch als alle Siege.
Ich schmiege mich in meine Wiege
Und trage keine Frage   10
Um Tag und Auferstehn.

Das Bleibende

Solang noch der Tatrawind[1] leicht
Slowakische Blumen bestreicht[2],
Solang wirken Mädchen sie ein
In trauliche Buntstickerein[3].

Der Kalender des Schlafes

Der Säugling schläft die Nächte durch und Tage,
Ihm ist die Zeit wie Wiesengras nichts wert.
Des Knaben Schlaf hält kürzer schon die Waage[1]
Dem wachen Sein, das endlos wiederkehrt.
Der Mann, voll Wichtigtuns[2] im Reich der
Plage,   5

FREMDE SIND WIR: Source as above   [1] gases   [2] patriotic words   [3] Assyrian capital to which the prophet Jonah was sent to chastise for its wickedness; *Gottestrotz* = challenge to God   [4] course of life   [5] i.e., whoever believes he is master of his destiny or existence   [6] refers to *Schuld*, here used in 2 senses: *guilt* and *debt* or *obligation*   [7] that with which
DAS BLEIBENDE: From *Buch der Unruh* in *Gedichte aus dreißig Jahren* (1939)   [1] The Tatra mountains are part of the Carpathian range in Poland and Czechoslovakia.   [2] grazes or touches   [3] colored embroideries

[4] Liguria, the country around the Gulf of Genoa in Italy   [5] perceives   [6] bone-lace making
ABENDGESANG: From *Hymnarium* in *Gedichte aus dreißig Jahren* (1939)
DER KALENDER DES SCHLAFES: Source as above   [1] tips the scale   [2] acting important

Mit Ungeduld acht Stunden Schlaf verzehrt.
Der Greis zuletzt nach flüchtiger Ruhelage
Erhebt sich sanft und sonderbar entschwert[3].
Des Lebens Absturz wird unmerklich so gelindert:
Gott mehrt die Zeit, je mehr die Zeit sich
    mindert.   10

Tempora mea in manibus tuis

Wem angehöre ich? Den Meinen? Nein!
Die Meinen, die ich meine[1], sind nicht mein.
Der Nächste selbst bleibt kalt und fremd wie
    Stein.

Wem angehör ich? Einem Volke? Nein!
Nur Furcht und Trunkenheit treibt zum Verein,
Und unter Tausend bin ich tausendmal allein.   6

Wem angehöre ich? Mir selber? Nein!
Wer ist Ich selbst? Ein finster Fleisch und Bein,
In dem die Ampel[2] schwankt mit Totenschein.

Wem angehör ich also? Ich bin sein,   10
Denn Sein ist sein, und schmieg mich, nun ich
    wein',
In seine offne Vaterhand hinein.

Fünf Sinngedichte

(1) SINNGEDICHT VOM MANGEL

Gott schuf die Welt aus dem Nichts!
Drum frage nicht länger: Woran gebrichts[1],
Daß alles Leben so eilig verdunstet[2],
Daß die Tat unsres Tages am Abend umsunstet[3],
Daß jede Stunde voll Stacheln der Schuld ist,   5
Daß die Wollust selbst noch voll Ungeduld ist?...
Gott schuf uns aus Nichts! Da bleibt keine Wahl.
Der Mangel liegt ewig im Material.

(2) DER WELT GROSSE BALANCE

Wenn mich der trockne heiße Durst nicht
    brennte,
So könnte nie ein eisiger Trank mich kühlen.
Wenn ich nicht durch den Wald der Krankheit
    rennte,
Genesung könnt ich nie als Durchbruch[4] fühlen.
So auch der Tod! Die grausamste Minute,   5
Vor der mit Recht die Seelen schmählich beben,
Wer weiß, ob nicht ein hundertfaches Leben
Als Gegen-Lust ihr kommen muß zugute[5]?!

(3) DU SOLLST GOTT LIEBEN

Frage:
Gott will unsre Liebe, so lautet die Lehre.
Doch was kann dem Schöpfer der Himmels-
    gestirne
Die Lieb einer Laus, eines Wolfs, einer Dirne
Und des ganzen Gewimmels bringen für[6] Ehre?

Antwort:
Das ist wahr! Er könnte getrost verzichten   5
Und jauchzend in den Grund seines Daseins
    tauchen.
Er braucht unsre brenzlichte[7] Liebe mitnichten.
Er will sie nur haben, weil wir sie brauchen.

(4) DIE VISION DER VISION

Ich sah die riesigen Ruinen
Der Vorzeit[8] hocken unerhört.
Was einst verschont die Kriegsmaschinen,
Das hat die Erde selbst zerstört.

Der Abbau[9] ist im Widerstreite   5
Des Aufbaus tiefre Eigenschaft.
Damit die Zeit nichts überzeite[10],
Wirkt innerste Planetenkraft[11].

---

[3] lightened
TEMPORA: Source as above. Title: my times (days, earthly
existence) are in your hands.   [1] in the old sense of *love*
(= minne)   [2] i.e., the lamp of life
FÜNF SINNGEDICHTE: From *Kunde vom irdischen Leben* (1943)
Sinngedicht = epigram   [1] what ails it   [2] evaporates   [3] is
nullified (from *umsonst*)

[4] emergence (into the light)   [5] zugute kommen = come as
a benefit   [6] belongs to *was* in line 2 = was für Ehre   [7] du-
bious in value; *mitnichten* = in no way   [8] prehistoric times
[9] Destruction is a deeper attribute of construction, in conflict
with it.   [10] outstay its welcome (literally out-time itself)
[11] i.e., to destroy life

Was wolkenkratzend[12] aufgebäumt ist,
Chicago oder Babylon, 10
Zerfließt, da ja der Mensch geträumt ist,
Als Vision der Vision[13].

(5) DAS EIGENTUM

Mit jedem Tag in meinem Alter
Erkenntnis[14] bänger zu mir spricht:
Ich bin nur meines Ichs Verwalter,
Sein Eigentümer bin ich nicht.
Wird man den Status einst entdecken, 5
Wo flieh ich hin, in welches Land,
Um meine Krida[15] zu verstecken,
Ich gottbankrotter Spekulant?!

Göttlicher Sinn der Krankheit

Der Seele, die im Fleisch sich stets befleckte,
Gibt Gott die Chance, zu säubern ihre Schwingen,
Damit der Himmelsflug ihr kann gelingen,
Wenn sie der Tod durch seinen Kuß erweckte.

Die Krankheit, die so lang im Leibe steckte, 5
Ist Gottes Chance. Sie will zuletzt uns zwingen
Die feineren Substanzen rein zu wringen[1]
Vom Sündig-Feuchten, das uns niederstreckte.

Wenn du verschmachtest auch, du sollst verzichten
Auf Lust und Wollust. Nie mehr darfst du
prassen[2], 10
Dich gierig beugend zu den Leibgerichten[3].

Den Rauch der Zigarette sollst du hassen
Und flockig[4] dich wie ein Gewölk entdichten[5],
Um endlich, endlich Sonne durchzulassen.

Totentanz

Der Tod hat mich im Tanz geschwenkt.
Ich fiel zuerst nicht aus dem Trott
Im Totentanz und steppte flott[1],
Bis er das Tempo wilder lenkt.

Wie rasch war ich da ausgerenkt[2] 5
Zum Hampelmann[3], zum Vogelspott,
Und war nichts als der Schrei zu Gott,
Der nicht mehr hofft, daß Gott gedenkt.

Da hob der Tod und hielt mich hochgedreht
Zum Himmel auf, daß Gott sich seiner freute, 10
Weil er nicht nimmt, was Gott nicht zugesteht[4].

Doch plötzlich ließ er fallen seine Beute,
Denn in des Ersten Schweigens Alphabeth
Sprach Er zu ihm zwei Worte nur: Nicht Heute!

---

[12] skyscraping; *aufgebäumt* = towering [13] i.e., man is but
a vision of God; civilization is but a vision of man [14] insight
[15] deliberate bankruptcy
GÖTTLICHER SINN: Source as above [1] wring

[2] carouse [3] earthly (but also favorite) dishes [4] flakelike
[5] become insubstantial
TOTENTANZ: Source as above [1] gaily [2] wrenched out of
shape [3] jumping jack [4] concedes

Gottfried Benn · 1886–1956

Benn made much use of the term *phenotype*, by which he meant the representative man of his age. It is tempting to apply it to himself and say that he was the phenotype of the twentieth-century skeptical intellectual whom Nietzsche has taught us to call a nihilist. For Benn's nihilism was not a passing phase, not the *Weltschmerz* through which every young man passes. His attitude remained remarkably consistent over the forty years of his literary activity. He named one of his lyrical collections *Statische Gedichte*. His basic position has been a static one, although his negativism mellowed somewhat with age; the brutal cynicism of 1910 softened into the quiet resignation of 1950.

Benn is a static poet also in the sense that his world is essentially a static one, in the midst of perpetual flux. There is no progress in it in either direction, only a senseless movement, a gyration without purpose or direction. As early as 1922 he wrote, "Nothing becomes and nothing develops, the category in which the cosmos becomes manifest is the category of stagnation," and this was his philosophy of history to the end. At times he adopted Nietzsche's view that life can be justified as an aesthetic phenomenon. He sought to create, through art, a meaning within the general decay of all meaning, to form a new style out of this experience. He saw in this artistry a new kind of transcendence, the transcendence of creative pleasure. But at other times he relapsed into "Karandasch," a nonsense word of his own invention. He explains: "That is the grand incantation which I use when I stand in the midst of so-called existence; it means: as if words had any meaning. We don't believe it any longer. All the words into which the bourgeois brain driveled out its soul for millenia are dissolved—into what? I don't know. We must jabber because we must feed, we must grin because we're poor devils; but Karandasch, Karandasch."

Benn's nihilism is grounded in his analysis of modern existence, buttressed by extreme scientific skepticism. His arraignment of life is a modern revival of the myth of Pandora's box. The universe has become fragmented and all sense of coherence and continuity is gone. Cerebration has increased so much that all the other faculties have atrophied. The mystical feeling for nature has thinned out into the mechanical sensation of sport and health. Moral passion has given way to a foolish belief in the power of legislation and hygiene. Individuality is gone, we have only phenotypes. Modern man is torn by ambivalences: for every value he sets up he finds a counter value. Genuine communication is impossible for him, not even through art. And he is a composite of varying and irreconcilable cultures: 40 per cent Adam and Eve, 30 per cent classical antiquity, 20 per cent Palestine, 10 per cent Far East.

Stated thus baldly, Benn's view of life sounds like the irritable explosion of a bright, cynical young man. And some critics have treated him in this spirit, pointing to his egocentricity, his exhibitionism, his basic inconsistencies, his bad judgments. Even if these strictures be true, there remains something unaccounted for—an artist with a passion for formulating his vision in "the best words in the best order." He has written some of the fine verse and prose of our century; for this reason alone we must not take seriously his talk of Karandasch. Anyone who can formulate his chaos as Benn has done can be read with spiritual profit even by those who refuse to accept his negative vision of life.

The son of a Protestant clergyman, Gottfried Benn studied medicine. During both world wars he served in the medical corps of the army; between the wars he was in private practice as a specialist in skin diseases. He flashed like a meteor across the expressionist sky, shocking even the most robust sensibilities with his brutal hospital and morgue verse. He published frugally, chiefly in verse, until 1933. In spite of his endorsement of the Third Reich he was branded as a degenerate "asphalt *Literat*" and expelled from the Writers' Academy. He "emigrated" into the Reichswehr, where he remained until the end of World War II, when he again returned to private practice in Berlin. From 1945 on he began to publish steadily in verse and prose and rose to prominence and esteem, receiving the Georg Büchner prize in 1951.

Benn spoke of his poems as monologues which he carried on with himself. These monologues obviously have much to say to his contemporaries. They are likely to hold the attention of posterity too.

Benn's principal writings include: *Morgue* (1912), *Söhne* (1914), *Gehirne* (1916), *Fleisch* (1917), *Gesammelte Gedichte* (1927), *Statische Gedichte* (1948), *Der Ptolemäer* (1949), *Ausdruckswelt* (1949), *Fragmente* (1951).

Der junge Hebbel

Ihr schnitzt und bildet: den gelenken Meißel
in einer feinen weichen Hand.
Ich schlage mit der Stirn am Marmorblock
die Form heraus,
meine Hände schaffen ums Brot.   5

Ich bin mir noch sehr fern.
Aber ich will Ich werden!
Ich trage einen tief im Blut,
der schreit nach seinen selbsterschaffenen
Götterhimmeln und Menschenerden.   10

Meine Mutter ist eine so arme Frau,
daß ihr lachen würdet, wenn ihr sie sähet,
wir wohnen in einer engen Bucht,
ausgebaut an des Dorfes Ende.
Meine Jugend ist mir wie ein Schorf:[1]   15
eine Wunde darunter,
da sickert täglich Blut hervor.
Davon bin ich so entstellt.

Schlaf brauche ich keinen.
Essen nur so viel, daß ich nicht verrecke![2]   20
Unerbittlich ist der Kampf,
und die Welt starrt von Schwertspitzen.
Jede hungert nach meinem Herzen.
Jede muß ich, Waffenloser,
in meinem Blut zerschmelzen.   25

Astern

Astern — schwälende[1] Tage,
alte Beschwörung, Bann,
die Götter halten die Waage
eine zögernde Stunde an.

Noch einmal die goldenen Herden   5
der Himmel, das Licht, der Flor,
was brütet das alte Werden
unter den sterbenden Flügeln vor?

Noch einmal das Ersehnte,
den Rausch, der Rosen Du —   10
der Sommer stand und lehnte
und sah den Schwalben zu,

noch einmal ein Vermuten,
wo längst Gewißheit wacht:
Die Schwalben streifen die Fluten   15
und trinken Fahrt und Nacht.

Quartär

1

Die Welten trinken und tränken
sich Rausch zu neuem Raum
und die letzten Quartäre versenken

ASTERN: From *Fleisch* (1917)   [1] smouldering
QUARTÄR: From *Statische Gedichte* (1948). Title: quartenary, the geological age from the Pleistocene epoch to the present

DER JUNGE HEBBEL: From *Söhne* (1914)   [1] scab   [2] croak

den ptolemäischen[1] Traum.
Verfall, Verflammen, Verfehlen[2] —   5
in toxischen Sphären, kalt,
noch einige stygische[3] Seelen,
einsame, hoch und alt.

2

Komm — laß sie sinken und steigen,
die Zyklen brechen hervor: 10
uralte Sphinxe, Geigen
und von Babylon ein Tor,
ein Jazz vom Rio del Grande,
ein Swing und ein Gebet —
an sinkenden Feuern, vom Rande,   15
wo alles zu Asche verweht.

Ich[4] schnitt die Gurgel den Schafen
und füllte die Grube mit Blut,
die Schatten kamen und trafen
sich hier — ich horchte gut —,   20
ein jeglicher trank, erzählte
von Schwert und Fall und frug,[5]
auch stier-[6] und schwanenvermählte
Frauen weinten im Zug.

Quartäre Zyklen — Szenen,   25
doch keine macht dir bewußt,

ist[7] nun das Letzte die Tränen
oder ist das Letzte die Lust
oder beides ein Regenbogen,
der einige Farben bricht,[8]   30
gespiegelt oder gelogen —
du weißt, du weißt es nicht.

3

Riesige Hirne biegen
sich über ihr Dann und Wann
und sehen die Fäden fliegen,   35
die die alte Spinne spann,
mit Rüsseln[9] in jede Ferne
und an alles, was verfällt,
züchten sich ihre Kerne
die sich erkennende Welt.   40

Einer der Träume Gottes
blickte sich selber an,
Blicke des Spiels, des Spottes
vom alten Spinnenmann,
dann pflückt er sich Asphodelen   45
und wandert den Styxen zu —
laß sich die Letzten quälen,
laß sie Geschichte erzählen —
Allerseelen[10] —
Fini du tout.[11]   50

Fragmente

Fragmente,
Seelenauswürfe,[1]
Blutgerinnsel des zwanzigsten Jahrhunderts —

Narben — gestörter Kreislauf der Schöpfungsfrühe,
die historischen Religionen von fünf Jahrhunderten zertrümmert,   5
die Wissenschaft: Risse im Parthenon,[2]

[1] i.e., the conception of the earth as the center of the universe, displaced by the Copernican astronomy   [2] decline, burning up, failure; allusion to the principle of entropy, from which it has been surmised that the energy yielded to produce physical events will ultimately give out   [3] Stygian; dark, gloomy (from the river Styx, in Greek mythology, which separates the underworld from this world)   [4] *Odyssey* XI. Odysseus tells of his communion with the souls of the dead;

he uses these exact words.   [5] = fragte   [6] i.e., Europa and Leda, who had been visited by Zeus in the forms of a bull and swan respectively   [7] whether ... is   [8] refracts   [9] tentacles   [10] All Souls' Day (November 2) is a day of prayer for the souls in purgatory.   [11] end of everything

FRAGMENTE: From *Fragmente* (1951)   [1] soul garbage; *Blutgerinnsel* blood coagulation   [2] the temple of Athena on the Acropolis in Athens; here the symbol of classical beauty

Planck[3] rann mit seiner Quantentheorie
zu Kepler und Kierkegaard neu getrübt zusammen —

Aber Abende gab es, die gingen in den Farben
des Allvaters[4], lockeren, weitwallenden,   10
unumstößlich in ihrem Schweigen
geströmten Blaus,
Farbe der Introvertierten,
da sammelte man sich
die Hände auf das Knie gestützt   15
bäuerlich, einfach
und stillem Trunk ergeben
bei den Harmonikas der Knechte —

und andere
gehetzt von inneren Konvoluten,[5]   20
Wölbungsdrängen,[6]
Stilbaukompressionen[7]
oder Jagden nach Liebe.

Ausdruckskrisen und Anfälle von Erotik:
das ist der Mensch von heute,   25
das Innere ein Vakuum,
die Kontinuität der Persönlichkeit
wird gewahrt von den Anzügen,
die bei gutem Stoff zehn Jahre halten.

Der Rest Fragmente,   30
halbe Laute,
Melodienansätze[8] aus Nachbarhäusern,
Negerspirituals
oder Ave Marias.

Nur zwei Dinge

Durch so viel Formen geschritten,
durch Ich und Wir und Du,
doch alles blieb erlitten
durch die ewige Frage: wozu?

Das ist eine Kinderfrage.   5
Dir wurde erst spät bewußt,

es gibt nur eines: Ertrage
— ob Sinn, ob Sucht, ob Sage —
dein fernbestimmtes: Du mußt.

Ob Rosen, ob Schnee, ob Meere,   10
was alles erblühte, verblich,
es gibt nur zwei Dinge: die Leere
und das gezeichnete[1] Ich.

[3] Max Planck (1858–1947) noted physicist; author of the quantum theory in mechanics, which states that energy is absorbed or radiated discontinuously. The "randomness principle" which grew out of the quantum theory seems to shatter the orderly universe conceived by Kepler in his laws of motion and to lend weight to the irrationalism of Kierke- gaard. The fusion of rationalism with irrationalism has brought about a new murkiness (neu getrübt). [4] i.e., the traditional God [5] twistings or coilings (characteristic of baroque architecture) [6] the same as *Konvoluten* [7] architectural compressions; allusion to the functional style in 20th-century architecture [8] scraps of melody

NUR ZWEI DINGE: From *Destillationen* (1953) [1] marked i.e., cursed; also: sketched or formed

Kann keine Trauer sein

In jenem kleinen Bett, fast Kinderbett, starb die Droste[1]
(zu sehn in ihrem Museum in Meersburg),
auf diesem Sofa Hölderlin[2] im Turm bei einem Schreiner,
Rilke, George wohl in Schweizer Hospitalbetten,
in Weimar lagen die großen schwarzen Augen   5
Nietzsches auf einem weißen Kissen
bis zum letzten Blick —
alles Gerümpel[3] jetzt oder garnicht mehr vorhanden,
unbestimmbar, wesenlos
im schmerzlos-ewigen Zerfall.   10

Wir tragen in uns Keime aller Götter,
das Gen[4] des Todes und das Gen der Lust —
wer trennte sie: die Worte und die Dinge,
wer mischte sie: die Qualen und die Statt,
auf der sie enden, Holz mit Tränenbächen,[5]   15
für kurze Stunden ein erbärmlich Heim.

Kann keine Trauer sein. Zu fern, zu weit,
zu unberührbar Bett und Tränen,
kein Nein, kein Ja,
Geburt und Körperschmerz und Glauben   20
ein Wallen, namenlos, ein Huschen,
ein Überirdisches, im Schlaf sich regend,
bewegte Bett und Tränen —
schlafe ein!

KANN KEINE TRAUER SEIN: Written June 1, 1956; published in *Gesammelte Gedichte* that same year [1] Annette von Droste-Hülshoff [2] Hölderlin spent the last 30 years of his life in insanity at the home of a cabinetmaker. [3] rubbish [4] gene; allusion to Freud's libido and death instinct (see p. 62) [5] a wooden bed on which tears are shed (in illness or approaching death)

Hans Carossa · 1878–1956

Carossa was descended from an Italian family which settled in Germany. His father was a physician, and the son too practiced medicine since the age of twenty-four. For many years his home was Munich; after retirement he lived near Passau in Bavaria.

In 1910 Carossa brought out a slim volume of poems which won the commendation of Hugo von Hofmannsthal. Thereafter he published regularly both in verse and prose. He was awarded various distinctions, including the Goethe prize, the Gottfried Keller prize, and the San Remo prize from Italy.

Carossa was a subjective writer in the same sense as Goethe was; life was a process of self-cultivation for him and he describes this education for life in the series of autobiographical books for which he is best known. The spirit that pervades these works is something unique in our turbulent world. They breathe a serene wisdom which results from digesting the totality of experience, not from suppressing or avoiding its unpleasant sides or from dwelling exclusively on these. Like Albert Schweitzer, he balanced his intellectual activity with practical service to humanity. He put into practice the prescription for the good life that Goethe gave at the end of *Wilhelm Meister*.

The autobiographical writings comprise the following: *Eine Kindheit* (1922), *Verwandlungen einer Jugend* (1926), *Führung und Geleit* (1933), *Das Jahr der schönen Täuschungen* (1941), *Ungleiche Welten* (1951). He has written poetry and some fiction.

Begegnung mit Rilke

Bevor ich meinen Weg zu den europäischen Schlachtfeldern[1] einschlug, empfing ich eine Segnung: Rainer Maria Rilke begegnete mir. Die junge Regina Ullmann[2], deren eigenwüchsig starke Verse und Erzählungen schon damals viele aufhorchen machten, sie hatte mich ermutigt, den Dichter in einem Atelier aufzusuchen, wo er meistens den Nachmittag verbrachte; er sei vorbereitet, es bedürfe keiner besonderen Anmeldung. Ich kam vor das Haus, als Rilke selbst gerade darauf zuging. Er sah mich an mit einem Blick, der scharf, aber völlig abwesend war. Es wollte mir nicht mehr schicklich vorkommen, den Besuch zu verschieben: denn dies hätte ich am liebsten getan. Der gar nicht auffallende schmächtige Mann, der da in dunkelblauem Anzug, mit weichem, schwarzem Hut und grauen Gamaschen[3], die Hände auf dem Rücken, die Straße überquerte, schien mir nämlich in einer Verfassung, in der es nicht erlaubt sein sollte, einen Menschen anzusprechen. Fremde, die ihn flüchtig angesehen hätten, konnten glauben, irgendein schlichter Grübler schlendere lebensmüde seiner traurigen Wohnung zu. Je näher ich kam, um so stärker fiel mir das Erloschene[4] seines Gesichtes auf; ein großer Waldvogel, den ich einmal sterben gesehen,

hatte mir einen ähnlichen Eindruck hinterlassen. Mich konnte es keineswegs befremden, daß ein Mensch, der sich an ungewöhnliche Leistungen hingab, auch einmal ungewöhnlich ermüdet aussah, und hätte ich vollends gewußt, daß damals bereits jene sieghaften Klagen in ihm zu erklingen begannen, die später als „Duineser Elegien" berühmt geworden sind, so wäre mir sein Aspekt noch begreiflicher gewesen. Wer an solchen Dichtungen spann, der mußte sich immer wieder wie ein Perlentaucher auf den Grund seiner eigenen Seele hinunterlassen, wo er Gefahr lief, dem Druck der oberen Schichten zu erliegen und den Rückweg zu verfehlen.

Wir befanden uns nun gerade gegenüber; es gab kein Ausweichen mehr, und ich stellte mich ihm vor in dem halben Gefühl, ein Unrecht zu begehen. Wirklich machte Rilke, als ich den Hut zog, eine ängstlich-unwillige Bewegung; doch begütigte ihn die Nennung meines Namens, und froh erkannte ich, daß es ihm schon nicht mehr schwer war, aus der Perlentiefe zurückzukehren. Seine Augen waren sehr blau in dieser Minute; ein Blick voll hellen Lichtes kam aus ihnen, ein Blick, der auf einmal knabenhaft vergnügt und unbeschreiblich sanft war. Er gab mir die Hand und sagte, ihm sei, als kenne er mich sein Leben lang. Während ich aber nun mit ihm die vier Treppen zu dem Atelier hinaufstieg, mußte ich mir eingestehen, daß ich in seiner Dichtung noch nicht so voll-

The essay reprinted here is a section from *Führung und Geleit*. [1] i.e., of the First World War, in which Carossa served in the medical corps [2] a minor Austrian poetess (1884–); *eigenwüchsig* = indigenously [3] spats [4] expressionless quality

kommen zu Hause war, wie sie es verdiente, ja, daß ich sie sogar eine Zeitlang, irregeführt von der Art, wie manche sie nachahmten und alles außer ihr ablehnten, gemieden hatte. Seit meinen Schülerjahren las ich außer vielem Neuen immer wieder Homer, Shakespeare und Goethe, von Zeit zu Zeit auch Karl Wittes Dante-Übertragung. Die Kern- und Sternworte[5] Goethes hatten meine Jugend genährt, eine Gestalt wie Mignon mich mancher Verzweiflung entrissen; zu diesem Geiste hielt ich mich und verglich die Forderungen der Gegenwart mit den seinigen. Mehrmals aber war es nun geschehen, daß Freunde, die dem Bann des Rilkeschen Gedichts erlagen, Goethe künftig nicht nur gern entbehrten, sondern ihn herabredeten und verwarfen. Mir war dies vorgekommen, als wollte man in einem Garten, wo ein Flor neuartiger wunderschöner Rosen aufgegangen ist, von nun an nur noch diese züchten und bewundern, den edlen traubenvollen Rebstock aber, der die sonnige Spalierwand überbreitet, keiner Hege und Pflege[6] mehr würdigen. Meinen stillen Widerstand besiegte auch das „Stunden-Buch" nicht ganz; das „Buch der Bilder" aber, das allerschönste, kühnste seiner Jugendwerke, war mir unbekannt geblieben. Es waren die zwei herrlichen Requiem-Gedichte, die mich zuerst fühlen ließen, wer eigentlich Rilke war. Diese großen Totenklagen tönten[7] mich im ersten Augenblick bald wie Hamlet, bald wie Hofmannsthals „Alkestis" an; aber von Vers zu Vers ergreifender klang mir das Andere, das Eigene, entgegen, die Überwindung der Todestrauer durch den großen seligen Verzicht, die tragische Sprache einer neuen Menschheit. Jetzt war ich vorbereitet, auch den „Malte Laurids Brigge" aufzunehmen, und seine wichtigsten Seiten trafen mich an Tagen, wo sie mich über manche Schwierigkeit wegheben konnten. Der unverhoffte Ton, der bald entzückende, bald quälende Fremdglanz der Vergleiche, das unerbittliche Zu-Ende-Denken und Zu-Ende-Sehen, das nur der Einsame, von allen bürgerlichen Bindungen frei Gewordene wagt, dies alles mußte mich um so stärker be-

wegen, als eben diese Bindungen für mich das Unerläßliche waren. Später mahnte mich Hofmannsthal, die „Neuen Gedichte" zu lesen, und es ist wohl verständlich, daß mir gerade diese in jedem Betracht neuen Versgebilde lebhaft vorschwebten, als ich nun dem Dichter in der lichtreichen terpentindurchdufteten Malerwerkstatt gegenüber saß. Hier zeugte alles für den großen Fleiß der Loulou Albert-Lazard, der dieser Raum gehörte; die Wände hingen voll fertiger und unfertiger Bilder; einige waren geheimnisvoll gegen die Mauer gekehrt. Es war aber, als ließe die Gegenwart des Dichters keines der Gemälde zur vollen Geltung kommen; sie schienen für diesmal nur dazu bestimmt, in dem Gast einen tieferen Sinn für jene farbenvollen Strophenkünste zu erwecken. Sooft ich die ausgezeichneten Porträts und Landschaften genauer ansehen wollte, stiegen zwischen Leinwand und Auge die unvergeßlichen Gesichte[8] der Hetärengräber, des Panthers, des Karussells oder des großen Magnifikats empor.

Viele, die mit Rilke Gespräche geführt haben, rühmen seine unnachahmliche Art, sich selber in den Schatten zu stellen und alles Licht auf entlegene Dinge zu lenken oder wohl auf eine der anwesenden Personen, die es weniger störte als ihn. Erzählte er etwa von seinen Reisen, so schaltete er sich dabei völlig aus; man freute sich der stillen Leuchtkraft, womit er spanische, russische oder ägyptische Landschaften beschrieb, und fragte sich erst nachträglich, ob diese kostbaren Schilderungen nicht am Ende nur dazu gedient hatten, das tiefe Tal der Seele zu verbergen, wo seine Gedichte wuchsen.

Kam jedoch die Rede wirklich einmal auf seine Bücher, so konnte ein Uneingeweihter, in alten Vorstellungen Befangener erst recht befremdet werden; denn Rilke sprach von der Dichtung immer nur wie von einem Handwerk, als wäre die Bemühung alles, die Eingebung nichts. Gewiß war es zum Teil ein Ausdruck seiner Güte, seiner adeligen Höflichkeit, wenn er so tat, als setzte er bei dem Zuhörer eine Musik des Innern gleich der seinigen voraus; aber man spürte doch bald, wie sehr es ihm Ernst war,

---

[5] i.e., writings which deal with the profound, basic ideals (*Stern*) of mankind   [6] Hege und Pflege = care   [7] *tönten an* = sounded

[8] visions. The following words are titles of poems by Rilke. *Der Panther* and *Das Karussell* are reprinted on p. 227.

wenn er sein Schaffen immer nur als eine Arbeit gelten ließ und von den Gewächsen der Sprache so demütig redete, wie Cézanne[9] von dem Vorgang des Malens gesprochen haben mag. Zum Glück war ich, spät genug, auf eine Stufe der Einsicht gelangt, wo ich ihn verstehen konnte. Die große gottglühende Morgenzeit, wo ein Pindar[10] Hunderte von Hymnen aus der griechischen Seele hervorsang, die ist vorüber; und als Hölderlin unter Deutschen etwas Verwandtes begann, wurde er mit Wahnsinn geschlagen. Von wenigen Freunden begleitet, geht heute der Dichter durch überwache[11] Tage und Nächte; es gibt kein Zwielicht mehr, das seinen Traum beschützt, überall stellen ihm Geister nach, die ihn übersteigern, ihn aus einem Hellseher zum Grellseher[12] machen möchten. Er bedarf nicht nur einer heroischen Geduld, sondern auch einer heiligen List, um das Gebot seiner Seele zu erfüllen, und es könnte dazu kommen, daß er mit einer Geheimsprache beginnen muß, um nicht zu früh erkannt zu werden. Die Wünschelrute[13] zuckt wohl auch in seiner Hand; aber breite starre Schichten liegen zwischen dem gewohnten Leben und jener Tiefe, wo Gesang entsteht. Und wie man an manchen Orten lange graben muß, um auf Wasser zu stoßen, so ist es wohl möglich, daß heute nur noch eine Folge vieler Versuche den verschütteten Quell erschließen kann. Dem jungen Rilke waren seine Verse ungemein leicht gelungen; in der Weise des „Stunden-Buchs", meinte er einmal, hätte er noch lange fortfahren können. Mit den Jahren aber wuchsen seine Forderungen an die eigene Kunst; er wollte tiefer schürfen und schauen. Von Rodin[13a] habe er gelernt, einen Baum, ein Tier, eine Statue, einen Menschen oder auch eine überlieferte Figur der Geschichte so oft und so eindringlich anzusehen, bis auf einmal eine wesenhafte[14] Erscheinung des Betrachteten in ihm auftauchte. Ganz unbekannt war mir diese Verfahrungsart[15] nicht; ein kleiner anthroposophischer Aufsatz, der mir vor Augen gekommen, sagte das nämliche aus; doch hielt ich solche geistigen Schulungen für viel zu schwierig und langwierig[16], um sie etwa mir selber zuzutrauen. Auch bildete ich mir ein, sie könnten bloß für die ruhenden Dinge gelten, weniger für die stark bewegten und am wenigsten für den Menschen. Über diesen mußten Schicksale kommen, die ihn in verwirrend große Lagen brachten; diese nötigten ihm dann die unvergeßlichen Gebärden ab, die gedrängten[17] Worte, die tiefen zarten Hauche, die sein Geheimstes zum Ausdruck brachten. Vielleicht fand ich es überhaupt unheimlich, gleichsam den Strom des eigenen Lebens anzuhalten, damit ein Werk entstände. Etwas östlich Fremdes glaubte ich da in unsere deutsche Träumerwelt hereingekommen, Yoga-Geist[18], der nicht mehr arglos die singende Natur in sich trägt, vielmehr mit Willensgewalt seine Strahlen durch das Brennglas der Seele hindurch auf einen Punkt vereinigt, bis dieser sich tönend entzündet. — „Herrlich ist es, ein Ding zu schauen, — furchtbar, es zu sein", — auch dieses ungeheure Buddha-Wort war ja bereits im Abendland erklungen; ich begriff es noch nicht in seiner ganzen Bedeutung; wenn ich freilich den alten Goethe las, dann war mir, als hätte dieser es längst gekannt, nur daß er sich seine göttlich fließende Spiegelruhe bewahrte, sich nicht auf die Anstrengung einließ.

Welche Wunder entstehen, wenn solche Versenkung unter der Leitung eines Genius geschieht, das haben wir an herrlichen Gedichten Rilkes mit reiner Beglückung erlebt. Sie sind aber durchaus einmalige Gebilde, kostbare Filtrate, die nur ihm gelingen konnten, weshalb ihn auch alle Nachahmungen so peinlich berührten. Er allein wußte ja, wieviel diese Ergebnisse ihn gekostet hatten, und fühlte tiefer als irgend ein anderer ihre Unwiederholbarkeit. Jeder minder Begabte, der sein inneres Sehvermögen so schonungslos ausnützen, die Dichtung solchermaßen wie höhere Mathematik betreiben wollte, wie bald käme er in Gefahr, von den strömenden

---

[9] Paul Cézanne (1839–1906) was deeply admired by Rilke. [10] the greatest lyric poet of ancient Greece (*c.* 518 – *c.* 438 B.C.) [11] all too awake, i.e., overconscious [12] clairvoyant ... strident seer [13] divining rod [13a] During the years 1905–1906 Rilke was a sort of private secretary to the French sculptor Auguste Rodin (1840–1917), about whom he wrote a book. [14] essential [15] method of procedure

[16] complicated [17] terse [18] the spirit of Yoga; in the Hindu religion, a discipline of intense concentration upon something, designed to bring about an identity of consciousness with the object contemplated

Kräften des Alls abgeschnitten zu werden! Und ob nicht sogar die „Duineser Elegien" selbst auf Kosten eines lebenswichtigen Organs erwachsen sind, das ist eine Frage, die manchmal den ärztlichen Sinn beschäftigt.

Es kommt bei jedem Ausspruch so sehr darauf an, wer ihn tut, und man brauchte nur eine Viertelstunde bei Rilke zu sein, um zu spüren, wie guten Gewissens gerade er seine Bahn aufzeigen und von seinen Bemühungen sprechen durfte. Damit hing es auch zusammen, daß man sich in seiner Nähe so frei fühlte; er lehrte nicht, forderte nicht, nötigte nicht auf; alle Kämpfe waren in einsamen Stunden längst von ihm geleistet, und der Gast an seinem Tische sah nur Glanz und Fülle der eroberten Provinzen.

Daß auch einem so Hochgesegneten, äußerlich Unbehinderten die Gedichte nicht mehr einfach zuflogen, dies entsprach wohl einem tiefen Gesetz. Was aus dem bloßen Talent hervorgeht, hat meistens ein langsames Wachstum; darüber kann jeden die eigene Entwicklung belehren. Mir hatte wie manchem anderen in der Schülerzeit ein Abend genügt, um ein Hochzeitskarmen[19] und gleich darauf einen Nekrolog[20] zu liefern; seit ich aber, durch alte und neue Dichter gemahnt, von innen heraus zu formen versuchte, ging es anders zu. Kleine Gedichte konnten auch jetzt noch auf einmal entstehen; fast alle größeren aber blieben zunächst halbfertig liegen, bis mir das eine oder andere nach Wochen oder Monaten wieder vor Augen kam; nun erst gliederten sich die fehlenden Strophen meistens mühelos an. Die Prosa verhielt sich nicht anders. Ein hellsichtiger Freund, der durch Erbschaft Eigentümer eines weit entfernten hübschen Hauses geworden war, erzählte mir, er habe dieses Anwesen bereits in den Jahren vorher schlafwachend oft vor sich gesehen, aber nie das Ganze auf einmal, sondern immer nur Einzelheiten, zuerst einen Teil der Dachziegel, später zwei klematisbewachsene[21] Wände, dann Haustür, Altane[22] und Garten, und so nach und nach, wie in einem Zusammensetzspiel[23], den ganzen Besitz. Diesem unberechenbaren, diesem nur stückweisen In-die-Erscheinung-Treten ähn-

elte sehr die Schreiberei[24] meiner letzten Jahre, und wie oft kam es vor, daß die Stelle, die ich für einen guten Anfang gehalten, sich nachher als der einzig mögliche Schluß erwies. In diesem Vorgang hatte ich stets etwas Ordnungswidriges[25] gesehen und, wie über ein heimliches Gebrechen, darüber geschwiegen. Um so sicherer, brausender[26] und genialer dachte ich mir den Vorgang der Gedichtwerdung bei den anderen und atmete ein wenig auf[27], als Rilke von seinen neubegonnenen Sachen sehr bescheiden als von einer schwierigen Arbeit sprach, mit ganz geringer Aussicht auf Gelingen. Wie frei, wie festlich aber klang in seinem Munde auch dieses erdenschwere Wort „Arbeit". Wer es hörte, dem mußte, wenn er noch so müde war, ein frisches Vertrauen in das eigene Vermögen überkommen.

Als ich Rilke bat, mir etwas vorzulesen, zögerte er nicht einen Augenblick, holte ein schwarzes Merkbuch[28] und begann jenes wundersame, in Prosa geschriebene Erlebnis vorzutragen, das er später in einem Almanach der Insel[29] veröffentlichte. Diesem ließ er einen zweiten, kleineren Absatz folgen, der sich in der Ausgabe seiner Werke nicht findet. Ruhig, in klarem, schwingendem[30] Ton las er die gründlich durchgeformten[31] Sätze und war gerade zu der mystischen Wendung gelangt, wo der Baumgeist in die Seele des an den Stamm gelehnten Lesers herüberschwebt, als ein dunkelgekleidetes Mädchen mit weißer Schürze den Tee hereintrug, auf den Parkettboden ausglitt und Brett, Kannen, Tassen und Löffelchen fallen ließ. Geklirr und Geschepper[32] mögen gewaltig gewesen sein; aber sonderbar: man hörte sie und hörte sie auch nicht. Keinen Augenblick wurde das ruhige Gefälle[33] des Vortrags unterbrochen; die Störung blieb außerhalb des magischen Kreises. Es war, als träfe die nicht gar laute Stimme des Dichters auf besondere, sehr tiefliegende Hörnerven, Antennen der Seele, die jenen alltägli-

[19] wedding song [20] obituary [21] overgrown with clematis [22] portico [23] jigsaw puzzle

[24] scribbling [25] contrary to order [26] more effervescent (i.e., inspired) [27] drew a sigh of relief [28] notebook [29] The Insel Verlag, like other German publishing houses, used to publish an annual "Almanach," which contained extracts from works which had appeared recently or would appear in future. [30] cadenced [31] carefully constructed [32] rattle and clatter [33] cadence

chen Lärm gar nicht aufnahmen; und als Rilke endete, war nicht eine Silbe des Gelesenen verlorengegangen. Auch die Dienerin schien dies zu spüren; unbekümmert, als befände sie sich allein im Raum, stellte sie die Ordnung wieder her und holte neue Gedecke, als wäre nichts geschehen.

Diese kleine Begebenheit fällt mir heute noch jedesmal ein, wenn auf Rilke die Rede kommt und mancher sonst gescheite Freund es nicht verstehen kann, daß der Vers dieses Dichters, der so leicht und spielerisch begonnen, sich nach und nach stärker erwies als mancher andere, der großartiger, dröhnender, stürmischer eingesetzt hatte. Es gibt Leute, die es der Nachtigall ewig vorwerfen, daß sie kein Adler ist, und mancher sucht Rilke dadurch herunterzusetzen, daß er seiner Dichtung die elementare Männlichkeit abspricht, vielleicht, weil er kaum jemals ein eigentliches Liebeslied geschrieben hat. Es gibt aber verschiedenartige Auswirkungen des Männlichen, und wenn es einem Künstler nicht beschieden ist, mit einer Frau in großer metaphysischer Verbindung zu leben, so müssen wir ihm schon gestatten, daß er sich mit allen herrlichen und unscheinbaren Dingen der Welt so geistig-innig verheiratet, wie sein Ingenium[34] es zuläßt. Was aber das Elementare angeht, so ist es immer jedem erkennbar. Die meisten bezeichnen heute eine Dichtung als elementar, wenn sich der Mensch darin als ungezügeltes Tier enthüllt und alles von anderen langsam Aufgebaute über den Haufen wirft[35]. Sie übersehen dabei nur, daß der also entfesselte Mensch im Grunde nichts ausrichtet; er kann wohl ein wenig vergewaltigen, morden und niederbrennen, aber es wird nichts durch ihn bewegt, nichts gestiftet, nichts gegründet. Wie sehr zart und musikalisch das Elementare sich offenbaren kann, das wußte Shakespeare, als er den Ariel[36] schuf, den traumleichten Luftgeist, der aber mit Gewitterstürmen spielt und singend Schicksale fügt[37]. Rilke litt, wie alle, die nahe der Chaosgrenze wohnen, an einem Gefühl dauernden Bedrohtseins, war überaus reizbar und seiner Gesundheit nicht sicher; er mußte seine Kunst behandeln wie eine kostbare Geige, die durch schlechtes Wetter leicht verstimmt wird. Groß war auch zeitweise die Befürchtung in ihm, vom eigenen Mittelpunkt abgetrieben zu werden; dann blieb er stehen, um auf sein Gesetz zu horchen. Das waren die Pausen, die er, wie wir nach Jahren erfuhren, mit Übung ausfüllte. In Tagebüchern und in Briefen, die er oft weniger an den Empfänger als an sich selber schrieb, errang er sich Aufschluß über sein Wesen und seine Berufung. Von Rilkes Briefen war bei solchen, die ihm nahe standen, immer viel die Rede gewesen; an Ausdruckskraft und Schönheit wurden manche den Gedichten gleichgestellt. Zuweilen erhielt man den einen oder andren vorgelesen, und wenn man auch von der Fülle, die später ans Licht kam, noch nichts wußte, so offenbarte doch schon das wenige diesen unabhängigen, leidenschaftlichen Geist in seinen vielen Formen: bald als den Bildner[38], der sich zur Geduld bezähmt, indem er die Stunde des Gedichtes abwartet und einstweilen, studienhaft, eine Landschaft, ein Gartenstück oder ein Kleid mit wenig Worten zu überraschender Anschauung[39] bringt, oder als den tief Erkenntlichen[40], der den ganzen Goldgehalt einer Stunde ausschöpft und ihn durch unvergeßliche Prägungen[41] verewigt, bald auch als den Trauernden, der es nicht fassen kann, daß er von allem unschuldigen Genuß des Daseins ausgeschlossen ist, dann wieder als den Mutwilligen, der Menschen und Vorgänge mit plastischem Humor durchleuchtet, zuweilen sogar als den sorglich rechnenden Schriftsteller, der sehr bescheiden den vermutlichen Ertrag seiner Arbeit abschätzt, immer aber als den unerbittlichen seiner Sendung bewußten Künstler, der allem behaglichen Hausglück[42] entflieht, um die Stimmen der Tiefe nicht zu überhören. Diese Würde, diese Königlichkeit inmitten vieler Leiden und Flüchte glänzt nie schöner auf, als wenn er einem Jüngeren, der ihn um Rat gebeten[43], über letzte Geheimnisse die Augen öffnet oder ihn herzlich-ernst auf den eigenen Dämon[44] verweist. Und nirgendwo, weder in der Dichtung noch in den Briefen dieses vielfach

---

[34] genius [35] destroys [36] in *The Tempest* [37] settles

[38] creator [39] visibility [40] knower [41] formulations
[42] domestic happiness [43] allusion to the *Briefe an einen jungen Dichter* [44] inner spirit

Geängstigten, oft seine Schwäche Eingestehen-
den, finden wir ein müdes, ein feiges, ein un-
festes Wort; hinter der kleinsten Mitteilung
steht einer, der sein Leben an seinen Dienst setzt
und um dieses Dienstes willen sich die größte
menschliche Freiheit vorbehält. Und dieser
Dichter sollte nicht ein heldenhafter Mann gewesen sein?

Als ich in jener bildertragenden Werkstatt
Rilke gegenüber saß, wußte ich noch wenig von
seinen Kämpfen, Leiden und Zweifeln; er war
mir der Freie, der Glückliche, der, überreich an
Zeit, nur seinen Gesichten lebte. Wenn er klagte, er sei nirgends zu Hause, so erschien er mir
doppelt beneidenswert; ich sah in ihm den
ewigen Gast, dem alles immer neu ist, dem sich
jedes Haus, das er seines Besuches würdigt, von
seiner schönsten Seite zeigt, ohne ihm Pflichten
aufzuerlegen. Eine solche Daseinsform war genau
das Gegenteil der meinigen; denn die Wohnungen, die mich erwarteten, bemühten sich keineswegs, mir zu gefallen; vielmehr fand ich mich
immer sofort an die dunkelste, schadhafteste
Stelle geführt. Daran aber wollte ich mich in
Rilkes Nähe nicht erinnern, war vielmehr von
Herzen froh, mein ärztliches Treiben, als wär's
ein nicht ganz ehrliches Gewerbe, für ein Stünd-
chen[45] unterschlagen zu dürfen und mit ihm
über die Welt, Natur und Kunst zu sprechen,
wie ich mir oft vorgestellt hatte, daß Dichter
miteinander reden. Dabei merkte ich kaum, daß
er durchaus der Gebende blieb, und erschrak ein
wenig, als er doch um eine kleine Gegengabe
mahnte; denn es war eben jene, die ich im Augenblick als die unwürdigste empfand. Lächelnd
bekannte er, seit er das „Tagebuch Doktor Bür-
gers" gelesen, werde er den Wunsch nicht los,
über meinen Umgang mit Kranken soviel wie
möglich zu erfahren, ja mich vielleicht selbst
einmal, mancher Beschwerden wegen, zu Rate
zu ziehen[46]. Keineswegs fehlte mir der Sinn für
das Ehrenvolle dieses Zutrauens; doch ließ mich
eine gewisse geistige Benommenheit nicht gleich
erkennen, welch schöne Aufgabe mir da zu-
gedacht war, und vor allem bezweifelte ich
meine Fähigkeiten. Kranker Dichter war mir
damals ein Begriff wie dunkle Sonne, und über-

dies konnte ich die Physis[47] eines Wesens wie
Rilke unmöglich für so einfach halten wie die
irgendeines andern; sie zu behandeln hielt ich
für ein großes Unterfangen, das ich lieber einem
Geeigneteren überließ. Ich legte mir schließlich
sein Ansinnen als eine Art Höflichkeit aus, und
als nun Lou Andreas-Salome[48] und Loulou
Lazard hereinkamen, da hoffte ich, diese beiden
Frauen würden sogleich andere Dinge zur
Sprache bringen. Bald folgte Regina Ullmann;
ich gedachte der anmutigen quellenhaften[49]
Weise, wie sie Geschichten zu erzählen pflegte,
und wünschte nur, der Fabuliergeist[50] möge sie
jäh mit feurigen Zungen überfallen. Zunächst
jedoch wickelte sie aus weißem Seidenpapier ein
Bündel Sanddornzweige[51] und bat um eine
Vase, um sie hineinzustellen. Das glänzend
orangene Beerengedräng[52], aus dem nur sehr
wenige weißgraue Blattspitzen standen, hielt
aber nicht so fest zusammen, wie es aussah;
viele Perlen sprangen ab und betupften das
klösterlich[53] dunkle Kleid der Dichterin, die nun
vor allem bemüht sein mußte, die stark fär-
benden Fleckchen auszulöschen. Sie sah etwas
verschlossen[54] aus an jenem Tag, und während
sie das leuchtende Gezweig einfrischte, unter-
stützte sie, ohne es zu wissen, Rilkes Wunsch,
indem sie über ein krankes Kind berichtete, die
kleine Tochter eines Eisendrehers[55], die sie
wenige Tage vorher meiner Behandlung zuge-
führt hatte. Der Fall war ungewöhnlich, und
Rilke nahm großen Anteil an ihm. Fragen
stellend lockte er mich ins Beschreiben und
Erklären hinein und hörte den aufregenden
Krankengeschichten, die sich nun auseinander
ergaben, so andächtig zu, als wären's Gedichte.
Dabei wurde er immer ernster und stiller, und
auf einmal, mit verlorenem Lächeln, erklärte er,
das ärztliche Geschäft sei doch das klarste, schönste, behüteteste[56] von allen, er selbst habe in
seiner Jugend Medizin studieren wollen und
hoffe, es sei dafür noch nicht zu spät.

---

[47] physical composition [48] a woman of remarkable intellect,
friend of Nietzsche, Rilke, and other prominent intellectuals
and artists and a minor writer herself (1861–1937).
[49] ebullient [50] spirit of romance [51] sea buckthorn
branches [52] cluster of berries [53] monastic, i.e., severely
simple [54] uncommunicative [55] iron worker [56] most
protected

---

[45] recess [46] consult

Schweigen folgte diesen Worten; wer sie gehört, mußte sich wohl nach der tieferen Bedeutung dieses Wunsches fragen; aber gewiß hielt keines ihn für erfüllbar. Keines konnte glauben, daß diesem heiligen Gefangenen seines Auftrags[57] jemals eine Flucht in bürgerliche Tätigkeit, und wäre sie die menschlichste, erlaubt sein würde. Die drei Frauen, die in ziemlicher Entfernung voneinander saßen, schauten vor sich hin, als blätterten sie in den Büchern ihrer Erinnerungen; es war wunderbar zu fühlen, wie wenig sie einander glichen, wie aber der mächtige Bann des einsamen Dichters die eine mit der anderen verband. Mir jedoch war der Beruf, den ich vor einer Stunde gern verleugnet hätte, durch Rilkes Äußerungen wieder zugehöriger geworden; ich sagte es ihm, als ich mich zum Abschied erhob. Er lächelte wie einer, der auf Überraschung sinnt, und bat mich, doch noch eine Minute Platz zu nehmen. Dann öffnete er einen kleinen Wandschrank, der Mappen und Bücher enthielt, und auf einmal sah ich das blaue Bändchen meiner Verse in seiner Hand. Er schlug es auf, trat in das abnehmende Fensterlicht und las die ziemlich unebenen Strophen eines jugendlichen Morgengang-Gedichtes langsam und mit so tiefem Hall

[57] prisoner of his (poetical) mission

in den schon dämmerigen Raum hinein, daß ein Gefühl von ungemeiner Weite entstand. Und wie er mich vorhin dem ärztlichen Tagwerk neu verpflichtet hatte, so wußte er nun, durch veredelnden Vortrag, ein unruhig schillerndes Rhythmengefüge wie ein wirkliches Gedicht, von allen Mängeln befreit, seinem Verfasser hinzureichen.

Durch erleuchtete Straßen heimgehend, fand ich mich fester als jemals entschlossen, den kürzesten Weg zum Dienst im Felde zu suchen. „Raube das Licht aus dem Rachen der Schlange[58]!" Seit Monaten rief mich das dunkle Wort, und gewiß war ich nicht der einzige, der draußen irgendeinen tieferen Wert in sich zu finden hoffte. Nun hatte der länderkundige[59] Dichter auch meinen alten Drang in die Weite wieder verstärkt, und um diesen zu stillen, gab es für einen Deutschen damals nur einen Weg. Mittlerweile war das Münchener Sanitätsamt[60] meinen Wünschen bereits entgegengekommen. Als ich am andern Morgen in der alten dunklen Augsburger Infanteriekaserne den gewohnten Tagesdienst beginnen wollte, lag auf dem Pult ein Marschbefehl nach Nordfrankreich.

[58] the motto of Carossa's war diary *Rumänisches Tagebuch*
[59] allusion to Rilke's extensive travels [60] Office of the Army Medical Corps

Josef Weinheber · 1892–1945

Weinheber began life in Vienna, the son of a butcher and a seamstress. The suffering and privation that filled his formative years settled indelibly into his consciousness and form the basis of his deep pessimism, although other factors undoubtedly contributed to his gloomy view of life. He was keenly aware of his own lack of rapport with the age, whose character and ideals filled him with contempt. Very revealing in this respect is the sonnet on Schopenhauer reprinted below. Like Schopenhauer, he escaped from pessimism in life into the transfigured world of art. Hölderlin and the Greeks were his masters; certainly Nietzsche's aristocratic ideals and perhaps Stefan George's art influenced him also. For Weinheber's emphasis on discipline and dignity in art, his cult of strict form to the point of a mathematically symmetrical structure, are reminiscent of George, although he lacked George's iron will and lofty ability to rise above the destructive element.

In a public lecture *Über den Unfug der Gebrauchslyrik*, he contrasts the verse that is produced for mass consumption with true lyric poetry. The latter, he asserts, is born from the artist's spiritual ascent into the noble realm of art, comes into being in some obscure attic in a small town far from the centers of mass civilization, is clothed in the tradition of the grand style, and deals with the great timeless themes. This is the clearest statement of his own ideal as a poet.

There can be no doubt that Weinheber is a master of the spoken word, a virtuoso in the use of the poet's tools. Yet it is difficult to escape the impression that his art is essentially a derivative one and lacks the original, authentic note that echoes from all the verse of George, Hofmannsthal, and Rilke.

Weinheber wrote a considerable body of prose, but he is essentially a lyric poet and his principal collections of verse are *Der einsame Mensch* (1920), *Adel und Untergang* (1934), *Späte Krone* (1936), *O Mensch, gib acht!* (1937), *Zwischen Göttern und Dämonen* (1938), *Kammermusik* (1939).

ର୍ତ୍ତ

Nur im Brausen des Blutes, das ineinander rinnt,
wähnen wir, daß unsre Seelen eins und beisammen sind.
Sonst sind wir immer einsam.
So wie die Seele des Windes, der durch die Wälder singt,
so wie die Seele der Wolke, die sich im Blauen schwingt,   5
ewig einsam die Menschenseele...
Was wir auch grübeln und fürchten und weinen und wandern,
keiner findet Brücke und Weg zu dem andern,
was er auch tut.
Nur wenn wir blind von der Flamme im Blute uns finden,   10
sind wir wie ausgeteilt in Wolken, Erde und Winden:
Sind wir gut.
Immer aber nur eine Weile lassen die Seelen sich täuschen,
von den lockenden lügenden tiefen Geräuschen,
drüber[1] die Brücken gehn.   15
Dann, mitunter in seligheißem Umarmen,
wachen sie auf und sehn sich allein und ohne Erbarmen
über dem Abgrund stehn —
und bisweilen zur Nacht in Dunkel und schweigendem Gehn
hört ein Einsamer plötzlich alle Gärten und Steine,   20
alle Wolken, Winde und Ackerraine,
hört er seine Seele und meine und deine
bang nach der großen Vereinigung flehn.

From *Sämtliche Werke*, Band I (1953), Band 2 (1954). NUR IM BRAUSEN DES BLUTES: Written February 16, 1916; published in *Der einsame Mensch* (1920) The second version of the poem is reprinted here.   [1] = worüber

Hymnus auf die deutsche Sprache

O wie raunt[1], lebt, atmet in deinem Laut
der tiefe Gott, dein Herr; unsre Seel,
die da ist das Schicksal der Welt.
Du des Erhabenen
starres Antlitz,   5
mildes Auge des Traumes,
eherne[2] Schwertfaust!

Eine helle Mutter, eine dunkle Geliebte,
stärker, fruchtbarer, süßer als all deine Schwestern;
bittern Kampfes, jeglichen[3] Opfers wert: 10
Du gibst dem Herrn die Kraft des Befehls und Demut dem Sklaven.
Du gibst dem Dunklen Dunkles
und dem Lichte das Licht.
Du nennst die Erde und den Himmel: deutsch!

Du unverbraucht wie dein Volk!   15
Du tief wie dein Volk!
Du schwer und spröd[4] wie dein Volk!
Du wie dein Volk niemals beendet!

Im fernen Land   20
furchtbar allein,
das Dach nicht über dem Haupte
und unter den Füßen die Erde nicht:
Du einzig seine Heimat,
süße Heimat dem Sohn des Volks.

Du Zuflucht in das Herz hinab,   25
du über Gräbern Siegel des Kommenden, teures Gefäß
ewigen Leides!
Vaterland uns Einsamen, die es nicht kennt,
unzerstörbar Scholle[5] dem Schollenlosen,
unsrer Nacktheit ein weiches Kleid,   30
unserem Blut eine letzte Lust,
unserer Angst eine tiefe Ruhe:

Sprache unser!
Die wir dich sprechen in Gnaden, dunkle Geliebte!   35
die wir dich schweigen in Ehrfurcht, heilige Mutter!

Hymnus auf die deutsche Sprache: Written in 1933;   [3] = jedes   [4] reserved, i.e., elusive   [5] soil
published in *Adel und Untergang* (1934)   [1] murmurs   [2] brazen

Schatten des Übergangs
(Auf die Schreibenden)

Mit feilem Zugriff[1] stiehlt der Geschäftige
das Leiden dir, mißhandeltes Vaterland!
   Dem wilden Läufer[2] dröhnt ein schnelles
     Lob ohne Wahl, und in deinem Namen.

Im Zwielicht bleibt der Mann, der dich männlich liebt,   5
vermünzbar[3] ward die Flamme, und Händlerhohn[4]
   erstickt das Große. Immer noch ist
     Adel nicht Ruhm, und der Lorbeer Schande.

Wer sein Gesicht[5] am Werke der Schmach verlor,
trägt nun ein Heldenantlitz? Du heilig Land,   10
   steh auf! Mit nacktem Fuß zertritt die
     tönende[6] Maske! Kein Schwert! Mit Fersen[7]

aus Zorn zertritt den frevelnden Mund! Daß Herz
Herz sei! Ruhm Ruhm! Und Erde, mit Blut getränkt,
   nie wieder solcher Leier Spiel und   15
     Lorbeer, mißbraucht, und in deinem Namen!

Im Grase

Glocken und Zyanen[1],
Thymian und Mohn[2].
Ach, ein fernes Ahnen
hat das Herz davon.

Und im sanften Nachen   5
trägt es so dahin.
Zwischen Traum und Wachen
frag ich, wo ich bin.

Seh die Schiffe ziehen,
fühl den Wellenschlag,   10
weiße Wolken fliehen
durch den späten Tag —

Glocken und Zyanen,
Mohn und Thymian.
Himmlisch wehn die Fahnen   15
über grünem Plan[3]:

Löwenzahn und Raden[4],
Klee und Rosmarin[5].
Lenk es, Gott, in Gnaden
nach der Heimat hin.   20

Das ist deine Stille.
Ja, ich hör dich schon.
Salbei und Kamille[6],
Thymian und Mohn,

und schon halb im Schlafen   25
— Mohn und Thymian —
landet sacht im Hafen
nun der Nachen an.

SCHATTEN DES ÜBERGANGS: From *Späte Krone* (1936). The
metre is alcaic, i.e., invented by the Greek poet Alcaeus:
lines 1 and 2: ≍/◡/◡/◡◡/◡≍
line 3: ◡/◡/◡/◡/◡◡
line 4: /◡◡/◡◡/◡/◡
But several feet in this poem are irregular.   [1] mercenary
snatching   [2] runner (in a race)   [3] venal   [4] tradesman's scorn
[5] vision   [6] sounding   [7] heels

IM GRASE: Source as above   [1] bluebells and cornflowers
[2] thyme and poppy   [3] field   [4] dandelion and corn cockle
[5] clover and rosemary   [6] salvia and camomile

Empor

Da wir aus Erde sind, geben
sie uns der Erde zurück:
streckend[1] das irdische Leben.
Aber darüberzuschweben,
ewig der Erd zu entstreben[2]   5
sei uns tiefstes Geschick!

Wer nicht den Mut hat zum Ende,
den frißt unten der Wurm.
Wer nicht den Mut hat zum Ende,
sehe, wie er es wende!   10
Selbst noch die heiligsten Hände
rafft ins Dunkel der Sturm.

Gebt euch der Flamme zur Bleibe[3]!
Nur die Flamme macht frei.
Daß es aus schwelendem[4] Leibe   15
gegen die Himmel treibe,
daß von der Erde nichts bleibe,
daß es vollendet sei!

EMPOR: Source as above   [1] i.e., ending; cf. *die Waffen strecken* = lay down one's arms   [2] strive away from   [3] permanence   [4] smouldering

In eine Schopenhauerausgabe

Er zeigte, Philosoph der Nichtigkeit[1],
das Menschliche: Uns, nackt. Er sah das Leiden,
er sah den Tod. Und wurde diesen beiden
die große Stimme gegen Wahn und Zeit.

Und, wie die Alten treu der Wirklichkeit,   5
ging er den harten Weg: Verzicht und Meiden.
Der Schwächling mag den herben Kern um-
          kleiden[2]:
Er pflückte blank[3] die Frucht, die uns gedeiht.

Er war der Feind der Halben und der Weiber.
Griesgrämig[4] schilt ihn ein nichtsnutziger
          Tadel,   10
der seinen Schwätzer will und Zeitvertreiber.

Er ist der Prüfstein, scheidend Art und Gaben.
Ihn lieben, heißt ein Mann sein und von Adel,
und ihn verstehn heißt, überwunden haben.

IN EINE SCHOPENHAUERAUSGABE: Written December 22, 1931; published in *Das Innere Reich* 1937; included in *Kammermusik* (1939). Title: Inscription in an Edition of Schopenhauer's Works   [1] nothingness, i.e., the state of Nirvana (extinction of individuality, desire, passion) which is the ethical ideal in Schopenhauer's philosophy   [2] veil, wrap   [3] naked, pure (as opposed to *umkleiden*)   [4] morose

Bertolt Brecht · 1898–1956

There is general agreement that Bertolt Brecht was a theatre director of genius. He was rich in ideas pertaining to effective staging, unhampered by the vanity of being original and therefore ready to borrow theatrical devices wherever he could find them. This eclectic flexibility spilled over into his literary work. Here too he borrowed and adapted, collaborated and commented, explained and justified. He even plagiarized himself. But always there was something for the spectator to carry home; the impact on audience or reader cannot be argued away.

Brecht was the son of a wealthy manufacturer from Augsburg in South Germany. He began the study of medicine and served in the medical corps during World War I. In 1920 he was made *Dramaturg* (critic and essayist) at the Munich Theatre. Two years later he went to Berlin as a director at Max Reinhardt's *Deutsches Theater*. His first three plays won him the coveted Kleist prize. He settled down to a productive literary life, which was, however, interrupted by the National Socialist seizure of power. He left Germany and moved from country to country, living in turn in Czechoslovakia, France, Denmark, Sweden, Finland, the United States (Hollywood). He did *not* settle in the Soviet Union, for which he broke so many a lance. In 1947 he returned to Europe. After a year in Zürich, he went to East Berlin, where he had his own theatre and organized a company that won acclaim for its performances of his and other writers' plays. But he also acquired Austrian citizenship and moved between Salzburg and East Berlin until his death.

Brecht entered literature as one of the disillusioned young men of the lost generation, writing cynical, nihilistic plays, as Gottfried Benn wrote nihilistic verse. To sneer at bourgeois society during the Weimar Republic was hardly a daring or original feat. But Brecht did not altogether sneer. The dynamism of life seemed to justify itself to him, no matter what results it produced and however deeply it might shock our ethical sensibilities. At any rate there is little direct criticism of society in his early works, and Brecht himself later wished to disown them and allowed them to be reissued with great reluctance.

His conversion to Marxism assumed the proverbial extremism of all conversions. By 1930 all of Brecht's writing was Marxist "propaganda," mostly direct, occasionally oblique. Its blatant didacticism ought to make it obnoxious to the cultivated aesthetic palate. But Brecht is so rich in artistic resources that he successfully carries the reader in spite of the doctrine, which is unpalatable to the liberal mind and which even casts its shadows on Brecht's personal integrity.

His armory is stocked with many and varied weapons. First there is his theory of epic theatre, which has been described in the general introduction (see p. 12). To this he added a readiness to introduce novelties such as film projections, tape recorders, songs, masks, placards, chanting choruses and music. More important is the fact that he developed a genuine folk tone, which really comes through. Hugo von Hofmannsthal tried it, but his folk plays (*Jedermann, Das Salzburger große Welttheater*) retain a literary flavor. Brecht is genuinely unliterary, even when he is clever and witty. He does not strive after realistic effects. Instead he adapts most successfully the techniques of the folk drama, the loose dramatic structure and direct appeal of Hans Sachs and the German romantics, the artless freshness of the *Bänkelsang* and the *Moritat*.

Brecht's diction is unsensuous, imageless, tough. That same hardness which led him to espouse the Spartan Marxist religion expresses itself in his style. He could have been a nature romanticist; but he would not permit himself the luxury. In a poem he laments that he must disregard the blooming apple tree to write of everyday political and social happenings. But to this choice he was driven by his social conscience.

The intellectual world in which Brecht lived is a curious place. Judged by western standards it is naively simple, grossly Machiavellian, harsh to the point of inhumanity. One cannot help comparing him to Shaw, also a stern moralist of the Marxist persuasion, but so much more human and humane. Both wrote drama of ideas; but whereas Shaw has an almost inexhaustible fund of themes, problems and conflicts, Brecht's store of ideas seems meagre and vague. He tells us repeatedly that society can stand improvement and must be improved. But how this is to be done is no concern of his; he leaves that to the sociologists and statesmen, whereas Shaw always lays down a blueprint for his reforms, both in the preface and in the play itself. For both men poverty is the ultimate social crime; as long as it exists, it is idle to talk of morality. Shaw states the conviction in an epigram; for Brecht it is a major theme.

In a society that is fighting for social justice, Brecht fanatically believes, the individual can have no rights, not even the right to act according to his private conscience. Even when the individual is moved by the spirit of humanity he is culpable if his conduct jeopardizes the progress of society toward social justice. In *Die Maßnahme* Brecht defends this abhorrent idea with a ruthlessness that proved embarrassing even to Moscow. The four Communist agitators who have been sent to carry out a certain program for the Movement are compelled to liquidate their Chinese guide because he has endangered the Cause by yielding to the humanitarian impulses of pity for the oppressed workers, indignation against their capitalist oppressors, the luxury of personal dignity. The Party in Moscow approves the liquidation, and so did the erring victim himself. In the *Geschichten vom Herrn Keuner* Brecht is even more ruthless. The ambassador of a capitalist power is sternly disciplined by the Party, even though he has carried out his mission successfully, because he has taken on capitalist ways of life. It is conceded that he could not have accomplished his mission without living in style. So he was justified in doing so. But when this way of life continued after it had become unnecessary for the Cause, he had to pay for his crime. He had, reasons Herr Keuner, undertaken a "fatal" mission and had died in the process of carrying it out. Shall his corpse be allowed to lie unburied and fill the air with pestilence?

Brecht subscribed to the Marxian view that history is made by the little men, not by the kings and generals and statesmen whose names get into the history books. Our admiration should go out to the slaves who carried the stone for the pyramids of Egypt, not to the Pharaohs who commissioned them. It was Caesar's cooks who made his victories possible. Such "questions put by literate workingmen" (see p. 27) are a recurring motif in Brecht's writings.

Brecht is still so close to us, he is ideologically so irritating, that it is difficult to approach him without bias. We must apply to him his own principle of alienation or distance. We no longer get excited over Richard Wagner's foolish political views, but judge him solely as an artist. If we can adopt the same attitude to Brecht we shall find that, if Shaw showed that there can be an exciting drama of ideas, Brecht has proved that there can be such excitement even in the play of vague and unconvincing ideas.

Bertolt Brecht's principal works include: *Trommeln in der Nacht* (1922), *Mann ist Mann* (1927), *Hauspostille* (1927), *Die Dreigroschenoper* (1928), *Aufstieg und Fall der Stadt Mahagonny* (1929), *Der Dreigroschenroman* (1934), *Leben des Galilei* (1938), *Mutter Courage und ihre Kinder* (1939), *Das Verhör des Lukullus* (1939), *Svenborger Gedichte* (1939), *Der gute Mensch von Sezuan* (1940), *Der kaukasische Kreidekreis* (1945), *Kalendergeschichten* (1949).

Das Verhör des Lukullus

Hörspiel

PERSONEN

LUKULLUS	DER LEHRER	CHOR DER SOLDATEN
DER SPRECHER DES	DIE KURTISANE	CHOR DER SKLAVEN
TOTENGERICHTS	DER BÄCKER	CHOR DER FRIESGESTALTEN[3]
DER TOTENRICHTER	DAS FISCHWEIB	DIE FAHLE STIMME DES TÜRHÜTERS
DER AUSRUFER[1]	DER BAUER	DES SCHATTENREICHES[4]
ZWEI JUNGE MÄDCHEN	DER KÖNIG	EINE WARTENDE ALTE FRAU
ZWEI KAUFLEUTE	DIE KÖNIGIN	DIE DREIFALTIGE STIMME
ZWEI FRAUEN	ZWEI JUNGFRAUEN MIT EINER	KINDERCHOR
ZWEI PLEBEJER	TAFEL	STIMMEN
EIN KUTSCHER	ZWEI SCHATTEN	
	ZWEI LEGIONÄRE	
	DER KOCH	
	DER KIRSCHBAUMTRÄGER	

SCHÖFFEN[2] DES GERICHTS *(bracketing: DER LEHRER, DIE KURTISANE, DER BÄCKER, DAS FISCHWEIB, DER BAUER)*

1

Der Trauerzug

Geräusche einer großen Volksmenge.

DER AUSRUFER. Hört, der große Lukullus ist gestorben!
  Der Feldherr, der den Osten erobert hat
  Der sieben Könige gestürzt hat
  Der unsere Stadt Rom mit Reichtümern gefüllt hat.
  Vor seinem Katafalk[5]
  Der von Soldaten getragen wird
  Gehen die angesehensten Männer des gewaltigen Rom
  Mit verhüllten Gesichtern, neben ihm
  Geht sein Philosoph, sein Advokat und sein Leibroß.[6]

5

Written in 1939 as a radio play *(= Hörspiel)*; published in 1951. An American version appeared in 1943. Brecht also wrote an opera libretto *(Die Verurteilung des Lukullus,* 1951), using the text of the play but making certain changes necessitated by the different medium. The music for the opera was composed by Paul Dessau. In a note appended to the published version of the play, Brecht reports that after the trial run in the Berlin State Opera, two additions were made to the text as a result of detailed discussions with representatives of the Ministry for the Education of the People. These additions modify the basically pacifistic thesis of the play; they are omitted from this version, but will be summarized in the footnotes.

Brecht omits commas where German usage requires them — e.g., in subordinate clauses and in appositions.
Lucius Licinius Lucullus (c. 117–c. 57 B.C.) was a Roman general who was entrusted with the prosecution of the war against Mithridates, King of Pontus. After 8 years of very successful fighting he achieved nothing (Mommsen) and was recalled to Rome, where he lived in extraordinary indolence and luxury, famous for his gourmandise ("a Lucullian meal") and his patronage of the arts. He introduced the cherry into Italy. There is a biography of him in Plutarch. [1] announcer [2] jurors [3] figures on the frieze [4] realm of the shades; i.e., the dead [5] catafalque; scaffolding for holding the coffin [6] personal horse

GESANG DER SOLDATEN *(die den Katafalk tragen).*
 Haltet ihn stetig, haltet ihn schulterhoch
 Daß er nicht schwankt vor den tausenden Augen da
 Nunmehr der Herr der östlichen Erde sich
 Zu den Schatten begibt, habet acht, ihr, und stolpert nicht.   5
 Was ihr da tragt aus Fleisch und Metall:
 Es beherrschte die Welt.
DER AUSRUFER. Hinter ihm schleppen sie einen riesigen Fries, der
 Seine Taten darstellt und für sein Grabmal bestimmt ist.
 Noch einmal   10
 Bewundert das ganze Volk sein wunderbares Leben
 Der Siege und der Eroberungen
 Und erinnert sich seines einstigen Triumphes.
STIMMEN. Denkt des Unschlagbaren,[7] denkt des Gewaltigen!
 Denkt der Furcht der beiden Asien[8]   15
 Und des Lieblings Romas und der Götter
 Als er auf dem goldenen Wagen
 Durch die Stadt fuhr, bringend euch die
 Fremden Könige und fremden Tiere
 Elefant, Kamel und Panther!   20
 Und die Kutschen voll gefangener Damen
 Die Bagagekärren,[9] rasselnd mit Gerätschaft,[10]
 Schiffen, Bildern und Gefäßen
 Schön in Elfenbein,[11] ein ganz Korinth[12] voll
 Erzner Statuen, durchs tosende   25
 Meer des Volks geschleppt! Denkt des Anblicks!
 Denkt der Münzen für die Kinder
 Und der Weine und der Würste!
 Als er auf dem goldenen Wagen
 Durch die Stadt fuhr.   30
 Er, der Unschlagbare, er, der Gewaltige
 Er, die Furcht der beiden Asien
 Liebling Romas und der Götter!
GESANG DER SKLAVEN *(die den Fries schleppen).*
 Vorsicht ihr, stolpert nicht!   35
 Ihr, die den Fries mit dem Bild des Triumphes schleppt
 Wenn auch der Schweiß euch vielleicht in die Augen läuft
 Laßt ja die Hand am Stein! Denkt doch, entstürzt[13] er euch
 Möcht er in Staub zerfalln.
JUNGES MÄDCHEN. Sieh den Rothelm. Nein, den Großen.   40
ANDERES MÄDCHEN. Schielt.
1. KAUFMANN. Alle Senatoren.
2. KAUFMANN. Und auch alle Schneider.
1. KAUFMANN. Nein, der Mann ist bis nach Indien vorgestoßen.
2. KAUFMANN. Hatte aber längst schon ausgespielt[14].   45
 Meiner Ansicht, leider.

---

[7] invincible one   [8] Asia Major and Minor   [9] baggage carts   [13] if it slips away   [14] his day was over long ago
[10] equipment   [11] ivory   [12] wealthy city in ancient Greece

1. KAUFMANN. Größer als Pompejus[15].
    Rom war ohne ihn verloren.
    Ungeheure Siege.
2. KAUFMANN. Meistens Glück.
1. FRAU. Meinen Rëus   5
    Der in Asien umkam, kriege
    Ich durch all den Rummel[16] nicht zurück.
1. KAUFMANN. Durch den Mann
    Machte mancher ein Vermögen.
2. FRAU. Meinem Bruder seiner[17] kam auch nicht mehr heim.   10
1. KAUFMANN. Jeder weiß, was Rom durch ihn gewann.
    Allein an Ruhm.
1. FRAU. Wenn sie nicht so lögen
    Ginge[18] ihnen keiner auf den Leim.
1. KAUFMANN. Heldentum stirbt leider aus.   15
1. PLEBEJER. Wann
    Wird man uns mit dem Gewäsch[19] von Ruhm verschonen!
2. PLEBEJER. In Kappadozien[20] drei Legionen
    Hin mit Mann und Maus[21].
EIN KUTSCHER. Kann   20
    Ich hier durch?
2. FRAU. Nein, hier ist abgesperrt.
1. PLEBEJER. Wenn wir unsere Feldherren verscharren[22]
    Müssen sich die Ochsenkarren
    Schon gedulden.   25
2. FRAU. Meinen Pulcher haben sie vor das Gericht gezerrt.
    Steuerschulden.
1. KAUFMANN. Man kann sagen
    Daß man ohne ihn heut Asien nicht besäße.
1. FRAU. Hat der Thunfisch[23] wieder aufgeschlagen?   30
2. FRAU. Auch der Käse. (*Das Geschrei der Menge schwillt an.*)
DER AUSRUFER. Jetzt
    Durchziehen sie den Triumphbogen
    Den die Stadt ihrem großen Sohn errichtet hat.
    Die Weiber heben die Kinder hoch. Die Berittenen[24]   35
    Drängen die Reihen der Zuschauer zurück.
    Die Straße hinter dem Zug liegt verwaist[25].
    Zum letztenmal
    Hat der große Lukullus sie passiert.
        (*Der Lärm der Menge verliert sich und auch der Marschtritt des Zugs.*)   40

---

[15] Pompey the Great (106–48 B.C.), Lucullus' comtemporary and his successor as general against Mithridates   [16] hubbub, i.e., the pomp and parade   [17] i.e., his son   [18] no one would be caught by their propaganda   [19] rubbish, hullabaloo, nonsense   [20] Cappadocia, ancient kingdom and Roman province in Asia Minor   [21] i.e., totally destroyed   [22] crude word for "bury"   [23] The tuna was eaten by poor people; *aufschlagen* go up in price.   [24] mounted police   [25] orphaned

2

Schneller Ausklang und Rückkehr des Alltags

DER AUSRUFER. Der Zug ist verschwunden, nun
Füllt die Straße sich wieder. Aus den verstopften Nebengassen
Treiben die Fuhrleute ihre Ochsenkarren. Die Menge
Wendet sich schwatzend ihren Verrichtungen zu.
Das geschäftige Rom   5
Geht zurück an die Arbeit.

3

In den Lesebüchern

KINDERCHOR. In den Lesebüchern
Stehen die Namen der großen Feldherrn.
Ihre Schlachten lernt auswendig
Ihr wunderbares Leben studiert   10
Wer ihnen nacheifert.
Ihnen nachzueifern
Aus der Menge sich zu erheben
Ist uns aufgetragen. Unsre Stadt
Ist begierig, einst auch unsre Namen   15
Auf die Tafeln der Unsterblichen zu schreiben.
Sextus[26] erobert den Pontus.
Und du, Flaccus, eroberst die drei Gallien[27].
Du aber, Quintillian
Überschreitest die Alpen!   20

4

Das Begräbnis

DER AUSRUFER. Draußen, an der Appischen Straße[28]
Steht ein kleiner Bau, vor zehn Jahren gemauert
Bestimmt, den großen Mann
Im Tod zu beherbergen.
Ihm voraus   25
Biegt der Haufe von Sklaven ein
Der den Fries des Triumphes schleppt. Dann
Empfängt auch ihn die kleine Rotunde
Mit dem Buchsbaumgestrüpp[29].

---

[26] The three names mentioned here presumably are those of the Kinderchor.   [27] the 3 parts of Gaul   [28] the Appian Way; a famous highway leading from Rome to Brindisi   [29] boxwood shrubbery

EINE FAHLE STIMME. Halt, Soldaten.
DER AUSRUFER. Kommt eine Stimme von
    Jenseits der Mauer.
    Sie befiehlt von jetzt ab.
DIE FAHLE STIMME. Kippt[30] das Traggerät. Hinter diese Mauer   5
    Wird keiner getragen. Hinter diese Mauer
    Geht jeder selber.
DER AUSRUFER. Die Soldaten kippen das Traggerät. Der Feldherr
    Steht jetzt aufrecht, ein wenig unsicher.
    Sein Philosoph will sich ihm gesellen   10
    Einen weisen Spruch auf den Lippen. Aber ...
DIE FAHLE STIMME. Bleib zurück, Philosoph! Hinter dieser Mauer
    Beschwatzest[31] du keinen.
DER AUSRUFER. Sagt die Stimme, die befiehlt dort, und
    Darauf tritt der Advokat vor   15
    Seinen Einspruch anzumelden.
DIE FAHLE STIMME. Abgeschlagen.
DER AUSRUFER. Sagt die Stimme, die befiehlt dort.
    Und dem Feldherrn sagt sie:
DIE FAHLE STIMME. Tritt jetzt in die Pforte!   20
DER AUSRUFER. Und der Feldherr geht zur kleinen Pforte
    Bleibt noch einmal stehn, sich umzuschauen
    Und er sieht mit ernstem Auge die Soldaten
    Sieht die Sklaven, die das Bildwerk schleppen
    Sieht den Buchsbaum, letztes Grün. Er zögert.   25
    Da die Halle offen steht, dringt Wind ein
    Von der Straße. *(Ein Windstoß.)*
DIE FAHLE STIMME. Nimm den Helm ab. Unser Tor ist niedrig.
DER AUSRUFER. Und der Feldherr nimmt den schönen Helm ab.
    Und tritt ein, gebückt. Aufatmend drängen   30
    Aus der Grabstätt die Soldaten, fröhlich schwatzend.

5

Abschied der Lebenden

CHOR DER SOLDATEN. Servus[32], Lakalles
    Wir sind quitt, alter Bock.
    Raus aus dem Beinhaus[33].
    Einen heben[34].   35
    Ruhm ist nicht alles
    Man muß auch leben.
    Wer kommt mit?
    Unten am Dock
    Ist ein Weinhaus.   40

[30] tilt   [31] persuade (by your chatter)   [32] your servant; i.e.,
good bye; Lakalles, a vulgar distortion of Lucullus   [33] charnel house   [34] i.e., let's have a drink

Du hieltst[35] auch nicht Schritt.
Ich komm mit.
Verlaß dich drauf.
Und wer zahlt?
Sie schreiben auf.   5
Wie er strahlt!
Ich geh rüber auf den Rindermarkt.
Zu der kleinen Schwarzen? Du, wir kommen mit.
Nein, nicht zu dritt.
Hat sie schon einmal verargt[36].   10
Dann
Gehen wir zum Hunderennen.
Mann
Das kost' Eintritt. Nicht, wenn sie dich kennen.
Ich komm mit.   15
Also los. Ohne Tritt[37]
Marsch.

6

Der Empfang

(Die fahle Stimme ist die Stimme des Türhüters des Schattenreiches. Sie erzählt jetzt weiter.)

DIE FAHLE STIMME. Seit der Neue eingetreten ist   20
    Steht er neben der Tür, unbeweglich, den Helm unter dem Arm
    Sein eigenes Standbild.
    Die anderen Toten, die neu gekommen sind
    Hocken auf der Bank und warten
    wie sie gewartet dereinst, viele Male   25
    Auf das Glück und auf den Tod
    In der Schenke, bis sie ihren Wein erhielten
    Und am Brunnen, bis die Geliebte kam
    Und im Gehölz, in der Schlacht, bis der Befehl gegeben wurd.
    Doch der Neue   30
    Scheint das Warten nicht gelernt zu haben.
LUKULLUS. Was, bei Jupiter
    Soll das bedeuten? Ich stehe und warte hier.
    Noch schallt die größte Stadt der Erdkugel wider
    Von der Trauer um mich, und hier   35
    Ist niemand, der mich empfängt.
    Vor meinem Kriegszelt
    Haben sieben Könige auf mich gewartet.
    Ist hier keine Ordnung?
    Wo steckt zumindest mein Koch Lasus?   40

---

[35] you were out of step   [36] disapproved   [37] without keeping step; i.e., break ranks

Ein Mann, der aus Luft und Luft
Immer noch ein kleines Speislein[38] bäckt!
Hätte man, zum Beispiel, ihn mir entgegen
Geschickt, da er auch ja hier unten weilt
Fühlt ich mich heimischer, — O Lasus!   5
Dein Lammfleisch mit Lorbeer und Dill!
Kappadozisches Wildpret[39]! Ihr Hummern vom Pontus!
Und Ihr phrygischen Kuchen mit den bitteren Beeren! *(Stille.)*
Ich befehle, daß man mich von hier geleitet. *(Stille.)*
Soll ich hier bei diesem Volk stehn? *(Stille.)*   10
Ich beschwere mich. Zweihundert Schiffe
Eisengepanzert, fünf Legionen
Stießen vor auf meines kleinen Fingers Wink.
Ich beschwere mich. *(Stille.)*
DIE FAHLE STIMME. Keine Antwort, aber auf der Bank der Wartenden   15
  Sagt eine alte Frau:
STIMME EINER WARTENDEN ALTEN FRAU. Setzt dich nieder, Neuer.
  Das viele Metall, das du schleppst, der schwere Helm
  Und das Brustschild[40] müssen dich doch müde machen. *(Lukullus schweigt.)*
DIE ALTE FRAU. Sei nicht trotzig. So lang, als du hier warten mußt   20
  Kannst du nicht stehn. Vor dir bin ich noch dran[41].
  Wie lang ein Verhör drinnen dauert, kann ich nicht sagen.
  Es ist auch verständlich, daß die Prüfung genau gemacht wird
  Jedes Einzelnen, ob er verurteilt wird
  In den finsteren Hades[42] einzugehen oder   25
  In die Gefilde der Seligen. Manchmal
  Ist die Prüfung ganz kurz. Den Richtern genügt ein Blick.
  Dieser da, sagen sie
  Hat ein unschuldiges Leben geführt und es vermocht
  Seinen Mitmenschen zu nützen, denn auf den   30
  Nutzen eines Menschen
  Geben sie das meiste. Bitte, sagen sie zu ihm:
  Geh dich ausruhn. Freilich bei den anderen
  Dauert das Verhör oft ganze Tage, besonders bei denen
  Die hier herunter in das Reich der Schatten   35
  Einen schickten, bevor seines Lebens
  Zugemessene Zeit verlaufen war. Der jetzt grad drinnen ist
  Wird kaum lang brauchen. Ein kleiner Bäcker ohne Arg[43]. Was mich betrifft
  Bin ich etwas besorgt, jedoch hoffe ich darauf
  daß unter den Geschworenen drinnen, wie ich höre   40
  Kleine Leute sind, die ganz genau wissen
  Wie schwer für unsereinen in den kriegerischen Zeiten das Leben ist.
  Ich rate dir, Neuer ...
DIE DREIFALTIGE STIMME *(unterbrechend)*. Tertullia!
DIE ALTE FRAU. Man ruft mich.   45

---

[38] delicacy   [39] Cappadocian game; *Hummern* lobsters; *phry-*
gisch Phrygian (Phrygia was an ancient country in Asia Minor)
[40] breastplate   [41] My turn is before yours.

[42] Hades, the Greek Hell; *die Gefilde der Seligen* are the Elysian
Fields, the Greek Heaven   [43] i.e., innocent

Du mußt eben sehen wie du durchkommst
Neuer.
DIE FAHLE STIMME. Der Neue ist verstockt[44] an der Pforte gestanden
Aber die Last seiner Ehrenzeichen[45]
Sein eigenes Gebrüll   5
Und die freundlichen Worte der Alten haben ihn geändert.
Er sieht sich um, ob er wirklich allein ist. Jetzt
Geht er doch auf die Bank zu.
Aber bevor er sich setzen kann
Wird er gerufen werden. Den Richtern genügte   10
Bei der Alten ein Blick.
DIE DREIFALTIGE STIMME. Lakalles!
LUKULLUS. Ich heiße Lukullus. Wißt ihr hier meinen Namen nicht?
Ich bin aus einem berühmten Geschlecht
Von Staatsmännern und Feldherrn. Nur in den Vorstädten[46]   15
Den Docks und Soldatenkneipen, in den ungewaschenen Mäulern
Der Ungebildeten und des Abschaums[47]
Heißt mein Name Lakalles.
DIE DREIFALTIGE STIMME. Lakalles!
DIE FAHLE STIMME. Und so mehrmals aufgerufen   20
In der verachteten Sprache der Vorstädte
Meldet sich Lukullus, der Feldherr
Der den Osten erobert hat
Der sieben Könige gestürzt hat
Der die Stadt Rom mit Reichtümern gefüllt hat   25
Zu der abendlichen Zeit, da Rom sich über den Gräbern zum Essen setzt
Vor dem höchsten Gericht des Schattenreichs.

7
Wahl des Fürsprechers[48]

DER SPRECHER DES TOTENGERICHTS. Vor dem Höchsten Gericht des Schattenreichs
Erscheint der Feldherr Lakalles, der sich Lukullus nennt.
Unter dem Vorsitz des Totenrichters   30
Führen fünf Schöffen[49] die Untersuchung.
Einer einst ein Bauer
Einer einst ein Sklave, der Lehrer war
Eine einst ein Fischweib
Einer einst ein Bäcker   35
Eine einst eine Kurtisane.
Sie sitzen auf einem hohen Gestühl[50]
Ohne Hände, zu nehmen[51], und ohne Münder, zu essen
Unempfindlich für Glanz die lange erloschenen Augen.
Unbestechliche, sie, die Ahnen der Nachwelt.   40

[44] stubbornly [45] insignia, i.e., decorations [46] suburbs, i.e., [50] bench [51] i.e., bribes
where the poor live [47] scum [48] defense attorney [49] jurors

Der Totenrichter beginnt das Verhör.

DER TOTENRICHTER. Schatte, du sollst verhört werden.
Du sollst Rechenschaft ablegen über dein Leben unter den Menschen
Ob du ihnen genützt, ob du ihnen geschadet hast
Ob man dein Gesicht sehen will   5
In den Gefilden der Seligen.
Du brauchst einen Fürsprecher.
Hast du einen Fürsprecher in den Gefilden der Seligen?

LUKULLUS. Ich beantrage, daß der große Alexander von Makedemon[52] gerufen wird.
Daß er zu euch spricht als Sachverständiger   10
Über Taten wie die meinen.

DIE DREIFALTIGE STIMME *(ruft in den Gefilden der Seligen aus).*
Alexander von Makedemon. *(Stille.)*

DER SPRECHER DES TOTENGERICHTS. Der Gerufene meldet sich nicht.

DIE DREIFALTIGE STIMME. In den Gefilden der Seligen   15
Ist kein Alexander von Makedemon.

DER TOTENRICHTER. Schatte, dein Sachverständiger
Ist unbekannt in den Gefilden der Wohlerinnerten[53].

LUKULLUS. Was? Der ganz Asien eroberte bis zum Indus[54]
Der Unvergeßliche   20
Der seinen Schuh unverkennbar dem Erdball eindrückte
Der gewaltige Alexander ...

DER TOTENRICHTER. Ist nicht bekannt hier. *(Stille.)*
Unglücklicher! Die Namen der Großen
Erwecken keine Furcht mehr hier unten.   25
Hier
Können sie nicht mehr drohen. Ihre Aussprüche
Gelten als Lügen. Ihre Taten
Werden nicht verzeichnet. Und ihr Ruhm
Ist uns wie ein Rauch, welcher anzeigt   30
Daß ein Feuer gewütet hat.
Schatte, deine Haltung zeigt
Daß Unternehmungen von Ausmaß
Mit deinem Namen verknüpft sind.
Die Unternehmungen   35
Sind nicht bekannt hier.

LUKULLUS. Dann beantrage ich
Daß der Fries zu meinem Grabmal
Auf dem mein Triumphzug dargestellt ist, geholt wird.
Aber wie   40
Soll er geholt werden? Ihn schleppen Sklaven. Sicher
Ist den Lebenden hier
Der Zutritt verwehrt.

DER TOTENRICHTER. Nicht den Sklaven. Sie
Trennt nur so weniges von den Toten.   45
Von ihnen kann man sagen
Daß sie nur beinahe leben. Der Schritt von der Welt oben

[52] Macedon   [53] well remembered   [54] river in India

Herab in das Schattenreich
Ist für sie nur ein kleiner.
Der Fries soll gebracht werden.

8

Herbeischaffen des Frieses

DIE FAHLE STIMME. Immer noch verharren seine Sklaven
  An der Mauer, ungewiß   5
  Wohin mit dem Fries. Bis eine Stimme
  Plötzlich durch die Mauer spricht:
DER SPRECHER DES TOTENGERICHTS. Kommt.
DIE FAHLE STIMME. Und sie schleppen
  Durch dies eine Wort verwandelt   10
  Nun zu Schatten, ihre Bürde
  Durch die Mauer mit dem Buchsbaum.
CHOR DER SKLAVEN. Aus dem Leben in den Tod
  Schleppen wir die Bürde ohne Weigrung.
  Lange schon war unsre Zeit nicht unsre   15
  Unsres Weges Ziel uns unbekannt.
  Also folgen wir der neuen Stimme
  Wie den alten. Warum fragen?
  Lassen nichts zurück, erwarten nichts.
DER SPRECHER DES TOTENGERICHTS. Und so gehn sie durch die Mauer   20
  Denn die nichts zurückhält, hält auch
  Diese Mauer nicht zurück.
  Und sie stellen ihre Bürde
  Vor das Oberste Gericht der Schatten
  Jenen Fries mit dem Triumphzug.   25
  Ihr Totenschöffen, betrachtet ihn:
  Einen gefangenen König, traurig blickend
  Eine fremdäugige Königin mit koketten[55] Schenkeln.
  Einen Mann mit einem Kirschbäumchen, eine Kirsche verzehrend.
  Einen goldenen Gott, von zwei Sklaven getragen, sehr dick.   30
  Zwei Jungfrauen mit einer Tafel, darauf die Namen von 53 Städten.
  Einen sterbenden Legionär, seinen Feldherrn grüßend.
  Einen Koch mit einem Fisch.
DER TOTENRICHTER. Sind das deine Zeugen, Schatte?
LUKULLUS. Das sind sie. Aber wie   35
  Sollen sie reden? Sie sind Steine, sie sind stumm.
DER TOTENRICHTER. Nicht für uns. Sie werden reden.
  Seid ihr bereit, ihr steinernen Schatten
  Hier Zeugnis zu geben?
CHOR DER FRIESGESTALTEN. Wir Bilder, bestimmt einst im Lichte zu bleiben   40
  Die steinernen Schatten versunkener Opfer

[55] i.e., provocative

Um oben zu reden und oben zu schweigen
Wir Bilder, bestimmt einst, die Niedergeworfenen
Des Atems Beraubten, Verstummten, Vergessenen
Im Auftrag des Siegers im Licht zu vertreten
Sind willig zu schweigen und willig zu reden.   5
DER TOTENRICHTER. Schatte, die Zeugen deiner Größe
Sind bereit, uns zu berichten.

9

Das Verhör

DER SPRECHER DES TOTENGERICHTS. Und der Feldherr tritt vor und
Zeigt auf den König.
LUKULLUS. Hier seht ihr einen, den ich besiegt habe.   10
In den wenigen Tagen zwischen Neumond und vollem Mond
Habe ich sein Heer geschlagen mit all seinen Streitwagen und Panzerreitern[56].
In diesen wenigen Tagen
Ist sein Reich zerfallen wie eine Hütte, in die der Blitz fährt.
Als ich auftauchte an seiner Grenze, begann er die Flucht   15
Und die wenigen Tage des Krieges
Langten kaum aus für uns beide
Die andere Grenze seines Reiches zu erreichen.
So kurz dauerte der Feldzug, daß ein Schinken
Den mein Koch im Rauch mir aufhing   20
Noch nicht durchgeräuchert war, als ich zurückkam.
Und von sieben, die ich schlug, war der nur
Einer.
DER TOTENRICHTER. Ist das wahr, König?
DER KÖNIG. Es ist wahr.   25
DER TOTENRICHTER. Eure Fragen, Schöffen.
DER SPRECHER DES TOTENGERICHTS. Und der Schatte Sklave, der einst Lehrer war
Beugt sich finster vor und fragt was:
DER LEHRER. Und wie kam es?
DER KÖNIG. Wie er sagt: Wir wurden überfallen.   30
Der Bauer, der sein Heu auflud
Stand noch mit erhobener Gabel und schon
Wurde sein Wagen, der kaum vollgeladene
Ihm weggefahren.
Noch war des Bäckers Brotlaib nicht gebacken   35
Als schon fremde Hände nach ihm griffen.
Alles, was er euch sagt, über den Blitz
Der in eine Hütte fuhr, ist wahr. Die Hütte
Ist zerstört. Hier
Steht der Blitz.   40
DIE LEHRER. Und von sieben warst du …

---

[56] war chariots and armored horsemen

DER KÖNIG. Nur einer.
DER SPRECHER DES TOTENGERICHTS. Die Totenschöffen bedenken
  Das Zeugnis des Königs. *(Stille.)*
  Und der Schatte, der einst Kurtisane war
  Fragt was: 5
DIE KURTISANE. Du dort, Königin
  Wie kamst du hierher?
DIE KÖNIGIN. Als ich einst in Taurion[57] ging
  Früh am Tag zum Baden
  Stiegen vom Olivenhang   10
  Fünfzig fremde Männer.
  Haben mich besieget.
  Hatt' als Waffe einen Schwamm
  Als Versteck klar Wasser
  Nur ihr Panzer schützte mich   15
  Und nicht allzu lange.
  Wurde schnell besieget.
  Schreckensvoll versah ich mich
  Schrie nach meinen Mägden
  Und die Mägde schreckensvoll   20
  Schrieen hinter Sträuchern.
  Wurden all bekrieget[58].
DIE KURTISANE. Und warum gehst du nun hier im Zug?
DIE KÖNIGIN. Ach, den Sieg zu zeigen.
DIE KURTISANE. Welchen Sieg? Den über dich?   25
DIE KÖNIGIN. Und das schöne Taurion.
DIE KURTISANE. Und was nannte er Triumph?
DIE KÖNIGIN. Daß der König, mein Gemahl
  Nicht mit seinem ganzen Heer
  Seine Habe schützen konnte   30
  Vor dem ungeheuren Rom.
DER SPRECHER DES TOTENGERICHTS. Die Totenschöffen bedenken
  Das Zeugnis der Königin *(Stille.)*
  Und der Totenrichter wendet sich
  Zum Feldherrn.   35
DER TOTENRICHTER. Schatte, wünschst du fortzufahren?
LUKULLUS. Ja. Ich merke wohl, die Geschlagenen
  Haben eine süße Stimme. Jedoch
  Einst war sie rauher. Dieser König da
  Der euer Mitleid fängt, als er noch oben   40
  War besonders grausam. An Zinsen und Steuern
  Nahm er nicht weniger als ich[59]. Die Städte
  Die ich ihm entriß
  Verloren nichts an ihm, aber Rom
  Gewann 53 Städte durch mich.   45
ZWEI JUNGFRAUEN MIT EINER TAFEL. Mit Straßen und Menschen und Häusern

[57] probably a fictitious place   [58] vanquished in war   [59] At this point Brecht made his first addition. It explains why this King was successful in passing the tribunal of the other world; it is because the wars he fought were defensive wars.

Tempel und Wasserwerk
Standen wir in der Landschaft, heute
Stehen nur noch unsre Namen auf dieser Tafel.
DER SPRECHER DES TOTENGERICHTS.
    Und der Schatte Schöffe, der einst Bäcker war   5
    Beugt sich finster vor und fragt was:
DER BÄCKER. Warum das?
DIE ZWEI JUNGFRAUEN. Eines Mittags brach da ein Getöse los
    In die Straße schwemmte da ein Fluß
    Der hatte menschliche Wellen und trug   10
    Unsre Habe hinweg. Am Abend
    Zeigte nur noch eine Säule Rauch
    Daß an dem Ort einst eine Stadt war.
DER BÄCKER. Was dann
    Führte er weg, der den Fluß schickte und sagt   15
    Daß er den Römern 53 Städte gab?
DER SPRECHER DES TOTENGERICHTS.
    Und die Sklaven, die den goldenen Gott schleppen
    Fangen an zu zittern und schreien:
DIE SKLAVEN. Uns.   20
    Glückliche einst, nun billiger als Ochsen
    Die Beute zu schleppen, selber Beute.
DIE JUNGFRAUEN. Einst die Erbauer
    Von 53 Städten, von denen nur
    Name und Rauch blieb.   25
LUKULLUS. Ja, ich trieb sie weg. Es waren
    Zweimalhundertfünfzigtausend.
    Einstmals Feinde, doch jetzt nicht mehr Feinde.
DIE SKLAVEN. Einstmals Menschen, doch jetzt nicht mehr Menschen.
LUKULLUS. Und mit ihnen trieb ich ihren Gott weg   30
    Also daß der Erdkreis unsre Götter
    Größer sah als alle andern Götter.
DIE SKLAVEN. Und der Gott war hochwillkommen
    Denn er war aus Gold und wog zwei Zentner.
    Und auch wir sind jeder ein Stück Gold wert   35
    Von der Größe eines Fingerknochens.
DER SPRECHER DES TOTENGERICHTS. Und der Schatte Schöffe, der einst Bäcker war
    In Marsilia[60], der Stadt am Meer
    Beugt sich milde vor und sagt was:
DER BÄCKER. Also schreiben wir zu deinen Gunsten, Schatte   40
    Einfach nieder: Brachte Gold nach Rom.
DER SPRECHER DES TOTENGERICHTS. Die Totenschöffen bedenken
    Das Zeugnis der Städte. (Stille.)
DER TOTENRICHTER. Der Verhörte scheint müde.
    Ich mache eine Pause.   45

[60] Marseilles

10

Rom — noch einmal

DER SPRECHER DES TOTENGERICHTS. Die Richter entfernen sich.
  Der Verhörte setzt sich nieder.
  Den Kopf zurückgelehnt kauert er
  Am Türpfosten.
  Er ist erschöpft, aber er hört ein   5
  Gespräch hinter der Tür an
  Wo neue Schatten erschienen sind.
EIN SCHATTE. Ich kam zu Schaden durch einen Ochsenkarren.
LUKULLUS *(leise)*. Ochsenkarren.
DER SCHATTE. Er brachte noch eine Ladung Sand zu einer Baustelle.   10
LUKULLUS *(leise)*. Baustelle. Sand.
ANDERER SCHATTE. Ist jetzt nicht Essenszeit?
LUKULLUS *(leise)*. Essenszeit?
1. SCHATTE. Mein Brot und meine Zwiebel
  Hatte ich bei mir. Ich hatte kein Zimmer mehr.   15
  Die Unzahl von Sklaven, die sie aus allen
  Himmelsgegenden hereintreiben
  Haben das Schustergewerbe ruiniert.
2. SCHATTE. Auch ich war Sklave. Sagen wir: Die Glücklichen
  Kommen durch die Unglücklichen ins Unglück.   20
LUKULLUS *(etwas lauter)*. Ihr da, geht der Wind noch droben?
2. SCHATTE. Horch, da fragt wer was.
1. SCHATTE *(laut)*. Ob Wind geht oben? Vielleicht.
  Mag sein in den Gärten.
  In den stickigen Gassen   25
  Ist er nicht zu bemerken.

11

Das Verhör wird fortgesetzt

DER SPRECHER DES TOTENGERICHTS. Die Schöffen kehren zurück.
  Das Verhör beginnt wieder.
  Und der Schatte, einst ein Fischweib
  Sagt was: 30
DAS FISCHWEIB. Da war von Gold die Rede.
  Ich lebte auch in Rom.
  Doch ich habe nichts bemerkt von Gold da, wo ich lebte.
  Wüßte gern, wo's hinkam.
LUKULLUS. Welche Frage!   35
  Sollte ich mit meinen Legionen
  Ausziehn, einem Fischweib

Einen neuen Schemel zu erbeuten?
DAS FISCHWEIB. Brachtest du uns so nichts auf den Fischmarkt
  Holtest du dir doch vom Fischmarkt etwas:
  Unsere Söhne.
DER SPRECHER DES TOTENGERICHTS. Und die Schöffin   5
  Spricht die Krieger auf dem Fries an:
DAS FISCHWEIB. Sagt, was trieb er mit euch in den beiden Asien?
1. LEGIONÄR. Ich entrann.
2. LEGIONÄR. Ich wurde verwundet.
1. LEGIONÄR. Ich schleppte ihn nach.   10
2. LEGIONÄR. Und so fiel er denn auch.
FISCHWEIB. Warum ließest du Rom?
1. LEGIONÄR. Ich habe gehungert.
FISCHWEIB. Und was holtest du dort?
2. LEGIONÄR. Ich holte mir nichts.   15
FISCHWEIB. Du streckst deine Hand aus.
  Wars, den Feldherrn zu grüßen?
2. LEGIONÄR. Es war, ihm zu zeigen
  Daß sie immer noch leer war.
LUKULLUS. Ich lege Verwahrung ein[61].   20
  Ich beschenkte die Legionäre
  Nach jedem Feldzug.
FISCHWEIB. Aber nicht die toten.
LUKULLUS. Ich lege Verwahrung ein.
  Wie sollen den Krieg beurteilen   25
  Die ihn nicht verstehen.
FISCHWEIB. Ich verstehe ihn. Mein Sohn
  Ist im Krieg gefallen.
  Ich war Fischweib auf dem Markt am Forum.
  Eines Tages hieß es, daß die Schiffe   30
  Der Zurückgekommenen aus dem Asienkriege
  Eingelaufen seien. Ich lief vom Markte
  Und ich stand am Tiber viele Stunden
  Wo sie ausgebootet wurden und am Abend
  Waren alle Schiffe leer, mein Sohn war   35
  Über ihre Planken nicht gekommen.
  Faber, mein Sohn Faber
  Den ich trug und den ich aufzog
  Mein Sohn Faber.
  Da es zugig war am Hafen, fiel ich   40
  Nachts in Fieber, und im Fieber suchte
  Ich nun meinen Sohn und tiefer suchend
  Fror ich mehr, und dann gestorben, kam ich
  Hier ins Schattenreich und suchte weiter.
  Faber, rief ich, denn das war sein Name.   45
  Faber, mein Sohn Faber
  Den ich trug und den ich aufzog

[61] protest

Mein Sohn Faber!
Und ich lief und lief durch Schatten
Faber rufend, bis ein Pförtner drüben
In den Lagern der im Krieg Gefallnen
Mich am Ärmel einhielt und mir sagte: 5
Alte, hier sind viele Faber. Vieler
Mütter Söhne, viele, sehr vermißte.
Doch die Namen haben sie vergessen.
Dienen nur, sie in das Heer zu reihen
Und sind nicht mehr nötig hier. Und ihren 10
Müttern wollen sie nicht mehr begegnen
Seit die[61a] sie dem blutigen Kriege ließen.
Faber, mein Sohn Faber
Den ich trug und den ich aufzog
Mein Sohn Faber! 15
Und ich stand, am Ärmel eingehalten
Und mein Rufen blieb mir weg im Gaumen.
Schweigend kehrt ich um, denn ich begehrte nicht mehr
Meinem Sohne ins Gesicht zu sehn.
DER SPRECHER DES TOTENGERICHTS. Und der Totenrichter sucht 20
  Die Augen der Schöffen und verkündigt:
TOTENRICHTER. Das Gericht erkennt: Die Mutter des Gefallenen
  Versteht den Krieg.
DER SPRECHER DES TOTENGERICHTS. Die Totenschöffen bedenken
  Das Zeugnis der Krieger. *(Stille.)* 25
TOTENRICHTER. Doch die Schöffin ist erschüttert.
  In der schwanken Hand mag ihr die
  Waage zittern. Sie benötigt
  Eine Pause.

12

Rom — ein letztes Mal

DER SPRECHER DES TOTENGERICHTS. Und wieder 30
  Setzt der Verhörte sich nieder und hört
  Dem Gespräch der Schatten hinter der Tür zu.
  Noch einmal
  Dringt von oben, aus jener Welt
  Ein Hauch. 35
2. SCHATTE. Und warum liefst du so?
1. SCHATTE. Mich zu erkundigen. Es hieß, sie werben Legionäre an
  In den Schenken am Tiber, für den Krieg im Westen
  Der jetzt erobert werden soll.
  Das Land heißt Gallien. 40
2. SCHATTE. Nie gehört davon.
1. SCHATTE. Diese Länder kennen nur die Großen.

[61a] i.e., the mothers; *sie* = the sons

13
Das Verhör wird fortgesetzt

Der Sprecher des Totengerichts. Und der Richter lächelt zu der Schöffin
  Ruft den Prüfling[62] und besieht ihn traurig.
Totenrichter. Unsre Zeit entflieht. Du nützt sie nicht.
  Erzürne uns lieber nicht weiter mit deinen Triumphen.
  Hast du keine Zeugen   5
  Für irgendeine Schwäche, Mensch?
  Deine Sache steht ungünstig. Deine Tugenden
  Scheinen wenig nützlich, vielleicht
  Ließen deine Schwächen Lücken
  In der Kette der Gewalttaten?   10
  Entsinne dich deiner Schwächen
  Schatte, ich rate es dir.
Der Sprecher des Totengerichts. Und der Schöffe, einst ein Bäcker
  Fragt was:
Der Bäcker. Dort seh ich einen Koch mit einem Fisch.   15
  Der sieht lustig aus. Koch
  Erzähl uns, wie du in den Triumphzug kamst.
Der Koch. Nur anzuzeigen
  Daß er beim Kriegsgeschäft noch Zeit fand
  Ein Kochrezept für einen Fisch zu finden.   20
  Ich war ein Koch. Ich gedenke
  Der schönen Fleische noch oft
  Des Geflügels und schwarzen Wildprets
  Die er mich braten ließ.
  Und saß nicht nur am Tische   25
  Gab mir ein lobend Wort
  Und mischte selbst ein Gericht.
  Lammfleisch à la Lukullus
  Machte unsre Küche berühmt.
  Von Syrien bis nach Pontus   30
  Sprach man von Lukullus' Koch.
Der Sprecher des Totengerichts. Sprach der Schöffe, der einst
  Lehrer war:
Lehrer. Was soll uns das, daß er gerne aß?
Koch. Aber mich ließ er kochen
  Nach Herzenslust. Ich dank es ihm.   35
Bäcker. Ich versteh ihn, ich, der Bäcker war.
  Wie oft mußte ich Kleie[63] in den Teig rühren
  Der armen Kunden wegen. Dieser da
  Durfte ein Künstler sein.
Koch. Durch ihn!   40
  Im Triumph
  Führte er mich hinter den Königen

[62] i.e., the accused   [63] bran

Und erwies meiner Kunst Achtung.
Ich nenne ihn menschlich drum.
DER SPRECHER DES TOTENGERICHTS. Die Totenschöffen bedenken
Das Zeugnis des Kochs. *(Stille.)*
Und der Schöffe, einst ein Bauer 5
Fragt was:
DER BAUER. Da ist auch einer, der einen Obstbaum trägt.
DER KIRSCHBAUMTRÄGER. Das ist ein Kirschbaum. Den
Brachten wir von Asien. Im Triumphzug
Führten wir ihn mit. Und pflanzten ihn 10
Auf den Hängen des Appenin[64].
DER BAUER. Ach, du bist das, Lakalles, der ihn brachte?
Ich pflanzt ihn auch einst, doch ich wußte nicht
Daß er von dir stammt.
DER SPRECHER DES TOTENGERICHTS. Und freundlich lächelnd 15
Unterhält sich der Schöffe, der
Einst ein Bauer war
Nun mit dem Schatten, der einst ein
Feldherr war
Über den Baum: 20
DER BAUER. Er ist sparsam mit Boden.
LUKULLUS. Doch den Wind verträgt er schlecht.
DER BAUER. Die roten Kirschen haben mehr Fleisch.
LUKULLUS. Und die schwarzen sind süßer.
DER BAUER. Ihr Freunde, dies von allem, was erobert 25
Durch blutigen Krieg verhaßten Angedenkens
Nenn ich das Beste. Denn dies Stämmchen lebt.
Ein neues, freundliches gesellt es sich
Dem Weinstock und dem fleißigen Beerenstrauch
Und wachsend mit den wachsenden Geschlechtern 30
Trägt's Frucht für sie. Und ich beglückwünsch dich
Der's uns gebracht. Wenn alle Siegesbeute
Der beiden Asien längst schon vermodert ist
Wird jedes Jahr aufs neue den Lebenden
Wohl diese schönste deiner Trophäen noch 35
Im Frühling mit den blütenweißen
Zweigen im Wind von den Hügeln flattern.

14

Das Urteil

DER SPRECHER DES TOTENGERICHTS. Und aufspringt die Schöffin, einst Fischweib am Markte.
DAS FISCHWEIB. Fandet ihr also
Doch noch einen Pfennig in den 40
Blutigen Händen? Besticht euch der Räuber

[64] The Apennines are a mountain range in Central Italy.

Das Gericht mit der Beute?

DER LEHRER. Ein Kirschbaum! Die Eroberung
  Hätte er machen können mit
  Nur einem Mann! Aber 80000
  Schickte er hier herunter!   5

DER BÄCKER. Wie viel
  Sollen sie bezahlen oben
  Für ein Glas voll Wein und einen Wecken[65]?

DIE KURTISANE. Sollen sie ewig, bei einer Frau zu liegen, die Haut
  Zu Markt tragen müssen? Ins Nichts mit ihm!   10

DAS FISCHWEIB. Ah ja, ins Nichts mit ihm!

DER LEHRER. Ah ja, ins Nichts mit ihm!

DER BÄCKER. Ah ja, ins Nichts mit ihm!

DER SPRECHER DES TOTENGERICHTS. Und sie sahn auf den Bauern
  Den Lober des Kirschbaums: 15
  Bauer, was sagst du? *(Stille.)*

DER BAUER. Ah ja, ins Nichts mit ihm!

DER TOTENRICHTER. Ah ja, ins Nichts mit ihm! Denn
  Immer mit all der Gewalt und Eroberung
  Wächst nur ein Reich an: 20
  Das Reich der Schatten.

DIE SCHÖFFEN. Und voll schon
  Ist unser graues Unten mit
  Halbgelebten Leben. Hier doch
  Haben wir keine Pflüge den nervigen Armen, noch   25
  Hungrige Münder, deren ihr
  Oben so viel habt! Was als Staub
  Könnten wir häufen auf die
  80000 Dahingeschlachteten! Und ihr
  Oben braucht Häuser! Wie oft noch   30
  Sollen wir ihnen begegnen auf unsern
  Nirgendhin führenden Pfaden und ihre eifrigen
  Furchtbaren Fragen hören, wie
  Der Sommer der Jahre aussieht, und der Herbst
  Und der Winter?   35

DER SPRECHER DES TOTENGERICHTS. Und es rühren sich und schreien
  Die Legionäre auf dem Totenfries.

DIE LEGIONÄRE[66]. Ah ja, ins Nichts mit ihm! Welche Provinz
  Wiegt uns die nichtgelebten
  Viel bergenden Jahre auf?   40

DER SPRECHER DES TOTENGERICHTS. Und es rühren sich und schreien
  Die Sklaven, die Friesschlepper.

DIE SKLAVEN. Ah ja, ins Nichts mit ihm! Wie lange noch
  Sitzen sie, er und die Seinen
  Unmenschliche, über den Menschen und heben   45
  Die faulen Hände und werfen in blutigen

[65] (pastry) roll   [66] Here Brecht made his second addition.   they fought for this robber and did not go over to fight for
The legionaries do not lament their lost years of life but that   the defenders.

Kriegen die Völker gegeneinander?
Wie lange noch
Dulden wir und dulden die Unsern sie?
ALLE. Ah ja, ins Nichts mit ihm und ins Nichts mit
Allen wie er! 5
DER SPRECHER DES TOTENGERICHTS. Und vom hohen Gestühle erheben sich
Die Fürsprecher der Nachwelt
Der mit den vielen Händen, zu nehmen
Der mit den vielen Mündern, zu essen
Der eifrig sammelnden 10
Gern lebenden Nachwelt.

Ernst Jünger · 1895 –

Jünger is the most controversial of recent German writers. His development from a fanatical nationalist and "heroic nihilist" to a Western humanist with religious overtones is more than some can accept with equanimity. But there can be no doubt that his is a subtle, highly cultivated, fascinatingly adventurous mind, at home in many intellectual areas, constantly seeking to transcend the limitations which man artificially imposes on experience and to discover the "correspondences" (in the Baudelairian sense) between all the facets of the human adventure, from the rational and abstract to the nether reaches of the soul. His closest counterpart in the Anglo-Saxon world is Aldous Huxley and in France André Malraux.

The essay reprinted here is a typical example of what goes on in Jünger's mind. In it he attempts to relate what happens in our everyday world to the subtle spiritual forces that have barely been glimpsed here and there by those few who have pushed beyond the limits set by statistics and empirical observation. In the process of this exploration he wanders into the most varied and abstruse mental disciplines. Some of his "correspondences" may seem a bit tenuous to the matter-of-fact reader, but whatever he writes bears the marks of a distinguished mind.

Jünger's principal writings include *In Stahlgewittern* (1920); *Das Wäldchen 125* (1925); *Der Arbeiter* (1932); *Das abenteuerliche Herz* (1929; radically revised in 1938); *Auf den Marmorklippen* (1939); *Gärten und Straßen* (1942); *Strahlungen* (1949); *Heliopolis* (1949).

In den Kaufläden

Zu den Dingen, die mir in den Läden merkwürdig erscheinen, gehört der eigensinnige Hang der Kaufleute, die Ware, auch wenn sie an sich schon so vorzüglich verpackt ist wie etwa eine Schockoladentafel, noch mit einer besonderen

From *Das abenteuerliche Herz* (2nd version, 1938). This work is a collection of essays on the most diverse themes.

Umhüllung zu versehen. Es ist dies ein Verfahren, das wie jeder Akt der Höflichkeit seine Hintergründe besitzt.

Zunächst muß man in ihm wohl einen Überrest der Feierlichkeiten vermuten, mit denen früher der Handel verbunden, oder von denen er sogar abhängig war. Dies tritt auf den offenen Märkten, auf denen immer eine Art von Feststimmung herrscht, noch deutlicher hervor. Besonders der Viehhandel hat heute noch sein Ritual, seine Opfer und seine Beschwörungen[1]. Die auf den Pferdemärkten feilschenden Gruppen treiben Handel wie zur Zyklopenzeit[2]. Ursprünglich muß ohne Zweifel der Händler der Schutzbedürftigere[3] und damit vor allem auf zeremonielle Bekräftigung Angewiesene[4] gewesen sein, während sich der Käufer wohl allzu leicht in einen gewaltsamen Räuber verwandelte. Solche Verhältnisse reichen bis in unsere Tage hinein; man findet sie wieder, wenn man die Berichte der Südseefahrer liest.

Einem jeden Verkäufer wohnt der natürliche Hang inne, an der Ware abschließende Griffe[5] zu tun. Das Einwickeln, Verhüllen und Umschnüren[6] besitzt außerdem einen verbergenden Zug; das besonders geschätzte Geschäft ist das Geschäft unter der Hand[7]. Darüber hinaus wohnt diesem Verfahren in unserer Zeit auch noch ein anderer, und zwar standesgemäßer[8] Charakter inne, und zwar insofern, als der große Angriff der Technik gegen die ständische Welt[9] sich auch auf den Kaufmannsstand erstreckt. Das Abwägen, Abmessen und verschiedenartige Verpacken sind in diesem Sinne Akte, durch die der Kaufmann sich noch an jenen alten Verhältnissen beteiligt, wie sie in „Soll und Haben"[10] oder in „Handel und Wandel" geschildert sind. Er wehrt sich auf diese Weise gegen den Andrang der Industrie, die ihn zum bloßen Verteiler hinabdrücken will. Es gibt aber bereits Gebiete, auf denen der Kampf zu seinen Ungunsten entschieden ist. Zu ihnen gehört das Tabakgeschäft. Das Tabakgeschäft ist kaum noch als Laden im alten Sinne anzusprechen, eher als Kiosk[11]. Der Handel ist hier auf ein Mindestmaß eingeschränkt; der Käufer erhält mit einem einzigen Griff[12] die Ware, die ihm als das stets gleiche, abgewo-

gene, abgemessene und versteuerte Päckchen überliefert wird. Es ist vorauszusehen, daß diese Art des Verkaufes sich in den nächsten Jahrzehnten ungemein ausbreiten und auch in Gebiete eindringen wird, von denen es heute noch niemand ahnt.

Es gibt aber auch Orte, an denen man auf Verpackung keinen Anspruch erheben kann; zu ihnen gehören die Schalter der Post und der Eisenbahn. Die Zwistigkeiten, die man hier beobachten kann, beruhen darauf, daß der Käufer die höflichen Gepflogenheiten vermißt, die dem Handelsgeschäft eigentümlich sind. Der geheime Unterschied, der hier wirkt, ist der zwischen Kundschaft und Publikum. Wenn man Postkarten im Laden kauft, steht man in einem ganz anderen Verhältnis, als wenn man dieselben Postkarten am Schalter erwirbt. Dieser Unterschied drückt sich schon in der äußeren Einrichtung aus. So ist der Kaufmanns-Tresen[13] möglichst breit gebaut, damit man die Käufer nebeneinander bedienen kann; der Zugang zu den Schaltern dagegen ist auf das Nacheinander der Abfertigung[14] angelegt. Während jeder Verkäufer bekanntlich seine Ware zu loben versucht, ist der Beamte immer zu Einwänden geneigt, verweist an andere Schalter, gibt nur bestimmte Mengen ab und zeigt sich im allgemeinen eher bestrebt, den Käufer abzuweisen als anzuziehen. Sehr deutlich wird der Unterschied auch darin, daß der Händler liebenswürdig, der Beamte dagegen bedenklich wird, wenn man „große Mengen" verlangt. Es handelt sich hier um lehrreiche Vorpostengefechte[15] zwischen dem Händlertum und der Beamtenschaft oder zwischen den Kasten der Schreiber[16] und der Kaufleute. Das Treffen[17] nimmt großartige Ausmaße an, wenn eine dieser Haltungen den Sieg über die andere ericht, wie das etwa in der Einführung der Planwirtschaft[18] zutage tritt. In diesem Falle wandeln sich, wie man das im Kriege[19] beobachten konnte, alle Ladengeschäfte in Schalterräume[20] um, vor denen das Publikum in langen Schlangen[21] der Abfertigung harrt. Der umgekehrte Vorgang

---

[1] adjurations, exorcism   [2] In Greek mythology the Cyclopes were one-eyed giants. *Zyklopenzeit* therefore = primitive times.   [3] more needful of protection   [4] dependent on ceremonial confirmation   [5] concluding movements   [6] tying with string   [7] clandestine, sub rosa   [8] appropriate to the social class (which practices it)   [9] i.e., the older society which was rigidly divided into social classes   [10] a novel of 19th-century commercial life by Gustav Freytag. The second is by F. W. Hackerländer.   [11] small booth (usually octagonal in shape) in which newspapers, candy, and refreshments are sold   [12] motion of the hand

[13] store counter   [14] service   [15] advance skirmishes   [16] i.e., white-collar workers   [17] engagement   [18] planned economy   [19] i.e., the First World War   [20] rooms with rows of windows   [21] lines

vollzieht sich, wenn der Händler triumphiert; so wurden nach dem verlorenen Kriege die Schalterräume dem Stil der Warenhäuser angepaßt. Wo der Händler innerhalb der eigenen Substanz Beziehung zur Macht gewinnt, findet übrigens eine gewisse Überschneidung dieser Kreise statt. So ahmt die Hochfinanz die staatlichen Einrichtungen nach; man spricht von Bankbeamten und Bankschaltern, und die Schatzkammern sind wie Festungen gebaut.

In bezug auf die Tabakläden fällt mir auf, daß viele Kunden in ihnen noch etwas länger zu verweilen suchen, als das in anderen Geschäften üblich ist. Man führt da Gespräche über die letzten Neuigkeiten, über das Wetter, über die Politik — es ist überhaupt ein angenehmes Gefühl, mit dem man den Laden betritt. Hierin besitzen diese Geschäfte eine gewisse Ähnlichkeit mit den Stehbierhallen[22] — was wohl damit zusammenhängt, daß es im Grunde eine narkotische Droge ist, die man dort kauft. Eine ähnliche Stimmung herrscht in den Friseurgeschäften, freilich mit anderem, vertraulicherem Bezug. Allen Berufen, die der unmittelbaren Bedienung des Körpers gewidmet sind, so den Friseuren, Kellnern, Badedienern, Masseuren haftet der Character einer kastenmäßigen Gemeinsamkeit an. Man bemerkt hier vor allem die geschmeidige Abhängigkeit; der Friseur geht um den Bart[23], seine politische Meinung ist die dessen, den er gerade rasiert. Dennoch vermag er auch zu wirken; sein Mittel, das der körperlichen Nähe entspricht, ist das der Einflüsterung[24]. Der Einflüsterung ist schwerer zu widerstehen, als man gemeinhin denkt. So hat wohl jeder bei solcher Gelegenheit einmal wider Willen eine Reihe von unnötigen Einkäufen gemacht, und es gibt Verhältnisse, in denen es sich noch um Wichtigeres handelt als um das. So ist die politische Verfassung, innerhalb deren sich dieser Typus am besten zu entfalten vermag, die despotische; auch handelt es sich um ein Geschäft, das sich in Verfallszeiten[25] belebt. Orte und Landschaften, in denen man viele und blühende Tempel der Kosmetik erblickt, sind immer merkwürdig, zuweilen sogar an das Mär-

chenhafte anklingend. In vorzüglichen[26] Geschäften dieser Art verfällt man leicht in entlegene oder altertümliche Stimmungen, etwa in ein asiatisches oder satrapenhaftes[27] Wohlbehagen, wie es außerdem nur der Besuch der russischen Dampfbäder oder das Spiel von Zigeunerkapellen erzeugt. Auch betritt man weniger einen Laden als einen Salon; man wird gefällig, höflich und verschwiegen bedient. Nichts ist seltener als ein grober Friseur. Natürlich besitzen diese Verhältnisse auch ihre horoskopischen Entsprechungen; es ist vor allem der Mond[28], der hier seinen Einfluß übt. Man findet fast ohne Ausnahme das lunarische Gesicht, blaß, lymphatisch[29], bewegt; ferner eine niedere Beziehung[30] zum Schmuck, zur Bildung, zur vornehmen Welt. Wie in allen lunarischen Räumen trifft man Spiegel, Kristalle und Parfüme im Überflusse an. Auch wird oft Sinn für Eleganz, insbesondere für zierliches Schuhwerk, und eine flache Fertigkeit in der Erlernung fremder Sprachen auffallen. Smerdjakoff in den Karamasoffs[31] gehört als ausgesprochener Vertreter dieser Kaste an. Sowie ich auf diese Beziehungen aufmerksam wurde, fiel mir die Zugehörigkeit[32] auch auf der Straße auf. Der beste Treffer[33] gelang mir auf der Fahrt von Neapel nach Capri[34], auf der ich einen üppig gekleideten Passagier von stark aufgetragener[35] Höflichkeit in diesem Sinne einordnete[36]. Bei Tisch saß ich neben ihm; er stellte sich als der Direktor eines europäischen Hotelkonzernes vor und verwickelte mich in ein Gespräch über die Selbstmörder, in denen er einen Abschaum der Menschheit zu erblicken schien. „So ein einziger Lump ist imstande und verdirbt Ihnen die beste Saison."

Die Übung, auf diese Art zu sehen, beschränkt sich übrigens nicht auf das Vergnügen, das sie

---

[26] fashionable [27] i.e., luxurious (characteristic of the ancient Persian satraps) [28] Popular superstition believes that the moon influences character and disposition for good and evil. The lunatic was supposedly under the influence of the moon. The German word *Laune* is derived from the Latin *luna* = moon. [29] with pale skin and flabby muscles, qualities formerly attributed to an excess of lymph in the body; *bewegt* = mobile [30] an attraction, but on a low plane [31] *The Brothers Karamazov* by Feodor Dostoevski. Smerdjakov is a weak-minded illegitimate son of old Feodor Karamazov. [32] correspondence [33] i.e., right guess [34] Naples and the Island of Capri in Italy [35] very ostentatious [36] classified

[22] saloons [23] i.e., "soft soaps" the customer [24] persuasion [25] periods of decline

ohne Zweifel gewährt. Gemeinhin teilen wir die Menschen in zwei große Klassen ein, etwa in Christen und Nichtchristen, Ausbeuter und Ausgebeutete und so fort. Hiervon ist niemand frei, denn von allen Teilungen ist die Zweiteilung die nächstliegende[37]. Es ist aber zu bedenken, daß die Zweiteilung keine harmonische Teilung ist; sie ist logischer oder moralischer Natur. Diese ihre Natur bringt es mit sich[38], daß sie immer einen Rest hinterläßt; so muß beim Zweiparteien-System immer wieder gewählt werden, oder an der Grenze zwischen Christen und Heiden herrscht ewiger Krieg. Die Stetigkeit dagegen wächst in demselben Maße, in dem man über die geistige[39] Teilung hinaus auch zur substanziellen[40] Teilung befähigt ist, und je zahlreicher die Fächer[41] sind, desto sicherer ist das aufgehoben, was man in ihnen verwahrt. Hierauf beruht der Vorteil der Kasten-Ordnung, die sich sowohl durch die Zweiteilung als auch durch die Vielteilung bestimmt.

Schwierig, aber lohnend wäre die Untersuchung, ob in unserer Arbeitswelt solche Keime enthalten sind, das heißt, ob sich eine Neigung der speziellen Arbeitscharaktere zur Verdichtung[42] beobachten läßt. Jedenfalls ist es nicht ihre Vereinfachung, die der Möglichkeit der Vielteilung widerspricht.

2

Auch im Alltäglichen begleitet uns ein recht feines Gefühl für den symbolischen Zusammenhang, und oft beschreiben wir merkwürdige Umwege, indem wir einem Gefüge[43], das uns lückenlos umgibt, bei entfernten Völkerschaften und in verschollenen Zeiten nachspüren. Es dauert lange, ehe wir begreifen, daß wir mit unseren beiden Augen auf das vortrefflichste ausgerüstet sind, und daß die nächste Straßenecke genügt, um alle diese seltenen Dinge zu beobachten.

So empfindet der Mann, wenn er gewisse Läden, wie etwa den Gemüseladen betritt, bereits einen ganz leisen Anflug des Ungehörigen, wie überall, wo er Gebiete berührt, auf denen die Frau regiert. Derartige Geschäfte, Hökergeschäfte[44], findet man hier in den alten Gassen in großer Zahl, und es ist fast stets die Frau, die in ihnen verkauft. Wenn man diese Läden betritt, hat man sogleich das Gefühl, daß man als Fremdling erscheint, auch stört man da meist eine Gruppe von Frauen, die in vertrauten Verhandlungen begriffen sind. Es ist die Fama[45], die an solchen Orten entsteht, das weibliche Gegenstück zur Zeitung und zur Politik. Man spürt ohne weiteres, daß hier die Angelegenheiten ungleich[46] feiner, treffender und verborgener behandelt werden als beim politischen Gespräch. Vor allem wird man die Phrase[47] vermissen; die Bemerkung zielt nie auf den allgemeinen Begriff, sondern durchaus auf die Person und auf das Detail. Zuweilen erblickt man auch den Mann der Gemüsefrau, der häufig gnomenhafte[48] Züge trägt und mit den untergeordneten Arbeiten beschäftigt ist. Man sieht ihn schwere Säcke in die Gewölbe[49] schleppen, auch ist ihm der Teil des Geschäftes anvertraut, der außerhalb des Hauses zu verrichten ist; so schafft er auf einem kleinen Wagen die Ware herbei. Der Laden selbst wird gern in die Tiefe verlegt, in die Kellerräume, der Umfang der Fenster ist gering, auch das Schaufenster ist meist klein, und die Gegenstände sind flüchtig ausgebreitet wie auf einem Feldaltar. Der vorherrschende Geruch ist der starke, den Cerealien entströmende Erdgeruch. Sehr auffällig ist die geringe Rolle, welche die Waage spielt, weit häufiger als nach Gewicht werden die Früchte nach Stückzahl, in Bündeln, Kränzen und Sträußen[50], oder aus Hohlmaßen[51] verkauft. Auch herrscht eine deutliche Abneigung gegen das Dezimal-System, man benutzt die alten Maße, das Dutzend, die Mandel[52], das Schock. Die Hohlmaße tragen Bezeichnungen, die man oft kaum noch dem Namen nach kennt. Die hölzernen Geräte über-

---

[37] i.e., most natural   [38] is responsible for the fact   [39] intellectual or theoretical   [40] material   [41] classifications   [42] solidification, i.e., petrifaction   [43] structure, i.e., social institution or custom; *lückenlos* = without gaps

[44] huckster shops   [45] rumor   [46] i.e., incomparably   [47] pompous, empty phrase   [48] gnomish, i.e., dwarfish   [49] storerooms   [50] These 3 terms designate approximately the same measure: bunch.   [51] hollow (or liquid) measure   [52] 15 or 16 units; *Schock* = 60 units

wiegen die eisernen; das Messer wird selten verwandt.

Welcher Unterschied, wenn man dagegen einen Schlachterladen betritt. Hier fällt das Licht durch große, geräumige Fenster ein und spiegelt sich in den gescheuerten Fliesen[53] und den blanken, metallischen Werkzeugen. Alles ist hell und glänzend und von einer jovialen Heiterkeit erfüllt, über deren männlichen Ursprung kein Zweifel ist. Der Frau fällt die untergeordnete Rolle zu; sie bedient, nimmt das Geld in Empfang und führt[54] höchstens ein Messerchen, mit dem sie die Würste zerteilt. Der Raum wird durch die Gestalt des Meisters beherrscht, der in blutbespritzter Schürze hinter dem Hackblock steht und mit dem Beil die großen Stücke zerteilt, die er schon in der Frühe im Verein mit seinen Gesellen und Lehrlingen im Schlachthaus zugehauen[55] hat. Oft herrscht der Kundschaft gegenüber ein fast gewaltsamer Zug; man rundet, ohne lange zu fragen, die Gewichte nach oben ab[56] und wirft schwere Knochen mit in den Kauf. Man findet da übrigens immer vorzügliche Dezimal-Waagen[57]. Wenn in einem solchen Geschäft der Meister stirbt, so muß die Frau verkaufen, oder es muß der Geselle heran[58]. Der Regent in diesen Räumen ist der mindere Mars[59], dessen Züge man häufig in den Gesichtern erblickt; ihm entspricht ein venusischer Typ von lebhaftem Inkarnat[60]. Merkwürdig ist die Art, in der seine Geräte den Kriegswaffen ähneln und doch von ihnen abweichen — so haben die Äxte eine breite Schneide[61], die Messer einen langen Griff, im Gegensatz zu den Schwertern und Kriegs-Äxten. Ein vor allem in diesen und ähnlichen Zusammenhängen auftretendes Werkzeug ist der Haken, den man im Überfluß antreffen wird.

Läden, in denen man nur selten Frauen erblickt, sind solche, in denen man Eisenwaren verkauft. Man begegnet in ihnen vor allem Bauern und Handwerkern, die, bevor sie einen Gegenstand kaufen, ihn langwierigen Prüfungen unterziehen. Die zahlreichen Artikel sind in einem wohlgeordneten Lager untergebracht. Sie führen sonderbare Namen, doch der Verkäufer weiß sie schnell zu finden wie Wörter in einem Lexikon. Es ist die Schmiede-Sprache, die man hier vernimmt — eine Sprache, deren Begriffe ausreichten[62], das ganze, neuartige Arsenal der Maschinentechnik zu kennzeichnen. Wunderlich mag es uns scheinen, von Völkern zu hören, bei denen die Schmiede-Kaste ihre eigene Sprache besitzt. Und doch sieht man in diese Geschäfte häufig Kunden eintreten, mit denen der Verkäufer ein förmliches Verhör anstellen muß, ehe er die Namen der gewünschten Mittel und Werkzeuge errät — ja, man kann sogar erfahren, daß man Tätigkeiten plant, für die man nicht einmal das Verbum kennt.

Der Käufer verläßt das Eisengeschäft mit dem Gefühl, daß er einen guten, brauchbaren Gegenstand erworben hat. Wenn man dagegen aus dem Tuchladen kommt, gerät man sogleich in Zweifel, ob man nicht doch etwa betrogen ist. Die Gewebe begünstigen ihrem Wesen nach die Täuschung; man spricht nicht umsonst vom Lügengewebe, vom Lügennetz, vom Lügengespinst. Daher muß das Gesponnene mit Überredung verkauft werden; man findet an keinem Ort soviel hohle Geschwätzigkeit wie dort, wo man um Stoffe feilscht. Dieser Unterschied greift auch ins Große; man spürt es an der Luft ganzer Städte, ob der Schmied oder der Weber in ihnen regiert. In den Schmiedestädten geht es gewaltsamer zu, und doch hat man dort für Freiheit größeren Sinn. Weberstädte geben schon ihre Namen für besondere Formen der Ausbeutung her, weil man den Menschen mit Fäden feiner als mit Ketten zu fesseln vermag.

[53] scrubbed tiles [54] uses [55] chopped [56] i.e., the customer is compelled to buy more than he asked for [57] i.e., measuring by grams and kilograms [58] take over [59] Mars is the pagan god of war and bloodshed. The butcher is a lesser Mars, because he too sheds blood. [60] i.e., the butcher is usually a highly sexed man; Inkarnat = complexion [61] cutting surface

[62] would suffice (imperfect subjunctive)

Date	History	Culture
1868		Haeckel *Natürliche Schöpfungsgeschichte*
1869	Social Democratic Workers Party founded by Liebknecht	Hartmann *Philosophie des Unbewußten*
1870	Franco-German War begins (—1871)	
1871	German Empire proclaimed; Wilhelm I Emperor Bismarck Chancellor; Imperial constitution Formation of Center Party (*Zentrum*)	Nietzsche *Die Geburt der Tragödie*
1872	*Kulturkampf* (—1883)	Du Bois-Raymond *Über die Grenzen unserer Naturerkenntnis* Strauß *Der alte und der neue Glaube*
1873	League of Three Emperors (Germany, Austria, Russia; —1886)	
1874		†David Friedrich Strauß (*1808) *Ernst Cassirer (†1945) *Max Scheler (†1928) Brentano *Psychologie vom empirischen Standpunkt* (2 vols.)
1875	Socialist congress at Gotha	*Albert Schweitzer
1876		

Date	German Literature	Other Literatures	German Artists
1868	*Stefan George (†1933) †Adalbert Stifter (*1805)	Daudet *Le Petit Chose* Dostoevski *The Idiot* Morris *The Earthly Paradise I and II*	*Peter Behrens (†1940) architect †Bonaventura Genelli (*1798) painter *Richard Riemerschmid (†1957) architect *Max Slevogt (†1932) painter
1869	Heine *Nachgelassene Gedichte*	Browning *The Ring and the Book* Flaubert *L'Éducation sentimentale* Tolstoy *War and Peace* Goncourt *Germinie Lacerteux*	*Hans Poelzig (†1936) architect *Paul Schultze-Naumburg (†1949) architect †Carl Loewe (*1796) composer *Hans Pfitzner (†1949) composer †Franz Overbeck (*1798) painter
1870	Raabe *Der Schüdderump* Wagner *Die Walküre*	Rossetti *Poems*	*Ernst Barlach (†1938) sculptor, writer
1871	Meyer *Huttens letzte Tage* Storm *Draußen im Heidedorf*	Carroll *Alice Through the Looking Glass* Dostoevski *The Possessed* Swinburne *Songs before Sunrise* Zola *Les Rougon-Macquart* (—1893)	†Moritz von Schwind (*1804) painter *Lyonel Feininger (†1956) painter
1872	Busch *Die fromme Helene* Freytag *Die Ahnen* (—1883) Keller *Sieben Legenden*	Butler *Erewhon* Daudet *Tartarin de Tarascon* Eliot *Middlemarch* Hardy *Under the Greenwood Tree* Hugo *L'Année terrible*	†Julius Schnorr von Carolsfeld (*1794) painter
1873	Keller *Die Leute von Seldwyla* (enlarged edition; 2 vols. —1874) Storm *Viola tricolor*	Bridges *Shorter Poems* Hugo *Quatre-vingt-treize* Ibsen *Emperor and Galilean* Rimbaud *Une Saison en enfer* Tolstoi *Anna Karenina* (—1876)	*Max Reger (†1916) composer
1874	*Hugo von Hofmannsthal (†1929) Anzengruber *Das vierte Gebot* Busch *Kritik des Herzens* Wagner *Die Götterdämmerung*	Thomson *The City of Dreadful Night* Verlaine *Romances sans paroles*	*Arnold Schönberg (†1951) composer
1875	*Thomas Mann (†1955) *Rainer Maria Rilke (†1926)		
1876	*Gertrud von Le Fort Meyer *Jürg Jenatsch* Raabe *Horacker* Storm *Aquis submersus* Wagner *Der Ring des Nibelungen* (since 1869)	Eliot *Daniel Deronda* Hugo *Légende des siècles II* Mallarmé *L'Après-midi d'un faune* Morris *Sigurd the Volsung*	*Paula Modersohn-Becker (†1907) painter

Date	History	Culture
1877		
1878	Congress of Berlin (balance of power principle) Russia leaves League Austria seizes Bosnia and Herzegovina Bismarck's anti-socialist laws (—1890)	Nietzsche *Menschliches Allzumenschliches*
1879	Supreme Court established at Leipzig	Treitschke *Deutsche Geschichte im 19. Jahrhundert* (5 vols. —1894)
1880		*Oswald Spengler (†1936) Scherer *Geschichte der deutschen Literatur* (—1883)
1881	Neutrality pact between Germany, Austria, Russia	Nietzsche *Morgenröte* Ranke *Weltgeschichte* (16 vols. —1888)
1882	Triple Alliance (Germany, Austria, Italy)	*Nicolai Hartmann (†1950) Nietzsche *Die fröhliche Wissenschaft*
1883	†Karl Marx (*1818) Bismarck's sickness insurance laws	Dilthey *Einleitung in die Geisteswissenschaften* Nietzsche *Also sprach Zarathustra* (—1884)
1884	Beginnings of German colonial empire Bismarck's accident insurance law	
1885		

TABLES

Date	German Literature	Other Literatures	German Artists
1877	*Hermann Hesse Keller *Züricher Novellen* Meyer *Der Schuß von der Kanzel* Storm *Carsten Curator*	Carducci *Odi barbare* Flaubert *Trois Contes* Ibsen *Pillars of Society* James *The American* Turgenev *Virgin Soil* Zola *L'Assommoir*	*Georg Kolbe (†1947) sculptor *Alfred Kubin (†1959) graphic artist
1878	*Hans Carossa (†1956) *Georg Kaiser (†1945) Fontane *Vor dem Sturm* Storm *Renate*	Hardy *The Return of the Native* Ibsen *A Doll's House*	*Karl Hofer (†1955) painter
1879	*Agnes Miegel Keller *Der grüne Heinrich* (revised edition)	James *Daisy Miller* Meredith *The Egoist* Strindberg *The Red Room*	*Paul Klee (†1940) painter
1880	Fontane *Grete Minde* Meyer *Der Heilige*	Dostoevski *The Brothers Karamazov* Jacobsen *Niels Lyhne* Zola *Nana*	†Anselm Feuerbach (*1829) painter *Ernst Ludwig Kirchner (†1938) painter *Franz Marc (†1916) painter
1881	Keller *Das Sinngedicht*	France *Le Crime de Sylvestre Bonnard* Ibsen *Ghosts* James *The Portrait of a Lady* Maupassant *La Maison Tellier* Verlaine *Sagesse*	*Alexander Kanoldt (†1939) painter *Wilhelm Lehmbruck (†1919) sculptor *Max Pechstein (†1955) painter
1882	Fontane *L'Adultera* Wagner *Parsival*	Becque *Les Corbeaux* Ibsen *An Enemy of the People* Maupassant *Mademoiselle Fifi*	
1883	*Franz Kafka (†1924) Liliencron *Adjutantenritte* Meyer *Das Leiden eines Knaben*	Maupassant *Une Vie*	*Walter Gropius, architect *Erich Heckel (†1955) painter †Richard Wagner (*1813) composer, writer *Anton von Webern (†1945) composer
1884	Meyer *Die Hochzeit des Mönchs*	Daudet *Sapho* Huysmans *A Rebours* Ibsen *The Wild Duck* Leconte de Lisle *Poèmes tragiques* Maupassant *Miss Harriet* Verlaine *Jadis et naguère*	*Max Beckman (†1950) painter †Ludwig Richter (*1803) painter *Karl Schmidt-Rottluff (†1955) painter *Ludwig Meidner, painter, poet
1885		France *Le Livre de mon ami* Maupassant *Contes et nouvelles;* *Bel-Ami* Pater *Marius the Epicurean* Shaw *Widowers' Houses* Zola *Germinal*	*Alban Berg (†1935) composer

Date	History	Culture
1886		Lagarde *Deutsche Schriften* Mach *Beiträge zu einer Analyse der Empfindungen* Nietzsche *Jenseits von Gut und Böse*
1887	German reinsurance treaty with Russia (—1890)	Tönnies *Gemeinschaft und Gesellschaft*
1888	†Wilhelm I; succeeded by Friedrich III†; succeeded by Wilhelm II	Engels *Ludwig Feuerbach* Nietzsche *Der Fall Wagner; Ecce Homo; Der Antichrist*
1889		Brentano *Vom Ursprung sittlicher Erkenntnis* Nietzsche *Götzendämmerung*
1890	Dismissal of Bismarck German East Africa founded	
1891	Erfurt program of German Socialist Party	Lamprecht *Deutsche Geschichte* (—1913)
1892		Rickert *Der Gegenstand der Erkenntnis*
1893		Burdach *Vom Mittelalter zur Reformation* (11 vols. —1937)
1894		Dilthey *Ideen über eine beschreibende und zergliedernde Psychologie*

Date	German Literature	Other Literatures	German Artists
1886	Holz *Das Buch der Zeit* Keller *Martin Salander*	Ibsen *Rosmersholm* James *The Bostonians* Loti *Pêcheur d'Islande* Rimbaud *Les Illuminations* Tennyson *Locksley Hall* Tolstoi *The Power of Darkness*	*Oskar Kokoschka, painter and writer *Mies van der Rohe, architect †Karl von Piloty (*1826) painter
1887	Meyer *Die Versuchung des Pescara* Sudermann *Frau Sorge* *Georg Heym (†1912)	Carducci *Rime Nuove* Strindberg *The Father* Verhaeren *Les Soirs* Zola *La Terre*	*August Macke (†1914) painter *Ewald Mataré, sculptor *Erich Mendelsohn (†1953) architect
1888	Fontane *Irrungen Wirrungen* Storm *Der Schimmelreiter*	Doughty *Arabia Deserta* Mallarmé *Poésies* Maupassant *Sur l'eau; Pierre et Jean* Strindberg *Miss Julie*	*Willy Jaeckel (†1946) painter
1889	Hauptmann *Vor Sonnenaufgang*	Barrès *Le Jardin de Bérénice* Tolstoi *The Kreutzer Sonata* Verlaine *Parallèlement*	*Willi Baumeister (†1955) painter *Gerhard Marcks, sculptor and painter
1890	*Franz Werfel (†1945) George *Hymnen* Fontane *Stine* Sudermann *Ehre*	France *Thaïs* Hamsun *Hunger* Ibsen *Hedda Gabler* Maeterlinck *Les Aveugles* Villiers de l'Isle Adam *Axel*	
1891	George *Pilgerfahrten* Hauptmann *Einsame Menschen* Meyer *Angela Borgia* Raabe *Stopfkuchen* Wedekind *Frühlings Erwachen*	Hardy *Tess of the D'Urbervilles* Huysmans *Là-bas* Kipling *The Light that Failed* Wilde *The Picture of Dorian Gray*	*Otto Dix, painter *Max Ernst, painter
1892	*Werner Bergengruen *Josef Weinheber (†1945) Fontane *Frau Jenny Treibel* George *Algabal* Hauptmann *Die Weber*	Chekhov *The Duel* Claudel *La Ville* Deledda *Fior di Sardegna* Ibsen *The Master Builder* Maeterlinck *Pelléas et Mélisande* Yeats *The Countess Kathleen* Zola *La Débâcle*	
1893	Hauptmann *Der Biberpelz; Hanneles Himmelfahrt* Hofmannsthal *Der Tor und der Tod* Ricarda Huch *Erinnerungen von Ludolf Ursleu dem Jüngeren* Schnitzler *Anatol*	Heredia *Les Trophées* Mallarmé *Vers et proses* Thompson *Poems* Verhaeren *Les Campagnes hallucinées* Verlaine *Mes Prisons*	*Georg Grosz, caricaturist
1894		D'Annunzio *Trionfo della Morte* France *Le Lys rouge* Hamsun *Pan* Kipling *The Jungle Book* Moore *Esther Waters* Yeats *The Land of Heart's Desire*	*Werner Gilles, painter

Date	History	Culture
1895	†Friedrich Engels (*1820)	
1896		Rickert *Die Grenzen der naturwissenschaftlichen Begriffsbildung* (—1902)
1897		†Jacob Burckhardt (*1818) Treitschke *Politik* (—1898)
1898	†Otto von Bismarck (*1815)	Wölfflin *Renaissance und Barock*
1899		Haeckel *Die Welträtsel* Huch *Blütezeit der Romantik* Rickert *Kulturwissenschaft und Naturwissenschaft*
1900	Civil code (*Bürgerliches Gesetzbuch*) in force	†Friedrich Nietzsche (*1844) Freud *Die Traumdeutung* Husserl *Logische Untersuchungen* (—1901) Justi *Michelangelo* Simmel *Philosophie des Geldes*
1901		Freud *Zur Psychopathologie des Alltagslebens* Max Weber *Die protestantische Ethik und der Geist des Kapitalismus*
1902		Bölsche *Das Liebesleben in der Natur* (3 vols., since 1898) Cohen *System der Philosophie* (3 vols. —1912) Huch *Ausbreitung und Verfall der Romantik*

Date	German Literature	Other Literatures	German Artists
1895	*Ernst Jünger Fontane *Effi Briest* Hauptmann *Florian Geyer* Wedekind *Erdgeist*	Hardy *Jude the Obscure* Rimbaud *Poésies complètes* Wilde *The Importance of Being Earnest* Yeats *Poems*	*Paul Hindemith, composer *Carl Orff, composer
1896	Hauptmann *Die versunkene Glocke*	Chekhov *The Seagull* France *Histoire contemporaine* (4 vols. —1901) Fogazzaro *Piccolo Mondo Antico* Housman *A Shropshire Lad* Merezhkovski *The Death of the Gods*	†Anton Bruckner (*1824) composer
1897	George *Das Jahr der Seele*	Barrès *Les Déracinés* Gide *Les Nourritures terrestres* Mallarmé *Divagations* Merezhkovski *The Peasants* Régnier *Jeux rustiques et divins* Rostand *Cyrano de Bergerac*	
1898	*Bertolt Brecht (†1956) Hauptmann *Fuhrmann Henschel* Holz *Phantasus* (2 vols. —1899)	Hardy *Wessex Poems* Huysmans *La Cathédrale* James *The Turn of the Screw* Shaw *Plays Pleasant and Unpleasant*	
1899	Fontane *Der Stechlin* George *Der Teppich des Lebens* Hofmannsthal *Theater in Versen* Schnitzler *Der grüne Kakadu*	D'Annunzio *La Gioconda* Ibsen *When We Dead Awaken* Kipling *Stalky and Co.* Moréas *Stances*	
1900	Hauptmann *Michael Kramer* Rilke *Vom lieben Gott und anderes* Spitteler *Olympischer Frühling* (4 vols. —1904) Wedekind *Der Marquis von Keith*	Brieux *La Robe rouge* Conrad *Lord Jim* Chekhov *The Three Sisters* Deledda *Il Vecchio della Montagna* Dreiser *Sister Carrie*	*Ernst Krenek, composer *Hermann Reutter, composer *Hans Ulmann, sculptor *Kurt Weill (†1950) composer
1901	Hauptmann *Der rote Hahn* Thomas Mann *Buddenbrooks* (2 vols.) Schnitzler *Leutnant Gustl*	Bang *The Gray House* Bazin *Les Oberlé* Chekhov *Uncle Vanya* Galdos *Electra* Kipling *Kim* Norris *The Octopus* Shaw *Caesar and Cleopatra* Strindberg *The Dance of Death*	†Arnold Böcklin (*1827) painter *Werner Egk, composer
1902	Hauptmann *Der arme Heinrich* Hesse *Gedichte* Huch *Aus der Triumphgasse* Rilke *Das Buch der Bilder* Strauß *Freund Hein*	Conrad *Typhoon* D'Annunzio *Francesca da Rimini* Gide *L'Immoraliste* Gorki *The Lower Depths* Lagerlöf *Jerusalem* (2 vols.) Merezhkovski *Leonardo da Vinci* Strindberg *A Dream Play*	*Ernst Wilhelm Nay, painter

Date	History	Culture
1903		Lipps *Ästhetik*
1904	Hottentot rebellion in German Southwest Africa (—1908)	Simmel *Kant*
1905	First Moroccan crisis (—1906)	Burckhardt *Weltgeschichtliche Betrachtungen* Dilthey *Das Erlebnis und die Dichtung* Freud *Der Witz und seine Beziehung zum Unbewußten; Drei Abhandlungen zur Sexualtheorie* Schweitzer *J. S. Bach* (2 vols. in French) Volkelt *System der Ästhetik* (3 vols. —1914)
1906		Cassirer *Das Erkenntnisproblem* (—1919) Ernst *Der Weg zur Form*
1907	Triple Entente (Britain, France, Russia)	Huch *Geschichten um Garibaldi* (2 vols.) Simmel *Schopenhauer und Nietzsche*
1908	Austria annexes Bosnia and Herzegovina German navy strengthened	Meinecke *Weltbürgertum und Nationalstaat* Simmel *Soziologie*

TABLES

Date	German Literature	Other Literatures	German Artists
1903	Hauptmann *Rose Bernd* Hofmannsthal *Das kleine Welt-theater; Elektra* Huch *Vita somnium breve* (=*Michael Unger*) Heinrich Mann *Die Göttinnen* (3 vols.) Thomas Mann *Tonio Kröger* *Tristan* Rilke *Von der Armut und vom Tode* Wedekind *Die Büchse der Pandora*	Butler *The Way of All Flesh* Blasco Ibañez *La Catedral* James *The Ambassadors* London *The Call of the Wild* Shaw *Man and Superman* Zola *Les Trois Évangiles*	*Boris Blacher, composer
1904	Hesse *Peter Camenzind* Heinrich Mann *Flöten und Dolche* Rilke *Cornet*	Barrie *Peter Pan* Chekhov *The Cherry Orchard* Conrad *Nostromo* Hudson *Green Mansions* James *The Golden Bowl* Strindberg *To Damascus* (3 parts, since 1898)	
1905	Heinrich Mann *Professor Unrat* Morgenstern *Galgenlieder*	Gorki *The Mother* Marinetti *Manifesto of Futurism* Merezhkovski *Christ and Antichrist* (trilogy of novels, since 1895); *Peter and Alexis* Rolland *Jean Christophe* (10 vols. —1913) Shaw *Major Barbara* Synge *Riders to the Sea* Wilde *De Profundis*	*Karl Amadeus Hartmann, composer †Adolf von Menzel (*1815) painter
1906	Hauptmann *Und Pippa tanzt* Hesse *Unterm Rad*	Galsworthy *The Man of Property* Pascoli *Odi e Inni* Shaw *The Doctor's Dilemma* Sinclair *The Jungle*	
1907	George *Der siebente Ring* Carl Hauptmann *Einhart der Lächler* Hesse *Diesseits* Miegel *Balladen und Lieder* Mombert *Aeon* (3 vols. —1911) Rilke *Neue Gedichte I*	Artsybashev *Sanin* Bazin *Le Blé qui lève* Conrad *The Secret Agent* Rolland *Beethoven; Michelange* Strindberg *The Ghost Sonata* Synge *The Playboy of the Western World*	*Wolfgang Fortner, composer
1908	Rilke *Neue Gedichte II* Schäfer *Anekdoten* Schnitzler *Der Weg ins Freie*	Andreyev *The Seven That Were Hanged* Barrie *What Every Woman Knows* Bennett *The Old Wives' Tale* France *L'Ile des Pingouins* Hardy *The Dynasts* (3 parts, since 1903) Maeterlinck *L'Oiseau bleu* Romains *La Vie unanime*	*Karl Hartung, sculptor

Date	History	Culture
1909		Driesch *Philosophie des Organischen* George: Dante and Shakespeare translations
1910	Russo–German non-aggression pact	Cassirer *Substanzbegriff und Funktionsbegriff* Eulenberg *Schattenbilder* Klages *Prinzipien der Charakterologie*
1911	Second Moroccan crisis	†Wilhelm Dilthey (*1833) Lily Braun *Memoiren einer Sozialistin* Gundolf *Shakespeare und der deutsche Geist* Simmel *Philosophische Kultur* Soergel *Dichtung und Dichter der Zeit I* Unger *Hamann und die Aufklärung* Vaihinger *Die Philosophie des Als Ob* Worringer *Formprobleme der Gotik*
1912	Social Democrats win 110 seats in Reichstag	Chamberlain *Goethe* Huch *Der große Krieg in Deutschland* (3 vols. —1914) Jung *Wandlungen und Symbole der Libido* Rathenau *Zur Kritik der Zeit*
1913	German army strengthened	Dilthey *Weltanschauung und Analyse des Menschen seit Renaissance und Reformation* Freud *Totem und Tabu* Husserl *Ideen zu einer reinen Phänomenologie und phänomenologischen Philosophie* Köhler *Gestaltprobleme und Gestalttheorie* Simmel *Goethe* Sombart *Der Bourgeois*
1914	World War I begins (August) Tannenberg; Battle of the Marne Germany loses her colonies	Spann *Gesellschaftslehre* Spranger *Lebensformen*

Date	German Literature	Other Literatures	German Artists
1909	†Detlev von Liliencron (*1844) Busch *Schein und Sein* Thomas Mann *Königliche Hoheit* Mombert *Der himmlische Zecher* Rilke *Requiem* Wassermann *Caspar Hauser*	Barrès *Colette Baudoche* Claudel *Cinq grands odes* Galsworthy *Strife* Gide *La Porte étroite* Pound *Exultations* Wells *Tono-Bungay*	
1910	Carossa *Gedichte* Däubler *Das Nordlicht* (3 vols.) Hauptmann *Der Narr in Christo;* *Emanuel Quint* Heinrich Mann *Die kleine Stadt* Morgenstern *Palmström* Rilke *Die Aufzeichnungen des* *Malte Laurids Brigge* (2 vols.) Spitteler *Olympischer Frühling* (revised)	Meredith *Last Poems* Péguy *Notre Jeunesse*	
1911	Hauptmann *Die Ratten* Heym *Der ewige Tag* Hofmannsthal *Alkestis; Jedermann* Kaiser *Die jüdische Witwe* Sorge *Der Bettler* Sternheim *Die Hose* Werfel *Der Weltfreund*	Claudel *L'Ôtage* Dreiser *Jenny Gerhardt* St. John Perse *Éloges* Wharton *Ethan Frome*	*Georg Meistermann, painter
1912	†Georg Heym (*1877) Barlach *Der tote Tag* Benn *Morgue* Heym *Umbra vitae* Hofmannsthal *Ariadne auf* *Naxos; Der Rosenkavalier* Sternheim *Bürger Schippel* Strauß *Der nackte Mann*	Alain-Fournier *Les Grands* *Meaulnes* Claudel *L'Annonce faite à Marie* de la Mare *The Listeners* France *Les Dieux ont soif* Shaw *Pygmalion*	
1913	George *Der Stern des Bundes* Hauptmann *Festspiel in deutschen* *Reimen* Kafka *Der Heizer* Kellermann *Der Tunnel* Thomas Mann *Der Tod in* *Venedig* Rilke *Das Marienleben* Trakl *Gedichte* Werfel *Wir sind*	Apollinaire *Alcools* Lawrence *Sons and Lovers* Proust *A la Recherche du temps* *perdu* (—1928) Shaw *Androcles and the Lion*	*Heinz Trökes, painter
1914	Leonhard Frank *Die Räuberbande* Hauptmann *Der Bogen des* *Odysseus* Kaiser *Die Bürger von Calais* Heinrich Mann *Der Untertan* Schröder *Deutsche Oden* Sternheim *Der Snob*	Andreyev *He Who Gets Slapped* France *La Révolte des anges* Frost *North of Boston* Joyce *Dubliners*	

Date	History	Culture
1915	Germans destroy Russian army; use gas on Western front; intensify submarine warfare; sink Lusitania; attack London and Paris by air	Huch *Wallenstein* Wölfflin *Kunstgeschichtliche Grundbegriffe*
1916	Siege of Verdun Hindenburg and Ludendorff control German economy Battle of the Somme German gains in eastern Europe German peace note rejected by Allies Skaggerak Liebknecht and Luxemburg agitate against war	Gundolf *Goethe* Huch *Luthers Glaube* Simmel *Rembrandt*
1917	Peace agitation spreads in Germany Mutiny in French army United States enters war Wilhelm II promises direct, secret ballot for Prussia Tank warfare introduced by British Mutiny in German navy Unrestricted submarine warfare by Germany Secret peace negotiations by Austria	Kerr *Die Welt im Drama* (5 vols.) Klages *Handschrift und Charakter* Rathenau *Von kommenden Dingen* Simmel *Grundfragen der Soziologie*
1918	Wilson's 14 points proclaimed Treaty of Brest-Litovsk Romania and Turkey quit war Austrian military power collapses Czechoslovakia and Hungary proclaimed republics German munitions workers strike German army sues for armistice (November 11) Revolution in Germany; Wilhelm II abdicates German Republic proclaimed German Communist Party founded	Bertram *Nietzsche* Burdach *Reformation, Renaissance, Humanismus* Gundolf *Shakespeare in deutscher Sprache* (since 1908) Thomas Mann *Betrachtungen eines Unpolitischen* Simmel *Lebensanschauung* Spengler *Der Untergang des Abendlandes* (—1922)
1919	Spartacist (=Communist) uprisings in Prussia and Bavaria suppressed National assembly in Weimar adopts democratic constitution Germany signs Treaty of Versailles Austria signs Treaty of Saint Germain	Barth *Der Römerbrief* Cassirer *Kants Leben und Lehre* Jaspers *Psychologie der Weltanschauungen* Rathenau *Die neue Gesellschaft*
1920	Kapp Putsch Former German colonies placed under League of Nations mandate	†Max Weber (*1864) Freud *Jenseits des Lustprinzips* Sombart *Der moderne Kapitalismus* (2 vols.) Ziegler *Gestaltwandel der Götter* (2 vols.) Weimar edition of Goethe's works completed (143 vols. since 1887)

Date	German Literature	Other Literatures	German Artists
1915	Döblin *Die drei Sprünge des Wang-lun* Edschmid *Die sechs Mündungen* Hesse *Knulp* Meyrink *Der Golem*	Bunin *The Gentleman from San Francisco* Conrad *Victory* Dreiser *The Genius* Masters *Spoon River Anthology* Maugham *Of Human Bondage* Richardson *Pilgrimage* (9 vols. —1927) Woolf *The Voyage Out*	
1916	Benn *Gehirne* Brod *Tycho Brahes Weg zu Gott* Kafka *Die Verwandlung* Unruh *Ein Geschlecht*	Barbusse *Le Feu* Blasco Ibañez *Los cuatro jinetes del Apocalipsio* Moore *The Brook Kerith*	
1917	Goering *Seeschlacht* Kaiser *Die Koralle* Heinrich Mann *Die Armen*	Hamsun *Growth of the Soil* Joyce *A Portrait of the Artist as a Young Man* Pasternak *My Sister Life* Shaw *Heartbreak House* Valéry *La jeune Parque*	
1918	Barlach *Der arme Vetter* Döblin *Wadzecks Kampf mit der Dampfturbine* Hauptmann *Der Ketzer von Soana* Kaiser *Gas I*	Blok *The Twelve* Hopkins *Poems*	
1919	Hesse *Demian* Wassermann *Christian Wahn-schaffe*	Anderson *Winesburg, Ohio* Cabell *Jurgen* Supervielle *Poèmes*	
1920	†Richard Dehmel (*1863) Ernst *Komödianten- und Spitz-bubengeschichten* Hauptmann *Der weiße Heiland* Jünger *In Stahlgewittern* Kaiser *Gas II; Der gerettete Alki-biades* Schaeffer *Helianth* Sternheim *Europa* Strauß *Der Schleier* Werfel *Spiegelmensch*	Lewis *Main Street* O'Neill *The Emperor Jones* Pirandello *Sei personaggi in cerca d'autore* Undset *Kristin Lavransdatter* (3 vols. —1922) Valéry *Le Cimetière marin; Odes* Wharton *The Age of Innocence*	

Date	History	Culture
1921	Erzberger assassinated by nationalists German *Freikorps* active in Silesia and Poland SA (=Nazi storm troops) formed	Brod *Heidentum, Christentum, Judentum* (2 vols.) Hartmann *Grundzüge einer Metaphysik der Erkenntnis* Heusler *Nibelungensage und Nibelungenlied* Jung *Psychologische Typen* Kretschmer *Körperbau und Charakter* Scheler *Vom Ewigen im Menschen* Wittgenstein *Tractatus logico-philosophicus*
1922	Walther Rathenau assassinated by nationalists	Huch *Vom Wesen des Menschen* G. Kafka *Handbuch der vergleichenden Psychologie* (3 vols.) Klages *Vom kosmogonischen Eros* Troeltsch *Der Historismus und seine Probleme* Max Weber *Wirtschaft und Gesellschaft; Wissenschaftslehre*
1923	French occupy Ruhr; Inflation in Germany Nazi Putsch in Munich; Hitler imprisoned	Cassirer *Philosophie der symbolischen Formen* (3 vols. —1929) Freud *Das Ich und das Es* Korff *Geist der Goethezeit* (4 vols. —1953) Mauthner *Der Atheismus und seine Geschichte im Abendlande* (4 vols. since 1920) Meyer *Ursprung und Anfänge des Christentums* (3 vols. since 1920) Moeller van den Bruck *Das dritte Reich*
1924	Hitler released from prison	Barth *Das Wort Gottes und die Theologie* Dehio *Geschichte der deutschen Kunst* (3 vols. since 1919) Delbrück *Weltgeschichte* (5 vols. —1928) Moser *Geschichte der deutschen Musik* (3 vols. since 1920) Schweitzer *Kultur und Ethik* Sievers *Ziele und Wege der Schallanalyse* Max Weber *Gesammelte Aufsätze; Wirtschaftsgeschichte*
1925	Hindenburg elected Reichspräsident Allies begin to leave Germany (—1930) Hitler organizes Nazi Party SS (=elite guard) formed; *Mein Kampf* published Locarno conference	†Rudolf Steiner (*1861) Buber *Die Schrift* Burdach *Vorspiel* (3 vols. —1927) Hartmann *Ethik* Soergel *Dichtung und Dichter der Zeit II* Walzel *Gehalt und Gestalt im Kunstwerk des Dichters*
1926	Germany enters League of Nations German neutrality pact with Russia	Thomas Mann *Bemühungen*

TABLES

Date	German Literature	Other Literatures	German Artists
1921	Hauptmann *Indipohdi* Hofmannsthal *Der Schwierige* Toller *Masse Mensch*	Moore *Heloise and Abelard* Shaw *Back to Methuselah* A. N. Tolstoi *The Path of Suffering* (—1924)	
1922	Barlach *Der Findling* Brecht *Trommeln in der Nacht* Carossa *Eine Kindheit* Hesse *Siddharta* Hofmannsthal *Das Salzburger große Welttheater* Ina Seidel *Das Labyrinth*	T. S. Eliot *The Waste Land* Joyce *Ulysses* Lewis *Babbitt* Rolland *L'Ame enchantée* (7 vols. —1933) Valéry *Charmes* Woolf *Jacob's Room* Yeats *Later Poems* Martin du Gard *Les Thibault* (8 vols. —1940)	
1923	Rilke *Duineser Elegien; Sonette an Orpheus* Salten *Bambi* Werfel *Verdi*	Cather *A Lost Lady* Huxley *Antic Hay* Mauriac *Génitrix* Millay *The Harp-Weaver and Other Poems* Pasternak *Themes and Variations* Romains *Knock* Shaw *St. Joan*	
1924	†Franz Kafka (*1883) Barlach *Die Sündflut* Carossa *Rumänisches Tagebuch* Döblin *Berge, Meere und Giganten* Hauptmann *Die Insel der großen Mutter* Kafka *Ein Hungerkünstler* Thomas Mann *Der Zauberberg* (2 vols.) Schnitzler *Fräulein Else* Spitteler *Prometheus der Dulder*	Forster *A Passage to India* Webb *Precious Bane*	
1925	Hauptmann *Veland* Hofmannsthal *Der Turm* Kafka *Der Prozeß* Kolbenheyer *Paracelsus* (3 vols. since 1907) Heinrich Mann *Der Kopf* Neumann *Der Patriot* Zuckmayer *Der fröhliche Weinberg*	Dreiser *An American Tragedy* (2 vols.) Fitzgerald *The Great Gatsby* O'Casey *Juno and the Paycock* Supervielle *Gravitations* Woolf *Mrs. Dalloway*	*Hans Werner Henze, composer
1926	†Rainer Maria Rilke (*1875) Grimm *Volk ohne Raum* Hauptmann *Dorothea Angermann* Kafka *Das Schloß*	Babel *Red Cavalry* Bernanos *Sous le Soleil de Satan* Gide *Les Faux-monnayeurs* D. H. Lawrence *The Plumed Serpent*	

Date	History	Culture
1926		
1927		Freud *Die Zukunft einer Illusion* Heidegger *Sein und Zeit I* Huch *Im alten Reich* (2 vols. —1929) Pinder *Das Problem der Generation*
1928		†Max Scheler (*1874) Carnap *Der logische Aufbau der Welt* Jung *Die Beziehungen zwischen dem Ich und dem Unbewußten* Scheler *Die Stellung des Menschen im Kosmos*
1929		Heidegger *Was ist Metaphysik?* Klages *Der Geist als Widersacher der Seele* (3 vols. —1932) Kretschmer *Geniale Menschen* Heinrich Mann *Sieben Jahre* Mannheim *Ideologie und Utopia*
1930	Allies leave Rhineland Hindenburg uses dictatorial powers	Adler *Technik der Individualpsychologie* Freud *Das Unbehagen in der Kultur* Huch *Alte und neue Götter* Thomas Mann *Die Forderung des Tages* Rosenberg *Der Mythos des 20. Jahrhunderts* Schweitzer *Die Mystik des Apostels Paulus*
1931	Coalition between Nazis and Nationalists	Jaspers *Die geistige Situation der Zeit* Heinrich Mann *Geist und Tat* Schweitzer *Aus meinem Leben* Spengler *Der Mensch und die Technik* Tönnies *Einführung in die Soziologie* Wölfflin *Italien und das deutsche Formgefühl*

Date	German Literature	Other Literatures	German Artists
1926	Thomas Mann *Unordnung und frühes Leid* Neumann *Der Teufel*	T. E. Lawrence *Seven Pillars of Wisdom* O'Casey *The Plough and the Stars* St. John Perse *Anabase*	
1927	Benn *Gesammelte Gedichte* Brecht *Hauspostille* Hauptmann *Till Eulenspiegel* Hesse *Der Steppenwolf* Kafka *Amerika* Zweig *Der Streit um den Sergeanten Grischa*	Cather *Death Comes for the Archbishop* García Lorca *Canciones* Mauriac *Thérèse Desqueroux* E. A. Robinson *Tristram* Woolf *To the Lighthouse*	
1928	Brecht *Die Dreigroschenoper* Carossa *Verwandlungen einer Jugend* Le Fort *Das Schweißtuch der Veronika I* Kaiser *Die Lederköpfe* Renn *Krieg* Schnitzler *Therese* Seghers *Der Aufstand der Fischer von St. Barbara*	Benét *John Brown's Body* García Lorca *Romancero gitano* Huxley *Point Counterpoint* D. H. Lawrence *Lady Chatterley's Lover* Malraux *Les Conquérants* O'Neill *Strange Interlude* Sandburg *Selected Poems* Sholokhov *And Quiet Flows the Don*	
1929	†Hugo von Hofmannsthal (*1874) †Arno Holz (*1863) Brecht *Aufstieg und Fall der Stadt Mahagonny* Döblin *Berlin Alexanderplatz* George *Das neue Reich* Jünger *Das abenteuerliche Herz* Remarque *Im Westen nichts Neues* Schäfer *Gesammelte Anekdoten* Werfel *Barbara oder die Frömmigkeit*	Bridges *The Testament of Beauty* Cocteau *Les Enfants terribles* Faulkner *The Sound and the Fury* Giraudoux *Amphytrion 38* Hemingway *A Farewell to Arms* Wolfe *Look Homeward Angel* Woolf *Orlando*	
1930	Grimm *Der Richter in der Karu* Hesse *Narziß und Goldmund* Kästner *Ein Mann gibt Auskunft* Le Fort *Der Papst aus dem Ghetto* Musil *Der Mann ohne Eigenschaften I* Ina Seidel *Das Wunschkind*	Auden *Poems* Dos Passos *U.S.A.* (3 vols. —1936) Eliot *Ash Wednesday* Pound *A Draft of XXX Cantos* Edith Sitwell *Collected Poems*	
1931	†Arthur Schnitzler (*1863) Broch *Die Schlafwandler I, II* Leonhard Frank *Von drei Millionen drei* Hesse *Der Weg nach Innen* Kästner *Fabian* Le Fort *Die Letzte am Schafott* Schickele *Das Erbe am Rhein* (3 vols. since 1925) Zuckmayer *Der Hauptmann von Köpenick*	Faulkner *Sanctuary* García Lorca *Poema del cante jondo* O'Neill *Mourning Becomes Electra* Woolf *The Waves*	

Date	History	Culture
1932	Disarmament conference fails Hindenburg re-elected president Papen (nationalist) becomes chancellor National elections (Nazis take 37.8 per cent of seats in Reichstag) Second national election (Nazis lose heavily) Depression at peak	Frank *Das Kausalgesetz und seine Grenzen* Jaspers *Philosophie* (3 vols.) Jünger *Der Arbeiter*
1933	Nazis seize power Hitler named chancellor Germany leaves League of Nations	†Hans Vaihinger (*1852) Barth *Theologische Existenz heute* Dilthey *Von deutscher Dichtung und Musik* Haecker *Was ist der Mensch?* Planck *Wege zu physikalischer Erkenntnis*
1934	Nazi Putsch in Austria; Dollfus assassinated German non-aggression pact with Poland First Nazi purge; SA stripped of powers	Bücken *Handbuch der Musikwissenschaft* (13 vols. since 1927) Burdach *Die Wissenschaft von deutscher Sprache* Carnap *Logische Syntax der Sprache* Huch *Römisches Reich deutscher Nation* Jaeger *Paideia* (3 vols. —1947) Spann *Gesellschaftslehre und Philosophie*
1935	Compulsory labor instituted Naval agreement with Britain Saar region returned to Germany by plebiscite Racial laws promulgated at Nuremberg Party rally	Hartmann *Zur Grundlegung der Ontologie* Thomas Mann *Leiden und Größe der Meister* Reichenbach *Wahrscheinlichkeitslehre* Alfred Weber *Kulturgeschichte als Kultursoziologie* S. Zweig *Baumeister der Welt*
1936	Remilitarization of Rhineland Rome-Berlin axis formed Anti-Comintern pact (Germany, Italy, Japan) Franco regime recognized	†Oswald Spengler (*1880) Jaspers *Nietzsche* Meinecke *Die Entstehung des Historismus* Sombart *Soziologie*
1937		†Alfred Adler (*1870) Huch *Das Zeitalter der Glaubensspaltung*
1938	Germany seizes Austria Munich crisis; Germany seizes Sudetenland Non-aggression pacts with Britain and France Government-inspired pogroms in Germany	†Edmund Husserl (*1859) Hartmann *Möglichkeit und Wirklichkeit* Jaspers *Existenzphilosophie*

Date	German Literature	Other Literatures	German Artists
1932	Brecht *Die heilige Johanna der Schlachthöfe* Broch *Die Schlafwandler III* Fallada *Kleiner Mann was nun?* Hauptmann *Vor Sonnenuntergang* Hesse *Die Morgenlandfahrt*	Céline *Voyage au bout de la nuit* Farrel *Studs Lonigan* (3 vols. —1935) Huxley *Brave New World* Morgan *The Fountain* Romains *Les Hommes de bonne volonté* (27 vols. —1947)	
1933	†Paul Ernst (*1866) †Stefan George (*1868) Thomas Mann *Joseph und seine Brüder I* Musil *Der Mann ohne Eigenschaften II* Werfel *Die vierzig Tage des Musa Dagh*	Crane *Collected Poems* Duhamel *Chronique des Pasquier* (10 vols. —1945) García Lorca *Bodas de sangre* Malraux *La Condition humaine*	
1934	Brecht *Der Dreigroschenroman* Thomas Mann *Joseph und seine Brüder II* Rilke *Späte Gedichte* Strauß *Das Riesenspielzeug* Weinheber *Adel und Untergang* Wiechert *Die Majorin*		
1935	Bergengruen *Der Großtyrann und das Gericht* F. G. Jünger *Gedichte* Lehmann *Antwort des Schweigens*	Eliot *Murder in the Cathedral* Giraudoux *La guerre de Troie n'aura pas lieu* Pirandello *Non si sa come* Wolfe *Of Time and the River*	
1936	Benn *Ausgewählte Gedichte* Carossa *Geheimnisse des reifen Lebens* Thomas Mann *Joseph und seine Brüder III* Weinheber *Späte Krone*	Bernanos *Journal d'un curé de campagne* Eliot *Collected Poems* Montherlant *Les Jeunes Filles* (4 vols. —1939) Sandburg *The People, Yes*	
1937	Hauptmann *Das Abenteuer meiner Jugend* Hesse *Neue Gedichte* Weinheber *O Mensch gib acht*	Giraudoux *Électre* Malraux *L'Espoir* E. A. Robinson *Collected Poems*	
1938	Kluge *Der Herr Kortüm* Heinrich Mann *Jugend und Vollendung des Königs Henri IV* (2 vols. since 1935) Schneider *Las Casas* Ina Seidel *Lennacker* Weinheber *Zwischen Göttern und Dämonen*	Bernanos *Les grands cimetières sous la lune* Éluard *La Fable du monde* Sartre *La Nausée*	

Date	History	Culture
1939	Germany seizes Czechoslovakia and Memel; breaks non-aggression pact with Poland; signs non-aggression pact with Russia; invades and conquers Poland Compulsory labor for women Second World War breaks out (August)	†Sigmund Freud (*1856)
1940	Germany conquers Denmark, Holland, Norway, Luxemburg, Belgium, France Japan joins Axis	
1941	Rommel's offensive in Africa fails Atlantic Charter proclaimed Germany occupies Greece and Crete Germany invades Russia German opposition to Hitler Pearl Harbor	Jung *Einführung in das Wesen der Mythologie*
1942	German defeat at Stalingrad Allies land in Africa Germans occupy all France; French resistance formed Japanese victories in East; defeats at sea	
1943	Casablanca conference: "unconditional surrender" Russia reconquers Ukraine Scholls and Huber executed for anti-Nazi activity Maximum U-boat damage to Allied shipping; invention of radar Axis withdraws from Africa; Allies land in Sicily Collapse of Italy, which declares war on Germany Teheran conference	
1944	Romania turns against Germany Russians push Germans back Rebellion against Hitler (July 20); bloody repression Allies invade Normandy; liberate France Allies penetrate into Germany Germans leave Greece and Finland Quebec conference; Rebellion in Denmark MacArthur begins reconquest of Philippines	Jung *Psychologie und Alchemie*

Date	German Literature	Other Literatures	German Artists
1939	Brecht *Svendborger Gedichte* Jünger *Auf den Marmorklippen* Thomas Mann *Lotte in Weimar* Weinheber *Kammermusik* Werfel *Der veruntreute Himmel*	Claudel *Jeanne d'Arc au bûcher* Eliot *The Family Reunion* Frost *Collected Poems* Sartre *Le Mur*	
1940	Brecht *Der gute Mensch von Sezuan* Thomas Mann *Die vertauschten Köpfe* Rinser *Die gläsernen Ringe* Schaper *Der Henker* Schröder *Die weltlichen Gedichte*	Hemingway *For Whom the Bell Tolls*	
1941	Brecht *Mutter Courage und ihre Kinder* Carossa *Das Jahr der schönen Täuschungen* Hauptmann *Atriden I* Seghers *Das siebte Kreuz* Werfel *Das Lied der Bernadette*	Aragon *Le Crève-Cœur*	
1942	Brecht *Galileo Galilei* Lehmann *Der grüne Gott* Ponten *Volk auf dem Wege* (6 vols., since 1933)	Anouilh *Antigone* Camus *L'Étranger* Éluard *Poésie et vérité; Poèmes de la France malheureuse* St. John Perse *Exil* Wilder *The Skin of Our Teeth*	
1943	Hauptmann *Der große Traum* Hesse *Das Glasperlenspiel* Krolow *Hochgelobtes, gutes Leben* Thomas Mann *Joseph und seine Brüder IV* Musil *Der Mann ohne Eigenschaften III*	Giraudoux *Sodome et Gomorrhe* Sartre *Les Mouches*	
1944	Hauptmann *Atriden II* Kaiser *Pygmalion; Bellerophon; Amphytrion*	Eliot *Four Quartets* Sartre *Huis clos*	

Date	History	Culture
1945	Yalta conference; Germany divided into zones of occupation Russians occupy eastern Germany; Siege of Berlin Nazi leadership disintegrates; Hitler suicide Dönitz government capitulates Potsdam conference; Allies occupy Germany United Nations founded Americans land near Japan Atomic bombs on Japan, which capitulates German Communist Party reorganized Allies occupy Austria	Heinrich Mann *Ein Zeitalter wird besichtigt* Thomas Mann *Adel des Geistes* Wiechert *Der Totenwald*
1946	Political parties formed in Germany (CDU, SPD; in Eastern Zone SED) Nuremberg trials; denazification laws	Hartmann *Leibniz* Jünger *Die Perfektion der Technik* Kogon *Der SS Staat*
1947	Prussian State dissolved Unsuccessful conference between West and East Germany Marshall Plan	Haecker *Tag- und Nachtbücher* Meinecke *Die deutsche Katastrophe*
1948	German currency reformed Russian blockade of Berlin; Allied airlift Land reform in East Germany	Barth *Dogmatik im Grundriß* Buber *Moses* Curtius *Europäische Literatur und lateinisches Mittelalter* Jaspers *Von der Wahrheit* Thomas Mann *Neue Studien*
1949	Russians lift blockade against Berlin Federal German Republic founded German Democratic Republic founded in Eastern Zone West Germany joins Council of Europe	Heidegger *Holzwege* Jaspers *Vom Ursprung und Ziel der Geschichte*
1950	Schuman Plan East Germany recognizes Oder-Neiße line as permanent eastern boundary West Germany allowed to remilitarize	†Nicolai Hartmann (*1882) Jaspers *Vernunft und Widervernunft in neuester Zeit* Jung *Gestaltungen des Unbewußten*

Date	German Literature	Other Literatures	German Artists
1945	†George Kaiser (*1878) †Josef Weinheber (*1892) †Franz Werfel (*1890) Bergengruen *Dies irae* Broch *Der Tod des Vergil* Hagelstange *Venezianisches Credo* Hesse *Traumfährte* Plievier *Stalingrad* Weisenborn *Die Illegalen*	Sartre *Les Chemins de la liberté*	
1946	†Gerhart Hauptmann (*1862) Benn *Die Ptolemäer* Hesse *Späte Gedichte* Langgässer *Das unauslöschliche Siegel* Le Fort *Das Schweißtuch der Veronika II* Lehmann *Entzückter Staub* Weisenborn *Babel* Werfel *Stern der Ungeborenen* Zuckmayer *Des Teufels General*	Anouilh *Médée* (3 vols. —1950)	
1947	†Ricarda Huch (*1864) Borchert *Draußen vor der Tür* Kasack *Die Stadt hinter dem Strom* Thomas Mann *Doktor Faustus* Wiechert *Die Jerominkinder*	Auden *The Age of Anxiety* Camus *La Peste* Fry *The Lady's Not for Burning* St. John Perse *Vents*	
1948	Benn *Statische Gedichte* Brecht *Kalendergeschichten* Hauptmann *Atriden III, IV* Krolow *Gedichte* Lange *Am kimmerischen Strand*	Faulkner *Intruder in the Dust* Fry *Venus Observed* Mailer *The Naked and the Dead*	
1949	Andres *Die Sintflut I* Bergengruen *Das Feuerzeichen* Döblin *November 1918* (3 vols., since 1939) Jahnn *Fluß ohne Ufer I, II* Ernst Jünger *Strahlungen; Heliopolis* F. G. Jünger *Gesammelte Gedichte* Langgässer *Das Labyrinth* Schröder *Die geistlichen Gedichte*	Eliot *The Cocktail Party* Orwell *1984*	
1950	Benn *Doppelleben* Broch *Die Schuldlosen* Kaschnitz *Zukunftsmusik* Langgässer *Märkische Argonautenfahrt* Rinser *Mitte des Lebens* Wiechert *Missa sine nomine* Zuckmayer *Gesang im Feuerofen*		

Date	German Literature	Other Literature	German Artists
1945	†Georg Kaiser (*1878)	Sartre Les Chemins de la liberté	
	†Josef Weinheber (*1892)		
	[Franz Werfel] (*1890)		
	Bergengruen Dies irae		
	Broch Der Tod des Vergil		
	Hauptmann Neue (und alte) Gedichte		
	Hesse Traumfährte		
	Plievier Stalingrad		
	Weisenborn Die Illegalen		
1946	†Gerhart Hauptmann (*1862)	Auden Abbey (1. vols. 1–1950)	
	Horst Die Prüfmoker		
	Hesse Stunt Credibo		
	Langgässer Das unauslöschliche Siegel		
	Le Fort Das Schweißtuch der Veronika II		
	Lehmann Dauerklarer Stand		
	Weisenborn Babel		
	Werfel Stern der Ungeborenen		
	Zuckmayer Des Teufels General		
1947	†Ricarda Huch (*1864)	Auden The Age of Anxiety	
	Borchert Draußen vor der Tür	Camus La Peste	
	Kasack Die Stadt hinter dem Strom	Ivy The Lady's Not for Burning	
	Thomas Mann Doktor Faustus	St. John Perce Exil	
	Weisbach Die Barmherzigkeit		
1948	Benn Statische Gedichte	Faulkner Intruder in the Dust	
	Brecht Kalendergeschichten	Ivy Como Observed	
	Hauptmann Atriden III, IV	Mailer The Naked and the Dead	
	Krolow Gedichte		
	Langgässer Das unauslöschliche Siegel		
1949	Andres De Sintflut	Eliot The Cocktail Party	
	Bergengruen Das Feuerzeichen	Orwell 1984	
	Döblin November 1918 (3 vols. since 1939)		
	Jahn Fluß ohne Ufer I, II		
	Ernst Jünger Strahlungen? Heliopolis		
	E. G. Jünger Gedanken Gedichte		
	Langgässer Die Laubschürk		
	Schröder Die geistlichen Gedichte		
1950	Benn Doppelleben		
	Brecht Die Stücklicht		
	Kaschnitz Zukunftsmusik		
	Langgässer Märkische Argonautenfahrt		
	Rinser Mitte des Lebens		
	Wiechert Missa sine nomine		
	Zuckmayer Gesang im Feuerofen		

INDEX